U0163909

臺灣高等經學研討論集叢刊

變動時代的經學與經學家

——民國時期（1912-1949）經學研究

第二冊
詩經研究

林慶彰
蔣秋華　總策畫

楊晉龍　主編

總序

一　前言

　　經學史的研究本來是中國文學系的專利，但是一研究到晚清民國時期這一時段，一向擁有專利的中文人卻失去了他們的發言權，由歷史學人來主導，這個時段也被稱為「經學的史學化」，當然研究這個時段的史學家都跑來研究經學，他們用史學的眼光來探究經學，把經學問題都看成史學問題，經學的史學化也是必然的結果，但是我們不禁要問民國時期的經學著作有多少種？這些講經學史學化的學者又讀了多少種？研究經學的人，對這兩個問題沒有正確觀念，要和他談這一時段的經學也就很困難。

　　從來沒有人對民國時期的經學著作有多少種做過精確的統計，中國國家圖書館所編輯的《民國時期總書目》總計二十冊，其中並沒有經學的類目，經學的著作到處流竄，要統計它的正確數字必須二十本書全部翻完。我粗略翻閱的結果，大概有二百二十種。我所主編的《經學研究論著目錄（1912-1987）》用漢學研究中心所建置的檢索系統加以檢索約有六百六十種。我還是不相信這個時段的經學著作有這麼少，這也是激發我們執行民國以來經學研究計畫的主要原因。

二　執行「民國以來經學研究計畫」

　　我們不但質疑當時經學著作的總數，對某些圖書館處理民國文獻的方法不夠嚴謹，大陸有不少圖書館是將民國時期的文獻堆積在倉庫或走道，臺灣因為民國時期是屬於日本統治時期，要求臺灣人民皇民化，漢字寫的書看得越少越好，所以有不少民國時期的著作都流入舊書攤。要喚起學界對民國時期文獻的

重視，光是寫寫文章來呼籲，效果相當有限。我們明知要研究這個課題有許多問題亟待解決，但是如果我們不去研究它，還有誰能代我們去研究呢？所以我們經學文獻組的同仁經過幾次討論後，大家同意這六年全心全意執行民國以來經學的研究計畫。此一研究計畫是從二〇〇七年一月起開始執行，二〇一二年十二月結束，前後六年。前四年（2007-2010）執行民國時期經學研究計畫，後兩年（2011-2012）執行新中國的經學研究計畫。

　　民國時期是指民國元年（1912）至民國三十八年（1949）新中國成立前的時段。這一時段就經學這一學科來說，可說是生死存亡的關頭，因此諸事百廢待舉，就連一本反映當時經學實況的書目也沒有，何況其他？為了能有效執行這個研究計畫，我們做了數項基礎工作：

（一）編輯經學家著作目錄

　　要了解一位學者的學說，應從閱讀他的著作入手，要比較全面的了解他的著作，應先有一份完整的著作目錄。民國時期的學者由於時局動盪不安，大都沒有較完整的著作目錄。我挑選出數十位經學家，在東吳大學中國文學系博碩士班講授「中國經學史專題研究」、「經學文獻學」的課程時，以作期末作業的方式完成了數十篇，有部分著作目錄已刊登於《中國文哲研究通訊》、《經學研究集刊》。再要求原作者修訂，然後收入《民國時期經學家著作目錄彙編》中。《彙編》的第一輯，預計二〇一四年十二月底出版。

（二）編輯《民國時期經學叢書》

　　要執行此一研究計畫，第一就是要提供學者這個時期的經學著作，可是民國時期的經學著作從來沒有人整理過，為了順利執行此一計畫，我開始有系統的收集民國時期經學著作。先根據我所主編的《經學研究論著目錄（1912-1987）》找出一九一二到一九四九年的經學專著，計六百六十多種，編成《民國時期經學圖書總目》（初稿），再陸續增補，到目前已經有一千五百多種，根據

這個書目檢查各書典藏的所在，然後設法收集到文本，經過八年的努力，已經編成《民國時期經學叢書》六輯，每輯六十冊，六輯合計三百六十冊，每冊平均收二至三種著作，總計收錄近一千種。約民國時期經學著作的三分之二。

（三）編輯經學家著作集

許多經學家的著作當時刊載在各種報刊雜誌中，有典藏這些報刊雜誌的圖書館少之又少，如果有典藏也因為這些報刊雜誌的紙質脆弱而不准借閱，所以要從報刊雜誌中收集經學家的論文困難重重，為了讓研究計畫順利開展，選定李源澄與張壽林，為他們兩人編輯著作集，由於他們的傳記資料相當有限，要蒐集他們的經學論文有不知如何入手之感，有時只能靠運氣，其間的辛苦可參考我所發表的〈我收集李源澄著作的經過〉一文，經過兩年的努力終於完成《李源澄著作集》四冊、《張壽林著作集》六冊，為民國時期的經學研究添加了不少新的材料。

三　舉辦八次學術研討會

以上所述都是執行此一計畫的基礎工作，執行計畫的重頭戲，還是舉辦學術研討會。研討會可以匯集研究人力，提供學術交流的平臺。民國時期經學研究計畫執行四年，共舉辦八次研討會。發表論文一百四十餘篇，茲將各次研討會的時間、發表論文的篇數，臚列如下：

第一次研討會，二〇〇七年七月十二日，發表論文十三篇。

第二次研討會，二〇〇七年十一月十九至二十日，發表論文二十篇。

第三次研討會，二〇〇八年七月十七至十八日，發表論文十九篇。

第四次研討會，二〇〇八年十一月六至七日，發表論文十八篇。

第五次研討會，二〇〇九年七月十三至十四日，發表論文十六篇。

第六次研討會，二〇〇九年十一月十九至二十日，發表論文二十篇。

第七次研討會，二〇一〇年六月十至十一日，發表論文十八篇。

　　第八次研討會，二〇一〇年十一月四至五日，發表論文二十一篇。

　　第八次學術研討會，是此一研究計畫的最後一次研討會，我們安排了兩場別開生面的座談會。第一場座談會「民國經學家後代談親人」，我們邀請了顧頡剛之女顧潮女士，童書業之女童教英女士，張西堂之子張銘洽先生，聞一多之孫聞黎明教授四人。這幾位經學家的後代，對臺灣學術界仍重視他們的親人，相當感動。他們說他們在大陸是相當平凡的人，沒想到在臺灣學術界如此重視他們，可說愛屋及烏，反而有受寵若驚的感覺。第二場座談會是「紀念顧頡剛逝世三十週年」，本來安排中央研究院副院長王汎森院士主持，他臨時有事不能來，由本人代為主持。這場的引言人有丁亞傑、車行健、蔡長林、劉德明等教授，經學家的後代則邀了顧潮女士。

四　出版研討會論文集

　　近年，各級機關學校由於經費短缺，很多研討會都無法出版論文集。甚至於受理工科學術研討會的影響，認為研討會論文的學術水平不高，所以研討會能出版論文集者，少之又少。我個人覺得理工學界研討會發表的論文，也許僅僅是一個構想，大都未寫成完整的論文。這樣的一點構想，也許有創見，但是要和文史哲學界經過嚴格的審查，然後匯集成論文集的論文相比，恐怕不是對手。但是文史哲學界，尤其是中文學界的學者，往往缺乏自信心，一有風吹草動就棄械投降。即使有出版論文集，也不敢用論文集的名稱。辛辛苦苦撰寫的研究成果，竟無法與世人公開見面。這是中文學界最大的悲哀。我們想重建中文學人的自信心，先前發表的論文，經作者修改後，再送學者嚴格審查，審稿者同意發表的才能刊登出來。八次研討會的論文，分成七大冊，總計收入一百二十五篇。各冊之主編及所收論文篇數如下：

　　第一冊　周易十篇、尚書七篇。由蔣秋華教授主編
　　第二冊　詩經十九篇。由楊晉龍教授主編。
　　第三冊　三禮九篇、小學六篇。由范麗梅教授主編。
　　第四冊　春秋十七篇、四書八篇。由蔡長林教授主編。

第五冊　經學史二十三篇。由本人主編。

第六冊與第七冊　經學家二十六篇。由張文朝教授主編。

除了各經都有學者撰寫論文外，最重要的是屬於經學家的有二十六篇，其中有不少被遺忘的經學家，例如劉咸炘、王樹榮、唐文治、陳柱、楊筠如、蔣伯潛、龔道耕、陳鼎忠等人，都是以前研究經學的人所忽略的，現在一併把他們表彰出來，就可以知道民國時期的經學並沒有衰亡，也未必邊緣化，這是執行這個計畫最重要的目的。這個研究計畫雖然已經結束，但研究民國經學的風氣正逐漸展開，已形成經學研究最熱門的課題。中央研究院中國文哲研究所經學文獻組執行很多計畫都具有開風氣的作用，這是我們做為中國文哲研究領航者所應盡的責任和義務。

五　結語

中央研究院中國文哲研究所成立於一九八八年，至今二十五年間，執行過的計畫無數。尤其是經學文獻組所執行的計畫，對國內經學界有很深的影響。中國大陸的經學逐漸復甦，國內外學人都以為受文哲所經學文獻組的影響，我們不敢說我們有如此的影響力。但是我們已竭盡全力去執行這些計畫。

這套論文集，由此一計畫的共同主持人蔣秋華教授和本人擔任總策畫。經學文獻組六位研究人員每人負責一冊，靠大家群策群力，才能在極短的時間內，完成編輯工作。當然最辛苦的還是蔡雅如學棣，她一個人獨力完成整套論文集的體例統一與校對工作，我們深深的感謝她。也感謝百忙中撰稿參加研討會的先進朋友。

二〇一四年十月十三日林慶彰誌於
中央研究院中國文哲研究所五〇一研究室

總目次

第一冊

第二冊

第三冊

第四冊

四書研究

第五冊

第六冊

第七冊

本冊目次

《續修四庫全書總目提要（稿本）》「詩經類」之分析研究

陳文采

臺南應用科技大學通識教育中心副教授

一　纂修過程

解題書錄本具有「辨章學術，考鏡源流」的學術意涵，對一時代大型解題書錄的整理與研究，不僅能藉由對其纂修淵源、目的、內容特色及影響的探究，一窺該時代學術發展的脈絡，評騭學術成果的價值與得失，做為梳理學術史的依據。另方面，藉由對其內容進行深入的辨證與分析，更可離析出無數具體的元素，如文獻材料的掌握、各別學者研究成果的評論、學術議題的呈顯與發展等，均將有助於奠定研究該時代學術特色與得失的基礎。

民國初年出現多種《詩經》研究的專題書錄[1]，均是在「整理國故」氛圍下的《詩經》學文獻整理工作。《續修四庫全書總目提要（稿本）》是同一時代稍晚的文獻整理，為清代《四庫全書》的續修，其纂修目的與學術意義與「整理國故」運動有別，原是藉以考察民初學術發展的重要資料，「詩經類」提要則可視為民初學者對近代《詩經》學的一項大型文獻整理工作，惜終因未竟全功，原始材料塵封散佚，故本文期能藉由史料的蒐集，及從各提要撰者的分冊中將「詩經類」提要摘出彙編，進行民初《詩經》學史相關議題的分析。

1　參見拙著：〈民初學者開列的詩經研究參考書單〉附表2：5，《清末民初詩經學史論》，收入《古典文獻研究叢刊》（臺北縣：花木蘭文化出版社，2007年），第5編，第16冊，頁227-228。

（一）源起與轉折

　　續修《四庫全書總目》，在光緒一朝，倡議之聲不斷。迨及民初，又有倫明、呂思勉等學者奔走提議，唯受限國力，終未能成事。[2]今日所見的《續修四庫全書總目提要（稿本）》，是一九二七年起至一九四二年間，用日本退還庚款，在日人主導下，以抗戰期間留京（北京）學者為主要提要撰稿人的中國古籍整理工作。由於時代背景等諸多複雜因素，使其學術目的與成績倍受質疑。釐清其間的轉折，當是判別其學術價值與意義的第一步，究其纂修始末，約有兩個階段：

　　創始期（1923-1927）：一九二三年日本第四十六次國會決議通過「對支文化事業特別會計法案」，同年公佈咨詢機關「對支文化事業調查會」官制，為日後續修四庫全書提供了經費與執行機關設置的法源基礎。一九二四年確立北平人文科學研究所的設置，[3]一九二五年由中、日學者組成的東方文化事業總委員會，首次討論《續修四庫全書》的編纂，一九二七年通過「人文科學研究所暫行細則」，將《四庫全書》之續修事業分兩層進行。[4]

2　關於續修四庫全書的提議，起於光緒十五年（1889）翰林院侍講銜編修王懿榮上疏，奏請續修四庫全書。光緒三十四年（1908）有章梫上〈擬請增輯四庫全書摺〉、喻長霖上〈敬陳管見疏〉主張續修四庫全書。民國十四年（1925）邵瑞彭發表〈徵求續修四庫全書意見啟〉，黃文弼、李盛鐸等人響應，時執政者段琪瑞亦擬俟日本退還庚款商妥後，即令進行。民國十六年（1927）倫明發表〈續修四庫全書芻議〉並於民國十七年（1928）輯成「續修總目」一萬餘種。此外，另有呂思勉等人提倡成立「國民自立藝文館」，改造《四庫全書》為《民國全書》。詳見郭伯恭：〈四庫全書之續修與影印述略〉《四庫全書纂修考》（臺北市：臺灣商務印書館，1984年），附錄，頁242。郭永芳：〈續修四庫提要纂修考略〉，《圖書情報工作》1982年第5期。黃愛平：〈四庫全書續修與影印簡述〉，《四庫全書纂修研究》（北京市：中國人民出版社，1989年），附錄。

3　據中國駐日公使與日本對華文化事務局長出淵勝次在東京簽定的「日本對華事業協定」，第三條為：「在北京地方設立圖書館及人文科學研究所。」參見張寶三：〈狩野直喜與《續修四庫全書提要》之關係〉，《臺大中文學報》第10期（1998年5月），頁5-8。

4　全文詳見羅琳：〈《續修四庫全書總目提要（稿本）》纂修始末〉，《書目季刊》第30卷3

　　上述進程中參與的學者，中方以清史館老輩學者為主，柯紹忞任總裁，王樹枏任副總裁；日方副總裁為服部宇之吉，研究員有：狩野直喜、安井小太郎、內藤虎次郎等京都學派學者。[5]基於雙方共識，明文規定：「日本方面舉辦對華文化事業時，應將中國方面有識階級之代表的意見十分尊重。」[6]因此，不僅有關《續修四庫全書總目提要》的擬目、體例、撰寫、分類、經費、購書等原則，均由中方學者議定，並在狩野直喜的建議下，將所有機關均設在北京。[7]狩野直喜本人亦於一九二八年自京都赴北京，擬全力參與此項工作。大抵而言，此階段的工作重點與精神意義，均在承繼康、乾盛業，是傳統文獻保存與目錄學思維的沿續。

　　轉折——完成期（1928-1945）：一九二八年濟南事變發生後，中國學者聲明全體退出「東方文化事業總委員會」，日籍學者返回日本，並在日本國內設立「東方文化學院」，狩野直喜、服部宇之吉分任京都、東京兩研究所所長，不僅遙控在中國的續修工作，並移用多數「對支文化事業特別會計」資金。在中國的工作則由橋川時雄主持，[8]中國學者則以私人身份受聘參與工作，雖然編目工作依原計畫完成，並著手提要的撰寫，唯整體工作已呈現鬆散的組織運作。據現存文獻得知，此時期將工作的意義定位為「補修」、「補正」，及「續修」。任務階段亦從「創始期」進入「改革期」、「發展期」及「整理補纂期」。[9]新加入的提要撰者，主要來自北平圖書館及北平各大

期，頁6。

5　據《暫行細則》，研究所設正、副總裁及研究員，名單詳羅琳：〈《續修四庫全書總目提要（稿本）》纂修始末〉，見同前註，頁6。

6　見《汪公使與出淵局長了解事項覺書》第一條。

7　參見張寶三：〈狩野直喜與《續修四庫全書提要》之關係〉，頁8-9，引據小島祐馬〈狩野先生之學風〉一文內容的案語。

8　有關橋川時雄主持《續修四庫全書總目提要》的主要工作項目，參見吳格：〈橋川時雄與《續修四庫全書總目提要》編纂〉，《域外漢籍研究集刊》（北京市：中華書局，2008年），第4輯，頁377-378。

9　參見今村與志雄編：〈橋川時雄の詩文と追憶・附錄〉，《東方文化事業總委員會並北京人文科學研究所便覽——四庫全書提要續修》，頁180-185。

學，其中不少是具新、舊教育雙重背景的年輕學者。[10]

（二）文獻整理概況

　　基於上述內容，得知在特殊的時空背景下，由於缺乏嚴謹的規劃與執行，使得整體成績禁不起學術規範的嚴格考驗，但全部提要稿的撰寫完成於新、舊兩代中國學者之手，當可藉以考察比較文獻整理與工具書的編纂，在民初學術史上的意義及新、舊學術交替的脈絡。根據已整理完成的《續修四庫全書總目（稿本）》「詩經類」提要內容，至少可對近代《詩經》學史的研究，提供多項寶貴的支援。

　　圖書文獻上的支援：續修提要撰寫所依據的圖書，主要來源有五，除了北京人文科學研究所圖書部編列預算，購得的古籍一五四〇部，現今分別收藏於中國科學院圖書館、中央研究院傅斯年圖書館外，平津地區各大圖書館藏書、私人藏書（如李盛鐸、羅振玉、葉德輝及上海劉氏嘉業堂、常熟瞿氏鐵琴銅劍樓等）、國外藏書（如朝鮮奎章閣、京城大學圖書館、日本內閣文庫等），因戰火多散佚不可考，現存提要稿保存了諸多相關著作內容及版本的珍貴訊息，又因收錄範圍兼及晚清民國間著作，將有助於對近代經學研究領域的開拓，如筆者《兩宋詩經著述考》、〈黃節及其對《三百篇》詩旨的闡釋〉、〈晚清四川學者的《詩經》學研究〉、〈從析分禮制到孔經天學——試論廖平《詩經》研究的轉折〉等文的撰寫，均從提要稿中獲取所需的參考材料。

　　提要稿本身作為民國學術史研究重要文本的價值：民初至抗戰期間經學

---

10 相關學者名單，見同前註，頁183。「二改革の時期」有柯劭忞、胡玉縉、江瀚、王式通、楊鍾義、倫明等。「四整理を考慮し補纂する時期」有柯劭忞、江瀚、王式通、孫曜、吳承仕、高潤生、孫雄等約六十四名老儒碩學及少壯學者教授。另參見王亮：〈《續修四庫全書總目提要》與民國時期經學〉，「變動時代的經學與經學家（1912-1949）」第四次學術研討會宣讀論文，頁10-13。其據一九四〇年橋川時雄提交的〈續修提要編纂事業完成計劃書〉整理出編集、執筆，整理者七十三人，另有編纂準備階段的「協力者」十三人。

史的研究，由於兩岸長期阻隔，相關史料多未及整理，目前尚在起步階段。提要稿的整理與內容辨證，經前輩學者的努力，已有初步成績，可知相關資料概況約有兩大類：

　　史料文獻：日文史料部分有（日本）外務省文化事業部編《對支文化事業概要》、今村與志雄編纂《橋川時雄の詩文と追憶》「三、東方文化事業總委員會・北京人文科學研究所關係資料」、「四、橋川時雄回想錄」及《文字同盟》第三卷。另有日本國立公文書館網頁（http：//www.jacar.go.jp）所公佈的原外務省外交史料館「對支文化事業關係文書」的大宗文件。中文史料及移交中國之原東方文化事業總委員會大宗檔案，現存中國科學院圖書館，除有部分學者撰文引述外，仍有許多尚待整理發表。[11]

　　近年來大陸地區學者對相關議題的整理研究，對散落各地的零星材料，亦有許多新的發現，如王亮在北京國家圖書館發現三十二篇倫明所撰提要，未收入任何一種已刊行的《續修四庫全書總目》版本。遼寧圖書館則藏有內藤湖南擬目一份，均可供相關史實的重建與研究之資。[12]

　　續修提要稿相關文獻：除了已刊行的「商務本」（臺北市：臺灣商務印書館，1972年）、「中華本」（北京市：中華書局，1993年）、「稿本」（濟南市：齊魯書社，1996年）三種版本的提要外，[13]《四庫未收書目輯刊》收有

---

11 有關「續修提要」纂修始末的研究有，何朋：〈續修四庫全書提要簡介〉（1966年）、吳哲夫：〈現存「續修四庫全書提要」目錄整理後記〉（1970年）、郭永芳：〈《續修四庫全書》纂修考略〉（1982年）、羅琳：〈《續修四庫全書總目提要稿本》纂修始末〉（1996年）、小黑浩司：〈續修四庫全書提要纂修考〉（1997年）、張寶三：〈狩野直喜與《續修四庫全書提要》之關係〉（1998年）、吳格：〈橋川時雄與《續修四庫全書總目提要》編纂〉（2008年）、王亮：〈《續修四庫全書總目提要》與民國時期經學〉（2009年）等，文中均引據了相關原始文獻以為立論基礎。

12 見王亮：〈《續修四庫全書總目提要》與民國時期經學〉，「變動時代的經學與經學家（1912-1949）」第四次學術研討會宣讀論文，頁2、7。

13 前輩學者就「續修提要」在整理工作的得失，已有初步研究成果，如——方豪：〈《續修四庫全書提要》札記（I）〉（1971年）、柳作梅：〈評《續修四庫全書提要》〉（1972年）、楊起予：〈《續修四庫全書提要》簡介〉（1981年）、郭永芳：〈《續修四庫全書提要》原稿辨誤舉要〉（1983年）、梁容若：〈評《續修四庫全書提要》〉（1985年）、朱守

「分類目錄」含相關書目兩萬種及〈小序〉六篇。另外，新的整理成果有：李士彪《續修四庫全書總目提要經部辨證稿》、(新標)《續修提要經部整理本》；吳格主編（整理點校）《續修提要》，惜均尚未刊行。

黃宗羲嘗云：「學問之道，以各人自用得著者為真。」[14]本文的基礎工作，除梳理史料，並就《續修四庫全書總目提要（稿本）》「詩經類」提要稿計五一九篇、「群經類」提要稿計三〇八篇，進行整理、標點外，並進一步著手內容的辨證，期能藉此彙整出一部乾嘉以還至民國初年間的《詩經》學專題書錄，用以分析探討幾個《詩經》學史的相關議題：

做為《詩經》類解題書錄的研究，包括體例、內容的探討及與《四庫全書總目》「詩經類」提要的比較分析，可以觀察學術轉變之跡。

晚清民國間《詩經》學的研究，雖據一九二七年議定的「北京研究所暫行細則」，明載「現代人不著錄」，然於提要稿中仍頗見「引用今人之語」、「著錄今人著述」之例，所錄有：王闓運、廖平、劉師培、林義光、江瀚、黃節等，清末民初間學者的《詩經》研究著作，計二十五人三十二種，[15]詳見本文附錄：《續修四庫提要（稿本）》收錄民國學者《詩經》研究著作一覽表。

再則，以「詩經類」、「群經類」及於《詩經》研究者為例，除不著撰者

亮：〈《續修四庫全書提要》與《續修四庫全書總目提要》有關詩經部分之比較研究〉（1995年）、陳鴻森：〈《續修四庫全書總目提要‧經部》辨證〉（1997年）、〈《續修四庫全書總目提要‧經部》辨證（二）〉（2001年）、曾聖益：〈《續修四庫全書總目提要》易類述論〉（1997年）、鄭裕基：〈《續修四庫全書總目提要‧經部》「尚書類」斷句謬誤舉例〉（2006年）、續曉瓊：〈《續修四庫全書總目提要》訂誤三則〉（2007年）等。

14 見《明儒學案‧凡例》。

15 據《暫行細則》所載「(原注但現代人不著錄)」，但執行的過程卻作了局部的修正，其依據可能源自一九三一年周青雲起草的《四部書目總錄纂例》，該文件共計十八條，首例云：「是書為續補四庫全書總目提要而作」。第七條明訂：「《四庫提要》於並時人所著之書不加著錄……今是編引用今人之語，即本《提要》之例。而著錄今人著述，則又仿朱竹垞撰《經義考》，於同時師友如孫退谷、顧亭林、毛西河、徐健庵、閻百詩諸家，並載其書之例也。」另著錄之書悉登一編，不分著錄、存目兩類，著錄東土著述……等續修提要稿的實際狀況，均見於該文件。此或即後期纂修所據條例，全文詳見周青雲：〈四部書目總錄纂例（第一次草稿)〉，《文字同盟》（東京都：汲古書院，1991年11月），卷3，頁5-8。

的十四篇外，計有提要撰者王重民、江瀚、傅振倫、葉啟勳、奉寬、孫海波、孫人和、倫明、徐世章、張壽林、劉思生、謝興堯等二十一人，[16]相較於《四庫全書總目》經紀昀刪定後，所呈現統一的學術主張，《續修提要》保留提要撰者較完整的論學態度。唯相關研究至今仍付之闕如，甚且連撰者生平亦多不可考。[17]藉由相關史料的彙整，將有助於釐清抗戰時期留京學者的《詩經》研究成果。

二　體例的制定與歧出

　　有關《續修四庫全書總目提要》體例的制定，據零星殘存的記錄，北京人文科學研究所曾於一九二七年十二月至一九二八年五月間，共召開十八次會議，議定擬目、體例、撰寫、分類、經費等原則問題。[18]另橋川時雄的記憶，原計畫編撰凡例四卷，置於卷首。[19]唯均未完成定稿，致令纂修過程始終沒有一份完整的凡例，以為編撰準則。從目前已出版的日文資料《東方文化事業總委員會，並北京人文科學研究所便覽──四庫全書提要統修の概要》考察，則當日「續修」的工作，其實是在乾、嘉以還個別學者對《四庫全書總目》糾謬辨證的基礎上，所作的補正與續修，特別是近代學者的研究

16　「群經類」提要撰者：江瀚、馮汝玠、楊鍾羲、葉啟勳、奉寬、尚秉和、柯昌泗、孫海波、孫人和、倫明、徐世章、張壽林、陸會因、沈兆奎、吳承仕、趙錄綽、劉白村、劉節、謝國楨、謝興堯、羅繼祖，其內容亦多有及於《詩經》者。

17　據橋川時雄《本會關於四庫全書提要續修完成期之計劃書》，列有主要工作內容五項。其中有《續修提要》之編纂者小傳及其擔任之工作，惜未見。目前可資參考的材料有橋川時雄編纂：《中國文化界人物總鑒》（北京市：中華法令編印館，1940年）。收錄大部分「詩經類」提要撰者，唯仍有徐世章、沈兆奎、劉思生、劉白村四人小傳付之闕如。另有今村與志雄編：〈橋川時雄回想錄〉，《橋川時雄の詩文と追憶》，「提要編纂と中國人學者たち」，頁335-345。

18　參見羅琳：〈《續修四庫全書總目提要（稿本）》纂修始末〉，《書目季刊》第30卷第3期，頁6。

19　此為橋川時雄晚年的訪談記錄，或僅是橋川氏個人的理想，非當日真有此項工作的進行。參見何朋：〈續修四庫全書提要簡介〉，頁237。

成果，如倫明《四庫全書續補》、余嘉錫《四庫全書提要辨證》、周雲青《四庫書目總錄》、胡玉縉《四庫提要補正》，均提供了重要的材料與方法上的思考。[20]周雲青〈四部書目總錄纂例（第一次草稿）〉首條即將宗旨定為「續補《四庫全書總目提要》而作」。[21]又據「人文科學研究所暫行細則」云：「關於《續修四庫全書總目提要》，先就兩層進行。搜集乾隆《四庫全書提要》內失載各書；採集乾隆以後至宣統末年名人著作，選定著錄書目，但今人生存者不錄」、「四庫書目各部中子目甚繁，此次續修均準據乾隆成例」。依此脈絡，續修提要在體例的思考上，大抵就《四庫全書總目·凡例》損益之。唯斟酌去取間，仍多歧出現象，主要肇因於主事者橋川時雄學術影響力不足，難以統合歧見，又撰稿學者幾經變更，提要內容良莠不齊，造成文獻整理與價值判讀上的困難，僅就所得相關記載，依篇目、敘錄、小序三方面，探究其間得失，並以釐析其在學術研究上的意義。

（一）篇目

人文科學研究所原設正、副總裁，「關於著錄，以綜理大綱，督摧功課，選定書目為責」（「暫行細則」第二條乙款）。九一八事變後，實際由橋川時雄一人綜理其事，今檢視當日往來信函，如倫明致橋川氏函云：

> 昨晚接奉　尊示，屬于本月起，先做《書》、《詩》、群經、四書各提要，但本月傳記提要已做就十三篇。因前奉　尊示，屬于領費前十日交卷，故本日之稿，例需于前月預備故也……。[22]

20　詳細內容見今村與志雄編：〈（三）東方文化事業總委員會、北京人文科學研究所關係資料〉，《橋川時雄の詩文と追憶》，頁180-183。

21　周氏此文發表於橋川時雄主編的《文字同盟》，1931年第3號。所述編纂體例共十八條，其中部分條文為橋川氏採納作為續修時的依據，以補「暫行細則」之不足。

22　二〇〇五年北京國家圖書館購入橋川時雄信函一百通，其中有中國學者信函二十六件，不乏與《續修四庫全書總目提要》相關內容。以下節錄信函部分內容均參見薩仁高娃整理：〈有關四庫全書總目提要的通信〉，《文獻季刊》2006年第3期，頁167-

孫曜致橋川氏信函：

> 前奉大札，并附雜史、地理、載記、詔令、奏議、時令六類參考書
> 目。當即搜集公私藏家書目，選取擬作提要之書，現已完竣，俟日內
> 繕清，即行送呈貴會審查。其他如正史、編年、紀事本末、傳記、史
> 鈔、職官、政書、目錄、史評各類參考書目，可否寄交一閱，以便作
> 通盤計畫……。[23]

另有「已撰經部小學韻書之屬書目」打印稿一封，署寄地為「國立北京師範
學院」，共計書目五十二條，[24]其中大部分內容，可見於提要稿本中，則篇
目的擇定或由提要撰者自行擬定，按月呈報；或由橋川氏遞交篇目，由提要
撰者擇適當版本撰寫提要；或就已撰提要彙整書目後送交。另遼寧圖書館藏
有內藤湖南墨筆抄本擬目一份，[25]知雖未參與提要撰寫，但部分日本學者曾
協助擬目。

　　上述可見篇目的擬定係出眾手，至於收錄的一般性原則，已知材料有
三：一是羅琳整理中國科學院圖書館藏資料，得收錄書籍主要範圍共八
條。[26]二為橋川時雄在〈四庫全書提要續修の意義〉中記載補修、補正類五
條，續修類六條。[27]三是何朋訪談橋川時雄記錄，共三大類，細目六款。[28]
三者內容雖詳略各殊，然其間仍能考見纂修宗旨及對學術發展的掌握。

175。

23　見同前註，頁169。

24　提要撰者分別為：柯劭忞十種、孫人和二十四種、楊鍾羲二種、趙萬里二種、馮汝玠
　　三種、班書閣一種。

25　見王亮：〈《續修四庫全書總目提要》與民國時期經學〉，「變動時代的經學與經學家
　　（1912-1949）」第四次學術研討會宣讀論文，頁7-9。文中摘錄經部內容，多為日人著
　　作。

26　參見羅琳：〈《續修四庫全書總目提要（稿本）》纂修始末〉，《書目季刊》第30卷第3期，
　　頁8。

27　詳細內容見今村與志雄編：〈（三）東方文化事業總委員會、北京人文科學研究所關係
　　資料〉，《橋川時雄の詩文と追憶》，頁181-183。

28　參見何朋：〈續修四庫全書提要簡介〉，頁237。

　　1 乾隆以前書籍，《四庫全書總目》未收者，主要有佛教、道教、詞曲小說、方志、禁毀圖書等，另在橋川時雄的口述中，特別提及「《四庫全書》編纂時，對明人的著述，多持輕斥的態度，因此許多書都未曾收入。有些書即使收入《四庫全書》內，也經刪改，芟去了有觸時諱的文句。在《續修四庫全書總目提要》中，便特別注意明人著作，對《四庫全書提要》有關明人著作不當的評語，也予以改正」[29]。

　　2 前人著作，而為近代發掘新材料者，有敦煌遺書、殷墟甲骨文字、漢唐石經，再有《四庫全書總目》已收錄，但經竄改、刪削，或版本不佳者，另擇善本著錄。

　　3 乾隆以後著作、域外漢學著作等《四庫全書總目》未收書籍，並打破四庫成例，收錄當世人著作，[30]尤其著重乾隆以後勃興學科，如金石小學、輯佚等著作，及近代學術思潮下開拓的新學科。意外地，替清末民初的學術存錄了部分珍貴文獻。

　　上述可見，未經統整的《續修四庫全書總目提要》稿本，雖不曾產生重要的學術影響，但在學術態度的省思及對新材料、新學科的掌握上，實較《四庫全書總目》更具前瞻性，此即梁容若雖對此書的纂修多有批駁，仍肯定其「收了不少晚明的反清書，犯忌諱的禁書，太平天國書、基督教書、翻譯的科學書，乃至通俗的小說、戲曲書，面目依舊，風味遞新，時代潮流，時有反應」[31]。

（二）敘錄

　　敘錄之體始於劉歆《七略》，目的在對其書「論其指歸，辨其訛謬」，相較於《四庫全書總目》的釐然齊一，《續修四庫全書總目提要》顯得亂無章

---

29 見同前註。

30 一九二七年擬定的「暫行細則」，雖明文規定「今人生存者不錄」，與提要稿本實際收錄情形不符，或未嚴謹執行，或為纂修過程中的調整，未可知。

31 見梁容若：〈評續修四庫全書提要〉，《書和人》第245期（1974年9月）。

法，各提要差異懸殊。以「詩經類」提要為例，撰稿最多的三人：倫明的稿本多篇幅短小，版面塗改鉤乙嚴重；江瀚的稿本別標「著錄」、「存目」，取與中華書局標點本相較，其中更新版本者三十二種，更改內容者六種；張壽林的稿本皆經繕清，並於清繕本上有再校筆跡。可知當日稿本均未經刪定，體例不一，缺失譌誤隨處可見，甚者有姓名、年代留白未補者。其間普遍存在的問題有三：一是內容草率簡略，甚且有摘錄章節、篇目敷衍了事者。二關於作者的著錄，體例不一，以倫明所撰「詩經類」提要稿為例，於清末民初間著作八種，對作者均未置一言，有失敘錄知人論世的宗旨。三昧去取，稿本中頗見通篇皆貶抑之辭，斥為無用之書，依舊收錄者，去取間似無規範準則，再有疏於考證者，均有待學者進一步辨證。

　　儘管續修提要存在諸多問題，一如上述，然相較《四庫全書總目》經紀昀畫一後，不僅原提要撰者姓名隱沒，甚且原撰之意趣精神，亦刪汰無存，故欲執《四庫全書總目》，一窺分纂者專精之所在，已不可得。[32]《續修四庫全書總目提要》不僅保留原提要撰者姓名，併其內容亦未更動，得以完整呈現原撰者的學科專長及專業見解。以「詩經類」提要撰者為例，十二人中，江瀚、張壽林有《詩經》研究專著，其餘具專門學科背景者如：王重民敦煌學、孫海波甲骨文字學、傅振倫博物考古學、奉寬滿蒙文字學等。質此，一方面使「詩經類」提要呈現多元學科觀點，收錄視野亦加擴大。再方面，因民國以來，時局動盪，多數提要撰者的著作散佚，生平無考，其學術見解與研究成果，賴此得以保存。

（三）小序

　　小序是書錄中的綱領，具有明分類之旨及學術流變的功能。現存各種版本的《續修四庫全書總目》於小序、總序均付之闕如。從現階段已整理的材

---

32 見郭伯恭：〈四庫全書總目提要考〉，《中國圖書文獻學論集》（臺北市：明文書局，1986年），頁135-155。文中取「總目提要」、「書前提要」及原撰者「分纂稿」相較，得此結論。

料，知當日確曾有凡例、大小序的撰寫，因文件往往錯置於各分纂者的手稿中，或參與擬目者的遺稿中，更多的內容，有待進一步發掘彙整。[33]

現僅就《四庫未收書分類目錄・前言》中，所附「詩經類」小序兩則，[34] 說明其在部勒群書上的意義。就其內容分析，大抵可考見兩個主軸：

首先，梳理清代《詩經》學中，漢、宋學消長的脈絡，主張「承學之士，要在深味孟子以意逆志之言，而默會漢儒詩無達詁之訓」（〈詩類序〉）。並針對《四庫全書總目》中宗漢學，守《小序》的學術立場，進行討論云：

> ……是以宋人說《詩》，其精當處往往超軼漢人之上。其四庫館臣撰《四庫全書總目》，獨尊漢學，毋乃限於門戶之見也乎？《詩序》之說，自漢以來，紛如聚如，訖今莫決。今觀三家《詩》亦皆有《序》，非獨《毛詩》為然。蓋《序》是漢代經師隨文所加，本非定解，宋儒若朱子、程大昌、王柏皆力攻《毛序》，斯為特見。前《四庫全書總目》「詩類」序，譏程大昌、王柏為橫刪聖籍，並斥不採，何耶？（〈詩類整理筆記〉）

漢、宋學之爭，守《序》、廢《序》之爭，乃《詩經》學史上的重大議題，《四庫全書總目》定於一尊的學術立場，不僅傷害了學術的客觀，亦因此失卻了許多寶貴的文獻資料，續修提要撰者受民初學風影響，顯然有較客觀的學術視野。

再者，以《詩經》為文學的多元研究觀點，其云：

> 《詩》之要點有四：《詩》之本身為文學作品，其描寫感情景物，細

---

33 據王亮：〈《續修四庫全書總目提要》與民國時期經學〉，「變動時代的經學與經學家（1912-1949）」第四次學術研討會宣讀論文，頁4-6。所列相關材料六種，分別收藏於東北師大圖書館、北京圖書館北海分館、中國科學院圖書館、北京國家圖書館，散落情形嚴重。

34 《四庫未收書分類目錄》原藏北京中國科學院圖書館，一九九七年以後收入《四庫系列叢書》，由北京出版社分輯出版，書前有主持者羅琳的〈前言〉，共附錄小序六篇，是目前所見關於《續修四庫全書總目提要》小序，較完整的內容。見同前註。

致入微，為中國文學之祖，故以批評文學之眼光論《詩》，此為治
《詩》之一法；顧《詩》雖為文學作品，必有其時代之背景與作者之
感情，考其世本地望，當時朝政禮俗善否，與夫詩人之旨，亦為重要
工作之一；《詩》為周人所作，所用古訓、古音，多與今日不同，居
今日而欲董理古代音訓，舍《詩經》無可據者，此小學家所當究也，
至於典章制度，及草木鳥獸之名，亦多識者之所留心。（〈詩類序〉）

雖小序作者仍待考察，然基於上述內容，可知其辨章學術，部勒群書的識
見，故儘管《續修四庫全書總目》乃未竟之業，留下不少誤漏，仍可窺其大
致規模，便於分析考訂其價值及在學術史上的位置。

三　「詩經類」提要稿內容分析

據筆者以《續修四庫全書總目提要（稿本）》為底本，從各題要撰者的
分冊中，將「詩經類」提要摘出彙輯，共得提要稿五一九篇。原稿在編排上
以撰稿者為依歸，既無類目的依從，亦非時代次序。其間脈絡，以江瀚所撰
內容為例，共有七處附記，如第一冊，頁一九六末云：「經部書、詩、群經
總義類提要，共十五種，計三十二頁，癸酉十一月，江瀚。」[35] 篇目排列
「著錄」在前，「存目」居後。其餘撰者稿件，亦大抵有不同類目書籍錯互
的情形，參照現存交稿相關記錄，知「稿本」所見即當日交稿面貌。現僅將
「詩經類」提要撰稿人與所撰篇數統計，表列如下，以見梗概：

撰　者	王重民	江　瀚	傅振倫	葉啟勳	奉　寬	孫海波	孫人和
篇　數	3	140	2	7	1	3	3
撰　者	倫　明	徐世章	張壽林	劉思生	謝興堯	無撰者	
篇　數	170	41	134	4	1	10	

35　其餘附記大抵類此，分別見於第一冊，頁196、252、440、470、483、497、678，其
　　中六處撰稿十五種，一處二十五種，可略窺當日交稿情形。

　　提要稿既未經刪改增補，故所呈現的內容，大部分屬於撰稿者個人的學術見解與研究成績，如王重民、傅振倫對敦煌寫本殘卷的研究，江瀚對《詩經》異文的輯補考訂等，均可視為「詩經類」提要與民初《詩經》學的聯繫。以下主要就「詩經類」提要稿的整體，如收錄情形、撰寫原則、學術特色、主要內容，分析整理，以考察其在《詩經》學史的意義與價值。

（一）對《四庫全書總目》「詩經類」提要的補正與反思

　　《續修四庫全書總目》「詩經類」提要的撰者，多數為目錄文獻學者，尤有精於《四庫全書》研究，並有專著者，如倫明、王重民、葉啟勳等。[36]故續修提要內容，往往推究《四庫全書總目》之得失，藉以呈現對材料的掌握、內容的辨證，乃至對學術見解的梳理與評騭，其間頗有師法《四庫全書總目》成例，或引據相關研究成果者，如《詩地理續考》一卷，原載《學海堂四集》中，未見單行本，張壽林撰寫提要云：「惟其間據毛、鄭，而曉以今地，亦足資說《詩》者參考，故仿四庫著錄方楘如《離騷經解》之例，析出別為著錄焉。」[37]又其撰《新編詩義集說》四卷提要云：「阮氏《四庫未收書目提要》稱其展卷釐然，頗屬精備。今考其書……於詩內微旨，詞外寄託，皆推闡無餘，阮氏謂其頗屬精備，固非虛譽。」[38]於此皆可見其對前代書錄的傳承，而其間尤為顯著的成績有二：

1 增補辨證

　　在對歷代《詩經》著作的補正上，主要有：搜遺，如宋張耒《柯山詩

---

36 據橋川時雄主編：《中國文化界人物總鑑》（北京市：中華法令編印館，1940年），三人的四庫學研究專著有，王重民：《辦理四庫全書檔案》（北京圖書館印本，1934年）、《四庫抽燬書提要稿》（鉛印本，1931年）。倫明：《續修四庫全書芻議》（《國學》一卷四〇號、葉啟勳：《四庫全書目錄版本考》。

37 見《續修四庫全書總目提要（稿本）》，冊19，頁504。

38 見《續修四庫全書總目提要（稿本）》，冊19，頁653。

傳》，諸家書錄均未見載，倫明據舊抄本《柯山詩傳》一卷所撰提要云：

> 《柯山集》卷三十九，有〈詩雜說〉十四首，而無《詩傳》。蔣光煦
> 《東湖叢記》載宋紹興刊本〈張右史集序〉，為單父張表臣作，其序
> 目亦未及此。是本有〈抑傳〉、〈桑柔傳〉、〈雲漢傳〉、〈崧高傳〉、〈江
> 漢傳〉、〈常武傳〉、〈文王傳〉凡七篇……宜取集中〈詩雜說〉附載於
> 此，以完成一家之作。又按《宛丘文粹》所收，與是本間，殆即周紫
> 芝所云網羅之未盡者乎？[39]

此為補宋代《詩經》著述的重要發現，今是本又經戰火，存佚未詳，所見僅
《宛丘文粹》所收者。[40]

著錄版本精善者，以補正《四庫全書》所錄，如宋劉克《詩說》，阮元所
進呈《四庫未收書目提要》所收為據徐氏殘本影鈔者，張壽林撰該書提要云：

> ……則其書蓋道光八年戊子汪士鐘以所藏宋刊，從嘉興錢夢廬鈔本，
> 補入第二卷，屬保安仿宋寫刻者也。全書都凡十有二卷，其第九、第
> 十兩卷原闕，蓋仍有待延津之合焉。考錢塘丁氏善本書室藏有明鈔
> 本，其題識云：「今此本有汪魚亭藏閱書印，非惟第二卷不缺，第
> 九、第十亦全。」則其書世間固猶存有全帙，惜汪氏未獲一見，至其
> 刻本，終非完璧，為遺憾耳。[41]

又如清朱鶴齡《詩經通論》，《四庫全書》已著錄刻本，又有海源閣藏舊鈔
本，「疑是朱氏所錄副本，而後人據刻本校勘者也」。張壽林著錄此本提要云：

> 吾儕據此正可以見其立說之謹嚴，無一處無根據，後或嫌其瑣細，而
> 悉為刊落，故不見於刻本，古人著書往往數易其稿，讀是書益信朱氏

---

39 見《續修四庫全書總目提要（稿本）》，冊14，頁571。
40 拙著：《兩宋詩經著述考》，頁113。於兩岸公私藏書目錄中均未考見。劉毓慶：《歷代
　　詩經著述考・先秦──元代》，頁165，亦未及是本，所見僅《宛丘文粹》所收者。
41 見《續修四庫全書總目提要（稿本）》，冊19，頁324。

於《三百篇》用力之勤。[42]

至於《續修四庫全書總目提要》收錄明人《詩經》類著作計四十二種，尤為對《四庫全書總目》輕斥明人經說成見所進行的重要補正。[43]如張壽林撰明鍾惺《批點詩經》不分卷提要云：

> 凡若此類，大抵著語無多，而領會要歸，表章性情，深得詩人之本意，雖平心揣度，不無臆斷之私，然千慮一失，賢者不免，必謂批點之法，非詁經之體，遂併其書而廢之，是則未免門戶之見，非天下之公議矣。[44]

倫明撰明黃道周《詩表》一卷提要云：

> 後有道周門人胡夢鏞識，稱得之友人抄稿，未見原本，間有訛闕，無從訂正，所見止此而大義已昭。又稱道周作此書時，方在弱冠云云。而諸家年譜俱不載，洪石秋收書序，以為已亡，道光間□義林希哲始以付梓，即是本也。[45]

張壽林撰明孫鼎《新編詩義集說》四卷提要云：

> ……然核其所引，如彭奇《詩經主義》、曹居貞《詩義發揮》，朱氏《經義考》皆云未見，謝升孫《詩經斷法》且稱已佚。則其書意足補文獻之闕略，要不可廢也。[46]

---

42 見《續修四庫全書總目提要（稿本）》，冊19，頁663。

43 據楊晉龍的統計《四庫全書總目》共收明代《詩經》專著五十七部，其中存目四十六部，高居八成以上。著錄十二部，居所著錄歷代《詩經》專著，不及二成，貶抑、漏收的情況可見一斑。參見楊晉龍著：《明代詩經學研究》（臺北市：國立臺灣大學中國文學系博士論文，1997年），頁90。

44 見《續修四庫全書總目提要（稿本）》，冊19，頁232。

45 見《續修四庫全書總目提要（稿本）》，冊15，頁22。

46 見《續修四庫全書總目提要（稿本）》，冊19，頁653。

則是從文獻保存的觀點，對因四庫館臣過度貶抑刪改，而致漏誤情形嚴重的明代《詩經》學者著作的蒐羅補編。

　　「續修」的部分，除乾嘉以還，迄於民國間著作，於本文下節討論外。另有域外《詩經》學著作。一九四〇年七月橋川時雄偕提要撰者：謝國楨、孫海波、班書閣、張壽林，赴朝鮮。據〈京城口占四首〉之一云：「為蒐文獻上修途，遠訪遺書到海隅，載筆翩翩二、三子，鉤玄提要繼先儒。」知乃專為續修《四庫全書》蒐集海外漢籍而規劃的訪書之旅。[47]所得皆收錄在《續修四庫全書總目提要》中，其中經部著作四十八種，《詩經》類著作六種提要撰者均為張壽林，雖蒐羅並未齊備，於朝鮮《詩經》學者著作，僅聊備一格，然於一家著述評騭之餘，仍得藉以一窺朝鮮《詩經》學發展梗概，如申緯《詩次故》二十三卷提要云：

> 按三韓自新羅統一之後，即於國學置《毛詩》。高麗繼起，亦置經學博士，而以《毛詩》列選舉之目，降自李朝，始宗《集傳》，漢唐古典鮮有問津者。申氏博學好古，忘情榮途，能不為世俗所囿，而獨倡樸學。[48]

又申緯《逸詩》一卷提要：

> 按宋王應麟作《詩考》一書，於先秦逸詩，多所採輯。明鍾惺作《逸詩》一卷，更就其書，略加增補。是編之作，體例略同於二氏。雖甄別去取，較二氏為謹嚴，然互相參照所遺尚多，豈申氏於王、鍾二氏之書皆未嘗見，至有此屋上架屋之舉耶？[49]

取中國學者《詩經》學著作並觀，一以見著作之得失，並得沿波討源，以明學術之淵源。再有《詩名多識》，朝陽總督府編《朝鮮圖書解題》作丁學祥

47　見今村與志雄編：《橋川時雄の詩文と追憶》，頁44-45。收錄橋川氏此行相關詩文〈訪書行〉、〈京城口占四首——錄其二首〉。
48　見《續修四庫全書總目提要（稿本）》，冊19，頁235。
49　見《續修四庫全書總目提要（稿本）》，冊19，頁235。

撰，續修提要證之原書院序跋，以「其書殆本為穉修之弟穉裘所撰，而學祥或有增刪耶？」[50]皆可見著錄時精審之用心。

　　日本學者《詩經》研究著作，有岡元鳳《毛詩品物考》一種，《詩經》品物研究，至清代而益盛，著述亦較歷代為多。岡元鳳以醫為業，精於本草，此書與徐鼎《毛詩名物圖說》並為此類著作的代表，而岡圖尤為工緻與準確，續修提要述及日本名物之學，有助域外《詩經》學的掌握，其云：

> 日本治《毛詩》名物之學者，則有稻若水氏，有《毛詩小識》之作，然未遑圖書其形狀也。元鳳是編折衷毛、鄭諸家之說，而親驗諸遐陬絕隅之物，若白山之鳥，常陸之獐，皆親至其州而徵之，考證詳明，使畫人橘國雄寫其圖狀。[51]

2 反思

　　《續修四庫全書總目提要》對諸家著述得失的評騭，因未經統一刪定，保留較開放多元的學術立場，對《四庫全書總目》獨尊漢學，囿於門戶之見的提要內容，亦多有批駁，如張壽林撰宋周孚《非詩辨妄》一卷提要云：

> 總之，周氏是編，不過欲謹守古訓，於鄭氏之學，寔未嘗瞭解。然屠繼序《困學紀聞集證》乃謂：「淳熙間，漁仲書為周信道孚所駁，旋即散佚。」《四庫全書總目提要》亦謂：「樵書未見傳本，而孚書劀歸然獨存，豈非神物呵護，以延風雅一脈哉。」烏呼！識者難得，二千年來儒者因襲固陋之習，良可嘆也。[52]

而較多的檢視更是針對《四庫全書總目》之明代經學的評判而發，據《四庫全書總目‧經部總敘》云：「宋末以逮明初，其學見異不遷，其弊也黨；主持太過，勢有所偏，才辨聰明，激而橫決。自明正德、嘉靖以後，其學各抒

---

50 見《續修四庫全書總目提要（稿本）》，冊19，頁137。

51 見《續修四庫全書總目提要（稿本）》，冊37，頁747。

52 見《續修四庫全書總目提要（稿本）》，冊19，頁230。

心得，及其弊也肆」。如此過度的貶抑，乃承襲晚明以降的成見而誇大之，且幾乎成為對明人評價的主流，而明代經學相關資料的整理與研究，亦至一九三〇年代才逐漸興起。[53]《續修四庫全書總目提要》的纂修約當此時，故蒐集編目之初，即將明人著作列為著錄重點。部分提要撰者是研究明史的專家，如謝國楨、尚秉和等。故續修提要中，頗見相關論述，在明人《詩經》著作部分，呈現較明顯的三種情形：

首先，駁《四庫全書總目》過度的貶抑，如張壽林撰明張元芳、魏浣初《毛詩振雅》六卷提要云：

> 案晚明之世，學者治《詩》，喜以公安、竟陵之詩派竄入經義，《四庫全書總目提要》深斥其貽害於學者。然《詩》之為書，本古昔歌謠之辭，與漢、魏樂府，初無以異，而學者知《詩》之為經，不知《詩》之為詩，寔《詩》學之一蔽。晚明學者以治五、七言詩之法，治《三百篇》，正足以破腐儒之陋，《四庫全書總目提要》過而斥之，是門戶之見，非天下公議也。[54]

上述固民初從歌謠角度解讀《詩經》的研究觀點，本僅是治《詩》方法的一種，唯亦正可藉以呈顯四庫館臣持宗漢學的單一觀點，即貶斥一代、一類的著作的誤謬，如《四庫全書總目》云：「鍾惺、譚元春詩派盛於明末，流弊所極，乃至以其法解經，《詩歸》之貽害於學者，可謂酷矣。」[55]又云：「直以選詞、遣調、造語、鍊字諸法論《三百篇》，每篇又從鍾惺之本加以圈點，明人經解真可謂無所不有矣。」[56]續修提要於此成見，每能有所批駁，併闡明《詩》之為詩的文學性，以明其書不可廢的原由。

再者，對各別著作的褒貶，如謝國楨肯定「古緯書之輯，始於明代孫氏《古微書》」，亦於內容得失有所評論補充，所撰清喬松年《緯攟》十四卷提

53　參見楊晉龍：《明代詩經學研究》，頁1-2。

54　見《續修四庫全書總目提要（稿本）》，冊19，頁651。

55　見《四庫全書總目・詩類存目》，卷17，頁21，明萬時華《詩經偶箋》提要。

56　見《四庫全書總目・詩類存目》，卷17，頁22，明凌濛初《言詩翼》提要。

要云：

> 蓋是書繼明孫氏《古微書》而作，頗訂正其失。孫氏之書溷讖緯為
> 一，踳駁特甚，其中取李季《乾象通鑑舉例》，又不舉其名，愈滋後
> 人疑義。近代集緯無過趙鹿園、馬竹吾二家。趙書確守《隋志》錄緯
> 而不及讖。馬氏兼及圖讖。華亭殷立卿氏，曾著有《集緯》十二卷，
> 僅有寫本，兵燹後，不知流傳何所，松年之書，頗與相類，足以窺殷
> 氏藩籬，訂孫氏之謬誤。[57]

又如張壽林從文學的角度，肯定明鍾惺《批點詩經》「表章性情，深得詩人
本意」，然於鍾氏所輯《逸詩》則列其缺失者三，說明「其書不過就王氏
《詩考》，增綴逸詩篇目，雜採諸子依託之說，少所持擇，鈔撮之學，本不
足以言考證也。」[58]另一位提要撰者江瀚雖承顧炎武《日知錄》之論，以為
「有明一代，說經之書無甚可觀」，仍能批沙揀金，補《四庫全書總目》未
收之憾。如其所撰《九經考異》九卷提要云：

> 是編獨具有條理，不肆不支。其謂《魯詩世學》為豐坊私撰。並稱近
> 有刻《詩說》者，其體與《毛詩小序》相類，云是申公所著。其說與
> 豐氏盡同，惟篇次稍異。考《漢志》有《魯說》二十八卷，既與今
> 《詩說》卷數不合，而唐人言《魯詩》已亡，則安得復有是書，蓋又
> 依仿豐氏而為之。此其不為偽書所惑，在明儒中尤為難得矣[59]。

最後，對明人經說弊端的針砭，如明刊《毛詩註疏鈔》詮釋詩義，首列
《子貢詩傳》，殆隆、萬時人所作，張壽林撰提要云：

> 今考其書，僅掇拾《詩傳》、《詩序》及《集傳》之說，而略附己意。
> 乃以「注疏鈔」名其書，是其名編之義已為不辭。況《詩傳》一書之

---

57 見《續修四庫全書總目提要（稿本）》，冊31，頁292。

58 見《續修四庫全書總目提要（稿本）》，冊19，頁657。

59 見《續修四庫全書總目提要（稿本）》，冊1，頁771。

為偽託，久為學者之所熟知，是編乃不加考訂，遂據為典要，尤嫌其
疏陋。至於上格自抒己見之處，亦不過區區十數條，寔不足以暢明
《詩》旨，辨正是非。總之，其書蓋鄉塾陋儒鈔撮成編，體例龐雜，
謬陋殆難言狀，明季經學至是而弊極矣。[60]

上述批駁明人鈔撮割裂成說之習，頗能切中弊端，唯類此以一概全，遂併以
褒貶一代學術，在續修提要中亦時有所見，如《毛詩振雅》「上格詮釋篇章
大旨，下格批評文法」，張壽林撰提要云：「不脫時文之習，他如圈點筆法，
尤為無謂，斯則明人解經之通病，不必為之曲諱也。」[61]皆不免仍沿襲晚明
以來貶抑之詞，而不加區別。

（二）善用目錄學知識以辨章學術，考鏡源流

1　據版刻目錄之學以訂正誤漏

　　由於續修提要的撰者，多數精於版本目錄之學，故舉凡作者的辨證、版
刻源流的釐清，乃至文字訛誤的考訂，失載、散佚著作的增補，均能善用歷
代公私藏書志、叢刊等目錄學上的知識，以判定是非，裨補闕漏。如宋王應
麟《詩考》，《四庫全書總目》著錄一卷本，題「直隸總督採進本」，未詳版
刻情形。續修提要錄有校注本一卷，為清盧文弨增校後之定本。據倫明所撰
提要云：

　　……皆以補文弨所未及，文弨輯本未付梓，清本亦不傳。是本幸留人
　　間，兼得諸名家參校，殊足貴也。[62]

另有《盧文弨增校詩考》四卷，乃國學圖書館據所藏稿本，重新寫印本。張
壽林撰提要云：

60　見《續修四庫全書總目提要（稿本）》，冊19，頁328-329。
61　見《續修四庫全書總目提要（稿本）》，冊19，頁652。
62　見《續修四庫全書總目提要（稿本）》，冊15，頁33-34。

　　……是編底本，現藏國學圖書館，丁氏《善本書室藏書志》稱為善而
　　又善之本。今考其書，蓋盧氏乾隆四十五年庚子，重校後寫官所錄副
　　本，尚非最後定稿，盧氏之學淹洽，而不拘漢宋門戶，尤邃於校勘，
　　既得《七經考文》，又旁採嚴思庵、范薦洲、丁小疋、臧庸堂諸氏之
　　說，為之增校，亦王氏之功臣矣。[63]

誠如張氏所云，清人長於校勘，錄得善本，不僅得窺前賢治學之階梯，有功
於學者，亦足以補正《四庫全書總目》僅題採進地的缺失。又如宋張耒《柯
山詩傳》，諸家藏書目錄均未見載，唯續修提要著錄一卷，所錄本今又散佚
不見，唯《蘇門六君子文粹》載有《詩傳》八篇，與續修提要所錄略有出
入，足徵古文獻之散佚，誠十不存一，或當如倫明於提要中建言，當取集中
《詩雜說》一併錄出，以完成一家之作。

　　再有據書錄所載，藉以考卷數、訂作者、辨真偽者，如《毛詩故訓傳
箋》二十卷，沈氏本、同治刊本並作三十卷，張壽林據《漢志》、《隋志》考
訂其書當為二十卷，作三十卷者非舊也。[64]北周沈重《毛詩沈氏義疏》二
卷，據《隋志》所載，除舒瑗、沈重而外，尚有五《義疏》，或二十卷、二
十九卷、十卷、十一卷、二十八卷，皆不著撰人名氏。《經義考》併以為
《沈疏》，江瀚據〈毛詩正義序〉曰：「近代為義疏者有全瑗、何胤、舒瑗、
劉軌思、劉醜、劉焯、劉炫等」，以《經義考》殊乖闕疑之旨，未可從。[65]
梁崔靈恩《集注毛詩》一卷，江瀚據陸德明《釋文序錄》載《毛詩集注》二
十四卷，《隋志》、《唐志》竝同，以訂《梁書》本傳作二十二卷之誤。又
《崔注》宋時已佚，故《宋志》不載，凡所輯自《釋文》、《正義》者，確出
原書，如《呂氏家塾讀詩記》所引董氏云《崔注》者，江瀚以為殆皆董逌之
說，並云：「陳振孫《直齋書錄解題》嘗論董逌《廣川詩故》，以為《齊詩》
尚存，不知所傳何所從來。此稱《崔注》，同一偽託。」[66]上述均見補訂考

63　見《續修四庫全書總目提要（稿本）》，冊19，頁672。
64　見《續修四庫全書總目提要（稿本）》，冊19，頁227。
65　見《續修四庫全書總目提要（稿本）》，冊1，頁257-258。
66　見《續修四庫全書總目提要（稿本）》，冊1，頁256-257。

證之功。唯亦有疏於考證者，如江瀚撰宋趙惪《詩辨說》提要云：「是編清四庫總目未著錄，納蘭氏《通志堂經解》亦未收。」[67]考今本《通志堂經解》以《詩辨說》附朱倬《詩經疑問》後，《四庫全書總目》於《詩經疑問》提要亦云：「末有趙惪《詩辨說》一卷」，凡此均有待逐一辨正者。

2　藉歷代書錄所載，以梳理《詩經》學發展脈絡

目錄之學有助於考鏡源流，續修提要撰者，往往據以梳理各專經源流。《經典釋文・敘錄》云：「鄭玄作《毛詩義》申明毛義，難三家，於是三家遂廢。」張壽林撰《毛詩故訓傳箋》二十卷提要，致力於梳理毛、鄭異同，以明《毛詩》學之脈絡云：

> 然今考其書，《箋》與《傳》義，亦時有異同。魏王肅作《毛詩注》、《毛詩義駁》、《毛詩問難》諸書，以申毛難鄭。歐陽修引其釋〈衛風・擊鼓〉五章，謂鄭不如王。王基又作《毛詩駁》，以申鄭難王，王應麟引其駁〈芣苢〉一條，謂王不及鄭。晉孫毓作《毛詩異同評》復申王說。陳統作《難孫氏毛詩異同評》，又明鄭義。袒分左右，垂數百年。至宋鄭樵恃其才辯，更發難端，作《詩辨妄》以攻毛、鄭，南渡諸儒繼之，於毛、鄭之說掊擊尤力。[68]

由於對典籍之學的關注，兼及於學術淵源，故易得學科發展之大要。更有溯其源者，如江瀚撰《毛詩馬氏注》提要云：「融斥博士為俗儒，正以其守一先生之言，而不敢越，此其所以開《鄭箋》之先也夫。」[69]綜觀《續修四庫全書總目》「詩經類」提要，除了評騭著作得失，為治《詩》者津梁外，於《詩經》學史的掌握，實有優於其他書錄者。再有，續修提要撰者之一張壽林，因《經義考》不及康熙以下，《清史藝文志》譌誤百出，遂就《詩考》，取清代二百年《詩經》學著作，分別部居，析為六類，成〈清代《詩經》著

67　見《續修四庫全書總目提要（稿本）》，冊1，頁769。
68　見《續修四庫全書總目提要（稿本）》，冊19，頁227-228。
69　見《續修四庫全書總目提要（稿本）》，冊1，頁248。

述考略〉一文，[70]各書題名下除作者、版本外，均有全書大旨及評騭，有清一代《詩經》學史之脈絡，大體可見，惜所錄僅及道光間著作，亦未完之稿，或可取與《續修四庫全書總目》「詩經類」提要相參酌，當有助於對清代《詩經》學史的掌握。

四　「詩經類」提要與民初《詩經》學的聯繫

據筆者的整理統計，得《續修四庫全書總目提要（稿本）》收錄清末民初間學者的《詩經》研究著作凡二十五人三十二種。由於其纂修過程，相關的收錄原則，始終未有一定的標準，故所得，原則上不具一時代著作蒐羅完備之功，亦不成為評判該時代學術成績的準據。又提要內容往往略於作者生平。如倫明所撰民初七人八種著作提要，於作者均未置一言。江瀚、張壽林所撰提要則僅及於爵里，故雖時代相近，於清末民初《詩經》學者的生平，及學術淵源，皆無可取資，誠一大憾事也。

儘管如此，唯有關清末民初《詩經》學的整理與研究，仍在起步階段。再因近世戰亂頻仍，文獻散佚情形尚待考察，《續修四庫全書總目提要》所錄原本多有存佚不可考者，今據提要所示，仍具文獻參考價值，如：

地區性《詩經》學的呈現，如一八七五年張之洞在蜀地創設尊經書院，牽動四川與江浙、湖湘地區的學術交流，使蜀《詩經》學在清末民初進入蛻變期，亦產生了像廖平這樣的今文經學家，其對今文經學的思考，對近代《詩經》學有一定的啟發。續修提要錄其著作四種，並錄有該地區相關學者，如王闓運、張慎儀、程崇信、劉師培等的《詩經》學著作共五種，頗能掌握該區域的學術脈動。

對學術上新潮流的掌握，材料意識的提高，龜甲、鐘鼎彝器等的出土，在一定程度上，改變了傳統經史學的視野。一九二五年，王國維提出了具典範意義的「二重證據法」，其云：

---

70 見張壽林：〈清代《詩經》著述考略〉，《女師學院期刊》第3卷第1期（1935年1月），頁1-14。

自漢以來，中國學問上之最大發現有三：一為孔子壁中書。二為汲冢
書。三則今之殷墟甲骨文字、敦煌塞上及西域各處之漢晉木簡、敦煌
千佛洞之六朝及唐人寫書卷、內閣大庫之元明以來書籍檔冊。此四者
之一，已足當孔壁、汲冢所出，而各地零星發現之金石書籍，于學術
有大關係者尚不及與焉。故今日之時代，可謂之發現時代，自來未有
能比者也。[71]

續修提要撰者，除有具文獻學深厚素養的老輩學者外，年輕學者，如孫海波
治甲骨文字，王重民梳理敦煌卷子，均有顯著成績。另於新出土材料，亦往
往得以預其事，如一九三〇年瑞典學者貝格曼（Folke Bergman）在漢代烽
燧遺址中掘獲的一萬餘枚漢簡，雖因抗日戰起，暫存美國國會圖書館，然於
一九三一年五月運至北京時，曾經初步整理，「詩經類」提要撰者之一的傅
振倫，即曾參與當日工作。誠如陳寅恪所言：「一時代之學術，必有其新材
料與新方法。取用此材料，以研求問題，則為此時代學術之新潮流。」[72]
「詩經類」提要於此的掌握，有在版本著錄上，特別關注於敦煌卷子、海外
遺書、石經殘卷的搜求。另一方面，提要內容更可見運用新材料進行考證的
新發見，如傅振倫撰《敦煌寫本毛詩白文》三卷提要，持以校「通行注疏
本」、「唐石經」、「蜀本」、「越本」，不僅於「文字異同之數，至堪驚詫」，並
云：

然遂知六經於秦火之餘，老師宿儒，修補考訂，綿綿二千餘年，篇章
字句，仍有待於後人之精校而審求者，必也斥古今畛域之見，破漢宋
相輕之習，詢于蒭蕘，采及葑菲，其庶乎能有與歟？[73]

若從民國《詩經》學的幾項特質，包括新的材料、新的方法，及新的學科概

---

71 見王國維：〈最近二三十年中中國新發現之學問〉，《王國維學術經典集》（南昌市：江
　　西人民出版社，1997年），上冊，頁175-176。
72 見陳寅恪：〈陳垣《敦煌劫餘錄》序〉，《金明館叢稿二編》（上海市：上海古籍出版
　　社，1980年），頁236-237。
73 見《續修四庫全書總目提要（稿本）》，冊3，頁99。

念分析考察，更可見出《續修四庫全書總目提要》與民國《詩經》學多方面
的聯繫。

（一）經學觀點的反思與多元治《詩》方法的提出

過去二千年的《詩經》研究，大多屬於解經的範疇，清末學者開始思
考，如何在傳統方法論和近代科學方法間進行溝通。其主要特徵是「經學」
觀點的《詩經》研究被進一步審查，而瀕於瓦解，以及轉化過程中所呈現的
多元面貌。在續修提要中亦可見兩個特徵，如張壽林撰馬國翰輯《孟仲子詩
論》一卷提要，檢視漢儒傳經系統云：

> 《史記・儒林傳》記漢儒傳經，言《詩》於魯則申培公，於齊則轅固
> 生，於燕則韓太傅，此可信者。至推而上之，謂《詩》至孔子、子夏
> 若干傳至某某者，大率妄造假託。《釋文・敘錄》所載傳《詩》系統
> 之謬，已如前論，則其說寔未可信。馬氏乃據之以荀子說《詩》，皆
> 推本仲子，未免疏於考證。[74]

又如江瀚撰清褚汝文《木齋詩說存稿》六卷提要，除駁其尊《序》太過，並
於〈商頌〉的時代有所考論云：

> 斯其為說，雖猶惑於毛義，不信《史記・宋微子世家》，以為襄公之
> 時，修行仁義，欲為盟主，其大夫正考甫美之，所以作〈商頌〉。然
> 而辨其詩體與〈魯頌〉同，定為宋人作，則其識固已高矣。[75]

謝興堯撰廖平《四益詩說》一卷提要云：

> 故是編論《詩》之原始與性質，以孔子之說為根據，雖多精彩，亦有
> 迂妄。按自來儒者之言六經，必守家法，必遵師說，此書亦然。以孔

---

74 見《續修四庫全書總目提要（稿本）》，冊19，頁344。
75 見《續修四庫全書總目提要（稿本）》，冊1，頁189。

　　子答門人五至三無，稱為《詩》之極，則與《詩》本旨以觀民風者，
　　大相逕庭矣。[76]

除了對傳統經學權威的審視外，亦將近代治《詩》的新議題納入討論，如
《詩經》是否入樂問題，清鞏于汕《詩經大旨》「遠宗紫陽，近承顧氏」之
說，以變〈風〉、變〈雅〉為《詩》之不入樂者。張壽林所撰提要，取顧頡
剛〈論詩經所錄全為樂歌〉的結論，批駁朱、顧二人的疏誤。[77]

　　又晚清經學衰落的過程，與文學由傳統向現代的轉型相互影響，表現在
治《詩》的方法上，便可見更開闊的視野，如葉啟勳撰王夫之《詩廣傳》提
要，雖駁其說《詩》「未嘗旁徵事蹟以實之，未免近於冥思」，仍肯定「其所
詮釋，多能得興、觀、群、怨之旨」，以為「冥探顯闡，奧阼洞開」，旨趣本
同，於讀《詩》者不為無裨也。[78]張壽林撰金人瑞《唱經堂釋小雅》提要亦
云：

　　以說樂府、五七言詩之法釋《三百篇》，故能一埽前人謬說，而深得
　　風人之旨。雖流弊所及，或不免於恍惚無著，然《詩》以性靈為主，
　　就詩論《詩》，以體玩詩人之旨，終不失為治《詩》之良法也。[79]

再有如擬議的比較研究法，以史證《詩》的考證法，甚至肯定「以《爾雅》
發明《傳》、《箋》，要亦治《詩》之一法也」。均能在重訓詁，究古義的詁經
之體外，納入更多元的治《詩》觀點。

（二）新材料的蒐求與應用

　　由於以發掘為基礎的近代考古學，在一九二〇年代中期興起，讓學者能

---

76 見《續修四庫全書總目提要（稿本）》，冊32，頁84。
77 見《續修四庫全書總目提要（稿本）》，冊19，頁224-225。
78 見《續修四庫全書總目提要（稿本）》，冊4，頁662。
79 見《續修四庫全書總目提要（稿本）》，冊20，頁428。

進一步豐富和修正經史考據學。同時《詩經》考證工作仍待突破，因此對材料的掌握，更顯迫切。在此背景下，「詩經類」提要亦呈現明顯的材料意識。首先是蒐求視野的開拓，如敦煌所出群經寫本，以《詩》為多，續修提要所錄有《毛詩音殘卷》、《敦煌寫本毛詩白文》、《敦煌寫本毛詩詁訓傳》、《唐寫本毛詩傳箋五種》、《敦煌本毛詩故訓傳殘卷》[80]。且各本提要撰者均能持與他本相校，以呈顯新材料的價值，如王重民持《毛詩音殘卷》與《釋文》引徐氏音相校，得「文字同者八條，陸氏以今音改紐者十三條，以直音改切語者六條，誤者一條，餘三條為徐爰音也」。[81]張壽林撰《敦煌本毛詩故訓殘卷》提要云：

> 按隋、唐〈經籍志〉著錄《毛詩故訓傳》均作二十卷，證之此本，則開成本分卷，當仍為六朝相承之舊矣。又取此殘本，以校宋、元槧本，異同甚多，與《釋文》所載諸本，亦多相合……大體皆較後世傳本為勝，足資校勘，上虞羅氏嘗撰為《校記》四卷，載入群經點勘中，誠有功於古籍者也。[82]

另「詩經類」提要中，於新出石經殘石，亦多援引著錄，如魏正始石經，自光緒乙未〈君奭〉殘石出土，王懿榮始定為正始石經，民國十一年續有所出，孫海波撰王國維《魏石經考》五篇提要云：

> 今據白堅所藏刊號一石，知魏石經之當為二十八碑，且其首二碑亦當為三行直下。知品字式，及《左氏傳》諸石，非二十八碑所能容，皆係以後補刻。王氏未見此石，故推論未免有誤，此蓋材料所限，非王氏之過也。[83]

80　此本提要撰者為張壽林，與倫明所撰《唐寫本毛詩傳箋五種》提要，所錄為同一本。張氏所撰提要較為詳備，並幾乎含納倫氏提要的全部內容，當是後出的修定稿。

81　見《續修四庫全書總目提要（稿本）》，冊1，頁116。

82　見《續修四庫全書總目提要（稿本）》，冊19，頁338。

83　見《續修四庫全書總目提要》，下冊，頁1301。

林義光《詩經通解》三十卷，於三代器物的考釋，多取證於金文，倫明撰該
書提要仍深責云：「惟義光於近世治經諸家，除高郵王氏、德清俞氏外，未
及博采。又新出土之彝器，亦未得徧觀，故其所得止於如此也」。[84]

　　除了新出土材料，由於近代國際漢學的交流，續修提要於域外遺書的蒐
求，亦頗見成果，主要得諸日本、朝鮮、巴黎等地公私藏書，如群經單疏本
刊於北宋，覆於南宋，傳世絕罕。續修提要著錄《宋槧本毛詩正義殘本》三
十三卷，原藏內藤湖南家，有昭和十一年東方文化學院影印本，張壽林撰提
要云：

> 按阮氏撰《毛詩校勘記》時，猶未及見此本，祇據山井鼎氏所引，時
> 有不合。今既以校阮本，足補阮氏《校勘記》之缺失者，無慮數十百
> 事。且阮本記單行本，與南昌本又不同。南昌本多漏落，非刪也。疏
> 中音釋均雙行，十行本改直下，正風變風、正小雅變小雅、正大雅變
> 大雅，均注於題下，十行本已去之，若此之類，皆足資校勘，其餘佳
> 處，尤不可悉舉。[85]

上述可見，相較於晚清以還部分學者對新材料的疑懼，續修提要的撰者，不
僅在態度上更為積極開放，在運用上亦多元靈活。

（三）專門學科觀點的《詩經》研究

　　《詩經》在近代學術分科概念裡，是經典、古代歌謠，也是上古歷史材
料。其中一個重要的關鍵，是對《詩經》文學性質的肯定，其間的轉變，誠
如洪湛侯所言：

> 在封建社會裏，《詩經》以經學研究為主體，但也存在著關於文學特
> 點的探討。現代《詩經》學，則以《詩經》文學研究為核心，各類專

---

84 見《續修四庫全書總目提要（稿本）》，冊15，頁551。
85 見《續修四庫全書總目提要（稿本）》，冊19，頁342。

題研究，同時也是它的重要組成部分。[86]

據可能是《續修四庫全書總目提要》小序之一的〈詩類序〉，以為《詩》之要點有四：其中首要者是「《詩》本身為文學作品，其描寫感情景物，細致入微，為中國文學之祖」[87]可見「詩經類」提要的纂修，與現代意義的《詩經》學發展，有一定的聯繫。

　　另二重證據法的運用，其朝「以分類為基礎」進行比較的方法論特質，與近代受西學啟發，而逐漸成熟的「分科意識」結合，亦促使《詩經》的分析解釋，朝與專門學科統整的方向發展。續修提要雖未見成熟的專門學科《詩經》研究的論述，但已出現，從傳統《詩經》研究基礎課題所衍生的多元學科解釋觀點。如張壽林撰張蔚然《三百篇聲譜》提要，除闡明詩樂至晉已亡，故張譜不盡合於宣聖弦歌之舊，但仍肯定「使此十二篇之詩，因之而可被之管絃，則未嘗無補於詩樂之研究也」。[88]

　　大抵而言，「詩經類」提要的撰者，將較多的在金石考據上的發現與研究成果載入提要中，是具有鮮明時代色彩的專門學科《詩經》研究。另外，如語言文字之學，在清末，因受西方語言學影響，從講求經典注釋的方法論，已逐步延伸為對文字形、音、義的專題與系統之學。「詩經類」提要撰者之一的張壽林，於《詩經》語言文字另有研究專著，[89]主要內容除了對經典文字的考釋外，在方法上更趨向古音學和語法學的歸納比較，其撰徐永孝《毛詩重言下篇補錄》提要，考察所增補各例，既論得失，又補其立例之遺漏。[90]亦有功於《詩經》專門學科研究的建立。

---

86 見洪湛侯：《詩經學史》（北京市：中華書局，2002年），上冊，頁9。

87 轉引自王亮：〈《續修四庫全書總目提要》與民國時期經學〉，「變動時代的經學與經學家（1912-1949）」第四次學術研討會宣讀論文，頁9。

88 見《續修四庫全書總目提要（稿本）》，冊19，頁394。

89 參見拙著：〈張壽林詩經學研究〉，「變動時代的經學和經學家（1912-1949）」第三次學術研討會宣讀論文，頁13-19。

90 見《續修四庫全書總目提要（稿本）》，冊19，頁671。

五　結語

　　藏書制度在中國有著悠久的歷史，傳統的藏書樓更為各時代造就了少數菁英學者。續修四庫提要在編纂的初期，除了源自日本的經費及京都學派學者的積極參與外，在中國主要的推動力量，即來自長期關懷文獻保存的學者，特別是藏書家及版本目錄學者，如清史館館長柯紹忞，晚歲尚校勘群經，擬刻石於曲阜；倫明自民國十三年起立志續修《四庫全書》，自號室名曰「續書樓」，於東方文化事業總委員會續修提要前，即在《燕京學報》上陸續發表所撰續修提要稿。[91]葉啟勳為版本目錄學家葉德輝從子。另如為續修四庫提要積極獻策的董康，曾繼繆荃孫、吳昌綬之後，為劉承幹嘉業堂編纂藏書志，續修提要所收董康所擬提要四十九篇，其書均源自嘉業堂藏明刻本。[92]

　　後期提要稿撰寫階段，除加入北平圖書館具近代圖書館學知識的學者外，原有機會納入各大學具學科專長的近代學術菁英，唯此一中國近代文獻學上的大工程，在日軍占領華北後，有不能受日人驅策者，如陳垣、胡適、沈兼士……等，相繼流寓滇川。在京學者，以私人身份參與撰稿，其中仍不乏硜硜之士，如經學家吳承仕，因鼓吹抗日，於民國二十八年遭日軍殺害。更多的學者，或為糊口，或為避禍，於國難之日埋首於提要的撰寫。今僅就「詩經類」提要檢其內容，均為純學術的評騭，就近代文獻的保存與學術的傳承而言，仍有其不可抹煞的價值。

91　參見惲如莘：《書林掌故續編》，收入蘇精：《近代藏書三十家》（臺北市：傳記文學出版社，1983年）。

92　參見張升：〈董康與《續修四庫全書總目提要》〉，《新世紀圖書館》2006年第5期（2006年），頁68-70。

附錄：《續修四庫全書總目提要（稿本）》收錄民國學者《詩經》研究著作
　　　　一覽表

姓　名	著作題名	備注[93]
丁以此	毛詩正韵	江瀚（1-441）
王闓運	詩經補箋	江瀚（1-675）
王樹枏	爾雅說詩	張壽林（19-668）
江　瀚	詩經四家異文考補	倫明（15-067）
朱景昭	讀詩劄記	徐世章[94]（16-300）
李九華	毛詩評注	無名氏（37-735）
李　坤	齊風說	江瀚（1-433）
李宗棠	學詩堂經解	徐世章（15-674）
李德淑	毛詩經句異文通詁	葉啟勳（4-718）
狄　郁	詩說標新	倫明（15-230）
姚永概	詩說	倫明（15-004）
林義光	詩經通解	倫明（15-551）
馬其昶	詩毛氏學 毛詩學	江瀚（1-406） 徐世章（15-673）
徐永孝	毛詩重言下篇補錄	張壽林（19-671）
徐天璋	詩經集解辨正	倫明（14-530）
徐紹楨	學壽堂詩說	倫明（14-514）
黃　節	詩序非衛宏所作說 詩旨纂辭	倫明（15-230） 倫明（14-724）
張慎儀	詩經異文補釋	江瀚（1-497）
張壽鏞	詩史初稿	無名氏（37-750）

93 標注內容為提要撰者，及該提要在《續修四庫全書總目提要（稿本）》的冊次及頁數。
94 《續修四庫全書總目提要（稿本）》收錄徐世章撰「詩經類」提要四十一種，其中有
　　民國學者著作三種，大抵皆簡略疏漏。取與中華書局本提要相覈，中華本均未收錄。

程崇信	詩補箋繹	葉啟勳（4-678）
廖　平	四益詩說	謝興堯（32-084）
	詩學質疑	張壽林（20-433）
	詩緯新解	張壽林（20-435）
	詩緯捃遺	張壽林（20-431）
劉承幹	毛詩單疏校勘記	張壽林（19-343）
劉師培	毛詩札記	無名氏（37-749）
	毛詩詞例舉要詳本	無名氏（37-748）
簡朝亮	毛詩說習傳	倫明（15-640）
羅振玉	敦煌本毛詩故訓傳殘卷（影印）	張壽林（19-337）
	毛鄭詩斠議	無名氏（37-751）

西學衝擊下經學方法的改良

——以二十世紀前期《詩經》研究為例

鄭傑文

山東大學古典文獻研究所教授

　　經學是中國古典學術的主流。經學始自孔子。春秋後期，學術下移，孔子選取數種傳世古籍來教生授徒，並稱其為「六經」。[1]孔子早年繼承「官學」系統中「信而好古」的學術理念和「述而不作」的學術方法；晚年由於社會政治思想的變化，改從「信古為今」的學術理念和「改作言教」的學術方法。西漢時，經學方法經歷了五種形態：在繼承孔子晚年「改作言教」學術方法的基礎上發展出來的西漢今文經學家整理研究儒經的「微言大義」方法，在繼承孔子早年「述而不作」的學術方法的基礎上發展出來的兩漢古文經學家整理研究儒經的「章句訓詁」方法，魏晉至隋唐經學注疏家們的「書例比證」方法，宋明時期經學注疏研究家們的「意會心悟」方法，清代樸學家們的「書證考據」方法。

　　近代以來，傳統經學方法與「東漸」之西學方法碰撞，使得經學的研究理念和研究方法都發生了重大變化。

1　《莊子‧天運》即載孔子言「丘治《詩》、《書》、《禮》、《樂》、《易》、《春秋》六經」，《禮記‧經解》中亦有「六經」名目。

一　西學衝擊下經學研究理念的變化

西學傳入，使得中國傳統人文學術的研究理念發生了根本性變化，經學研究理念也隨之發生質的變化。這一變化可歸結為如下三個方面。

（一）傳統人文學術分類方式、方法的變化使傳統經學體系解體

西學學科分類方法的傳入，使得中國傳統人文學術的分類方式與分類方法發生了根本性變化。

從學術載體（金石、簡帛、紙張等所載文獻）所承載的古典學術內容角度來區分，古人將傳統人文學術分為經、史、子、集四大類別；從古典學術研究方式方法角度來區分，古人將傳統人文學術分為注疏、義理、辭章、考據四大門類。

西學傳入後，學界逐漸打破舊有學術分類體系、仿照西方學科分類體系將傳統人文學術重新分類。如劉師培的《周末學術史序》開列的新學科，計有心理學、倫理學、論理學、社會學、宗教學、政法學、計學、兵學、教育學、理科學、哲學學、術數學、文字學、工藝學、法律學、文章學。[2]其後，學科分類體系不斷調整變化，[3]傳統人文學術，基本被歸入文學、歷

2　劉師培：《劉申叔遺書》（南京市：江蘇古籍出版社，1997年），上冊，頁503。

3　現今中國大陸所使用的是《中華人民共和國學科分類與代碼國家標準》（簡稱《學科分類與代碼》，標準號「GB/T 13745-92」。它由中華人民共和國國家科委與技術監督局共同提出，中國標準化與資訊分類編碼研究所、西安交通大學、中國社會科學院文獻情報中心負責起草，國家科委綜合計畫司、中國科學院計畫局、國家自然科學基金委員會綜合計畫局、國家教育委員會科學技術司、國家統計局科學技術司、中國科協、中國科協幹部管理培訓中心等參與起草。經國家技術監督局批准，於一九九二年十一月一日在北京發佈該標準，一九九三年七月一日正式實施。它共設五大門類（自然科學、農業科學、醫藥科學、工程與技術科學、人文與社會科學）、五十八個一級學科、五七三個二級學科、近六千個三級學科。其中人文與社會科學下設馬克思主義、哲學、宗教學、語言學、文學、藝術學、歷史學、考古學、經濟學、政治學、法

史、哲學、語言、科技五類中。

在此種學術研究理念影響下，《十三經注疏》所載十三種經書，《尚書》、《春秋》及「三傳」等被歸入歷史類，《論語》、《孟子》被歸入哲學類，《爾雅》被歸入語言類，而《詩經》則被歸入文學類。傳統的經學學術體系解體。

（二）傳統人文學術價值觀念的變化使經學的社會政治作用弱化

兩千年中國傳統人文學術多強調對其「經世致用」社會工具的追求，因而經學成為「修身齊家治國平天下」的社會治理工具，其學術研究也以儒家「內聖外王」的倫理道德觀念為追求，重在通過「內聖」的修身作為，而到達「外王」的社會境界；兩者相輔相成，呈現出「經世致用」的研究價值取向。這在「今文經學」研究方法和研究理念中表現得尤其強烈。

在學術思想上，漢代今文經學家秉承荀子的「為帝王師」觀念，出於「為漢立法」的政治目的，努力將儒經闡釋貼近社會現象。古文家則由於西漢時未立為學官，故離社會政治相對稍遠些，而多留心於史實考訂、文獻考據和文義訓解。就經學發展而言，今文家和古文家各有貢獻：沒有古文家，傳統的經學無法延續；沒有今文家，經學不能適應社會發展的需要，便會被當作文物擱置。但是，今文家也絕對不能離開古文家而獨立存在──沒有古文家的訓釋考據，今文家的解釋發揮會離經愈來愈遠而最後與經無緣，從實際意義上拋棄了經學。因此，古文家的訓釋考據為經學的發展不斷提供「修正參數」，使它始終以「經學」的面目延續，而具有學術效應；今文家的解釋發揮使經學不斷與社會需求縮小差距，以免被現實拋棄，具有社會效應。兩者互相依存，相持而長，造成了經學兩千年的振盪式發展狀態，一直支撐著中國古代社會的主流政治理念，指導著中國古代社會的政治運行，其價值

學、軍事學、社會學、民族學、新聞學與傳播學、圖書館・情報與文獻學、教育學、體育科學、統計學十九個一級學科。

理念也成為傳統人文學術的主流價值觀念。

　　但到了清後期西方學術傳入中國後，這種傳統人文學術主流價值觀念發生了重大變化，經學的那種指導和規範中國古代社會政治運行的「經世致用」傳統價值觀念，受到學界大部分人士的質疑；而西方的「民主」、「科學」成為衡量傳統人文學術價值的新標準。

　　加之，清中後期奢侈之風的蔓延，使得民窮財盡，怨聲漸起，清廷內部矛盾和外部困境暴露無遺。嘉慶皇帝曾試圖革新以挽救頹勢，在思想文化領域開放輿論，如糾正因上書直言而獲罪的「洪亮吉冤案」等，以期使知識份子重新關注現實，提出救世治弊方案。在此風熏陶下，學術界也出現了批判脫離現實、迴避現實的新學術風潮。

　　此一新學術風潮表現出兩種學術傾向。一是清後期今文經學的重倡，一是以西方的「民主」、「科學」理念來否定傳統經學。而鴉片戰爭中清政府的慘敗又使得「今文經學的重倡」終結，經學那種指導中國古代社會政治運行的傳統價值觀念被徹底否定。「五四」運動爆發，追求「民主」、「科學」的學術思潮和社會運動，更以銳不可擋之勢衝擊著經學的傳統主流學術地位：在西方「科學」理念的引領下，發生了科學派與玄學派的「科學論戰」，並有「科學救國論」指導下的「科學化運動」的興起；在西方「民主」理念的衝擊下，則有胡適、羅隆基發動的「人權運動」，有抗戰前後的民主建國運動等等。

　　在此社會思潮和學術思想影響下，主流學者們不再把經學作為「治世之學」來傳承，而將其作為思想學術史的承載體來研究。經學的社會政治作用逐漸弱化，人們轉而取用經學的學術史承載體價值。

（三）傳統人文學術主流學科的變化使經學研究群體構成發生變化

　　西學傳入，在西方「民主」、「科學」人文精神衝擊下，經學的傳統主流學術地位被否定。因之，傳統學術研究群體的學術研究傾向發生重大變化，

主流學者治經的傳統學術局面一去不復返。

戰國時期，傳承和傳播儒學經典的儒家學派被稱為「顯學」(《韓非子·顯學》)。漢武帝「獨尊儒術」，經學成為傳統學術的主流，代代學子莫不讀經，世世學者皆以明經顯名，形成了兩千年來主流學者治經的傳統學術局面。歷代大學者如漢之董仲舒、劉歆、鄭玄，魏晉隋唐之王肅、孔穎達，宋明之程顥、程頤、朱熹、陸九淵、王陽明，清之顧炎武、閻若璩、王念孫、王引之、戴震等，均以治經名家。

但是，到了二十世紀初，隨著世人對西方「民主」、「科學」人文精神的崇拜，隨著經學社會政治價值的弱化，傳統人文學術研究界的主流學者大多轉入對歷史、哲學史、思想史、文化史等的研究。如胡適、郭沫若、錢穆、范文瀾、顧頡剛、熊十力、梁漱溟、呂振羽、馮友蘭、侯外廬、柳詒徵等，或主要從事歷史研究，或主要從事哲學史研究，或主要從事思想史研究，或主要從事文化史研究；而以經學史作為自己研究重點的學者，僅有周予同、馬宗霍等幾人。兩千年來那主流學者治經的傳統學術局面，至此變而為主流學者治史、治子的學術局面。

二　西學衝擊下經學研究體系和研究方法的改良

（一）西學衝擊下傳統經學學術研究體系的重構

在新的學術分類下，傳統的經學研究也呈現出新的變化——它被作為中學、文學等學科中的一部分納入新的學術研究體系中。

二十世界前期，西方史學理論湧入，翻譯出版了多種西方史學理論和方法的著作，如前蘇聯波卡洛夫等的《唯物史觀世界史》、英國司各特（Enest Scott）的《史學與史學問題》、瑟諾博司（c. Scighobosl 的《史學原論》、美國班茲（Banes）的《史學》、法國瑟諾博司的《應用於社會科學上之歷史研究法》、美國弗林（F. M Fling）的《歷史方法概論》等。西方史學理論的輸入，帶動了歷史方法論的研究，學界出現諸多史學方法論著，如梁啟超的

《中國歷史研究法》（含補編）和《歷史統計法》、李泰棻的《史學研究法大綱》、楊鴻烈的《史地新論》、朱謙之的《歷史哲學》、何炳松的《歷史研究法》和《通史新義》、羅元鯤的《史學研究》、盧紹稷的《史學概要》、呂思勉的《歷史研究法》等著作，以及胡適的〈實驗主義〉、〈清代學者的治學方法〉、〈治學的方法與材料〉等論文。

在這些新史學方法的指導下，舊有學術觀念被新學觀念替代，《尚書》等經典被學界作為學術史承載體來研究，其文獻史料價值被重新檢討，出現新的學術研究傾向。如胡適提倡疑經，主張對儒家經典「質疑」、「糾繆」；如顧頡剛提出「層累地造成的中國古史」說，[4]質疑〈堯典〉等文獻的歷史價值，進而對《六經》的某些內容提出懷疑。

這種新學術研究理念引發了一場古史論辯。胡適、錢玄同、傅斯年、周予同、羅根澤等積極考辨古史，參與論辯，並將論辯文章持續彙編，前後出版了《古史辨》第一至六冊，在以經證史、探究古經歷史價值、整理考證史料等方面，對傳統文史研究作出了新貢獻。同時，他們用新的考證、闡釋方法對儒家經典進行科學整理和評判，破其神聖性而還其本面目，也從學理層面還本來面目。

在文學研究領域，《詩經》被作為「最古老的詩集」來研究，形成新的研究理念，出現多種新的研究方法（詳後）。

在傳統經學領域，學術研究重心也出現重大變化，注疏和闡發經書不再佔據主流學術位置，經學史研究成為經學研究者關注、研究的重點。繼皮錫瑞《經學歷史》之後，出現了劉師培的《經學教科書》、安井小太郎的《經學史》等經學史研究著作。

《經學教科書》約成書於一九〇五年，比較常見的刊本有光緒三十一（1905）上海國學保存會初印本、民國二十五年（1936）甯武南氏《劉申叔先生遺書》排印本等。在經學史分期上，它與皮錫瑞的《經學歷史》將先秦至清代的經學分為十個時代不同，而是折衷內涵和時代，把傳統經學史析分

4　顧頡剛：〈與錢玄同先生論古文書〉，《努力》週刊副刊《讀書雜誌》第9期。

為兩漢、三國至隋唐、宋元明、清代四個發展階段。

　　在研究方法上，劉師培遵從古文經學理論，但兼取古、今文經學方法，並結合西學方法來研究經學史。例如，他研究《易》學史，既取清代焦循那借鑑近代西方數學研究模式而建立公式化體系的《易》學研究路徑，也採納英國社會學家斯賓塞的社會學思想，說：「斯賓塞耳《群學肄言》曰：『一群之中，有一事之徵實，即一事之儲能方其徵實。儲能以消，而是效實者又為後日之儲能。』其理甚精。」[5]又說，〈序卦傳〉專言「社會進化之秩序，於野蠻進於文明之狀態，言之最精」。[6]此外，在論及《易》學與政治學、倫理學、文字學、數學等的關係時，也顯示出劉師培借鑑西學理論和方法來指導中國經學史研究的學術理念。

　　另外，如甘鵬雲《經學源流考》、馬宗霍《中國經學史》等，也具有這種擇取西學理論或方法的特點。

　　而此時，傳統的經學典籍注疏也同其他學術典籍注疏同樣，在注釋所用材料和注解形式等方面發生著變化。

（二）西學衝擊下經學傳統闡釋方法的改良

　　自孔子解說六經起創立的典籍闡釋模式，至漢代分化成「發揮經義」的今文經學研究方法，和「循經求義」的古文經學研究方法。古文經學家那種試圖通過詁字訓詞來探索經典原意的闡釋方法，魏晉起被學界奉為圭臬，使群經注疏之學大興。至宋儒解經，不滿足於這種「循經求義」的繁瑣、呆板方法，重倡今文經學方法以治經，並逐步發展成「離經說義」的宋學方法。宋學方法的弊端在於增字解經，望文生說，輒用「葉音」，甚至徑改經文，主觀隨意性太大，使某些解說離經典原意太遠。所以，清儒拋棄此法，復用舉例為證的漢代古文經學方法並加以發揮，引用眾多的古書實例，來證明字

5　劉師培：《劉申叔遺書》（南京市：江蘇古籍出版社，1997年），下冊，頁2112。

6　劉師培：《劉申叔遺書》，下冊，頁2108。

義，注釋音讀，校理錯字錯簡，從而推求經典義理，被稱為「書證求義」的樸學方法。

　　清人「書證求義」的樸學方法中融涵的紮實考證精神，為後代學術立下了一種可靠典範。但是，由於清儒注書過分單一地使用書證歸納法，成為中國傳統注經方法，乃至整個傳統學術方法的通病。所以，傳統學術方法的改革迫在眉睫。

　　鴉片戰爭後，在引進西方科技的同時，西方思想湧入，西學方法也漸次介紹到中國來。晚清學者注墨，已注意利用西方科技成果來比說墨學內容，程度不同地借用西方引入的光學、力學、數學知識來注釋《墨經》。

　　梁啟超在此基礎上，漸次學習用西學方法來注墨研墨，來研究傳統學術。如在其〈子墨子學說〉中，用西學論著結構下的傳統書證方式展開論說，表現出傳統研究方法向近代化學術方法轉化的傾向。稍後，胡適融匯中西學術方法，創立了「實驗求證的材料考辨方法、明變求因的解析研究方法、發展流變的歷史評價方法」的近代學術方法新範式，體現著中西學術相融的文化精神。在梁啟超的後期學術研究中，改變了傳統的經典注釋整理方法，在《墨經校釋》中探索出古今文法兼用、中西研究方法皆取的注疏新途徑，成為經典注釋的新範式。

　　新注疏模式多有「原文——注釋——翻譯——校記」四部分內容，其注釋方式依據讀者對象的不同，或採取「簡注（注生僻語詞和典章制度）加譯文」形式，或採用「詳注（書證或注解）加校勘記」形式。經學典籍闡釋也如此。

（三）學術方法改良中的《詩經》研究理念與研究方法

　　早在二十世紀二〇年代初，胡適就提出《詩經》「是一部古代歌謠的總集」的觀點。[7]而與此前後，魯迅也提出《詩經》「是中國現存的最古的詩

7　胡適：〈談談詩經〉，《胡適古典文學研究論集》（上海市：上海古籍出版社，1998年），

選」的觀點。[8]這種從文學角度看《詩經》的觀念，否定了傳統的「詩教」說。

　　由《左傳》、《國語》所載可見，春秋人引《詩》，或將《詩》作為史實論據以說理，或將《詩》作為格言以為說理論據，抑或引《詩》作為評價人與事之標準，表現出將《詩》作為「歷史工具」到將《詩》作為「訓誡工具」理念的變化，呈現著從「以《詩》為史」到「以《詩》為訓」的《詩》學觀的變化。孔子早年也有「以《詩》為訓」的《詩》學觀念。但在孔子「而立之年」後，隨著孔子那種「從周」即「從古而治」政治理念的形成隨著其「提倡孝道而重構禮樂文明社會」的政治理想的逐步確立，孔子的「以《詩》為訓」的《詩》學觀念逐漸演變為「以《詩》為教」的《詩》學觀念，將《詩》看作承載先王禮樂、政治、倫理和道德教化理論的工具。[9]後來，隨著孔門弟子及後學對孔子這種「以《詩》為教」《詩》學觀的傳播，「以《詩》為教」《詩》學觀成為戰國時期的主流《詩》學觀念，成為「漢代四家《詩》」共同傳承的解《詩》主旨。這種「詩教」說，發展為中國古代《詩經》學中持續了兩千年之久的主導觀念。

　　「五四」前後，傳統「詩教」說被否定，學界用新的西學研究理念和研究方法來研究《詩經》，出現了兩大研究派別。

　　一派用馬列文論研究理念和反映論研究方法來研究《詩經》，可以郭沫若為代表。受西方馬列思想學說影響的郭沫若，把《詩經》作為「平民文學」來看待，他在《卷耳集・序》中說：「可憐我們最古的優美的平民文學，也早變成了化石。我要向這化石中吹噓些生命進去，我想把這木乃伊的死相轉來。」[10]因而他的《卷耳集》，取〈國風〉詩四十篇，譯為白話，並附原詩和注釋。它與一九〇八年出版的錢榮國的《詩經白話注》同樣，改變

頁332。

8　魯迅：《集外集》（北京市：人民文學出版社，2006年），他具135。

9　極有可能，當時晉「鑄刑鼎」事件對孔子「以《詩》為教」思想的產生起了促進作用。

10　郭沫若：〈屈原賦今譯序〉，《卷耳集》（北京市：人民文學出版社，1981年），頁4。

了舊有的訓詁、章句模式，以一種新形式解說《詩經》。但是，《卷耳集》與《詩經白話注》不同的是，它在注釋和翻譯中所反映的不再是傳統「詩教」說，而是「平民文學」理念。

同時，郭沫若接受傳統的「六經皆史」觀念，利用《詩經》篇章所記來論證他的「中國社會歷史分期」。在他的《中國古代社會研究》一書中，取《詩》、《書》、《易》為材料，論述周人從原始社會向奴隸制社會的演變。他說：周人由原始公社制度變為奴隸制度再變為封建制度，「這兩個變革的痕跡，在《詩經》和《書經》之中表現得更加鮮明」；[11] 他依據〈生民〉、〈公劉〉、〈綿〉諸詩，來論證文王之前周部族保留著原始社會制度；他取〈既醉〉、〈桑柔〉諸詩來論證周人的世襲農奴制，他從〈東山〉、〈破斧〉、〈擊鼓〉、〈鴇羽〉等詩中挖掘周代奴隸制下的耕戰合一、農奴與士卒合一的制度，從而得出中國自周初進入奴隸制社會的結論。這種研究理念和研究方法，都是在馬列文論反映論的影響下形成的。

另一派用西方的文化人類學研究理念和民族學民俗學研究方法來研究《詩經》，可以聞一多代表。二十世紀三〇年代，聞一多即以佛洛伊德的泛性論和潛意識理論來研究《詩經》，揭示《詩經》中的一些「隱語」或意象的文化內涵；從男女兩性關係的角度重新解讀《詩經》，提出《詩經》有表現性欲的「明言性交」、「隱喻性交」、「暗示性交」、「聯想性交」、「象徵性交」五種方式，[12] 並將〈草蟲〉「我既覯止」的「覯」字及〈野有蔓草〉、〈溱洧〉的「邂逅」釋為「交媾」，將《詩經》中虹、雲、風、雨、魚、鳥等意象釋作性交的象徵。他主張用「《詩經》時代」的眼光讀《詩經》，借用訓詁的手段回到「《詩經》時代」的原始狀態以理解詩意。這些論說，大都收錄在聞一多的《匡齋尺牘》、《詩經新義》和《詩經通義》等著作中。其後，他在一九四〇年寫的〈姜嫄履大人跡考〉，提出「履跡」乃祭祀儀式即一種象徵性的舞蹈；祭祀儀式中，代表著「帝」的神屍舞於前，姜嫄尾隨其

---

11 郭沫若：《中國國古代社會研究》，收入《郭沫若全集‧歷史編》（北京市：人民文學出版社，1982年），頁90。

12 聞一多：〈詩經的性欲觀〉，《時事新報‧學燈》（1927年7月）。

後踐神屍之跡而舞，因而有孕。他在一九四五年發表的〈說魚〉中進一步發展了〈詩經的性欲觀〉中的某些觀點，揭示了魚在民俗歌謠和古籍中作為「配偶」或「情侶」的隱語廣泛地運用。

　　聞一多的這種《詩經》研究方式，係受西方人類文化學研究理念和民族民俗學研究方法的影響所致。論及此，我們就不得不說到法國漢學家、民族民俗學家格拉耐（Granet, Marcel, 1872-1950），他曾於一九一一年至一九一三年、一九一八年至一九一九年兩度來中國進行實地調查和研究，因而在其博士論文《中國古代的祭禮與歌謠》（一九一九年出版於巴黎，一九二九年再版）中，[13] 用民族民俗學方法和比較研究方法，取中國古俗書例來證明《詩經》所反映的中國上古時代的民眾情歌和農俗祭禮，一九三八年有弘文堂書房出版的內田智雄日譯本。而格拉耐的《中國古代舞蹈與傳說》，一九三三年中華書局即出版過李璜的中譯本（書名《中國古代的跳舞與神秘的故事》）。

三　對西學衝擊下經學研究方法改良的評說

　　上個世紀之交以來，隨著「西學東漸」文化勁風的疾吹，中國傳統人文學術研究理念與研究方法也發生了重大變化。「西學東漸」改變了中國傳統的學術認知體系，出現了新的學術研究理念、學術評價系統和學術研究方法，前代學者運用西方的解析研究等方法來研究中國傳統學術，取得了很大的成就。但是，產生於東方古老文化環境中國傳統人文學術，是否單用西學思想來比附和用西學方法來解析就能把握的要？二十世紀諸多「以西框中」來解說中國傳統學術而失敗的例子，應引發我們多做思考。

　　中國傳統人文學術相對於西方近現代學術來說，不但思想內容各不相同，在表現手法上也有著較大差異。相對於西方學術來說，東方學術以「內容涵蘊深廣」、「表現手法朦朧」為主要表現特點。這是因為，其一，中國傳

13　格拉耐著，張銘遠譯：《中國古代的祭禮與歌謠》（上海市：上海文藝出版社，1989年）。

統人文學術所使用的表述語言是漢字。漢字是一種表意文字,「六書」中的「假借」「轉注」之法,又使得多數漢字具有一字多義性。漢字字義的這種不確定性使得同一漢字文詞可有兩種或更多的合理解釋。再者,古漢語文詞又甚為簡括,此種簡括性增加了中國傳統人文學術典籍文句的含蓄性,從而使中國傳統人文學術典籍更加具有可擴展性。這種中國傳統人文學術典籍的可擴展性,使得對中國傳統人文學術的解說和研究更具有多義性特點。其二,中國傳統人文學術典籍特別是早期儒家經典多由短小章節綴成,難以通篇連貫理解,這也造成了中國古典學術典籍的解說和研究具有多義性。其三,以儒生為主流的中國歷代知識士子多講求社會參與意識,多追求用所繼承的思想學說來指導執政者確立統治理論以治理萬民,即所謂「立萬世法」「為帝王師」。這樣,便使得中國傳統人文學術大多與社會政治緊密相連。特別是每當新王朝講求穩定、每當執政者尋求調節社會矛盾的指導思想實施措施時,以儒生為主流的中國歷代知識士子多會依據執政者的新需要和發展變化了的社會實際,綜合運用文、史、哲各科學典籍,引申和發揮其本義,改造舊說,追求自己所繼承的思想學說之社會價值的重構。這也使中國傳統人文學術的解說和研究具有內容多義性特點,並具有學科並包性特點。

這樣一來,社會不同發展時期的執政者對傳統人文學術的不同要求,以儒生為主流的中國歷代知識士子對古典學術之社會價值進行重構的自身願望,便在中國傳統人文學術典籍的文字、語詞、文章特點造成的釋義可擴張性上找到了綜合點,因而造成了中國古典學術表述手法的多義性和含蓄性,使得中國傳統人文學術內容具有指嚮多義性、內容並包性、學科交叉性等特點。

中國傳統人文學術的指嚮多義性、內容並包性特點,使其研究離不開對文獻的會通性考證;中國傳統人文學術的學科交叉性使其研究離不開跨學科研究。[14]

因而,中國傳統人文學術,與以語言指義明確、內容表述專一、學科界

---

14 參見鄭傑文編:《中國古代文學跨學科研究》(北京市:清華大學出版社,2009年)。

限分明為特點的西方近現代學術，在研究路徑選取、研究方法使用上就不能不有所區別。所以，我們不應該以西學方法為本位，而應當從東方學術特點出發，在歷代學者研究我國古典學術所積累的傳統方法的基礎上，以成功的中國傳統學術方法如「紮實考證」、「多方考辨」、「作品會通」、「文獻實證」等的整合為主，有選擇地吸收西學方法中那些適用於研究我國傳統人文學術的成分，來整理歷代古籍，來研究傳統人文學術，來重構我們的「東方本位」學術研究方法體系。

民國學者以古文字訓詁《詩經》的實踐情形

邱惠芬

長庚科技大學通識教育中心副教授

一　前言

　　凡一時代學術的潮流，必有其研究的新視野、新方法與新價值。民國以來學者在探究《詩經》研究的創新上，承繼清末今、古文家辯證的成果，結合了當時利用大量史料及文物的「國故整理」運動，以實證科學的方法，發展成新的訓詁策略及手法。是以新議題與新材料開拓了話語形構[1]，而激盪發展成一個或數個研究群，蔚為風尚。部分學者結合「歷史語言學」、「社會文化學」、「民俗學」、「人類學」等多元視野詮釋《詩經》，更是精采紛呈，別具特色。

　　王國維結合新材料與實證方法，於一九二五年發表《古史新證》一書。書中提出「二重證據法」的思維論點，援引金石、甲骨文等古文字學用以考證《詩經》，補正過去紙上材料的不足，深具啟導之功。相較於乾嘉考據學純以文字史料為主的考證方式，王氏掌握了新穎且有力的詮釋理據，賦予《詩經》研究一個新的變貌。其後，出土文獻知識的運用，在羅振玉、王國

---

[1]　米歇·傅柯：《知識考掘學》（臺北市：麥田出版社，1993年）中指出，每個社會或文化都有駕馭其成員思維、行動、組織的規範條例的結構，這就是話語。所謂的話語指的是一個社會團體根據某些成規以將其意義傳播確立於社會中，並為其他團體所認識、交會的過程。

維、董作賓、郭沫若等「甲骨四堂」的研究分享、建議與溝通的歷程，成果更為豐碩，流風所及，影響了不少學者從事出土文獻與《詩經》的研究。林義光《詩經通解》便是第一部大量採用古文字材料，全面訓釋《詩經》的專著。此書成於一九三〇年，是繼王國維之後，有自覺地以古文字全面考釋、訓詁《詩經》的先聲，其對聞一多《詩經新義》（1937）、《詩經通義》（1943）以及于省吾《澤螺居詩經新證》（1935-1963）[2]等三人的《詩經》研究，影響甚大。

　　考察學界對於王國維、林義光、聞一多、于省吾等人以古文字訓詁《詩經》的研究，除一般《詩經》學史的通論簡述之外[3]，專論部分，或有針對專著進行研究者，如臺灣學者洪國樑、季旭昇、侯美珍、許瑞誠等[4]，中國學者姚淦銘、葉玉英、包詩林、朱金發、李思樂、楊天保、白憲娟、陳欣、

2　《澤螺居詩經新證》共有上、中、下三卷。上卷由一九三五年出版的《雙劍誃詩經新證》刪訂而成，中卷分別發表於《文史》第一輯《澤螺居詩經札記》（1962年）、第二輯《澤螺居詩義解結》（1963年），下卷〈詩經中止字的辨釋〉發表於《中華文史論叢》第三輯（1962年）、〈詩履帝武敏歆——附論姜嫄棄子的由來〉發表於《中華文史論叢》第六輯（1963年）、〈詩・既醉篇舊說的批判和新的解釋〉發表於《學術月刊》第十二期（1962年）、〈詩「駿惠我文王」解〉發表於《吉林大學社會科學學報》第3期（1962年）。

3　楊晉龍：〈臺灣近五十年詩經學研究概述1949-1998〉，《漢學研究通訊》第20卷3期（2001年8月）、洪湛侯：《詩經學史》（北京市：中華書局，2002年）、陳文采：《清末民初詩經學史論》（新北市：花木蘭文化出版社，2007年）、夏傳才：《二十世紀詩經學》（北京市：學苑出版社，2005 年）、趙沛霖：《現代學術文化思潮與詩經研究：二十世紀詩經研究史》（北京市：學苑出版社，2006年）等。

4　洪國樑：《王國維之詩學》（臺北市：國立臺灣大學中文研究所碩士論文，1981年）、《王國維之經史學》（新北市：花木蘭文化出版社，2010年）、季旭昇：《詩經古義新證》（臺北市：文史哲出版社，1995年）、〈評聞一多詩經論著中的古文字運用〉，《經學研究論叢》第二輯，（1995年2月）、〈析林義光詩經通解中的古文字運用〉，《第五屆近代中國學術研討會》（桃園縣：國立中央大學中國文學系，1994年），頁121-134。〈澤螺居詩經新證〉，《語文、情性、義理——中國文學的多層面探討國際學術會議論文集》（臺北市：國立臺灣大學中國文學系，1996年）、侯美珍：《聞一多詩經學研究》（臺北市：國立政治大學中文研究所碩士論文，1995年）、《聞一多詩經詮釋研究》（臺南市：國立成功大學中文研究所博士論文，2008年）。

張晴晴、李玉萍等[5]；亦有從出土文獻、青銅文化論《詩經》的形成發生[6]，以及探論新考據學派學術與思想等[7]。而對於林義光、聞一多、于省吾三人以古文字治《詩經》的繼承脈絡與比較研究上，目前仍乏人論述。

　　本文以林義光、聞一多、于省吾三人運用古文字訓詁《詩經》的實踐情形為研究範圍，除了核實其深受王國維研究影響的關係脈絡外，三人以古文字訓詁《詩經》的立場目的與方法、特色成就及侷限，亦將做分析說明。至如民初學者楊樹達《積微居小學述林》、《積微居小學金石論叢》、郭沫若《中國古代社會研究》、《青銅研究》等，則因專意於文字訓詁及歷史研究，非以《詩經》為主之專題研究，則不在本文討論之列。

二　王國維以古文字訓詁《詩經》的成就與影響

　　王國維在〈最近二三十年中中國新發見之學問〉一文中，直言古來新學

5　姚淦銘：《王國維文獻學研究》（南京市：江蘇古籍出版社，2001年）、葉玉英：《文源的文字學理論研究》（福州市：福建師範大學碩士論文，2003年）、〈論林義光對古文字學的貢獻〉，《福建師範大學學報》2004年第2期、包詩林：《于省吾新證訓詁研究》（合肥市：安徽大學博士論文，2007年）、朱金發：《聞一多的詩經研究》（開封市：河南大學碩士論文，2001年）、李思樂：〈聞一多先生對詩經校勘訓詁的傑出貢獻〉，《古籍整理研究學刊》1996年第5期、楊天保：《聞一多與古典文獻研究》（桂林市：廣西師範大學碩士論文，2000年）、白憲娟：《20世紀二三十年代的《詩經》研究——以胡適、顧頡剛、聞一多《詩經》研究為例》（濟南市：山東大學碩士學位論文，2006年）、陳欣：《論聞一多的文化闡釋批評》（武漢市：華中師範大學博士論文，2009年）、張晴晴：《聞一多的詩經研究》（青島市：中國海洋大學碩士論文，2010年）、趙秀芹：《聞一多《詩經》研究評議》（吉首市：吉首大學碩士論文，2012年）、李玉萍：〈論澤螺居詩經新證對詩經故訓的繼承與開展〉，《懷化學院學報》第32卷第6期（2013年6月）。
6　曹建國：《出土文獻與先秦詩學研究》（上海市：復旦大學博士論文，2004年）、管恩好：《青銅文化與詩經發生學研究》（濟南市：山東師範大學博士論文，2007年）、時世平：《出土文獻與詩經詞義訓詁研究》（濟南市：山東師範大學碩士論文，2009年）。
7　董恩強：《新考據學派：學術與思想（1919-1949）》（武漢市：華中師範大學博士論文，2006年）。

問的發起，大都由於不同視野下的新發現。他舉出當代發現的殷墟甲骨文字、敦煌塞上及西域各地之簡牘、敦煌千佛洞的六朝唐人所書卷軸、內閣大庫元明以來的書籍檔案，以及中國境內的古外族遺文，可媲美孔壁、汲塚的珍貴價值，而各地零星出土的金石材料，更與學術大有關係[8]。有鑑於身處前所未有的發現時代，他因而提出具體且科學地新治學取向。

〈毛公鼎考釋序〉云：

> 顧自周初訖今垂三千年，其訖秦漢亦且千年。此千年中，文字之變化脈絡不盡可尋，故古器文字有不可盡識者，勢也。古代文字假借至多，自周至漢，音亦屢變，假借之字不能一一求其本字，故古器文義有不可強通者，亦勢也。自來釋古器者，欲求無一字之不識，無一義之不通，而穿鑿附會之以生。穿鑿附會者，非也；謂其字之不可識、義之不可通而遂置之者，亦非也。文無古今，未有不文從字順者。今日通行文字，人人能讀之、能解之，《詩》、《書》、彝器，亦古之通行文字，今日所以難讀者，由今人之知古代不如現代之深故也。苟考之史事與制度文物，以知其時代之情狀；本之《詩》、《書》以求其文之義例；考之古音，以通其義之假借；參之彝器，以驗其文字之變化·由此而之彼，即甲以推乙，則于字之不可釋、義之不可通者，必間有獲焉。然後闕其不可知者，以俟後之君子，則庶乎其近之矣[9]。

由於時空隔絕不可逆轉的局勢，以致時人對古器文字與文義的認知上有極大落差。所以，王國維便提出通識古器文字、文義的新法，意即：透過對於史事與制度文物的考訂來瞭解時代的情狀、依據《詩》、《書》來推求文義、考求古音明通假借，以及參照彝器知曉古今字的變化等。

大陸學者姚淦銘指出，王國維所運用的材料，不限於甲骨文及金文，還包括了簡牘、封泥、兵器、印文等，以校正訛誤不確的部分，且借鑒宋代到

8　《王國維學術經典集》上冊（南昌市：江西人民出版社，1997年），頁175-180。
9　王國維：《觀堂集林》（石家莊市：河北教育出版社，2003年），頁145。

清末的考釋方法與自己的科學的系統方法。所以，他對於古文字考釋的認識，往往「不是孤立的對待，而是將其置於一系統網絡，以古文字聯絡著當時的史事、制度文物，聯絡著《詩》、《書》的義例，聯絡著古音通假，聯絡著銅器文字[10]。」

　　至於王國維的重要貢獻，誠如夏傳才〈詩經出土文獻和古籍整理〉所言不在於他的每條考釋都準確無誤，而是他能綜合運用甲骨文、金文、石鼓文、古代簡冊來考釋古史和訓釋古籍先行者，他所提出的二重證據法理論，改變了中國現代學術建構，開闢了古史研究的新時代[11]。而在此一在學術話語的權力結構下，二重證據法呈現的古史考證氛圍與進展，影響了當時及後來的學術研究活動。

　　大體而言，王國維的《詩經》研究，主要有四方面：第一，〈頌〉詩與樂舞的關係[12]；第二，以《詩》證史，以史論《詩》；第三，借甲骨金文考釋名物；第四，《詩經》訓詁新義[13]及《詩經》成語的勾勒提挈。然而，他的研究關注重點，主要是在借《詩》以證諸古史，賦予新證。不論是考論《詩經》的篇次，或是以殷虛卜辭所紀的祭禮與制度文物來證明〈商頌〉為宋詩，還是援引甲骨金文以考證《詩經》中所言的歷史地理[14]，基本上，其研究旨趣在史學，但卻借史以研經、詩、史相互參證，不僅擘劃了經史研究新局，也在還原《詩》義上，具有一定的作用及價值。

　　考察王國維援引古文字材料論證《詩經》的情形，可從「抉發《詩經》成語以新詮」、「借《詩》以新證古史」、「考釋名物、禮制」、「斷代詩篇及次第」等四面向，一窺梗概。至於林義光、聞一多、于省吾三人針對王國維說法進一步引申、補充或不同看法的部分，亦將一併說明如下。

10　見姚淦銘：《王國維文獻學研究》（南京市：江蘇古籍出版社，2001年），頁123。
11　見《二十世紀詩經學》（北京市：學苑出版社，2005年），頁330-331。
12　同註9，〈說商頌〉（頁53-55）、〈周頌說〉（頁51-52）、〈周大武樂章考〉（頁48）、〈說勺舞象舞〉（頁50-51）、〈漢以後所傳周樂考〉（頁56-57）等篇。
13　同註9，〈肅霜滌場說〉，頁30-32。
14　同註9，〈散氏盤跋〉（頁438-440）、〈兮甲盤跋〉（頁650）、〈鬼方昆夷玁狁考〉（頁296-307）等篇。

（一）抉發《詩經》成語以新詮

　　所謂成語，係指習用之古人文句、詩句、諺語、格言、熟語等。成語的整理，乾嘉考據學者多有所獲，然關以專題有系統申論，並作為訓詁新提案者[15]，王國維乃第一人。王國維在〈與友人論詩書中成語書一〉、〈與友人論詩書中成語書二〉及〈與沈兼士先生書〉中，揭示《詩經》中的「成語」。其云：

> 《詩》、《書》中如此類，其類頗多，自來注家均以雅訓分別釋之，殊不可通。凡此類語，能薈萃而求其源委歟？其或不能，則列舉之而闕所不知，或亦治經者所當有事歟？（〈與沈兼士先生書——附研究發題『詩書中成語之研究』〉[16]）

　　在〈與友人論詩書中成語書一〉文中，王氏亦指出古書中成語難解者有三：譌闕、語與今語不同、成語之意義與其中單語分別之意義不同。學者洪國樑統整王國維成語觀念有六：第一，古語非即是成語；第二，成語率為複語，且具相沿之特殊意義；第三，成語類多連用，雖亦有析用者，然須得連文互證；第四，單語而具特殊意義且習用者；第五，成語不可徒拘字形；第六，二字常連用，而其義難確指者，恐多係成語之故[17]。

　　今整理王氏援引古文字用以說明《詩經》者，計有九則（舍命、神保、永言配命、臨、彌性、庭方、戎公、有嚴、不時）。以「舍命」為例，王氏援引〈克鼎〉、〈毛公鼎〉等例，說明「舍命」即「捨勇命」。其云：

> 《詩·羔裘》云：「舍命不渝」。《箋》云：「是子處命不變」謂守死善

---

15 洪國樑：《王國維之經史學》（新北市：花木蘭文化出版社，2010年），頁223。

16 王國維：《觀堂集林·補遺》（臺北市：大通書局，1976年），頁1477-1480。

17 洪國樑：《王國維之詩書學》（臺北市：國立臺灣大學出版委員會，1984年），頁68-75。

道，見危授命之等。案：〈克鼎〉云：「王使善夫克舍命于成周。」
〈毛公鼎〉云：「厥非先告父厝，父厝舍命。毋有敢蠢。尃命於
外。」是「舍命」與「尃命」同意。舍命不渝，謂如晉解揚之致其君
命，非處命之謂也。（〈與友人論詩書中成語書二〉[18]）

其後，林義光接受王氏的說法，並增補〈克鐘〉：「王命膳夫克舍命于成
周。」證云：

> 舍字在金文多訓為賜予。說見《文源》舍命即錫命，亦即敷命之謂也。
> 《易・垢卦・象傳》云：「有隕自天，志不舍命也。」不為發聲，語
> 助。「舍命」亦即「錫命」，故為有隕自天之象。此詩「舍命」之解亦
> 當從鼎文與《易傳》。至《韓詩外傳・二》、《晏子・雜・上篇》、《新
> 序・義勇篇》載崔杼盟晏子，晏子不屈之事，並引此詩，則以「舍
> 命」為「見危授命」，與古義不合[19]。

另于省吾補〈矢令殷〉：「舍三事命，舍四方命。」為證[20]；聞一多附和之，
以金文「舍命」義與敷命、施命同[21]。

（二）借《詩》以新證古史

　　〈商頌〉寫作年代，歷來有二種說法。
　　第一種說法認為作於春秋時代，乃正考父美宋襄公之作，魏源《詩古
微》提出十三證、皮錫瑞《經學通論》又列舉七證，王國維作〈說商頌〉
上、下篇，首先，就詩篇中所言的地理位置，主張紂居河北，不得遠伐河南
景山之木，反而宋居商邱，距景山僅百數十裏，又周圍百里內別無名山，則

18　同註9，頁35。
19　林義光：《詩經通解》（上海市：中西書局，2012年），頁94。
20　于省吾：《澤螺居詩經新證》（北京市：中華書局，1982年），頁10。
21　孫黨伯，袁謇正主編：《聞一多全集》（武漢市：湖北人民出版社，1993年），冊3，頁281。

伐景山之木以造宗廟，於事為宜。其次，從卜辭中的稱謂與句法用例，發現殷虛卜辭所紀祭禮與制度文物，於〈商頌〉中無一可尋。其所見之人、地、名及成語，皆與殷朝不同，而反與周朝稱謂相類。且卜辭稱國都曰商，不曰殷；稱湯曰大乙，不曰湯，而〈頌〉則曰湯、曰烈祖、曰武王。再者，語句中也多沿襲周詩。如〈那〉之猗、那，即〈檜風‧萇楚〉之阿儺。〈小雅‧隰桑〉之阿難，石鼓文之亞箬也。〈長發〉之「昭假遲遲」即〈雲漢〉之「昭假無贏」、〈烝民〉之「昭假於下」也。〈殷武〉之「有截其所」即〈常武〉之「截彼淮浦，王師之所」也。又如〈烈祖〉之「時靡有爭」與〈江漢〉句同[22]。王氏針對〈商頌〉詩篇中所言之地理位置、〈商頌〉中祭禮與制度文物不見於殷虛卜辭，以及〈商頌〉語句多襲周詩等事例，證明〈商頌〉乃春秋時宋國臣子歌頌宋襄公之作品，對於研究〈商頌〉詩義的解讀，的確有一定的地位價值。

第二種說法是以商頌作於宋代晚期，如大陸學者張松如、楊公驥、陳子展、姚小鷗、陳桐生等人，即針對以上的觀點及論據，提出反駁，引起學術界的高度關注[23]。

今考察林義光《詩經通解‧商頌‧那》一詩云：

> 十二篇者既為商之名頌，則必為世間所盛傳。惟禮樂壞之後，所傳不無錯亂。故正考父校於周之大師，正其篇次，改以〈那〉為首也。閔馬父稱此十二篇為商之名頌，則頌之作必在商時。惟諸篇中詞句平易，或與〈采芑〉、〈烝民〉、〈江漢〉、〈閟宮〉諸詩轉相因襲，說者或疑不類殷人所為。不知古人成語雖在遠世亦可相襲，至於一時代之文難易錯出，見於《詩》、《書》及彝器者尤所恆有。以辭之難易論定作者年代，非能毫釐不失者也。十二篇之中，今所存者惟五篇。《序》

---

22 同註9，頁54-55。

23 楊公驥與張松如合撰〈論商頌〉，《文學遺產增刊》第2輯（1956年），其後，張松如撰《商頌研究》（天津市：南開大學出版社，1995年），一一反駁〈商頌〉為宋詩。陳桐生《史記與詩經》（北京市：人民文學出版社，2000年）整理並增列二條共十三條例說明之（頁158-175）。

以為此篇祀成湯，〈烈祖〉祀中宗，皆於詩義無據。蓋二詩皆美主祭之人，與〈魯頌〉之〈閟宮〉相類。至〈玄鳥〉、〈長發〉、〈殷武〉乃為稱頌先祖之辭爾[24]。

其以正考父得〈商頌〉十二篇於周太師，正其篇次，改以〈那〉為首，是《詩序》據《國語》閔馬父所言，按此，〈商頌〉當在微子以前作。而古人成語遠世相襲，〈商頌〉諸篇詞句平易，旨在讚美主祭之人或稱頌先祖，雖有推疑非殷人所作，然查考《詩》、《書》及古彝銘文，同一時代文詞多難易錯出，故不當以此遽論作者年代。此與王國維以語句多沿襲周詩為理據，是不同調的。他主張〈商頌〉之作必在商時，而詩義指涉的對象，〈那〉、〈烈祖〉二詩應為稱美主祭之人，與〈魯頌·閟宮〉類同；〈玄鳥〉、〈長發〉、〈殷武〉三詩則為稱頌先祖而作。

（三）考釋名物、禮制

　　王氏〈說斝〉一文引羅振玉《殷虛書契考釋》證明諸經中「散」字疑皆「斝」字之譌，並明列五證例，如大之飲器大者皆散角或斝角連文，言斝則不言散，可明二者實為同物；散者對膳言之散本非器名；以及引《詩·邶風》「赫如渥赭，公言錫爵」。《毛傳》云：「祭有畀輝。胞，翟。閽，寺者。惠下之道，見惠不過一散。」為例，云：

> 經言爵而《傳》言散，雖以禮詁詩為《毛傳》通例，然疑經文爵字本作斝。轉訛為散，後人因散字不得其韻，故改為爵。實則散乃斝之譌字。赫、斝為韻，不與上文篤、翟為韻[25]。

其推論出爵字本作斝，轉訛為散，以證明小學上所獲，可證之古制，而王國維關注焦點則似乎在於斝譌作訛。故于省吾進而引申斝之形制，云：

---

24 同註19，頁432。

25 同註9，頁69-70。

如按毛之說，則醆、斝與只是名稱不同，沒有形制上的差別。今以出土的商周時代酒器驗之，則斝為為有鋬（把手）、兩柱、三足（或四足）；圓口之器，用以貯酒。爵為飲酒器，今俗稱之為爵杯。以容量計之，則斝大於爵約十或二十餘倍。契文爵字作 𤤾，像有柱、流、尾、腹、鋬、三足之形。此詩之爵言洗、斝言奠者，為手執之飲器，是說主客在獻酢之後，主人再酬客故言洗；斝為貯酒器，需要用文以挹注於爵，亦可能置斝於爵之兩柱上而直瀉之，因為斝器較大，常設於爵側，故言奠。至於斝之所以有兩柱者，因為斝系中型貯酒器，罍為大型貯酒器，罍的容量約大於斝十餘倍。持罍以注於斝，故斝有兩柱以支之。總之，不用出土的商周酒器以驗之，則周之爵等于夏之醆、殷之斝，而詩人言「洗爵奠斝」之義終沒之辨[26]。

其以罍為大型的貯酒器，斝為中型的貯酒器，爵則是手持拿的酒杯。罍傾酒於斝，所以斝有兩個柱子支撐，常置放爵旁，須用斗注酒於酒杯。而唯有透過出土實物證據來交驗互證，否則是無法瞭解詩人「洗爵奠斝」的涵義。此若參照王國維〈說觥〉一文[27]，可見繼承脈絡。

　　此外，在〈釋宥〉一文中，王國維以《春秋左氏傳》「王饗醴，命之，宥。」之「宥」當作侑助解，並引〈小雅·彤弓〉證諸王引之《經義述聞》與孫詒讓〈比部〉謂胙。其云：

〈鄂侯鼎〉字正作友，有司徹之賓尸也。乃議侑干賓以異姓，吉禮尸之有侑，猶嘉禮賓之有介也。有司徹一篇紀侑事者，無侑尸飲食之事，是侑之名義，取諸副尸而不取諸尸，審矣。古者諸侯燕射之禮，皆宰夫為獻主，故其臣不嫌有賓名。若天子饗諸侯，則不設獻主。受獻者嫌與天子亢禮也，若曰天子自飲酒而諸侯副之，如侑之於尸云爾。〈鄂侯鼎〉始云馭方𢁾主，又云馭方卿王射，蓋裸則副王而射，

---

26 同註20，頁107。
27 同註9，頁70-72。

則與王為耦，事亦相因也。其在詩曰「鐘鼓既設，一朝右之」，右之者，正《春秋傳》所謂命之宥也。不然酢之事乃諸侯侑王，天子之享諸侯，顧曰一朝右之，可乎？孫君之說《詩》，王君之說《左傳》，其理皆長於舊注，而證據未詳，其義不備，故為補之云爾[28]。

王氏顯然更進一步援引〈鄂侯馭方鼎〉中宥、侑二字，說明侑之義與酢同。〈彤弓〉《傳》釋右為勸，〈楚茨〉《傳》釋侑為勸，可見右、侑同字。但林義光對於王引之讀宥為侑，據《爾雅》「酬、酢、侑、報也。」解「命之，侑。」為王命虢公、晉侯與王相酬酢的說法，則有不同的意見，《詩經通解》云：

古制君臣不相酬酢，故〈燕禮〉以宰夫為獻主，則饗禮亦不得以王命而酢王也。此詩先言饗，繼言醻，醻謂賞賜以報其功。皆於一朝行之，而行之必在宗廟。觀諸彝器記策命事，每云「旦，王格太室」可見也。〈虢季子伯盤〉「王格周廟，宣榭爰饗」，其下乃錫弓矢事，亦其證。方饗之時，賓尚在門外。〈周語〉定王謂隨會云：「唯戎狄則有體薦。坐諸門外，而使舌人體委與之。[29]」而宣十六年《左傳》云：「王享有體薦，宴有折俎．公當享，卿當宴。」則體薦在門外者不獨施於戎狄，王之享公宜皆然矣。」既饗而後右之入門。而賞賜酬庸又在其後。與內外所記策命之禮正合。而在彝器亦有可證者。如〈大鼎〉：「王饗醴。王呼善夫馭召大以厥友入攼（衎）。王召趣馬雍，命取駈騧馬卅匹錫大。亦先饗醴而後召入，既召入而後酬庸也[30]。

《詩經通解》以古制君臣不相酬酢，宥即右之借字，亦即內右、入右之義。林氏並引〈師虎敦〉、〈揚敦〉、〈豆閉敦〉、〈卯敦〉等諸彝器言冊命事為例，

---

28 同註9，頁612。

29 《詩經通解》本處引文「唯戎狄則有體薦」下，缺「夫戎狄，冒沒輕儳，貪而不讓．其血氣不治，若禽獸焉。其適來班貢，不俟馨香嘉味，故」等字。

30 同註19，頁194-195。

解作「既饗而右而酬之」。

（四）斷代詩篇及次第

　　王國維發揮治史精神，窮究詩篇年代。在〈鬼方昆夷玁狁考〉一文中，徵之古器，以凡紀玁狁事者，皆宣王時器物，而證〈小雅・采薇〉、〈出車〉、〈六月〉當為宣王時詩[31]。又〈玉谿生詩年譜會箋序〉一文，針對《鄭箋》據《國語》、《緯候》論斷〈小雅・十月之交〉、〈雨無正〉、〈小旻〉、〈小宛〉四詩為刺厲王詩，提出例證駁斥，云：

　　　逮同治閒，〈函皇父敦〉出於關中，而毛、鄭是非，乃決於百世之下。〈敦銘〉云：「函皇父作周嬻尊盂器敦鼎，自豕鼎降十又兩𣪘兩壺，周嬻其萬年子子孫孫永寶用。」周嬻猶言周姜，即函皇父之女歸於周而皇父為作媵器者。〈十月之交〉「豔妻」，〈魯詩〉本作閻妻，皆此敦函之假借字。函者其國或氏，嬻者其姓。而幽王之后則為姜為姒，均非嬻姓。鄭長於毛，即此可證。信乎，論世之不可以已也。故鄭君序《詩譜》曰：「欲知源流清濁之所處，則循其上下而省之。欲知風化芳臭澤之所及，則旁行而觀之。」治古詩如是，治後世詩亦何獨不然[32]。

王氏此引〈函皇父敦〉所載，論證《詩序》言為刺幽王之作是錯誤的。

　　按此，于省吾持不同的看法，他認為鄭玄《詩譜》將此詩列為厲王時沒有根據。反倒是阮元推得幽王六年十月辛卯朔，證據至確。王國維拘泥於鄭玄氏娍后之說，不求甚解，況厲王后本姓姜，此論實未深考[33]。

　　約論之，王國維的《詩經》研究重點，終極關懷在史學。他能運用新、舊史料參證互釋，補正前說，在研究方法與材料的開拓，影響極大。學者洪

---

31 同註9，頁296-307。

32 同註9，頁571-572。

33 同註20，頁26。

國楳謂其學術之重要特質在於開新風氣、闢新途徑、創新解釋[34]。而其補正
舊說錯謬，發前人所未聞，所論多為後人所繼承，如林義光《詩經通解》
「舍命」、〈正月〉「憂心慘慘，念國之為虐」、〈靜女〉等；聞一多〈羔羊〉
「羔羊之縫」、于省吾〈十月之交〉「豔妻煽方處」、〈皇矣〉「王此大邦，克
順克比」、〈敬之〉「陟降厥士」、「《詩》駿惠我文王解」等，皆對王說有所繼
承與引申補充。

三　林義光、聞一多、于省吾以古文字訓詁《詩經》的立場目的與方法

（一）林、聞、于三人以古文字訓詁《詩經》的立場、目的

1　林義光《詩經通解》

　　林義光《詩經通解》全書共二十卷，成於一九三〇年。此書以疏通晦昧
難懂的《詩》義為要旨，甄擇舊說之外，另結合清儒音聲故訓的研究成果與
新出土的古文字材料，以試圖釐清文字孳生通假與傳寫改易的變化，駁正前
人錯謬舊說[35]。此書立論的重要的依據，係一九二〇年以金文定其字形、字
音，第一部有系統地利用古文字資料訂正《說文》字書的《文源》[36]，今詳
考全書引用金文的情形，「國風」部分計有詩二十七首三十二條，「小雅」部
分詩二十二首三十條，「大雅」部分詩二十首四十二條，「三頌」部分詩二十
首三十二條。

　　大抵上，林義光運用古文字研究《詩經》的方法，與王國維一致，然尤
重於字之音、形、義的本來面目。在訓釋《詩經》的立場上，主張「欲究詩
義，必由古音、古字求之」、「欲達先聖玄意，須明瞭文字孳生通假與古書傳

34　同註15，頁46。
35　同註19，頁1-2。
36　葉玉英：《文源的文字學理論研究》（福州市：福建師範大學碩士論文，2003年），頁1。

寫改易」，以及「以遺存文物證驗古事」[37]。而林氏運用古文字以訓詁《詩經》的目的在於疏通、補正舊說的不足。在「敏求信述」的自許下，他面對與群經記載不相符合的事證言論，採取不廢不偏的存錄態度，援引古文物為證驗依據，且參覈諸彝器銘文，詳加證明。中國學者葉玉英指出其在古文字材料的運用上，一則利用金文印證《說文》，二是從金文材料中摸索古文字形音義演變的規律[38]。

　　值得一提的是，林義光對於《詩經》音韻的重視，遠甚於聞一多與于省吾。在他看來，確立《詩》的音韻，掌握音讀，訂正傳寫訛變，往往是通解《詩》義的重要方法。《詩經通解》「正文」除詳列詩句外，於字音收元音與輔音者，概以羅馬音標表示，繼〈序〉、〈例略〉之後，有「詩音韻通說」一文，說明標音讀、用韻的準則。而於《文源》一書「古音略說」中，他依聲母、諸書異文、聲訓、說文重文、說文聲讀等五種方法，推定古音通例；並定古雙聲之法及疊韻之法。而於〈詩音韻通說〉文中亦云：

> 文字之讀音，作《詩》之時有與近今顯然不同者……皆可於《詩》之用韻見之。由此可證，古今語音多所變易，《三百篇》詩雖非一時一地之作，在當時則字有定音，舛牾極少。蓋作詩之時，華夏語言較今日為整齊畫一也[39]。

在他看來，語音隨著時代的不同而有所變易，非一時一地之作的《三百篇》，在當時肯定音讀是確定的。所以，結合了古音及古文字材料，以通解《詩經》。

　　《詩經通解》的成果對於于省吾、聞一多的影響甚大。考察于、聞二人著作中，參引或補正林義光意見者甚多，如于省吾《澤螺居詩經新證》之〈節南山〉「相爾矛矣」、〈敬之〉「佛時仔肩」、〈雨無正〉「淪胥以鋪」、〈大明〉「會朝清明」、〈文王有聲〉「維龜正之」、〈生民〉〈履帝武敏歆〉等；聞

---

37 同註19，頁1。

38 同註36，頁61。

39 同註19，〈詩音韻通說〉頁1。

一多《詩經新義》「今」、「塈溉介」、「命」等;《詩經通義‧甲》之〈摽有梅〉、〈小星〉、〈日月〉、〈小雅‧谷風〉等;《詩經通義‧乙》之〈葛覃〉、〈桃夭〉、〈君子偕老〉、〈碩人〉、〈豐〉〈蟋蟀〉、〈綢繆〉、〈鴇羽〉、〈七月〉、〈小雅‧谷風〉、〈杕杜〉、〈采芑〉、〈庭燎〉、〈我行其野〉、〈小弁〉、〈大東〉、〈車舝〉、〈苕之華〉等,皆可看出論詩觀點承襲之迹。

2 聞一多《詩經新義》、《詩經通義》

　　《詩經新義》與《詩經通義》甲、乙等三書是聞一多《詩經》基礎研究工作的成果。在整理古籍的過程中,他發現較古的文學作品難讀的原因,不外乎作者的時代背景及著作意圖難以了解、文字假借以及傳本的訛誤,遂訂下了「說明背景」、「詮釋詞義」、「校正文字」三個研究課題[40]。在〈匡齋尺牘〉中,他陳述了讀《詩經》面臨的三樁困難,是如何去掉聖人點化的痕迹、建立客觀的推論標準以及擺脫主見悟入詩人的心理[41],故此提出先把每篇的文字看懂[42]的良方,以解決《詩經》抽象的、概括的問題。

　　一九三七年發表的《詩經新義》一書,針對《詩經》裡的二十三組字詞,進行了訓釋。《詩經通義》分甲、乙二部。甲發表於一九四三年,訓釋了〈周南〉、〈召南〉、〈邶風〉共三十一首詩;乙則為聞氏未定、未刊稿,共訓釋〈國風〉一百五十四首及〈小雅〉十七首詩。一九九三年湖北人民出版社據開明版《聞一多全集》及聞氏遺稿整理小組的整理成果,出版新全集時,方將《詩經通義》乙收入。新全集在「整理說明」中,特別交代了此書封面原題有「詩經新義」字樣,不類聞氏筆跡,當為清理遺稿者所加,而因體例不同於《詩經新義》而近於《詩經通義》甲,故仿開明版分《風詩類鈔》之分甲、乙而定名之[43]。

　　今考察三書訓釋體例,《詩經新義》以字為主,而《詩經通義》甲則依

40　同註21,《聞一多全集》,冊5,頁113。

41　同註21,《聞一多全集》,冊4,頁456-457。

42　同註21,《聞一多全集》,冊3,頁202。

43　同註21,《聞一多全集》,冊4,頁4。

相類詞例為訓，二書兼論相類字詞句例；《詩經通義》乙則多依原詩詞序排列，擇詞分訓，體例與前二者迥異，且與未刊《風詩類鈔》之語體注釋所擇字或詞多相同。按此，《詩經通義》乙應早於《風詩類鈔》，至於是否先於《詩經通義》甲，則仍待商榷[44]。

　　探究聞一多研究《詩經》的終極關懷，在於還原《詩經》本來的面目、重現《詩經》時代的真實面貌。聞氏透過考證訓詁的過程及手段，掌握文字及詩義，企圖建構結合了文化人類學、民俗學等「社會學」的讀《詩經》的方法。在《風詩類鈔》的「序例提綱」中，他曾指出這種讀法就是採取「縮短時間距離」，用語體文將《詩經》移至讀者的時代，並借助考古學、民俗學、語言學等方法。此外，還要注意古詩特有的技巧（象徵廋語 symbolism、諧聲廋語 puns、其他等）、以串講通全篇詩義，並於書後附錄圖像、校勘記、引用書目、釋音、國風通檢等[45]。

　　大陸學者趙沛霖曾指出，對聞一多來說，訓詁的終點只是起點。《詩經通義》往往在將某些字詞的基本意義解釋清楚之後，會以此為基礎進一步探其根源，明其流變，從而促進詩義的闡發。因此，全方位多角度地從發展和整體規模上考察《詩經》，使得聞一多得出很多具體的個別結論之外，還在概括很多個別例證的基礎上，得出了很多具有一定普遍性的結論[46]。

　　相較於歷來經學的、歷史的、文學的《詩經》讀法，聞一多開新造大的企圖，可見一斑。而今瞭解了聞一多新詮《詩經》的企圖，再重新檢視《詩

---

44 中國學者朱金發考辨二書體例及內容，以《詩經通義》甲在內容詳盡度、引書疏證數量及邏輯嚴密度皆較《詩經通義》乙為大，且《詩經通義》甲訂正了《詩經通義》乙引書中出現的訛誤，因而推斷《詩經通義》甲是在《詩經通義》乙的基礎上整理加工而成（詳見《聞一多的詩經研究》，開封市：河南大學碩士論文，2001年，頁11）。然而，筆者查考聞氏《詩經新義》、《詩經通義》甲、《詩經通義》乙三書訓釋同樣一首詩，選用資料證據多相同，且引用疏證數量繁多不代表內容詳盡及邏輯嚴密高。何況訓詁考證對於聞氏而言，只是過程與手段，後出漸轉精簡，條理和暢，實則符合他所提出的「社會學」的讀法。

45 同註21，《聞一多全集》，冊4，頁457-458。

46 趙沛霖：《詩經研究反思》（天津市：天津教育出版社，1989年），頁392。

經新義》與《詩經通義》之訓詁考證，或是運用古文字的態度與方法，將更能理解聞氏有別於林義光、于省吾治《詩》的立場目的。

3 于省吾《澤螺居詩經新證》

　　于省吾考證札記之《澤螺居詩經新證》共有三卷，上卷主要由一九三五出版的《雙劍誃詩經新證》刪訂而成，中卷分別發表於《文史》第一、二輯的《澤螺居詩經札記》（1962）、第二輯《澤螺居詩義解結》（1963），下卷則是已發表的的有關《詩經》考證的單篇論文。

　　于氏治學，極推崇乾嘉學者段玉裁、于氏父子的無徵不信；二〇至三〇年代，古器物和先秦古文字資料大量出土後，則深受王國維的治學方法影響[47]。一九三一年後，于省吾從事古物學和金文研究，並用古文字研究成果校訂和詮釋先秦典籍。除了堅持「以形為主」的方法用以避免望文生義外，還要盡可能地掌握辭例[48]。究其研究古文字的主要目的，是為探討古代史。他認為古文字中的某些象形字和會意字，往往形象地反映了古代社會活動的實際情況，所以，文字本身就是很珍貴的史料[49]。

　　而「新證」之作目的，根據《諸子新證・序》所云：

> 清代學者輯佚核異，考文通音，訂其違捂，疏其疑滯。微言墜緒，于以宣昭。省吾末學淺識，竊嘗有志於斯，誦覽之余，時得新解。本之於甲骨彝器、陶石彌化之文，以窮其原；通之於聲韻假借、校勘異同之方，以究其變[50]。

可知《新證》目標在於借甲骨彝器、聲韻假借、校勘訓詁等方式，吸收

---

47 陳公柔、周永珍、張業初：〈于省吾先生在學術方面的貢獻〉，《考古學報》第1期（1985年），頁4。

48 林澐：〈甲骨文釋林述介〉，《甲骨文釋林》（北京市：商務印書館，2010年），頁499-501。

49 《甲骨文釋林》（北京市：商務印書館，2010年），頁3-5。

50 《雙誃劍諸子新證》（北京市：中華書局，2009年），頁5-6。

前人古文字的研究成果，為其新解提供證例。今考察《澤螺居詩經新證》一
書體例，卷上將句法相似的字詞放在一起訓釋，且多僅提供鐘鼎文字補證，
不作任何說明；卷中則一改前例，以詩句為題解說，多駁正《傳》、《箋》舊
說；卷下為單篇論文，係有完整主題論述。此書乃就文字之形、音以求義的
心得札證。書中舉出不知古人重文之例而誤讀者、古字湮而本音失者、音叚
而本義湮者、不知句之通叚，因而失其句讀者、形譌而本義湮者、形譌又繼
之以音叚而本義湮者、音叚又繼之以形譌，而本義湮者等七例，期以不蹈拘
文牽義之譏[51]。

　　因此，在運用古文字以訓釋《詩經》的立場上，于氏強調透過古文字以
瞭解《詩經》裡反映的社會實際情況，採用出土文獻和傳世文獻交驗互足的
方法，為《詩經》研究取得新例證。而在運用古文字訓釋典籍的立場上，他
則認為古典文獻中許多人為的演繹說法和轉輾傳訛之處，故應強調以地下發
掘的文字資料為主，古典文獻為輔。《甲骨文字釋林》一書序言提出須同時
要用地下發掘的實物資料，用來補充文字資料的不足，交驗互足，才能使古
代史的研究不斷取得新的成果[52]。

　　于省吾古文字學養深厚，訓釋《詩經》字詞過程中，多以金文通例或西
周習見語例，判定自來說《詩》者所尊崇的《毛傳》、《鄭箋》的錯謬。其徵
引鍾鼎銘文，考證文字通假及古書傳寫改易，並利用民俗學、神話學等綜合
研究的理論方法，一一辨證諸家舊說。夏傳才《二十世紀詩經學》指出于氏
選用的考釋方法，展示了現代進行《詩經》詞語考釋的正確道路——古文獻
和古文字（金文、甲骨卜辭、石鼓和簡牘資料）以及文化人類學諸學科的綜
合選用，此書可譽為現代「新證」派代表作。

---

51 《雙劍誃尚書新證；雙劍誃詩經新證；雙劍誃易經新證》（北京市：中華書局，2009
　　年），頁317-320。

52 同註49，頁7。

（二）林、聞、于三人以古文字訓詁《詩經》的方法

綜觀三人運用古文字解《詩》的立場與目的，大抵上不外乎「求通」與「證新」。「求通」旨在疏通傳注，證成舊說；「證新」則意在突破前說，發明新義[53]。二者輔車相依，關係密切。其或有求通以出新，或證新以通釋者，兼而有之，不一而足。茲分校訂誤字音讀、識字通假與句讀、構詞慣例訓詞語、闡明參稽語例、考釋名物禮制、新證詩史與篇次等，論述三人補證舊說及證新詩義的表現。

1 校訂誤字音讀

隨著出土文獻的相繼發現，校訂古書中文字的傳寫改易、訛誤與音讀，既是時代因緣與需求，也是消除古書疑義的基本手段。

在**校定傳寫改易上**，林義光於〈皇矣〉「帝作邦作對，自大伯王季」訓云：

> 邦讀為奉。邦、奉皆从丰得聲，古為同音；而奉金文作拜，又與邦形近，故傳寫者誤 作邦字也。奉對猶對揚。諸彝器每言對揚，而〈召伯虎敦〉云：奉揚朕宗君其休。是奉亦對揚之義。《書‧雒誥》

---

[53] 白憲娟：《二十世紀二三十年代的《詩經》研究——以胡適、顧頡剛、聞一多《詩經》研究為例》（濟南市：山東大學碩士論文，2006年）指出，聞一多對此研究方法又有所發展創新，形成了與清代考據學不同的新特質，主要表現在以下幾方面：首先，不同於清儒為考據而考據，在聞一多而言，考據只是一種手段，一種途徑，是其到達《詩經》的殿堂的憑藉。其次，在傳統考據訓詁的基礎上，吸收多種現代學科方法，開創出現代《詩經》研究的新訓詁學方法。（頁48）。而包詩林：《于省吾新證訓詁研究》（合肥市：安徽大學博士論文，2007年）則指出，于氏的所謂「新」，首先體現在古文字、古器物等新材料的運用上；其次，體現在伴隨而來的新方法，即地下材料與傳世文獻的印證；再次體現在對於意義的考釋上。所以，于省吾的「新」是指糾正誤說所發明的「新解」、「新義」，也是他為前賢及當代作者未能論及的「新解」、「新義」，尤其，無徵而不立說是他訓釋的原則。（頁157）。

云：奉答天命。奉答亦即奉對矣。〈陳侯因資敦〉云：答揚厥德，是對亦作答。帝作奉作對，自大伯、王季者，言太伯、王季始對揚天休也。《廣雅》云：作，始也。天之休命將在文王，而非太伯、王季之友愛則文王不得嗣立，故以太伯、王季為奉答天命之始[54]。

林氏主張「邦」讀為「奉」，有三個理據：第一，邦、奉二字古同音，皆从丰得聲；第二，考釋金文，奉、邦二字形近；第三，奉對意即對揚，諸彝器每有「對揚」二字，如〈召伯虎敦〉、〈陳侯因資敦〉等。故而推論今作「帝作邦作對」乃傳寫者譌作。若此，則謂「奉答天命自大伯王季始」，與邦作國家解，並無太多差別，此例可從。

又如〈雨無正〉「凡百君子各敬（急）爾身」之「敬」字，林引〈師虎敦〉「苟夙夜」為例，證敬字本當作苟，傳寫者誤讀為敬而改其字[55]，敬字古或通作苟，此解作「各以己身之事為急，不恤國難。」〈下武〉「不遐有佐」之「佐」字，林氏以佐當為差，古文當作差，作佐者傳寫所改。並引〈齊侯鑰〉「國差立事」證國差即國佐也[56]，解作「胡有差」，猶胡害與胡愆。〈時邁〉「允王保之」之「允」字，林氏以金文作昷，昷即畯字，故譌省為允[57]。〈訪落〉「堪家多難」之「堪」字，疑當作「湛家多囏」。林氏引〈毛公鼎〉「家湛于囏」之辭例與比類，謂傳寫者譌湛囏為堪難，且增「未」字以足其義，力主此詩作「湛囏」而不作「堪難」解[58]。林氏援引古文字，發前人所未發，雖與歷來說解不同，但無妨詩義，可備一說。

在校定訛字上，聞一多《詩經通義》疑〈旄丘〉之「瑣尾」之尾字為屖省，音沙[59]。尾當為屖字之誤也。其並引金文《曾子屖簠》、《休盤》等及郭沫若的說法，以瑣、屖古同讀，係雙聲疊韻之連綿詞。另〈茉苢〉一詩之

54 同註19，頁318。
55 同註19，頁228。
56 同註19，頁326。
57 同註19，頁398。
58 同註19，頁410。
59 同註21，《聞一多全集》，冊3，頁373；《聞一多全集》，冊4，頁89。

「袺襭」，聞氏引《釋文》及山井鼎《考文》作擷，而以袺襭當从手作拮若擷。又吉聲多有上義，拮者當謂拾物之狀，擷與拮同，字誤从衣。聞氏並引甲骨文為證，以𢼸為拮擷本字[60]，其借重古文字以求通詩義，說解異於前人，當可聊備一格。

歷來〈維天之命〉「駿惠我文王，曾孫篤之」訓釋皆從《鄭箋》「以大順我文王之意，謂為《周禮》六官之職也。」而無異議，于省吾以金文驗之「駿惠」二字，謂本應作「畎寁」，其引宋代出土〈秦公鐘〉「畎寁在立（位）」、〈秦公簋〉「畎寁在天」為例，證凡典籍之駿字金文均作畎。畎從允聲，駿從夋聲，畎、駿音近字通，辵乃寁字的形訛。〈秦公鐘〉「畎寁」之「寁」，《歷代鐘鼎彝器款識》和《考古圖》均釋作「惠」，孫詒讓《古籀拾遺》、王國維《兩周金石文韻讀》亦釋作「惠」，于氏遂云此與秦漢之際學者隸定此詩古文時，釋「寁」為「惠」，雖然相去兩千多年之久，然其誤認古文，不謀而合[61]。于氏並參考郭沫若《兩周金文辭大系圖錄考釋》、楊樹達〈積微居金文說秦公簋再跋〉等說法，直指郭說終屬費解而楊說有誤。進一步指出金文寁字屢見，除用作人名外，均應讀作柢，訓為根柢或本柢。故此詩「駿惠我文王，曾孫篤之」之駿惠本應作畎寁。畎與駿系古今字，惠乃寁字的形訛，寁與柢古字通用。駿訓大，柢訓本，是典籍中的通詁。而由於典籍與地下文字資料得到了交驗互證，因而金文中的「寁處宗室」和「作寁為極」的解釋，過去的懸而未決的問題，終可迎刃而解[62]。

在**考字音讀者**上，聞一多《詩經通義》甲引卜辭、金文為例，證〈山有扶蘇〉「隰有游龍」之龍，以龍本讀*gl－[63]。于省吾《詩經新證》以古音湮而本音失者，舉〈終南〉「錦衣狐裘」之「裘」字為例，以此詩裘與梅、哉為韻，〈七月〉「取彼狐貍，為公子裘」之貍、裘為韻，〈大東〉「東人之子，職勞不來。西人之子，粲粲衣服。舟人之子，熊羆是裘。私人之子，百僚是

---

60 同註21，《聞一多全集》，冊4，頁22。

61 同註20，頁150。

62 同註20，頁150-152。

63 同註21，《聞一多全集》，冊3，頁380-381。

試。」之裘與來、服、試為韻。其引甲骨文裘作𠦪及〈叉卣〉等為證，裘
應作裗，从衣又聲，古音讀若以，之部[64]。

2 識字通假與句讀

　　通過比勘用字之異而掌握古今字，可供作釋義及其理據。在**識明古今字**
的部分，〈載驅〉「簟茀朱鞹」之茀字，林義光以金文作「簟弼」，證「弼」
為本字[65]。《文源》亦引〈毛公鼎〉「簟弼魚葡」為證，以弼為車蔽，百為茵
字，象茵覆二人之形[66]。

　　〈關雎〉「君子好逑」之逑，于省吾承《傳》訓為匹，駁《箋》據《魯
詩》強作解，援《說文》「怨匹為逑」、「仇，讎也。从九九聲」、「雔，雙鳥
也，从二隹。」及〈釋詁〉等訓釋，以逑、仇、雔、讎等字古每通用，謂今
本字與借字已糾結莫辨。且特引商代金文屢見之雔，均作雔，像兩鳥相向
形，以商周金文中均有讎字，中間从言，兩側像兩鳥相反形，主張不論相
向或相對，都具左右相對義，故典籍中多訓為匹，坐實雔、讎、與仇、逑的
演化和通轉的規律[67]。〈楚茨〉「我孔熯矣」之熯字，于氏以金文觀不从見，
勤不从力，引〈女𤔲毁〉、〈宗周鐘〉證熯即謹之本字，「我孔熯矣」即「我
孔謹矣」，下接「式禮莫愆」語意調適，今作熯乃形譌而本義湮者[68]。于氏
此解作謹與《傳》訓為敬，義近可通。

　　通假字之例，林義光於〈節南山〉「不弔昊天，不宜空我師」下云：

> 不弔，不淑也。金文叔字皆借弔字為之。叔、弔，雙聲旁轉。故淑亦
> 通作弔。《書·費誓》「無敢不弔」。《史記·魯世家》作「無敢不
> 善」。襄十六年《左傳》「旻天不弔」。鄭眾注《周禮·大祝》引作

---

64 同註19，頁14。

65 同註19，頁113。

66 林義光：《文源》(上海市：中西書局，2012年)，頁209。

67 同註20，頁69。

68 同註20，頁30；《雙劍誃尚書新證；雙劍誃詩經新證；雙劍誃易經新證》(北京市：中
　華書局，2009年)，頁319。

「閔天不淑」，是弔即淑也。《詩》言尹氏宜俾民不迷，不宜空窮我眾。其稱不淑昊天，乃痛傷歎嗟之詞[69]。

此以叔、弔二字雙聲旁轉，故相通，援引諸書文字證明「不弔」、「不善」、「不淑」皆同義。《文源》亦引〈豆閉敦〉古文字，證明弔皆以為叔字，且叔字幽韻，弔字宵韻，雙聲旁轉[70]。此訓合於詩義，並可與王國維〈與友人論詩書中成語書〉以「不淑」二字為成語，謂古多用為遭際不善之專名，不弔亦即不淑、不善的說法，相互發明。

〈絲衣〉「載弁俅俅」之「載弁」，林氏亦以金文有本字，即爵韋之韡之載市。載字音義當與纔字相近，載、纔與《禮經》爵字亦聲近義通，字變作載戠，且引《薛氏款識》「齊侯鎛鐘」所云：「余命女戠差卿。審較文義蓋讀戠為爵，與《禮經》借爵為戠義異而例同[71]。」

〈七月〉「稱彼兕觥」之「稱」字，聞一多《詩經通義乙》據馬瑞辰、朱駿聲之論，以稱為偁、再之假借，有揚舉之意，並援金文及卜辭為例證之[72]。

〈載芟〉「侯彊侯以」之以字，于省吾謂以、已古通，又已、己二字形近易訛，己即紀之本字。此乃形譌又繼之以音叚而本義湮者。其並引金文〈紀姜毁〉、〈紀侯鐘〉之紀并作己，不从糸。故「侯彊侯以」應讀作「侯疆侯紀」，訓為維疆維理[73]。〈南有嘉魚〉「式燕以行」、〈賓之初筵〉「烝行烈祖」、〈那〉「行我烈祖」，于省吾按金文行假侃為之，並引〈井仁妄鐘〉、〈兮仲鐘〉等為例[74]。

〈雨無正〉「昊天疾威」之威字，于氏以〈毛公鼎〉「敃天大夨畏」，證大夨

69　同註19，頁214。

70　同註66，頁210。

71　同註19，頁415-416。

72　同註21，《聞一多全集》，冊4，頁350。

73　同註20，頁62。

74　同註20，頁19。

即古疾字，**啟、威古並通**[75]。《雙劍誃吉金文選》中亦引徐同柏讀啟為愍，愍天即旻天，以及《爾雅》郭注旻猶愍，證此乃愍萬物彫落[76]。又〈民勞〉一詩「無縱詭隨以謹無良」、「無縱詭隨以謹惽怓」、「無縱詭隨以謹罔極」、「無縱詭隨以謹醜厲」、「無縱詭隨以謹繾綣」等「謹」字，于省吾以金文觀不從見，引〈頌鼎〉、〈女𤔲殷〉、〈𤔲卣〉等例，以謹本應作堇，堇、觀乃古今字，作「無從譏詐，與見天良」，解為譏詐之人不可從，無良之人不可見。于氏並駁《傳》、《箋》「謹」作「慎」解，以其與下言「式遏寇虐」之遏字言復意乖，未能探得詩人防微杜漸深旨諷意[77]。

　　權正句讀是釋古籍的起點。依韻讀而正句讀者，〈臣工〉一詩之「將受厥明，明昭上帝，迄用康年」句，林義光云：

> 明與明昭，複語也。厥明明昭上帝，猶皇（煌）皇（煌）后帝也。將督飭農夫使庤錢鎛，故告之曰：「今將受上帝命竟以康年命我眾人矣。」而下文則申之曰「奄觀銍艾也」。此詩舊失其讀，今依韻正之。介與艾為韻，是「來咨來茹，嗟嗟保介」句絕也。求與年為韻，是「維莫之春」至「於皇來年」句絕也。年與人為韻，是「將受厥明」至「命我眾人」為一讀也。茹、畬、鎛三字為隔協，不在句末。揆諸文義，亦以此讀為宜[78]。

其以「將受厥明明昭上帝迄用康年」當為一句，依韻而訂正句讀失誤。

　　又〈韓奕〉「鞹鞃淺幭」句，林氏亦以鞃幭之制，金文有朱虢（鞃）弘幭之例，是以朱鞹為鞃之幭，詩之鞹鞃淺幭當以鞹為一讀，鞃淺幭三字連讀[79]。

　　而〈正月〉「彼求我，則如不我得」一句，于省吾《詩經新證》以其章

75　同註20，頁28。

76　于省吾：《雙劍誃吉金文選》（北京市：中華書局，1998年），頁126。

77　同註20，頁43。

78　同註19，頁401-402。

79　同註19，頁379。

上下皆四言,「則如不我得」文實累贅。其引〈余冗鉦〉「勿喪勿戜」與《說文》戜籀文敗同為證,說明則、敗古通。故此句當為「彼求我敗,而不我得」言彼求敗我,而不我得也。我敗即敗我,謂毀傷我,與上言「天之扤我,如不我克」,言天之抈我,而不我識也。意謂抈我者而不我識,敗我者而不我得也。此乃不知句之通叚,因而失其句讀者[80]。

此外,〈君子偕老〉「委委佗佗」句,于省吾亦謂金文、石鼓文及古鈔本周秦載,凡遇重文不復書,皆作＝以代之,《毛傳》訓釋乃不知古人重文之例而誤讀者[81]。

3　構詞慣例訓詞語

構詞慣例是論證字詞用義的重要依據,亦是探求篇章意旨的基礎。

〈燕燕〉一詩「遠送于南」句,聞一多酌取眾說,定此詩為任姓國君送妹出適于衛之作。然而,衛在西北方,為何詩言「遠送于南」,聞氏遂援引金文〈士父鐘〉、〈兮仲鐘〉、〈井人妄鐘〉、〈虢叔旅鐘〉、〈楚王鐘〉、〈免毀〉、〈免簠〉、〈同毀〉、〈然員鼎〉等,證明南、林古聲近字通,南字當讀為林。「遠送于南」即「遠送于林」,猶「遠送于野」。林、野古同義字。其並據〈魯頌・駉〉之《傳》訓「郊外曰野,野外曰林」證林乃郊外之地,本無遠近之別,且詩每以林野為互文,如〈野有死麕〉「林有樸樕,野有死鹿」、〈陳風・株林〉之株林、株野。此詩一章「遠送于野」、三章「遠送于林」亦林、野互文,特字假南為之,使讀者不得其義[82]。

而〈湛露〉「顯允君子,莫不令德」句,于省吾以〈采芑〉三章、四章皆稱「顯允方叔」,顯訓顯明或顯赫,本是常詁。且允應讀作駿,訓大,如《爾雅・釋詁》訓駿為大,駿从夋聲,夋从允聲,二字乃相通借。〈酌〉「實維爾公允師」之允,亦應讀作駿。其並舉典籍駿字,金文通作畯,畯即今睃

80　同註20,頁23-24。

81　同註20,頁9-10。

82　同註21,《聞一多全集》,冊3,頁348-349;《聞一多全集》,冊4,頁59-60。

字，畯與駿古同用。按此，顯駿應訓作顯赫駿偉，故舊訓「明信」有失本義[83]。

又「命」字訓釋，聞一多歸納《詩》中命字凡數十見，〈雅〉、〈頌〉諸命字多屬天道之命而與後世異，尤〈國風〉中部分之命字，自來誤解最深。

> 金文令命同字，經傳亦每通用。〈小星〉篇二命字實即〈東方未明〉篇「自公令之」之謂……金文屢言「舍命」，其義與敷命、施命同。（林義光、于省吾俱有說，不備引）〈羔裘〉篇「舍命不渝」，戴震以命為君命，證之金文而益信。〈揚之水〉篇「我聞有命」，《傳》曰：「聞曲沃有善政命」，是亦以命為君命。〈定之方中〉篇「命彼倌人」之為君命于臣，無待詮釋。以上〈國風〉中諸命字，用為名詞者五，用為動詞者一，要皆謂人事中上施于下之命令，而非天道中天授于人之命數，如修短之期，窮達之分諸抽象觀念。〈小星·傳〉曰：「命不得同于列位」，〈羔裘·箋〉曰：「見危受命」，皆以人事之命為天道之命，斷不可從。（《箋》釋〈羔裘〉之禮命，亦非。《周禮·小宰之職》「五曰聽祿位以禮命」，先鄭《注》曰：「禮命謂九賜也」，後鄭彼《注》曰：「禮命，禮之九命之差等。」《箋》既以賤妾進御於君釋此詩，不知九賜九命之事與賤妾何與？若朱子訓〈蟋蟀〉之命為「正理」，則又以宋儒心性之學說《詩》矣[84]。

其以國風中之命字，作動詞者如〈小星〉、〈東方未明〉之命作令解；作名詞者有父母之命（如〈蟋蟀〉「不知命也」）、敷命、施命（〈羔裘〉「舍命不渝」）、君命（〈揚之水〉「我聞有命」、〈定之方中〉「命彼倌人」）等，大抵所指皆上施於下的命令。

〈祈父〉「有母之尸饔」之母字，于省吾以金文凡毋皆作母，〈弓鎛〉、〈毛公鼎〉等例不可枚舉。此詩「胡轉予于恤，有母之饔」當解作「胡移我

---

83 同註20，頁78。
84 同註21，《聞一多全集》，冊3，頁280-281。

于憂恤，又無以陳饔以供養」，上下義訓一貫，經義調適。否則，為王之爪牙應可竭心盡力於外，何以既有母以尸饔，又責祈父[85]？而《甲骨文字釋林》亦謂甲骨文和金文均借用母字以為否定詞之毋，毋字的造字本義，係把母字的兩點變為一個橫劃，作為指事字的標志，以別于母，而仍因母字以為聲[86]。

　　此外，在「德音」二字訓解上，于省吾確有新義。其統計《詩經》二字連用共十二處。其中，〈日月〉「德音無良」、〈南山有臺〉「德音不已」、「德音是茂」、〈皇矣〉「貊其德音」等三處，「德音」與「令聞」、「淑問」之義相仿，猶言「令名」、「善譽」。另有九處本應作「德言」，如〈邶·谷風〉「德音莫違」、〈有女同車〉「德音不忘」、〈小戎〉「秩秩德音」、〈狼跋〉「德音不瑕」、〈鹿鳴〉「德音孔昭」、〈車舝〉「德音來括」、〈隰桑〉「德音孔膠」、〈假樂〉「德音秩秩」等。于氏以音與言本系同字，後來因用各有當，遂致分化，然形音義有時還相通用。而就字形上看，金文和金文偏旁中的言字作𡧩，亦作𡧩，作𡧩者與音字無別。如〈楚王領鐘〉「其聿其言」即「其聿其音」；晚期金文从言的字作𡧩，亦作𡧩。故德音也通作德言[87]。

4 闡明參稽語例

　　深稽博考古人常語、成語等語例，有助於訓釋古籍。

　　至若于省吾以成語釋《詩》者，有〈雨無正〉一詩「飢成不遂」句。于省吾以「遂」字應讀作「墜」。金文本作豙，金文言「不豙」和「不敢豙」的成語習見。古籍中也往往以遂為墜。故此詩「戎成不退，飢成不遂」二句相對成文，不遂即不墜[88]。

　　在**古人常語**部分，〈雨無正〉「云不可使」之「可使」二字，林義光云：

---

85 同註20，頁23。

86 同註49，頁455。

87 同註20，頁129-134。

88 同註20，頁128。

可使讀為考事。〈師嫠敦〉「在昔先王小學汝，汝敏可吏」，〈齊侯鎛〉
「是以余為大攻，亝（暨）大吏、大徒、大僕、是辝（以）可吏」，《多
父盤》「其事（使）厚多父眉壽万事」，可吏與万事同，亦即此詩之可
使也。可、考雙聲。〈叔角父敦〉考字作丂，以可為聲。則可、考古
音亦相通。考，成也。「云不考事，得罪于天子；亦云考事，怨及朋
友」，言當正大夫離居莫肯夙夜之時，不作成我事，即贄御之任務。則
天子罪之；欲作成我事，則朋友怨之。故上文云維曰于仕，孔棘且殆
也[89]。

其以「可使」二字屢見金文，援〈師嫠敦〉、〈齊侯鎛〉、〈多父盤〉、〈叔父
敦〉等證「可使」讀為「考事」。

而〈思齊〉「不顯亦臨，無射亦保」句，林氏以〈毛公鼎〉「肆皇天無
射，臨保我有周」

證「臨保」為古人常語[90]；〈烝民〉「邦國若否」句，以〈毛公鼎〉「虢
許上下若否」例證「若否」古人常語[91]。

周人語例者，〈日月〉「報我不述」句下，于省吾以述、墜音近字通，金
文墜作豕，述乃段字，論「不豕」乃周人語例[92]；〈既醉〉「孝子不匱」以匱
本應作遺。遺、墜音近古通，並據〈毛公鼎〉、〈克鐘〉、〈邾公華鐘〉、〈邢侯
毀〉、〈師袁毀〉等論斷不豕乃周人語例[93]。〈綿〉「來朝走馬」句，于氏以自
來皆以走馬為驅馬，周初決無此等語例，朝、周古音近字通，且〈汝墳〉
「惄如調飢」《傳》訓調為朝，而〈大鼎〉、〈師兌毀〉、〈夨馬亥鼎〉、〈右夨
馬嘉壺〉等例可證夨、趣古通。故「來朝走馬」應讀作「來周走馬」，謂太
王自豳遷於岐周，而養馬於此[94]。

---

89 同註19，頁228-229。
90 同註19，頁315。
91 同註19，頁376-377。
92 同註20，頁8。
93 同註20，頁39-40。
94 同註20，頁34-35。

　　金文通例者，〈江漢〉「作召公考」一句，于氏以考、孝金文通用，此考與首、休、壽韻，乃「作孝召公」之倒文。而因上言「錫山土田，于周受命，自召祖命」，故「虎拜稽首，對揚王命」乃作孝召公。且金文多言追孝，如〈僑兒鐘〉「以追孝侁祖」，而金文通例乃每上有所錫，輒以追孝或高孝其祖考為言[95]。

　　此外，于省吾有以「讕語」訓釋詞義者，如〈君子偕老〉「委委蛇蛇」、〈振鷺〉「以永終譽」之永終，終亦永也；〈載芟〉「侯彊侯以」之疆理乃古人讕語互文皆用之也；〈抑〉「不僭不賊」句下，于氏以賊與貳乃形近而訛，僭、貳是古人讕語，貳亦通作忒為愆。僭忒疊義，猶言差爽。「不僭不貳」即「不僭貳」的分用語。其統理讕語分用之例，云：

　　　《詩經》中常有此例，如〈隰有萇楚〉的「猗儺其枝」，猗儺即阿難，〈隰桑〉分用之則為「隰桑有阿，其葉有難」；〈那〉的「亦不夷懌」，〈節南山〉分用之則為「既夷既懌」。又如婉變為讕語，〈甫田〉分用為「婉兮變兮」；粲爛為讕語，〈葛生〉分用為「角枕粲兮，錦衾爛兮」。是其例證。〈諸召鐘〉稱「夙暮不貳」，〈蔡侯鐘〉稱「不愆不貳」，愆即古愆字……僭貳訓差爽，愆訓過錯，語義有輕重。「不愆于儀，不僭不貳」，猶言其儀既沒有大的過錯，也沒有小的差爽[96]。

　　對於猗儺、夷懌、婉變、粲爛等雙聲、疊韻等讕語分用之例，于氏於〈無羊〉「旐維旟矣」句下增列〈毛公鼎〉稱「肆皇天亡斁，臨保我有周」之臨保二字疊義，〈思齊〉分用為「不顯亦臨，無射亦保」，並釋此詩「眾維魚矣，旐維旟矣」之旐字應讀作兆，而「眾維魚矣」之眾，與「旐維旟矣」之兆字，互文同義，兆引申為眾多的泛稱，且眾、兆雙聲疊義，均為量詞，維為句中助詞。此詩當謂牧人所夢眾魚之豐年徵象，兆旟為室家繁盛之驗[97]。

95　同註20，頁52。

96　同註20，頁110-111。

97　同註20，頁83-84。

5 考釋名物禮制

　　《詩經》名物研究最終的目的是通過對名物的訓解，進而會通物理、曉暢詩義。在考釋名物禮制上，〈小戎〉「六轡在手」句，林義光按〈公貿鼎〉轡字作𣂈，象六轡形。中𠃊象兩服馬之轡，旁𠅘象兩驂馬之轡，則服馬一轡，驂馬二轡，力持王夫之《詩經稗疏》主六轡之說[98]。〈六月〉「既成我服」句，林氏引〈虢季子伯盤〉「王賜乘馬，是用佐王」為例，證賜馬有佐王之義，故「既我成服」當指服馬，不得如舊訓衣服[99]。〈十月之交〉「擇三有事」之三有事，林氏以為即〈雨無正〉篇三事大夫。《詩》、《書》言三事皆在正大夫以外，顯然非三公。其並引〈毛公鼎〉於卿事寮、太史寮而外，又言參有司，謂參有司即三事；且據近出〈周明公尊彝〉「保尹三事四方，受卿事寮。」闡釋卿事寮外又言三事四方，與〈雨無正〉以正大夫、三事、邦君分言的情形相合，皆可見三事不為長官[100]。〈賓之初筵〉「室人入又」句，林氏以金文言入右，如〈豆閉敦〉「井伯入右豆閉」、〈卯敦〉「艾季入右卯立中廷」等，證此室人導賓酌酒，雖非入門，但與納賓之事相類，故亦謂之入右[101]。

　　又〈采菽〉之「玄袞及黼」，《詩經通解》云：

　　　　金文〈緄侯伯晨鼎〉云：「王命緄侯伯晨曰，嗣乃祖考侯于緄，錫汝秬鬯一卣，玄袞衣，幽夫。」幽夫讀為黝黼，即詩之玄袞及黼。黝為微青黑色，黼白黑相配，謂之黝宜矣。金文言賜衣者，曰玄衣黹屯，曰戠衣，曰玄袞衣，皆褻衣非命服也。何以言之？命服上公乃服袞，而〈韓奕〉篇「錫玄袞」，〈伯晨鼎〉與〈吳尊〉皆「錫衣袞衣」，〈吳尊〉之作冊吳，是否上公雖不可知，至韓侯、緄侯則儼然侯也，安得錫袞冕乎？惟〈伐徐鐘〉云：「王命公伐徐。攻戰攘敵，徐方以靜。

98　同註19，頁135-136。
99　同註19，頁197。
100　同註19，頁225。
101　同註19，頁281。

錫公寶鐘，大曲，彤矢，僕馬，袞冕，以章公休。」稱為公而賜袞，斯乃真袞矣。又命服必有衣有裳，其章始備。而金文言賜衣者皆不及裳，是亦所賜為褻衣之證也[102]。

林氏以金文言賜衣者皆褻衣非命服，且言賜衣皆不及裳，是所賜為褻衣之證，此「玄袞及黼」當謂玄綃為褻衣，以黑與青（袞）為緣，以白與黑（黼）為領，袞應從《爾雅》訓黻，與〈九罭〉之袞衣不同。

〈靈台〉之「辟雍」，林氏針對戴震依古銘識〈周鼎銘〉「王在辟宮」及「王在雍上宮」等例，謂辟雍乃文王離宮之閒燕遊樂處，不必以為大學之說，援引〈靜敦〉證說學射必在大池，其上有學宮，力主〈射義〉之習射於澤與〈王制〉以辟雍為學校，皆於古有徵[103]。

此外，〈羔羊〉一詩之素絲，聞一多據金文〈守宮尊〉、〈㫩鼎〉以絲為交易品，亦贈遺用絲之旁證，持論「素絲五紽」即金文之束絲矣。〈干旄〉篇之素絲亦贈遺所用，其以絲馬并證，與〈守宮尊〉、〈㫩鼎〉所紀密合。由於〈守宮尊〉、〈㫩鼎〉以外未見以絲為慶賞或貨幣之資，以理勢度之，聞一多認為贈遺、儺值、贖罪等經濟性活動，皆以絲為中介，宜早於用帛與綿。故依陳夢家、郭沫若等判定此二彝器皆在西周末葉，而推疑贈遺用絲乃西周末葉以前特殊之風尚[104]。

而〈麟之趾〉之麟，聞一多引用《說文》麠之重文作麐，以及籀文、〈釋獸〉等訓釋，謂麟（麐）、麕（麇）、麠（麖）、麢，四名為一物。《詩經通義》甲云：

〈野有死麕〉篇說男求女，以麕為贄。麕即麟，既如上說，則本篇蓋納徵之詩，以麟為贄也，納徵用麟者，麟、慶古同字。《說文》曰：「慶，行賀人，从人从夂。吉禮以鹿皮為贄，故從鹿省。」案此說字形非是。慶金文〈秦公敦〉作麐，其字于卜辭則為麐之初文。麐本即

102 同註19，頁284-285。
103 同註19，頁323-324。
104 同註21，《聞一多全集》，冊3，頁323。

夔下加口，而古字加口與否，往往無別。夔于金文為慶，于卜辭為麐。適足證慶、麐古為一字耳。夫鹿類之中，麐為最貴，故古禮慶賀所用，莫重于麐，因之麐遂孳乳為慶賀字。《說文》以「吉禮以鹿皮為贄」，解「慶」字，可謂得制字之意矣。吉禮用贄，以麟為貴，故相承即以麟為禮之象徵。《傳》曰：「麟信而應禮」，《箋》曰：「與禮相應，有似於麟。」并《左傳・哀十四年》服《注》曰：「視明禮修而麟至」，胥其例也。婚禮納徵用麟為贄，而〈二南〉復為房中樂，其詩多與婚姻有關，故知〈麟之趾〉為納徵之詩。[105]

此通釋麟與麐為一物的說法，前所未見。聞氏更引用婚禮納徵，以麐為贄之禮俗，參考金文、卜辭等材料，判定〈麟之趾〉一詩為納徵之詩，且以〈野有死麐〉一詩證明古婚禮以全鹿為贄，後世尚簡，始易以鹿皮。

又如〈靜女〉一詩「俟我于城隅」之「隅」字。《詩經通義》引金文曲字作凵，並對照《說文》、《無極山碑》，斷定隅、曲同義。言古者築城必就隅為台。《詩經通義》甲云：

> 宮與城皆垣墻之名，惟所在有遠近為異，故疑宮隅城隅，其制不殊，而上宮城隅，亦名異而實同。宮隅城隅之屋，非人所常居，故行旅往來，或藉以止宿，又以其地幽閑，而人所罕至，故亦為男女私會之所。（金文隅作𩫖，從亯，像兩亭相對。後世之亭，為行旅所寄頓，亦或為男女所集聚，疑即古隅樓之遺。）城闕即城隅，上宮之類。……蓋城墻當門兩旁築臺，臺上設樓，是為觀，亦謂之闕。城隅，上宮為城宮墻角之樓，城闕為城正面夾門兩旁之樓，是城闕亦城隅，上宮之類，故亦為男女期會之處。《集傳》以〈子衿〉篇為淫奔之詩，信矣[106]。

顯然，聞氏考釋城隅之餘，另外賦予城隅為男女期會之處，且附和朱子

以〈子衿〉為淫詩的說法。

至如〈摽有梅〉之梅字，聞一多云：

> 梅字从每，每母古同字，而古妻字亦从每从又。梅一作䅆，从敏，古
> 作敄，亦从每从又，與妻本屬同字。本篇梅字，《釋文》引《韓詩》
> 作楳，《說文》梅之重文亦作楳。《說文》又曰：「某，酸果也。」古
> 文作梁。案某梁皆古無字之省變，卜辭金文，或以無為母，而經典亦
> 無母通用，毋即母字。是梅楳某梁仍為一字。梅也者，猶言為人妻為
> 人母之果也。然則此果之得名，即昉于摽梅求士之俗。求士以梅為
> 介，故某楳二形又孳乳為媒字，因之梅（楳）之函義，又為媒合二姓
> 之果。要之，女之求士，以梅為贄，其淵源甚古，其函義甚多。本篇
> 《傳》、《箋》並謂梅盛極則落，喻女色盛將衰，皮相之論也[107]。

其以原始社會之求致食糧，每因兩性體質之所宜，分工合作，采集蔬果乃女子工作。果實既為女子所有，則女之求士，以果為贄，亦適宜合理。則以果實為求偶之媒介，兼取蕃殖性能的象徵意義。故擲人果實寓貽人嗣胤，女欲事人即以果實擲之其人以表其誠。若此，則梅與女子關係甚深[108]。

他如〈甫田〉「如茨如梁」，于省吾以金文荊楚之荊作𣏟者習見，金文梁國之梁與稻粱之粱每無別，橋梁與屋楣，梁字金文中亦有不从米者，可見荊與梁、粱并从刅聲，字本相通。此乃詩人咏「曾孫之稼」，以以茨之密集與荊之叢生為比，形容禾稼之多[109]。〈生民〉「卬盛于豆，于豆于登」一句，自來說此詩者，均從《毛傳》訓卬為我，而不知卬即仰之古文。于省吾引〈毛公鼎〉「卬邵皇天」即「仰邵皇天」、〈瞻卬〉「瞻卬昊天」即「瞻仰昊天」、〈車舝〉「高山仰止」，《說文》引作「高山卬止」等為例證，說明卬為古文，仰為后起的分化字。他並指出近年來出土的銅豆習見，並不限於《毛

107　同註21，《聞一多全集》，冊3，頁328。
108　同註21，《聞一多全集》，冊3，頁328。
109　同註20，頁91-92。

傳》所說的「木曰豆」的意思[110]。

〈既醉〉「永錫爾類」句，于氏亦有新義。首先，他認為「永錫爾類」是說永久以奴隸的族類錫予之，因為當時習慣以奴隸為賞賜品。至於有人說這四句是指孝子的族類而言，他則以孝子既為君子之子，君子已有世代相傳的族類，為什麼還要言「錫」，予以駁正。其次，就詩義本身來看，首章是以「其類維何」的問辭開頭，而以「室家之壺」為答辭，一問一答，「類」與「室家」都是實有所指。可見用室家聚族以居的族類作為永久的賞賜品，說得通。至於第八章中的「其僕維何，釐爾女士」的女士二字，于省吾認為此乃倒文以協韻，應指士女，如同下文的子孫作孫子。他並引用〈師袁簋〉以士女與羊牛並列，作為此詩以士女為僕隸的確證。此外，于氏以《詩經》中以士與女相對稱者，都是指青壯年男女，故此詩的士女，係指壯年的男女[111]。

6 新證詩史與篇次

伴隨考古成果的湧現，利用出土材料來重建古史，可以更瞭解《詩》之時代背景與指涉涵義。而與古人求善的方法不同，聞一多希求用「《詩經》時代」的眼光讀《詩經》。《匡齋尺牘》云：

> 在某種心理狀態之下，人們每喜歡從一個對象中—例如一部古書—發現一點意義來灌溉自己的良心，甚至曲解了對象，也顧不得。這點方便是人人的權利。舊時代中有理想的政客，和忠於聖教的學者，他們自然也各有權利去從《詩經》中發現以至捏造一種合乎他們「心靈衛生」的條件的意義。便是在這種權利的保障之下，他們曾經用了「深文周納」的手術把〈狼跋〉說成一首頌揚周公的詩[112]。

對於〈豳風〉裡的詩多與周公有關，聞一多持不同的意見，他主張〈狼跋〉

---

110 同註20，頁138。

111 同註20，頁145-146。

112 同註21，《聞一多全集》，冊3，頁214。

一詩應與格調最近的〈秦風・終南〉等而觀之。二詩同樣是在豐采的摹繪上贊美一位貴族，區別在於〈終南〉是一幅素描，〈狼跋〉則是一幅 Caricature（漫畫／諷刺畫）。其以〈狼跋〉「公孫」等於〈終南〉「君子」，〈狼跋〉「德音不瑕」等於〈終南〉「壽考不忘」。由於詩中既無確證點明身分，倒不如安分點僅說是某一位公孫或豳公之孫，究竟尋繹公孫是什麼樣的典型人物，他的儀表、服飾乃至性情等頭緒，畢竟較有趣得多。因此，為要明瞭〈狼跋〉一詩，首先應明瞭「公孫碩膚」的「膚」字。聞氏引金文臚作膚，鑪作鑪，證臚、膚同字。其並以《藝文類聚》引《釋名》例證，主《詩》中膚字的意義與鴻臚的臚一樣；而碩膚與鴻臚一樣，譯作近代語，便是大腹的意思。且拿《詩經》「公孫碩膚」與《易林》「老狼白臚」兩相印證，斷定此詩以狼比公孫。至於詩中以狼「跋胡疐尾」的艱難步態形容公孫，顯然並未污蔑公孫人格德性，此乃詩人對公孫一種善意的調弄的態度，可以推想的是公孫的性情必是富於幽默的，而作者必當是與他地位相當的妻子[113]。

　　而〈文王〉「無念爾祖」句下，于省吾對於舊說以周公所作，則不以為然，其云：

　　　　此詩詞句調暢，押韻流利，在章法上前一章的末句與下一章的首句所用的「蟬聯格」，較之西周中葉常見用韻的金文，已經達到進一步的發展。此詩著作時代不僅不是周初，也不是西周中葉，而是屬於西周晚期。詩人稱頌周人之崛興，歸功于文王，連帶追述周人克殷後勸服殷士，并以殷事為借鑒而作。說《詩》者如果不首先考明作品的時代，則一切都成空中樓閣。我認為，我國的韻文，從不見于商代甲骨文和金文，乃萌芽於周初。〈周頌〉中屬于西周前期的作品約十篇左右，有的一篇中僅二、三句押韻。〈魯頌〉和〈商頌〉都係春秋前期所作。大、小〈雅〉的撰著時期，有的屬于西周末期，有的屬於春秋早期。〈正月〉稱「赫赫宗周，褒姒威之」，〈雨無正〉稱「周宗（應依左昭十六年傳作宗周）既滅，靡所止戾」。〈正月〉和〈雨無正〉兩

113　同註21，《聞一多全集》，冊3，頁215-223。

篇都係〈小雅〉裡詞句最為古奧的作品，但也不過是「宗周既滅」之
後春秋早期所作。至於〈國風〉，則係春秋前期所作，屬於西周末期
是很少的，總之，《詩經》中除去〈周頌〉中十篇左右外，最早的篇
什都超不出西周後期或末期。鄭氏《詩譜》所列的年代，多不可據[114]。

而〈《詩‧既醉》篇舊說的批判和新的解釋〉一文亦云：

> 自鄭康成詩《箋》以為「成王祭宗廟」的詩，漢以後的學者多宗鄭
> 說，很少異議。但是，按其詩詞句的調暢，韻讀的流利，與其他詩篇
> 以及周代金文中可以辨認出時代的韻文相互印證，則此詩的著作時代
> 不能早於西周末期。再說其章法結構上的技巧考之，全詩共八章，自
> 第三章起，每章的首一句，都是承接了上章的末一句加以變化，蟬聯
> 而下。〈下武〉共六章，即用此法，但每章的首一句很少變化。又
> 〈文王〉共七章，自第三章以下，也是用同樣的承接方法。這種章法
> 結構，可以叫作「連鎖遞承法」。連鎖遞承法是從形式上各自為章的
> 詩篇發展而來的。足證〈下武〉、〈文王〉和〈既醉〉在〈大雅〉中是
> 比較晚的作品。[115]

以及對〈周頌〉詩篇時代的質疑：

> 按〈周頌〉多周初之詩，其崇奧與東周文字迥然不同。惟〈執競〉、
> 〈臣工〉二篇，詞句不類他篇之渾穆，間有可疑。或為後人所竄易，
> 或書缺有間，為後人所補苴。如〈執競〉《序》以為祀武王，然祀武
> 王而曰「不顯成康」，非也。《毛傳》以為「不顯乎其成大功而安之
> 也」，然下云「自彼成康」則指成王、康王言無疑。又〈臣工〉「維暮
> 之春」一語，亦非西周中葉以上之文。薛氏〈鐘鼎款識‧鳥篆鐘〉
> 「唯正月王瞀吉日」，近世出土〈陳𣇃壺〉「陳𣇃再立事歲孟冬」，二

---

114 同註20，頁95-96。
115 同註20，頁143。

者皆晚周器，不足以證此詩[116]。

可知于省吾判定詩篇的時代，除以章法結構、詞句調暢及韻讀流利與否為據之外，仍參照金文中可以辨識的韻文及詩篇交互印證。如〈執競〉、〈臣工〉二詩詞句與〈周頌〉其他詩篇肅穆雄渾之氣不同，令人懷疑乃後人竄易，或是書中有缺漏，後人增補，即便〈鐘鼎款識・鳥篆鐘〉與〈陳㠱壺〉二件晚周器，仍無法充分證明。

　　于氏強調《詩》若不考明時代，則一切皆成空中樓閣，不切實際。而他對於詩篇時代的考論推求，實與王國維斷代詩篇時代的做法相類似。

四　林、聞、于三人以古文字訓詁《詩經》的特色及侷限

　　相較清儒受制於出土材料的數量和古文字研究水平等因素的制約，林、聞、于三人自覺地廣搜出土材料與傳世《詩經》相互證，對於訛字、通假、句讀、詞語訓釋、名物禮制、詩史與篇次等，尋根溯源，參證比較。所展現之特色，主要有五；其研究之侷限亦有四，茲分述如下。

（一）三人以古文字訓詁《詩經》的特色

1 結合古文字考釋成果，因形以求義

　　二十世紀甲骨文、金文的大量出現與研究，古文字學因而大興，訓詁方法也由高郵王氏父子等「因聲求義」轉為「因形求義」。雖說古文字的研究從辨明文字的形體著手，但形、音、義三者是不能截然分開的，若只關注字形而不顧及音、義，將便經義解讀出現侷限性。

　　林義光勇於嘗試地從金文材料中摸索古文字形音義演變的規律，《文

源》一書整理近百條因形近而產生訛變的條例[117]，並運用在通解《詩經》的涵義上，主張探究《詩》義必於古音、古字求之，並將古文字結合清儒的音聲故訓方式，以釐清文字通假與傳寫改易之迹，是書多傳寫改易、傳寫改譌、傳寫者誤改等例證。

　　聞一多強調要理解《詩經》，欣賞《詩經》，就必須先弄懂裡面的每一個字詞，因為一首詩全篇都明白，只剩一個字沒有看懂，就可能成為影響你欣賞或研究這首詩的重要關鍵。所以，每讀一首詩，必須把那裡每個字的意義都追問透徹，不許存下絲毫的疑惑[118]。如〈行露〉「誰謂雀無角」之「角」字，聞一多舉出五個例證：第一，從語根證角為喙；第二，以文字畫為證，古彝器銘文識有大喙鳥，其喙作　形，與卜辭角字作　者相似，與　字之角的形貌也相似；第三，古諺語稱鳥咮為角；第四，相同部首的孳乳字有觜，可指鳥喙及獸角；第五，同樣偏旁的孳乳字有桷，桷即椽，猶喙謂之角。故此，獸角與鳥喙二者性質相似，皆屬自衛之器，獸角與角喙皆名為角。然後世以角指獸角，另以噣字為鳥喙之名，初文角則廢，以致《傳》、《箋》誤訓「雀之穿屋似有角」，讀角為獸角[119]。

　　于省吾自述研究古文字四十餘年，依認識的甲骨文字糾正已識之字的音讀義訓之誤，提出造字本義的新解。他指出古文字是客觀存在的，有形可識，有音可讀，有義可尋，其形、音、義之間是相互聯繫的，且應注意每一個字和同時代其它字的橫向關係，以及它在不同時代的發生、發展和變化的縱向關係[120]。其由字出發以至解經，卓識見於《尚書新證‧序》云：

　　　讀古書者必諳於文字之通假，蓋群經諸子與夫騷些之讔語，韻讀固同
　　　流共貫，可以求而知之也，然文字形體代更，世異演變無方，有非通
　　　假一途之所可限者，有不見夫文字之本原，而無以意測，其果為通假

117　同註66，頁69-73。

118　同註21，《聞一多全集》，冊3，頁202。

119　同註21，《聞一多全集》，冊3，頁267-268。

120　同註49，頁1-3。

與否者，聲音通假之道至是而窮，而勢必有資乎古籀。尚書，古籀之
書也，不循古籀以求之，徒據後人竄改譌牾錯襍之迹，奮臆騁辭而強
為之解，無當也……[121]。

以及《尚書新證‧敘例》：

經傳文詞之不易解者，多半由於聲之假與形之譌，是編所發明者，偏
於形之訛，往往證以同時語例，其不合者，一句之中每由於一二字，
一二字中每由於一二畫，辨察於幾微之間，所以昭昧發幽，蓋以此
也。高郵王氏父子所著書，如《讀書雜志》及《經義述聞》，〈形譌〉
一篇所載往往字形相去懸殊，似不應誤而誤者，不一而足，要在學者
之得其會心而已[122]。

可知其力主文字形體演變無方，絕非通假可以匡限，須仰賴古籀相互參
驗。而經傳文詞又多半因通假與譌誤而難以訓解。因此，《詩經新證》對於
通識《詩經》文本正字之形、音、義特別用心，且特參以古籀以訂正形譌之
字[123]。由於字形上或訛或正的問題，往往牽涉到義訓上的是非得失，所
以，因此，字形是他賴以實事求是進行研究的唯一基礎[124]。

如〈匏有苦葉〉「深則厲，淺則揭」之厲字，清‧戴震《毛鄭詩考正》
引《說文解字》、《水經注‧河水》證橋有厲名，時人段玉裁、王引之不以為
詞，而採《爾雅》以衣涉水之訓。于省吾《甲骨文字釋林》則提挈砅為砅之
古文，砅字中間從水，兩側從石，象履石渡水的樣貌極為鮮明，後世稱橋梁

121　同註51，頁3-4。

122　同註51，頁12-13。

123　同註51，《詩經新證‧序》：「讀經宜先識字形，音得而義始可尋，然非就古人之聲韻
以究其本音，古籀之初文以識其本形，則經義豈易言哉，自清儒之闡明古音，而協
韻易知，通假可求，自近世之古籀學興而形譌以正，古義式昭。」（頁317）。

124　同註49，書末有李瀅〈甲骨文字釋林述介〉一文指出，于氏在考釋古文字方面之所
以取得很大的成績，主要與他堅持「以形為主」的方法有關；同時，他也認為僅從
某個不識的古文字的上下文來揣測字義，而不先認真研究字形，往往容易望文生
義，削足適屨履地改易客觀存在的字形以遷就一己之見（未編頁碼）。

為厲，乃𥐊或砅的借字，論證《說文》「砅」字段《注》謂「古假砅為厲」
的說法，乃因不知砅與𥐊之造字本義而本末倒置。于氏核實戴震的理論性理
據，仰賴的正是因形證義的方式[125]。

　　而《詩經》中「止」字的辨釋，于氏有云：

> 止字卜辭作ꓮ或ꓯ，商代金文作ꙮ，乃足趾之趾的象形初文。金文
> 演化作ꓴ，《說文》誤解為「艸木有阯」。之字卜辭作ꝋ或ꝏ，從止
> 在一上，一為地，像足趾在地上行動，止亦聲，係會意兼形聲字。小
> 篆訛作ꙮ，《說文》誤解為「艸木過屮，枝葉莖益大」。隸變作ꓨ，
> 為今楷所本。以上是止與之字的發生、發展和變化源流。凡《詩經》
> 中用作容止和止息之止，后世有的傳本均訛作止，這一點，清代的一
> 些說文學家無不知之；凡《詩經》中用作指示代詞和語末助詞之止，
> 即古文之字，後世有的傳本均訛作「止」，這一點，二千年來的說
> 《詩》者卻無人知之[126]。

其以《詩經》中止字凡一百二十二見，為「止」字之訛有五十三字，用作
「容止」及「止息」，是傳抄或傳刻之訛。于氏探索「止」字構形與《說文》
「艸木出有阯」無涉，而是足趾的「趾」的初文，商代金文ꙮ為原始象形
字，至於卜辭及周代金文偏旁從止的字已趨簡化。其舉證《儀禮・士昏
禮》、《詩經・抑》、《國語》、《說文》等釋義，以「止」字本象足趾之趾，引
伸則有足、容止、留止、基止等義，雖然義訓不同，但基本上確是一脈相
承，婉轉貫通的。至於或作「之」者則有六十九字，分別用作句首指示代
詞、句末指示代詞以及語末助詞，乃漢人竄改未盡所致，二千年來的說詩者
卻無人知曉。而由於《詩經》「之」字較「止」字習見，不該於之字外存若
干止字以紊亂，所以澄清止、止二字的混淆情形，勢必與舊說大相逕庭[127]。

---

125 同註49，頁150-152；岑溢成：《訓詁學與清儒訓詁方法》（香港：新亞書院博士論
　　文，1984年）。

126 同註20，頁129。

127 同註20，頁120-129。

　　而在釐清卜辭、金文之止與之字的發生、發展和變化後，可以看出于氏仍仔細按覈每首詩之辭例及詩義，其因形索義目的仍在得於經義。

2　徵引古文字相類詞例，論證字詞

　　字詞的校讀與訓釋，如果能與同時代的甲骨、金文資料對讀，找出可資參考的相同或相類的詞句，不僅可校讀文字錯訛，也可以供作詩義訓釋。尤其根據古文字的用字和書寫習慣，更能推闡、論證字詞的用義。

　　〈式微〉「胡為中露」之中，林義光引〈沈兒鐘〉、〈王孫鐘〉「中翰叡陽」以及〈終風〉「終和且平」句法為例，依其文義讀為「終翰且陽」，證「中」與「終」古通用，而讀為終[128]；〈桑中〉「美孟弋矣」之弋字，以〈釐母敦〉有妖字，推證弋當作妖，指姓[129]。而〈維天之命〉「文王之德之純」句，林義光云以〈虢叔鐘〉、〈善夫克鼎〉、〈師望鼎〉皆言「得屯亡射」，可見「得屯」為常語，故判定此詩「德純」亦當讀為「得屯」。並云：

> 得屯亡（無）射（斁）者，得之雖難，而既得之後永持不釋也。不釋亦即
> 不已。《說文》：斁，解也。一曰終也。是斁又可訓已。〈井人鐘〉云：得屯用
> 魯，永終于吉。魯讀為固，純嘏金文皆作屯魯。魯與嘏同音，則亦與固同音。
> 亦謂得之難而持之固，故能永終于吉也。屯訓為難者，屯之言鈍。鈍
> 亦謂之魯者，魯之言固。魯鈍之人，有所得則不易失。人之於福祿亦
> 常以易失為懼，故福祿謂之純嘏。其字在金文皆作屯魯。然則純嘏即
> 魯鈍亦即屯固之義矣。《左傳》畢萬筮仕於晉，遇屯之比。辛廖占之
> 曰：「吉。屯固比入，吉孰大焉。」閔元年。屯之卦為難而占為吉者，
> 以凡物鈍則固，與純嘏之義相合也。《周語》「敦厖純固」，純固亦即屯固。
> 《禮記》云：詩云「維天之命，於穆不已」，蓋曰天之所以為天也。
> 「於乎不顯，文王之德之純」，蓋曰文王之所以為文也，純亦不已。
> 《中庸》篇。純之所以為不已，正以得之難則持久不釋，猶「得屯無

128　同註19，頁46。
129　同註19，頁61。

戜」之義也[130]。

此以「德純不已」即金文「得屯無戜」，且謂「純嘏」在金文皆作「屯魯」，
即魯鈍亦即屯固之義。而物鈍則固，與純嘏之義合。詩句謂文王之所以為文
王，是其得受天命，其德純之不已。至於純之所以為不已，是得之難則持久
不釋，猶如「得屯無戜」的意思。

　　相較於林義光使用金文常語來推闡論證字詞，于省吾除了以「金文通
例」、「周人語例」或是「讔語」等處理字詞用義外，《詩經新證》中更大量
援引甲骨、金文相似詞例，供作訓釋對照。如〈簡兮〉「有力如虎」，引〈弓
鎛〉「靈力若虎」為輔證；又如〈蓼蕭〉「鞗革沖沖」，引〈毛公鼎〉、〈頌
鼎〉、〈吳毀〉以「鞗革」並作「攸勒」；〈鴻鴈〉「哀此鰥寡」與〈烝民〉「不
侮矜寡」，引〈毛公鼎〉「酒孜鰥寡」與〈作冊卣〉「勿𠂤鰥寡」證之；〈韓
奕〉「榦不庭方」引〈毛公鼎〉「率襄不廷方」、〈秦公鐘〉「鎮靜不廷」證之
等[131]。

　　誠如趙沛霖指出，于氏對字義的解釋除了有字源學的根據，還有同時代
文獻的證據，每每在語言的歷史性與社會性的統一中，求其訓解[132]。

3 出土文獻與傳世文獻交驗互證

　　出土文獻包含實物證據與文字證據。傳世文獻可以證明出土文獻的古文
字，同樣的，出土文獻上的文字證據，也可用來驗證傳世文獻中詞語的意
義，或糾正書寫的錯誤。二者相互補充印證，進行考察，才能真實全面地揭
示及還原當時語言文字的真實面貌。特別是出土文獻擁有極多商代後期甲骨
文和西周春秋時代的金文，對於補足《詩經》傳世文獻的研究，彌足珍貴。

　　除了字詞的比勘、語例的推闡以及詩義的訓釋，利用出土實物證據來考

---

130 同註19，頁392-393。

131 同註20，頁8、20、22、28、51。

132 趙沛霖：《現代學術文化思潮與詩經研究：二十世紀詩經研究史》（北京市：學苑出
　　版社，2006年），頁296-297。

釋傳世文獻的器物，更是直接而有效的訓詁方法。〈下武〉「下武維周」句，林義光以古彝器多著足跡形，而訓周有哲王世代相承，猶自上而下之足跡步步相續，便是依遺存古器物的實物證據論斷之[133]。

聞一多釋〈小弁〉「鹿斯之奔，維足伎伎」，依《釋文》「伎本亦作跂」以及徐璈、馬瑞辰訓「伎伎即奔貌」，謂鹿奔為跂。云：

> 支字聲多有三隅之義，《說文》：「𣪘，三足鍑也。」《楚辭‧離騷》注：「茇，薩也。」《說文》：「薩，茇也。」菱形三角也。（俗呼三角形曰菱形。）《詩‧大東》「跂彼織女」，織女，三星鼎立。俗亦呼歧路為三叉路。凡獸類行時，皆懸一足，以三足著地（余兄亦傳明動物生理學，嘗為余言此），而奔馳時其狀尤顯（Bushmeng 畫牛形如此，英國批評家 Roger Fry 嘗詫為奇絕，蓋五十年前攝影術未發明時，歐洲人尚未觀及此也，不謂吾先民於二千年前已知之），故詩人狀鹿奔曰「伎伎」也。奔字金文作犇，从三止，豈即伎伎之義與[134]？

聞氏指出詩人以「伎伎」狀鹿奔，並依動物生理學按覈獸形皆三足著地及奔馳的現象，且參英國著名藝術批評家 Roger Fry 對生活於南非、波札那、納米比亞與安哥拉的一個原住民族布希曼人（Bushmen）牛畫，贊歎先民二千年前已知此樣貌。

又如〈小戎〉之「陰靷鋈續」，于省吾以近世習見的列國車器銅板上，有的獸首有鼻有環，鼻可納環而環則繫革或滕。銅板與獸首有的彎，有的平，所以綁在車子的木頭上。「陰靷鋈續」是指陰靷所繫綁的地方，環與鼻都是以白金鑲嵌裝飾。至於古人車馬上的革騰都是用環繫綁，此乃通制。故《傳》、《箋》訓「續」為續靷，是錯誤的[135]。

通過感性的實際觀察的目驗方法，在于省吾《詩經新證》裡的訓詁表現尤為常法。如〈閟宮〉「犧尊」，其觀察近世出土尊器其體制像動物形貌

---

133 同註19，頁325。

134 同註21，《聞一多全集》，冊4，頁415。

135 同註20，頁12-13。

者，有犧尊、象尊、羊尊、鴞尊、鳧尊等，駁《正義》「犧尊有沙羽飾」訓非，而肯定王肅「以犧牛為尊」的說法[136]。

4 歸納古文字用例，條貫《詩》訓

　　辨別《詩經》語詞之用字之例與造句之例，是通釋《詩》義的重要方法步驟。若能加以參酌出土文獻資料，系統地歸納的用例，不僅可通解該詩字詞之義，亦能使《詩經》中相似字句條暢理貫，將使《詩》義的訓釋更為充足完備。

　　除了借重古文字以探勘《詩經》成語、謎語，並歸納完證《詩》訓外，聞一多《詩經新義》也歸納《詩經》語詞之用字之例，論證字詞。如訓「介」字，云：

> 金文乞取字多作匃，亦有作乞者。《詩》則多用介。匃、介同祭部，乞在脂部，最相近故三字通用。匃、乞皆兼取與二義，介字亦然。〈小明〉篇「介爾景福」，〈既醉〉篇「介爾昭明」，林義光並讀匃訊予，得之。今案：〈雝〉篇曰：「綏我眉壽，介以繁祉」。綏讀為遺。遺亦與也，以當為台，我也。「綏我眉壽」與「介以繁祉」亦對文。介亦當訓與。〈酌〉篇曰：「是用大介，我龍受之」。介字義同，大介猶大賜，上言介，下言受，義正相應。綜之，墍、溉、介聲近義同，並即訓與之匃乞，今俗呼與為給，亦即此字。〈摽有梅〉傳訓墍為取，似知墍即乞字，特誤以乞與為乞取爾。諸介字《箋》並訓為助，未塙。〈匪風〉《傳》訓溉為滌，〈小明〉《傳》訓介為大，則遠失之[137]。

其借重林義光《詩經通解》訓釋成果，遍考各詩相同句例，得出墍、溉、介三字近義同，駁正《箋》訓諸詩中介字為助，違失其義。

　　〈凱風〉「吹彼棘心」一句，云：

---

136 同註20，頁65。
137 同註21，《聞一多全集》，冊3，頁277。

金文心字作 ⱴ，象心房形，此心臟字，又作 ⱴ，此心思字，┃為聲符
兼意符。┃者鐵之初形（心鐵古音同部），今字作尖。《釋名・釋形
體》曰：「心，纖也，所纖纖微無不貫也。」阮元謂此訓最合本義，
《說文》心部次於思部，思部次於囟部，而系部、細部即從囟得聲得
義，故知心亦有纖細之義。案：阮說是也。心从 ┃ 會意，故物之鐵銳
者，亦得冒心名。棗棘之芒刺，物之鐵銳者也，故亦謂之心……然則
棘心猶棘也。詩一章曰吹彼棘心，二章曰吹彼棘薪者，以其體言則曰
棘心，以其用則曰棘薪，其實皆即棘耳。《傳》「棘難長養者」段玉裁
云「棘下奪心字」，棘心對下章棘薪，為其成就者而言，謂棘之初生
萌蘖，故云難長養者。此申《傳》義或是，經意則未必然。知之者，
詩又曰「棘心夭夭」，夭夭，傾曲貌，心果謂萌蘖，其受風吹，安得
夭夭之狀乎？……諸家皆泥於傳說，以棘喻七子，謂心其幼小時，而
薪則其已長大者。實則棘心即棘薪，而薪於《詩》例，為婦人之象
徵，本以指母，非指子也[138]。

聞氏引金文「心」字闡述纖細之義，並以物之鐵銳亦得有心名。並進一步衍
伸出「吹彼棘心」與「吹彼棘薪」同詩章句中的相關性，以棘心即棘薪，皆
為婦人之象徵，斷論《傳》訓為非。最後，並歸納《詩》中言薪者，如〈漢
廣〉「翹翹錯薪」、〈王・揚之水〉「不流束薪」、〈鄭・揚之水〉「不流束薪」、
〈南山〉「析薪如之何」、〈綢繆〉「綢繆束薪」、〈東山〉「烝在栗薪」、〈小
弁〉「析薪扡矣」、〈大東〉「無浸穫薪」、〈車舝〉「析其柞薪」、〈白華〉「樵彼
桑薪」等，證明析薪、束薪蓋上世婚禮中實有的儀式，非泛泛舉譬。如漢廣
「翹翹錯薪，言刈其楚。之子于歸，言秣其馬」，即馬以駕親迎之車，與薪
都是婚禮中必用之物。此外，對於《詩》中不明言薪，而意中仍以薪喻昏姻
者，如〈豳・伐柯〉的伐柯猶析薪，與〈小雅・伐木〉的「伐木」相仿等。
　　而于省吾整理金文中對於當時統治階級的歌頌，如〈叔弓鎛〉「俾百斯
男，而藝斯字」、〈䣄子壺〉「承受純德，旂無疆，至于萬億年，子之子，孫

---

138 同註21，《聞一多全集》，冊3，頁359-360。

之孫，其永用之」、〈釐生盨〉「釐生眾大娟，其百男百女千孫，其萬年眉壽
永寶」等例，發現和《詩經》〈大明〉「大任有身，生此文王」、「纘女維莘，
長子維行，篤生武王」、〈生民〉「載生載育，時維后稷」、〈思齊〉「大姒嗣徽
音，則百斯男」、〈假樂〉「干祿百福，子孫千億」、〈賓之初筵〉「錫爾純嘏，
子孫其湛」、〈皇矣〉「既受帝祉，施于孫子」等，都是在頌揚生育子嗣和
「綿綿瓜瓞」的詞語。既沒有以士女為淑媛為子女的語句，也沒有言「錫
類」和「从以」的例句。然因典籍中這類詞語常見，所以，說詩者常將〈既
醉〉「永錫爾類」、「永錫祚胤」、「景命有僕」、「釐爾女士」、「從以孫子」等
詩句，不假思索分析，看成一般祝詞，曲解詩義。所以，他進一步就古代祭
祀用尸祝的意圖來說明詩篇本義，並附和林義光解此詩「為工祝奉尸命以致
嘏於主人之辭」的說法，指出周人祭祀祖先，為尸以象神而崇拜祈福是常見
的，而這也是原始宗教的巫術作用發展到階級社會的表現形式之一。因此，
〈既醉〉「天被爾祿」、「景命有僕」都是祭祀時通過尸祝致告之辭，說明當
時統治階級的福祿和奴隸都是天命所賜[139]。

5 融合多元視域，發明《詩》義

　　充分運用古文字材料作為訓詁詩義，多元融合文化人類學、心理分析
學、神話批評、歷史學、考古學、民俗學、語言學等不同學科的研究方法，
重新發明《詩經》新義既是時代潮流所趨，也是民國學者亟思突破的展現，
聞一多乃堪稱箇中翹楚。

　　聞一多曾說研究《詩經》有三樁困難：第一，無法還原《詩經》的真面
目；第二，如何建立讀《詩》的客觀標準；第三，如何擺開主見悟入詩人的
心理。另外，研究《詩經》有三大魔障：聖人的點化、以今臆古的危險讀詩
法以及難以盡脫自己以了解古人[140]。因此，他希望能用《詩經》時代的眼

139　同註20，頁147-149。
140　同註21，《聞一多全集》，冊3，頁199-201。

光讀《詩經》[141]。而為了要把《詩經》視為反映古代生活的婚姻、家庭、社會文化的史料，用以取代傳統儒家的「經學的讀法」，他在《風詩類鈔》的「序例提綱」中主張的具體做法是「縮短時間的距離——用語體文將《詩經》移至讀者的時代」，並用考古學、民俗學、語言學等方法，帶讀者領會《詩經》的時代[142]。

「芣苢」一詞的訓釋，其云：

> 古代有種傳說，見於《禮含文嘉》、《論衡》、《吳越春秋》等書，說是母吞薏苢而生禹。所以夏人姓姒。這薏苢即是芣苢。古籍中凡提到芣苢，都說它有「宜子」的功能，那便是因禹母吞芣苢而孕禹的故事產生的一種觀念。一點點古聲韻學的知識便可以解決這個謎了。芣從不聲，胚字從丕聲，不、丕本是一字，所以古音芣讀如胚。苢從吕聲，胎從台，台又從吕。（〈王孫鐘〉、〈歸父盤〉等器，以字皆從口作台。）所以古音胎讀如苢。芣苢與胚胎古音既不分，證以「聲同義亦同」的原則，便知道芣苢的本意就是胚胎。其字本只作不以，後來用為植物名變作芣苢。用在人身上變作胎，乃是文字孳乳分化的結果。附帶的給你提醒一件有趣的事。芣苢既與胚胎同音，在《詩》中這兩個字便是雙關的隱語，這又可以證明後世歌謠中以蓮為憐，以藕為偶，以絲為思一類的字法，乃是中國民歌中極古舊的一個傳統……先從生物學的觀點看去，芣苢既是生命的仁子，那麼採芣苢的習俗，便是性本能的演出，而芣苢這首詩便是那種本能的吶喊了。再借社會學的觀點看，你知道，宗法社會裡是沒有個人的，一個人的存在是為他的種族而存在的，一個女人是在為種族傳遞蕃衍生機的功能上而存在著的…這樣看來，前有本能的引誘，後有環境的鞭策，在某種社會狀態之下，凡是女性，生子的欲望沒有不強烈的。知道芣苢是種什麼植物，知道它有過什麼功用，那功用又是怎樣來的，還知道由那功用所反映

141　同註21，《聞一多全集》，冊3，頁215。
142　同註21，《聞一多全集》，冊4，頁457。。

的一種如何真實的，嚴肅的意義——有了這種知識，你這纔算真懂了
芣苢，你現在也有了充分的資格讀這首詩了[143]。

「采采芣苢」《傳》：「芣苢，馬舄。馬舄，車前也。懷任焉。」古人
根據類似律（聲音類近）之魔術觀念，以為食芣苢即能受胎而生
子……意者古說本謂禹因芣苢而生，末世歧說變芣苢為薏苢，亦猶薏
苢之說又或變為珠乎？使以上所推不誤，則芣苢宜子之說，由來已
舊。魯韓毛說並同，學者未可泥於近代眼光而輕疑之也[144]。

可以看出他首先以「母吞薏苢而生禹」的神話學切入，然後從生物學、心理
學、民俗學、文化人類學等角度說明「芣苢」是生命的仁子，具有宜子功
能，采芣苢的習俗是性本能的演出。其後，又借助文字學、聲韻學、考古學
等訓「芣苢」與「胚胎」的意義關係，再者，進一步指出二者乃語言學中的
雙關隱語，最後引述魯、韓、毛各家及本草家的共識，全面地強調「芣苢」
若不是一個 allegory 隱語，包含著一種意義，一個故事的意義暗號、引線或
字音，這首詩便等於一篇囈語了。他之所以要把這觀念的源頭偵察到，目的
不是要替古人辯護，而是要救一首詩[145]。

此外，〈思齊〉「烈假不瑕」句，于省吾訓云：

〈漢唐公房碑〉作「癘蠱不遐」，蠱謂巫蠱，近代民族學家也稱之為
「魔術」，係原始宗教用巫師作法以陷害敵人的一種手段。初民認為
人的災難、疾病和死亡，除去戰爭以外，都是被敵人暗地裡施行巫術
所致。我國古代和近代世界各原始民族，都盛行著各種巫術作風。甲
骨文蠱字作蠱或蠱。甲骨文稱「唯蠱、不唯蠱」者習見。又稱「屮
（有疾），其唯蠱」，這是說有疾病系被人施蠱所致，這樣的例子不煩
備舉[146]。

143　同註21，《聞一多全集》，冊4，頁205-206。
144　同註21，《聞一多全集》，冊4，頁308-309。
145　同註21，《聞一多全集》，冊3，頁202-213。
146　同註20，頁100。

其以此詩意謂得於神佑，因而大疾滅絕，猛烈的蠱難也已遠離。詩之「肆戎疾不殄」與「厲蠱不遏」乃相對為文。而他從民俗學的角度出，以各原始民族所盛行的巫術證明，可知「厲蠱」指陷害敵人的各種惡毒法術，駁正《傳》、《箋》等誤釋。

（二）三人以古文字訓詁《詩經》的侷限

能借重出土文獻的新材料，以新思維、新方法探勘《詩經》，再擘新局，是民國以來學者以古文字訓詁《詩經》的成就，但也往往因執著於古文字而不免有專擅之嫌。中國學者時世平指出運用出土文獻在《詩經》訓詁實踐上，應把握五幾個原則，即：一、依據故訓，不輕改舊說；二、尊重文本，不輕言假借；三、通曉語法，往復求通；四、古代社會生活與古代文獻互相發明；五、實事求實，不鑽牛角尖[147]。

顯然可見研究者的才學識見，攸關出土材料的鑑識、判讀之精確妥適性；唯有信而有徵，客觀公正的態度，才能以理服人；而不追求新奇，損益舊說，以貫通《詩》義為依歸，更是《詩經》訓詁的精神與目的。

1 損益舊說，臆造新解

〈兔罝〉一詩之「公侯干城」、「公侯腹心」句，聞一多以「干城」、「腹心」二詞平列而義相近，進而斷定「公侯好仇」之「好仇」，亦當義近平列之詞。其並考卜辭辰巳之巳作𠙶，與子孫之子同，亦或作𠙴，又與已然之已同，是子、巳、已古為一字。子、巳一字，則好、妃亦本一字。因而持論《詩》之「好仇」字雖作好，義則或當為妃字。則好訓為妃，則妃亦匹也。如此，〈關雎〉「好逑」亦即君子匹儔也，而妃仇當為古之成語[148]。

季旭昇〈評聞一多詩經論著中的古文字運用〉以甲骨文中根本不存在

---

147 時世平：《出土文獻與詩經詞義訓詁研究》（濟南市：山東大學碩士論文，2009年），頁25-36。

148 同註21，《聞一多全集》，冊3，頁255-256。

子、已同字的情形[149]。聞一多拆好字，以偏旁相似論同字，且訓好為妃，釋〈兔罝〉「好仇」為「妃仇」，相較舊說言武夫能為公侯之好匹，實屬多餘[150]。

又〈燕燕〉「遠送于南」句，歷來訓解多以此詩為衛莊姜送妾戴媯歸陳之作，陳在衛國南邊，故詩云「遠送于南」。聞一多採用魏源《詩古微》解題，以此詩為任姓國君送妹出適于衛所作，云詩中「仲氏任只」之任即〈大明〉「摯仲氏任」，並援金文證南、林古聲近字通，南字當讀為林。聞氏此解損益舊說，難免有臆造新解之嫌。

2 務矜創獲，堅持孤證

《詩經新義》集結〈漢廣〉「言刈其楚」、〈王風·揚之水〉「不流束楚」、〈鄭風·揚之水〉「不流束楚」、〈唐風·綢繆〉「綢繆束楚」等，探論「楚」之訓釋。謂「楚」有草及木二種訓義。聞氏以訓木之義，人盡知之，訓草之義則知之甚寡。然則古人服喪所居倚廬，實乃以草蓋屋，可稱謂之梁闇。聞氏盛讚于省吾以梁闇即荊庵，指荊草覆屋之說精碻。云：

> 荊為草類，故制字从草，楚即荊（如上說，荊亦从艸聲，則荊楚為陽魚對轉），是楚亦草矣。楚為草屬，《管子·地員》篇曰「其木宜蚖蔖與杜松，其草宜楚棘」。《方言》三：「凡草木刺人，……江湘之間謂之棘。」）《詩》中楚字亦多為草名。〈漢廣〉篇二章曰「言刈其楚」，三章曰「言刈其蔞」，楚與蔞并舉，〈王·揚之水〉篇一章曰：「不流束薪」，二章曰：「不流束楚」，三章曰：「綢繆束楚」，楚與薪當并舉。蔞蒲并草類，薪當亦皆以草為之。（《說文·艸部》「薪，蕘也」，

149 季旭昇〈評聞一多詩經論著中的古文字運用〉，《經學研究論叢》第二輯（1995年2月），頁213-214。

150 許瑞誠指出聞氏在訓詁方面涉及詞義訓詁和文法討論聞氏犯了引用古字論證之失、忽略文意貫穿之失、論述語法不當之失、好以改字改讀、訓釋詞義不當之失、好以通義釋字之失等缺失。詳見《聞一多詩經詮釋研究》（臺南市：國立成功大學中國文學碩士論文，2007年），頁114-115。

「莌，薪也」，《詩‧板》《釋文》，《文選‧長楊賦》《注》并引《說
文》作：「莌，草薪也。」《漢書‧賈山傳》、〈揚雄傳〉《注》亦并
云：「莌，草薪。」是薪本謂草薪，故制字亦从艸），然則楚亦草矣。
知楚為草類，則〈漢廣〉篇曰：「翹翹錯薪，言刈其楚，之子于歸，
言秣其馬。」「翹翹錯薪，言刈其蔞，之子于歸，言秣其駒。謂以楚
與蔞為秣馬之當耳。刈楚與秣馬本為一事，乃《箋》曰：「楚，雜薪
中之翹翹者，我欲刈取之，以喻眾女皆貞潔，我又欲取其高潔者。」
又曰：「於是子之嫁，我願秣其馬，致禮餼，示有意焉。」分刈楚秣
馬為兩事，蓋即坐不知楚為草名之故與？〈王‧揚之水〉《傳》訓楚
為木，其失亦顯。」[151]

聞氏以卜辭中楚字有楚、𡐫二種書體，故楚有草、木二種釋義。據《甲
骨文字詁林》所載，卜辭「楚」皆為地名[152]；《古文字詁林》亦載「楚」為
卜辭殷祭祀地名[153]。按《說文》則訓「叢木，一名荊。」而此詩歷來說解
亦皆訓為叢木，以其細枝嫩葉可以餵馬。聞氏此訓楚為草的說法，於古無
據，且屬多餘。

然則，對於于省吾指摘梁為荊之誤字，聞一多則駁其非，云：

案刅、㓝、刑、荊古當為一字。〈貞毁〉之刅即刅字，〈釱毁〉之㓝即
㓝字，而并讀為荊。二字于皆釋荊，義得而形未符。以金文證之，許
書荊從刀乃从刅之訛。〈大梁鼎〉梁作❖，〈曾伯簠〉梁作❖，〈叔朕
簠〉作❖，〈史免匡〉作❖，并从刅，與〈梁伯戈〉同，亦與小篆
同。荊、梁并从刅聲，是二字古同音，故荊庵一作梁闇。古字假借，
何嘗未有，安得盡以誤字目之哉？且《說苑‧正諫》篇荊台，《淮南
子‧原道》篇作京台，而从京之字如涼、諒、惊等皆讀來母，《史

151 同註21，《聞一多全集》，冊3，頁262-264；《聞一多全集》，冊4，頁24。
152 于省吾：《甲骨文字詁林》（北京市：中華書局，1999年），冊2，頁1378-1379。
153 李圃等編：《古文字詁林》（上海市：上海教育出版社，1999年），冊1，頁467-469。

記‧刺客傳》「荊卿，衛人謂之慶卿」，而慶麎古同字，詳下麟之條。麎亦來母字，則荊古音亦正可隸來母而讀如梁矣。于氏聞之可假作庵，而不知梁之可假作荊，此千慮之一失耳。）[154]

此聞氏引金文申論刅、剙、刑、荊古當為一字，荊、梁二字古同音，是故荊庵作梁闇。今季旭昇論辯先秦古文字根本見不到刑字，聞氏以刑和刅、剙、荊同字之說誠不可信。

3 專斷出土材料為塙據，罔顧篇章通義

篇章之義由貫串全篇的思想或觀念以及所體現的語言行為所構成。以詞句之義為基礎，但並非詞句之義的總和。無論引用的出土材料用例及論證多麼豐富周詳，前後文義的貫通才是訓釋是否真正確立的指標。

〈七月〉一詩之「朋酒斯饗」，林義光以金文酒字皆作酉，酒者乃後人所改。其云：

> 酉者醜之省借。醜從酉得聲，乃後出字，古得借酉為之。《禮記》「在醜夷不爭」，鄭注：「醜，眾也。」《曲禮》。醜、儔古同音。朋醜猶言朋儔也。毛以朋酒為兩樽酒，此特望文生訓。古惟貨貝乃以朋計，兩樽不得為朋也。《儀禮‧鄉飲酒禮》雖云尊兩壺於房戶間，然〈鄉飲酒〉「烹狗於東方」，而此詩「曰殺羔羊」，則亦不得盡據〈鄉飲〉為說矣[155]。

林氏以古惟貨貝乃以朋計，兩樽不得為朋，故朋酒當解作朋醜、朋儔解。《文源》引〈毛公鼎〉、〈盂鼎〉等為例，以酉本義即為酒。聞一多《詩經通義‧乙》亦引錄此說，並申之曰：

> 案古者五貝為朋，此以朋酒為兩樽，恐非詩義。《說文》無朋字，只

154　同註149，頁215-217。

155　同註19，頁165。

見東漢隸書（婁壽孔廟樊敏諸碑可證），西漢亦無之。朋字亦必依葬制新造，字從二月，即二貝之變體[156]。

然就上下文義考之，朋酒訓作朋醜、朋儔，實牴牾不通。郭沫若以朋之貝數初本無定制，為二為五均可，五貝為朋外，亦有兩貝為朋[157]。故「朋酒斯饗」當依《傳》訓兩樽曰朋，較為妥當。

又〈碩人〉一詩之「朱幩鑣鑣」，林義光訓云：

> 幩，毛云飾也。按《詩》之朱幩不言所飾，而金文則屢言牽較〈師兌敦〉、〈吳尊〉、〈毛公鼎〉、〈番生敦〉、〈彔伯戎敦〉。及牽鞃朱鞹幭，〈吳尊〉、〈彔伯戎敦〉。且皆惟國君之車有之。牽為幩之古文。說見《文源》。然則朱幩者，較與鞃幭之朱飾也。較之制詳〈淇奧〉篇，鞃幭之制詳〈韓奕〉篇。毛於幩字解為人君以朱纏鑣扇汗且以為飾。愚謂鑣鑣既為盛貌，則與馬銜之鑣無涉。而毛乃以鑣鑣二字作三字讀，如毛說，是謂朱纏之鑣鑣鑣然而盛，則詩當言朱幩鑣鑣鑣矣。甚無謂也。蓋車之朱飾在其時已無可考，故聊以屬馬銜耳[158]。

其以「牽」為幩之古文，朱幩即較與鞃幭的朱飾，鑣鑣乃顯盛之狀，毛訓朱纏之鑣鑣鑣然而盛，於義失當[159]。故主張《詩》之朱幩不言所飾，且車之朱飾已無可考，故朱幩聊以為馬銜，聞一多《詩經新通義・乙》亦引錄此說[160]。

今考察《傳》訓「幩」為飾，意指人君以朱纏鑣扇汗，且以為飾。鑣鑣則訓盛貌。《正義》以朱為飾之物，故幩為飾。按此，《傳》訓馬車之飾顯盛多貌，在會通物理，貫通詩義上，顯然較為合理，而林、聞二人以朱幩意指

156　同註21，《聞一多全集》，冊4，頁349。
157　同註152，冊4，頁3286。
158　同註19，頁72-73。
159　同註19，頁72-73。
160　同註21，《聞一多全集》，冊4，頁153。

套在馬嘴上用以控制方向的鐵製器具顯盛，則於義不通。

4 囿於材料出土時機，前修未密，後出轉精

　　受到地下材料出土的時代環境限制，徵引古文字訓詁《詩經》的結果，往往因新材料的出土發現而屢遭變易。如〈采菽〉一詩「玄袞及黼」，林義光以金文言賜衣者皆褐衣非命服，且言賜衣皆不及裳。然近來西周銅器銘文賞賜物、冊命金文等相關研究，可知金文中賜裳的例子，已見子犯編鐘[161]；賞賜之衣見於銅器銘文者更可歸納成四類：玄衣、玄袞衣、戠衣、戠玄衣，甚或《詩經》裡有卷龍紋圖樣的黑色衣服－玄袞，已被禮學家證成服龍袞者為天子、上公或王者之後、諸侯等[162]。

　　而在考釋名物禮制上，林義光據〈公貿鼎〉訓六轡車制，析分轡字形義，思慮縝密，但隨著始皇陵二號銅車的發現，孫機〈始皇陵二號銅車對車制研究的新啟示〉以及揚之水《詩經名物新證》對於六轡的繫結法，也有了更精確的解釋[163]。

　　至於〈靈台〉之「辟雍」，林義光據戴震說法申論辟雍為學校者，今考商周彝器金文，有〈麥尊〉刻有「辟雍」，記載周天子於辟雍乘舟射牲及賞賜從御之人過程。顯見周初「辟雍」為周天子及貴族成員舉行禮儀大典、祭祀活動、習射樂舞等公共活動的場所[164]。

　　再者，〈緜〉一詩之「古公亶父，陶復陶穴」，林義光疑太王以前非穴居，援引陳啟源復、穴皆土室，復則絫土為之，穴則鑿地為之，其形皆如窯竈等說法，而謂古者窟居隨地而造，平地則絫土於地上重複為之，高地則鑿

---

[161] 吳紅松：《西周金文賞賜物品及其相關問題研究》（合肥市：安徽大學博士論文，2006年），頁64。

[162] 鄭憲仁：《西周銅器銘文賞賜物之研究——器物與身分的詮釋》（臺北市：國立臺灣師範大學國文學系博士論文，2004年），頁171-172。

[163] 孫機：《中國古典服論叢·中國古馬車的三種繫駕法》，《文物》（1983年），頁13。揚之水：《詩經名物新證》（天津市：天津教育出版社，2007年），頁234-236。

[164] 李紹先、賀文佳：〈西周辟雍考論〉，《文史雜誌》2011年第6期，頁23。

土為穴[165]。其後，于省吾則就近世考古發掘的半坡仰韶文化墓葬、山東大汶口龍山文化墓葬以及《安陽發掘報告》第四期等資料，加以考釋。于氏指出從仰韶文化、龍山文化到商周之際，穴居的情形仍保存。周人地處西北，較落後中原，商代末期的太王的住穴與復穴都用陶冶的紅燒土築成。陶應作動詞，指陶冶紅燒土，其質地堅固，可防潮濕。而復字是指儲藏穀物的竇窖，「陶復陶穴」實則「陶穴陶復」的倒文，目的在與上下句的啟、漆、室三字協韻。而這樣的訓釋，則澄清了二千年來說詩者對把「陶復陶穴」說成在地上復築土室的錯誤訓釋[166]；今人揚之水亦詳細臚列相關復原圖考以資證明[167]。

又如，〈十月之交〉「擇三有事，亶侯多藏」句，林義光以此詩「三有事」與〈雨無正〉的「三事大夫」相同，屬於同時期的作品。但他力主三事不為長官，主要原因有四：第一，〈雨無正〉一詩中先言正大夫離居，後言三事大夫，可見三事不為長官；第二，《書》中立事、準人、牧夫並舉，證明三事非三公；第三，〈毛公鼎〉的「參有司」為三事；第四，〈周明公尊彝〉言「三事四方，受卿事寮」，可見三事自別於卿事寮之外。因此，而判定舊說以三有事為三公、三卿的說法錯誤[168]。

其後，于省吾據出土文獻用例以證通訓，言「事」、「士」古通。而引〈毛公鼎〉「及茲卿事寮大史寮」〈麠叔多父盤〉「使利於辟王卿事」、《矢籃》：「尹三事四方，舍三事命」。斷言「三事」即此詩之「三有事」。「有事」猶諸侯之稱「有國」、「有邦」也[169]。

今季旭昇先生引用劉雨《兩周金文官制研究》為證，指出〈雨無正〉「三事大夫，莫肯夙夜；邦君諸侯，莫肯朝夕」詩句中的「三事大夫」與「邦君諸侯」相對，以及金文「三事」和「四方」對舉，來證明「三事」地

165　同註19，頁307。

166　同註20，頁97-99。

167　揚之水：《詩經名物新證》（天津市：天津教育出版社，2007年），頁117-143。

168　同註19，頁2254。

169　同註20，頁27。

位的崇高[170]。

他如〈閟宮〉「三壽作朋」之「三壽」，林義光《詩經通解》訓以三壽之人為輔佐也。並云此詩自「黃髮台背」以下，始為祝壽之辭。然「保彼東方」至「如岡如陵」數語，則與祝壽無關。其並援引〈宗周鐘〉言保國而不及壽、〈晉姜鼎〉上文雖為祝壽之辭，然下文僅言保孫子而不及壽，責求向來解詩者徒見「三壽」遂以為祝壽。林氏考察《文源》，〈宗周鍾〉「三壽惟利」與〈晉姜鼎〉之「三壽是利」，利字乃讀為賴，故二者皆言依賴老壽之人以保國保孫子之意，正與詩之「三壽作朋」意同[171]。

「三壽」一詞，僅見於《詩經·魯頌》，歷來解法約有三種：以「三壽」為三卿，此其一；指壽之三等，即上壽、中壽、下壽，此其二；祝人像三星一樣長壽，此其三。查考《傳》訓壽為考；《箋》釋三壽為三卿；孔《疏》依《箋》訓為三老、三賢；馬瑞辰《毛詩傳箋通釋》以下言「如岡如陵」是祝其壽考，從《傳》訓三壽為三老[172]，而謂之三壽指壽之三等的說法。于省吾僅增列〈者瀘鐘〉「若參壽」等，而未詳明其義；徐中舒〈金文嘏辭釋例〉則與〈天保〉一詩相較，云〈閟宮〉「三壽作朋」乃祈壽老之義，其辭與〈天保〉「如南山之壽，不騫不崩。」相同。二者分別以岡陵、南山譬壽[173]。

今季旭昇則以本詩義旨推求，質疑祝壽何以含糊籠統地祝人從八十歲到一百二十歲，而不敬祝僖公「萬年無疆」、「胡不萬年」、「壽考萬年」？其並根據〈者減鐘〉等銘文，證明「三壽作朋」的三壽是「參壽」，指祝福人家如參星一樣長壽的意思[174]。

據金信周《兩周祝嘏銘文研究》一文查考「三壽」與「參壽」所見銅

---

170 季旭昇：〈澤螺居詩經新證〉，《語文、情性、義理——中國文學的多層面探討國際學術會議論文集》（臺北市：國立臺灣大學中國文學系，1996年），頁751。

171 同註19，頁150-154。

172 馬瑞辰：《毛詩傳箋通釋》（北京市：中華書局，1989年），頁1147。

173 徐中舒：《徐中舒歷史論文選集上》（北京市：中華書局，1998年），頁526-529。

174 季旭昇：《詩經古義新證》（臺北市：文史哲出版社，1995年），頁151-154。

器，以西周共、懿時期之器〈仲觶〉為最早，其壺銘寫作「三壽」，進而推論二者均是祈請長壽之詞[175]。

五　結論

中國學者趙沛霖指出二十世紀的考古發現對於《詩經》研究的影響，除了間接促成對《詩經》時代社會歷史和社會性質的認識以外；更能通過考古學的研究成果直接解決《詩經》本身的有關問題，如作品的時代、性質、題旨、詩義以及名物、訓詁、典章、制度等問題[176]。楊樹達《積微居金文說》序中，曾自述研究金文的經驗，云：

> 每釋一器，首求字形之無誤，終期文義之大安，初因字以求義，繼複因義而定字。義有不合，則活用其字形，借助於文法，乞靈于聲韻，以假讀通之[177]。

其研究金文銘器是以識讀古文字開始，先求正確字形為首務，終以文義通暢為依歸。其因字以求義，再由字義逆推而定正字。遇有文義乖違者，則活用字形、借助文法及聲韻，以通假讀通，此乃研究古器物及釋讀古文字者，值得借鏡之途徑。從考古學的角度來看，考古學家常以《詩經》釋銘證器。而今從《詩經》研究的立場來看，銅器銘文的時代意義以及冊命賞賜等指涉內容，則往往能提供《詩》義、名物考證、詩史斷代等相關證據。也因

---

175 金信周：《兩周祝嘏銘文研究》（臺北市：國立臺灣師範大學國文研究所碩士論文，2002年），頁112-118。

176 趙沛霖：《現代學術文化思潮與詩經研究：二十世紀詩經研究史》（北京市：學苑出版社，2006年），頁274-275。而劉立志〈二十世紀考古發現與《詩經》研究〉亦指出古文物的發現在四個方面推動了深化了《詩經》研究，即考古文物能糾正《詩經》傳本之誤、能夠貫通《詩經》文字訓詁，參證《詩經》名物制度，以及有助於我們了解《詩》三百篇流傳早期及結集成書前後的社會文化狀況，並更全面更深刻地考察《詩經》學術史。（《南京師範大學文學院學報》第2期，2004年6月），頁51。

177 楊樹達：《積微居金文說・序》（北京市：中國科學院，1952年），頁1。

此，考古材料是《詩經》研究的重要助力，而一旦能結合語言、歷史、考古等多元學科，相互關照，勢必更能開拓研究新局。

綜言之，民初學者據古器物銘文以證詞例、訂正傳寫誤謬及禮制歷史等，深受王國維文獻研究的二重證據法影響。王國維的《詩經》研究中，抉發《詩經》成語以解《詩》、借《詩》以新證古史、考釋名物禮制，以及斷代詩篇及次第，對於後來的林義光、于省吾及聞一多的《詩經》研究，具有普遍性的影響。綜觀三人運用古文字解《詩》的立場與目的，在於「求通」與「證新」。「求通」旨在疏通傳注，證成舊說；「證新」則意在突破前說，發明新義。其訓詁實踐分別表現在《詩經》之校訂誤字音讀、識字通假與句讀、構詞慣例訓詞語、闡明參稽語例、考釋名物禮制、新證詩史與篇次等方面。

三人擁抱新材料、新思維、新方法，加以探勘《詩經》新事證，成就在「新」，侷限也弊在「新」。在「證新」的期許下，三人以古文字訓詁《詩經》展現了五大特色：一、結合古文字考釋成果，因形以求義；二、徵引古文字相類詞例，論證字詞；三、出土文獻與傳世文獻交驗互證；四、歸納古文字用例，條貫《詩》訓；五、融合多元視域，發明《詩》義等；而在「求通」的原則下，運用古文字訓詁《詩經》亦難免有失當之處，所謂「損益舊說，臆造新解」、「務矜創獲，堅持孤證」、「專斷出土材料為塙據，罔顧篇章通義」以及「囿於材料出土時機，前修未密，後出轉精」便是三人古文字訓詁《詩經》的侷限。

學術史上的典範塑造
——以民國學者評論王夫之等人的《詩經》學為例

黃忠慎

國立彰化師範大學國文學系特聘教授

一　前言

　　美國的湯瑪斯・孔恩（Thomas S. Kuhn, 1922-1996）在一九六二年出版了極具影響力的著作《科學革命的結構》（The Structure of Scientific Revolutions），提出對科學發展的常態模式的新解釋。[1]過去認為科學是以普遍有效之實驗方法

1　案：二〇〇二年，大陸的中國人民大學出版社擬譯介當代世界哲學學術名著，委請陳波與英國的蘇珊・哈克（Susan Haack）教授聯名邀請美國、英國、德國、澳大利亞、芬蘭、巴西六國的十六位哲學家參加「當代世界名著・哲學系列」的編委會，回應邀請的共有五國（缺澳大利亞）十一位，連同蘇珊・哈克則是十二位。這些編委都是當今世界一流甚至是頂尖的哲學家，他們的推薦單被整理出「得票最多的一組」與「得票次多的一組」，「得票最多的一組」中，孔恩（該書譯為托馬斯・庫恩）獲得的總票數是五張，全部集中在他的《科學革命的結構》一書，在兩組合計三十一名被推薦者中高居第九名，領先了一些名聲極為響亮的哲學家，如第十二名的福柯（Michel Foucault）、第二十四名的哈貝馬斯（Jurgen Habermas）、第二十五名的德里達（Jacques Derrida）、第二十六名的利科（Paul Ricoeur）等，蘇珊・哈克本人也在被推薦名單中，獲得提名票二張，集中在《證據與探究——走向認識論的重構》（Evidence and Inquiry：Tawards Reconstruction in Epistemology,1993）一書。詳陳波：〈總序二〉，蘇珊・哈克（Susan Haack）著，陳波、張力鋒、劉葉濤譯：《證據與探究——走向認識論的重構》（北京市：中國人民大學出版社，2004年），卷前。這個數據可以證明孔

與結果為基礎，逐步累積知識的形成，並完善系統。孔恩對此種觀點表示質
疑，他主張進展往往是經由影響深遠的「典範移轉」（paradigm shifts）而達成
的。「典範」（paradigm）一詞是孔恩說明科學發展的重要創見，雖然他對於這
個詞語所下的界義尚不夠明確，但至少提出了典範所具備的特徵或條件：作者
的成就實屬空前，且其著作中留有許多問題能讓有志一同的後起者來共同解
決。[2] 孔恩所提「典範」的條件與內涵容或具有一些模糊性，但國內學者使用孔
恩「典範」一詞的概念時，大致上都肯定「典範」是一種新方法與領域的建
立，[3] 對於後來的學者具有示範以及成為論述中心的作用。[4]

恩之《科學革命的結構》是被當代哲學界高度肯定的著作。

2　孔恩對常態科學（normal science）的解釋是：「意指以過去的科學成就為基礎所從事
　的研究，這些科學成就是某一科學社群的成員在某一段時期間內所公認的進一步研究
　的基礎。」他指出，「在今天，重述這些成就的任務，是由教科書來承擔的，但極少
　以其原始的形式呈現給讀者。這些教科書闡述業已被科學社群接受的理論，列舉出種
　種成功的應用例證，再將它們與當初建構這些理論所依據的觀察與實驗範例作比較。
　在十九世紀之初，這類教科書被廣泛使用前，許多著名的科學經典亦有相類似的功
　能，諸如亞里斯多德所寫的《物理學》（Physica）、托勒密的《天文學》（Almagest）、
　牛頓的《原理》（Principia）及《光學》（Opticks），富蘭克林的的《電學》
　（Electricity），拉瓦錫的《化學》（Chemisty），及萊爾的《地質學》（Geology）。這些
　及許多其他的著作出版後，成為某一時期的學者公認的聖經，因為它們隱約為其研究
　領域界定了合理的問題，及解決的辦法，使後世的人得以遵循。這些著作獲致這種地
　位，源自它們共有的兩個特徵。第一，作者的成就實屬空前，因此能從此種科學活動
　中的敵對學派中吸引一群忠誠的歸附者。第二，著作中仍留有許多問題能讓這一群研
　究者來解決。具有這兩個特徵的科學成就，我以後就稱之為『典範』（paradigms）。」
　孔恩著，程樹德、傅大為、王道還、錢永祥譯：〈常態科學如何產生〉，《革命科學的
　結構》（臺北市：遠流出版社，2004年），頁53-54。

3　林正弘：「孔恩對典範一詞未給予明確的定義，但大致包含下面幾個項目。（a）明確
　寫出的定律或理論。……（b）適用基本定律的標準方法。……（c）工具與使用工具
　的規則也包含在典範之內。……（d）指導工作的形上學原則。……（e）方法論規
　則。」林正弘：〈卡爾波柏與當代科學哲學的蛻變〉，《伽利略・波柏・科學說明》（臺
　北市：東大圖書公司，1988年），頁67-113。

4　余英時：「孔恩在《科學革命的結構》中對『典範』這個中心觀念有極詳細而複雜的
　討論。但簡單地說，『典範』可以有廣狹兩義：廣義的典範指一門科學研究中的全套
　信仰、價值和技術（entire constellation of beliefs, values, and techniques），因此又可稱

　　在中文的使用上，「典範」義近表率、楷模，但是以這樣的語意所形成的概念來檢視、評斷中國學術史上的名家名著，勢必很難凝聚共識，而且，可預料的是，將出現滿坑滿谷的典範。[5]所以本文借用孔恩所闡述的「典範」概念來進行論述，這樣可以將可能引起的爭議減到最少。

　　就《詩經》學的發展歷史來考察，毛公、鄭玄與朱子，可謂《詩經》學史上的「典範」，這應該是無庸置疑的，甚至，從影響論的角度來看，作者與完成時代都無法確認的《詩序》也是。[6]這些學者或著作在當時，乃至於後世，都持續地獲致普遍性的讚譽，並且對於後來的讀者、研究者具有深遠的引導作用。然而，觀察研究者對於《詩經》學史的論述，我們發現有某些備受推崇的學者，其名聲與著作之價值在當時並未彰顯，直至後來卻漸漸或陡然為人所推重。湮沒不彰的著作在後世被發掘，有時候當然是後人的慧眼獨具，只是，觀察這些學者與著作所架構的理論、方法與迸發的影響力，卻也可發現部分學者之所以能獲致崇隆之名聲另有他故。本文即以王夫之（1619-1692）、姚際恆（1647-1715）、崔述（1740-1816）、方玉潤（1811-1883）為例，討論《詩經》學史的撰寫與評斷過程中的意義賦予問題。

　　為『學科的型範』（disciplinary matrix）。狹義的『典範』則指一門科學在常態情形下所共同遵奉的楷模（examplars or shared examples）。……科學史上樹立『典範』的巨人一般地說必須具備兩種特徵：第一、他不但在具體研究方面具有空前的成就，並且這種成就還起著示範的作用，使同行的人都得踏著他的足跡前進。第二、他在本門學術中的成就雖大，但並沒有解決其中的一切問題。恰恰相反，他一方面開啟了無窮的法門；而另一方面又留下了無數的新問題，讓後來的人可以繼續研究下去，因而形成一個新的科學傳統。」余英時：〈近代紅學的發展與紅學革命〉，《歷史與思想》（臺北市：聯經出版公司，1976年），頁383-385。

5 猶如「大師」一詞，若無意義上的共識，同時代的兩位大師之間的學術造詣恐將有天壤之別。以清代為例，樸學名家固然輩出，又豈能如支偉成所列，大師多達三百七十餘人？詳支偉成：〈目次〉，《清代樸學大師列傳》（長沙市：嶽麓書社，1998年），頁1-13。

6 科學史上的「典範」無法永遠維持其「典範」的地位，且新「典範」當令之後，舊「典範」也並不必然完全消失，人文學科的典範何嘗不是如此？《詩經》學史上的典範又難道不是如此？《詩序》到了宋代，其權威性就已逐漸褪色；可是，新典範朱《傳》的崛起，又何嘗讓《詩序》因此被人遺忘？

二　由王夫之到方玉潤的《詩經》學

（一）王夫之的《詩經》學著作

在中國學術史上，王夫之研究學問的精神與為人氣魄之高偉，獲得了多數人的極度肯定。在《詩經》的研究成果上，他也繳出了很好的成績單，包括收入於《四庫全書》的《詩經稗疏》四卷、《詩經叶異》一卷與〈叶韻辨〉一篇，此外還有廣受好評的《詩廣傳》五卷。

《詩經稗疏》四卷，分〈風〉、〈小雅〉、〈大雅〉、〈頌〉四個部分，其下不列經文篇名，而以所考釋的詞條為目，主要內容是對字詞音義的訓正，以及名物制度的考釋，對於詩旨的部分，討論的並不多。

王夫之提出本書的研究方法與立場是：

> 攷古者自當尊之以求通。若拘文而失其音義，因為臆度，則必成乎失，是所貴乎精思而博證也。[7]

尊重古訓，以「精思」、「博證」的態度與方法探其音義，看起來與後來的乾嘉漢學學者的治經準則相當一致。不過在實際操作層次上，王夫之所謂的「精思」與「博證」，和後來的漢學家差異甚多。王夫之考釋所採用的證據多以聞見之證、經驗之證為主，這是王夫之《詩經稗疏》中使用最多，也是最為特出的考證方式。[8]王夫之說明自己的考釋方式為「求通于《詩》意，推詳于物理」，換句話說，王夫之所進行的論證是要求能通於《詩》意，更

---

7 〔清〕王夫之：〈秦風〉「轆轤」條，見《詩經稗疏》，卷一，收入船山全書編輯委員會編校：《船山全書》（長沙市：嶽麓書社，1996年），冊3，頁90。

8 清代學者對於草木蟲魚鳥獸之名實問題，除了在書齋中做文獻的比對之外，尚有「目驗」之法，有學者名之為「調查觀察法」。對於多數學者而言，這是一種輔助方法，但是在王夫之的《詩經稗疏》中，則屬常見而重要的研究方法。關於考據學中的「調查觀察法」可參郭康松：〈清代考據學的考據方法〉，《清代考據學研究》（武漢市：崇文書局，2001年），第6章，頁171-177。

要求訓解能符合於經驗見聞。如果古訓不能「推詳于物理」，那麼推翻舊說便不是逞新炫奇，而是有其理據。王夫之對於名物訓詁特別重視「推詳物理」，甚至會親自驗證，如「雀角鼠牙」條下言：

> 先儒說此，俱以為雀無角，鼠無牙。《孫公談圃》云：「鼠實有牙，曾有一人捕一鼠與王荊公辨，荊公語塞。」今試剖鼠口視之，自知孫說之非妄。[9]

王夫之為了證明「鼠有牙」，還特地抓隻老鼠，剖其口進行查驗。在證明「鼠有牙」後，可以推論出「雀有角」，只是「角」並非今日獸角之義。王夫之在訓詁名物上很重視這種實際驗證的方法，面對學者對於鳲鳩解釋的不同，王夫之據實辨之，謂：「格物者即物窮之，而參印以《詩》及〈月令〉之言，自渙然冰釋矣。」[10]這種研究態度是有其特色的。

　　王夫之另一本《詩經》學著作《詩經攷異》，則是取諸家異文對照經文，他在卷首道出了本書的撰述旨趣：

> 六義之旨，斷章可取。然其始製作者必無二三。顧齊、魯之傳各憑口授，古文之變，沿及楷隸，則字殊音異，因以差矣！五經之傳，于《詩》為最。輒條記之于篇，亦以見說《詩》不可矜專家之論也。[11]

歷來學者對於經書諸家版本的文字異同極為重視，這牽涉到經典解釋的正確性以及應用上的效力問題。[12]《詩經攷異》並非全面性地整理《詩經》異

9　《詩經稗疏》，卷1，收入《船山全書》，冊3，頁48-49。

10　〈曹風〉「鳲鳩」條，見《詩經稗疏》，卷1，收入《船山全書》，冊3，頁97-98。

11　《詩經攷異》，收入《船山全書》，冊3，頁225。

12　「唐太宗令孔穎達撰《五經正義》，東漢以來師說多門，學派紛爭的經學遂統於一尊。又令顏師古考定《五經》文字，撰成《五經定本》，經書的文字分歧也得以正定。……適應科舉之需，唐代出現了字樣之學，有顏師古《匡謬正俗》，顏元孫《干祿字書》，張參《五經文字》，唐玄度《九經字樣》這類正俗匡謬，辨正文字的字書問世。」見黃德寬、陳秉新：《漢語文字學史》（合肥市：安徽教育出版社，1990年），頁48。

文，其取材尚有許多漏失，整體看來，很有可能是王夫之研究《詩經》時的
筆記整理，反映出王夫之治《詩經》，對於文字異同相當注意，這也是後來
乾嘉漢學家們投注許多心力的領域。

　　王夫之還有一篇〈詩經叶韻辨〉，這是一篇探討古今音韻的重要論文，
文中提出了一個重要的觀點：

> 　　執古不可以宜今，從今愈不能以限古。奈之何以沈約，孫愐之韻，強
> 　　〈風〉、〈雅〉而求其叶耶？夫後之作者以古為基，非古之能豫謀夫後
> 　　也。[13]

王夫之以為以今韻探求古韻是不合理的作法，以今日的聲韻學成果來看，這
種意見相當正確。不過，〈叶韻辨〉雖然提出了正確的古音學意見，但是這
一篇兩千六百餘字的論文所能提出的論點與證據畢竟有限，因此在深度上與
同期的學者比較來說，顯得不足。但是，王夫之畢竟身處鄉僻之地，無法與
當時的學術接軌，在學術訊息傳遞如此惡劣的狀況下，能在研究《詩經》釋
義的基礎上，得出相當進步的古音學論點，其識見堪稱不凡了。[14]

　　《詩廣傳》共有五卷，以「論某篇名」為綱目，並非三百〇五篇皆有所

13　〈詩經叶韻辨〉，《船山全書》，冊3，頁279。

14　倫明：「夫之此作，惟以《詩經》為主，而揆之以六書之正義，於古音韻讀之舛誤，
　　今韻通用之乖方，摘舉糾訂。不悖是非之正，亦不涉門戶之私。雖不及顧炎武、苗夔
　　之詳盡，然陳第之後，發明古義，夫之屹為正宗，則固未可以其卷帙無多，而廢之
　　矣！」見中國科學院圖書館整理：〈詩經叶韻辨〉條，〈經部詩類〉，《續修四庫全書總
　　目提要》（北京市：中華書局，1993年），頁331。張民權：「王夫之只是在研究《詩》
　　義的基礎上，順次考察《詩經》韻讀的，而並未對整個古音系統做深入的考察與探
　　究，也沒有對整個古今音變關係做比較系統的研究，因此在古韻的研究上不能像同時
　　代的顧炎武、柴紹炳、毛先舒那樣，對古韻的方方面面做深入細緻考察。……所以，
　　王夫之研究古韻的缺憾主要有二：一是沒有接受新的古音學說。……第二是考古不
　　深。……但它所表現出來的原則立場──古今音有別，反對叶韻說，卻對當時研究風
　　氣的轉變，起到了吶喊和推波助瀾的作用。」見張民權：〈王夫之詩經叶韻辨對叶音
　　說的批判〉，《清代前期古音學研究》（北京市：北京廣播學院出版社，2002年），下
　　冊，第11章，頁129-130。

論，然亦有某篇數論者，共計兩百三十七則。由其「論某篇名」的條目形式來看，所重並非僅詩旨而已，更重要的是其引伸推演的論述。書名為「廣傳」，即是表達超越箋注義疏，直接面對經文，而廣其經義的意思，本書呈現出來的形式接近雜文筆記，以詩篇意旨為起點，引出其對人生哲學、政治制度、文學批評、社會風俗、政教得失、歷史興衰等論述。

　　《詩廣傳》中最重要的論述大約集中在「情」的討論。「性」、「情」在詩歌上的功用與展現，是《詩廣傳》屢屢論及的核心問題，如「論〈揚之水〉」條云：「夫詩以言情也，胥天下之情於怨怒之中，而流不可以反矣，奚其情哉！」[15]此處提到《詩》言情，而〈揚之水〉所表現的就是積蓄人民的怨怒之情，而終不能挽回。另外「論〈北門〉」之條對此有更細緻地討論：

> 詩言志，非言意也；詩達情，非達欲也。心之所期為者，志也；念之所覬得者，意也；發乎其不自已者，情也；動焉而不自持者，欲也。意有公，欲有大，大欲通乎志，公意準乎情。但言意，則私而已；但言欲，則小而已。人即無以自貞，意封於私，欲限於小，厭然不敢自暴，猶有媿怍存焉，則奈之何長言嗟歎，以緣飾而文章之乎？[16]

「詩言志」的命題始自《尚書·堯典》，[17]由於《詩大序》亦櫽栝此言，[18]故「言志」說被人視為先秦至漢代的儒家重要詩論，也引起後世學者的熱烈討論。王夫之將「志」與「意」，「情」與「欲」分開，並加以基本的界定，以此展開論述。透過此一論述，可以看出他對於詩歌的「善」，仍然以道德上的善為界定，這也可以說是《詩序》以教化人倫說《詩》的模式對王夫之產

15　〈王風〉，《詩廣傳》，卷1，收入《船山全書》，冊3，頁341。

16　〈邶風〉，《詩廣傳》，卷1，收入《船山全書》，冊3，頁325。

17　〈舜典〉：「詩言志，歌永言，聲依永，律和聲」。《尚書正義》（臺北縣：藝文印書館，1976年），卷3，頁46。案：孔氏《正義》用偽孔本，此段文字在今文《尚書》中屬〈堯典〉。

18　《詩大序》：「詩者，志之所之也。在心為志，發言為詩。」《毛詩正義》（臺北縣：藝文印書館，1976年），卷1之1，頁13。

生了影響。就《詩廣傳》的多數言論來看，此書事實上已經超越了傳統經典的詮釋，而成為其個人抒發情志的著作。[19]

　　整體觀之，王夫之撰寫《詩經稗疏》、《詩經考異》、〈叶韻辨〉這些著作，由字義、字形、字音入手，名物制度的解釋、字詞訓解的考訂貫穿其間，著重客觀證據與徵驗，屬於典型的漢學著作，其間議論全為訓詁過程與結果之展示，絕少義理上的發揮。相對之下，《詩廣傳》之內容主要是個人主觀的思考與感受的抒發，考據訓詁在其中幾乎絕跡，包含的領域既廣，所談的課題亦多，讓本書成為王夫之個人主體思考的展示，可謂以經義起興，而衍義紛呈。

（二）姚際恆、崔述、方玉潤的《詩經》學著作

1 姚際恆的《詩經》學著作

　　姚際恆以《詩經通論》之作在《詩經》學史上佔了一個相當重要的位置。姚氏治學注重辨偽，他曾在《古今偽書考》表示「辨」是讀書的第一義。[20] 在《詩經》研究方面，他將辨偽的矛頭指向流傳二千多年的《詩

---

19 陳章錫認為《詩廣傳》在船山的《詩經》學理論中，地位最為重要。又謂船山此書「在『性情才』、『性情欲』、『理氣情』、『情文法』之每組詞語中，或以交錯辨證、對比釐清的方式，或以並列說明及各別下定義的方式；凡此，均讓情感的內涵及表白的原則，以及對治不道之情以合乎中和節度之方法，有其理論依據。……船山能正視情感流蕩後，人生可能產生之顛倒虛妄，提出合理的對治之道。因此能提出情感與文學之間如何相須相成之理論建構，誠可謂廣大悉備，而又深刻入理。有助於為其《詩經》學之文學理論，奠定深厚而堅實的根基，對於船山其他詩話、詩作評選的理解，也為吾人提供了清楚的方向」。見陳章錫：〈王船山詩經學中之文學理論〉，收入陳器文主編：《通俗文學與雅正文學——文學與經學第六屆全國學術研討會論文集》（臺北市：新文豐出版公司，2006年），頁152-153。這樣的評論可以說內含明顯的讀者的情感因素，僅備之以參。

20 姚際恆：「造偽書者，古今代出其人，故偽書滋多於是。學者於此，真偽莫辨，而尚可謂之讀書乎！是必取而明辨之，此讀書第一義也。」〔清〕姚際恆：《古今偽書考》（臺北市：臺灣開明書店，1977年），頁1。

序》。姚氏反對《詩序》的主要理由是其來源有問題。他用辨偽的角度分析
《詩序》的來歷之真假，以為是東漢衛宏所作，而不是傳說的子夏所作。而
衛宏從學於謝曼卿，因此他說：「《序》之首一語，為衛宏講師傳授，即謝曼
卿之屬。而其下則宏所自為也。」他把《詩序》第一句稱為「小序」，是謝
曼卿傳授的；第二句以下稱為「大序」，是衛宏自己作的。不管是《大序》
還是《小序》，都是東漢人所作。[21] 既然《詩序》為東漢人作品，非出於聖
人之傳，其說不必信也不可信。在《詩經通論・序》裡，姚氏舉出《詩序》
的幾個缺失。他對《序》之首句所使用的評語是：固滯、膠結、寬泛、填
湊，諸弊叢集，第二句以下則「尤極踦駁」。[22] 對《詩序》之說解三百篇，
姚際恆常用的批評詞彙包括迂曲、附會、迂而無理、臆測、迂折、寬泛、執
泥、鶻突、泛甚、無句、揣摩、混謬、泛混、杜撰、稚、幼稚可笑⋯⋯等
等。這些充滿負面意涵的詞彙、甚至嘲弄性的、情緒性的字眼，反映出姚氏
對《詩序》的基本看法。

　　這裡要特別指出姚際恆反對的是《詩序》的歷史性，藉此反對《詩序》
對詩旨的解釋。但是《詩序》解釋立場中的聖人教化與捍衛傳統倫理價值的
觀點，卻是姚際恆所堅持，並且引為說解重點的。[23] 亦即姚際恆雖然反對
《詩序》，但是他反對的大多是《詩序》對於詩意的細部解釋，實際上在意
識型態與價值判斷方面，他和《詩序》的說解立場並沒有太大的差異。

　　姚際恆曾對晚出的經解有強烈的批評：「嘗謂經之有解，經之不幸也。
曷為乎不幸？以人皆知有經解，而不知有經也。曷咎乎經解？以其解致誤，
而經因以晦，經晦而經因以亡也。」[24] 又說：「故諸經之亡，皆亡于傳

21　〈詩經通論序〉、〈詩經論旨〉，《詩經通論》，收入《續修四庫全書》（上海市：上海古
　　籍出版社，1995年），冊62，頁5；頁9-10。
22　〈詩經通論序〉，《詩經通論》，頁5。
23　姚際恆：「欲通《詩》教，無論辭義宜詳；而正旨篇題，尤為切要；如世傳所謂《詩
　　序》者，不得乎此，則與瞽者之倀倀何異？」〈詩經通論序〉，《詩經通論》，頁5。
24　〔清〕姚際恆著，簡啟楨輯點：《禮記通論輯本》（臺北市：中央研究院中國文哲研究
　　所，1994年），上冊，頁275。

注。」[25]傳、注本為解釋經文的輔助性工具，在姚際恆的心目中，卻反過來成了探尋聖人之意的障礙，因此他亟欲排除傳、注，掃除解經路上的荊棘，直通聖經殿堂，此即姚際恆詮釋經典的主要態度。對晚出的經解之批判立場，表達在姚際恆《詩經通論》對毛《傳》、鄭《箋》的蔑視態度上：

> 予嘗論之，《詩》解行世者有《序》，有《傳》，有《箋》，有《疏》，有《集傳》，特為致多。初學茫然，罔知專一。予以為《傳》、《箋》可略，今日折衷是非者，惟在《序》與《集傳》而已。毛《傳》古矣，惟事訓詁，與《爾雅》略同，無關經旨。雖有得失，可備觀而弗論。鄭《箋》鹵莽滅裂，世多不從，又無論已。[26]

由此可見姚氏作《通論》的基本詮釋觀點，凡是與經旨、詩旨無關的，他都取忽略、跳過的方式，不予採用。因此，即便是現存最古的解釋──毛《傳》，他也不願理會，更遑論「鹵莽滅裂」的鄭《箋》。他批駁毛、鄭的程度沒有像攻擊《詩序》那樣激烈，但基本上反對的態度仍然一致，而其唱反調的理由不外乎是毛、鄭附會、固陋、拘泥……等。[27]或許是毛公之年代較早，加上毛《傳》注解文字較為簡潔而籠統，又較少碰觸到詩旨的解釋，因此姚際恆對毛《傳》的態度顯然比較緩和。相形之下，他對於鄭玄箋釋的抨擊就明顯地不留餘地了。在《詩經通論》中，姚氏使用不少的情緒性字眼來批評鄭《箋》，除了常見的附會、迂折、固執等評語外，他甚至說出「笨伯」、「癡叔」、「稚子塗鴉」、「欺世」、「發嘔」等今人所謂涉及人身攻擊之

---

25 〔清〕姚際恆著，張曉生點校：〈序〉，《春秋通論》（臺北市：中央研究院中國文哲研究所，1994年），頁5。

26 〈詩經通論序〉，《詩經通論》，頁5。

27 《詩經通論》對於毛《傳》的指責以「附會」較多，如說〈周南‧關雎〉的「雎鳩」摯而有別之性（卷1，頁19）。〈麟之趾〉的訓「振振」為仁厚之義（卷1，頁30）。〈召南‧鵲巢〉的「鳲鳩不自為巢，居鵲之成巢」（卷2，頁31）。至於拘泥的解說，如〈邶風‧燕燕〉的「頡之頏之」（卷3，頁45）。說毛《傳》固陋的，如〈大雅‧韓奕〉首二句之解釋（卷15，頁209）。

言，[28]由此可見姚氏對鄭《箋》的極度反感。

　　姚際恆甚至喊出「解經以後出為勝」的口號，[29]從後出轉精的角度來看，這也算是進步而具有突破性的觀點，也因此我們對於下面這個問題充滿期待：連接近作品時代的前人舊說、注釋都不可信時，對於詩文中出現生難、不易解釋的字詞，姚際恆該如何得知其意？有些人可能會對結果感到失望。綜觀《詩經通論》對三百篇的解說，我們可以看出姚際恆對字詞並沒有訓詁考辨的習慣。訓解的依據則是主觀認定的詩文本意，或者從上下文意的發展脈絡而解釋，又或者根據詩旨的可能走向而落實。因此，對於字詞的解釋，毛、鄭之說，或者孔穎達以後諸家之解釋，對於姚氏而言，其參考性不高，甚至不必參考。因為詮釋字意詞義的標準不是後來的毛、鄭諸人，而是詩文本身。抑有進者，凡遭遇到一些從未見過、極為生僻的字詞，如果與詩旨大意無關，他便輕易瀟灑地用「未詳」或「不必詳求」等語交代過去，還說只取其大意便可。當然就姚際恆來說，字詞訓詁的基本解釋並不重要，他主張解《詩》要以掌握詩旨大意為先，這是方法上的第一義。既然如此，各種生難字詞或名物制度之意義在他看來都是次要的，不必過於泥求。[30]

28　姚際恆《詩經通論》多次批評鄭玄的解釋「附會」，如說鄭氏解〈周南‧關雎〉的「左右」字（卷1，頁19）、說〈召南‧鵲巢〉的「均壹之德」為附會（卷2，頁31）。又言〈采蘩〉之解附會《周禮》、《儀禮》以解釋《詩》文（卷2，頁32）。又有言其「迂折」者，如〈周南‧漢廣〉的「翹翹錯薪」（卷1，頁28）、解〈邶風‧柏舟〉「日居月諸」二句（卷3，頁43）。又有說其「固執」者，如〈小雅‧天保〉（卷8，頁125）、〈小雅‧采綠〉（卷12，頁168-169）。「笨伯」、「癡叔」之譏見〈豳風‧七月〉（卷8，頁113）。「稚子塗鴉」之評見〈周頌‧噫嘻〉（卷16，頁224）。詁其「欺世」之說見〈周頌‧噫嘻〉（卷16，頁223）。又「發嘔」之說見〈豳風‧東山〉（卷8，頁117）。

29　《詩經通論》，卷5，頁75。

30　姚際恆《詩經通論》對於詩文中一些無法明確得知其意義的字詞，當他不相信毛、鄭之說，自己又無法詮釋其真正意涵時，他便用「未詳」、「不必詳求」等詞語帶過，如論〈召南‧采蘩〉之「僮僮」、〈邶風‧柏舟〉之「不可選」之「選」、〈鄭風‧清人〉「清人在彭」、「清人在消」之「消」、「彭」、〈大雅‧大明〉「俔天之妹」之「俔」字等。分見卷2，頁33；卷3，頁43；卷5，頁77；卷13，頁178。至於說只取大意不必細論字詞之意的，如論〈豳風‧九罭〉之「九罭」、「袞衣繡裳」、「遵渚」、「遵陸」；〈狼

2 崔述的《詩經》學著作

　　崔述是支偉成心目中的「清代南北懷疑派兩大家」之一，[31]其考辨著作至今視之仍有相當的價值。他在年少讀書的過程中對古書產生過許多的懷疑，由此而養成他勇於懷疑、勤於考辨的精神，這也是他一生治學的重要信念。[32]崔述在《詩經》學史上的力作是《讀風偶識》四卷，本書的書名其實已經描述出崔述寫作的基本風格。「偶識」比較像讀書有所得，偶然間有所領悟而記下，是一種帶有文人情趣的心得雜記之書，並無建立完整體系的企圖。不過，書名取得輕鬆寫意，作者的批評砲火卻很驚人，本著考信的態度，懷疑的精神，崔述利用史實、邏輯與經驗法則，針對《序》文的罅漏展開了猛烈的抨擊。

　　在〈通論詩序〉裡，崔述總論《詩序》的各種缺失，包括：《詩序》為東漢衛宏所作，非子夏作，亦非孔子或國史所作；《詩序》無分大小，且出於一人之手（衛宏）；《詩序》較三家而言，雖有許多新說，但《毛詩》晚出，這些新穎的解釋有許多是附會之說，因此成績不如三家；《詩序》喜歡強不知以為知，所謂諷刺之言多為鍛鍊之說、附會《左傳》……等等。[33]這些文字幾乎可以說全面地碰觸到了《詩序》的疑點與弱點。

　　崔述駁斥《詩序》最主要的依據在於以常理與事理衡斷，也包括了歷史上曾發生的「實事」。如崔述以為〈齊風‧還〉、〈著〉、〈東方之日〉等《序》說，不合常情。[34]〈魏風‧葛屨〉、〈汾沮洳〉「刺儉」之說，非但不

跋〉之「狼跋其胡」等解釋，姚際恆：「前詩只如朱子，取其大意便可，後詩則不能詳求，亦不必詳求。」詳卷8，頁119-120。

31 另一為姚際恆。見〔清〕支偉成：〈目次〉，《清代樸學大師列傳》，頁5。

32 崔述曾云：「余少年讀書，見古帝王聖賢之事，往往有可疑者。」〔清〕崔述：《崔東壁遺書》（臺北市：河洛圖書出版社，1975年），頁16。又說：「余年十三，初讀《尚書》，亦但沿舊說，不覺其有異也。讀之數年，始覺〈禹謨〉、〈湯誥〉等篇文義平淺，殊與三十三篇不類；然猶未敢遽疑之也。又數年，漸覺其義理亦多剌謬。又數年，復覺其事實亦多與他經傳不符。」（《崔東壁遺書》，頁582）。

33 〔清〕崔述：《讀風偶識》（臺北市：學海出版社，1992年），頁1-11。

34 《讀風偶識》，卷3，頁24-25。

合常情，更不合事理。[35]又在〈通論十三國風〉中，崔述對《詩序》作一總論，針對其在十二〈風〉（不含二〈南〉及〈豳風〉）中煞有介事地說美某公、刺某公之類的內容提出疑問，包括何以獨獨〈魏風〉、〈檜風〉沒有直指刺或美某君？此二國在齊、陳二國後二百餘年才滅國，「何以遠者知之歷歷，而近者反不之知乎？」[36]論〈鄭風·叔于田〉二篇，崔述以詩文為證，一一地挑出《序》說不合理之處，並且得出《詩序》好附會之結論。[37]直接以史籍驗證《序》說之謬的解說，在《讀風偶識》出現較多，[38]這可以算是崔述治《詩》的重要方法。

　　至於對毛《傳》、鄭《箋》的態度，崔述仍以附會或不合事理之說予以指責，[39]或者攻擊其曲從《序》說。[40]他批判毛、鄭之失，主要的根據基準還是在於經文本身，他從經文出發，再用理性的、冷靜的態度，以是否合於事理常情來審視漢人的解釋，因此常能指出毛、鄭之說有違背經旨之處。對於毛、鄭之說造成的影響，他感嘆後人「寧叛聖人之經而不肯少異於漢儒之傳，寧使文理不通而必欲曲全夫相沿之說」，[41]也遺憾毛、鄭之學使《詩經》成為章句之學、舉業之用而忽略了聖人教化之意。[42]種種跡象顯示，崔

35　《讀風偶識》，卷3，頁26。

36　《讀風偶識》，卷2，頁17-19。

37　《讀風偶識》，卷3，頁11-14。

38　崔述《讀風偶識》說〈邶風·綠衣〉、〈日月〉及〈衛風·碩人·序〉之《序》文皆是誤解《左傳》（卷2，頁20；卷2，頁33）。〈擊鼓〉云「平陳與宋」與《左傳》經文不合（卷2，頁24），〈式微〉、〈旄邱〉說黎侯之事，與史傳不合（卷2，頁25-26）。〈新臺〉、〈二子乘舟〉說衛宣公與伋、壽二子之事，與《左傳》記載不符（卷2，頁26-28）。〈衛風·河廣〉宋襄公思母之說，以《左傳》之記載駁之（卷2，頁35）。〈王風·揚之水〉刺平王遠屯戍于母家之說，與當時時勢不符（卷3，頁3-4）。說〈王風·中谷有蓷〉、〈兔爰〉、〈葛藟〉等篇東周後事，與史事不符（卷3，頁6-7）。〈鄭風·山有扶蘇〉以下三篇，《序》皆以為刺鄭昭公，但以《春秋》經傳而論，未見所譏刺之事實（卷3，頁18-19）。

39　《讀風偶識》，卷1，頁15。

40　《讀風偶識》，卷3，頁17。

41　《讀風偶識》，卷2，頁14。

42　《讀風偶識》，卷3，頁30。

述反對《詩經》的傳統傳注，主要的理由是他認為其中許多解釋掩蓋了聖人
原意，無法彰顯倫理教化的真正價值所在。

　　崔述對於三百篇的名物訓詁之說興趣不大，對於詩文中瑣碎繁雜的細部
字詞、名物制度更是擺落不提。「偶識」的重心仍在詩旨精神「見識」，而非
單詞句意的零碎「知識」。就以書中解釋單詞單意最多的〈豳風・七月〉、
〈東山〉二詩為例，雖然解說的方式依循傳統，分章而釋意，每章之下概述
大意，並詳解各章中生難字詞，但其基本訓詁仍太過粗略，多處皆直接跳過
毛、鄭解釋，直接告訴讀者他認為的可能解釋，至於這些解釋如何得來？其
訓詁的過程為何？對崔述而言，顯然都不是重點，《讀風偶識》在這一部分
的表現肯定會讓許多研《詩》學者失望。不過，崔述之所以忽視訓詁名物自
有他的理由，他本來就認為「聖人之道，在六經而已矣」，[43] 如果不用考究
訓詁名物（尤其是名物之學）即可明白聖人之道，那又何必把讀《詩》的精
神擺在這裡？

3 方玉潤的《詩經》學著作

　　方玉潤解《詩》很能注意到民間歌謠的特徵，他的《詩經原始》能備獲
好評，原因之一是這方面的表現。《詩經原始》以「偽託」、「附會」之詞來
形容《詩序》，並且強調涵詠全文、尋繹詩意的解詩方式，也就因為如此，
他在說解詩意時，可以不顧《序》說而直探詩人之旨。不過，在實際的解釋
過程中，與姚際恆、崔述不同的是，方玉潤仍有不少地方為《詩序》開脫，
或是間接的肯定其說，而其中一個重要的取捨標準乃在於是否符合「詩
教」，符合所謂的聖人之意。[44]

---

43 崔述：〈考信錄提要卷上〉，《考信錄》（臺北市：世界書局，1979年），頁4。
44 方玉潤以〈陳風・衡門〉為賢者甘貧而無求於外之詩，「〈陳〉之有〈衡門〉也，亦猶
　　〈衛〉之有〈考槃〉、〈秦〉之有〈蒹葭〉，是皆從舉世不為之中，而己獨為之，可謂
　　中流砥柱，挽狂瀾於既倒，有關世道人心之作矣」。但《序》卻解為「誘僖公」，「聖
　　人刪《詩》，此種詩不可多得，亦斷不可少，而序者不喻其意，反引而他屬，可慨也
　　夫」。見方玉潤：《詩經原始》（臺北縣：藝文印書館，1981年），卷7，頁622-623。

　　當方氏認為《序》說合理時，他不會刻意視而不見，反而會持平地接
受、肯定其說，但大致而言，他對於《詩序》的接受只是局部性的，例如以
為部分《詩序》之言可能說出了本詩的言外之意，只是詩人本義不在「美」，
而是在「諷」；[45]又如說〈鄭風・野有蔓草〉的「首序」可信，「續序」則
非。[46]他對於《序》說的取捨標準是，「《序》之解經，往往得其大概，而措
辭又非，故詩旨反因之而晦，須為細審，乃知其得失也」，[47]也因此，他評
論〈小雅・隰桑〉、〈大雅・蕩〉之《序》文，以為或有偽謬之處，但都符合
詩的言外之意，故仍有可取之處。[48]另外，方玉潤有時也從尊古的角度，對
於《序》說採用暫時接受的策略。如〈大雅・泂酌・序〉以詩為「召康公戒
成王」之作，方氏云：「未知其何所据，然相傳既久，亦姑從之。」[49]當
然，這些肯定、贊同《序》說的例子畢竟只佔少數，方玉潤對於《詩序》的
基本立場還是反對的，只是沒有像姚際恆、崔述這般激烈而已。[50]

　　不過，方氏的說《詩》在三人中自有其特殊性的意涵，從反權威的角度
而言，方玉潤因為受到姚際恆的啟發而反《序》，理論上姚氏之說在方氏的
心目中應該頗具權威性。不過，姚氏對方氏的影響並不在於詩旨的意見，而
是勘查詩旨的方法。亦即，方氏對姚氏的肯定及接受，是一種解《詩》方法
上的獨立自由，而不是實質內容上的全盤認可。因此，面對姚氏之說，方氏
將之與《詩序》、朱《傳》放在同一平臺上，仔細檢視，因為那些都是前人
之見，是則取之，非則駁之，無須盲從。因此，《詩經原始》中出現不少姚
氏之說不如《詩序》、朱《傳》的評論，由此可證方玉潤面對古今不同的詩

45　《詩經原始》，卷4，頁415-417。

46　《詩經原始》，卷5，頁496-497。

47　《詩經原始》，卷7，頁629。

48　《詩經原始》，卷12，頁999；卷14，頁1142。

49　《詩經原始》，卷14，頁1112。

50　當方玉潤不滿某些《詩序》之說不合聖人「《詩》教」時，他也會使用一些情緒性的
　　字眼，如譏評《序》說為「小兒囈語」、如「夢囈」等，分見《詩經原始》，卷5，頁
　　433；卷15，頁1199。不過這些口氣強烈的用詞畢竟少見，不像姚際恆那般，似乎以
　　痛斥《詩序》為己任。

旨解說，並無「舊不如新」的陳見。甚至，那些曾經用來批評《詩序》、朱
《傳》之說的用語，方氏也轉移到姚氏身上，不唯如此，方氏還發明了「高
叟」、「夢中說夢」、「千秋笑柄」、「腐儒之見」等激烈的譏刺之語來詆斥姚際
恆，[51]可見姚氏在方氏心中完全不能構成漢宋之後的新權威，所以我們必須
說，方玉潤受姚氏的影響就僅在說詩的方式層面上，一種獨立的「不顧
《序》，不顧《傳》，亦不顧《論》，惟其是者從而非者正」的詮釋態度，[52]或
許正是因為這樣的態度，而讓評論者以為方玉潤的成就又在姚際恆之上。[53]

　　方玉潤曾經自言反對考據式的解《詩》方法，他認為即使有深厚學養的
通儒顧炎武（1613-1682），也因為囿於考據的眼光而無法「四面旁觀」，因
而導致其說不可信。[54]由此可知，清代重視考據的徵實學風並沒有影響到方
氏，反而激起他的某種反感。既然反對考據的解《詩》方法，方氏自然在訓
詁的方面刻意採取一種較為輕忽的態度，對於毛、鄭之說，凡是與詩旨無關
的，便跳過不談。因此，在《詩經原始》的正文中，極少出現毛、鄭之說。
甚且即使是放在每一首詩後的「集釋」（專門用來解說詩文裡生難的字詞），
毛、鄭二家出現的次數仍然相當有限。以二〈南〉為例，在「集釋」的部
分，方玉潤最常引用的竟然是朱子《集傳》，其次才是孔穎達（574-648）
《正義》之說，第三則是陸璣的《毛詩草木鳥獸蟲魚疏》與姚際恆的《詩經
通論》。毛公之說只引用四次，鄭玄之說則全無。若以時代而論，宋人佔最
多。[55]這大概可以說明方氏面對訓詁的態度與宋人相近，只求一種通用的解

---

51 「高叟」、「夢中說夢」等用語，分見《詩經原始》，卷2，頁233；卷6，頁559；卷7，
　　頁625；卷15，頁1186。

52 〈自序〉，《詩經原始》，頁6。案：從「不顧《序》，不顧《傳》，亦不顧《論》」之
　　語，我們若說方玉潤視姚際恆為新權威，亦未嘗不可，不過，如同漢、宋舊說，這樣
　　的權威是必須推倒的權威。

53 鄭振鐸評介《詩經原始》：「此書極重要，多採姚際恆之說，而見解較他更好，新的意
　　見也極多。」見鄭振鐸：《中國文學研究新編》（臺北市：明倫出版社，1975年），頁37。

54 〈詩旨〉，《詩經原始》，頁153。

55 二〈南〉中「集釋」部分引用朱子之說共計三十次，其次為孔穎達十四次。陸璣與姚
　　際恆之說共引用十一次，第四為陸德明五次。第五毛公之說與嚴粲相同，皆為四次。

釋，不必像清代漢學家般字字追究、考證，從字形、聲韻或假借等途徑去確
定其字義。他之所以偏好引用朱子之說，其原因應該就在這裡。

三　《詩經》學史對王夫之等人的評價

（一）王夫之在《詩經》學史上的評價

　　光緒三十四年（1908），王夫之與顧炎武、黃宗羲（1610-1695）入祀文
廟，自此三人地位獲得官方正式認可，後來學者也漸次以「清初三大儒」視
之。至今這三位清初學術巨擘已是學術史上的重要研究對象，尤其是其在哲
學、史學方面的論述，更是學者們關注的焦點。但是在經學史上，這三人的
定位便有些爭議了。江藩（1761-1830）《漢學師承記》只於末卷附論黃宗
羲、顧炎武兩人。[56]章太炎（1869-1936）〈清儒〉敘述清朝經學發展，於此
三人只述及顧炎武。[57]梁啟超（1873-1929）《中國近三百年學術史》說得較
為細緻，他將顧炎武列為「清學」的開山祖，而黃宗羲則影響清代的史學，
至於王夫之則稱為「畸儒」。[58]不過，清末的皮錫瑞（1850-1908）《經學歷
史》卻言：「才俊之士，痛矯時文之陋，薄今愛古，棄虛崇實，挽回風氣，

就時代而論，方氏引用著作，漢代的著作共四種：毛《傳》、《爾雅》、《韓詩》、《說
文》。三國一種：陸璣《草木鳥獸蟲魚疏》。唐代三種：孔穎達《正義》、陸德明《釋
文》、施士丏《詩說》。至於宋人著作除朱熹《詩集傳》之外，尚有：李樗《毛詩集
解》、王安石《詩經新義》、嚴粲《詩緝》、項安世《項氏家說》、王質《詩總聞》、輔
廣《詩童子問》、陸佃《埤雅》、羅願《爾雅翼》、邢昺《爾雅疏》與李如圭《儀禮釋
宮》等。

56　〔清〕江藩：《漢學師承記》（臺北市：華正書局，1974年），頁1-3
57　〔清〕章太炎：《訄書（初刻本重訂本）》（北京市：三聯書店，1998年），頁158。
58　詳梁啟超：《中國近三百年學術史》（臺北市：華正書局，1974年），頁45-93。案：此
　　書第一章〈兩畸儒〉所述除王夫之外，另一為朱舜水。「畸儒」之詞並無不敬之意，
　　梁任公云：「南明有兩位大師，在當時，在本地，一點聲光也沒有。然而在幾百年
　　後，或在外國，發生絕大影響，其人曰王船山，曰朱舜水。」見《中國近三百年學術
　　史》，頁82。

幡然一變。王夫之、顧炎武、黃宗羲皆負絕人之姿，為舉世不為之學。於是毛奇齡、閻若璩等接踵繼起，考訂校勘，愈推愈密。」[59]這分明是將這三人視為清代經學中研究路線的開創人物，以為他們是開啟「乾嘉漢學」學風的先行者。支偉成《清代樸學大師列傳》亦將此三人列入〈清代樸學先導大師列傳〉中。[60]

在《詩經》學史的論述中，這三位大儒亦受到相當的關注，如夏傳才（1924-　）《詩經研究史概要》標舉三人為清初研究《詩經》的代表人物，但事實上只有顧炎武與王夫之有《詩經》學的專著。[61]顧炎武的《音學五書》以《詩本音》最為重要，自此開啟清朝學者對《詩經》韻部以及聲韻研究的盛況，對後來「漢學」注重客觀性研究學風產生了深遠的影響。王夫之的《詩經》學著作如前所言有《詩廣傳》五卷、《詩經稗疏》四卷、《詩經考異》一卷以及〈叶韻辨〉一篇。另外在《薑齋詩話》中有〈詩譯〉十六條，為對詩篇意旨的理解，其中亦有構建於《詩經》之上的文學批評理論，這方面的論述在《夕堂永日緒論》亦有一些。以顧、王兩人的《詩經》學著作相比，王夫之的論述數量與指涉的面向顯然比顧炎武多且廣。

王夫之《詩經》學著作很清楚地展現出兩種面向。《詩經稗疏》、《詩經考異》以及〈叶韻辨〉，純是「漢學」的訓詁考據部分，幾乎沒有關於義理方面的闡釋，《詩廣傳》與〈詩譯〉之類的著作卻是通篇說理述義，訓詁考據方面的論述幾乎付之闕如。這種研究與論述方式迥異的情形，在歷來治《詩》學者中，委實極其罕見，也因此而讓持不同學術立場的研究者，皆可於王夫之身上找到自己喜愛偏好的部分。

現在我們對於王夫之的博大學術體系知之甚詳，但王夫之卻是清初諸大

---

59 皮錫瑞：《經學歷史》（臺北縣：藝文印書館，2000年），頁328。

60 《清代樸學大師列傳》，頁2-12。

61 夏傳才為了讓清初三大家都能進入《詩經》學史中，特別表示「黃宗羲在學術史著作、斷代哲學史《宋元學案》中，評述了宋人關於《詩經》的爭論，不過他所舉的例子只是黃宗羲批判「宋學的煩瑣哲學」的幾句話。詳夏傳才：《詩經研究史概要》（臺北市：萬卷樓圖書公司，1993年），頁203。

師中最為闇然不彰的一位，也是身世最為坎坷的一位，他一生幾乎過著歸隱的日子，著述終老。[62]河北名士劉獻廷（1648-1695）在康熙三十一年（1692）至湘地遊歷，曾經撰文稱讚王夫之「無所不窺，於六經皆有發明」、「洞庭之南，天地元氣，聖賢血脈，僅此一線」。[63]不過該文以記述王夫之的家學為主，對於王夫之本人少有描述，況且王夫之已於當年正月去世，但是文中仍有「而薑先生於壬申歲已八十矣」之語，這表示劉獻廷不僅未與王夫之家屬接觸，連湖南士大夫也不知王夫之已經過世。所以透過劉獻廷的記載可看出王家在當地應頗有名望，但是與學術界的往來幾乎可以說是隔絕狀態。

　　康熙四十一年（1702），潘宗洛（1657-1716）擔任湖廣學政，王夫之的兒子王敔（1656-1731）被延攬入幕，襄校文卷。潘宗洛對於王夫之的人格學問十分欽仰，想要盡觀其所有著作，但是王敔所能拿出的完整著作，也只有《思問錄》、《正蒙注》、《莊子解》與《楚辭通解》。[64]其後王敔得到資助，漸漸增刻至十餘種。[65]潘宗洛算是較早注意到王夫之的官方人士，在擔任湖廣學政任上，還為王夫之寫傳，不過在傳中的贊語部分，推崇的不是王夫之的學術，而是其人格節操，並且利用王夫之曾經拒絕吳三桂徵召之事，巧妙地賦予「我朝貞士」的身份，這對王夫之的學術推廣來說，相當程度地

---

62 詳陳祖武：《清初學術思辨錄》（北京市：中國社會科學出版社，1992年），頁86-90。

63 〔清〕劉獻廷：《廣陽雜記》（北京市：中華書局，1957年），頁57。

64 潘宗洛：「先生子二人，曰攽，曰敔。敔字虎止，遊於吾門，蓋能紹先生之家學者。余不及見先生，慕先生之高節，欲盡讀其書。敔曰：『先人家貧，筆札多取給於故友及門人。書成，因以授之，藏於家者無幾焉。』余所得見於敔者，《思問錄》、《正蒙注》、《莊子解》、《楚辭通釋》而已。」〔清〕潘宗洛：〈船山先生傳〉，收入船山全書編輯委員會編校：《船山全書》（長沙市：嶽麓書社，1996年），冊16，「傳記、年譜、雜錄、船山全書編輯記事」之部，頁89。案：此文作於康熙四十四年（1705）。

65 王之春：「公書始刊於公子敔、門人及姻友之有力者，凡數種。（見〈湘西草堂記〉）其後增刻《周易大象解》、《春秋世論》、《四書稗疏》、《四書考異》、《老子衍》、《莊子解》、《楚辭通釋》、《正蒙注》、《思問錄》、《文集》、詩集、詩話，凡十餘種。」〔清〕王之春：《船山公年譜》，收入《船山全書》，冊16，頁382。

化解了政治上的阻力。[66]但是此時王夫之仍然未受到學術界的注意,更談不上什麼影響力了。

　　乾隆三十八年(1773),詔開四庫書館,搜采遺書。王夫之的《周易稗疏》、《周易考異》、《書經稗疏》、《書經引義》、《詩經稗疏》、《詩經考異》、〈叶韻辨〉、《春秋稗疏》、《春秋家說》皆由地方官進呈,奉旨列入四庫。[67]《四庫全書總目》在「《詩經稗疏》」條下言:

> 是書皆辨正名物訓詁,以補《傳》、《箋》諸說之遺。……四卷之末,附以《考異》一篇,雖未賅備,亦足資考證。又〈叶韻辨〉一篇,持論明通,足解諸家之轇轕。惟贅以〈詩譯〉數條,體近詩話,殆猶竟陵鍾惺批評〈國風〉之餘習,未免自穢其書,雖不作可矣。[68]

《四庫全書》收錄了王夫之數種漢學型態的《詩經》學著作,並且給予適度的好評,但是對於〈詩譯〉則是大有貶抑之語,至於另外一本更受後人重視的《詩廣傳》更是隻字未提。整體觀之,四庫學者對王夫之《詩經》學的評價應該算是中等,而錢林、周中孚(1768-1831)亦持類似意見,對王夫之《詩經》學的評價並未太高。[69]

---

66 潘宗洛:「以先生之才,際我朝之興,改而圖仕,何患不達?而乃終老於船山,此所謂前明之遺臣者乎!及三桂之亂,不屑勸進,抑又可謂我朝之貞士也哉!」〔清〕潘宗洛:〈船山先生傳〉,《船山全書》,冊16,頁89-90。

67 王夫之著作載於《四庫全書總目》的有《周易稗疏》一卷附《考異》一卷,《書經稗疏》四卷,《詩經稗疏》四卷附《考異》一篇、〈叶韻辨〉一篇,《春秋稗疏》二卷;載在《四庫全書總目經部書類存目》的有《尚書引義》六卷;載在《四庫全書總目經部春秋類存目》的有《春秋家說》三卷;載在《四庫全書簡明目錄》的有《周易稗疏》四卷附《考異》一卷,《書經稗疏》四卷,《詩經稗疏》四卷,《春秋稗疏》二卷。

68 《四庫全書總目》(臺北縣:藝文印書館,1974年),冊1,卷16,頁357-358。

69 錢林:「以《毛詩傳》、《鄭氏箋》名物訓詁不備,為書辨正之,其〈叶韻辨〉一篇,足為典文之美焉。」《文獻徵存錄》,收入《船山全書》,冊16,頁543。案:錢林為嘉慶十三年(1808)進士,於翰林院任官三十餘年。周中孚:「《四庫全書》著錄是篇,乃其讀《詩》之時隨筆劄記。故每條但舉經文一句或數字,標目不全載經文。又遇有疑義,乃為考辨,故不一一盡為之說,大旨不從鄭氏之《箋》,亦不信朱子之說。唯

　　不過，隨著今文經學的興盛，[70]王夫之另外一本經學著作《詩廣傳》的身價逐漸高漲，最明顯的莫過於魏源（1794-1857）《詩古微・詩外傳演》言「此卷皆取衡山王夫之《詩廣傳》」。[71]魏源為今文經學名家，自此王夫之《詩廣傳》的聲譽漸隆，儼然成為王夫之《詩經》學中的代表作。

　　道光十九年（1839），湖南學者鄧顯鶴（1778-1851）與歐陽兆熊（1808-1874）、鄒漢勛（1805-1854）等開始蒐集編校王夫之的遺著，準備開始印行。到了道光二十二年（1842）刊布《船山全書》一五〇卷，但是咸豐四年（1854）太平軍進攻湘潭，該書藏版被焚燬。曾國荃（1824-1890）於同治四年（1865），重新刊刻《船山遺書》出版，共收入王夫之的著作五十六種，二八八卷。在刊刻的過程中，時任兩將總督的曾國藩（1811-1872）出力甚大，不僅全力蒐羅散失於各地的王夫之著作，還親自校閱，並為《船山遺書》作序。

　　《船山遺書》的出版可以說是王夫之學術流傳的一個重要關鍵，除了出版實體書籍可供學術界流通傳播之外，更重要的是曾國藩等人的政治勢力讓王夫之的名聲大為顯揚。郭嵩燾（1818-1891）非常欣賞王夫之的理學，曾在同治九年（1870）主講湖南城南書院，為王夫之建立私祠，對王夫之的學術極為推崇。[72]光緒二年（1876），郭嵩燾任禮部左侍郎不久，奏請王夫之

以毛《傳》、《爾雅》為主，以考正名物訓詁。雖不及朱長孺《詩經通義》、陳長發《毛詩稽古篇》之博考，而引據精確，足以補《傳》、《箋》諸說之遺。間有傷穿鑿處，固無害全書也。末附《詩繹》十五則，則本古詩以說漢以後詩，尚巧不傷雅，然無裨於精義，雖不存可耳。」見〔清〕周中孚：「《詩經稗疏》」條，《鄭堂讀書記》（臺北市：世界書局，1965年），上冊，卷8，頁23。

70 周予同：「道光、咸豐、同治、光緒四朝（公元十九世紀上半期到二十世紀初）這時期，由經典研究的後漢古文學蛻變為前漢今文學，由名物訓詁的考訂轉變為微言大義的發揮，由經生箋注的演繹轉變為孔、孟理想的追尋。」朱維錚編：《周予同經學史論著選集》（上海市：上海人民出版社，1996年），頁330。

71 《詩古微》，收入《續修四庫全書》，冊77，下編，卷3，頁1。

72 郭嵩燾稱讚王夫之「尤心契橫渠張子之書，論《易》與《禮》發明先聖微旨，多諸儒所不逮」、「先生之學，非元、明以後諸儒所能及也」，見〔清〕郭嵩燾：〈船山祠碑記〉，《養知書屋文集》，收入沈雲龍主編：《近代中國史料叢刊》（臺北市：文海出版

從祀孔廟。[73]

　　王夫之在清末的影響力最顯著之處於政治方面。如戊戌變法（1898）的領導人物譚嗣同（1865-1898）深受王夫之影響，曾經寫〈王志〉，稱是「私淑船山」。[74]不僅譚嗣同對於王夫之的政治觀念極為欣賞，甚至以此批評顧炎武，認為他不夠資格與王夫之並稱。[75]維新運動失敗後，王夫之的民族主義思想大行其道，成為當時政治革命派的精神依歸。[76]大約在清末民初，王夫之在學界已經取得極高的聲譽，而此時王夫之《詩經》學所獲得的評價，已與《四庫全書總目》不同，尤其是《詩廣傳》一書，更是備受器重。[77]

　　社，1968年），第16輯，第152種，卷25，頁10b-12a。

73　〔清〕郭嵩燾：〈請以王夫之從祀文廟疏〉，《道咸同光四朝奏議》（臺北市：臺灣商務印書館，1970年），冊7，頁2964-2965。

74　譚嗣同：「〈張子正蒙參兩篇補注〉，天治也；〈王志〉，私淑船山也。」見〔清〕譚嗣同：〈三十自述〉，《譚嗣同全集》（臺北市：華世出版社，1977年），頁205。

75　譚嗣同：「孔教亡而三代下無可讀之書矣！乃若區玉檢於塵邊，拾火齊於瓦礫，以冀萬一有當於孔教者，則黃梨洲《明夷待訪錄》其庶幾乎！其次，為王船山之遺書。皆於君民之際有隱恫焉。……若夫與黃、王齊稱，而名實相反、得失背馳者，則為顧炎武。顧出於程、朱，則荀之雲礽也，君統而已，豈足罵哉！夫君統有何幽邃之義，而可深耽熟玩，至變易降衷之恆性，變易隆古之學術，至殺其身家，殺其種類，以宛轉攀緣於數千年之久，而不思脫其軛耶？嗚呼！蓋亦反其本矣！」（《仁學》，《譚嗣同全集》，頁56）。

76　章太炎：「衡陽者，民族主義之師；餘姚者，立憲政體之師。」〈王夫之從祀與楊度參機要〉，《章太炎政論選集》（北京市：中華書局，1977年），頁427。案：該文寫於宣統元年（1908）。我們可以由章太炎《訄書》對王夫之的意見看出此點。在《訄書》「重訂本」中，「王夫之」之名出現過兩次，一次是在〈序種性上〉引王夫之談夷夏之辨的言論，另一次則是在〈別錄〉提到：「夫孫卿死而儒術絕，自明季五君之喪（謂孫奇逢、王夫之、黃宗羲、顏元、李顒也），道學亦亡矣！」以上分見《訄書（初刻本重訂本）》，頁175、349。

77　倫明：「夫之此作，乃其讀《詩》之時，隨筆劄記，故不全載經文。又遇有疑義，乃為攷辨，故不一一盡為之說。且其意在推求《詩》意，而其推求之法，又主於涵泳文句，得其美刺之旨而止，與其所著《詩經稗疏》，大旨在辨正名物訓詁，以補《傳》、《箋》諸說之遺者，固自不同也。故其間意測者多，攷證者少。……在夫之所注諸經之中，較為次乘。然夫之邃於經術，見理終深，其所詮釋，多能得興觀群怨之旨。邵陽魏源稱此書『精義卓識』，又謂『闇與己合，左採右筆，觸處逢源，於是〈風〉、

過去幾十年大陸學界對於王夫之的主要討論在於哲學部分，尤其對王夫之哲學中的唯物論（materialism）部分最為推崇。[78]這類的看法在大陸學界算是主流，比王夫之更早的學者，不是沒有講過唯物論的觀念，但是王夫之哲學顯現的唯物論更全面而具體，於是廣受大陸學者青睞。由於王夫之的學術地位大幅攀升至一個「典範」地位，因此大陸學者對於王夫之的學術不僅大加揄揚，連帶使得他的《詩經》學評價也大為提高至前所未有的地步。[79]

〈雅〉、〈頌〉各得其所』。故所著《詩古微》，於〈詩外傳演〉一篇，幾於全取其說。蓋冥探顯闢，奧阼洞開，旨趣本同，於讀《詩》者，不為無裨也。」（見中國科學院圖書館整理：《續修四庫全書總目提要》，頁331）。

78 大陸學者恭維王夫之常從其唯物思想立論，如侯外廬云：「夫之的唯物論思想在這裡表現出了異常驚人的新內容，這是十七世紀中國哲學的成果，高出於周、秦諸子，也高於中國十八世紀的學者。他的唯物論的明顯語句，也不是過去學者所能比擬的。」《中國思想通史》（北京市：人民出版社，1992年），卷5，頁85-86。又如在大陸學界極有影響力的學者張岱年表示：「在物質世界的獨立存在與事物的規律性等問題上，船山提出了深刻精闢的理論，捍衛并且發展了唯物論的學說，進行了反對主觀唯心論與客觀唯心論的鬥爭。他對主觀唯心論與客觀唯心論的批判之深刻中肯，也可以說前無古人。船山對於中國古典唯物論的偉大貢獻有其不可磨滅的價值。」見《張岱年文集》（北京市：清華大學出版社，1992年），卷4，頁202。

79 如張溦：「正如列寧所說，『判斷歷史的功績，不是根據歷史活動家有沒有提供現代所要求的東西，而是根據他們比他們的先輩提供了新的東西。』……《詩經稗疏》在方法論上的成就，直接開啟了清代學風的興起，可說是乾嘉諸子的先導，其意義是不可低估的。就具體的名物訓詁而言，船山的學說也多有乾嘉經師所弗及之處。儘管《詩經稗疏》不是船山的代表著作，但該書的成就也同樣體現了船山博大精深的治學特色，我們應予以足夠的重視。」張溦：〈王夫之詩經稗疏芻論〉，收入林慶彰主編：《中國經學史論文選集》（臺北市：文史哲出版社，1993年），頁404。夏傳才：「我們現在來看《詩廣傳》，與其把它看作《詩經》研究，不如看作一本政治論文集。王夫之對《詩經》的主要貢獻，是他對《詩經》藝術形式的大量精闢見解。……王夫之不但以地主階級改良主義觀點對《詩經》內容作了引伸發揮，而且是清代第一個把《詩經》作為文學作品來研究的人。」（《詩經研究史概要》，頁204、205、211）。趙沛霖：「就《詩經》本身研究而言，本書（《詩廣傳》）亦多超越前人之處。船山之前的《詩經》研究著作，一般多限於註疏字句，說明題旨，很少深刻具體之論。本書別出心裁，完全打破了由《序》、《傳》所開創的這種傳統研究模式。其內容之豐富，見解之深刻，視野之開闊，誠為可貴。」見趙沛霖：〈詩廣傳提要〉，收入夏傳才、董治安編：《詩經要籍提要》（北京市：學苑出版社，2003年），頁189-190。

（二）姚際恆、方玉潤、崔述在《詩經》學史上的評價

　　姚際恆、崔述、方玉潤三人的學術活動年代全不相及，並沒有重疊的部分。由姚際恆至崔述乃至方玉潤，歷經順治（1644-1661）至光緒（1875-1908）。因此三人幾乎跨越整個清朝。

　　迄今我們仍然不能確認姚氏等三人各自的師承關係。這三人的交遊不廣，學術上的交往幾乎闕如。不過，姚際恆雖然師承不明，[80]但學問還是淵博的，因此毛奇齡（1623-1716）曾經邀請他與閻若璩（1636-1704）一同討論《古文尚書》的問題。[81]除此之外，也找不出其他姚際恆參加學術聚會或交遊情形的資料。崔述雖然身處乾嘉漢學最隆盛之期，卻獨學而無友。他僅在早年見過孔廣森（1752-1786），但卻在他死後才讀到他的書，也不知他當時已死。晚年曾同漢學家戚學標（1742-1825）通過信。除了交遊不廣，加上他身處北方，地理環境的影響，造成他在學術上的孤陋寡聞。他的著述得以見世，全賴其弟子陳履和刊刻，否則無人得見。[82]至於方玉潤，更是生活在雲南僻處，與中原相隔千里，直至四十五歲之前，仍未離開過雲南。當時

---

80 關於姚際恆的師友之考察，見〔日〕村山吉廣著，林慶彰譯：〈姚際恆的學問（中）——他的生涯和學風〉，收入林慶彰、蔣秋華編：《姚際恆研究論集》（臺北市：中央研究院中國文哲研究所，1996年），上冊，頁39-56。

81 事見〔清〕閻若璩《古文尚書疏證》，卷8。日人村山吉廣對此有較詳的敘述，見〈姚際恆的學問（中）——他的生涯和學風〉，《姚際恆研究論集》，上冊，頁53-55。

82 崔述讀到孔廣森的《大戴記補註序錄》時說：「余昔會試時，曾與檢討（孔廣森）相識，年甚少也。數十年不見，不意其學刻苦如是。」但此時孔廣森早已過世。《崔東壁遺書》，頁408。崔述曾自云：「若述者，其學固無可取，而亦絕無人相問難者；……讀書雖有所得，而環顧四壁，茫然無可語者。」〈與董公常書〉，《崔東壁遺書·無聞集》，卷3，頁3。又說：「嘗冀有一二同志，相與講明而切究之。而居僻寡交游，所見學者多專攻舉業。間有好古之士，祇肆力於詩賦博覽，意不能有所遇，而余亦漸老矣。」見〔清〕崔述：〈贈陳履和序〉，《考信附錄》，卷1，頁33-34，收入《考信錄》，下冊。

的方玉潤聲名無聞，交遊亦狹，可謂遠離學術圈之邊陲學者。[83]

　　以清代經學的發展而言，師友之間的傳承、砥礪、影響極為重要，甚至形成許多學術團體，左右了學術發展的走向。但是這三人在學術交流方面甚少，幾乎可以說處於孤立狀態，其於《詩經》學上的學術影響力方面，在清朝幾乎可以說是相當微小。

　　但是梁啟超於《中國近三百年學術史》中整理清代《詩經》學的研究成果，於正統派之外，舉出姚際恆《詩經通論》、崔述《讀風偶識》以及方玉潤《詩經原始》三書，以為此不同於傳統學者之固守《毛序》、毛《傳》，而能獨抒己見，另闢蹊徑，並云：

> 清學正統派，打著「尊漢」「好古」的旗號，所以多數著名學者，大率群守《毛序》，然而舉叛旗的人也不少。最兇的便是姚立方著有《詩經通論》，次則崔東壁著有《讀風偶識》，次則方鴻蒙著有《詩經原始》。這三部書並不為清代學者所重，近來纔漸漸有人鼓吹起來。據我們看，《詩序》問題早晚總須出於革命的解決，這三部書的價值，只怕會一天比一天漲高罷。[84]

自梁啟超之後，姚際恆、崔述、方玉潤在《詩經》學史上逐漸被定位為清代能獨立治學，具有懷疑精神，能跳脫舊有注疏桎梏的研究者。[85]

---

83 有關方玉潤的生平資料，以近人楊鴻烈〈方玉潤先生年譜〉所述最詳。收入《中國文學雜論》（上海市：亞東圖書館，1928年），頁71-93。

84 梁啟超：〈清代學者整理舊學之總成績（一）〉，《中國近三百年學術史》，頁206。

85 後來學者或以「懷疑派」、「超然派」、「獨立派」稱呼此三本著作。陳柱稱姚際恆為「懷疑派」，〈姚際恆詩經通論述評〉，收入林慶彰、蔣秋華編：《姚際恆研究論集》，中冊，頁345。何定生則稱姚際恆為「各派混戰中的超然的一派」，〈關于詩經通論〉，收入《姚際恆研究論集》，中冊，頁363。夏傳才通論清代《詩經》研究的學術時，以「超出各派鬥爭的獨立思考派」之語統稱姚、崔、方三人，並謂：「到近代，人們才發現他們的價值。」（《詩經研究史概要》，頁228）。

四　典範的塑造

　　在學術史上，觀念的創新與方法的建設都是引人矚目的論題。許多學者之所以能留名於學術殿堂，未必是因學詣深邃，遠遠高出儕輩，而是其學術成就能在既有的成績上邁進，甚至開創新局。學術史撰寫者的工作，主要是在梳理過去積累的學術成績，並且進行評介。學術史的撰寫脫離不了「典範」的選擇問題，對於某些里程碑式的研究成績而言，這種選擇毫不困難，可以輕易取得較為普遍的共識。尤其在科學史的撰寫部分，「典範」的選擇有較為客觀的標準進行衡量，因此在「典範」的地位確定上，較易取得普遍性且具歷時性的共識。但是「典範」的選擇在人文學科上，就會遭遇較大的困難。其中較為關鍵的因素是人文學科的知識系統較不容易被完全推翻，它具有較強烈的連續性。另外在方法與觀念的建立與創新上並不具有標準一致的檢證過程，況且這些新觀念與方法的建立往往無法獲得普遍性的支持或使用。

　　然而人文科學術史的撰寫者對於「典範」選擇與描述仍是興致盎然，在學術史中，仍可以看到許多具有「典範」意義的學者或是學術風潮。其中有些是理所當然可稱為典範的學術成績，但是無可諱言的是，有某些「典範」是被「塑造」出來的。「典範的塑造」並非負面的詞語，只是在人文學科中，某些「典範」的價值是隨著學術思潮的變動或是外在因素的介入而被標舉樹立。也就是說理想的狀況下，學術史描述的「典範」，應該是該學術人物或學術成就，在當時或是在後來某個時期開始發生重大而廣泛的影響，並且形成某種思潮或是受到普遍性的認同。但是某些時候，學術史的撰寫者選取「典範」並沒有考慮到「影響」的問題，而是強烈地加上自身的時代外緣因素，進行對「典範」的描述或詮釋。

　　就《詩經》學史來觀察，王夫之與姚際恆、崔述、方玉潤分別代表兩種典範鑄造的過程。王夫之是經過長時期的典範形塑，逐漸成為具有代表性的典範人物，但是當地位被接受之後，其所有的學術成績彷彿成為聖物般，成

為被推崇與尊重的豐碑。姚際恆、崔述、方玉潤則是另外一種樣式的典範成形，他們的著作長期湮沒無聞，整體學術表現在清代中也談不上拔類超群。然而當時代思潮一起，學術史的撰寫者因其部分說法或解釋與新思潮不謀而合，而用力標舉，引以為先驅，並且大加讚譽。這兩種典範塑造的情況，主要還是跟學術史撰寫者的時代背景或自身的喜好有關。

　　以王夫之為例，其一生隱居深山，無聞於天下。至《四庫全書》編纂時期正是清代漢學高峰，當時的學術風氣以漢學為主流，王夫之以其《稗疏》之學獲得官方的認可。王夫之的漢學著作收入《四庫全書》，只表示其漢學研究路徑得到朝廷肯定。但是漢學中的考據並非王夫之所長，所以這時候王夫之其他領域的著作就被忽略了。清代中晚期時，漢學聲勢由極盛而慢慢下滑，這時候宋學的研究漸有與漢學抗衡之勢，王夫之龐大的哲學著作在此期受到關注。當清末國勢衰微，民族主義大興，王夫之的政治思想又大受歡迎，成為與黃宗羲並提的理論先驅。其後中國大陸以馬列主義作為政治領導依據，連帶地使馬克斯（1818-1883）和恩格斯（1820-1895）於十九世紀四〇年代所創立的唯物史觀成為其學術界的圭臬，而王夫之的唯物思想正合乎大陸的主流思潮，所以王夫之又一躍而成為哲學的泰斗，[86]或許也就因為如此，才使得王夫之在大陸研《詩》學者的心目中，一躍而成為首屈一指的典範人物。[87]

86　案：王夫之誠可謂一代大儒，張舜徽云：「夫之之學，博涉多通，凡所述造，遍及四部，而以說經之作為廣。凡闡述義理，皆自述心得，確有發明，不蹈宋、明儒舊論。」見《清人文集別錄》（臺北市：明文書局，1982年），「薑齋文集十卷補遺二卷」條，頁31。這是平允之論，若大陸學者從唯物思想恭維王夫之者，對於我們能客觀地認識王夫之恐無甚助益。

87　除了前引張溦、夏傳才、趙沛霖的意見之外，茲再引兩家之評論以見大概，洪湛侯：「王氏對《詩》學的貢獻，並不在如何疏解《詩經》內容，而在於能將《詩經》作為文學作品來進行藝術研究。清代三百年，王氏是從文學角度研究《詩經》的第一人，《詩繹》則是從文學角度研究《詩經》的第一部專著。」見洪湛侯：《詩經學史》（北京市：中華書局，2002年），下冊，頁560。戴維：「王夫之、顧炎武在《詩經》學上成就甚偉，貢獻極大。……他（王夫之）研究《詩經》的方法，是重實證，重古說，特別是在名物制度方面尤其如此，對清代重實證的思想影響深遠，對清代經學全

　　學者本人的偏好，亦成為選擇王夫之著作的關鍵。如魏源《詩古微》照錄王夫之《詩廣傳》，顯然是看上此書能鋪衍大義，宣揚政教人倫這項特點，而以為能申明《詩經》深微之意。[88]另外我們也發現，在王夫之學術傳布的過程中，湖南籍的人士出力最多，鼓吹最勤。如為王夫之著作蒐羅而積極奔走，出版《船山全書》的鄧顯鶴與歐陽兆熊、鄒漢勛，以及出版《船山遺書》的曾國藩、曾國荃兄弟，乃至將王夫之《詩廣傳》錄進自己著作的魏源。此外，奏請以王夫之從祀孔廟的郭嵩燾，以及私淑王夫之而深受其影響的譚嗣同，這些人也都是湖南人士。我們可以說王夫之影響了湖南學者，但是湖南學者對於宣傳王夫之學術也是不遺餘力。[89]過去為自己家鄉的學者延譽，宣揚其學說，這種鄉黨之心或為情理之常，但是就學術來說，難免也會引起一些爭議。如葉德輝（1863-1927）就如此表示：

　　　湘中入〈儒林〉、〈文苑〉者，先輩本無多人（一省人物尚不如輝一家，非夸誕也）。當時葵園老人刻《皇清經解續編》，采王船山、曾文正之書，輝即以為不可。鄉黨之見不化，不足以示大公。[90]

王夫之的經學成績未必跑在清儒的最前端，王先謙（1842-1917）卻將其著作四種收入《皇清經解續編》，[91]葉德輝以為這是鄉黨之見。王夫之的學術

面復古之功不容抹殺。」見戴維：《詩經研究史》（長沙市：湖南教育出版社，2001年），頁477、487-488。

88 魏源：「《詩古微》何以名？曰所以發揮齊、魯、韓三家《詩》之微言大誼，補苴其罅漏，張皇其幽渺，以豁除《毛詩》美、刺、正、變之滯例，而接周公、孔子制禮正樂之用心於來世也。……深微者何？無聲之禮樂志氣塞乎天地，此所謂興、觀、群、怨可以起之《詩》，而非徒章句之《詩》也。」見〔清〕魏源：〈詩古微序〉，《魏源集》（北京市：中華書局，1976年），上冊，頁119-121。

89 朱漢民：「王夫之在世時並不為廣大學術界人士所知，由於近代以來湖南學者的推薦介紹，王夫之的學術地位才得到了肯定，並對湖南的幾代學人產生廣泛而深刻的影響。」見朱漢民：《湖湘學派史論》（長沙市：湖南大學出版社，2004年），頁327。

90 葉德輝：〈致繆荃孫信〉，收入顧廷龍校閱：《藝風堂友朋書札》（上海市：上海古籍出版社，1983年），下冊，頁558

91 案：王夫之經學著作收入《皇清經解續編》者有《周易稗疏》、《詩經稗疏》、《春秋稗

地位的提升受益於這種鄉黨之見的成分有多少，實難推斷，不過這是一個不可以忽略的因素。

　　所以我們發現學者對於王夫之著作，會因時代風氣與學術環境的變化，甚至是個人的偏好而有所取擇。王夫之著作的領域博雜，內容龐大，[92]其多樣性讓學者可以因其所愛，擇其所重。加上歷來學者的推波助瀾以及王夫之本身的人格吸引力，使得王夫之的學術聲譽扶搖直上。

　　另一方面，《詩經通論》、《讀風偶識》與《詩經原始》的作者在學術史上的地位，相對於王夫之而言，屬於次級學者，但純就《詩經》學史而言，三書的知名度絕對不在王夫之的著作之下。《詩經通論》等三書之性質屬於解經之作，但是作為後人研究的對象而言，它們都屬於文本的範疇，而研究者則相應的屬於讀者、接受者的身份。三書在當時代名聲不響，絕非名山之作，到了民國初年之後廣受注目，不僅擠進了《詩經》學史，還成為別具特色的名著。學者為了定位三書的性質與價值，紛紛以各種名目稱之，除了獨立、超然之外，還有以文學說《詩》、還《詩經》本來面目等諸多說法。這些評語映現了研究者的歷史處境，即讀者的期望視界（horizon of expectations）。當讀者（研究者）紛然以反傳統、以文學的視角解《詩》等理解前見去期望作品、閱讀作品時，則具有這些特質的作品，自然雀屏中選，被讀者相中，加以提升、發揚之。

　　以民初時期的學術背景而言，《詩經》的議題，在與「整理國故」相關的理論和實踐中，不斷地被援引為範例，而《古史辨》的經書辨偽工作，也導因於輯錄《詩辨妄》。[93]從學術史的角度來分析，「整理國故」運動中，

疏》、《四書稗疏》四種。

92 王夫之著作等身，根據其從孫王之春之統計，船山的著作包括經類二十四種，史類五種，子類十八種，集類四十一種，共計八十八本。見《船山全書》，冊16，頁380。

93 《古史辨》的成書緣於顧頡剛（1893-1980）對於鄭樵《詩辨妄》的輯集，見顧氏〈古史辨第一冊自序〉，收入顧頡剛等編著：《古史辨》（臺北市：藍燈文化公司，1987年），冊1，頁46-49。

《詩經》和其他經書的「典律」（canon）光環逐一被拔除，[94]人們開始對傳統經典進行史料化的工作，在這種學術背景與風氣之下，清代具有懷疑精神與有辨偽考信之作的學者，獲得民初學界的青睞，可謂是順理成章的事。[95]

　　在民初新文化運動的特殊背景之下，貶低《詩序》的價值已成學者的共識。他們一面表示要救《詩經》於漢、宋腐儒之手、歸還《詩經》之文學真相，[96]一面又透過更加精密的辨偽方法，以摧毀流傳流行久遠的《詩序》。[97]清代姚際恆、崔述、方玉潤著作中所突顯出的重史精神，與民初整理國故之

---

94 以《詩經》而言，胡適（1891-1962）就告訴大家：「從前的人，把這部《詩經》都看得非常神聖，多說它是一部經典，我們現在要打破這個觀念；假如這個觀念不能打破，《詩經》簡直可以不研究了。因為《詩經》並不是一部聖經，確實是一部古代歌謠的總集，可以做社會史的材料，可以做政治史的材料，可以做文化史的材料，萬萬不可說它是一部神聖的經典。」見胡適：〈談談詩經〉，《胡適文存》（臺北市：遠東圖書公司，1971年），第4集，頁557。

95 如梁啟超在《古書真偽及其年代》中以閻若璩、胡渭、萬斯銅、姚際恆、惠棟五人為清初辨偽學的代表，又在乾隆時期的辨偽學中提及崔述的《考信錄》，說：「他那種處處懷疑，是是求真的精神，發人神智，時在不少。」《古書真偽及其年代》（臺北市：中華書局，1982年），頁37。支偉成云：「姚氏《古今偽書考》，尚係單詞片義。獨東壁之《考信錄》，貫穴群經，卓焉能自樹立。」《清代大師列傳》，頁157。胡適曾說：「崔學的永久價值全在他的『考信』態度。」見《崔東壁遺書》，冊1，〈胡序〉，頁5。

96 胡適：「《詩經》在中國文學史上的位置，誰也知道，它是世界最古的有價值的文學的一部，這是全世界公認的。」見胡適：〈談談詩經〉，《胡適文存》，第4集，頁556。胡適又認為《詩經》的研究者在解題方面要「大膽地推翻二千年來積下來的附會的見解；完全用社會學的、歷史的、文學的眼光從新給每一首詩下個解釋」，「關於一首詩的用意，要大膽地推翻前人的附會，自己有一種新的見解」見胡適：〈談談詩經〉，《胡適文存》，第4集，頁559-560。其餘相關訊息可參錢玄同：〈論詩說及群經辨偽書〉，《古史辨》，冊1，頁50；鄭振鐸：〈讀毛詩序〉，《古史辨》，冊3，頁384-385。顧頡剛：〈詩經在春秋戰國間的地位〉，《古史辨》，冊3，頁309。

97 案：讚賞姚、崔、方三人的顧頡剛、鄭振鐸都發表過反《序》言論。顧頡剛以為《詩序》是「有組織的曲解，所以能騙住許多人，使他們相信《詩序》的說話即是孔子刪詩的本義」。〈重刻詩疑序〉，《古史辨》，冊3，頁387。鄭振鐸也曾詳細地論證《詩序》之缺失，並說：「《毛詩序》是沒有根據的，是後漢的人雜采經傳，以附會詩文的；與明豐坊之偽作《子貢詩傳》，以己意釋詩是一樣的。」顧頡剛：〈讀毛詩序〉，《古史辨》，冊3，頁396、400-401。

風潮恰好相近；三人涵詠詩文，站在史學考古的立場，對傳統舊說進行嚴格的檢驗，[98]這種求實的態度與方法，與民初學者尚疑崇證的治學精神若合符節。因此，在這波辨偽去《序》、疑故考信的風氣下，姚際恆《詩經通論》自然被賦予典範的作用，而和姚書同具反傳統特質的崔述、方玉潤二人《詩》學著作，連帶也受到矚目，身價跟著水漲船高，終於造就了《詩經》學史上的清代獨立治《詩》三大家。只是，他們可能沒注意到（更可能的原因是刻意忽視）姚際恆等人雖不滿意《詩序》與傳統《傳》、《箋》的細部說解，卻也未曾懷疑過三百篇的經典價值。[99]

　　就王夫之的例子來看，學術史上的典範人物是經歷過一段時期的營造過程，但是這並不妨害其學術的高度。不過，有個事實我們不得不承認，那就是王夫之在某些領域的學術成績傲視群倫，並不代表他所有的學術一定都具有這種水準。王夫之的整體學術表現為清朝第一流的人物，這應該是學術上的定論，[100]但是這並不代表他的《詩經》學成就也一定聳入雲霄。

98　姚、崔、方三人都慣用考古的方式，以《左傳》、《史記》等可信之史書為依據，針對《詩序》與毛、鄭之說加以甄別，直指其附會穿鑿等缺失。姚氏之說見《詩經通論》，卷3，頁46-47；頁49；頁55；卷4，頁56；頁65；卷5，頁73；頁77；頁81；卷6，頁89；卷7，頁109；卷9，頁129-130。崔述之說見《讀風偶識》，卷2，頁20-24；25-26；33；35；卷3，頁4；6-7；19。方玉潤之說見《詩經原始》，卷4，頁349；卷5，頁432；卷10，頁831。

99　案：《古史辨》的作者群當然不可能不注意到姚際恆等三人在守舊部分的特色，例如鄭振鐸就曾說：「……方玉潤，我們也覺得他有很多新闢的見解，然而他的書也不大純粹，許多遺傳的舊說還緊緊的黏附在上面。」見鄭振鐸：〈關於詩經研究的重要書籍介紹〉，《中國文學研究新編》，頁24。不過，對他們而言，這個特色顯然不需過於強調。

100　勞思光謂船山立說無系統著作可為代表，然其思想自成一系統，又檢視船山的思想理論，而表示不能認同譚嗣同、梁啟超諸人對船山之學的一味贊許，云：「船山著述既多又雜，又喜隨意發揮，故其著作中矛盾謬誤處亦不少。」見勞思光：《新編中國哲學史》（三下）（臺北市：三民書局，1989年），頁684。勞氏用放大鏡來檢驗王夫之的哲學著作，故能發現其學說的諸多疏漏處，其卓見令人欽服，不過，說王夫之為清初大儒，是就其整體的學術成就而言的，王夫之與顧炎武、黃宗羲同樣具有高度的民族氣節，也同樣地在整體學術有淵深卓絕的表現，錢穆云：「晚明則梨洲、亭

　　就姚際恆、崔述、方玉潤的例子來看，有些人會在後世因為某種思潮的興盛，而被選擇為先驅型的代表人物，並給予積極而正面的肯定。然而我們要質疑的是：這種讚美的聲音是遲來的正義，還是這些人是被相中來推廣新思潮、強化新思潮之正當性的標的？典範的創立者在學術上的表現可以僅是來自其特質之鮮明？或者必須有理論與方法系統的建立？當學者以勇於懷疑、拋棄傳統、以多種角度解經的理由，來為姚際恆、崔述、方玉潤披上光榮的勳章之時，這種闡釋角度究竟是來自思潮的影響？還是三人自身學術成就煥發的啟示？

五　結語

　　　　學術史研究人的思想與學術，它本身是一門歷史，根據狄爾泰
　　　　（Wilhelm Dilthey, 1833-1911）的說法，歷史是人的存有之變遷發展，
　　　　這種發展並不是事件因果相續的單純歷史，而是人對自身的闡發之發
　　　　展，亦即，歷史世界始終是一個由人的精神所創造出來的世界。[101]

　　學術史畢竟是人寫出來的，不過，我們更要強調的是：學術史不是一個人寫得出來的！理解終究會帶有一些主觀的成分，這是無法避免的行為，不過，有些學者的學術成績必須等到很多年之後，才逐漸地受到肯定，這種延後被發掘的現象之起因，當然有其複雜性，但有時卻也是後人集體意識塑造出來的結果。

林、船山諸老，其下半世皆在枯槁寂寞中打熬，以三四十年的掩抑深藏，造成他們
精光不磨的成績。」（錢穆：《學籥》（臺北市：蘭臺出版社，2000年），頁117）。幾
句話定論三大儒，可謂確評。

101　詳洪漢鼎：《詮釋學史》（臺北市：桂冠圖書公司，2002年），頁95-98。案：狄爾泰
　　致力於歷史理性的批判，對他來說，理解人的問題是一個恢復我們自己生存的歷史
　　性（Geschichtlichkeit）的意識問題，「唯有通過歷史而非通過反省，我們才會最終認
　　識自身」。見〔美〕帕瑪（Richard E. Palmer）著，嚴平譯：《詮釋學》（臺北市：桂冠
　　圖書公司，1992年），頁114。

　　以本文為例，學者對於王夫之的諸多著作，會因時代風氣與學術環境的變化，甚至是個人的偏好而有所取擇，而姚際恆等三人會在後世某一固定的思潮、運動之下，同時被加冠，這些不僅說明了人在理解時，很難避免主觀行為之事實，也說明了這樣的選擇有時僅是出之於私見。

　　《四庫全書》著錄了姚際恆的《庸言錄》，《提要》簡介此書時，順道對於姚際恆的學風曾作出這樣的批評：「是編乃其隨筆劄記，或立標題，或不立標題，蓋猶草創未竟之本。際恆生於國朝初，多從諸耆宿游，故往往剿其緒論。其說經也，如闢圖書之偽則本之黃宗羲，闢《古文尚書》之偽則本之閻若璩，闢《周禮》之偽則本之萬斯同，論小學之為書數則本之毛奇齡，而持論彌加恣肆。至祖歐陽修、趙汝楳之說，以《周易・十翼》為偽書，則尤橫矣。其論學也，謂『周、張、程、朱皆出於禪』，亦本同時顏元之論；至謂『程、朱之學不息，孔、孟之道不著』，則益悍矣。他如詆楊漣、左光斗為深文居功，則《三朝要典》之說也。謂『曾銑為無故啟邊釁』，則嚴嵩之說也。謂『明世宗當考興獻』，則張桂之說也。亦可謂好為異論者矣。」[102] 這樣的評論照理該有實質的根據，是否有失公允，可以透過考證來解決。[103] 不過，若從唯物史觀的角度出發來肯定王夫之個人的學術思想，進而旁及於他的所有論述；或懾於王夫之的名聲，於是崇拜其全部著作；因姚際恆等人的《詩經》學中的某些特質與新思潮的訴求吻合而恭維其為有遠見的先行者；這些都是某種觀點，「我們說它是一個觀點，其實意涵著可以評定它的真假」。[104]

　　海德格（Martin Heidegger, 1889-1976）以為「解釋」本來就具有「前理解」之存在，因為人存在於世界之中，在具有自我意識或反思意識之前，已

102　《四庫全書總目》，冊5，卷129，頁2569。
103　日人村山吉廣對《四庫提要》的評論表示「有點不能信賴」，但並未透過翔實的比對以駁之。詳村山吉廣撰，林慶彰譯：〈姚際恆論〉，《姚際恆研究論集》，上冊，頁86。
104　吳有能：「不要混同方法與觀點。假定我對世界有某種看法，然後再拿這個想法來解釋不同現象的話，顯然的，我的這個看法，並不是什麼方法，而是觀點。」《對比的視野──當代港臺哲學論衡》（臺北市：駱駝出版社，2001年），頁2-3。

經身處這個世界裡。這個世界包括了文化、傳統、習俗。人們因為有了這些文化、傳統、習俗才可能進行理解。[105]加達默爾承襲了海德格的觀念，強調歷史性在理解的過程中之重要。人們總是活在歷史之中，總是隸屬於歷史。[106]於是，歷史性與傳統都成了理解的起點，成了無法拋棄的前理解。所以加達默爾始終在為成見、權威和傳統爭取應有的合法性與正面之意義。詮釋學表達「成見」的正向意涵及其存在的不可去除性。「成見」必須「理解」，「前理解」必須被深刻地剖析。面對學術史的撰寫或是對某位前輩學者的研究，「成見」將會影響書寫，這點不必也不能苛責。[107]最重要的是，閱讀者必須更小心地理解這些具有「成見」的書寫，[108]未必需要全盤接受權威的現成論述，[109]這樣獲取的認識也許可以更為全面也更加深刻！

---

105 詳〔德〕海德格爾（Heidegger, Martin）著，陳嘉映、王慶節合譯，熊偉校：《存在與時間》（北京市：三聯書店，1987年），頁181-188。

106 〔德〕加達默爾（Hans-Georg Gadamer）著，洪漢鼎譯：《真理與方法》（上海市：上海譯文出版社，2004年），上卷，頁357。

107 洪漢鼎：「當代詮釋學的最新發展是作為理論和實踐雙重任務的詮釋學，或者說是作為實踐哲學的詮釋學。這種詮釋學既不是一種理論的一般知識，又不是一種應用的技術知識，而是綜合理論與實踐雙重任務的一門人文學科，這門學科本身就包含批判和反思。」見洪漢鼎：《詮釋學史》（臺北市：桂冠圖書公司，2002年），頁320。

108 清末民初，王夫之的聲勢達到最高點；《古史辨》時代，姚際恆等人的《詩經》學快速成為典範；此種現象的發生難免有其時代思潮背景，現代學者撰寫學術史有無必要沿襲早期學者的前理解，這是值得省思的問題。

109 余英時謂近代英國著名的哲學家柯靈烏（Collingwood, R.G. 1889-1943）「堅謂我們研究歷史不可接受權威的現成論述（ready-made statements）……，一個欲成專門之業的史家必須具有批評的精神，不為權威所懾，而後始能根據他自己治史之心得重建歷史的面貌」。余英時：〈一個人文主義的歷史觀〉，《歷史與思想》，頁233。柯氏是針對歷史專家喊話，筆者在此所言是指所有的歷史文本閱讀者，故將柯氏「不可接受權威的現成論述」之言轉寫為「未必需要全盤接受權威的現成論述」。

從析分禮制到孔經天學
——試論廖平《詩經》研究的轉折

陳文采

臺南應用科技大學通識教育中心副教授

一　前言

　　廖平經說以多變稱，其中初變、二變，以禮制平分今古，既而尊今抑古，對近代學術產生過一定的影響，向來學者亦多給予積極的評價。劉師培稱譽其「善說禮制，長於《春秋》，洞澈漢師經例，自魏晉以來未之有也。[1]」李源澄謂：「乾嘉諸儒，建漢學之徽識，以與治理學者相攻難，其實不過聲音訓詁之學，於漢師之家法條例，固未有加於理學諸儒矣。井研廖師，明今古之大分，皮錫瑞、劉師培兩經儒出而究其緒，兩漢今古之學遂大明。[2]」至於廖氏專心《詩》、《易》，約始自光緒十七年（1891），[3]將《詩經》納入群經系統，成為論述主軸，又在經學三變以後，此即〈三變記〉所言：

　　蓋當是時講《詩》、《易》，前後十餘年。每說至數十百易，而皆不能全通。於《三傳》、《尚書》卒業以後，始治《周易》，宜其容易成

1　見蒙文通：〈井研廖季平師與近代今文學〉，《廖季平年譜》（成都市：巴蜀書社，1985年），頁134。

2　見李源澄：〈古文大師劉師培先生與兩漢古文學質疑〉，《李源澄著作集》（臺北市：中央研究院中國文哲研究所，2008年），冊2，頁974。

3　參見黃開國：《廖平評傳》（南昌市：百花洲文藝出版社，1993年），頁306。

功。以《詩》論，其用力較《三傳》為久，而皆不能大通。蓋初據
〈王制〉典章說之，以至齟齬不合，乃改用《周禮》、〈地形訓〉「大
九州」說之，編為《地球新義》。[4]

　　若觀其三變以來《詩》說的發展歷程，大略如下：先是以《周禮》說
《詩》、《易》（光緒二十四年）；再以《易》、《詩》、《書》、《春秋》四經，分
配皇帝王伯，並推考義例以說《詩》、《易》（光緒二十六年）；又復以楚辭說
《詩》（光緒二十七年）。後三變（光緒三十一年至民國二十一年）則用天人
學以建構龐大的孔經經說系統。以《內經》〈靈樞〉、〈素問〉、《山海經》、
《列子》、《莊子》、楚辭、古賦、遊仙詩等，皆為《詩經》舊傳。以《內經》
「五運六氣」，與《齊詩》「四始五際」、「五情六性」相發明，並重新梳理
《詩》篇次第。[5]其間以禮制、義例說《詩》，上復先秦，雜採諸子百家以解
《詩》的徑路，清晰可見。

　　唯其說解惝忽迷離，恢怪處，人未之敢信，「即其至當不易者，亦且見
非於師友，取謗於及門。[6]」學者或以為，其後三變「雜取梵書，及醫經刑
法諸家，往往出儒術外」[7]；或以廖平雖主〈王制〉，而不廢神運之說，然於

4　見〈三變記〉，《廖平學術論著選集》（一）（成都市：巴蜀書社，1989年），頁548。

5　關於廖平經學六變的探討，除了《六變記》中廖平，及其門生弟子的敘述外。另有專
　　門著作，如李耀仙：《廖平與近代經學》（1987年）；李德述、黃開國、蔡方鹿：《廖平
　　學術思想研究》（1987年）；黃開國：《廖平評傳》（1993年）；陳文豪：《廖平經學思想
　　研究》（1995年）。考證年代雖各有修正，唯對學說遞嬗之跡的掌握，則大體一致。本
　　文針對廖平《詩》說轉折的大方向，仍依「六變」之說，至於細部內容的探討，則依
　　相關著作的實際狀況為據，以期更精確掌握其間的轉變之機。

6　見李源澄：〈上章太炎先生書三〉，《李源澄著作集》（二），頁970。廖宗澤：〈六譯先
　　生行述〉，《廖季平年譜》，頁88，有云：「海內學者，略窺先祖之學，皆逮一、二變而
　　止。三變以後，冥思獨造，破空而行，知者甚鮮。五變、六變語益詭，理益玄，舉世
　　非之，索解人不得，雖心折者不能贊一辭。胡適之至目為方士。澤以莫測高深，亦未
　　敢苟同。」知李源澄所言不誣。

7　見章炳麟：〈清故龍安府學教授廖君墓誌銘〉，《清儒學案新編》（濟南市：齊魯書社，
　　1994年），卷4，頁382。

是神運之說尚未所長；[8]或以為哲學非經學；[9]或將之視為一定程度反映今文經學的流弊。[10]因此有關廖平經學思想的研究，主要在探究經學六變的歷程。專經研究則以《春秋》學為主。關於《詩經》學的討論，除《續修四庫全書總目提要》對其大部分的《詩經》研究著作，撰有提要外，尚無研究專著。在文獻整理的工作上，如《廖平學術論著選集上下》（1987）、《中國現代學術經典‧廖平、蒙文通卷》（1996），均未選其《詩經》研究著作。目前已點校出版的僅《四益詩說》、《大學中庸演義‧大學古本以書、詩分人天考》兩種，收錄在《民國時期經學叢書》（2008）中。

　　由於《詩》說是廖平孔經哲學系統中的一環，基於上述前人的研究基礎，致使對其《詩經》學的掌握，呈現學說遞嬗的脈絡彷彿清晰可見，卻又難以貼近具體文獻，以廓清詳細內容，及確實轉變之機的困境。影響所及，還有近代《詩經》學史的相關論述，對於廖平《詩經》學，有完全未提及者（夏傳才《詩經研究史概要》，1982年）；有因其持論不堅，又無系統的論《詩》專著，因而從略者（洪湛侯《詩經學史》，2002年）；有僅略及一、二種著作者（戴維《詩經研究史》，2001年），筆者所撰《清末民初詩經學史論》（2003年），從康有為的《毛詩》辨偽學說起，亦略過了廖平。若就其一

8　蒙文通云：「廖師由《穀梁》而兼治《公羊》，故主於禮制而不廢神運之說，實以魯學而兼治齊學，其長在《春秋》禮制，此劉左庵稱之為魏晉以來所未有，于是神運之說尚未所長。世之侈言《公羊》齊學者，則又不究於災變之故，探五勝之原，尤不知其間各家異同分合之所在。純就齊學而言，惟淳安邵次公瑞彭，洞曉六曆，於陰陽三五之故，窮源竟流，若示諸事，自一行一人而外，魏晉及今，無與倫比，此固今世齊學一大師，而廖師實非齊學之巨擘。」見氏著：〈井研廖季平師與近代今文學〉，《廖季平年譜》，頁137-138。廖平《詩》說主「齊詩學」，主要《詩經》研究著作亦多屬後期經學，蒙氏所謂「神運之說尚未所長」者。

9　見同前註，頁147。蒙文通云：「廖平晚年自謂為哲學，非經學。」知此一說法乃廖平對自己學術的定位，後來學者據此亦多有引申，如趙沛云：「六變時期，廖平只講天學，不講人學，所以《周禮》、〈王制〉在他的經學視野中也隨即消失。廖平的經學，實際上已經變成純粹的『哲學』，與傳統經學沒有什麼關係了」。見趙沛：《廖平春秋學研究》（成都市：巴蜀書社，2007年），頁256。

10　見蔡方鹿：〈廖平與蒙文通──以經學為中心〉，《經學研究集刊》第3期（2007年），頁26。

生對《詩經》研究的關注，已知《詩經》研究專著三十七種。[11]其說又自成一家，非任何已知《詩經》學流派所能含納等角度看，則進一步整理解讀其《詩》說，或當有其近代今文《詩經》學史研究上的積極意義。

　　筆者以為若就廖平現存《詩經》研究著作十九種，逐一檢閱、整理其內容，除能藉以鋪陳其較具體的《詩經》研究面貌，並當有助於進一步釐清以下幾個問題：

（一）治《詩》內容與經說六變的關係

　　廖平一生治《詩》，是各專經中用力最久的一門。考其治《詩》方法的幾個重要轉折，大致與六變內容相符。由於廖平為學，志在遍通群經，「六變」為其建構經說系統，突破索解困境的思考所得。治《詩》的成果，或可視為是經學理論的實踐；然尋繹其間心路歷程，據其云：「經學四教，以《詩》為宗。孔子先作《詩》，故《詩》統群經」，「故欲治經必從《詩》始」，[12]又嘗自述治經過程云：

　　　　於《三傳》、《尚書》卒業以後，始治《周易》，宜其容易成功。以《詩》論，其用力較《三傳》為久，而皆不能大通。[13]
　　　　久乃見邵子亦以四經配四代，惟以《詩》為王，《尚書》為帝不同。《尚書》首堯舜，有「帝」字明文，邵子以配帝是也。惟《詩》配王，不惟與體裁不合，與「思無邪」、「王于出征，以佐天子」、「宜君宜王」、「王后為翰」，亦相齟齬。故懷疑而不敢輕改。遲之又久，乃知四經之體例，以「天」、「人」分。[14]

---

11 詳目見本論文第二節「《詩經》研究著作目錄」。
12 見《知聖篇》卷上，頁7。收入《六譯館叢書》，四川存古書局彙刊本，中央研究院歷史語言研究所傅斯年圖書館藏。本文所引《六譯館叢書》之內容皆據此本。
13 見〈三變記〉，《廖平學術論著選集》（一）（成都市：巴蜀書社，1989年），頁548。
14 見〈四變記〉，同前註，頁551。

　　顯見《詩經》始終是最關鍵的難題，直到己未（1919）春，才得《詩》、《易》圓滿之樂。[15]則「六變」的進程又或可視作廖平一生解答《詩經》疑難的軌跡。果若如此，那麼《詩經》本身究竟提出那些令廖平苦思不解的問題？廖平對於問題的索解，是循著一貫的中心思想，抑或是隨機推演，姑妄言之，姑妄聽之，以期「久之自能徹悟」？[16]廖平不斷改易其說的原因為何？還有最後完成的《詩》說結構，是殘年性命的寄託，抑或是畢生經說系統的大完成？凡此種種，均有待回歸原始文獻逐一董理分析。

（二）上溯周秦，破毀古、今學的得失

　　廖平中年以後言學，意在破毀今、古學。究其原因，在於「既明今、古學之大綱，又進而剖析于今、古學之內容，則別今學為齊學、魯學，此求之今學本身不得安，從其裏而思破之也。剖析古學為『左氏派』、『周官派』等，此求之古學本身不得安，亦從其裏而思破之也。」唯依此徑路「上溯其源，若猶未合」，遂至欲罷不能，而終極之於天人六變之旨。[17]從兩漢而上探周秦的徑路，雖對後學啟發深遠，[18]然其間扞格難通者，廖平強解之，而至「亂之以方技，雜之數術，五光十色，學者眩震」，對《詩經》的研究，亦因《詩》禮與〈王制〉扞格，乃突破今古思惟，直入西漢，既而以周秦諸子之學解經，此蒙文通所謂：「其發明兩漢之功，人知之；其破棄今古，直入周秦，人未有能知者。」

　　基於上述，學者除了從律曆、陰陽、緯候、醫學之術，致力於解讀其經

15　見〈六變記〉，同前註，頁619。

16　此說為廖平的夫子自道。見〈尊孔篇〉，《四益館雜著》，收入《六譯館叢書》，頁15。

17　見蒙文通：〈井研廖師與漢代今古文學〉，《廖季平年譜》，頁153-176。

18　廖平弟子蒙文通曾擬作《齊魯學考》，以踵《今古學考》之後，但及其溯齊魯於先秦而未合，出現「道相承而跡不相接」的現象，於是又復為今古學之論，而謂「經學為諸子學之總結」，「周秦以往，固無所謂經學也。」見氏著：〈經學遺稿甲編〉，《經學抉原》（上海市：上海世紀出版集團，2006年），頁207。

說內容外。[19]重新檢視廖平上探周秦的每個立論環節，其中仍有諸多亟待釐清的觀點，如將今學分齊、魯，古學分燕、趙的說法是否成立？尤以古學源出燕、趙，廖平云：

> 然古學秦學無考，漢初不成家，先師姓名俱不傳，又何能定其地。西漢古學惟《毛詩》早出成家，今據以立說者，特以《毛詩》為主。毛公趙人，又為河間博士，且魯無古說，齊則有兼採，以此推之，必在齊北，此可以義起者也。今古之分亦非拘墟所能盡，以鄉土立義取人易明耳。至於實考其源，則書缺有間，除《毛詩》以外，未能實指也。[20]

僅以「毛公趙人」，單文孤證，訂古學必在齊北，廖平尚且不能自堅其說，以為「未能實指」也，卻又視同結論，援引以為論述的前提。這樣的解經方法，對其經說系統產生那些不確定因素？

再則，廖平志在「求周秦家法，以易兩漢學術家法」，故雜采諸子，以為《詩》、《易》舊傳，是仍以周秦諸子之學為經學，此說是否得學術發展之真實？又當近代學術在「以復古為革命」的思潮下，經學研究逐步向史學轉化的同時，廖平以哲學思維所建構的周秦家法，其意義為何？[21]而廖平實踐「解經當力求秦漢以前之說」的成績又如何？上述是廖平經學理論的問題，同時與其《詩經》研究的完成，互有因果關係，其間脈絡得失，則有待就其《詩》說內容，逐一比勘，始能竟其功。

---

19 蒙文通在〈井研廖師與漢代今古文學〉一文中，期許邵瑞彭，及廖氏弟子顧惕生、邱晞明、李源澄等具相關學術專長者，能啟論藝途徑，以俾道術之大明，唯至今相關研究仍付闕如。

20 見〈今古學考〉，頁53。

21 根據王汎森的觀察清代經學研究的成績，有不少被民國時代的古史家所繼承。其中蒙文通最大的突破，就是用歷史的思維，處理廖平這位經學家所提出的問題。見王汎森著：〈從經學向史學的過渡——廖平與蒙文通的例子〉，《歷史研究》2005年第2期，頁65。

（三）《詩》說的淵源與影響

在近代學術史的論述中，民初學者往往在具體學問的傳承上，討論與晚清的連繫。其間有關廖平學術淵源與影響的論述，大抵有兩說：

一是推本王闓運與廖平的師生淵源，如葉德輝（《經學通詁》）數度將王（闓運）、廖（平）、康（有為）並論；侯堮（〈廖季平先生評傳〉，1932 年）則從廖平而康有為，而至顧頡剛，說明中國經學史上辨偽之新運動；錢基博（《現代中國文學史》，1930 年）以為「五十年來學風之變，其機發自湘之王闓運，由湘而蜀，由蜀而粵而皖，其所由來漸矣，非一朝一夕之故也」。唯以筆者執行九十六年度國科會專題計劃「晚清尊經書院學子的《詩經》學研究」的結果觀之，雖然王氏《詩經補箋》中的諸多主張，對尊經書院學子治《詩》有一定的影響，但王闓運主講尊經書院期間，治《詩》並非廖平關注的重點，若從廖平整體說《詩》內容看，則更可顯見兩人的治《詩》途徑，全不相侔。另將廖平置於今文經學對古文經書的辨偽，最終導致經學傳統崩解的脈絡，亦顯扞格。[22] 是其學「雖受啟蒙於張、錢、王三氏」，而其學「固自己發舊獨造也」。[23]

二是淵源於二陳，如張舜徽云：「平之經學，實二陳之嗣音，其於湘潭

---

22 朱維錚在討論康有為思想轉變時說：「一八九○年對康有為又是重要的一年。首先他在廣州會晤了《今古學考》的著者廖平，讀到了廖平的手稿《知聖篇》。經過爭論，康有為決定放棄自己過去尊信的《周禮》舊說，轉而采用好講《公羊》異說的王闓運這位高足所演繹的經今文經說。開始把劉歆當作中世紀統治學說的罪魁禍首。」見朱維錚著：《求索真文明》（上海市：上海古籍出版社，1996年），頁191。然觀廖平的學術歷程，在提出以〈王制〉遍說群經後，並未著力於古文經書的辨偽工作。且很快就轉入以《周禮》為大統說的經學第三變。再則筆者整理分析了康有為大部分的《詩經》研究著作，並未發現兩人在《詩》說上的聯繫。見拙著〈康有為的《毛詩》辨偽學〉，「廣東學者的經學第一次學術研討會」宣讀論文（臺北市：中央研究院中國文哲研究所，2004年6月29日）。

23 參見蒙默：〈蜀學後勁——李源澄先生〉，《李源澄著作集》（四），頁1994。

王氏，早已分立門庭，自為家法，無論龔、魏矣。」[24]張氏主要從王闓運治經宗《公羊》，張龔、魏餘緒；廖平則初治《穀梁》，以《穀梁》、〈王制〉為今文正宗，二者之學虛實不同。至於陳壽祺、陳喬樅父子，能推究師法異同，知歸本禮制，故以為廖平以「禮制立言，能貫通群經，得其大例」，二陳實其學術之先導。

　　今檢視廖平對今文經學的論述，如云：「二陳著論，漸別今古，由粗而精，情勢然也。」「陳氏父子《詩》、《書》遺說，雖未經排纂，頗傷繁冗，然獨取今文，力追西漢，魏晉以來無此識力。」[25]廖平治經初分今古，所依據的基礎即陳壽祺輯注本《五經異義疏證》，[26]復著力於今文經書的搜遺，實有志於接續二陳一派的經學研究工作。廖平治《詩》初說以〈王制〉而難通，復主《齊詩》學亦未見突破。探索其間對二陳《三家詩遺說考》、《齊詩翼氏學疏證》、《詩緯集證》，有多少的繼承與拓展？或有助釐清廖平《詩經》學內容，及清末民初今文《詩經》學的流變。

　　由於廖平經說「經營既廣，改革又多」，說《詩》成績，又往往錯雜在龐大的群經經說系統中，令人望而生畏。上述種種疑問牽涉廣大，非本文能周全詳論，故擬先著力於梳理其治《詩》歷程的轉折：先就其重要的《詩經》研究論述，從各類原始文獻中析出彙整，再依時為序，鋪陳其各階段的主要研究成果。再依著作的內容及創作的時代背景，考究其《詩》說轉變的內、外在原因。

24　見張舜徽：《清人文集別錄》（臺北市：明文書局，1982年），頁628-629。

25　見廖平：《知聖篇》，頁73、91。

26　參見李學勤：〈今古學考與五經異義〉，《國學今論》（瀋陽市：遼寧教育出版社，1991年），頁130。李氏歸納了廖平分今、古學的七點內容，以為廖平所創今文、古文分派之說，系以他對《五經異義》一書的研究為基礎。許氏此書亡佚已久，廖平所據乃陳壽祺輯注本。

二　《詩經》研究相關著作目錄

　　廖平一生著述豐富，據廖幼平〈六譯先生已刻未刻各書目錄表〉，共收有未刻者二十一種，已刻者九十七種。[27]另黃開國據廖宗澤《廖平年譜稿本》統計，截至一九〇一年，廖平已著書一百五十種，加上後三十年著述，廖平著述約二百種。[28]唯以流傳不廣，散佚頗多，現存《六譯館叢書》是一九三二年廖平最後一次的編定，共收書百餘種，仍有多種重要著作單行別刊。僅就所知，將《詩經》類研究著作，依現存書目、未見書目、《詩經》舊傳研究相關書目三類，羅列如下：

（一）現存書目

1　〈眉壽保魯居常與許〉，《會試硃卷》，光緒十五年（1889）成，收入《六譯館叢書》[29]

2　〈春秋與詩相通表〉，《春秋圖表》，光緒十八年（1892）成，收入《六譯館叢書》

3　〈今文詩古義疏證凡例〉，《群經凡例》，光緒二十三年（1897）尊經書局刊，收入《六譯館叢書》

4　《地球新義》，光緒二十四年（1898），資州藝風書院排印本

5　〈重刻日本影北宋鈔本毛詩殘本跋〉，《四益館雜著》，光緒二十五年（1899）成[30]，收入《六譯館叢書》

27　見《廖季平年譜》，頁181-188。

28　見黃開國：《廖平評傳》（南昌市：百花州文藝出版社，1993年），頁197。

29　《六譯館叢書》書前「重訂六譯館叢書總目」有篇題，中央研究院歷史語言研究所傅斯年圖書館收藏本未見內容者四種：〈詩學提要〉、〈詩緯校定真本〉、〈王啟玄引古經易、詩考〉、〈五運六氣即易、詩緯候之徵〉（附日本丹波氏駁義），或為存目未刊稿。

30　文末署曰：「己亥仲冬作於射洪學署」。

6　〈論詩序〉，光緒二十六年（1900）成，收入《六譯館叢書》

7　〈續論詩序〉，光緒二十六年（1900）成，收入《六譯館叢書》

8　〈小大二雅文字不同表〉，《知聖續篇》，光緒二十七年（1901）成，收入《六譯館叢書》

9　〈詩經國風五帝分運考〉，《四川國學雜誌》，民國二年（1913）

10　《四益詩說》，《國學薈編》，民國四年（1915），收入《六譯館叢書》

11　《詩緯新解》，《國學薈編》，民國四年（1915），收入《六譯館叢書》

12　〈詩緯捃遺〉，《國學薈編》，民國四年（1915），收入《六譯館叢書》

13　〈詩學質疑〉，《國學薈編》，民國四年（1915），收入《六譯館叢書》

14　〈大學古本以書、詩分人天考〉，《大學中庸演義》，民國五年（1916）成，收入《六譯館叢書》

15　〈詩經補題〉，《群經大義》，民國六年（1917）存古書局刊，收入《六譯館叢書》

16　〈天學三經（樂、詩、易）〉，《五變記箋述》（黃鎔箋述），民國七年（1918）成，收入《六譯館叢書》

17　〈山海經為詩經舊傳考〉，《地學雜誌》，民國七年（1918），收入《六譯館叢書》

18　〈六變記〉（柏毓東刪述）民國十年（1921）成，收入《廖平學術論著選集》

19　《詩經經釋》，民國十九年（1930）成，自刊本[31]

（二）未見書目

1　《詩圖表》，光緒二十年（1894）成，《井研藝文志》有提要

2　《詩例》六種（〈三家詩辨正〉、〈天學三統五瑞表〉、〈國風三頌說〉、〈學詩紀程〉、〈詩事文取義表〉），光緒二十六年（1900）成，《井研

31　書藏北京國家圖書館。

藝文志》有提要

3　《詩緯經證》，光緒二十六年（1900）成，《井研藝文志》有提要

4　《詩緯古義疏證》，光緒二十六年（1900）成，《井研藝文志》有提要

5　〈齊詩微繹必讀〉，光緒二十六年（1900）成

6　〈詩文辭逆志表〉，光緒二十六年（1900）成，《井研藝文志》有提要

7　〈詩易相通考〉，《井研藝文志》存目

8　〈顛倒損益釋例〉，《井研藝文志》存目

9　〈序詩〉，《井研藝文志》存目

10　〈賦比興釋例〉，《四譯戎書目・詩類》存目

11　〈詩比〉（耿樹憲同撰），《四譯戎書目・詩類》存目

12　《詩本義》，《四譯戎書目・詩類》存目

13　〈詩經提要〉，《四譯戎書目・詩類》存目

14　〈詩緯校定真本〉，《六譯書目》存目

15　《詩易合纂》，民國十三年（1924）成

（三）《詩經》舊傳研究書目

1　《山海經補畢》，光緒二十五年（1899）成，《四譯戎書目・詩類》存目。未見

2　《穆天子傳釋》，《四譯戎書目・詩類》存目。未見

3　《列、莊上下釋例》，《四譯戎書目・詩類》存目。未見

4　《內經三才學說》，《四譯戎書目・詩類》存目。未見

5　《楚辭新解》，光緒三十二年（1906）成，《四譯戎書目・詩類》存目。未見

6　〈五運六氣說例〉，《四譯戎書目》存目。未見

7　〈淮南經說考〉，《四譯戎書目》存目。未見

8　《莊子新解》，宣統二年（1910）成，收入《六譯館叢書》

9　《莊子經說敘意》，收入《六譯館叢書》

10 《楚辭講義》，民國三年（1914）成，收入《六譯館叢書》

11 〈高唐賦新釋〉，卞吉《現存廖季平著作目錄稿》收錄[32]

三　《詩》學歷程之一：以小學為梯航，悟經說大義在禮制

廖平自丙子（1876）從事訓詁文字之學，歷五年，而厭棄破碎專求大義，嘗示人以治經之始事云：

> 小學既通，則當習經。蓋小學為經學梯航，自來治經家未有不通小學者。但聲音訓詁，亦非旦夕可以畢功，若沉浸于中，則終身以小道自域，殊嫌狹隘，故經學自小學始，不當以小學止也。（《經學初程》，頁5）

又以經說大義尤在禮制，並據此以分今古學云：「予言今古用《異義》說也，既有許義，而更別有異同者，則予以禮制為主，許以書人為據。」（《今古學考》，頁 19）其以〈王制〉為今學大宗，嘗列十效，以為初治經者法門。又計劃別輯「古學禮制考」，取《左傳》、《周禮》與今學不同專條，以配〈王制〉。知其初以〈王制〉、《周禮》分治今古學。後專治今學，遂以〈王制〉為一王大法，既通之後，然後可據以遍治群經。據廖平統計「以三年學〈王制〉，《詩》、《書》、《禮》、樂、官禮、《春秋》、《禮記》、《左》、《國》，一年治一經，十二年而群經皆通。」〈王制〉既為群經秘籥，廖平以為首當據以治《詩》，並分析其間相通處云：

> 《詩》之東西、通畿、大伯、二卿、四岳、兩卒正，此陳九州風俗以待治也。（《尚書》之周公篇，與末四岳橫說者，與此同）〈大雅〉王事應〈三頌〉，〈小雅〉應〈國風〉，移風易俗，所謂平治之具也。此

---

32 見卞吉：〈現存廖季平著作目錄稿〉，《廖季平年譜》（成都市：巴蜀書社，1985年），頁189-194。該目錄稿所據以「四川省圖書館」及「四川省社科院」藏本為主。

　　一代一王之法，〈三頌〉者，通其意於三統也。（《今古學考》，頁17）

上述廖平援小學、〈王制〉以治經的思考脈絡，其間治《詩》之成績，約有數端，分述如下：

（一）初治《說文》，泛濫於博覽考據

　　據《經話甲編》廖平自敘云：

> 丙子（1876）科試時，未見《說文》。正場題「狂」字，余文用「狦犬」之義，得第一。乃購《說文》讀之，逾四、五日覆試，題不以文害辭，注文云：作《說文》之文解。乃撫拾《說文》詩句為之，大蒙矜賞，牌調尊經讀書。文不足言，特由此得專心古學，其功不可沒者。（《經話甲編》，頁58）

上述可見廖平治學，最初淵源自尊經書院「通經學古課蜀士」的辦學宗旨。據〈四川省城尊經書院記〉「擇術」條下云：「凡學之根柢必在經史。讀群書之根柢在通經，讀史之根柢亦在通經。通經之根柢在通小學，此萬古不廢之理也。」[33]而廖平云「初識形聲，略辨古籍」，乃得張之洞之教也。光緒四年（1878）尊經書院刊《蜀秀集》收其著作九篇，多文字訓詁上的創見，其中又於《說文》一書用功最深。[34]後雖泛濫於「聲音、訓詁、校勘、江浙、直湖各家」，甚且「天算地輿」。此其自云：「泛濫無專功」者（〈六書舊義序〉）。唯尊經書院時期治小學的經驗，實際上，在廖平一生的治經主張中，仍留下深刻的影響。如〈經學初程〉云：「初學首習《說文》須有等級，今以所聞於南皮太夫子者，著之於此，學者不可近而忽之。」「夫治經之道，

---

33 此記為張之洞光緒三年（1877）作。現存西南師範大學圖書館，封面題「四川尊經書院記」。另四川省圖書館、四川大學圖書館有此記拓本，題「四川省城尊經書院記」。此處轉引自胡昭曦：《四川書院史》（成都市：四川大學出版社，2006年），頁352-360。為上述兩種版本互校之內容。

34 見《蜀秀集》，尊經書院刊本。中央研究院歷史語言研究所傅斯年圖書館館藏。

不能離聲音、訓詁，學雖二名，實本一事。」對於治《詩經》名物一門，其云：

> 至於《詩》之所言，則方隅不同，北有或南無。即有而或形體變異，名號紛歧。一難也。又或古今異致，古有是物，今乃無之；今友是名，乃非古物者。名實參差，沿變不一。二難也。今欲考究，又不能據目見，全憑古書，若專據一書，猶易為力，乃書多言殊，苟欲考清一草一木，無論是與不是，非用數日之力不能。(〈經學初程〉頁11)

故對書院中以「《詩經》名物」考課的作法，又別有心得說：

> 且以尊經考課之事說之，如課題「雎鳩」、「荇菜」，以數百人，三、四日之心力，課試已畢，試問果為何物，皆不能明。故予謂學不宜從此用工，以其枉勞心力，如欲求便易之法，則請專信一書（如陸氏草木鳥獸之類）。(〈經學初程〉頁17)

今檢《蜀秀集》中收錄廖平諸文，多訓詁考據篇什，經學以《禮》經考解為主，而不及於《詩》，以《詩》之大者在興觀群怨矣。[35]現存最早的一篇論《詩》專著，為光緒己丑（1889）科會試硃卷〈眉壽保魯居常與許〉一文，其主要論點有二：

1 徵之古訓，居常猶云「居閒」，與許則盛德之■■，《禮》曰：「燕居告溫溫，其有申天之意乎」，羔羊美大夫曰委迤，南山君子曰樂只，重言形況皆此例也。廖平所據乃其於《六書舊義》所分轉注十例之「疊韻駢字例」。[36]轉注為詞章要訣，一意而以數字形容之，故轉注多駢語連文，意取文備，多見於詞章詩文，故云：「此詩人詠歌之恆情，亦學者訓詁之通例」。

---

35 廖平關於治《詩經》草木鳥獸的重點不在名物訓詁，而在比興發凡。據光緒二十三年（1897）出版的《今文詩古義疏證凡例》其主要的研究成果有：舉託比的禽獸草木諸門者輯為《詩比》一卷。另有鳥獸草木山水地名〈同音借喻表〉、〈同類相連表〉，說詳本文第四節。

36 見《六書舊義》，頁31。此書成於一八八六年，是廖平從事訓詁文字之學的重要著作。

2　《春秋》之書「居」也，皆播遷於外，失守宗祧，君子存而內之。書曰居者，下不敢有，不外天子與公之辭也。外邑非諸侯之常居，奔走為國家之變，故此非善事，其不可入頌禱之辭也，審矣。

常、許二邑，因皆不見於《春秋》，自來說者紛紜。《傳》曰：「魯南鄙、西鄙」，《箋》本《公羊傳》以許為許田。馬瑞辰《毛詩傳箋通釋》據《齊語》以「常」為「棠」，曾見侵於齊，莊公時復歸於魯。《尊經書院初集》收有周寶清〈周公宇居常、許考〉一文，駁《傳》、《箋》之失，並據「許」推「常」，常、盛為一聲之轉，因以「許即《春秋》之許男，盛即盛伯也。」[37] 雖於古文《毛詩》學外，另闢谿徑，仍不出輿地考據之範圍。廖平據六書通例，破讀常、許二字，以「居常」、「與許」連文，雖繁文串講，終非訓詁常規，其於《說文》一書，用力不可謂不深，然據以解經，往往超軼法度之外，難免偏離本義之嫌。

再則依《春秋》例以說《詩》，本於通經之旨，其云：「欲通一經，必於別經辨別門戶，通達條理，然後本經能通，未有不讀群經而能通一經者。」（《經學初程》，頁3-4）實啟日後「以例說《詩》，納《詩》於群經系統」之端緒。

（二）以禮制分今古，因尊今而疑古

今古學之分，二陳已知其流別。以〈王制〉盡括今學則廖平之創發，其間歷程，「嘗積疑三、四年，經七、八轉變，然後乃為此說，疑之久，思之深，至苦矣。」（《今古學考》，頁 5）最終定今、古異同之論，則源自《五經異義》：

乙酉春，將〈王制〉分經、傳寫鈔，欲作義證。時不過引《穀梁傳》文，以相應證耳。偶抄《異義》今古學異同表，初以為十四博士必相參雜，乃古與古同，今與今同，雖小有不合，非其巨綱，然後恍然悟

37 見《尊經書院初集》，卷2，頁74-75。

　　博士同為一家，古學又別為一家也。(《今古學考》，頁6)

其說既定，則「謹守漢法，中分二派」，又歷八年，刊《古學考》，宗旨在明古學之偽矣。[38] 上述廖平治今古學的轉折，《詩經》一門，有《魯》、《齊》、《韓》三家為今學；《毛詩》一家，論者以為古學，而《班志》不言古經，今檢二考，則在以禮制分今、古的視野下，關於《詩經》的論述約有三端：

1 今與今同，古與古同

　　據〈五經異義今與今同，古與古同表〉列「《韓詩》說」、「《詩》韓、魯說」、「《詩》齊、魯、韓《春秋》公羊說」、「《詩》齊說丞相匡衡說」、「治《魯詩》丞相韓元成說」為今學。按云：「以上今詩《魯》、《齊》、《韓》三家說，全與古學異，與今學《春秋·公羊》同」。列《毛詩》說為古學，按云：「以上古《尚書》、《毛詩》、《左氏春秋》、《周禮》，全與今禮異，而自相同。審此足見古禮自為古禮一派，與今異也。」(《今古學考》，頁 31、33)又〈鄭君以前今古諸書各自為家不相雜亂表〉云：「古學各書不用博士說，不如鄭君注《周禮》、《毛詩》雜用今禮。可知秦漢以來古學獨行，自為一派，不相混雜，考之古書，證以往事，莫不皆然，非予一人之私言，乃秦、漢先師之舊法也。」(《今古學考》，頁 35)則在廖平的排比分析下，今古文《詩》說，儼然判若二途，絕不相參雜。

　　只是這個看似科學又明確的結論，很快就受到質疑，廖平弟子李源澄在《毛詩徵文》中，雖然肯定「以禮制判今、古學，其術至確」，但對「《毛詩》古文也，劉歆所偽」與「《毛詩》即非古文，亦古學也」的說法，提出反駁。並臚列《毛詩》條目，「以禮制為律令，證之今文諸經傳，罔弗與孚，與古文諸經，反多違戾。」[39] 其結論與「今與今同，古與古同」的主張，顯然不同。問題的癥結有二：一是廖平分今古文為兩大派的依據，是許

---

38 見《古學考》，廖平甲午年四月自記，頁1。

39 見李源澄：《毛詩徵文》，《李源澄著作集》(二)(臺北市：中央研究院中國文哲研究所，2008年)，頁718-755。

慎的《五經異義》，但《五經異義》對今古文師說，其實並不如廖平所說的
「二者不相出入，足見師法之嚴」。其中便有「今《韓詩》說」與「古《周
禮》說」相同的例子。[40]

　　二是廖平雖提出《毛詩》古學非古經的說法，但表列部居時，仍視同東
漢後出之古文經學。此即李源澄所謂「《詩》有四家，家有異說。《毛詩》雖
與三家異，三家亦自相違異，古學與非古學，又不能質也。」《毛詩》西漢
時已有傳授，當時尚無古學之名矣。

2 以《毛詩》訂古學出於燕、趙，上溯先秦

　　漢儒今、古家法既明，廖平乃進而上溯其源，但周秦傳記，參差猶多，
非區區今古文家法所能概括，以說禮為例，蒙文通說：

> 俞蔭甫說〈王制〉同於《公羊》，廖師說〈王制〉同於《穀梁》，皆各
> 持一端之義也。於是廖師於今文一家之學，立齊、魯兩派以處之。古
> 文一家所據之經，奇說尤眾，則別之為《周官》派、《左傳》派、《國
> 語》派、《孝經》派處之。而總之曰：今文為齊、魯之學，古文為
> 燕、趙之學。[41]

大抵在廖平的概念裡，「經在先秦前已有兩派，一主孔子，一主周公，如
《三傳》是也。齊、魯今學；燕、趙古學。」（《今古學考》，頁 4）然古學
秦前無考，漢初不成家，先師姓名俱不傳，又何能定其地？廖平據鄉土立
義，以毛公趙人，又為河間博士，而齊學兼采古義，以此推西漢古《毛詩》
學必在齊北，即燕地也。唯此說連廖平都不能自堅其說，而必欲強為之解，
目的在求周秦家法，以解今、古學之究竟。然誠如蒙文通所言「晚周之學，

40　參見李學勤：〈今古學考與五經異義〉，《國學今論》，頁134。據李氏比對二書所得的
　　結論是：仔細研究許慎《五經異義》，結果與廖平《今古學考》的學說是不一致的。
　　這促使我們感到有必要重新考慮漢代經學今文為一大派，古文為另一大派的觀點。
41　見蒙文通：〈井研廖師與漢代今古文學〉，《廖季平年譜》，頁166。

自有晚周之流別，而非可依兩漢學術之流別以求之也。」[42]

另廖平依此鄉土之論，又推今學淵源云：

> 按今學舊本一派，傳習因地而異，故流為齊、韓派。大約齊學多主緯
> 說，至于《易》、《尚書》、《詩》、《孝經》、《論語》，本不為今派學
> 者，推今禮以遍說群經，乃有此流變，則亦如古學之緣經立說也。今
> 派全由鄉土致歧異。（《今古學考》，頁41-42）

緣此并推先秦子書、子緯多今學。（《今古學考》，頁38-39）雖因華陽范玉賓
以為非今，廖平考究子書多春秋以後處士託名，半由後人掇拾，又子書多采
古書，故主張「當逐書細考，不能據人、據時以為斷。」（《今古學考》，頁
14）然今學鄉土之論，實啟日後雜采諸子傳說以說《詩》之端緒也。

3 尊今疑古

廖平作《今古學考》時，曾有「輯漢初古文群經先師遺說考，以明古文
之授受非漢人偽作」的構想。（《今古學考》，頁 12）以毛公為河間獻王博
士，訂古《詩》有師，且以《詩》、《書》禮制有沿革，不入今、古派，皆先
師各據所學以說之者。至刊《古學考》，刪落舊文，遂循西漢無古學／《古
書》、《毛詩》不如今／尊今疑古的徑路，主張劉歆顛倒五經，需先袪偽，始
可以治經。其云：

> 孔氏《書》有經無說，毛公本傳子夏。東漢以後之《古書》、《毛詩》
> 非西漢之舊。《費易》後來以配古學，實失其實，則西漢無古學可
> 知。（《古學考》，頁28）

既明古學晚出，復推其缺失約有二端：一是今本《毛傳》略存訓詁，禮制缺
略。二是《古書》、《毛詩》本以立異，明著之條若不能變，則於枝節細微處
變之，故所改既強合於於經，又往往與不變之條相齟齬。（《今古學考》，頁

10-11）又與今文《詩》說相較云：

> 《三家詩》師說詳明，禮制俱備，非祇言訓詁而已。粗言訓詁，不足
> 以為經說。謝氏初繕經文，未有師說，欲變博士，則不能臆作，欲襲
> 三家，則無以自異。故但言訓詁。稱為訓與《周禮》、《尚書》之稱訓
> 同也，後來馬、鄭繼起，乃從而補之。《毛詩》之簡陋，正其門戶初
> 立，窮窘無聊，非得已也。（《今古學考》，頁38）

乃就「背經文」、「禮制缺略」、「初立門戶窮窘無聊」諸方面，論說「古不如
今」，尚不及於偽。疑偽之論主要集中於《古學考》後三十七條，於《詩》
首疑《毛序》為衛、謝作（《今古學考》，頁20）。並以劉歆欲詆博士之
《詩》不全，故於《周禮》偽屬六義。於風、雅、頌之外，添出賦、比、
興，其意不過三《易》、百篇《書序》故智，此必出於偽說無疑。（《今古學
考》，頁36）再則，從傳授淵源看：

> 古無大、小毛公之說，始於徐整。此魏晉以下人，依仿小、大戴，
> 小、大夏侯，偽造而誤。且有二說，一同時，一隔代；亨、萇之名，
> 叔姪之分，均不能訂，凡此皆偽說。（《今古學考》，頁37）

至於論辨《毛詩》偽誤的依據，有取於自撰〈毛詩淵源證誤考〉者；有尊經
書院學子整理的〈毛詩傳序用《周禮》、《左傳》考〉、〈大小毛公考〉。[43]另
有援自康有為《新學偽經考》。[44]大抵從尊今到疑古的辨偽工作，由廖平導
之於前，康有為成之於後，對近代經學史的影響至鉅，唯兩人一重禮，一重
史，論說間有異同。[45]而辨偽工作，究非廖平職志。故無完整的系統論述，
未能成學，上述亦僅能略見其思考的轉折。

43　上述諸文均見《古學考》小注。原帙未見，大抵即〈二變記〉中所謂「當時分教尊
　　經，與同學二、三百人，朝夕研究」時，所完成的功課。

44　《古學考》中引康有為《新學偽經考》者有兩處，見頁14、21小註。

45　關於《古學考》與《新學偽經考》的關係。參見陳德述：〈康有為的今文經學思想淵
　　源於廖平〉，《儒學文化新論》（成都市：巴蜀書社，2005年），頁436-458。

四　《詩》學歷程之二：以義例治《詩》，創大統之說

據施煥〈四譯館書目序〉云：

> 《四益館叢書》初集，皆總論學派、宗旨、凡例。本欲以此求正得
> 失，考勘從違。蜀中學人，海外老宿，其指瑕索瘢者，蓋不止篋，師
> 悉寫而藏之，隨加諟正。惟此大難，急欲求通，不能遽化。卸官杜
> 門，謝絕書札，忘餐廢寢，鬢白齒落，如此又十年，專治《詩》、
> 《易》，至於戊戌（1898）乃得大通。（〈四譯館書目序〉，頁3）

又〈四譯館經學目錄提要〉云：「戊戌夏，因讀〈商頌〉豁然有會。」[46]可
知廖平關於《詩》、《易》議題的思索，是其治經前後會通的重要樞紐，其中
亟待解決的難題：一是群經唯《詩》次序無古說，最為繁雜。一是今古相
攻，同在中國，一林二虎，勢必兩傷。就上述兩難，廖平提出的解決門徑，
一在歸納《詩經》凡例，一在創《詩》、《易》大統之論。以《詩》例言，昔
人從無以例說《詩》者，其云：

> 凡說《詩》皆以為《詩》無義例。亦如村塾詩鈔，隨手雜錄，無先
> 後，無照應，篇自為篇，個為一局，全無義例可言。故刺幽王之詩連
> 見四十餘篇；〈黍稷〉或以為衛詩，偽子所作。今就「風」字一例言
> 之，似作者不無義例可言，斷非隨手雜鈔，篇自為局，不相連屬也。
> （《詩緯新解》，頁17）

而《詩》之必有例的原因，在於《詩》或舊有撰人，「但既編定，則編書之
意，與作者不必全同，舊本歌謠，孔修後遂成為經。」（《知聖篇》，頁55）
甚且孔子自衛返魯，首正〈雅〉、〈頌〉，群經後起，總例在《詩》。（《今文詩

46　見吳嘉謨：《光緒井研志》（二）（臺北市：臺灣學生書局，1971年），頁700。

古義疏證凡例》，頁1）故《詩》例又關乎群經大義，於此，廖平分析《詩》
與《春秋》的關係云：

> 《詩》雖采《春秋》錄古之作，既經素王筆削，篇章字句，機杼全出
> 聖心。亦如《春秋》比事屬辭，皆關義例，非如舊說拘文牽義，以為
> 事非一代，作非一人，錯亂紛紜，毫無義例。（《今文詩古義疏證凡
> 例》，頁1）

在廖平的概念中，治《詩》不以義例，則如古文家說，將《詩》專歸史文，
「攀元聖，尊國史，尋撅尼山，竟同商隱詩為總集，政出多門，殊乏倫次。
以選擇而論，不反出品彙三昧下耶？」既以素王微言訂《詩》說義例，故初
依〈王制〉說，〈今文詩古義疏證凡例〉有「注〈王制〉」一條云：

> 《詩》中制度，全與〈王制〉相合，《毛詩》以《周禮》說之，非
> 也。封建、朝聘、征伐、錫命、禮樂、井田、選舉，皆〈王制〉大綱
> 也。但《書》與《春秋》制度詳明，《詩》與《易》錯見鱗爪，難於
> 貫通。（〈今文詩古義疏證凡例〉，頁14）

可知廖平以例說《詩》的第一階段，遭遇了以〈王制〉說《詩》，難於貫通
的阻礙。再則〈王制〉、《周禮》今古相攻之弊，亦有待突破。因此丁酉
（1897）、戊戌（1898）年間，遂有以「小大」易「今古」的轉變，繼〈五
等封國說〉、〈三服、五服、九服、九畿考〉後，完成了《地球新義》，[47]據其
自云：

> 戊戌以後講皇帝之學，始知〈王制〉詳中國；《周禮》乃全球治法，
> 即外史所掌三皇五帝之典章土圭之法，《鄭注》用緯書「大地三萬
> 里」說之，〈大行人〉藩以內皇九州，九九八十一，即鄒衍之所本，

---

47 關於《地球新義》之作。據廖平自云：予丁酉於資中，以「釋球」課同學，頗有切
合。因彙集諸作，以聚珍版印，名曰《地球新義》。戊戌、己亥續有題，合原來共三
十題，羅秀峰再刻於成都。見《知聖續篇》，頁62。

故改今古為大小。[48]

由於據《周禮》九畿、〈大行人〉大九州,即鄒衍大九州之八十一,方三千里,推之《詩》、《易》若合符節。一方面解決了兩漢十四博士據〈禹貢〉立說不能盡合《詩》、《易》方域的盲點。另方面也說明了海禁大開之後,孔聖未嘗豫計的困境。[49]也因此才有日後廖平〈五變記〉,引《詩》曰「周雖舊邦,其命維新」,〈金縢〉「新命於三五」,〈康誥〉「作新大邑」,解釋「周」當解作「周遍」之因,周天三百六十度,周地九萬里,乃包全球之詞,進一步將《周禮》併入孔經規劃世界的藍圖。僅就廖平依〈王制〉、《周禮》治《詩》例的內容分述如下:

(一)以〈王制〉推素王微言,訂今文《詩》古義凡例

光緒戊子(1888)廖平作《知聖篇》,立意表彰素王微言,以為「孔子自云:從周不應以匹夫改時制,然使實為天子,則當見諸施行,今但空存其說於六經」。故「素王一義為六經之根株綱領」,並以「群經微言皆寓於《詩》」,「作《詩》本為新制」(《知聖篇》,頁 17),基於上述的思考,廖平提出以〈王制〉推《詩》說微言的方法云:

> 近賢論述皆以小學為治經入手,鄙說乃易以〈王制〉通經致用……即《詩經》而論,當考其典章宗旨。毛、鄭所說相去幾何?而辨論其異同之書,層見疊出,樂之為「樂」為「療」;永之為「羕」為「泳」,有何關係,必不可苟同。(《知聖篇》,頁43)

---

48 見〈知聖續篇序〉,頁1。按篇末署名「則柯軒主人」,因當年(丁酉)始構大統說,以大統從小統推驗而得,取意《詩・伐柯》,自號則柯居士。

49 嚴復光緒二十四年〈擬上皇帝書〉云:「……今日乃有西國者,天假以舟車之利,闖然而破中國數千年一統之局……蓋雖周、孔之聖,程、朱之賢,其論治道,慮後世也,可謂詳且審矣。然而今日之變,則亦所未嘗豫計者也。」該文分九次刊登於光緒二十四年八月四日《國聞報》。廖平〈三變記〉云:嚴又陵上書,所謂「地球,周、孔未嘗夢見;海外,周、孔未嘗經營。」即指此文。

嘗作〈王制〉、《春秋》兩圖表刊於《四譯館叢書》，以見典制綱目。有《詩
圖表》今未見，據楊楨〈詩圖表序〉知廖平初治《詩》先作此圖表，全書共
列圖表四十三篇，就其篇題觀之，主要內容有二，一是逐篇考究詩三百篇義
例，二是求《詩》、《易》相通之理，並及《春秋》、《尚書》。[50]另《群經凡
例》首刊〈王制義證凡例〉又據〈王制〉訂《詩》例，有〈今文詩古義疏證
凡例〉。可見思索用義例以通群經大義的方法，實萌於其治《詩》的初期。

1 訂今文《詩》古義凡例

　　廖平〈今文詩古義疏證凡例〉，共六十二條，有總例、經義例、風雅頌
例、職官例、地域例等，大抵勘落詩句，去事言義。「總例」，主素王，分三
統。再取各門禮制，與詩文相校，訂「國風三五平分例」，以為《詩》中凡
言數，多用此例。又有四方取義，以「南」為界中分，目的在說明《春秋》
家「先諸夏，後夷狄」之說，本原於《詩》也。

　　「經義例」，有與群經相通者六條，包括：注〈王制〉、通《易》、先
《尚書》、通《春秋》、通禮樂、通《孝經》，各又別為「相通表」，使散見之
文有所統歸，以觀會通。有治《詩》法，共二十一條，分就經本、訓詁、
序、詩譜，名物、用典、章法……等課題立說。另循例制作，撰有：〈詩說
求原〉、〈詩譜新譜〉、〈詩比〉、〈詩經釋例〉、〈說詩萃語〉、〈鳥獸草木山水地
名同音借喻表〉、〈鳥獸草木山水地名同類相連表〉，惜今皆未見。

2 引《春秋》大義相發明

　　《春秋圖表》凡圖十、表二十四、考一，主要在「以經說經」，引《春
秋》大義與群經相發明，如以封建為大綱，《詩》與《春秋》相合者「一天
王十九國」也，其云：

> 《詩經》又以〈邶〉為新王，〈周南〉、〈王〉為二王，後配〈三頌〉。
> 〈召南〉、〈齊〉為二伯。〈鄭〉、〈秦〉、〈陳〉、〈衛〉為西北四方伯，

---

50 參見《光緒井研縣志》，卷11，頁122，《詩圖表》條。

與《春秋》同。〈豳〉、〈鄘〉、〈魏〉、〈唐〉為東南四方伯，〈豳〉即魯。〈鄘〉、〈衛〉、〈唐〉與《春秋》異。〈檜〉如許，〈曹〉即同〈曹〉，以天王統二伯、方伯、卒正。（《春秋圖表‧春秋一統圖》，頁29）

故既有〈今文詩古義疏證凡例〉，又立〈相通表〉，目的在解決《詩》與《春秋》間有「寫意」、「行事」之不同，期能「因事實，以窺寓言」。其分十五〈國風〉，以七存國治內州，七亡國為一統，首《二南》者，明治外州，以北方國封於南，又與《易》既濟之道相通也。其云：

按《詩》就周版土立義，分陝而治，於四州之中，寓八伯之義。《春秋》用夏變夷，開南服四州，以成九州，〈王制〉所謂中分天下，立二伯、八伯是也。（《春秋圖表‧春秋與詩相通表》，頁35）

廖平本今文經說，以經義與時事有不可合者，說經不本史事，有空言流衍之病，拘史事不求義，則以乘、檮、杌為學，非經學。既以事為糟粕，義為精華，故主治經義，不必求合事文。《詩》既經孔子繙定，大非四代本制，故以《詩》統於〈王制〉，不合者，則另創「移封之制」強合之。可見其欲以例說《詩》，用力深切，然《詩》多比興之文，與本事、本義往往扞格，此廖平終其一生，屢屢於《詩》、《易》暢談大綱，清理次序。本欲定此說，然後《詩》可治，惜千迴百折，終究未能有一是之說。

(二) 依《周禮》訂孔經人學大統說

據〈三變記〉云：

蓋初據〈王制〉典章說之，以至齟齬不合。乃改用《周禮》、〈地形訓〉「大九州」說之，編為《地球新義》。當時於《周禮》未能驟通，僅就經傳子緯，單文孤證，類為一編。[51]

---

51 見〈三變記〉，《廖平學術論著選集》（一）（成都市：巴蜀書社，1989年），頁548。

《地球新義》是廖平孔經人學大統說的初始內容，為光緒二十四年（1898）主講資州藝風書院時，以「釋球」為題課同學的成果彙編。實則亦是廖平長期思索《詩》、《易》的心得，並為銜接後期經說的機樞。據〈三變記〉所言，「不顧非笑，閉門沉思，至於八年之久，而後此學大成」，則廖平在光緒三十一年（1905）講孔經人學大統說，以《周禮》為根基，《尚書》為行事，而後孔子乃有皇帝之制。其間《詩》、《易》二經漸為經說主軸，除《地球新義》：「因《詩》之小球、大球，與小共、大共對文。〈顧命〉之天球、河圖，緯說以河圖為九州地圖。據《詩》、《書》『小』、『大』連文者，小字皆在大字之上，定天球為天圖，小球、大球為地圖。先小後大，即由內推外」，更以《易》、《詩》、《書》、《春秋》四經，分配皇帝王伯。[52]並推考義例以注《詩》、《易》二經。以別於以〈王制〉小統說《詩》例，總計「十五國風合為三皇、五帝，三王、五伯。」[53]今檢光緒二十三至三十一年間《詩》說專著，有：《詩經圖表》、《詩例》六種、《三家詩辨證》、《天學三統五瑞表》、《國風三頌說》、《學詩紀程》、《詩事文取義表》、《齊詩微繹必讀》、《詩文辭逆志表》、《詩賦比興釋例》、《詩比》，今均未見。所得唯〈論詩序〉、〈續論詩序〉、〈重刻日本影北宋鈔本毛詩殘本跋〉三種。

1 去《序》言《詩》

關於《詩序》，廖平的首要主張是「欲求本義，則必先去《序》」。原因有三：

一漢儒三家，即事說《詩》，雜入解說中，初不名「序」，後人因《毛詩》有《序》，遂並三家師說，亦以「序」名之。至其弊端，首在：「以事說《詩》者，一詩也，或以為古作或以為時人；或以為男子，或以為婦女；或以為美，或以為刺；或以為法言異語，或以為淫詞艷曲。人各為說。家自為政，群經之中，紛爭聚訟，迄無定解者，莫此為甚。」（〈論詩序〉，《四益館雜著》，頁 37）再則，「唯其舊傳無序，本不以時事立說。三家以空言寡

---

52 見同前註。

53 見〈知聖續篇〉，頁61，53-54。廖平經說以〈王制〉訂《詩》例，詳見前一小節。

實，間附以事，取其條達有依據，本無舊說，故先以異為嫌。《毛序》以事說《詩》之派，實三家開其先，謝、衛繼之，朱、嚴等又繼之，固同一嚮壁虛造。」（〈續論詩序〉，《四益館雜著》，頁 45）《詩》為《序》所牽引，廖平以為是「聖人之大經，受成於晚儒之羈勒」。

　　二濫及淫佚，《序》立而《詩》亡。漢師以《三百篇》諫，《外傳》、《說苑》、《新序》以詩證事。當時以《詩》為經，出於聖作，故賦詩明志，各有取裁。《序》說則以經為庸夫俗子，浪子淫婦之作，此廖平所謂「《序》立《詩》亡」者。大抵淫奔之說，《毛詩》始啟之，衛《序》言淫奔者已十九篇，至令今人視《詩》名雖曰經，品格尚在《香奩集》、《本事詩》之下，以諸作尚稱託辭，而《詩》則直是閭巷歌謠。[54]

　　三以《序》說《詩》毫無條理，廖平本《三百篇》皆出聖手的立場，為百世立說，海外大統，多非當時所有，《序》則本附時事「見神說神，見鬼說鬼，不分時代，不以類從，忽貞忽淫，忽先忽後，刺一人之詩，至於三、四十篇」。故廖平主張不可分篇立序，其云：「嘗深考詩義，每合數篇為一類，不可分篇立《序》。又本詩中多自有序，如《尚書》自有序，不必為之更序。」

　　上述廖平去《序》言《詩》之主張，另更以義例說《詩》，其云：「《易》、《書》、《禮》、《春秋》，前人皆有釋例之說，既曰經學，必全經辭義相通，屬辭比事，不可苟同，方足為經。」故主張推《春秋》之法以說《詩》。專宗帝德，明大九州之義，將《序》說舊文歸入「取義表」，以明去取。

　　大抵近代以來對《詩序》的批判，由晚清今文家揭開序幕，出發點在與古文家立異，故一方面辨《毛序》之偽；一方面批判《詩序》所形成的從美、刺教化系統，還《詩經》以歌謠面目，結果導致經典權威的崩解。廖平關於《序》說的反省，從維護經典權威出發，以發明編《詩》之意為主。故皆根據經傳，由本經推衍而出，唯新意歧出，多非常可怪之言，影響反不及

---

54 上述參見〈續論詩序〉，《四益館雜著》，頁45-47。

《毛詩》辨偽工作，其言亦不足以挽傳統經學之頹勢。當日學者即責以「違俗說，創雜解。」[55]

2 肯定《傳》、《箋》以《周禮》說《詩經》

據〈重刻日本影北宋鈔本毛詩殘本跋〉云：

> 丁酉（1897）冬間，陳厚菴大令以所重刻日本北宋鈔《毛詩》殘本三卷索序。當時以《毛詩》出於謝、衛，故久未報命。近來談瀛州論大統，大通《周禮》之說。乃知賦、比、興為〈國風〉小名，即《樂記》中商、齊。如以賦、比、興為偽，則〈樂記〉之歌商、齊，亦為劉歆羼補乎？（〈重刻日本影北宋鈔本毛詩殘本跋〉，《四益館雜著》，頁139）

丁酉、己亥間，廖平著力思索楊靜齋論四益經學「有三利未興，三弊未祛」，因悟《周禮》疆域，以解決「有海內無海外」、「今古相攻」之弊。己亥年（1899）作《謓譯名義》三卷，釋《詩》、《易》啟「大統說」端倪，其云：

> 孔子六藝，小統上謓三代古文；大統下謓百世之新事，知其謓譯之例，則讀《詩》、《易》不啻如《海國圖志》。百年一覺，故國不可名，則以四裔目之，君不著號，則以孫子言之。言受命則記之「玄鳥」、「武敏」；言京都，則託以「思服」、「衣裳」。（〈謓譯名義三卷敘〉，《四益館文鈔》，頁14-15）

既悟「大同之詩，不應引《春秋》小統之例以立說」，自然改變昔日「以《序》首六義之說出於《周禮》，賦、比、興三字為劉歆羼補，意在攻博士經文不全，與連山、歸藏，鄒夾《春秋》同為偽造。又駁《傳》、《箋》據

---

55 見〈續論詩序〉，《四益館雜著》，頁49。廖平自云：「推究根源，固非好為苛難者比也。心肝嗜好，各有不同，如但責以違俗說，創雜解，則陳說具在，固不獨此書為然也。」

《周禮》說《詩》之誤」的態度，故〈重刻日本影北宋鈔本毛詩殘本跋〉一文，首先說賦、比、興為「〈國風〉分統之要義，不得此說，不唯無以解〈樂記〉之商、齊，而〈國風〉分應〈三頌〉亦無以起例。」

再則，以《周禮》九畿，即鄒衍大九州。所云「無思」、「不服」、「思無邪」、「四海來格」、「海外有截」、「至於海邦」，皆帝道大統。是《詩》本義當為九畿，故《傳》、《箋》據九畿、大九州以說《詩》，以當日社會論之，實為正法。故廖平修正昔日看法，認為「以宗旨論，《傳》、《箋》固未誤也。」

最後是縷述重刊本校勘所得，肯定馮廣文校勘悉有依據，足以箝制時人「每據誤本，曲為穿鑿」之失，並及《三家》早亡，《毛詩》獨存，舍《毛詩》別無可資誦習的文獻價值。

五　《詩》學歷程之三：建構孔經天學系統與《詩》篇結構的重組

視群經為整體，下明人事，上究天道，以發明西漢微言大義之學，關注現世問題，思考破解性命存在的困境，是近代今文經說的特色。[56]廖平經學後三變，著力於建構孔經天學系統，積三十年之力，以成其說。主要內容：一在為其經學理論，尋找形上學的基礎；一在藉以解決《詩》、《易》經說上的瓶頸。唯其論述範圍超軼於儒家經典之外，尤其在四變時期，立「經說統老、釋」之說，劉師培以為「未見其可」，並特就《詩》說部分分析云：

> 至於《詩》以明天，老、莊報壹，《淮南》辨人極之宜，《山經》佚大荒之目，鄒書極喻於無限，屈賦沉思於輕舉。雖理隔常照，實談遺夙

---

56 近代今文學家，如龔自珍援經議政，不僅限現實生活，而能關注性命的的終極原理。廖平經學六變，最後轉向「天學」，是承繼龔自珍追尋性命天道。康有為晚年創辦「天遊學院」，作諸天講，也不在研究宇宙現象，而在思索人的終極歸宿。參見丁亞傑：《清末民初公羊學研究——皮錫瑞、廖平、康有為》（臺北市：萬卷樓圖書公司，2002年），頁13-14。

業，使飛鳶之喻有徵，迂龍之靈弗爽，然巫咸升降，終屆寰中，穆滿
神遊，非超繫表。[57]

廖平六變並未能解決此儒、釋、道的扞格，遂專以《內經》解《詩》、
《易》，特別是《詩經》篇次的釐定，既是孔經天學的完成，亦是廖平
《詩》說的晚年定論。

（一）天、人學發展的進程

若就〈四變記〉、〈五變記箋述〉、〈六變記〉的內容看，廖平天人學的發
展，約有三個階段：

初分天人：昔日儒者不講「天學」，遂以「聖人」為止境。廖平考《中
庸》動言「至誠」、「至道」……，知「聖人」以外，尚有進境，乃定《大
學》為人學，《中庸》為天學。再以四經體例分天人，《尚書》、《春秋》講皇
帝王伯，是人學二經。至於《詩》、《易》以上征下浮，為大例，是天學二
經。

由人企天：以《大學》引《書》，兼引《詩》，乃示學者由人企天之等
級，並云：必俟人學完備，世界進化統一之後，乃可以乘雲御風，遊行宇
內，未至其時，《詩經》託之夢境，《列》、《莊》說以神遊。至《中庸》引
《詩》，始於「鳶」、「魚」之察天地，終於「無聲無臭」，乃天學明澈之至。
至於《詩》、《易》外加「樂」為天學三經，又主要在說明「天地四方，分之
為六，合則為五，經所以由人企天也。」

天、地、人合發：「五變」以《詩》為神遊學，如儒家之嬰兒鍊魂，神
去形留，故詳六合之外。「六變」又專以《內經》「五運六氣」解《詩》。《內
經》云：「夫道者，上知天文，下知地理，中知人事，可以長久。」五運屬
地，六氣屬天，《內經》則將五運六氣與人的生理變化相結合。成書於一九
三〇年的《詩經經釋》一書，其基本思路就是運用《內經》「五運六氣」，及

---

57 見劉師培：〈與廖季平書〉，《四譯館外編》，頁1。

三陰陽六臟腑的中醫理論，對《詩經》篇章進行分解切割，以為可藉此探尋
出孔子託興其中的「修養情性飛身成仙」的微言大義。五臟六府，本情性之
所由出入，與《齊詩・翼氏傳》云：「《詩》之為學，情性而已，故修養一
己，即感通在天地」相較，廖平強拉《內經》以自圓其天學理論，進而割裂
重組經典，實與西漢經學的天人學思考，有著本質上的差異。

（二）龐雜的《詩經》舊傳體系

〈五變記箋述〉云：

> 《內經》〈靈樞〉、〈素問〉、《山海經》、《列子》、《莊子》、楚辭、古賦
> （如宋玉之《高唐》），遊仙詩，各書以為之傳，當引各書注《詩》。
> （〈五變記箋述〉，《廖平學術論著選集》，頁607）

是廖平《詩經》舊傳系統，完整明確的呈現。在〈四變記〉中，上述諸書，
被視為天學之書，儒生所稱詭怪不經者。《孔經哲學發微》以《內經》為
「天人合發」之書，並以此書校《詩緯》云：

> 其全元起本所無，而為王啟玄所補者，如〈天元紀大論〉、〈五運行大
> 論〉、〈六微旨大論〉、〈氣交變大論〉、〈五常政大論〉、〈六元正紀大
> 論〉、〈至真要大論〉共七篇，發明五運六氣，六甲五子之說，校《詩
> 緯》尤為精確，不可移易，當為《詩經》師說。（〈五變記箋述〉，《廖
> 平學術論著選集》，頁602）

又據《齊詩》「五性六情」，《詩緯》「五際四始」，《內經》「五運六氣」合於
干支，以定《詩》次，發明《詩經》天學之恉。唯其說紛雜，尚無統系。
〈六變記〉始專以六詩之師說存於《內經》，訂「四風」、「五運」、「六氣」、
「小天地」、「大天地」、「二十八宿」為六門，以應《樂記》之「六歌」。《詩
經經釋》復將〈頌〉詩分大、小〈頌〉，以應大、小〈雅〉，將三百〇五篇分
為七門，至此《詩經》篇次底定，其間篇章離合，全以數字起例，黃開國以

為這樣的附會，充滿數術學的神秘主義色彩，「天地人之間，確有著一定的聯繫，但這種聯系決非數字間的機械關係。」[58]李耀仙則從哲學的標準云：「在其四變、五變中講的是神遊、形遊之學，卻屬神仙之學的內容，只有在其六變中講的是五運、六氣之學，才具有宇宙論的意義。」[59]廖平治《詩經》主《齊詩》翼氏學，以為「知下之術，在於六情十二律」，即以十二支推人情性之學。是將宇宙組織之理，用以重組經典，來說明天道循環之理，接近窮究宇宙現象的數學定理，只是偏離《詩經》為文學作品的本質，又過度擴張所謂聖人制作的意圖，因此步上神玄恢怪的歧路。

（三）今文《齊詩》學

　　據《漢志》著錄的四家詩學，以《齊詩》的著作最多，失傳亦最早。至《隋志》已不見錄《齊詩》相關著作。故歷代對《齊詩》的研究，最首要的工作，便是輯佚。除宋王應麟《詩考》所列《齊詩》十七條外，主要成績均來自清儒的貢獻。[60]唯這些清代學者的工作大多是為了漢學家治學的需要，因此「見功力之輯佚多有，見思想之研究少聞。」[61]廖平的《詩經》研究，在孔經天學的視角下，始終以《齊詩》為宗，是少數以《齊詩》為專門研究的學者，光緒三十年（1904）成《詩經新解》一書，即題曰「齊詩學」，今未見，現存著作有《詩緯新解》、《詩緯捃遺》、《詩學質疑》、〈詩經國風五帝分運考〉等。其中《詩緯捃遺》從《春秋緯》、《孝經緯》、《禮緯》、《樂緯》，共輯出佚文十一條，是繼二陳《齊詩遺說考證》後的一個新的嘗試。[62]

---

58 見黃開國：《廖平評傳》，頁234。

59 見李耀仙：〈廖平經學思想述評〉，收入《廖平學術論著選集》，序言。

60 關於歷代《齊詩》輯佚的成果與得失，參見龍向洋：〈歷代齊詩輯佚述評〉，《瓊州大學學報》（哲社版）1997年第4期，頁75-77。

61 見胡建軍：〈近二百年齊詩研究述評〉，《長春大學學報》第17卷第5期（2007年），頁42。

62 據《緯書集成》詩緯解說云：「《拾遺》中輯錄的是《春秋文耀鉤》、《說題辭》、《鉤命訣》、《運斗樞》、《孝經援神契》、《禮斗威儀》、《樂動聲儀》等篇中有關《詩》的條

1 發明《齊詩》翼氏「五性六情」說

《齊詩》性情律曆之說，源自翼奉說《詩》，向為學者畏避。廖平據《翼氏傳》云：「《詩》之為學，情性而已，五性不相害，六情更興廢，觀性以曆，觀情以律。」主要有兩點發揮，一是言「五性六情」，干支在天地間，性情者指干支言，故以《詩》有應日者五國，為「五性」；應月者六國，配「六情」，以發明三才之道云：

> 然則五國在泉，為天氣下降，《詩》：「匪鱣匪鮪，潛逃于淵」。六國司天，為地氣上騰，《詩》：「匪鶉匪鳶，翰飛戾天」。干支陞降，而後相襲於中，此三才之道也。（〈五變記箋述〉，《廖平學術論著選集》，頁614）

二是應《內經》「五運六氣」之說，以為五臟六府，情性所由出入也。《內經》就人一身，發揮義緒，解此「性情」之義為《齊詩》傳記也。此與晉灼解「五性」者言：「翼氏五性，肝性靜，靜行仁，甲己主之；心性躁，躁行禮，丙辛主之；脾性力，力行信，戊癸主之；肺性堅，堅行義，乙庚主之；腎性敬，智行敬，丁壬主之」[63]，可相發明。

2 詩緯新解

廖平以「詩緯者，《詩》之秘密微言，每以天星神真說《詩》」（《詩緯新解》，頁1），故其解多言天象，證《詩》為天學，如以〈國風〉配二十八宿。唯其書乃據舊稿改易，其間仍殘留「小大統」學說，如說「庚者，更也。子者，滋也。聖人制法天下治」云：

> 孔經制大統之法，特借干支以分割州域。謨以辛、壬、癸、甲為起

文，這是一個新的嘗試。」見中村璋八、安居香山輯：《緯書集成》（石家莊市：河北人民出版社，1994年），頁48。

63 參見江乾益：〈齊詩翼氏學述評〉，《第二屆詩經國際學術研討會論文集》（北京市：語文出版社，1996年），頁395-409。

> 例。典稱之為二十二人。《詩》以「秩秩斯干」一篇起例,〈豳·七月〉舉一、二、三、四之日,分四方八干,又由五月數至十月,則十二支舉其半為六,合六律,皆包舉全球之大例。

體例不純,頗見踳駁。又內容主要依據陳喬樅《詩緯集證》,佚文少,注釋又加簡略,是為以其推究經學理論的心得,補證於《詩緯》之作,其意本非對《詩緯》全面的整理與研究。

六　結語

綜觀廖平經說,初以禮制分今古,而終以小大天人之說,其間於兩漢家法師說,先秦諸子雜家之學,兼容並蓄,故學者難得其一是之說。然就其治經的方法言,「以禮統攝群經義例」的思考是一致的。其弟子李源澄曾撰文論禮之衍變,就禮的含義言「由天秩之禮變為人心之節文,此由殷周到儒家也。由人心之節文轉而求合天道,而成天人合一,此由前期儒家至末期儒家也。」至於晚期儒家融合天人之思想,又為漢代今文學之先趨。[64]以此說檢視廖平「從析分禮制到天人學」的治《詩》歷程,實推本漢代今文學師說,章太炎認為廖平「言甚平實,未嘗及迂怪」,或就此經說的根本而言。唯分析整理了大部分現存廖平《詩經》研究著作後,仍難以得其《詩》說的究竟,原因有二:

（一）多未定之論,誠如蒙文通所言:「所自著書,學人有持以問者,見輒改,數十年著書百餘種,早年所定稿,意時以晚說入之,數行間,每有同異。刊定舊稿,於說之已變者,時存而不改,曰以存入門之跡,故讀其書,聽其言,不易得其一是之說。」[65]此廖平「姑妄言之,姑妄聽之,久之自能徹悟」的治學風格所致。

（二）廖平專心於《詩》說,在三變以後。今所見者多重組《詩經》篇

64　參見李源澄:〈禮之衍變〉,《李源澄著作集》（四）,頁756-772。
65　見蒙文通:〈廖季平先生傳〉,《經史抉原》（成都市:巴蜀書社,1935年）,頁143。

次的最終定論，其間援以為論述基礎的諸多圖表，及資料彙編，今多未見。
除本文第二節所列未見書目十四種外，行文間述及者，如〈詩說求原〉、〈詩
譜新譜〉、〈鳥獸草木山水地名同音借喻表〉、〈鳥獸草木山水地名同類相通
表〉、《三家詩辨證》、《天學三統五瑞表》、《國風三頌說》、《學詩紀程》、《詩
事文取義表》等。抽離論據以後的經典重組工作，便成為一堆數字的機械化
排比，世人就更難明其要旨之所在了。

　　至於造成廖平《詩經》學說不斷轉折的原因，首在回應時代文化困境的
壓迫感，如棄古今而分小大，乃部分導因於為了「爭勝西方」。[66]初分天
人，倡先行後知之說，又淵源於「憂亡國之禍」，[67]晚年所主張的《齊詩》
讖緯之說，更是漢儒因應衰世政治的制作，正好符合晚清的政治現實。李源
澄論廖平的經學曾說：「唯為時代所限，囿於舊聞，故不免尊孔過甚，千溪
萬壑皆欲納之孔氏。又當時海禁初開，歐美學術之移植中土者淺且薄，不足
以副先生之采獲。」實則提倡尊孔，進而重新繙譯、重組經典，正是廖平因
應世變的文化策略，清季的時代變革，促使其勇於改易，終致扭曲了經典的
本質，甚且難以統合自身的學說系統。

　　再則是回應師友的質疑，《四益館叢書》，原是廖平的得意之作，是早期
經說的完成，唯隨著叢書的刊行，「蜀中學人，海外老宿，其指瑕索瘢者，
蓋不止篋」。為此廖平卸官杜門，索求通解之道。如楊靜齋論四益經學「有
三利未興，三弊未袪」，廖平循絲剝繭，終於逼出三變以《周禮》大統說，
改易前說以〈王制〉分古今的定論。四變時期，廖平引老、釋，以為皆《詩
經》舊傳，劉師培馳書致疑，以為以天統佛，未見其可，此法既「無資崇
孔」，反而「轉蠱孔真」，廖平無以解此疑難，遂專以《內經》重組《詩經》
篇次，為晚年定論，除了將經說收束至「修養在一己，即感通在天地」的情
性之學，也留下諸多論證上的難解之結。

　　上述固學術演變的外在因素，而廖平長期居蜀地，蜀學自來重「通經致

---

66 見《知聖篇》，序言。
67 見〈五變記箋述〉，《廖平學術論著選集》（一），頁596。

用」，及好以「異端」說經的傳統氛圍，自有一定的影響，然而更積極的內在因素，亦是廖平《詩經》學主要精神所在，是其對「遍通群經」的執著。由於孔子自衛返魯，首正〈雅〉、〈頌〉，群經後起，廖平以為孔經的總例在《詩》，故其以禮制、義例說《詩》，目的在求兩漢家法；以諸子雜說解《詩》，則在上溯周秦，以求孔聖的微言大義，晚期《詩》說更加強調孔子制作六藝的作者觀，著迷於「夢寐通靈」的神秘啟示，六藝的完成，已視孔經為天書，並以孔經天學理論的建構為平生經說的大圓滿，皆源自其對於經典的作者觀，與遍通群經的志業。觀其《詩》說轉變之跡，與學說系統的建立，實已提示了近代《詩經》學史的復古進程，惜成見太深，援引過雜，又背離經典的本質，終究難以在《詩經》研究上留下深刻的影響。

吳闓生《詩義會通》研究

呂珍玉

東海大學中國文學系教授

一　前言

　　五四新文學運動以來，在胡適、顧頡剛等學者鼓吹去《序》廢經，疑古辨偽，引進新的學術研究方法的學術思潮，以及廢除古文，推行白話文的聲浪下，傳統經學受到重新詮釋的衝擊，於是嚴肅的倫理道德教化說《詩》色彩，逐漸換上了民歌、文學欣賞的新面貌。二十世紀初說《詩》園地百花齊放，不論是語言學、社會學、民俗學、文學欣賞、文化人類學、白話翻譯熱鬧登場，學者各以所長，賦予《詩經》新的形貌，除胡適、顧頡剛外，傅斯年、郭沫若、聞一多、孫作雲等學者都是其中翹楚。在這樣重大的政治與文化學術思潮變動的時代，吳闓生《詩義會通》因偏向尊《序》，以及用桐城古文章法為《詩經》作文學欣賞，似乎和二〇年代詩經學的發展並不同調，因而一直未受到重視；僅見王小婷〈論詩義會通對詩經的文學解讀〉一文[1]，言簡意賅指出該書運用桐城文法理論評詩，從結構、章法、氣象等方面解讀《詩經》的成就。個人十分同意王文的論點，也希望在歷經激動的學術思潮快一個世紀之後，重新審視這部被遺忘的論著。本文擬從吳闓生生平事蹟與著述、新文學運動至二〇年代的學術思潮與詮詩特點、《詩義會通》的版本與體例、《詩義會通》的詮詩觀點、《詩義會通》的撰寫特色、以文學說《詩》、《詩義會通》的侷限與缺失等七

1　王小婷：〈論詩義會通對詩經的文學解讀〉，《山東師範大學學報》（人文社會科學版）2005年第5期（總第200期），頁60-64。

方面，全面探討這部被批為保守派的《詩經》論著。

二　吳闓生生平事蹟與著述

　　吳闓生出生於清光緒三年（1877），卒於民國三十八年（1949）[2]。原名啟孫，字辟疆，號北江，世人尊稱他為北江先生，安徽桐城人，是桐城派末代的代表人物。他的父親吳汝綸是清末改革學制，曾為管學大臣張百熙推薦為京師大學堂總教習，重振方苞、姚鼐宗風，以古文辭名聞天下，教澤廣被燕冀，北方學者尊為大宗師的吳先生。

　　吳闓生生有異稟，濡染家學，根基原本就極為淵深。後來又師事賀濤、范當世、姚永概，接受古文法，為文雄古簡奧，序次有節奏神采，當時海內治古文辭學者，多以他為宗法。

　　吳闓生曾任清廷度支部財政處總辦，民國時期，曾任北洋政府教育部次長、奉天萃升書院教授和主持河北蓮池書院、北京古學院文學研究員。公餘之暇，自辦文學社，以古典文學教授學生。

　　當軍閥混亂之際，他先後入袁世凱、黎元洪、徐世昌、段祺瑞幕府，以作幕為隱，利用奉祿購買書籍，並且利用公餘之暇講學著書，收天下英才而教之，以承繼曾、張、吳、賀四先生宗風為大任。[3]著有《北江先生文集》、《北江先生詩集》、《國文教範上下編》、《古今體詩約選》、《孟子文法讀本》、《晚清四十家詩鈔》、《吳門弟子集》、《尚書大義》、《周易大義》、《桐城吳先生全書》、《左傳微》、《左傳文法讀本》、《詩義會通》、《漢碑文範》、《晚清四十家詩抄》、《古文範》、《吉金文錄》等多部。又據王維庭〈吳北江先生傳略〉：「值摯甫公晚歲至日本考察學制之際，先生亦游學日本，通日文，所譯書有《和文釋例》、《支那國學論》、《學校管理術》、《東瀛戰士策》、《歌薩克東方征略史》、《西史通釋》、《克萊武赫斯丁列傳》、《近世外交史》、《理財

2　或說卒於一九五〇年，此據吳闓生女兒吳君琇及女婿金孔章所著《琴瑟集》（香港：天馬圖書公司，2002年）。

3　參王維庭：〈吳北江先生傳略〉，《文獻》1996年第1期，頁65。

學講義》、《法律學教科書》、《經濟學》，共若干卷。抗日戰爭時期，先生隱居著書，所著有《桐城吳摯甫先生年譜》若干卷（有天津某書局某年印本），《文史甄微》二卷（有稿本，未付印）。」[4]受業弟子據劉聲木所撰《桐城文學淵源考》有吳兆璜、賀培新、曾克端、李葆光、方福東、張溥、吳鋆、賈應璞、何其巩、張慶開、潘式、羨鍾寅、李鋮等皆從其受古文法。[5]還有于省吾、齊燕銘、謝國楨等，[6]多為民國以來文化藝術界或政界的名人。[7]

三　新文學運動至二〇年代的學術思潮與詮詩特點

隨著鴉片戰爭打開中國接受西方思潮的門戶，天演論[8]、自由主義、無政府主義[9]、民主、科學、實證主義思想不斷傳入中國，造成中國政治、社

4　同前註，頁66-67。

5　見〔清〕劉聲木撰，徐天祥點校：《桐城文學淵源撰述考》（合肥市：黃山書社，1989年），卷10，頁300、303、313、317。

6　參魏洲平：〈永遠的吳北江大師〉一文提及，「作為教育家，吳北老桃李眾多。特別是一九二一年收的賀孔才、于省吾、潘伯鷹。齊燕銘和稍晚些收的謝國楨最為著名。」二〇〇六年六月二十日。http://weizhouping.blshe.com/post/203/14587

7　其中如吳兆璜為著名書法家、碑帖、古籍鑑藏家；賀培新為齊派第一大弟子，擅長文章、書法、篆刻；曾克耑擅長書法，曾任職工商部、實業部、鐵道部、中央銀行秘書處、人事處副處長，亦曾任教上海暨南大學，香港新亞書院、中文大學；李葆光任教北大，為著名詞學家；潘式曾著小說多種，精詩、文、書法；于省吾曾任萃升書院院監，後任教北大，為古文字、古器物專家；齊燕銘任教中國大學、中法大學、東北大學，講授中國文學史、戲曲史、文字學；謝國楨為明清史專家、版本目錄學家和藏書家。

8　嚴復於光緒二十二年（1896）秋譯畢赫胥黎《天演論》，原著書名為《進化與倫理》，其實這本書並不是要宣揚達爾文的進化學說，而是要批判進化論，是在剖析「天演」不是「倫理」的基本動力，並不贊成把「生存競爭，優勝劣敗」的原理用在人類生活上。但在十九世紀末二十世紀初，東西方列強都打著達爾文「優勝劣敗」的招牌，強食弱小。當時積弱不振，飽受宰割的中國，更將矛頭指向封建的陳腐，亦因而衝擊經書詮解趨新揚棄舊說。

9　一九〇二年馬君武譯《俄羅斯大風潮》、一九〇三年馬敘倫著《二十世紀之新主義》、

會、經濟、思想上的極大的變動，甚至連經書牢不可破的地位也產生空前的
變動。認為中國之所以衰亡，係因缺乏自由、民主、科學意識，經書固守迂
腐的解釋，是造成思想僵化，政治社會落後的主因，於是在新思維的衝擊
下，經書的解釋也不得不面臨強烈的撞擊。陳平原在《中國現代學術之建
立──以章太炎、胡適之為中心》說：

> 如何描述晚清及五四兩代學者創立的新的學術範式，實在不是一件容
> 易的事情。起碼可以舉出走出經學時代、顛覆儒學中心、標舉啟蒙主
> 義、提倡科學方法、學術分途發展、中西融會貫通等。[10]

十九世紀末二十世紀初《詩經》研究在這樣的大變動下，也不得不從傳統向
現代轉化，傳統的經學觀念和研究方法，被西方現代學術理論和研究方法所
取代。五四新文化運動的新思潮學者，面對影響中國社會數千年的《詩
經》，不僅不願意再接受傳統為聖人立言，以歷史人物為美刺的倫理道德教
化詮詩方式，還極盡鼓吹要掃蕩封建舊文化的殘餘，隨著胡適高喊「《詩
經》並不是一部聖經，確實是一部古代歌謠的總集。」口號[11]，《詩經》的
文學地位逐步取代經學地位，趙沛霖在《現代學術文化思潮與詩經研究──
二十世紀詩經研究史》一書指出這個轉型是二千餘年《詩經》研究史上里程
碑式的變化，並指出二十世紀《詩經》研究表現在以下四方面：由經學向科
學的轉化；研究方法的變化；新語言、新概念的引入和創造；研究成果形式
的變化[12]。

　　夏傳才〈現代詩經學開端的十年〉一文，探討二十世紀二○年代《詩

一九○三年張繼編譯的《無政府主義》都是這方面鼓吹之作。其後蔡元培、金一、劉
　師培、李石曾等人都曾熱心於無政府主義的介紹。

10 見陳平原：《中國現代化學術之建立──以章太炎、胡適之為中心》（臺北市：麥田出
　版社，2005年），頁16。

11 胡適：〈談談詩經〉，收入《胡適文存》（臺北市：遠東圖書公司，1953年），第4集，卷
　4，頁557。

12 參趙沛霖：〈《詩經》學的轉型〉，《現代學術文化思潮與詩經研究──二十世紀詩經研
　究史》（北京市：學苑出版社，2006年），頁44-53。

經》研究狀況，則從恢復《詩經》真相、反《詩序》運動、新解興起、古史
辨派、現代語言學發軔等五方面提出總結。[13]

　　再者五四文學革命為使白話文順利推行，必須批判打倒舊文學，掃除新
文化運動推行的障礙，於是胡適〈文學改良芻議〉和陳獨秀〈文學革命論〉
共設立三個被批判的靶子：桐城派、駢體文、江西詩派。就批判桐城派而
言，摧毀最為強烈的要屬陳獨秀和錢玄同了。陳獨秀說：「所謂桐城派者，
八家與八股之混合體也。」其文字一無存在價值。他將明代前後七子及歸有
光、方苞、劉大櫆、姚鼐同斥為「十八妖魔輩」。[14]錢玄同呼應陳獨秀的觀
點，直斥桐城為「謬種」和選學並列為兩種「文妖」，以為這兩種文妖，最
反對老實的白話文。因為做了白話文章，則第一種文妖（選學）便不能搬運
他那些垃圾的典故，肉麻的詞藻；第二種文妖（桐城），便不能賣弄他那些
可笑的義法，無謂的格律。[15]其他如廖平、周作人對桐城派也有相當的批評
攻擊[16]。這些批評攻擊未必客觀合理，胡適也在不久之後稍改以前批判的態
度，對桐城派有比較多的理解和同情說：

　　　　學桐城古文的人，大多數還可以做到一個「通」字⋯如方東樹的攻擊
　　　　漢學，如林紓的攻擊新思潮，那就中了「文以載道」的話的毒，未免
　　　　不知份量。但桐城派的影響，使古文做通順了，為後來二、三十年勉

13　見夏傳才：〈現代詩經學開端的十年〉，《唐山師範學院學報》2003年第6期，頁25-
　　30。
14　見陳獨秀：〈文學革命論〉，收入《胡適文存》（臺北市：遠東圖書公司，1953年），第
　　1集，卷1〈文學改良芻議〉，頁20。
15　見錢玄同：《嘗試集・序》，收入趙家璧主編：《中國新文學大系・建設理論集》（臺北
　　市：業強出版社，1990年），頁109。
16　廖平：「⋯⋯至桐城派古文，天分低者可學之。桐城派文但主修辭無真學力，故學之
　　者無不薄其欲，求亂頭粗服之天姿國色，於桐城文不可得也。」轉錄自錢基博：《現
　　代中國文學史》（長沙市：嶽麓書社，1986年），頁67。此外，陳平原指出：「在周氏
　　『重寫文學史』的過程中，批判桐城在前，表彰六朝在後；而且，表彰六朝的風流蘊
　　籍，往往是為了反襯韓柳及桐城的虛驕粗獷。應該說，對桐城文章的清算，才是周作
　　人最為用力處。」見陳平原：《中國現代化學術之建立——以章太炎、胡適之為中心》
　　（北京市：北京大學出版社，2010年），頁377。

強應用的預備，這一點功勞是不可埋沒的。[17]

現代學界對新文化運動強力詆毀桐城派，已做出比較公允客觀的評論[18]。但桐城派終究不敵時勢，隨著科舉考試的廢除和教育部宣佈推行白話文[19]，古文逐漸式微。

夏傳才《二十世紀詩經學》將一九一九年的五四運動和狂飆奮進的二〇年代稱為現代詩經學的創始期[20]，撰者將五四新文化運動至二〇年代較具代表性的《詩經》學研究表現歸納成以下幾個類型，重要學者及其著作如下：

（一）推翻《詩經》聖經賢傳權威地位

1　一九二二年，錢玄同〈論詩經真相書〉[21]

---

17 見胡適〈五十年來中國之文學〉，收入《胡適文存》，第2集，卷1。

18 例如蔣伯潛、蔣祖怡《駢文與散文》：「而桐城派的文章守著『摒棄六朝駢麗之習』和『選言有序，不刻畫而足以昭物情』的戒律，卻能做到『清淡簡樸』，究竟不失為近代有用的文體。」又錢仲聯為周中明撰《桐城派研究》作序：「五四新文學倡導者，大言『選學妖孽，桐城謬種』。此在當時，為語體新文學之『驂驑開道路』不有掃蕩廓清，安有創新，其勢不得不爾也。今則新中國建立已久，勢異時移，而論者又誣桐城派為『宣揚程朱理學反動思潮』，『清王朝文化政策之產物』，『為清王朝鼓吹休明之御用文學』等，斯可怪矣。夫程朱理學，為我國古代哲學發展之新階段，儒學至此，窮則變，變則通，何謂反動；清統治者之文化政策，無非壓制與愚化漢族文人，使馴伏于曼殊王朝之奴役而已，與產生桐城派古文何涉。桐城巨子方苞，與反清之戴名世，同鄉同聲氣，戴案之禍，幾至殃及；桐城派中堅巨匠姚鼐，與清王朝有離心傾向，仕京未久，及早抽身，都講鍾山，《惜抱軒詩集》中時寓貶斥時政，借呵責漢武以寓隱刺高宗南巡之筆，其文亦爾，偶存頌題以自掩其跡，決非御用文學，固不待智者而後知，其徒梅曾亮，且曾同情洪楊革命，為洪氏之三老也。凡彼論客所云，豈徒其言之偏而已，蓋亦鄰於左矣。至於桐城古文與八股時文混為一談，更屬文致羅織，余數年以前，早為文辨正之。桐城派古文，言之有物，言之有序，潔淨掃浮詞，措詞契合於語法，不論為文言古文或語體今文，俱可以借鑒者也。」

19 一九二〇年教育部頒布國校一、二年級國文課改用白話，以後白話文陸續推行於各級學校。

20 見夏傳才：《二十世紀詩經學》（北京市：學苑出版社，2005年），頁84。

21 錢玄同：「《詩經》只是一部最古的總集，與《文選》、《花間集》、《太平樂府》等書性

2　一九二二年，顧頡剛點校姚際恆《詩經通論》[22]

3　一九二三年，顧頡剛點校王柏《詩疑》

4　一九二三年，顧頡剛〈詩經在春秋戰國間的地位〉[23]

5　一九二五年，顧頡剛〈論詩經所錄全為樂歌〉[24]

6　一九二五年，胡適〈談談詩經〉[25]

7　一九二八年，傅斯年《詩經講義稿》[26]

（二）批判《詩序》

1　一九二三年，鄭振鐸〈讀毛詩序〉[27]

2　一九二八年，黃優仕〈詩序作者考證〉[28]

質全同，與什麼『聖經』是風馬牛不相及的（『聖經』這樣東西，壓根兒就是沒有的）。這書的編纂，和孔老頭兒也全不相干，不過他老人家曾經讀過它罷了。」見顧頡剛等編：《古史辨》（香港：太平書局，1941年），冊1，頁46。

22 顧頡剛點校《詩經通論》和《詩疑》，主要因為這些書懷疑《詩序》的權威，他在點校《詩經通論》時讚賞姚際恆說：「姚氏涵泳本文，屏除漢、宋宗派之成見，惟是是歸，可謂超絕古今者矣。」

23 初題為〈詩經的厄運與幸運〉，原載1923年《小說月報》14卷3-5號，後加修改，收入《古史辨》，冊3，下編，309-367頁。

24 原載北京大學研究所《國學門周刊》第十至十二期，收入《古史辨》，冊3，下編，頁608-657。

25 原為胡適在武漢大學的講稿，後經修訂，收入《古史辨》，冊3，頁576-587；《胡適文存》第4集，卷4。

26 傅斯年在《詩經講義稿·敘語》中指出：「詩三百篇自是一代文辭之盛，抑之者以為不過椎輪，揚之者以為超過李杜，皆非其實。」；又早在一九一九年他在《新潮》第一卷發表〈宋朱熹的詩集傳和詩序辨〉一文提出：「詩是文學」，並對詩的文學特徵進行總結和分析。他的觀點影響五四及以後學人如聞一多、魯迅、顧頡剛甚大。

27 鄭文收入《古史辨》第三冊，他猛烈抨擊詩序：「毛詩序是沒有根據的，是後漢的人雜採經傳，以附會經文的，與明之豐坊之偽作《子貢詩傳》以己意釋詩是一樣的。」（見400頁）又說：「詩序的釋詩是沒有一首可通的，他的美刺又是自相矛盾的。」（見401頁）

28 黃文刊載於《國學月報彙編》第1集。

　　隨後顧頡剛於一九三〇年發表〈毛詩序之背景與旨趣〉[29]、一九三一年發表〈論詩序附會史事方法書〉[30]。

（三）提倡《詩經》新解

1　一九二二年，郭沫若《卷耳集》[31]
2　一九二三年起，俞平伯《讀詩札記》[32]
3　一九二六年，劉大白《白屋說詩》[33]

（四）《詩經》概論

1　一九二三年，謝無量《詩經研究》[34]
2　一九二八年，胡樸安《詩經學》[35]

---

29 載於《中山大學語史所周刊》，第10集，第120期。

30 載於《古史辨》，冊3，下編，頁404-406。

31 郭沫若選《詩經》中四十首詩，用新體詩進行今譯，以第一首〈卷耳〉為書名。

32 收1923年起陸續分別發表於《小說月報》和《燕京學報》的〈國風〉、〈卷耳〉等六首詩，後來又作增釋〈北門〉等十九首，原名《茸芷繚衡室讀詩札記》，一九三一年出版改為《讀詩札記》，本書開現代《詩經》學詮釋先鋒。

33 一九二六年劉大白在《復旦周刊》發表《白屋說詩》十首，以民俗學及歌謠等新觀點詮釋《詩經》。

34 由上海商務印書館出版，是最早的一部將《詩經》當文學作品介紹的概說之書。可惜根據楊晉龍指出「謝無量抄襲日本學者諸橋轍次《詩經研究》一事，則至今猶未被揭發。」並在註63：「謝無量：《詩經研究》（上海市：商務印書館，1923年）；〔日本〕諸橋轍次：《詩經研究》（東京都：目黑書店，1912年）。不但書名相同，謝氏第1、2、3、4、5章，依次即約諸橋書之第3、（1與2）、5、4、6章之文而成。」見楊晉龍：〈臺灣近五十年（1949-1998）詩經學研究概述〉，《漢學研究通訊》第20卷第3期（2001年8月），頁46。

35 一九二四年胡樸安在《國故月刊》發表〈詩經文字學〉、〈詩經修辭學〉系列文章，後來加以補充，於一九二八年定名為《詩經學》，由商務印書館出版。本書介紹《詩經》基本問題、流傳及研究史，略述《詩經》訓詁、文字、文章、史地、博物等學

3　一九二九年，張壽林《詩經六稿》[36]

另有寫於二〇年代，但於一九三一年才出版的蔣善國《三百篇演論》。

（五）現代《詩經》語言學

1　一九二一年重刊，胡適〈三百篇言字解〉（原寫於一九一一年）[37]
2　一九二二年，楊樹達〈討論詩經于以的兩封信〉[38]
3　一九二四年，丁以此《毛詩正韻》（附《毛詩韻例》）[39]
4　一九二四年，胡樸安〈詩經文字學〉[40]
5　一九二九年，黎錦熙〈三百篇之「之」〉[41]

（六）提倡現代《詩經》研究方法

1　一九二五年，胡適〈談談詩經〉[42]
2　一九二八年，郭沫若《中國古代社會研究》[43]

以上概略舉出二〇年代《詩經》研究的方向、重要學者及著作，可見在這個

科，應用西方學術分類方法分析傳統詩經學。

36 由北平文化社出版，論說《詩經》的傳出、《詩經》是不是孔子刪定的？釋四詩、釋賦比興、三百篇之文學觀、三百篇所表現的時代背景及思想等六個問題。

37 胡適〈三百篇言字解〉一文收入《胡適文存》第二集卷二，以現代語法學的方法分析「言」字的不同用法與詞義。

38 楊樹達：〈討論詩經于以的兩封信〉，《上海時事新報》〈學燈〉副刊，1922年11月5日。

39 丁以此：《毛詩正韻》（附《毛詩韻例》）共四冊，1924年日照留余堂丁維汾刻本。

40 胡樸安：〈詩經文字學〉，《國學周刊》第53期（1924年）。

41 黎錦熙：〈三百篇之「之」〉，《燕京學報》第6期、8期（1929年）。

42 同註25，本文論述《詩經》的真相及提出用社會學、歷史學、文學的研究《詩經》新方法。後收入《胡適文存》，第4集，卷4。

43 郭沫若開始用唯物史觀來詮釋詩篇，探究《詩經》和周代社會的關係。

　　夏傳才稱為《詩經》研究狂飆奮進的二〇年代，在以胡適和顧頡剛分別領導
的五四新文學運動和古史辨派，將現代意識和疑古辨偽引入《詩經》研究
下，《詩經》研究不論在目的、內容、方法、語言、形式等各方面都產生空
前變化，進入了現代《詩經》研究的階段。

　　吳闓生的《詩經》相關著作，據劉聲木《桐城文學撰述考》所錄有《詩
經大義》、《詩義會通》四卷、《詩經評點》□卷。今只見《詩義會通》四
卷，於一九二七年由文學社刻本出版[44]，正逢當時提倡新思潮、新研究方法
之際，而且它的最大特點竟然是尊崇《詩序》以及用桐城派古文章法評點
《詩經》，而這兩項特點最是不能容於當時廢序說詩和推行白話文的時代趨
勢。吳闓生在當時也是一位勇於接受新學的學者，但為何他的《詩義會通》
說《詩》還是多承《詩序》，並且使用被批判為死文學的古文撰寫？在作評
點時還特別強調桐城古文章法分析？在這個由舊趨新，學術思潮變動極大的
時代，除了吳闓生撰寫《詩義會通》堅守桐城古文章法不滅之外，還有五四
時期竭力捍衛桐城古文，被稱為桐城嫡派的林紓，也在白話文通行時代，還
堅持用古文來翻譯西洋小說；並在一九一九年三月十八日在《公言報》上發
表〈致蔡鶴卿太史書〉，信中論古文之不可廢[45]。在吳闓生、林紓之前，嚴
復亦不顧人們的勸告，堅持以古文翻譯西方學術名著。一九〇二年嚴復與梁
啟超曾經就文體古雅與通俗問題論辨[46]。這些在在可見桐城後學堅持古文相
沿已久，是優美成熟的話語藝術，為白話文所不及。桐城學者向來以古文立
身處世，肯定古文為中國傳統文化中的精粹，保有周孔以來歷代聖賢治平大
道。桐城後學捍衛古文，以其存廢事關中國文化存亡，不可等閒視之。

---

44 見《詩義會通》中華書局上海編輯所出版說明：「本書大約寫成在一九二七年間，曾
　由北京文學社用木板雕印。但刻成後印刷不多，流傳甚少。」（北京市：中華書局，
　1959年6月第一版；1965年8月上海第四次印刷）。
45 書信內容略以「且天下唯有真學術，真道德，始足獨樹一幟，使人景從。若盡廢古
　書，行用土語為文學，則都下引車賣漿之徒，所操之語，按之皆有文法，不類閩廣人
　為無文法之啁啾，據此則凡京津之稗販，均可用為教授矣。」
46 詳參《飲冰室全集》介紹新著《原富》。

四　《詩義會通》的版本與體例

（一）版本

　　《詩義會通》係吳闓生任教瀋陽萃升書院時的講義，自一九二七年成書以來有以下幾個版本：

1　《詩義會通》四卷，一九二七年，北京文學社刻本。[47]
2　《詩義會通》四卷，一九二七年，北京文學社刻本，朱絲欄。[48]
3　《詩義會通》四卷，抄本，朱格，文學社，民國間（1912-1949）。版心下題文學社；鈐「一九四九年武強賀孔才捐贈北平圖書館之圖書」印。[49]
4　《詩義會通》四卷，一九三〇年，萃升書院鉛印本。[50]
5　《詩義會通》四卷，一九五九年六月，北京：中華書局鉛印本。前有出版說明[51]、目錄（各詩篇頁次）、吳闓生自序。全書加有新式標點及蔣天樞校注，尾評處時見被刪汰[52]。缺曾克耑〈詩義會通序〉、賀培新

47　同註44。撰者檢索中國國家圖書館館藏目錄著錄此書，附注——十二行二十五字，小字雙行同，朱口，左右雙邊單魚尾，牌記題文學社刊行，鈐「一九四九年武強賀孔才捐贈北平圖書館之圖書」印。
48　撰者檢索中國國家圖書館館藏目錄著錄此書，附注：十二行二十五字，小字雙行同，朱口，左右雙邊單魚尾，牌記題文學社刊行。
49　據中國國家圖書館館藏目錄。
50　見王維庭：〈吳北江先生傳略〉，《文獻》1996年第1期（1996年1月），頁66。但圖書目錄查無萃升書院鉛印本，懷疑即據文學社刻本重新排印本。
51　中華書局上海編輯所出版說明：「……本書大約寫成在一九二七間，曾由北京文學社用木板雕印。但刻成後印刷不多，流傳甚少。我所現將此書重印，並採用蔣天樞先生校本，加以勘正。凡原刊本校字疏忽，以及引文中疏誤之處，皆為之校訂補正。蔣先生所作校語，也採擇附錄在原案語之後，用小五號字排印，供讀者參考。又，本書注文及案語中偶附有評語，可認為是『八比文』施用評點的一種陋習，由於考慮到對讀者理解文理不無小助，故大體保留，僅將其中極少數迂闊蕪泛之處刪去，特并附為說明。」
52　撰者核對被刪汰尾評的詩篇有〈葛覃〉、〈行露〉、〈野有死麕〉、〈終風〉、〈雄雉〉、〈君

〈詩義會通後序〉及每卷後校對者姓名。〈小雅〉下評注「子由」前增加蘇轍姓氏。〈南有嘉魚〉尾評處「與賢，即奉賢」「奉」應作「舉」。

6 《詩義會通》四卷，一九六一年十一月，香港：中華書局鉛印本。此本同於北京中華書局本。

7 《詩義會通》四卷，一九七〇年二月臺一版，臺北市：臺灣中華書局中華國學叢書。有〈詩義會通提要〉、中華書局〈中華國學叢書序〉、曾克耑〈桐城吳氏國學秘笈序〉、曾克耑〈詩義會通序〉、賀培新〈詩義會通後序〉、吳闓生〈自序〉、總目錄（未詳列各詩篇），正文每卷終附有校對者姓名。根據中華書局〈中華國學叢書序〉：「本局為響應文化復興運動，除將本局前在上海出版之四部備要等古籍，在臺再版發行外，茲復搜集整理有關國學之重要典籍，或為四部備要所未收入者，或已入備要，而無評注銓釋，可供大眾研讀者，去蕪存菁，陸續出版，定名為中華國學叢書，版式概以二十四開為準則，以資整齊畫一，並採原書影印為主，以輕讀者負擔……」《詩義會通》未收入四部備要，撰者比對此本與中央研究院中國文哲研究所圖書館藏一九九〇年九月北京中國書店印，據民國十六年（1927）文學社刻版重印《詩義會通》四卷，內容相同。

8 《詩義會通》四卷，一九七四年五月臺景印初版，臺北市：河洛圖書出版公司中國哲學叢書。此本同於北京中華書局本。

9 《詩義會通》四卷，一九七七年九月，臺北市：洪氏出版社。此本同於北京中華書局本。

10 《詩義會通》四卷，一九九〇年九月北京中國書店印，據民國十六年（1927）文學社刻版重印。撰者核對中央研究院文哲所圖書館藏此本，全二冊，線裝書，扉頁有門人武強賀培新謹署書名，文學社刊行。續有曾克耑〈詩義會通序〉、賀培新〈詩義會通後序〉、以及吳闓生自序，但作者自序遺漏「詩序自宋以來學者多疑之……序曰誘僖公也，愿而無立」，不知是原書缺頁？抑是影印時疏忽漏印？

子偕老〉、〈載馳〉、〈揚之水〉、〈東門之墠〉、〈風雨〉、〈鹿鳴〉、〈出車〉、〈采芑〉、〈鶴鳴〉、〈節南山〉、〈抑〉等十六首。

綜合以上所見，《詩義會通》大致有兩種差異較大的版本形式，其一為沒有標點、校注的北京文學社刻本及後來的排印本；其二為北京中華書局重印本，加上新式標點及附有蔣天樞校注。由於北京中華書局本缺吳氏門人曾克耑、賀培新（賀孔才）序言及刪汰原刊本十六首詩尾評部份，而且刪汰的標準—迂闊蕪泛，並不客觀。就研究而言，本文採用取得比較容易，而且保留吳闓生原書樣貌的臺北臺灣中華書局一九七〇年本。

（二）體例

根據吳闓生弟子曾克耑〈詩義會通序〉：

……顧自秦火而後，漢之說詩者，三家遺說既放失，獨毛公以西漢大師獨多精語，而歷經竄亂，往往失其本真，後儒考疏其文，乃莫能察其增損錯亂之跡，承訛襲謬，奉若宗主，曾不敢出單詞隻字，以繩發其覆，徒事坿會穿鑿，以遂其誣，是曰以文害辭，其失也奴。逮婺源朱氏起而矯之，摧廓箋疏之陋，以尋繹其理趣，一若其真可見，然信夾淥說，削《序》而冥思，至乃盡以淫奔說鄭衛，為世大詬，不審古人託詞興感，憂傷君國之思，其於溫柔之教違離抑甚矣！是曰以辭害義，其失也妄。二者交譏，而文章大師深知其意，又以為明白曉暢無待說辭，此所以二千年來詩之為教愈明，而其旨乃愈晦也。蓋往者太夫子摯父先生嘗汎掃眾說，以說書易，千古疑滯賴以發露，而以詩說口授吾師北江先生，獨未及成書，以為世固有能說之者，無待專著也。抑世降文蔽，至今益盛，其不學者固無足論，即號稱當代宏碩，覽其所著錄，或摭拾故訓瑣碎，或偏執穿鑿曲說，於微言大義，鮮有能發明者，說解愈繁，其謬妄乃逾甚，是曠千禩而終無真能說之者矣！聖文絕續顯晦之交所關詎不重？然則先生奮然有作，獨手是經，泯寒暑，忘昏旦，博稽眾論，以觀其會通，批卻導窾，一以文義為主，霍然察其情之隱，洞然發其理之微，有以默契千載上古人；閎識

孤懷所寄，而下開百世治經行文之法，則是編之作所以為終不可怠
歟！

這段序文詳述《詩義會通》撰作旨意，在於重新檢視毛鄭、朱熹，前人或時
人釋《詩》問題，博採眾說，觀其會通，秉承家學，以文說詩，樹立上接古
人，後開來世治經行文之法。《詩義會通》的體例和撰寫特點大致亦表現如
曾克耑序文所述。

　　《詩義會通》一書，前有門人曾克耑〈詩義會通序〉、賀培新〈詩義會
通後序〉以及吳闓生的〈自序〉。全書共四卷，依〈國風〉、〈小雅〉、〈大
雅〉、〈頌〉次序編排，打破《毛詩鄭箋》、《詩集傳》等舊注通常把《詩經》
分為二十卷的舊例，更為突出《詩經》的體制，並分別論風、雅、頌得名由
來及特色於其下。每篇詩先錄經文，然後作字詞訓解，或列出異文，注釋則
採傳統注疏形式，以兩行小字夾註其下，文字簡約。每首詩尾評案語是全書
最為精彩之處，通常包含以下三部份：

1　引《詩序》和朱熹《詩集傳》說詩旨，評其優劣，提出看法。
2　證以史料、文獻，會通各家說《詩》，呈現歷來重要說《詩》意見，對
　　讀者有「駕約御博」之助。
3　章法分析與文學欣賞，通常以「舊評曰」形式出現，亦偶將舊評置於字
　　詞訓解之下。[53]

五　《詩義會通》的詮詩觀點

　　吳闓生《詩義會通》主張〈商頌〉為商代作品，對於《詩序》、毛
《傳》、鄭《箋》、朱《傳》或其他各家說詩都有批評，也各有同意其說，會
通眾論，擇其是者從之，並不專主一家。不過整體就書中意見觀察，仍以信
從《詩序》為主，常肯定舊說為勝，反而對朱熹有更多的批評。論述如下：

---

53 全書引舊評約一百五十三首詩，這些舊評大多是融合明清以來以文學說《詩》學者之
　　見。

1 批評《詩序》

　　吳闓生在《詩義會通》自序中提出對《詩序》、毛《傳》的態度：

> 夫《序》之穿鑿，以周南為最，〈關雎〉，三家皆以為刺詩。〈茉莒〉
> 魯韓皆以為傷惡疾。而〈兔罝〉「公侯腹心」，自卻至己謂譏亂世之
> 作，其不繫於周初明矣。《序》乃委宛申說，悉以傳之后妃。此陋儒
> 強經以就己，以自逞其私臆者耳，曷足信哉。……然自二南外，則
> 《序》之可信者為多。蓋必古說相承。而殘缺不具，後之儒者，乃以
> 私意掇而補之。是故一章之中，首尾衡決，不相聯貫。其迹顯然，無
> 待深辨。篤守而信從之者，非也。一切掃而去之，抑未為得也。惟
> 《序》之竄亂，前人固已知之。而毛公之《傳》，學者尤所宗仰。自
> 歐公外，未有顯斥之者。歐雖指摘，亦未嘗疑其偽也。不知《傳》之
> 錯亂，其弊正與《序》等。

《序》之竄亂，早自蘇轍已提出，吳汝綸〈與楊伯衡論卷耳序書〉亦指出：

> ……續序不明序意，但申毛解，增入又當「輔佐君子」云云。鄭孔輩
> 不知古序、續序非出一手，竟似毛公續序作傳者，而古序之意以晦。[54]
> ……後世讀詩者不能深明古序、續序之異，於其不通者強為之通，於
> 其不合者強為之合。雖自以為宗小序，而實為小序之蠹……大抵觀書
> 當洞見源流，若三百篇小序尤宜明分兩概：古序在毛公之前，毛傳據
> 之而作者也；續序自在毛公之後，據毛傳而作者也。安可為鄭孔一輩
> 所愚哉！[55]

吳闓生對《詩序》、鄭、孔的意見，大抵承襲於其父。不僅發現《序》的竄
亂，他還提出《傳》亦竄亂。整體而言他對《詩序》是既批評其「固未可盡

---

54 見吳汝綸著，施培毅、徐壽凱校點：〈文集補遺〉，《吳汝綸全集》（合肥市：黃山書
　　社，2002年），冊1，頁355。

55 同前註，頁357。

信耳」[56]，又多採用其可信者，尤其是批評續《序》為後人所撰，常和開頭不一。試舉其對《詩序》的批評如下：

（1）《序》不可信

〈周南‧卷耳〉：

> 〈卷耳序〉最為牽強傅會，《序》之不足信，於此最著也。[57]

〈小雅‧采薇〉：

> 《序》：「采薇，遣戍役也。」續《序》又以為文王之詩，《傳》、《箋》皆用其說，《漢書‧匈奴傳》及《鹽鐵論》則皆以〈出車、六月〉為宣王時詩，而《史記》又以〈采薇〉、〈六月〉為襄王[58]時詩，《漢書》以〈采薇〉為懿王時詩。考〈六月〉、〈出車〉皆言伐獫狁之事，明為一時之作，毛鄭必以〈魚麗〉以上為文武之詩，故迂曲說之蓋不可信，前人多辨其非者，而顧棟高說之尤暢……。《序》、《傳》之不可信，於此為甚。[59]

（2）《序》文多後人臆撰

吳闓生認為古《序》散亡，後人雜取他書附益之，與本旨不盡相附。《序》文多後人臆撰，而且續《序》與前《序》，本非出自一人之手，續《序》多出《傳》後。[60]

---

56 見吳闓生：〈商頌‧那〉尾評，《詩義會通》（臺北市：臺灣中華書局，1970年），頁154。

57 《詩義會通》（以下凡引《詩義會通》皆採臺北市臺灣中華書局一九七〇年初版本，不再加註），頁3。

58 《詩義會通》（臺北市：洪氏出版社，1977年），頁132。蔣天樞校注本指出「襄」蓋「宣」字之誤。

59 見《詩義會通》，頁71。

60 學者有以為《毛詩序》在結構上顯然可以分成前後兩部份的，《序》文的一、二句構成前一部份，其餘的則構成後一部份。前一部份的內容往往是揭示詩人作詩之旨，後一部份則往往是對詩人作詩之旨、詩作的價值作進一步的申述。對於這兩個部份，古人或以大序、小序，或以前序、後序，或以古序、續序之名來加以區分。

〈鄭風・野有蔓草〉：

《序》：「野有蔓草，思遇時也。君之澤不下流，民窮於兵革，男女失時，思不期而會焉！」此《序》亦僅首句為當，以下衍說，皆失其義。澤不下流，乃因零露之語而附會之。民窮於兵革，誤解前後各章刺亂之語而牽合之。男女失時，亦牽合前後男女相棄之說。思不期而會，又誤解首句之意。[61]

〈小雅・出車〉：

《序》：「出車，勞還率也。」此與下篇《序》，皆止一句。前人謂古《序》本止一句，續《序》與首句非出一人之作，於此尤信。[62]

〈小雅・南有嘉魚〉：

《序》：「樂與賢也。」先大夫曰：與賢，即舉賢，與舉本一字，《周禮注》故書舉為與。而續《序》「樂與賢者共之」，失與賢本指。今案：據此可徵《序》非一手所撰。但此詩亦未見舉賢之意，又此《序》與下樂得賢也相次，而據〈六月序〉則其中尚開以〈崇丘〉一篇，以此見《序》文多後人臆撰，決非周代之舊也[63]。

〈曹風・候人〉：

《序》：「刺近小人也，共公遠君子而好近小人焉！」朱子曰：此但以『三百赤芾』合於左氏所記，遂以為共公之詩。陳奐《疏》引〈晉語〉楚成王享晉公子，引此詩。共公與楚成王同時，曹詩以為成王成誦。先大夫曰：此足見《小序》之誣也。大抵《序》文非出一家，固

61　見《詩義會通》，頁40。
62　見《詩義會通》，頁72。
63　見《詩義會通》，頁74。

難盡信，取其義可矣。[64]

〈小雅・菀柳〉：

《序》：「刺幽王也。暴虐無親，而刑罰不中，諸侯皆不欲朝，言王者
之不可朝事也。」此詩當為刺幽之作，《序》前三語得之，後二語則
非。詩中并無不欲朝王，及言王不可朝之義，不知作《序》者從何得
此異說。此乃有功獲罪之臣，作此以自傷悼，故曰奈何使我治其事而
後反窮我也。其言止于如此，諸儒泥於《序》說，咸以不願來朝釋
之，都膠盭而不可通。[65]

（3）《序》說《詩》義各篇相蒙之非

〈周南・兔罝〉：

《序》以為后妃之化者，「求賢審官」[66] 及此篇最為難通。夫《詩》
三百，其義皆不相蒙，何周南各篇必以聯貫為義乎？此說者之蔽
也。……[67]

縱使吳闓生對《詩序》有諸多批評，但他還是相當肯定《詩序》的價值，認
為《序》說蓋有所受，未可厚非[68]。他在〈唐風・椒聊〉尾評：

《序》「刺晉昭公也。君子見沃之盛強，知其蕃衍盛大，子孫將有晉
國焉。」朱子云：此詩未見其必為沃而作。案此詩刺昭絕無可疑，
《序》末三語尤能闡發詩人言外之意，朱子議之，過也。末二句詠歎
淫溢，含意無窮。憂深慮遠之旨，一於絃外寄之，三代之高文大率如

---

64 見《詩義會通》，頁61。
65 見《詩義會通》，頁106。
66 見蔣天樞校注：《詩義會通》，卷耳序語，頁7。
67 見《詩義會通》，頁4。
68 見〈有杕之杜〉注，《詩義會通》頁51。

此。此等詩若不得《序》，則直不知其命意所在，薶卻多少高文矣。[69]

　　他在書中經常提出不敢貿然廢《序》的觀點，以為《詩》之微意，待《序》而後明；甚至圓通或包容《詩序》迂曲的說法，例如〈唐風・葛生〉：「《序》刺晉獻公也。好攻戰，則國人多喪。」《序》以為刺公者，特從其大而言之。至其詞則當為嫠婦悼夫之作。」[70]〈秦風・晨風〉：「『《序》刺康公也，忘穆公之業，始棄其賢臣焉。』朱子易為婦人思夫之辭，特望文為訓耳。鄭《箋》謂：『言穆公始未見賢者之時，思望而憂之。』『此以穆公之意責康公，如何如何乎，女忘我之事實多。』以忘我為忘穆公之業，以求合於《序》，詞雖少迂曲，而義自勝也。」[71]如果《詩序》未肯定為某位歷史人物事跡，吳闓生更是借此推崇其不妄為臆斷了。〈陳風・月出〉：「『《序》刺好色也。在位不好德而說美色焉。』案在位不好德而說色，與夏姬之事近矣。而不逕傅之靈公，以此見《序》之不妄為臆斷也。然則其實指為某公某事而作者，當必有所據無疑矣。」[72]這也難怪全書他採《詩序》，或引他說以印證《詩序》的詩篇要高達一七八首，局部接受《詩序》的也有十三首。基本上他經常指出《序》、《傳》遭後人篡改，是要肯定《序》、《傳》的價值，並期望讀者知所分辨。

2 批評毛《傳》

　　吳闓生《詩義會通》序言指出毛《傳》為後人竄亂，以及一《傳》之中自為異說：

> ……且《傳》之與《序》同出一原，必不容其有異。而今《序》、《傳》之不合者，往往有焉，此不獨《序》之失，正即《傳》亦未可盡憑。……

---

69 見《詩義會通》，頁49。
70 見《詩義會通》，頁51。
71 見《詩義會通》，頁55。
72 見《詩義會通》，頁58。

〈騶虞〉《序》曰:「仁如騶虞,則王道成。」是以騶虞為仁獸,與《傳》所謂「不食生物,有至信之德則應之」者合矣,而其上則曰「虞人翼五豝以待公發」,是魯韓詩以「騶為囿,虞為虞人」之說,顯與《序》異,又豈一人之言乎?

(1) 毛《傳》為後人竄亂

〈邶風・匏有苦葉〉:

> ……徐璈云:「此士之審于自處,而諷進不以道者。」得其指矣。若以為刺淫亂之詩,則語意不符,而神理胥失。毛《傳》:「匏葉苦,不可食」。及遭時制宜,待友不涉等語,皆得詩義。其指斥宣公夫人及言男女之際,皆附會《序》說,於本義不合,乃他人增益,故其詞獨繁。毛《傳》為後人竄亂常如此,一傳之中往往數意雜見,極宜分別觀之[73]

〈鄘風・柏舟〉:

> ……今人知《序》之多竄益,而確守毛《傳》,一字不移。不知《傳》文之竄亂正與《序》等,如此詩「母也天只」,《傳》釋為「母也天也」,詞義至明。其下復云「天謂父也」,顯為陋儒所加,迂曲可笑。說者不察,一律遵而守之,不敢少違,是可嘅也。自謂尊毛,而不知去毛公之意遠矣。先大夫曰:向謂毛《傳》非出一手,〈淇奧〉《傳》:「天子玉瑱,諸侯以石」,同鄭許說〈箋〉,《傳》:「卿大夫青玉,人君黃玉」,同仲師說。不可同也。〈騶虞〉《傳》既曰:「虞人翼五豝以待三驅」,則以騶虞為虞人矣。其下又以騶虞為獸。〈柏舟〉《傳》既曰:「母也天也,尚不信我」,則以天喻母矣。其下又以天為父。凡此,皆一詩之中,而襍兩人之說,其為後人遞增無疑。解者以

73　見《詩義會通》,頁14。

為同出《傳》文，遂欲強合，失毛恉矣。[74]

〈陳風‧墓門〉：

　……無良師傅云者，特窮其極惡之由，與詩「夫也不良」句初不相蒙，而拘者遂以夫為斥傳相，此陋儒之妄解誤羼入毛《傳》中，毛公必不爾也。[75]

（2）《傳》牽就《序》說

〈齊風‧東方之日〉：

　《序》：「東方之日，刺衰也。君臣失道，男女淫奔，不能以禮化也。」《傳》以日喻君月喻臣，似牽就《序》說而為迂曲之詞，非詩旨。[76]

（3）《傳》與《序》異詁

〈周頌‧酌〉：

　……又案：毛訓養為取，而序以養天下為言，此亦毛與《序》異詁之一證。[77]

〈豳風‧狼跋〉：

　《序》：「美周公也。周公攝政，遠則四國流言，近則王不知，周大夫美其不失聖也。」此《序》明爽，最得詩人之意，而毛《傳》乃以公孫為成王，與《序》不合。先大夫曰：此《傳》與《序》異指者也[78]

74　見《詩義會通》，頁19。
75　見《詩義會通》，頁57。
76　見《詩義會通》，頁42。
77　見《詩義會通》，頁149。
78　見《詩義會通》，頁65。

〈陳風‧宛丘〉：

《序》：「刺幽公也，淫荒昏亂，游蕩無度焉。」而毛《傳》以子為大夫。先大夫曰：此《傳》與《序》異義也。案《傳》之與《序》不容有異，今乃異者，《序》《傳》之文皆有竄易，失其本真也，說者顧泥而守之，得乎！[79]

3 批評鄭《箋》

吳闓生在《詩義會通》序中指出鄭《箋》未辨毛《傳》之竄亂，又曲為傅會：

夫毛公漢初大師，其持義宏通，往往單言片詞，能發詩人微旨，迥非後賢所能及。非若鄭氏之廣涉異聞，反多牽率迂晦者比，歐公一例而鄙夷之，過矣。然其文辭高簡，淺識未易驟解，又迭經屢亂，無以得其本真，要之其支離猥僻不可爬梳者，決非出自毛公，斷可識也。而世之學者不加抉擇，一一奉而尊之，即有膠盭難通，亦必曲為傅會，甘自比於諧臣媚子之所為，其去毛公之意不亦遠乎？

以下論述他在書中對鄭《箋》的批評：

（1）不如《序》、《傳》

〈檜風‧隰有萇楚〉：

《序》：「疾恣也，國人疾其君之淫恣，而思無情慾者也。」朱子曰：政煩賦重，人不堪其苦，嘆其不如草木之無知而無憂也。今案《序》與朱子之說初無二致，而後賢多譏《序》為妄，此由泥於詞句，而不深思文理也。至鄭《箋》以知為妃匹，實迂謬難通。大抵鄭《箋》欲溝通各家之說，反多牽強迂滯，不如《序》、《傳》遠甚，往往皆然。[80]

---

79 見《詩義會通》，頁56。
80 見《詩義會通》，頁60。

（2）過於以施政、禮法說《詩》

〈大雅・棫樸〉：

《序》：「文王能官人也。」《傳》云：「山木茂盛，萬民得而薪之。賢人眾多，國家得而蕃興。」歐陽公云：「棫樸茂盛，採之以備薪樵，喻文王養育賢才，以充列位。而王威儀濟濟然，左右之臣趨而事之，以見君臣之盛也。二章三章見王所官之人，入宗廟、居軍旅、皆可用，文武之材各任其事也。四章言官人之成效。卒章又言王當勉勉用人，而但提其剛紀爾。」如鄭說，更無官人之意，但汎述法度為政等事，汗漫而無指歸，此其失也。[81]

4 批評朱《傳》

雖然吳闓生在〈卷耳〉稱讚朱熹說：「惟朱傳一掃空之，最得其正。乃至今猶有碻守舊傳而取為之說者，真可歎也。」[82]但仍不免以下的批評：

（1）不能盡廢小序

〈秦風・蒹葭〉：

《序》：「刺襄公也，未能用周禮，將無以固其國焉。」朱子曰：〈秦風〉惟〈黃鳥〉、〈渭陽〉為有據，其他諸詩皆不可考。於小戎則曰時世未必然，而義則得之。於此篇則曰此詩未詳所謂，而《序》說之鑿則必不然矣。案朱子不信《小序》，然不能盡廢其說。至此篇雖無確證，然《序》義甚精，固未可廢也。歐陽公云：襄公已受命為諸侯，而不能以周禮變其夷狄之俗，故刺之，發明《序》義甚允。所謂伊人，鄭《箋》以為知周禮之賢人，是也。[83]

---

81 見《詩義會通》，頁115。

82 見《詩義會通》，頁3。

83 見《詩義會通》，頁54。

（2）誤會《序》指

〈魯頌・閟宮〉：

　　《序》：「頌僖公能復周公之宇也。」朱子以《序》文為謬，案《序》約全詩之大指言之，固未嘗以宇為屋宇也，朱子蓋誤會《序》指。[84]

（3）信從《序》說

〈周南・樛木〉：

　　《序》所謂「后妃逮下，無嫉妒之心」，乃拘牽傅會之詞，不足置信。朱子不信《詩序》而反從之，何邪？[85]

（4）淫詩說無據

〈邶風・靜女〉：

　　《序》：「〈靜女〉，刺時也，衛君無道，夫人無德。」鄭《箋》云：「以君及夫人無道，故陳靜女遺我以彤管之法。」此古義也。歐陽公、朱子皆以為淫奔之詩，不如古義為長。[86]

〈鄭風・將仲子〉

　　朱子易之為男女贈答之辭，當矣。惟詩意乃拒絕強暴之詞，則不得徑目為淫奔耳。[87]

〈鄭風・褰裳〉：

　　案朱子之言，洵中《序》之弊，而其以為淫詩，亦為無據。[88]

84　見《詩義會通》，頁153。
85　見《詩義會通》，頁3。
86　見《詩義會通》，頁18。
87　見《詩義會通》，頁32。
88　見《詩義會通》，頁37。

〈鄭風・丰〉：

> 朱子云：此淫奔之詩。《序》說誤矣。案詩旨，但初未從行，後悔而
> 欲往，未見淫奔之意。姜炳璋謂天下無有淫奔而俟于堂者，亦無衣錦
> 褧衣駕車而行者，其說允矣。[89]

5 後人說《詩》不如舊說

吳闓生在書中經常說後人說《詩》不及古義之優，紛紛臆說，不如舊注
之安[90]，例如：

〈邶風・新臺〉：

> ……又案：歐公文學大家，其駁毛鄭多通達之見。獨此詩以籧篨戚施
> 為「國人惡宣公之淫，多仰面視之又俯而不欲視」，迂曲難通，不如
> 舊說遠甚。[91]

〈王風・丘中有麻〉：

> ……自歐公輕為異說，以留為滯留。朱子本之，乃益加屬。斷不可
> 從。鄒肇敏、李安溪依違毛朱之間，紛紛臆說，愈不足論也。[92]

〈檜風・匪風〉：

> 《序》：「匪風，思周道也。國小政亂，憂及禍難，而思周道焉。」此
> 《序》所言極為能見其大，《傳》以亨魚喻治民，亦能見古人立言之
> 指。歐公及朱子皆辨其非，而所以易之者，未見其勝舊說也。[93]

89　見《詩義會通》，頁37。
90　見〈狡童〉尾評，《詩義會通》頁69。
91　見《詩義會通》，頁18。
92　見《詩義會通》，頁32。
93　見《詩義會通》，頁60。

六　《詩義會通》的撰寫特色

《詩義會通》除了在推行白話文運動下，仍用古文撰寫這一使用語文特點外，還表現以下幾項特色：

（一）重視字詞訓解

〈詩義會通提要〉：「北江先生博採漢宋之說，於清儒訓詁考據輯佚工作，得其新穫，而於晦庵之作，更推進一步，注釋簡易峻潔……。」提要中所述特點除表現在說詩旨方面，更表現在字詞訓解方面，試以下列諸例為說：

1 〈邶風‧雄雉〉「自詒伊阻」：「阻，難也。《左傳》引作戚，闓生案〈上林賦〉戚與雅韻。此本戚字，後人疑其不叶，改作阻耳。」[94]這是《詩義會通》訓解注重古韻關係例。

2 〈邶風‧式微〉「中露」、「泥中」：「中露，露中，言無所芘覆也，《列女傳》引作中路。」「泥中，喻困辱。」[95]
訓以常義，有別於毛《傳》訓為：「衛邑」，雖未必正確，但見其釋義簡易，亦可備一說。

3 〈鄭風‧女曰雞鳴〉「雜佩以贈之」：「葉酉云：以韻考之，贈當為貽。孔廣森曰：贈讀如載。今案，《史記》以三能為三台，又如黃能之能，皆蒸灰互通之證。」[96]
此例見其訓解重視古音，又能引用清儒考證成果印證。

4 〈魏風‧園有桃〉「蓋亦勿思」：「蓋與盍同，何不也。盍亦勿思乃殷憂

---

94 見《詩義會通》，頁13。
95 見《詩義會通》，頁15。
96 見《詩義會通》，頁35。

無聊，強自解免之詞。舊說多誤。」[97]

鄭《箋》釋為：「無知我憂所為者，則宜無復思念之以自止也。眾不信
我，或時謂我謗君，使我得罪也。」

此例見吳闓生確實較之舊說更能掌握詩人心理與詩中情境。

5　〈大雅・緜〉「予曰有疏附」：「率下親上，曰疏附。曰，《楚詞注》引作
聿，疏，《書大傳》作胥。」又尾評：「……四予曰字，傳神。案：曰即
聿字，此以予曰連讀，誤。」[98]

吳闓生把此句說成予於是有相附，簡潔通順，又有文籍證例。

6　〈周頌・有客〉「既有淫威，降福孔夷」：「唯既有淫威，則明指革命之
事而言，說者乃皆避之，毛《傳》至以淫威為大法，迂曲難通，自古豈
有目大法為淫威者哉？什方張氏曰：『凡吾之威福，非苟而已。』其說
亦誤。淫威者，猶言奇禍，謂天降之災，非謂周人之作威福也。今人有
被災禍者，其親戚相慰藉，必曰，子之禍甚酷矣，自今以往其安泰矣。
此噢咻深切之詞，毋庸為諱，且正以見親厚之至意，不明此理，則詩之
微指胥失之矣。」[99]

吳闓生將淫威釋為奇禍，確實頗合於微子朝周，周人安慰他的口吻。

　　書中像這樣重視古音、簡易詮解、注重詩人心理、字法、句法、讀法以
及詩義通順而作字詞訓解之例不少，值得專門研究指出，以為讀《詩》參
考。當然也難免有極少須要商榷之處，將在下文討論《詩義會通》的侷限與
缺失時再略舉。

（二）重視異文

　　《詩義會通》一書在作字詞訓解時，十分注重蒐集不同典籍中的《詩
經》異文，舉凡字書如《說文》、《玉篇》；詞義、方言之書如《爾雅》、《方

97　見《詩義會通》，頁45。
98　見《詩義會通》，頁114。
99　見《詩義會通》，頁145。

言》、《廣雅》；不同的《詩經》版本如三家詩；音義之書如《釋文》、《眾經音義》；韻書如《廣韻》、《集韻》、《韻會》；諸子引《詩》如《孟子》、《荀子》、《墨子》、《晏子》、《呂覽》、《淮南子》；史書引《詩》如《史記》、《漢書》、《後漢書》、《宋書》、《新唐書》、《舊唐書》，經書引《詩》如《左傳》、《周禮》、《禮記》、《大學》；集部引詩如《楚辭》，類書引詩如《六帖》、《北堂書鈔》、《太平御覽》、《初學記》；雜著引詩如《列女傳》、《新書》、《白虎通》、《潛夫論》、《春秋繁露》、《孔子家語》、《顏氏家訓》、《群書治要》；碑文、石經引詩如郭林宗碑、周巨勝碑、漢魯峻碑、蔡邕碑、漢衡方碑、唐石經。其他書籍注疏引《詩》如《孟子注》、《楚辭注》、《周禮疏》、《禮記內則注》、《中庸注》、《呂覽注》、《淮南注》、《文選注》、《水經注》、《漢書注》等。這樣的重視異文，無外乎為求得更為通順妥切的字詞釋義。以下舉數例以見之：

1　〈召南・摽有梅〉「摽有梅」：「摽，落也。《說文》引作受，《孟子注》引作荸；《漢書注》作蔈；《玉篇》作芟。梅，韓詩作楳。」[100]

2　〈鄘風・鶉之奔奔〉「鶉之奔奔」：「奔奔，《左傳》、《禮記》、《呂覽》俱作賁賁。」[101]

3　〈衛風・淇奧〉「赫兮咺兮」：「咺，《韓詩》作宣，《禮記》作喧，《爾雅》、《釋文》作烜，《說文》引作愃。」[102]

4　〈衛風・河廣〉「一葦杭之」：「杭，渡也。《初學記》、《六帖》引并作航。」[103]

5　〈大雅・生民〉「履帝武敏歆」：「敏，《爾雅》舍人本作拇。」[104]

100　見《詩義會通》，頁8。
101　見《詩義會通》，頁21。
102　見《詩義會通》，頁23。
103　見《詩義會通》，頁27。
104　見《詩義會通》，頁119。

（三）會通眾說

　　《詩義會通》最主要以《詩序》、朱《傳》說《詩》為討論對象；但亦經常援引三家詩及各家說《詩》，如曾克耑在序言所說：「博稽眾論，以觀其會通；批郤導窾，一以文義為主。」以下是書中常引用或批評的學者（或其論著）：

1 漢代學者之見

　　《毛詩》、《三家詩》、司馬遷《史記》、劉向《新序》《列女傳》《說苑》、崔駰、韓嬰《韓詩外傳》、班固《漢書》《白虎通》、翼奉《齊詩說》、桓寬《鹽鐵論》、王充《論衡》、趙歧《孟子注》、王符《潛夫論》。

2 魏晉至隋唐學者之見

　　徐幹、曹植、譙周、王肅、孫毓、《文選注》、陶宏景、陸德明《經典釋文》、孔穎達《毛詩注疏》、韓愈、白居易《白孔六帖》。

3 宋代學者之見

　　張載、王安石《詩經新義》、蘇轍《詩集傳》、張文潛（張耒）、晁說之、范處義《詩補傳》、朱熹《詩集傳》、《詩序辨說》、王質《詩總聞》、呂祖謙《呂氏家塾讀詩記》、真西山（真德秀）、輔廣《詩童子問》《詩經集解》、黃櫄、李迂仲（李樗）《毛詩李黃集解》、嚴粲《詩緝》、黃震《黃氏東發讀書日鈔》、謝枋得、劉辰翁、金履祥（金仁山）、陳櫟。

4 元、明學者之見

　　馬端臨、許白雲（許謙）、劉瑾《詩傳通釋》、朱善《詩解頤》、鄧元錫、郝敬《毛詩原解》《毛詩序說》、徐光啟《毛詩六帖講意》、顧夢麟《詩經說約》、鄒肇敏《詩傳闡》、何楷《詩經世本古義》、錢澄之《田間詩學》、

徐常吉《毛詩翼說》。

5 清代學者之見

　　王船山《詩經稗疏》《詩廣傳》、王士禎、李光地（李安溪）《詩所》、陸奎勳《陸堂詩學》、方苞《朱子詩義補正》、顧棟高（顧震滄）《毛詩類解》《毛詩訂詁》、惠棟、葉酉、劉大櫆、姚鼐、段玉裁、姜炳璋《詩序補義》、管世銘、汪龍《毛詩異義》、王念孫、汪中、孔廣森、范家相《詩瀋》、莊述祖、阮元、王引之、牛運震《詩志》、胡承珙《毛詩後箋》、馬瑞辰《毛詩傳箋通釋》、陳奐《詩毛氏傳疏》、魏源《詩古微》、顧廣譽《學詩詳說》、曾國藩、俞樾、方宗誠、陳啟源《毛詩稽古編》。

6 時賢或友人之見

　　方存之、吳汝綸、馬其昶、姚永樸、姚永概、徐樹錚、李鍾僑。

　　另，《詩義會通》引用高達百餘家學者說詩意見，或主漢學或主宋學，或跳脫漢宋說《詩》，採用明清以來文學說《詩》，亦見吳闓生能博採或批評各家說《詩》。此外《詩義會通》還比較各家說法，擇其長，去其短，會通其說，若無法會通時則存疑之，例如：

1 〈王風・黍離〉

　　《序》：「〈黍離〉，閔宗周也。周大夫行役至于宗周，過故宗廟宮室，盡為禾黍。閔周室之顛覆，彷徨不忍去而作是詩。」如《序》意，固善；而《韓詩》以為伯封作，陳思王論曰：「昔尹吉甫信後妻之讒，而殺孝子伯奇，其弟伯封求而不得，作〈黍離〉之詩。」《新序》有以為衛宣公子壽閔其兄伋之見害而作。是在漢時初無定說，今考詩詞，壹似重有憂者。至三家異義，究宜何從，今無由斷定之矣。[105]

吳闓生以為〈黍離〉一詩《詩序》、《韓詩》、《新序》解說詩旨不一，可見在

漢初無定說。他從文義讀出此詩似重有憂者，對於《毛詩》、《韓詩》、《齊詩》（劉向新序）三家異說，何者為是？由於詩之本事難明，他保守的以為無從判斷。由此可見他會通眾論，詮釋詩旨的謹慎態度。

2　〈齊風・東方未明〉

　　《序》：「〈東方未明〉，刺無節也。朝廷興居無節，號令不時，挈壺氏不能掌其職焉。」此詩前二章言朝廷無節，號令不時，末章則譏挈壺氏之失職。自來解者多不明其意旨。朱子曰：「漏刻不明，固可以見其無政，然所以興居無節，號令不時，未必皆挈壺氏之罪也。」蘇子由曰：「雖衰亂之世，蚤莫不易。挈壺氏雖或失職，何至未明而顛倒衣裳哉？」此皆失《序》、《傳》之意者。惟嚴粲以此詩主刺哀公，因哀公興居無節，故歸咎於司漏者以諷之。郝氏敬亦謂：「不敢斥君，而求諸挈壺氏，所謂敢告僕夫也。」二家之說最得其義。[106]

吳闓生會通《詩序》、朱熹、蘇轍、嚴粲、郝敬等人之見，以為《序》意是說〈東方未明〉前二章言朝庭無節，號令不時，末章則譏挈壺氏之失職，朱熹、蘇轍皆未能深體《序》、《傳》之意，嚴粲、郝敬二家之說最得詩義。他往往不厭其煩，陳列歷來重要注家如何說《詩》，加以分析、比較他們觀點的優缺得失，然後慎選他認為較好之說，讀其書可得到讀《詩》之指引。

3　〈齊風・載驅〉

　　《序》：「〈載驅〉，齊人刺襄公也。無禮義，故盛其車服，疾驅於通道大都與文姜淫，播其惡於萬民焉。」朱子云：「此刺文姜之詩。」案襄與文姜同惡，故無俟分別言之。《序》言刺襄，以著禍本也。謝枋得云：「文姜之情態如此無禮義，無羞恥，無忌憚，盡見於此矣。詩人鋪序之詳，形容之巧，刺之深，疾之甚也。」[107]

106　見《詩義會通》，頁42。
107　見《詩義會通》，頁44。

吳闓生會通《詩序》、朱熹、謝枋得之說，指出襄公與文姜同惡，《詩序》說刺襄公，朱熹說刺文姜，分別言刺，並無必要。並補充《詩序》說刺襄公，是因他是禍源之本；謝枋說詩人鋪序文姜無禮義、無羞恥、無忌憚，刺之深，疾之甚。會通各家分別言刺之論，以為襄公、文姜同惡，應合併起來刺兩人。

4 〈大雅‧既醉〉

　　《序》：「〈既醉〉，太平也。醉酒飽德，人有士君子之行焉。」此固為致太平之詩，而詮發未盡。朱子以為答行葦之詩，亦無確據。嚴氏粲以為成王祭畢而燕群臣，周公因作此詩以戒王也。方望溪云：群臣所祝，至「高朗令終」而止矣，餘者非群臣所敢言者，故假於公尸以出之。欲士女之觀刑，則身教不可不謹矣。欲孫子之象賢，則作則不可不先矣。雖善頌善禱，而規勉之意已具於其中。姜氏炳璋云：深宮嚴密之地，天命之凝承，祖宗之繼述，子孫之孕毓皆在於是。善與不善，國祚修短之機也。此文王所以雍雍在宮無射亦保歟？顧氏廣譽又云：周公既抗世子法於伯禽，復於周官嚴內外之辨，而深宮幽隱之地，存乎王之心有敬畏，故推神意以感動之。詳其言，必去成王始昏時不遠也。得諸家講衍，而詩旨乃昭然若揭矣！[108]

吳闓生先引《詩序》，評「致太平」之說，於詩意詮發未盡；評朱熹以為答〈行葦〉之詩亦無確據。然後引嚴粲、方苞、姜炳璋、顧廣譽等人之說，透過會通眾說，諸家講衍，使詩旨更為明確清晰。

5 〈豳風‧破斧〉

　　《序》：「〈破斧〉，美周公也，周大夫以惡四國焉。」朱子曰：此歸士美周公之辭，非大夫惡四國之詩也。且詩所謂四國，猶言斬伐四國耳。《序》說以為管蔡商奄，尤無是理也。歐公又云：傳以斧斨比禮

義，其事不倫。鄭《箋》尤謬。此言四國為亂，周公征討凡三年，至
於破斧缺斨，然後克之，其難如此。然所以必往者，以哀此四國之人
陷于逆亂耳。斧無破理，詩人欲甚言之，其詞多過。案歐朱訓釋文義
至明，一洗舊注拘牽繆繞之說。惟此詩亦慰勞征士之作，朱子謂歸士
美周公，其說亦小誤。「哀我人斯」，乃作者慰閔征士之詞，非謂周公
哀四國之人也。言東征之勞可哀閔矣，而功亦大矣，往復委宛，用意
深至，令人低佪不盡。破斧猶缺斨耳，歐云斧不可破，亦迂。[109]

吳闓生以為〈破斧〉一詩是慰勞征士之作，「哀我人斯」是作者慰問征士之
詞，並非周公哀四國之人。《詩序》說：「美周公也，周大夫以惡四國焉。」
朱熹否定《序說》，說詩旨是歸士美周公之辭，非大夫惡四國之詩，而且詩
所謂四國，猶言斬伐四國。吳闓生評《詩序》以四國為管、蔡、商、奄無道
理，朱熹說詩旨為歸士美周公，亦有小誤。此外他還引歐陽修說毛《傳》以
斧斨比禮義不倫，鄭《箋》更是謬誤，不過歐陽修說斧不可破，亦迂，此不
過言四國為亂，周公征討三年，破斧缺斨，然後克之，戰事之艱難罷了。他
仔細指出各家說《詩》之優缺得失，肯定歐陽修、朱熹明確訓釋詩義，一洗
舊注拘牽繆繞之說。

（四）以文學說《詩》

　　此為吳闓生說《詩》最大特色，其弟子曾克耑在〈桐城吳氏國學秘笈
序〉：

桐城吳摯父先生以姬傳鄉里後進，從湘鄉遊。本其說以文說經，成
《易說》、《尚書故》二書。舉漢學之繁瑣，宋學之空虛，悉掃盪而無
餘。糾其訛謬，正其句讀，辨其字句，疏其義蘊，揆以事理，一以文
說之，不惟經通，史籍百家亦無不可說矣。……先師北江先生，秉承

---

109 見《詩義會通》，頁65。

家學，復以文說《詩》。及《左氏傳》、《孟子》，成《詩義會通》、《左傳微》、《孟子文法讀本》三書。以其先人之說《易》、《書》高遠，不便初學，乃依其說為《周易大義》、《尚書大義》。鈎弋文句，溝通故訓，往往有三數言訓釋，釐然有當于人心，遠過于經生千百言解說，而人仍不能通其義者，此說經之不能不以文通之微旨也。…[110]

吳闓生相當尊重《詩經》中有歷史可考的詩篇，他評詩常說「詩中有史」[111]；但如果史事不詳，並不影響詩義瞭解的詩篇，他就往往以文學說《詩》，這點要較那些固守漢學派說《詩》學者通達。例如〈衛風‧伯兮〉他說：「詩義重在征役之困，見在上者之不恤民。義不繫乎從王。究為何役，經傳本無明文，可毋庸深論也。」就不像鄭《箋》說是衛宣公之時，蔡衛陳三國之人，從王伐鄭的戰役；也不像陳奐把詩的背景定在魯桓公五年，衛宣公十三年，王是周桓王。以文學說《詩》，尤其是以桐城義法說《詩》為《詩義會通》最大特色與成就，將在下節詳論。

七　以文學說《詩》

桐城三祖方苞的義法說、劉大櫆的神氣說、姚鼐的陰陽剛柔、神理氣味格律聲色說，構成桐城派古文理論的基礎。姚鼐主張詩文皆技，詩之與文，固是一理。故陽剛陰柔風格說，可用以道文，[112]亦可用來言詩。[113]他評杜甫〈奉送郭中丞兼太僕卿隴右節度使三十韻〉說：「讀少陵贈送人詩，正如

110　見曾克耑：〈序〉，《詩義會通》。

111　例如《詩義會通》，頁29〈揚之水〉尾評。

112　「……且夫陰陽剛柔其本二端，造物者糅而气有多寡進絀，則品次億萬，以至於不可窮，萬物生焉，故曰一陰一陽之為道，夫文之多變，亦若是已。……」見〔清〕姚鼐：〈復魯絜非書〉，《惜抱軒全集》（臺北市：臺灣中華書局，1981年），冊6，頁9。

113　「吾嘗以謂文章之原本天地，天地之道陰陽剛柔而已，苟有得乎陰陽剛柔之精，皆可以為文章之美。」見〔清〕姚鼐：〈海愚詩鈔序〉《惜抱軒全集》，第4，頁6。

昌黎贈送人序，橫空而來，盡意而止，變化神奇，初無定格。」[114]開桐城
以文論詩先河，及追求為文的神妙境界。曾克耑〈詩義會通序〉亦說：「六
經皆文也。……博稽眾論，以觀其會通，批卻導窾，一以文義為主，霍然察
其情之隱，洞然發其理之微，有以默契千載上古人閎識孤懷所寄，而下開百
世治經行文之法……。」桐城義法本出經史，近法唐宋八家，「義」為言有
物，指文章的內容與思想；「法」為言有序，指文章的形式與技巧。[115]

　　桐城學者多以教師為業，授徒作文，期望學者能在古人作品中發掘經
驗，因而擅長評點古籍或古人詩作及編輯古文選本以為摹擬示範[116]，其中
尤以方苞《史記評點》、姚鼐《歸震川文評點》、方東樹《昭昧詹言》、林紓
《春覺齋論文》最為知名。方東樹《昭昧詹言》推崇讀《詩經》以明詩文作
法：「學詩當從三百篇來」[117]又說：「……昔人譬之無縫天衣，又曰『美人
細意熨貼平，裁縫減盡針線迹』此非解讀六經及秦漢人文法，不能悟入。試
取詩、書及大學、中庸經傳，沉潛玩味，自當有解悟處。」[118]又有論讀
《詩經》：「亦有平鋪直賦，而其氣體自高峻不可及。如雅頌諸作，豈必草蛇
灰線之引脈乎？秦風小戎，典制閨情並舉而不相害，可以識古人之體例。大
約古人之文，無不是直底，後人都要曲，曲則不能雄，但非直率無運轉耳，
讀小戎詩可識橫空盤硬，拉雜造衃之法。」[119]其他多處以桐城章法論古人
詩作。吳汝綸〈與王晉卿書〉：「竊謂古經簡奧，一由故訓難通，一由文章難
解。馬鄭諸儒，通訓故不通文章，故往往迂僻可笑。若後之文士，不通訓

---

114 見姚鼐評選：《今體詩鈔》（臺中市：中庸出版社，1956年），頁77。

115 見《方望溪全集・又書貨殖傳後》：「春秋之制義法，自太史公發之，而後之深於文
　　者亦具焉。義即《易》之所謂言有物也；法即《易》之所謂言有序也。義以為經而
　　法緯之，然後為成體之文。」

116 姚鼐〈與伯昂從姪孫十一首〉中云：「近人每云：『作詩不可摹擬。』此似高而實欺
　　人之言也，文不摹擬，何由得入？」

117 見《昭昧詹言》，卷4，「陶公」。

118 見《昭昧詹言》，卷1，第81則，頁27。

119 同前註。

詁，則又望文生訓，有似韓子所譏郢書燕說者，較是二者，其失維鈞。」[120]
吳汝綸以為說經必須從文章學的角度，深入研究經書文本的結構特點及作文
方法，如此才能發掘經書的隱奧。自稱桐城後學的林紓在《春覺齋論文》中
論述八種常用技法——起筆、伏筆、頓筆、頂筆、插筆、省筆、繞筆、收筆
等。[121]吳闓生《詩義會通》亦能承襲其父觀點，夾注處注重字詞訓詁，尾
評處即用桐城義法作文學欣賞。講究語言修辭、章法分析、行文技巧、作品
精神；《詩義會通》書中具有包羅萬象的文學分析，精細的文章作法如側
寫、烘托等等。

　　前人批評桐城派固守家法，是一種死文法；事實上不論吳闓生作古文，
或是他討論《詩經》的文法，都是能入乎法出乎法，形式與內容統一，得其
文章神味的活法，但為了觀察和討論的方便，下文不得不將他論述《詩經》
的義法分成章法分析、字句法與修辭分析、風格與精神分析、其他詮詩方法
分析等瑣碎的拆解，以文學說《詩》為《詩義會通》特別著力之處，下文舉
較多例子來呈現，限於篇幅，無法一一細論，僅就不易理解處，略加說明
之：

（一）章法分析

1 起結法

　　為文最重起結，有所謂工於起調，飄忽而來或如常山之蛇，首尾照應靈
活之論，吳闓生對《詩經》的鑑賞於起結之例如：
　　（1）〈鄘風・君子偕老〉：「舊評：起句當頭棒喝。」[122]
　　（2）〈檜風・素冠〉：「舊評云：庶見二字傳神。」[123]

120　見郭立志編：《桐城吳先生年譜》，收入《近代中國史料叢刊》（臺北市：文海出版
　　　社，1971年），第73輯，冊725，頁59。
121　見林紓：《春覺齋論文》（北京市：人民出版社1998年），頁116-128。
122　見《詩義會通》，頁20。
123　見《詩義會通》，頁59。

（3）〈鄭風・子衿〉：「舊評：前二章迴環入妙，纏綿婉曲。末章，變調，前二句，結『子』，後二句，結『我』。」[124]

（4）〈小雅・楚茨〉：「……末借慶詞總結，筆意高妙，無跡可尋。又云：苾芬句，結上黍稷、牛羊、俎豆。既齊二句，結上濟濟蹌蹌、踖踖莫莫、卒度卒獲。神嗜飲食以下，代諸父兄弟作祝詞，結得極古茂生動。」[125]

（5）〈大雅・緜〉：「舊評：止發端四字，已盡一篇之意。末四句極道文王得人之盛，所以勉成王也。」[126]

（6）〈大雅・生民〉：「舊評云：起句高唱而入。篇末結構完密。」[127]

（7）〈周頌・載見〉：「舊評：起層不急入助祭，舒徐有度。末以長句作收。」[128]

（8）〈魯頌・閟宮〉：「……末章舊評云：收束應起句。」[129]

　　從這些他論述《詩經》起結例，可見他非常重視起結。起要陡峭、傳神、如當頭棒喝，高唱而入；結要婉妙，回顧、照應前文，古茂生動。總之是要重視起結的精神氣勢。

2 接法

　　寫文章應重視起承轉合，吳闓生所謂的接法即承接，要接得像山嶺雖斷，卻有雲霧繚繞，似斷實連，看起來完整而有氣勢，接的方式又有多種，例如：

（1）〈衛風・氓〉「淇水湯湯，漸車帷裳」：「按此兩句橫接，有遠勢。」[130]

124　見《詩義會通》，頁39。
125　見《詩義會通》，頁98。
126　見《詩義會通》，頁114。
127　見《詩義會通》，頁120。
128　見《詩義會通》，頁145。
129　見《詩義會通》，頁153。
130　見《詩義會通》，頁25。

（2）〈豳風・九罭〉：「末章舊評云：接得超忽，音節絕佳。」[131]

（3）〈小雅・斯干〉：「今案此成室頌禱之詞，而其文周密詳備，無美不盡。後半特申禱祝之意，而由筦簟、寢興、占夢蜕蟥而下，尤有蛛絲馬跡，嶺斷雲連之妙……」[132]

（4）〈小雅・小宛〉：「闓生又疑題彼六語，即教誨爾子之詞，而教誨爾子，即承上有懷二人遞下，如此乃上下一貫。」[133]

（5）〈大雅・生民〉：「先大夫曰：以上敘后稷，以下敘祀后稷，即用降種貫下，是謂嶺斷雲連。案此古人文法之妙也。」[134]

（6）〈小雅・采綠〉：「舊評：予髮曲局句接法不測。」[135]

（7）〈周頌・閔予小子〉：「舊評：起，沉慟。橫接皇考，波瀾壯闊。」[136]

（8）〈周頌・訪落〉「紹庭上下，陟降厥家」：「此二句，逆接之筆。言皇考之神靈，紹庭上下，陟降於厥家也。」[137]

　　吳闓生舉橫接、逆接、承上遞下等《詩經》的接法，但重視接得超忽、有遠勢、蛛絲馬跡，嶺斷雲連之妙。也就是方東樹在《昭昧詹言》所說的：「古人文法之妙，一言以蔽之曰：語不接而意接。血脈貫續，詞語高簡，六經之文皆是也。」[138]方氏主張轉接多用橫、逆、離三法，斷無順接、正接。[139]不外要使為文有變化，不流於平鋪直敘。

3 插法

　　為文原本平直的敘述，若用插入法，可以使文章產生曲折頓挫，例如：

131　見《詩義會通》，頁66。
132　見《詩義會通》，頁83。
133　見《詩義會通》，頁89。
134　見《詩義會通》，頁120。
135　見《詩義會通》，頁107。
136　見《詩義會通》，頁146。
137　見《詩義會通》，頁146。
138　見方東樹：《昭昧詹言》，卷1，第82則，頁28。
139　見方東樹：《昭昧詹言》，卷8，第12則，頁213。

（1）〈衛風・氓〉：「方宗誠云：前二章敘始合。自我徂爾以下，敘見棄。
　　中忽插桑之未落十二句，極沉鬱頓挫之致。」[140]

（2）〈大雅・公劉〉：「舊評云：此篇見大手筆。又云：橫插思輯句，便不
　　平直。」[141]

（3）〈周頌・武〉：「舊評云：夾入文王，曲折有致。」[142]

（4）〈鄘風・定之方中〉「匪直也人，秉心塞淵」：「舊評：二句橫插。」[143]

　　吳闓生舉《詩經》中橫插、夾入、忽插法，評點這些寫法使得詩意表現
更為沉鬱頓挫、曲折有致，避免平直之病。

4 倒敘

　　方東樹《昭昧詹言》：「一敘也，又有逆敘、倒敘、補敘、插敘，必不肯
用順用正。」[144]吳闓生在〈周南・葛覃〉評曰：「此詩止言歸寧一事。因歸
寧而及絺綌，因絺綌而及葛覃，而其詞乃從葛起，歸寧之意止篇末一語明
之，文家用逆之至奇者也。」[145]繼承桐城為文喜用逆法。

5 橫轉

　　吳闓生論《詩經》用突轉，而聲情並出。他評〈小雅・節南山〉：「不弔
昊天，不宜空我師」：「此二句為橫空突轉之筆，薛君此解使詩人聲情並
出。」[146]

6 翻跌

　　吳闓生論翻跌、跌宕，可以蓄勢生姿，如下四篇：

---

140 見《詩義會通》，頁25。
141 見《詩義會通》，頁124。
142 見《詩義會通》，頁143。
143 見《詩義會通》，頁21。
144 見方東樹：《昭昧詹言》，卷11，頁233。
145 見《詩義會通》，頁2。
146 薛君此解為：「萬人喁喁，仰天告愬。」見《詩義會通》，頁84。

（1）〈召南‧江有汜〉：「舊評：反跌蓄勢，重一句，勢便紆迴。」[147]

（2）〈陳風‧衡門〉：「……又云反正翻跌，見自得無求之意。」[148]

（3）〈邶風‧北風〉：「其虛句，舊評：跌宕生姿」[149]

（4）〈豳風‧東山〉：「『亦』可畏也句，跌宕。」[150]

〈江有汜〉反跌「不我以」句，除加強抒發被棄之悲外，頂針法也使得聲情回環往覆。〈衡門〉首章橫門、泌水本陋貧，但正面用兩「可以」，二、三章食魚不求美味，娶妻不求貴族，則用兩「豈其」、「必」，以此反正翻跌，凸顯詩人自得無求之意。〈北風〉若無「其虛其邪」句，兩位逃離衛國好友對話之詞，則無以見其情之急迫，吳闓生引舊評「跌宕生姿」，甚是。〈東山〉「不可畏也」句產生跌宕，征夫先述家園殘破，但卻是「伊可懷也」，日夜思念之所。

7 擒縱

吳闓生論《詩經》擒縱有法，具開合之妙，表現神化莫測，如下四篇：

（1）〈召南‧野有死麕〉：「舊評：忽縱忽擒，神化莫測。」[151]

（2）〈唐風‧蟋蟀〉：「舊評：極擒縱開合之妙。」[152]

（3）〈小雅‧雨無正〉：「舊評：哀哉二章，縱，末章，擒，末句老吏斷獄。」[153]

（4）〈大雅‧卷阿〉：「……舊評云：以上極言福祿之盛，以廣王心。以下乃告以致此之由，擒縱有法。」[154]

147　見《詩義會通》，頁9。

148　見《詩義會通》，頁57。

149　見《詩義會通》，頁17。

150　見《詩義會通》，頁65。吳闓生注「亦」當作「不」。

151　見《詩義會通》，頁9。

152　見《詩義會通》，頁47。

153　見《詩義會通》，頁88。

154　見《詩義會通》，頁124。

8 錯綜

〈秦風・小戎〉：「顧廣譽曰：一章言車，而『駕我騏騵』，豫以起次章之馬。二章言馬，而『龍盾之合』，既以起卒章之兵；『鋈以觼軜』，又以蒙首章之車。三章言兵，而『俴駟孔群』，復蒙上章為文。此章法錯綜之妙。」[155]

9 疏密

（1）〈鄘風・蝃蝀〉：「舊評：首二章，何等步驟！末章，何等森嚴！讀此可悟文章擒縱疏密之法。」[156]

（2）〈秦風・小戎〉：「舊評：前半章詠物，以古奧勝。後半章詠情，以蘊藉勝。好整以暇，有疏有密。」[157]

10 主從

（1）〈大雅・文王〉：「舊評：通篇大旨以儀刑文王為主，卻借天與殷伴說，遂增無限色澤，無限精神。」[158]

（2）〈大雅・桑柔〉：「舊評：序爵，一篇之要。八章以下，皆申明不序爵之害。」[159]

（3）〈魯頌・駉〉：「舊評：詩本美僖公之善思，止舉一馬政以驗之耳。每章上思字所包甚廣，善思是主，思馬是賓，極一篇鋪張文字，都是極空靈文字。」[160]

11 虛實

（1）〈邶風・泉水〉：「出宿二章，純為設想之詞。情文斐亹，極文字之

155　見《詩義會通》，頁53。
156　見《詩義會通》，頁22。
157　見《詩義會通》，頁53。
158　見《詩義會通》，頁112。
159　見《詩義會通》，頁131。
160　見《詩義會通》，頁150。

妙。」[161]

（2）〈鄘風・載馳〉：「姚姬傳云：通篇皆寫悲思迫切之意，非實事也。情
緒與〈泉水〉同。彼以委婉勝，此以英邁勝。」[162]

（3）〈周頌・臣工〉：「舊評：於皇以下，虛擬之詞，筆情飛舞。」[163]

12　全篇章法

（1）〈召南・行露〉：「舊評：起勢陡峭。豈不句，一折，筆情婉妙。後二
章，反振四句，然後折落，如鷹隼翔空，披雲下墜，收斬截。」[164]

（2）〈齊風・雞鳴〉：「舊評：起勢陡峭。收婉妙。甘與句，反跌，會且
句，回顧。」[165]

（3）〈小雅・常棣〉：「舊評：三四章借朋友作襯。七八章借妻子作襯。二
三四章言喪亂。六章以下言安寧。第五章承上起下。」[166]

（4）〈小雅・天保〉：「舊評：前三章言天之福君，以五如結之。後三章言
神之福君，以四如結之。君曰卜爾二句，生動。」[167]

（5）〈小雅・無羊〉：「舊評：起勢陡峭。以下體物絕工。何蓑二句，點
染。案：麾之二語，尤為神妙。末章餘波奇幻。」[168]

（6）〈大雅・板〉：「舊評：猶之未遠二句，領通篇。辭輯以下，承出話。
方懠以下，承為猶。末章一篇歸宿。我雖八句，一句一轉，極沉著，
極跳脫。」[169]

161　見《詩義會通》，頁17。

162　見《詩義會通》，頁23。

163　見《詩義會通》，頁143。

164　見《詩義會通》，頁8。

165　見《詩義會通》，頁41。

166　見《詩義會通》，頁69。

167　見《詩義會通》，頁71。

168　見《詩義會通》，頁83。

169　見《詩義會通》，頁127。

13 各章大義

(1)〈豳風・東山〉:「舊評:首章,方歸。次章,歸途憶家。三章,既歸。四章,歸後歡聚。」[170]

(2)〈小雅・采薇〉:「舊評:首章,啟行。次章,在塗。三章,至邊。四章,交戰。五章,既勝而戒備。豈不日戒二語,寫軍中整肅,雖無事之時,儼若寇至。」[171]

(3)〈小雅・信南山〉:「舊評云:首章,地利。次章,天時。三四二章,祭前擬議之詞。五六二章,正言祭事。最得詩怡。」[172]

(二) 字句法與修辭分析

1 字法

(1)〈周南・芣苢〉:「舊評:通篇止六字變換,而招邀儔侶,從事始終,一一如繪。」[173]

(2)〈大雅・緜〉:「四予曰字,傳神。」[174]

　　〈芣苢〉全詩疊章複沓,只變換采、有、掇、捋、袺、襭四個與採摘有關的動詞,但在手部細微的動作變化中,明快的將詩中人物採摘芣苢的過程描繪出來。〈緜〉末章連用四個「予曰」(有疏附、有先後、有奔奏、有禦侮),透過自謂口吻寫文王時周族強大威儡四方,天下歸附,頗能傳達文王安定天下神采。

2 句法

(1)〈召南・采蘋〉:「舊評:五用于以字,有群山萬壑赴荊門之勢。」[175]

---

170 見《詩義會通》,頁65。
171 見《詩義會通》,頁72。
172 見《詩義會通》,頁99。
173 見《詩義會通》,頁5。此舊評出自方玉潤《詩經原始》之說。
174 見《詩義會通》,頁114。

（2）〈小雅‧北山〉「舊評：連用十二或字，開退之〈南山詩〉句法。」[176]

　　〈采蘋〉連用五「于以」設問句，有奔放迅快，萬壑飛流之氣勢。〈北山〉末三章連用十二或字，勞逸對舉，排比而下，不言怨而怨自深，韓愈〈南山〉連用諸多「或」字句，承襲此法。

3 渲染

（1）〈周南‧葛覃〉：「黃鳥三句，舊評：點綴生色。」[177]

（2）〈齊風‧還〉：「舊評：飛揚豪駿，有控弦鳴鏑之氣。揖我二字，煊染法。」[178]

（3）〈豳風‧東山〉「自我不見，于今三年」：「……感慨生動，寫久征乍歸之神理，頰上添毫之筆。」[179]

（4）〈大雅‧大明〉：「舊評：首二句一篇之綱，親迎儀容，止就舟略一點綴。」[180]

4 蟬聯

　　〈大雅‧文王〉：「通篇用蟬聯格。」[181]

　　吳闓生指出〈文王〉詩各章蟬聯而下，用頂針、轆轤方式勾連。

---

175 見《詩義會通》，頁6。此說化用（明）戴君恩《讀風臆評》：「前連用五于以字，奔放迅快莫可遏，末忽接誰其尸之，有齊季女，萬壑奔流，突然一注。」

176 見《詩義會通》，頁96。

177 見《詩義會通》，頁2。

178 見《詩義會通》，頁41。

179 見《詩義會通》，頁64。

180 見《詩義會通》，頁113。

181 見《詩義會通》頁112。《詩經》用蟬聯格寫作詩篇甚多，詳參拙作：〈詩經頂真修辭技巧探究〉，《中國文化月刊》第299期（2005年11月），後收入《詩經章法與寫作藝術》（新北市：華藝數位公司，2011年），頁83-112。

（三）風格與精神分析

1 音節聲調

　　劉大櫆說：「神氣不可見，於音節見之。」[182]桐城文法主張入法而出法，由格律聲色進入神理氣味，吳闓生能更進一步將聲律和文氣神理結合一起不加區分，用此法來評《詩經》。

（1）〈周南・卷耳〉：「舊評：中二章故作曲勢，其音長。末章直下，其音促。又云：末章急管繁絃。」[183]

（2）〈陳風・宛丘〉：「舊評：蕩字一篇之骨。又云：首章曼聲，二三章切響，真乃流商變徵。」[184]

（3）〈魯頌・有駜〉：「舊評：音節絕佳。」[185]

（4）〈商頌・烈祖〉：「舊評云：約軷以下，就助祭者言之。增出波瀾。句句用韻，黃鐘大呂之音。」[186]

（5）〈豳風・七月〉「舊評：〈七月〉篇生動處，太史所本。全篇點綴時景，都與本事相映。皇皇大篇，極難收束，九月肅霜以下，句句用韻。頌揚作收，聲滿天地。」[187]

2 簡潔生動

（1）〈召南・采蘩〉：「方宗誠云：古人文字簡潔，止是用見驥一毛之法。」[188]

（2）〈小雅・六月〉：「舊評：比物，寫馬。央央，寫旆。軒輊，寫車。均

182　見劉大櫆：《論文偶記》（北京市：人民文學出版社，1998年），頁6。

183　見《詩義會通》，頁3。

184　見《詩義會通》，頁56。

185　見《詩義會通》，頁151。

186　見《詩義會通》，頁154。

187　見《詩義會通》，頁63。

188　見《詩義會通》，頁6。

簡而能盡。通篇俱摹寫文武二字，至末始行點出。吉甫燕喜以下，餘
霞成綺，變卓犖為紆徐。末贊張仲，正為吉甫添豪。所言頗得詩之妙
處。」[189]

（3）〈周頌・有瞽〉：「朱子云此詩『首二句總序其事』，即用兩字為韻，
　　　下乃分承之。舊評：簡潔生動。」[190]

（4）〈商頌・那〉：「舊評：〈商頌〉文皆簡典嚴峻。」[191]

桐城文章最注重雅潔[192]，以《易》、《詩》、《書》、《春秋》、《周禮》、
《左傳》、《史記》等典籍的寫作為準繩。雅是純正不雜，潔為簡省文字，注
重文字精鍊準確，又有極大容量，雅潔是義法的衍生和體現。吳闓生亦指出
《詩經》寫作的雅潔。

3 含蓄蘊藉

吳闓生十分注意《詩》的微文，他常在評詩時肯定古人之微言大義，並
非常重視表達的含蓄蘊藉，例如：

（1）〈邶風・二子乘舟〉：「《六帖》云：『詩人已知二子之見殺矣，然直言
　　　遇害，豈不索然無味，今不言其死，但想其去時之光景，而設為憂疑
　　　之言，則其情無限。含蓄悲傷，寥寥數言，有千萬言不能盡者。此風
　　　人之致也。』最得此詩深處。」[193]

（2）〈小雅・庭燎〉：「今案：詩但寫勤政戒旦之殷，而箴之之意自在言

189　見《詩義會通》，頁77。
190　見《詩義會通》，頁144。
191　見《詩義會通》，頁154。
192　郭紹虞《中國文學批評史》：「胡適之先生〈五十年來中國之文學〉謂：『唐、宋八家
　　　的古文和桐城派的古文的長處，只是他們甘心做通順清淡的文章，不妄想做假古
　　　董。』……桐城文本以雅潔著稱，惟雅故能通於古，惟潔故能適於今，這是桐城文
　　　所以能為清代古文中堅的理由。」見郭紹虞：《中國文學批評史》（臺北市：明倫出
　　　版社，1969年），頁354。
193　見《詩義會通》，頁19。

外，此所謂微文也。《三百篇》及三代高文多如此。」[194]

（3）〈大雅・假樂〉：「……蓋戒百辟卿士，即所以諷諭王也，此古人用筆妙處。先大夫曰：戒王意，就朋友發之，妙遠不測。竊考歷來經說各家，皆未有明此義者，古聖哲之微旨端在是也。」[195]

（4）〈大雅・卷阿〉：「舊評云：末但極言車馬之盛，更不露求賢意，神味無窮。」[196]

（5）〈大雅・蕩〉：「……然尤妙者，在首章先凌空發議，末以殷鑒不遠二句結之，尤極帷燈匣劍之奇，否則真成論古之作矣，人安知其為借喻哉。宜顧震滄以為千秋絕調也。」[197]

4　精神氣勢

姚鼐在《古文辭類纂・序目》中提出：「凡文之體類十三，而所以為文者八：曰神、理、氣、味、格、律、聲、色。神理氣味者，文之精也；格律聲色者，文之粗也。」[198]劉大櫆《論文偶記》之三：「行文之道，神為主，氣輔之。」[199]又於之十三：「神氣者，文之最精處也；音節者文之稍粗處也；字句者，文之最粗處也。」[200]他推崇神為文家之寶。方東樹《昭昧詹言》亦曰：「有章法無氣，則成死形木偶。有氣無章法，則成粗俗莽夫。大約詩文以氣脈為上。氣所以行也，脈縕章法而隱焉者也。章法形骸也，脈所以細束形骸者也。章法在外可見，脈不可見。氣脈之精妙，是為神至矣！俗人先無句，進次無章法，進次無氣。數百年不得一作者，其在茲乎！」[201]

194　見《詩義會通》，頁79-80。

195　見《詩義會通》，頁123。

196　見《詩義會通》，頁125。

197　見《詩義會通》，頁128。

198　《古文辭類纂》（臺北市：臺灣中華書局，1981年），頁16。

199　〈論文偶記〉（北京市：北京人民文學出版社，1959年11月北京第1版，1998年5月北京第1次印刷），頁3。

200　同前註，見〈論文偶記〉，頁6。

201　見《昭昧詹言》，卷1，第92則，頁30。

吳闓生受業於范當世、賀濤，古文寫得汪洋恣肆，汲取漢賦筆法，多雄直之
氣，錢基博稱讚他的古文：「縱恣轉變，能究極筆勢，辭氣噴薄，而出以醞
釀深醇；興象空邈，而能為沉鬱頓挫；其勢沛然！其容穆然！震蕩錯綜，是
真能得其父師之血脈者。」[202]他不僅自己的古文寫得有精神氣勢，還特別
欣賞《詩經》中這樣表現特殊神氣的詩篇，分析文之粗處外，還強調法律規
矩之上的文之精神氣味。例如：

（1）〈小雅・賓之初筵〉：「舊評：首二章，典則。後三章，婉而多風。端
　　　莊流麗，兼而有之。」[203]

（2）〈大雅・大明〉：「首章先憑虛慨歎，神理至為妙遠。」[204]

（3）〈大雅・韓奕〉：「榦不庭方，神氣直貫篇末。」[205]

（4）〈大雅・韓奕〉：「舊評：首章纘戎以下，古奧如《尚書》，此退之得
　　　之以雄百代者；三章忽變清麗，令讀者改觀。四五兩章，朝會大文，
　　　夾敘昏姻事，艷麗非常。末章以先祖句應祖考，實墉以下應匪懈。」[206]

（5）〈大雅・江漢〉：「舊評：浮浮字，包羅萬象。追敘命詞，意深筆曲，
　　　高詞媲皇墳。又云：通篇極典則，極古雅，極生動，退之平淮西碑祖
　　　此，而詞意不及。」[207]

（6）〈大雅・常武〉：「……如飛四句，形容軍陳，措語之精，振古無倫。
　　　縣縣三句，承上文而下，氣勢浩穰，有天地賽開，風雲變色之象。噫
　　　嘻！歎觀止矣。韓碑柳雅，何足以髣髴萬一？」[208]

（7）〈周頌・天作〉：「全篇不及三十字，而峰巒起伏，綿亙萬里，絕世奇
　　　文。」[209]

202　見錢基博：《現代中國文學史》（臺北市：明倫出版社，1970年），頁146。
203　見《詩義會通》，頁104。
204　見《詩義會通》，頁113。
205　見《詩義會通》，頁134。
206　見《詩義會通》，頁135。
207　見《詩義會通》，頁136。
208　見《詩義會通》，頁137。
209　見《詩義會通》，頁141。

（8）〈魯頌・閟宮〉：「舊評云：鋪張揚厲，開漢賦之先聲。有詞源倒流之
　　　勢，極文章之大觀。又云：起二句領赫赫以下，浩衍恣肆，暢所欲
　　　言。王曰叔父以下，舊評云：古茂。俾爾熾而昌以下，舊評云：文氣
　　　暢。末章舊評云：收束應起句。」[210]

（四）其他詮詩方法

1　引詩評《詩》

　　吳闓生喜歡引詩或引其他文獻論《詩》，打通《詩經》與後代詩文的關
係，不僅使讀者對詩意有更深刻精細的體會，同時也指出了後代文學如何承
襲、轉化《詩經》的思維方式、思想內涵和寫作方法。這種欣賞《詩經》的
方式，在詩話、明代評點派《詩經》注家、清代姚際恆《詩經通論》、方玉
潤《詩經原始》中亦常見，雖不算創新，但吳闓生頻頻用此法，文筆簡潔深
刻，稱得上《詩義會通》的特色。後來錢鍾書《管錐篇・毛詩正義六十則》
更擴大打通中西文學作品和《詩經》的關係，可說將此法發揚到淋漓盡致。
試舉以下幾條為例：

（1）〈衛風・考槃〉：「舊評云：讀之覺山月窺人，澗芳襲袂，弗告即『只
　　　可自怡悅，不堪持贈君』意。」[211]

（2）〈衛風・竹竿〉：「……巧笑二句，顧影自憐，從對面寫照。唐人『遙
　　　知兄弟登高處』，亦用此法。」[212]

（3）〈王風・君子于役〉：「舊評云：苟無饑渴，《後漢書》所謂『萬里之
　　　外，以身為本，歸則不敢望矣。』」[213]

210　見《詩義會通》，頁153。

211　見《詩義會通》，頁24。指出「弗告」即陶宏景〈答詔問山中何所有〉「嶺上多白
　　　雲，只可自怡悅」詩意。

212　見《詩義會通》，頁26。指出王維〈九月九日憶山東兄弟〉從對面寫法承襲《詩
　　　經》。

213　見《詩義會通》，頁29。打通《詩經》和史書關係，《後漢書》〈傳常鄭甘陳段傳〉第

（4）〈王風‧兔爰〉：「舊評：首二句意已盡。追溯生初，無限低徊，『安
　　　得山中千日酒，酩然直到太平時。』即尚寐意。」[214]

（5）〈陳風‧月出〉：「舊評：首二句，想見香霧雲鬟，清輝玉臂之態。」[215]

2 詮釋情感

　　《詩義會通》書中常以文學家易感的心，從詩的語言風格，寫作技巧，
咀嚼字裡行間的感情，帶讀者到詩中人物的心境世界。這也是上承明代評點
派鍾惺、戴君恩，清代文學派姚際恆、方玉潤等人詮《詩》著重與《詩經》
作者溝通，掌握詩中情感特色的詮詩方法。試舉下面幾例：

（1）〈邶風‧谷風〉：「此章（撰者案：第三章）臨去低徊。舊評：毋逝二
　　　句，極寫癡情。一轉倏如夢醒。涇以二句，比意曲盡。」[216]

（2）〈邶風‧式微〉：「舊評：英雄之氣，忠藎之謀，有中夜起舞之意。」[217]

（3）〈魏風‧園有桃〉：「舊評：吞吐含蘊，長歌當哭，沉鬱頓挫，與〈黍
　　　離〉異曲同工。」[218]

（4）〈唐風‧葛生〉：「末二章要以同穴，詩義哀惻之至，非復恆情所及。
　　　舊評云：沉痛」[219]

（5）〈豳風‧鴟鴞〉：「舊評：通篇哀痛迫切，俱託鳥言，長沙〈鵩賦〉所
　　　祖。今案周公之文見於《詩》、《書》者，皆極惻怛深到，警湛非常，
　　　即以文論，亦千古之至聖也。」[220]

（6）〈小雅‧杕杜〉：「全篇皆作室家思望之詞，而其文煞有頓挫，雍容閑

　　四十段會宗，原作「萬里之外，以身為本，願詳思愚言。」

214 見《詩義會通》，頁30。打通魏晉志怪小說《千日酒》和王中〈干戈〉詩和《詩經》
　　的關係。

215 見《詩義會通》，頁58。指出杜甫〈月夜〉懷念妻子，承襲〈月出〉「語麗情悲」。

216 見《詩義會通》，頁15。

217 見《詩義會通》，頁15。

218 見《詩義會通》，頁46。

219 見《詩義會通》，頁51。

220 見《詩義會通》，頁64。

雅。舊評：曲體人情，命意特高。」[221]

（7）〈小雅・蓼莪〉：「舊評：起二句開口便悽愴，鮮民二句沉痛。」[222]

（8）〈大雅・召旻〉：「……二詩（撰者案：指召旻、瞻卬）皆憂亂之將至，哀痛迫切之音。賢者遭亂世，蒿目傷心，無可告愬，繁冤抑鬱之情，〈離騷〉〈九章〉所自出也。」[223]

3　玩味詩意

朱熹、姚際恆、方玉潤、崔述都主張讀《詩》重反覆涵泳，玩味詩意；[224] 這是一種從文本出發解讀《詩經》的方法，求詩義於辭之中，而不求諸於其外。吳闓生書中亦發揮桐城文人反覆精誦的治文之法於讀《詩》[225]，試舉以下幾例：

（1）〈邶風・終風〉：「此詩序以為莊姜遭州吁之暴而傷己。朱子定為莊公時作。謂詳味詩義有夫婦之情，無母子之意，其說是也。」[226]

（2）〈小雅・伐木〉：「玩此詩，止見為人之求友，不見為君之求臣。」[227]

221　見《詩義會通》，頁73。

222　見《詩義會通》，頁93。

223　見《詩義會通》，頁138。

224　朱熹在《朱子語類》卷八十說他讀詩全然不理會小序，只是自己涵詠玩味。姚際恒在《詩經通論・自序》說：「涵詠篇章，尋繹文義。」方玉潤在《詩經原始》凡例說：「讀此詩當涵詠全文，得其通章大意，乃可上窺古人意旨所在。」崔述《讀風偶識》書中則比比出現「玩其意」的讀《詩》趣味。

225　方植之《儀衛軒文集六・書惜抱先生墓誌後》：「夫學者欲學古人之文，必先在精誦，沉潛反覆諷玩之深且久，闇通其氣於運思置詞迎拒措注之會，然後其自為之以成其辭也，自然嚴而法，達而臧，不則，心與古不相習，則往往高下短長齟齬而不合。此雖致功淺末之務，非為文之本。然古人所以名當世而垂為後世法，其畢生得力深苦微妙而不能以語人者，實在於此。今為文者多而精誦者少，以輕心掉之，以外鑠速化期之，無惑乎其不逮古人也。又《儀衛軒文集七・答友人論文書》：「世之為文者不乏高才博學，率未能反覆精誦，以求喻夫古人之甘苦曲折，甘苦曲折之未喻，無惑乎其以輕心掉之，而出之恆易也。」以見精誦為桐城學者治文秘訣。

226　見《詩義會通》，頁12。

227　見《詩義會通》，頁70。

（3）〈大雅・雲漢〉：「……《折中》曰：『詳繹詩言，有事天之敬，有事神之誠，有恤民之仁，有恐懼修省之實心，有發粟勸施之實政，蓋消弭補救之道皆具，不止縷述其憂憫而已。』」[228]

4 打通文類

吳闓生書中經常說「《詩經》為三代上之奇文」，推崇《詩經》為文學之祖；並將詩、文、賦不同的文類貫通聯繫，見其創作上的共通之處；除了詩文一理外，亦連及賦。早在班固《兩都賦・序》：就說「賦者，古詩之流也。」可見詩、賦關係密切，而吳闓生更把桐城篇章義法理論，普遍應用於各種文類的文學欣賞。試舉以下幾例：

（1）〈邶風・終風〉：「姚姬傳云：『後二章，即屈原〈漁父〉、〈卜居〉之權輿。』」[229]

（2）〈魏風・十畝之間〉：「舊評：陶公〈歸去來辭〉從此衍出。又云國不可為之意，具在言外。覺後人招隱為詞費矣。」[230]

（3）〈小雅・出車〉：「舊評：高壯激越，發揚蹈厲，處處提唱天子。退之〈祭鱷魚文〉祖此。」[231]

（4）〈小雅・車攻〉：「孟堅〈東都賦〉之所自出。」[232]

（5）〈小雅・鶴鳴〉：「舊評：理極平實，文極鮮姸，南華之祖。」[233]

（6）〈小雅・節南山〉：「何一碧云：此與正月、桑柔等作，忠愛迫切，詞繁不殺，蒼茫百感，惝怳迷離，意無端緒，語無倫次，並是離騷之祖。」[234]

228　見《詩義會通》，頁132。
229　見《詩義會通》，頁12。
230　見《詩義會通》，頁46。
231　見《詩義會通》，頁72。
232　見《詩義會通》，頁78。
233　見《詩義會通》，頁80。
234　見《詩義會通》，頁84。

（7）〈大雅・抑〉：「此詩千古箴銘之祖，韓退之五箴，曾文正公五箴，皆
　　　導源於此。」[235]

（8）〈周頌・振鷺〉：「先大夫曰：馬瑞辰云：《集傳》以〈有駜〉之振鷺
　　　為鷺羽，舞者所持，此詩亦當指羽舞。振鷺于飛，蓋狀振羽之容與飛
　　　無異。案馬說極得詩恉，以似為真，漢賦多學此種。」[236]

　　整體而言，吳闓生在書中極盡精微細膩的展現以桐城義法分析《詩經》
寫作的起結、插接、擒縱、呼應、虛實、鍊字鍊意、字法句法、簡潔含蓄、
精神氣勢，推崇《詩經》為文學之祖，書中處處體現他用義法解詩的心得。

八　《詩義會通》的侷限與缺失

　　前已論及《詩義會通》採《序》說《詩》近兩百首，尊《序》說《詩》
為其經學特點；另外書中時見他游移於《詩序》和企圖獨抒己見的時代標
記，以下論述該書侷限，以及在訓解上不免犯下的一些小缺失，但整體而言
是瑕不掩瑜。

（一）過於尊《序》

　　前文已指出吳闓生對《詩序》能提出正確的觀點，也不一味採取，他雖
說：「要之，凡《序》中無事實可指，推衍而為之辭者，多未足置信也。」[237]
「以此見《序》與舊《傳》之多不可信也。」[238]「草蟲《序》：『大夫妻能
以禮自防也。』朱子云：『此恐亦是夫人之詩，而未見以禮自防之意。』今
案詩固無以禮自防之義，亦未見其為夫人之詩。」[239]但有時仍不免拘泥

235　見《詩義會通》，頁129。
236　見《詩義會通》，頁143。
237　見《詩義會通》，頁46，〈魏風・園有桃〉尾評。
238　見《詩義會通》，頁33，〈鄭風・將仲子〉尾評。
239　見《詩義會通》，頁7。

《序》說，如以下幾篇：

1　〈召南・江有汜〉：「《序》云：『〈江有汜〉，美媵也。文王之時，江沱之
　　間有嫡不以其媵備數，媵遇勞而無怨，嫡亦自悔也。』朱子云：『詩中
　　未見勤勞無怨之意。』今案：可於言外之意見之。」[240]

2　〈召南・騶虞〉：「《序》云：〈騶虞〉〈鵲巢〉之應也。鵲巢之化行，則
　　庶類蕃殖，蒐田以時。仁如騶虞，則王道成也。雖近傅會，於詩指亦大
　　略得之。騶虞毛以為義獸。韓魯則以騶為囿，而虞者掌囿鳥獸之官。其
　　說亦可兩存。」[241]

前例明明同意朱熹的說法，卻又不願違背《詩序》，簡單的歸之於從言
外之意見之。後例吳氏明知毛《序》近於附會，卻堅持與三家並存。其他如
把〈靜女〉「彤管」說成女史彤管之法[242]、〈叔于田〉說成是刺莊公[243]、〈魚
藻〉說成是刺幽王。[244]皆因過於尊《序》，而有所侷限。總之《詩義會通》
書中「言外之意」的標準甚難拿捏，或許正見吳闓生在傳統與現代釋《詩》
的游移態度。

（二）釋義迂迴

《詩義會通》在解釋詩義時常有直截之見，如〈鵲巢〉尾評批評毛
《傳》、朱《傳》之後說：「鄙意止是嫁女之樂歌，並無他義。」[245]〈草
蟲〉：「詩固無以禮自防之義，亦未見其為夫人之詩。」[246]但亦難免講寄
託，不從文本語言出發，有時過於拘泥《序》說，將上下詩篇繫於一人一
事，而流於迂迴，不夠直截的毛病，如以下幾篇說詩義雖然獨特，但卻迂迴

240　見《詩義會通》，頁8。
241　見《詩義會通》，頁10。
242　見《詩義會通》，頁18。
243　見《詩義會通》，頁18。
244　見《詩義會通》，頁104。
245　見《詩義會通》，頁6。
246　見《詩義會通》，頁7。

難通：

1 〈邶風・匏有苦葉〉

「士如歸妻，迨冰未泮」闓生案：以歸妻喻求士，以待天下之清也。[247]

2 〈邶風・谷風〉

吳闓生評曰：「竊疑此人臣不得志於君，而託為棄婦之詞以自傷，未必果婦人之作也。」[248]

3 〈衛風・有狐〉

吳闓生評曰：「鄙意『有狐綏綏』，喻狄之入衛。『之子無裳』，喻戴文初立，資用之不給也。如此，則與〈木瓜〉篇一貫，且其關繫較大。」[249]

（三）美刺不一

吳闓生書中有時亦不免過於講微文深義，以美為刺。例如說〈崧高〉為刺宣王疏遠賢臣，不能引以自輔。[250]說〈烝民〉為見宣王失德，疏遠賢臣。[251]一反《詩序》美宣王舊說，令讀者迷失於其微文深意的美刺標準為何。

（四）增字解經

吳闓生非常重視字詞精確訓解，但偶而亦難免增字解經。例如：

1 〈邶風・旄丘〉「靡所與同」：「不與我同心」。[252]增「心」字為釋，不如毛《傳》：「無救患恤同也。」[253]

---

247 見《詩義會通》，頁9。
248 見《詩義會通》，頁15。
249 見《詩義會通》，頁28。
250 見《詩義會通》，頁133。
251 見《詩義會通》，頁134。
252 見《詩義會通》，頁15-16。此說係採朱《傳》。
253 見《毛詩鄭箋》（臺北市：新興書局，1973年），頁16。

2 〈衛風・氓〉「靡室勞矣」:「靡室勞者,靡室不勞也。靡有朝者,靡朝不勞也。此語急省字之例。」[254] 他的訓解過於泛用語急訓解。龍宇純引《荀子》「積靡使然」訓「靡」為「習」,說成習室勞矣,最為直截有據。[255]

3 〈小雅・都人士〉「綢直如髮」:「胡承珙云:綢,絲也。言綢直如其髮,倒文成義。」[256] 王引之《經傳釋詞》:「如,猶其也。」此處「綢」為「稠」之通借,應訓為綢直其髮（其髮密直）。

4 〈小雅・車攻〉「舍矢如破」:「應矢而死者如破」;並批評王引之訓「如」為「而」非是。「如」、「而」同為日母字,古書通假不乏其例;訓為放矢而破（射傷獸）,最為直截。吳闓生釋「舍矢」為應矢而死者,實增字以釋經文。

（五）錯解詞義

字詞訓解本是《詩經》研究最為困難之處,《詩義會通》亦有極少數待商榷處,如:

1 〈大雅・雲漢〉「黽勉畏去」,吳闓生:「畏去,畏出也。」[257] 採朱熹《詩集傳》「黽勉畏去,出無所之也。」龍宇純以此詩去、故、莫、虞、怒五字為韻,五者古韻並屬魚部陰聲,「去」怯一語之轉,「去」即有怯義。上古「去」一音二語,一者義為來去,書作「去」字;一者義為畏怯,以其音同來去之去,故亦書作「去」字。[258]

2 〈周頌・烈文〉「無封靡于爾邦」:「封,專利以自封殖。靡,侈也。《白

---

254 見《詩義會通》,頁25。

255 詳參龍宇純:《絲竹軒詩說》（臺北市:五四書店,2002年）,頁221-230

256 見《詩義會通》,頁106。

257 見《詩義會通》,頁132。

258 詳參龍宇純:《絲竹軒詩說》,頁86-88。

虎通》引無作毌。」[259]吳氏的訓解不如舊說直截，毛《傳》：「封，大。靡，累也。」鄭《箋》：「無大累於汝國，謂侯治國無罪惡也。」馬瑞辰：「猶云無大損壞於爾邦也。靡、累以疊韻為訓，傳訓為累，與損壞義近，累於國即損壞於國也。」[260]

（六）誤解詩義

吳闓生偶而也犯審美不足，虛實不分，誤解詩義之誤。例如：〈豳風‧東山〉舊評：「首章，方歸。次章，歸途憶家。三章，既歸。四章，歸後歡聚。」[261]不明末二章和一二章一樣都是詩人的心理意念活動，解之以實，未若釋之以虛，征夫從對面設想家園殘破和新婚妻子盼歸情態。若解為既歸，歸後歡聚，除不合於「其新孔嘉，其舊如之何？」詩意表現征夫近鄉情怯，不安焦慮之情外，亦降低「悲彼東山詩，悠悠令我哀。」征戍詩的悲劇情調。

九　結語

桐城派對漢學、宋學的態度，梅曾亮稱姚鼐說過：「吾不敢背宋學，亦未嘗薄漢儒。」[262]劉開、姚瑩、曾國藩主張對漢學、宋學：「欲兼取二者之長」[263]「取漢儒之博而去其支離，取宋賢之通而去其疏略。」[264]「博究精

259　見《詩義會通》，頁140。

260　見〔清〕馬瑞辰：《毛詩傳箋通釋》（北京市：中華書局，2004年），頁1048。

261　見《詩義會通》，頁65。

262　見〔清〕梅曾亮：〈九經說書後〉，《柏梘山房文集》（臺北市：華文書局1969年），卷5，頁225。

263　見《清儒學案》卷177，頁5123。

264　見〔清〕劉開：〈學論〉，《劉孟涂文集》，收入《續修四庫全書》（上海市：上海古籍出版社，2002年），卷2，頁329。

深，兼綜眾妙。」[265]桐城後學姚永樸將治經方法歸納為「守漢儒之訓詁名
物，而無專己守殘；宗宋儒之義理，而力戒武斷。」兩句話[266]。吳汝綸治
經的原則是對漢宋兩派成說「無所不採，而亦無所不掃」[267]，吳闓生對漢
宋亦能客觀批判，異於方苞《朱子詩義補正》治經以宋儒為宗，馬其昶《毛
詩學》篤信小序而主毛《傳》，更能發揮桐城派對漢學、宋學包容的態度。
除此之外注重字詞訓解、異文、會通眾說，這些是《詩義會通》在小學與經
學上的優點。當然我們也觀察到《詩義會通》在狂飆奮進的二〇年代，期望
發掘《詩經》的文學價值，又不願違背《詩序》的游移態度。

　　《詩義會通》最大的特點還是在「以文說詩」。吳汝綸主張說經要「通
訓詁」與「通文章」，從文章學的角度研究經書文本的結構特點與作文方
法。吳闓生《詩義會通》秉持其父觀點，展現桐城派詩文一理的古文理論，
以桐城義法精闢的詮釋《詩經》的文章學、篇章語言學、文藝風格學，對
《詩經》的文筆、風格、義法、體式、意境、結構、修辭等審美層面，作出
欣賞範式，繼承與發揚桐城派欣賞古人詩文義法傳統。[268]

　　在提倡廢《序》、推行白話文、注重新的學術研究方法的變動時代，因
為《詩義會通》仍不能完全擺脫尊《序》，又用桐城古文義法詮《詩》，違逆
時代潮流，勢必因而沉寂冰凍。經過快一個世紀，受到各種學術思潮、研究
方法的衝擊，《詩義會通》的許多優點應該被重新發掘。文末以王船山詩學
說：「義理可以日新，而訓詁必依古說。不然未有不陷於流俗而失實者

265　見〔清〕姚瑩：〈桐城先輩〉，《康輶紀行》，收入《筆記小說大觀》（臺北市：新興書
　　　局，1988年），三十編，卷8，頁3499。

266　見王遽常：《桐城姚仲實教授傳》，收入姚永樸：《文學研究法》（合肥市：黃山書
　　　社，1989年），卷首，頁2。

267　見施培毅：〈黎蒓齋〉，收入《吳汝綸全集》（合肥市：黃山書社，2002年），頁20。

268　方東樹在《昭昧詹言》說：「讀古人詩文當須賞其筆勢、健拔雄快處、文法高古渾邁
　　　處、詞氣抑揚頓挫處、轉換用力處、精神非常處、清真動人處、運掉簡省、筆力斬
　　　絕處、章法深妙，不可測識處。又須賞其興象逼真處，……」見卷1，第65則，頁
　　　23。吳闓生的詮釋和其有異曲同工之處。

也。」[269]來回顧二十世紀變動時代及其後的《詩經》詮釋，確實有不少書籍因為趨新而流俗失實。《詩義會通》仍不失為一部參驗舊文，抒所獨得，以桐城古文義法發掘《詩經》文學價值的佳作。它游移於經學與文學之間，獨樹一格的解詩態度，在去《序》廢經的背景下，尤具鮮明的時代色彩，是傳統《詩經》詮釋過渡到現代詮釋的橋樑。

269　見王船山：《詩經稗疏‧大雅‧黃流在中》，收入《船山全書》（長沙市：嶽麓書社，1998年），冊3，頁170。

讀劉師培
《毛詩詞例舉要》小識

李雄溪
嶺南大學中文系教授

引言

　　《毛詩故訓傳》是研讀《詩經》，探究漢人訓詁方法的重要著作。從清代諸儒到近代學者都有這樣的看法。黃焯（1902-1984）〈詩總論〉一文論之甚詳，其文曰：「西漢經師之學，惟《毛傳》最古，復最完好。其訓詁能委曲順經，不拘章句。陳奐謂其『文簡而義贍，語正而道精。』章太炎於其《明解故》文中歷舉《毛傳》之者三事。先從父季剛先生則謂『毛傳為一切經學根本。』」[1] 陳奐（1786-1863）、章太炎（1869-1936）、黃季剛（1886-1935）於《毛傳》之評價，實在沒有溢美。

　　《毛傳》訓釋詞義，非常簡明，卻具各種不同的訓例。故前賢於《毛傳》訓例，有專著論述，劉師培（1884-1919）的《毛詩詞例舉要》[2] 正是這類作品。洪湛侯《詩經學史》對《毛詩詞例舉要》作了詳細的論述：「劉師培撰。一卷。此書有略本、詳本之分，原來刊入《國故》一卷二期全文二十四者為略本；民國二十四年（1935）校刻《劉申叔遺書》，得《舉要》稿本於劉氏之家，全書凡三十一例，內容與《國故》所刊者不盡同，文字竟增至十倍。原稿斜行

1　丁忱編：《黃焯文集》（武漢市：湖北教育出版社，1989年11月），頁47。
2　《劉申叔先生遺書》（臺北市：臺灣大新書局，1965年8月），冊1，頁447-481。

密字，不易辨識，經其弟子開縣人彭作楨考核寫正，全書約三萬五千餘字（其中因未能認識而未寫入者約千餘字），〈風〉、〈雅〉、〈頌〉名及其他為彭作楨所補者有五百餘字。自此本出，遂稱《國故》所刊之本為略本，而稱彭氏寫正之本為詳本。」[3]本文所討論的《毛詩詞例舉要》，以詳本為根據。

劉師培的學生彭作楨考訂補充《毛詩詞例舉要》，其〈跋〉有所述及：「申叔先生此稿客臘經人謄清，由作楨校對，發見未寫之字頗多，因原稿間有字細密而過於行草者，繕寫生無從認識，遂致拋棄。作楨乃屏絕雜務，自行查補，半月而畢，全書約三萬五千餘言，計原清稿二萬四千三百六十八字，作楨補寫九千六百六十一字」[4]，可見《毛詩詞例舉要》詳本，內容充實，結構完整，彭作楨做了很細緻的補充，用力甚大。綜觀《毛詩詞例舉要》，有以下各項特點：

一　述《毛傳》詞例，甚見全面

對《毛詩故訓傳》的條例分析，並不始於劉氏，清人已有有關之著述，如陳奐之《毛詩說》[5]列「本字借字同訓說」、「一義引申說」、「一字數義說」、「一義通訓說」、「古字說」、「古義說」、「《毛傳》章句讀例」、「轉注說」、「假借說」、「《毛傳》淵源通論」、「《毛傳》、《爾雅》字異義同說」、「《毛傳》《爾雅》訓異義同說」、「《毛傳》不用《爾雅》說」、「《毛傳》用《爾雅》說」、「毛用借字三家用本字亦有三用借字毛用本字者說」、「三家詩不如毛詩義優說」，共十六例；又仿《爾雅》，於《毛詩傳義類》中將毛傳訓釋類分為十九種[6]。然《毛詩說》所列之訓列不足以概括《傳》例，《毛詩傳義類》只羅列詞例，當中並沒有加以解釋。

3　洪湛侯：《詩經學史》（北京市：中華書局，2002年5月），下冊，頁788-789。

4　《劉申叔先生遺書》，冊1，頁489。

5　〔清〕陳奐：《毛詩說》，收入〔清〕王先謙編：《皇清經解續編》（臺北縣：藝文印書館，1965年），冊12，頁9418-9424。

6　同前註，頁9433-9451。

　　陳澧（1810-1882）《東塾讀書記》中亦嘗討論《毛傳》的體例，如舉出「《毛傳》連以一字訓一字者，惟於最後一訓用『也』字」、「《毛傳》一字訓一字，有加『之』字者」、「《毛傳》訓詁與《爾雅》同者」、「《毛傳》精而奧者」、「《毛傳》訓詁之語，有足以警世者」、「毛公說《詩》之大義，既著於續序中矣，其在傳內者亦不少」、「《毛傳》多載禮制」、「《毛傳》有述古事，如《韓詩外傳》之體者」等等[7]，然陳著既為筆記體，論述過簡，訓例亦欠完整。

　　洪湛侯《詩經學史》指出：「歷來探討《毛傳》釋詞之義例者頗不乏人，陳奐《毛詩傳義類》是清代最有影響的一家，若論其全且備，劉氏詳本洵足當之，益信學術研究處於發展進步之中，後出轉精是符合事物發展規律的。」[8]這評語甚為合理，《毛詩詞例舉要》所考《毛傳》釋詞之例共三十一例，計有：「連類關稱例」、「舉類為釋例」、「增字為釋例」、「《傳》備兩解例」、「舉此見彼例」、「因此及彼例」、「似偶實奇例」、「似奇實偶例」、「據本義為釋例」、「前《傳》探下為釋例」、「後《傳》補上為釋例」、「後詞足成前訓例」、「詁詞省舉《經》文例」、「訓詞不涉字義例」、「訓詞不限首見例」、「訓同而義實別例」、「兩句似異實同例」、「兩篇同文異義例」、「兩篇異文同義例」、「後章不與前章同義例」、「訓詞以上增益謂字例」、「訓詞以下增益之字例」、「以正字釋《經》文叚字例」、「釋詞先後不依《經》次例」、「綜釋全句兼寓訓詞例」、「綜釋二字僅舉一字例」、「連舉二字僅釋一字例」、「二字聯詞分釋合釋例」、「二字聯詞同義僅釋一字例」、「二字同章同意僅釋一字例」、「《經文》上下同字《傳》詁見下例」。劉氏於每詞例之下，均舉例加以闡釋。

　　要之，劉氏的《毛詩詞例舉要》是民國期間，討論《毛傳》訓例較完備的作品。當然，在劉氏之後，述《毛傳》訓例者仍不乏其人，較著者有黃侃

7　參〔清〕陳澧：《東塾讀書記》，收入錢鍾書主編：《中國近代學術名叢書》（香港：三聯書店，1998年），頁103-107。

8　《詩經學史》，頁789。

之《詩經序傳箋略例》⁹、黃焯之《詩經序傳箋略例補》¹⁰，黃焯指出：「儀
徵劉君昔撰《詩例舉要》，先季父季剛先生復有《詩經序傳箋略例》之作。
皆條理秩如，覽者可得舉一反三之效。焯以頑質，曩獲侍季父左右，與聞
《詩》之義，其於詩例之闡發，往往為略例中所未言，退而取《三百篇》讀
之，凡劉君與季父書所不具者，復徵得數十事，因共為疏錄，并條記其目，
附諸略例之後。」¹¹此外，張舜徽作（1911-1992）《毛詩故訓傳釋例》¹²，

9　見《制言半月刊》第三十九期（1936年4月）。黃侃《詩經序傳箋略例》所列之傳例包
　　括：「《傳》與《序》相應」、「《傳》申補經義」、「曲達《經》義」、「毛本經或用假借
　　或用本字」、「本字假借字同訓」、「由同訓以知通轉」、「一義引申」、「通訓」、「《傳》
　　用古字」、「《傳》用古義」、「《傳》蒙上作訓」、「《傳》探下作訓」、「經一字《傳》二
　　字」、「《傳》不限於首見」、「經在先《傳》在後」、「《傳》於訓詁經義」、「以今通古
　　義」、「《傳》不直言叚借但正其訓詁而不破字」、「《傳》直言假借」、「《傳》用《爾
　　雅》與今本異字」、「《傳》訓與《爾雅》異而實同」、「《爾雅》二訓《傳》取其一」、
　　「《爾雅》今義不見于《傳》」、「《爾雅》兩訓《傳》俱用」　等各例。

10　見《制言半月刊》第三十九期（1936年4月）。黃焯《詩經序傳箋略例補》所列之傳例
　　包括：「訓詞不一類」、「發解先後無定」、「於文義相同者祇解首見字」、「探下章作
　　解」、「於篇末發義」、「前後說自相申」、「舉中兼明首尾」、「互言見義」、「推廣序意以
　　申經義」、「單釋字義而非解句義」、「申言經義似異實同」、「因成文而非解本經」、「變
　　他《經》之文以順本《經》」、「準他文作解」、「以今言釋故言」、「言興有即申言其義
　　有不言其義者」、「言興舉中以明上下」、「言興以廣《經》義」、「訓詞從簡」、「用連語
　　協句」、「義或與今文同」。

11　同前註，頁14。

12　張舜徽：《毛詩故訓傳釋例》，載張著：《廣校讎略》（北京市：中華書局，1963年）。
　　張舜徽提出以下各例：「《傳》之正例，必先說字而後《經》，故詁不嫌顛倒」、「其先
　　明經恉，後說字誼者，變也例也」、「分說字誼，悉依《經》文次第解，亦有顛倒其
　　字者，因文之便耳」、「單字易明者，以單字釋之，層累而下。其辭已盡，則用也字以
　　別之；辭未盡，不須用也字」、「義不能竟者，則用之字以足成之」、「單字不足以盡形
　　容者，則以疊字釋之」、「反之，亦可以單字釋疊字」、「立訓也或明本字，或語假借，
　　或隨文作解，或依《經》為誼，或探章成釋，或蒙上章定詁」、「凡字數出者，又不限
　　於首見發《傳》」、「經有省文，《傳》則益字以解之」、「《經》未的指，《傳》則明言以
　　實之」、「或連舉《經》文而實釋一字」、「或不明立解，而惟以訓詁代《經》文」、「或
　　非其本義，而惟以比況通經意」、「有逆釋其而語意乃見者」、「有逆釋其句而辭旨始明
　　者」、「有不必依字解說，詁訓即存乎其辭者」、「有於《經》文實義不加注說，而惟釋

張舜徽的學生馮浩菲承其師之研究，著《毛詩訓詁研究》[13]，諸如此類，皆後起之作，有補劉著之未備。雖然如此，劉氏之作，詞例甚見全面，洵為研究《毛傳》訓例重要之作。

二　詳引例子，分類細緻

劉氏之作，不單單提出訓例，而往往有細緻的分類，又於適當處加以說明，具周密詳細的優點。以下舉兩例以證之，先表列劉氏於「舉類為釋例」[14]中所引之詩例及其說明：

其虛詞者」、「《經》文上下句同義，《傳》即以上句之字下句之訓」、「上下章同辭，《傳》必總釋於上章」、「上下章同意，上章已傳，下章即承上章之字作《傳》」、「於所易曉，上章不發《傳》，下章亦承上章《經》文以立訓」、「復有上下章互詞以見意者」、「或上下章所釋之字意近，傳得比況以說之」、「義已具於他篇者，《傳》亦比況以說之」、「釋疊字或以易通難曉，或以今辭明古誼，或以今語明古誼，或以常言證僻語」、「釋形狀字，或就《經》文本句以立訓，或取諸物之形性以立訓」、「其不可以質言者，則用意字形容之」、「詮釋名物，多以今名通古名」、「二名並舉，必詳其別」、「或道物之性，以明《經》義」、「或詳說其制，以廣《傳》訓」、「或旁推於經文之外，以申成其恉」、「於所易曉，則不詳釋」、「此解之例也，亦有似解字而實釋《經》旨者」、「其解說用字者，皆所以明《經》旨也」、「分說句誼，或兼下句為釋」、「或兼上句為釋」、「或探下句為釋」、「《經》文字倒，《傳》順釋之」、「《經》文辭反，《傳》正說之」、「亦有倒《經》文之句以成釋」、「逆其意以作解」、「悟其辭以說者」、「釋章誼義，或於首章統下章而釋之」、「或於末章統上諸章而釋之」、「一章之中，有義具於彼，而可互見於此者」、「有似釋章旨，而實關說全篇者」、「總釋全篇大旨，或於首章發之，或於次章發之，或於末章發之，或分說於諸章，或總詮於一義，或於篇末引舊說以證明之」。

13　馮浩菲：《毛詩訓詁研究》（武漢市：華中師範大學出版社，1988年）。

14　《劉申叔先生遺書》，冊1，頁449-450。

所引詩例	劉氏之說明
〈召南‧草蟲〉篇言采其薇、〈魏風‧彼汾沮洳〉篇言采其莫、〈唐風‧采苓〉篇禾葑采菲、〈小雅‧采菽〉薄言采菽、〈大雅‧綿〉篇菫荼如飴、〈召南‧騶虞〉篇彼茁者蓬、〈王風‧揚之水〉篇不流束蒲、〈陳風‧防有鵲巢〉篇邛有旨苕、〈曹風‧下泉〉篇浸彼苞蓍、〈小雅‧鹿鳴〉篇食野之芩、〈南山有臺〉篇北山有萊、〈大雅‧文王有聲〉篇豐水有芑、〈陳風‧東門之枌〉篇貽我握椒、〈邶風‧簡兮〉篇山有榛、〈王風‧揚之水〉篇不流束楚、〈鄭風‧將仲子〉篇無折我樹木已、〈山有扶蘇〉篇山有喬松、〈秦風‧晨風〉篇山有枸檖、〈魏風‧伐檀〉篇有縣鶉兮	《傳》于經文鳥獸草木之名，必據《爾雅》為釋，此正例也，亦有僅舉大名為釋者。
〈鄘風‧定之方中〉篇猗桐梓漆、〈豳風‧七月〉篇六月食鬱及薁、〈小雅‧角弓〉篇無教猱升、〈大雅‧靈臺〉篇鼓逢逢、〈大雅‧鳧鷖〉鳧鷖在涇、〈魏風‧碩鼠〉無食我苗、〈曹風‧下泉〉篇浸彼苞蕭、〈周頌‧思文〉篇貽我來牟	其有舉類為釋者。 均舉大名況小名也。
〈豳風‧七月〉篇五月鳴蜩、〈小雅‧小弁〉篇鳴蜩嘒嘒、〈大雅‧蕩〉篇如蜩如螗	訓釋不同，蓋蜩蟬及螗對文則別，散文則通，《傳》故類舉互況也。
〈衛風‧碩人〉篇葭菼揭揭、〈豳風‧七月〉篇八月萑葦	《傳》云：「蘆為萑，葭為葦。」是葭及蘆葦為一物，菼蘆及萑別為一物，乃〈王風‧大車〉篇：「毳衣如菼。」《傳》云：「菼，騅也。蘆之初

	生者也。」《疏》謂《傳》以蘆荻為一，不知蘆之與荻，渾言則通，析言則別，《傳》文以蘆況荻，欲明荻亦蘆屬，非謂荻蘆實一物也。
〈唐風・采苓〉篇采葑、〈邶風・谷風〉篇采葑采菲、〈陳風・防有鵲巢〉篇旨苕、〈小雅・苕之華〉	《傳》文之例，有先後異釋，互見詳略者。
〈大雅・江漢〉篇秬鬯一卣	《傳》于器物之名，亦有舉大名為釋者。
〈周南・卷耳〉篇不盈頃筐、〈檜風・匪風〉篇溉之釜鬵、〈小雅・鹿鳴〉篇承筐是將、〈小雅・伐木〉篇乾餱以愆、〈魯頌・閟宮〉毛炰胾羹、〈烈祖〉篇既載清酤、〈周頌・維清〉篇肇禋	其有舉類為釋者……亦舉大名為釋。
〈鄭風・遵大路〉篇摻執子之袪兮、〈唐風・羔裘〉篇羔裘豹袪	二《傳》不同，蓋後《傳》乃詳釋之詞，前《傳》僅舉大名為釋。
〈小雅・無羊〉篇麾之以肱	此例既明，則知《傳》文前後不同者，屬于詳略見，非義有牴牾也
〈秦風・蒹葭〉篇宛在水中沚、〈召南・采蘩〉篇于沼于沚、〈大雅・鳧鷖〉篇鳧鷖在渚	明此例則知〈鄭風・叔于田〉篇：「叔在藪。」《傳》云：「藪，澤。」乃舉澤況藪，明其同類，非謂藪澤對文不異也。

「舉類為釋例」當中，劉氏的說明實際上是對《毛傳》訓釋的進一步解釋。《毛傳》在分析類別詞、同義詞、器物、植物、動物等，往往用「舉類為釋」的方法，劉氏都細加劃分，一一指出來。

　　劉氏言《毛傳》有「連舉二字僅釋一字例」[15]，這是從大處著眼，再細加分析，此例當中又有許多不同的情況。劉氏都能條擘肌分理，將各種情況

---

15 《劉申叔先生遺書》，冊1，頁477-478。

加以說明。茲表列如下，以見其大概。

所引詩例	劉氏之說明
〈鄭風‧清人〉篇二矛重英、〈秦風‧小戎〉篇俴駟孔羣、〈曹風‧蜉蝣〉篇蜉蝣掘閱、〈豳風‧九罭〉篇袞衣繡裳、〈小雅‧采菽〉篇玄袞及黼、〈小雅‧六月〉篇白旆央央、〈縣蠻〉篇止于丘阿、〈大雅‧桑柔〉篇征以中垢、〈秦風‧小戎〉篇文茵暢轂、〈終南〉篇錦衣狐裘	均傳文僅釋下字，其兼上字者連而及之，非綜而釋之也。
〈大雅‧桑柔〉篇大民代食	其舉經文全句者，欲見力即有功也，蓋與前例稍異。
〈鄭風‧山有扶蘇〉篇隰有荷華	《傳》以「扶渠」釋「荷」字，「華」則連《經》文而言之，又恐人誤以「扶渠」當「華」，故申釋之曰「其華菡萏」，其說深得《傳》意。蓋此條之例與連舉二字僅釋一字同，惟增申釋之詞，與前例別。
〈鄭風‧膏裘〉篇膏裘如濡、〈曹風‧蜉蝣〉篇麻衣如雪	以上二例亦僅訓釋下字，《傳》必兼舉二字者，所以足《經》文。
〈小雅‧采菽〉篇邪幅在下	是《傳》文本作「邪幅，偪也。」蓋亦釋「幅」不釋「邪」，後人昧於《傳》例，因於「幅」上妄刪「邪」字矣。
〈邶風‧燕燕〉篇燕燕于飛、〈小雅‧南嘉有魚〉篇烝然罩罩、烝然汕汕	以單語為名，《傳》舉二字，僅釋一字之例也。蓋《經》以長言成意，《傳》文因之，非以二字並為物名也。
〈豳風‧七月〉篇一之日觱發	《傳》文兩釋「一之日」，實則上《傳》僅釋「一」字不釋「之日」，明此「一」字為「十之餘」也。

〈小雅・采薇〉篇象弭魚服	案《傳》舉「象弭」釋「弭」不釋「象」;《傳》舉「魚服」釋「魚」不釋「服」。
〈召南・采蘩〉篇公侯之事、〈小雅・十月之交〉篇、〈大雅・韓奕〉篇韓侯顧之	案《傳》釋《經》,字于本字上下各之字例不連舉。
〈崧高〉篇文武是憲、〈魯頌・閟宮〉篇上帝是依	《傳》文之例,又有舉「經」文全句而僅釋一二字者。

引錄以上眾多的例子,不外要指出,劉氏在《毛詩詞例舉要》中的說明,條清目楚,分類甚為細緻,能收舉一反三之效,同時也見作者之識力所在。

此外,從以上兩例亦可見,劉氏每提出一訓例,皆大量例子為證,這種做法,比同類作品優勝。好像張舜徽的《毛詩詁訓傳釋例》,亦列傳例,但在每例之下,所列的例子並不多,有時甚至只列一個例子,如「探下章成釋」,僅以〈周南・葛覃傳〉為例:「《傳》:『葛所以為絺綌,女功之事煩辱者。』案此《傳》探下章『是刈是濩,為絺為綌』而言。」[16]劉師培立此例為「前傳探下為釋例」,徵引例子數十,而這是劉氏一貫的做法。黃侃和黃焯之作,每例亦僅舉一個證據。事實上,引例過少,有時並不能很好地說明問題。劉氏在說明訓例,大多廣引例子,使每訓例皆有例可據,令人信服。

三　細釋詞義,言之成理

顧名思義,《毛詩詞訓舉要》目的在說明《毛詩故訓傳》的訓例,然而其優勝之處,又不限於此。劉氏在指出訓例之餘,往往旁及他對各詞義的看法。下舉數例以為證。

《毛詩詞例舉要》「訓同而義實別例」載:

〈陳風・東門之枌〉篇:「穀旦于逝。」《傳》云:「逝,往也。」往

16　《廣校讎略》,頁177。

謂往行。〈小雅・杕杜〉篇：「期逝不至。」《傳》云：「逝，往也。」
逝謂往者。〈祈父〉篇：「祈父亶不聰」，《傳》云：「亶，誠也。」誠
謂誠然。〈大雅・板〉篇：「不實于亶。」《傳》云：「亶，誠也。」誠
謂誠實。此二文者傳訓雖同而字異，虛實不同，此亦訓同義別之例
也。[17]

　　案：劉氏這種分析十分細緻，《毛傳》於〈陳風・東門之枌〉和〈小
雅・杕杜〉皆訓「逝」為「往」，然二訓之意思實有所不同，「穀旦于逝，越
以鬷邁」句，「穀」訓「吉」，「穀旦」即「吉日」，整句的大意是在吉日往歡
聚。「期逝不至」句是指思婦言丈夫歸期已過，沒有回來。故二句之「逝」
同訓「往也」，然前者指「往行」，後者指「逝去」。又「祈父亶不聰」是指
祈父確實沒有聽到下情，「亶」作「確實」、「誠然」解；「不實于亶」承上文
「出話不然」，「實」指「實行」，「亶」指「誠信」。用現代的語法觀念來
看，前者屬虛詞，後者屬實詞，這大概是劉氏所謂的虛實不同。[18]

　　《毛詩詞例舉要》「訓同而義實別例」載：

〈大雅・抑〉篇：「克共明刑。」《傳》云：「刑，法也。」法為法度
之法。〈周頌・我將〉篇：「儀式刑文王之典。」《傳》云：「刑，法
也。」法為傚法之法。〈召南・行露〉篇：「厭浥行露。」《傳》云：
「行，道也。」道為道路之路。〈鄘風・載馳〉篇：「亦各有行。」
《傳》云：「行，道也。」道為道理之道。[19]

　　案：《說文》卷十上廌部：「灋，刑也。平之如水，从水；廌，所以觸不
直者，去之，从去。法，今文省。」[20]「法」之本義為「刑法」，引申作

---

17 《劉申叔先生遺書》，冊1，頁464。

18 此說早見於〔清〕陳奐《詩毛氏傳疏》：「《爾雅・釋詁》文：《版》不實于亶。《傳》
云：亶，誠也。二傳訓同而意別。《版》之亶訓誠，誠作實義解，此亶訓誠，誠作虛
義解。」見陳奐：《詩毛氏傳疏》（北京市：中國書店，1984年），冊中，卷18，頁9b。

19 《劉申叔先生遺書》，冊1，頁463。

20 〔漢〕許慎：《說文解字》（北京市：中華書局，1985年），頁202下。

「法令」、「準則」、「方法」、「效法」諸義[21]。又根據羅振玉（1866-1940）
對甲骨文的分析，「行」是「象四達之衢」[22]，故「道路」為本義，由「道
路」引申為「行走」、「運行」、「道理」諸義[23]。《毛傳》雖於兩《詩》同
訓，然有時用本義說《詩》，有時用引申義說《詩》。劉氏明本義、引申義之
別，深得《傳》意。事實上，古漢語以單音節為主，一詞多義的情況比比皆
是，故訓同而義別，實不足為奇，劉氏不但提出訓例，說明現象，並作了補
充說明，解釋現象。

《毛詩詞例舉要》「舉類為釋例」載：

> 〈豳風・七月〉篇：「五月鳴蜩。」《傳》云：「蜩，螗也。」〈小雅・
> 小弁〉篇：「鳴蜩嘒嘒。」《傳》云：「蜩，蟬也。」〈大雅・蕩〉篇：
> 「如蜩如螗。」《傳》：云：「蜩，蟬也。」訓釋不同，蓋蜩蟬及螗對
> 文則別，散文則通，《傳》故類舉互況也。又〈衛風・碩人〉篇：「葭
> 菼揭揭。」《傳》云：「葭，蘆。菼，薍也。」〈豳風・七月〉篇：「八
> 月萑葦。」《傳》云：「薍為萑，葭為葦。」是葭及蘆葦為一物，菼薍
> 及萑別為一物。乃〈王風・大車〉篇：「毳衣如菼。」《傳》云：
> 「菼，鵻也。蘆之初生者也。」《疏》謂《傳》以蘆菼為一，不知蘆
> 之與菼，渾言則通，析言則別。《傳》文以蘆況菼，欲明菼亦蘆屬，
> 非謂菼蘆實一物也。[24]

案：如果我們用「同訓」的理論，則以為《毛傳》以蜩、螗、蟬為同一
物，亦容易混淆、薍、萑、葭、葦、菼、蘆等數物。劉氏則作了很清晰的補
充。《詩經》中出現的動物、植物甚多，然前人已有傳著論及。陸璣（？-
？）《毛詩草木鳥獸蟲魚疏》：「鳴蜩，蟬也。宋衛謂之蜩，陳鄭云蜋，海岱

21　參王朝忠編：《漢字形義演釋字典》（成都市：四川辭書出版社，2006年），699-701。

22　羅振玉：《增訂殷墟書契考釋》（臺北縣：藝文印書館，1969年），卷中，頁7b。

23　《漢字形義演釋字典》，頁357-362。

24　《劉申叔先生遺書》，冊1，頁449。

之間謂之蟬。蟬，通語也。蜩，蟬之大而黑者。」²⁵又毛晉（1599-1659）
《毛詩草木鳥獸蟲魚疏廣要》曰：「按蒹、葭二物相類而異種者也。蒹小而
中實，凡曰萑、曰蕛、曰菼、曰雛、曰薍、曰蒹、曰荻、曰烏蓲，一物九
名，皆蒹也。葭大而中空，凡曰葦、曰蘆、曰華、曰葮、曰馬尾，一物六
名，皆葭也。蓋因其萌也同時，其秀也同時，其堅成也亦同時，又同產河洲
江渚間，故詩人往往並詠，如『葭菼揭揭』、『八月萑葦』，及此篇三詠蒹葭
是也」²⁶，近人用科學的觀點分析《詩經》中的動物、植物，如高明乾，佟
玉華《詩經動物釋詁》：「蜩，即蟬。蟬有多種，其中體大者，古稱馬蜩，今
俗稱『馬知了』，即蚱蟬。蜻是蟬的近似種，依毛《傳》說，蜻與蜩是同物
異名。」²⁷即指出蜩和蜻都是蟬科類的昆蟲，而蟬是通語，是指大類，蜩和
蜻是蟬類之下的細分。又《詩經植物圖鑑》說：「根據《說文解字》和《本
草綱目》二書的分析，開花前的蒹稱作菼；菼又名薍，開花結實後稱作荻。
因此，菼、蒹、薍、荻同一物也。至於初生之葦稱為葭，長大未開花稱為
蘆，開花結實後謂之葦，因此，葭、蘆、葦及蘆草也是同一物。」²⁸，由是
觀之，劉氏的分析十分準確。「渾言則通，析言則別」、「對文則別，散文則
通」是訓詁學上用以分析類別詞和同義詞的術語，清人段玉裁（1735-
1815）就經常運用。劉氏使用這些術語，有效地補充《毛傳》，使詞義說明
更見細密。

四　正《鄭箋》之誤

　　劉氏是宗毛詩的學者，《毛詩故訓傳釋例》不僅明《毛傳》之例，亦偶
指出《鄭箋》之誤。

---

25 〔唐〕陸璣：《毛詩草木鳥獸蟲魚疏》（上海市：商務印書館，1936年12月），卷下，頁
　　60。
26 〔明〕毛晉：《毛詩草木鳥獸蟲魚疏廣要》（上海市：商務印書館，1936年），卷上之
　　上，頁15。
27 高明乾、佟玉華：《詩經動物釋詁》（北京市：中華書局，2005年），頁170。
28 潘富俊著，呂勝由攝影《詩經植物圖鑑》（臺北市：貓頭鷹出版社，2001年），頁103。

《毛詩詞訓舉要》「兩篇同文異義例」載：

〈周南‧卷耳〉篇：「嗟我懷人，寘彼周行。」《傳》云：「懷，思；寘，置；行，列也。思君子官賢人，置周之列位。」《傳》知周行為行列者，據《左氏傳》各居其列為說也。又〈小雅‧鹿鳴〉篇：「人之好我，示我周行。」《傳》云：「周，至；行，道也。」二訓不同，明行非行列之行，周非商周之周也。《箋》不達《傳》例，誤以〈卷耳〉《傳》義釋〈鹿鳴〉，易「示」為「寘」，說雖巧合，慮非古周秦古誼矣。[29]

案：《鄭箋》於〈鹿鳴〉的原文是：「示當作寘。寘，置也。周行，周之列位也。好猶善也。人有以德善我者，我則置之於周之列位。」[30]此處以《卷耳篇》之《傳》文釋《鹿鳴篇》，確有混淆二篇「周行」的訓釋，又復改原詩之「示」為「寘」。關於「周行」之解釋，《毛傳》的講法並不一定準確[31]，而肯定的是，《毛傳》訓〈卷耳〉和〈鹿鳴〉兩篇的「周行」，明顯的有所不同，《鄭箋》混為一談，的確有誤讀《毛傳》，擅改經文之弊。

《毛詩詞訓舉要》「兩篇同文異義例」載：

〈周南‧關雎〉篇：「輾轉反側。」《傳》無釋，蓋以『反側』與『輾轉』義同。〈小雅‧何人斯〉篇：「作此好歌，以極反側。」《傳》云：「反側，不正直也。」《箋》以「輾轉」為釋，未達傳旨。[32]

---

29 《劉申叔先生遺書》，冊1，頁465。
30 十三經注疏整理委員會：《十三經注疏》（北京市：北京大學出版社，2000年），冊5，頁650。
31 如〔宋〕朱熹《詩集傳》曰：「周行，大道也。」，見《詩集傳》（香港：中華書局，1983年），頁99；又屈萬里：〈詩三百篇成語零釋〉對「周行」有詳細的述說：「按之詩義，所言周道五事，既不能不以道路之義解之；而卷耳及大東之周行，亦惟有以此解之，於義乃安。惟鹿鳴之示我周行，乃借周行以喻大道。」見林慶彰：《詩經研究論集》（臺北市：臺灣學生書局，1987年），第二集，頁332-333。
32 《劉申叔先生遺書》，冊1，頁465。

案：鄭《箋》於〈何人斯〉篇曰：「反側，輾轉也。」[33]鄭玄（127-
200）的箋釋，明顯地受〈關雎〉篇《毛傳》的影響，以為〈關雎〉的訓釋
同樣可以用於〈何人斯〉，查《毛傳》於此兩篇訓同而實別，朱熹（1130-
1200）《詩集傳》早已對「反側」一詞作了兩種不同的解說，《集傳》於〈關
雎〉篇下曰：「輾者，轉半；轉者，輾之周；反者，輾之過；側者，轉之
留，皆臥不安席之意。」[34]又於〈何人斯〉下曰：「反側，反覆不正直
也。」[35]其通解此章時，又謂「言汝為鬼為蜮，則不可得而見矣。女乃人
也，覿然有面目與人相視，無窮極之時，豈其情終不可測哉。是以作此好
歌，以究極爾反側之心也。」[36]考〈何人斯〉的內容，是詩人與「何人」絕
交之詩。事實上，按《說文》卷八上人部：「側，旁也。从人，則聲。」[37]
「側」就是不在正中的意思，《段注》謂「不正曰仄，不中曰側。二義有
別，而經傳多通用。」[38]《說文》卷三下又部：「反，覆也。」[39]「覆」既可
指事物的翻覆，亦可指人心的反覆，以「不正直」訓釋「反側」，正符合對
「何人」的批評。陳奐《詩毛氏傳疏》：「《書‧洪範》云：『無反無側，王道
正直。』無反側謂之正直，反側謂之不正直，此《傳》義之所本也。」[40]也
正是劉氏意見之所本。《鄭箋》釋〈何人斯〉，有明顯之誤。

《毛詩詞訓舉要》「後章不與前章同義例」載：

〈衛風‧考槃〉篇首章「考槃在澗，碩人之寬。」次章「考槃在阿，
碩人之薖。」《傳》云「寬大貌」，是「薖」義同「寬」。其三章「考
槃在陸，碩人之軸。」《傳》云：「軸，進也。」《孔疏》謂《傳》訓

33　《十三經注疏》，冊5，頁895。

34　朱熹《詩集傳》，頁2。

35　同前註，頁144。

36　同註35。

37　《說文解字》，頁164上。

38　〔清〕段玉裁：《說文解字注》（上海市：上海古籍出版社，1995年），頁373上。

39　《說文解字》，頁64上。

40　〔清〕陳奐：《詩毛氏傳疏》，冊中，卷19，頁46b。

「軸」為「迪」，則是大德之人，進于道義，蓋得《傳》旨，是三章
之義，與前章別，《箋》以「軸」為「病」，「藘」為「飢意」，「寬」
為「寬然有虛乏之色」，強合三章為一義，非毛旨。[41]

　　案：《鄭箋》如此釋《詩》，首先是因為受了對文觀念的影響，以為本詩
三章的『寬，藘，軸』應該意義相近。我在另一篇文章中就談過對文的問題：
「《詩經》中重章沓句甚多，利用對文來分析同章或前後章的詞組結構，從
而考釋詞義，往往事半功倍；不過，我們絕對不能死板地把它視為金科玉律。
古人行文，有兩兩相對，以求其整齊；然亦有前後錯綜，以求其變化」[42]，
因此，對文的觀念只可作為論證的參考，不能成為訓詁的重要依據。有時過
於拘於對文，以《詩》上下各章意義一致，反會強為之解。其次，鄭玄從
《詩序》之說，認為此詩的內容是「使賢者退而窮處」[43]，故以反面的意義
去訓釋『寬，藘，軸』，其實《詩序》的講法並不一定可信，瑞典著名漢學
家高本漢（Klas Bernhard Johannes Karlgren, 1889-1979）指出：「《毛傳》「把
『寬，藘，軸』三個字都解作讚美的形容詞：『哦，偉人的寬廣』，『哦，偉
人的恢宏』，『哦，偉人的卓越（進）』……《鄭箋》恰恰相反，依據衛宏的
《詩序》，以為這篇詩是說一個賢者退而窮處，於是『寬，藘，軸』三個字
都說是指貧困：『哦，偉大的人空乏』，『哦，偉大的人的飢餓』，『哦，偉大
的人疾病』。但是本詩的本身並無任何跡象足以證實這種『謫居』的說法；
並且鄭氏的訓詁也絲毫得不到文籍上的支持。《毛傳》的解說證據比較多，
所以可用。」[44]高氏從文意和同時期書證兩方面去說明《鄭箋》之不可信，
其說法甚為有理，同時可以證明，劉氏對《鄭箋》的批評很有道理。

---

41 《劉申叔先生遺書》，冊1，頁466下。
42 參拙文：〈《鄭風》〈山有扶蘇〉乃見狂且馬訓獻疑〉，《中國語文研究》2006年第2期，
　　頁93-95。
43 《十三經注疏》，冊4，頁259。
44 董同龢譯：《高本漢詩經注釋》（臺北市：國立編譯館中華叢書編審委員會，1979年），
　　上冊，頁162-163。

五　小結

　　檀作文討論二十世紀《詩經》的研究歷史，把劉師培和章太炎放在一起，加以論述，指出「古文經學派的劉師培和章太炎則推重毛詩，他們的研究基本上是對乾嘉漢學的繼承，主要成就也在文字訓詁和文獻考據方面。劉師培著有《毛詩札記》和《毛詩詞例舉要》，前者以訓釋詩義為主，後者則是對毛詩傳釋義例的詳細考索。」[45]，這都是中肯的說法。事實上，劉氏是對《詩經》的研究，不在義理的探討，而重視詞義訓詁。《毛傳》的訓詞甚為簡要，但訓例頗為紛繁，如不明訓例，自會誤讀《毛傳》，繼而錯釋經文，劉氏《毛詩詞例舉要》細列訓例，分析詞義，既有功於《毛傳》，亦能津逮後學，在《詩經》的研究史上，應佔一席位。

45　檀作文：〈二十世紀《詩經》研究史略〉，《天中學刊》第15卷第1期　（2000年2月），頁52。

民初《詩經》白話譯註的
形成與發展
——以疑古思潮的影響為論

朱孟庭

國立臺北大學中國文學系教授

一　前言

　　中國最早的《詩經》白話註本，即清光緒三十四年（1908），江陰縣禮延高
等小學堂出版的錢榮國《詩經白話註》[1]；民國以後，就目前確實能夠見到最早
的《詩經》白話註解本，是為上海茂記書局在一九一八年初版，但沒有標明作
者的八卷本《詩經白話註解》一書，二者對於《詩經》的解釋尚且富含政教的
觀點，如《詩經白話註解》將〈周南‧關雎〉第一章解為：「淑女指后妃，君子
指文王。這章下二句是正意，大致說周文王本是聖人，又得了有聖德的姒氏作
配，真是佳偶。」[2]其仍承繼傳統經學的闡釋觀，只是在文字的表達上，使用了
白話文。一九二二年郭沫若開始著手翻譯《詩經》，名為《卷耳集》，這不僅是
中國第一本的《詩經》白話譯註本，[3]也是第一本全然以文學角度解讀《詩經》

1　據吳德鐸：〈最早的《詩經》白話註本〉所稱，錢榮國《詩經白話註》為中國最早的
　　《詩經》白話註本。此文見朱東潤主編：《中華文史論叢》（上海市：上海古籍出版社，
　　1978年），第8輯，頁112。

2　原書無標點，標點是筆者所加，《詩經白話註解》（上海市：茂記書局，1918年），卷
　　1，頁1。

3　顧頡剛為陳漱琴《詩經情詩今譯》作〈序〉時，即表明《詩經》白話翻譯「最早的是

的著作。郭氏於〈古書今譯的問題〉一文中指出:「古文今譯一事也不可忽略,
且於不遠的將來是必然盛行的一種方法。」並指出「整理國故的最大目標,是
在使難解的古書普及,使多數的人得以接近。」[4]可知,《詩經》白話譯註的形
成與發展,與當時學術界發生的許多重大運動,如一九一九年「五四新文化運
動」、「國故整理運動」,及由此而生成的一九二〇年的「古史辨運動」等,均有
著密切的關係。

　　一九一九年「五四新文化運動」中的「整理國故」,其目的乃是要還給
古人一個本來面目,誠如胡適所云:

> 整治國故,必須以漢還漢,以魏、晉還魏、晉,以唐還唐,以宋還
> 宋,以明還明,以清還清,以古文還古文家,以今文還今文家;以
> 程、朱還程、朱,以陸、王還陸、王,……各還他一個本來面目,然
> 後評判各代各家各人的義理的是非。不還他們的本來面目,則多誣古
> 人。不評判他們的是非,則多誤今人。但不先弄明白了他們的本來面
> 目,我們決不配評判他們的是非。[5]

是以「整理國故運動」之初(1919),雖有劉師培等人發起《國故》月刊
社,以「昌明中國固有學術」為宗旨,批判新文化運動者所造成的社會變
動;然隨後又有「胡適」這樣一位新文化運動的重量級人物的加入,認為之
所以要提倡「整理國故」,是因為「古代學術思想缺乏系統、整理;前人研
究古書缺乏歷史進化觀,不講究學術脈絡發展;前人讀古書,多誤信訛傳的
謬說;當時學者高談保存國粹,卻不解國粹的內涵等因素。」[6]總之,是以
科學的方法,系統地整理古書,掃除古人研究的弊端,以恢復古書的真相,

　　郭沫若先生的《卷耳集》」,收入林慶彰主編:《民國時期經學叢書》(臺中市:文听閣
　　圖書公司,2008年),第1輯,冊35,頁7。(此叢書第1、2輯出版於2008年,第3、4輯
　　出版於2009年,以下出於此叢書者,不再詳列出版項目。)

4　見郭沫若:《文藝論集》(上海:光華書局,1926年),頁97。

5　〈《國學季刊》發刊宣言〉,收入《胡適文存》二集,見歐陽哲生編:《胡適文集》(北
　　京市:北京大學出版社,1998年),第3集,頁10-11。

6　詳見林慶彰:〈民國初年反《詩序》運動〉,《貴州文史叢刊》1997年第5期,頁3。

昌明古書的真內涵。因而使得新文化運動與整理國故運動，產生了某種因果的關連，二者之間，不再是相互對立的，而是相輔相成的，正如盧毅在〈「整理國故」與五四新文化運動〉文中所云：

> 「整理國故運動」作為五四新文化運動孕育的產物，不僅沒有與之相背離，而且還是它在學術文化領域的延續和深化，進一步有力地推動了中國現代學術轉型。具體說來，在研究態度與目的上，胡適等人主張用「評判的態度」去「整理國故」，「還他一個本來面目」，這一思想明顯繼承了五四新文化的理性批判精神；而在研究對象與方法上，他們也倡導以一種「平等的眼光」擴大「整理國故」的範圍，並號召「以科學的方法整理國故」，這一見解更充分弘揚了五四新文化的民主科學精神。與此同時，「整理國故運動」對中國傳統文化的現實意義也作出了積極肯定的評價，由是超越了簡單一元的文化替代論，極大地深化了五四新文化運動對中西文化問題的認識。[7]

整理國故的方向，必然會抱著懷疑的態度，指向古來所謂「有爭議」、「被蒙蔽」的經典，以批判的態度、科學的精神，「還古人一個本來面目」，由此亦推進了疑古辨偽的思潮。

「疑古辨偽」，顧名思義就是對於古代史料採取敢於批判，敢於懷疑的態度，並進而發揮其疑辨精神與實事求是的考史態度。中國對於古書、古史的懷疑有著悠久的歷史，疑古思想的萌芽可以追溯到春秋時期；直到唐代又拉起了辨偽的序幕；到了宋代，學術界的疑古辨偽已蔚然成風，又由於宋代的學術與漢代有著鮮明的對立，更易引發對漢以來的史書、史事的懷疑，因而使得疑古學風達到了一種新的高度。明清時代則逐漸走向疑古辨偽的成熟期，尤其是到了清代，傳統史學的內在產生了一些矛盾和惰性，於是也就激發了一些新的活力在內部醞釀形成；此時，不斷地有人懷疑、揭露、批判上古文獻的虛偽，正是這種懷疑的精神開啟了近代疑古思潮的先河。

7　盧毅：〈「整理國故」與五四新文化運動〉，《北京師範大學學報》2005年第2期，頁1。

　　而從外部的時代特色言，由戊戌維新、辛亥革命，而至「五四」新文化
運動所掀起的波瀾壯闊的思想啟蒙和思想解放潮流，以及當時面對西方進步
的科學技術與學術成就所造成的心理焦慮等因素，亦刺激了疑古思潮的形
成。就在這內、外因素的合體交融之下，產生了一批以疑古辨偽為特徵的史
學學者──古史辨學者，他們是近代疑古思潮的代表人物，疑古辨偽的精神
多來自於傳統。如首要的靈魂人物顧頡剛即是，其受鄭樵、姚際恆、崔述的
影響最為深遠，他在晚年回顧自己研究工作時說：「我的學術工作，開始就
是從鄭樵和姚、崔兩人來的。崔東壁的書啟發我『傳、記』的不可信，姚際
恆的書則啟發我不但『傳、記』不可信，連『經』也不可盡信。鄭樵的書啟
發我做學問要融會貫通，並引起我對《詩經》的懷疑。所以我的膽子越來越
大了，敢於打倒『經』和『傳、記』中的一切偶像。」他並歸結說：「《古史
辨》的指導思想，從遠的來說就是起源於鄭、姚、崔三人的思想。」[8]

　　自一九二〇年起，錢玄同、胡適、顧頡剛及持不同意見的學者展開了古
史的討論，他們主張用歷史演進的觀念和大膽疑古的精神，吸收西方近代社
會學、考古學等方法，研究中國古代的歷史和典籍。討論的內容結集為《古
史辨》，於一九二六年至一九四一年陸續出版了七冊，這使得二十世紀二十
年代至四十年代，成為中國現代學術界疑古思潮的盛行時代。在疑古學者的
眼中，他們研究經學的目的，主要是做為研究古史的入手，[9]各還原其本來
面目，始可見古史的真相。《詩經》不僅蘊含獨特的古史觀念，[10]且又是歷

8　見顧頡剛：〈我是怎樣編寫《古史辨》的？〉，《古史辨》（上海市：上海古籍出版社，
　　1982年），冊1，頁12。這便可以看得出來「古史辨」學者疑古的基本精神。〈我是怎
　　樣編寫《古史辨》的？〉一文，僅收於上海古籍出版的《古史辨》，其他《古史辨》
　　版本未見收入。

9　顧頡剛《純熙堂筆記》：「研究中國古史必由經學入手」，見顧洪編：《顧頡剛讀書筆
　　記》（臺北市：聯經出版公司，1990年），卷6，頁2301。

10　胡適〈自述古史觀書〉：「大概我的古史觀是：現在先把古史縮短二、三千年，從《詩
　　三百篇》做起。將來等到金石學，考古學發達上了科學軌道以後，然後用地底下掘出
　　的史料，慢慢地拉長東周以前的古史。」《古史辨》冊1（臺北市：藍燈文化公司，
　　1993年），頁22。以下所引《古史辨》原文，皆見於此版。

來被歪曲最嚴重的經典，因而致力於《詩經》的辨偽以還原其「真相」，這使得《詩經》研究不僅成為疑古辨偽實踐的重要組成部分，也成為它的延伸和深化，而《詩經》的白話譯註即是其中的重要成果之一。魏建功在〈邶風・靜女的討論〉中即云：

> 要解決古書中問題，我想最好用兩條辦法自然可以表示得清清楚楚：第一，各人依自己的見解加以標點，第二，各人依自己的見解譯成今言。……凡古書中之所以有難解的地方，不外今言古語的差異，這標點和對譯便是惟一無二的上法。[11]

顯示《詩經》的白話譯註在疑古思潮、國故整理運動中的重要地位。至於《詩經》的白話譯註，如何從疑古思潮中獲得養分從而滋長茁壯，值得深入的研究。

　　關於疑古辨偽思潮的《詩經》研究，歷來已有多位學者著力於此而有了可觀的研究成果，如趙沛霖《現代學術文化思潮與詩經研究——二十世紀詩經研究史》、夏傳才《二十世紀詩經學》、章原《古史辨詩經學研究》、林慶彰先生〈民國初年的反詩序運動〉、謝中元〈古史辨視野下的《詩經》闡釋〉、郜積意〈古史辨詩經學的理論問題〉等均有深入的分析，然再細部地對疑古思潮與具有劃時代意義的《詩經》白話譯註的相關議題研究，則尚缺乏完整而深入的討論。如：

　　一、民初《詩經》白話譯註的形成與發展，與疑古思潮的關係為何？究竟疑古主張中的哪些思潮，促使了《詩經》白話譯註的形成與發展？

　　二、民初，在疑古思潮的影響之下，《詩經》白話譯註如何形成？如何發展？究竟取得了哪些成績？對詩經學史的發展有何貢獻？該如何給予適當的評價？

　　三、民初的《詩經》白話譯註，多具有濃厚的文學意味，負有為現代詩經學開路的重責大任，何以不是由文學家來承擔，而是落在以顧頡剛為首的

---

11 《古史辨》，冊3，頁529。

史學家的肩上？而疑古的主流學者既開啟了《詩經》白話譯註的形成，何以其後的發揚光大卻大多由非主流學者完成？這是偶然的還是有其必然性？

　　以上這些問題對於深刻理解現代《詩經》研究史，具有重要的意義。筆者將從經典地位的解構（deconstruction）與文學性質的建構（construction）二方面縱橫交論之，以明疑古思潮中究竟有哪些主張，進而影響《詩經》白話譯註的發展，使其產生了哪些相應的發展轉變，及其發展進程、表現情況與學術意義，以給予適當的評價。[12]

二　疑古思潮解構《詩經》的經典地位

　　作為疑古思潮的辨偽對象，《詩經》和一般的偽書有著很大的不同，主要在於一般的偽書多是文本的偽造和篡改，將作者本名隱匿另託名於前人，而《詩經》所以被扭曲、被質疑，則是由於其後來諸多的詮釋者、注解者。故疑古學者對《詩經》的研究，不是為了證明《詩經》是否為偽書，而是歷來的《詩經》詮解是否恰當。詮釋者、注解者若帶著既有的「成見」，去「理解」和「認識」詩意，往往會形成「誤讀」的情形，當所謂的「事實」與「成見」相遇時，人們便很容易接受與成見相一致的事實；而與成見相違背的時候，成見則會遮蔽了事實。由於《詩經》在本質上所具有的文學性、多義性，使得「《詩》無達詁」成為對歷代《詩經》詮釋紛紜的一種描述，隨之而起的「正誤讀」與「反誤讀」兩種情形不斷的糾葛，因而可以說《詩經》的解釋史，也就是由「成見」累加起來的「成見史」。[13]

---

12 至於疑古思潮中，產生研究視角的轉變，即《詩經》研究正式從經學走向文學，其與《詩經》白話譯註之間相互關涉的情形，筆者已著文專論之。詳見〈二十世紀前期《詩經》白話註譯的形成──以研究視角的轉變為例〉一文，發表於世新大學中國文學系舉辦「第三屆兩岸韻文學學術研討會──理論與批評」，二○○九年五月七日。關於「二十世紀《詩經》白話譯註的形成」之研究背景，亦詳見彼文，本文則是從整體而論疑古思潮對白話譯註形成與發展的影響。

13 謝中元：〈古史辨視野下的《詩經》闡釋〉即有此說，見《中國礦業大學學報》2007年第4期，頁114。

　　《詩經》從《詩三百》到經學經典的身分轉變，是一個豐富的闡釋學與接受美學的命題。「經典」（canon）一詞，從西方的角度來看，源於古希臘的 Kanon，意為測量儀器的標尺，引申為「規範」、「規則」和「法則」。從中國的角度來看，「經典」的涵義為：聖人制作的、含有永久不變的大道理、其理論是日常通用的法則。[14]東西方對「經」基本義涵的理解頗為相似；不過，中國傳統的「經」，主要指的是其在政教倫理、國家文化的地位與價值。至於「經典」究竟是如何形成的？以色列學者伊塔馬・埃文・佐哈爾（Itamar Even-Zohar）「多元系統論」（*Polysystem Theory*）認為：

> 經典性並非文本活動在任何層次上的內在特徵，也不是用來判別文學「優劣」的委婉語。某些特徵在某些時期往往享有某種地位，並不等於這些特徵的「本質」決定了它們必然享有這種地位。顯然，某些時代的文化中人可能把這類差異看作優劣之分，但歷史學家只能將之視為一個時期的規範的證據。

說明經典的地位會隨著時代的演變而有所更易，是「經典化」的結果。佐哈爾在注釋中更明確地解釋說：

> 經典化（canonized）則清楚地強調，經典地位是某種行動或者活動作用於某種材料的結果，而不是該種材料「本身」與生俱來的性質。[15]

14　〔漢〕鄭玄《孝經注》云：「經，不易之稱。」〔漢〕劉熙《釋名・釋典藝》：「經，經也，常典也，如路經無所不通，可常用也。」〔晉〕張華《博物志》云：「聖人制作曰經，賢者著述曰傳。」《孝經・序》〔宋〕邢昺疏引梁皇侃云：「經者，常也，法也。」〔梁〕劉勰《文心雕龍・宗經》：「經也者，恆久之至道，不刊之鴻教也。」歸納以上各家之說，故有此三種含義。見羅聯添等：《國學導讀》（臺北市：巨流圖書公司，1990年），頁62。

15　以上二則引文見〔以色列〕伊塔馬・埃文・佐哈爾（Itamar Even-Zohar）：《多元系統研究》（Polysystem Studies）之〈多元系統論〉（Polysystem Theory）一節，（Poetics Today 11:1，1990年，頁9-26）張南峰譯：《中外文學》第30卷第3期（2001年8月），頁24。

此一理論可以用來說明《詩經》長久以來做為「經典」的地位，其實並非來自於其「本身」，而是取決於「外在文化」與「外在闡釋」等種種因素。

（一）解構《詩經》經典地位的主張

疑古學者致力於解構《詩經》的經典地位，即是欲除去其「外在文化」與「外在闡釋」，具體的手法主要有二，茲說明如下。

1 反《詩序》、反傳統舊說

古史辨學者大力提倡反《詩序》、反傳統的論述便是基於以上所陳述的觀點，他們認為《毛詩序》對《詩》「經典化」的解讀是漢儒的標尺，並非《詩》的本身，因而「美刺」等教化之意多為附會，故而極力地反《詩序》、反傳統舊說。

在《詩經》的闡釋史中，《詩序》是個典型的文本，也是被歷代疑古學者認為最具有成見的文本。在《詩大序》中明確指出〈國風〉是「上以風化下，下以風刺上，主文而譎諫」、「吟詠情性，以風其上」的諷諫詩，而〈頌〉詩是「美盛德之形容」的頌贊詩，[16] 清人程廷祚即以「漢儒言詩，不過美刺二端」[17] 總結之；而「美刺」說之外又有「正變」說，將《詩》與政教密切結合，無限上綱，超出了文本所應承載之重，均讓疑古學者大為不滿。然而，《詩序》是現存最早、最有系統解釋《詩經》各篇詩旨的文字，對漢以後的《詩經》闡釋具有深遠的影響，可以說是任何《詩經》闡釋者，包括擁護者與反對者，都無法跳開的闡釋學路標。自宋初開始揭舉挑戰《詩序》的權威，擁護《詩序》者與反對《詩序》者，交織出一場場《詩序》存

16　《毛詩注疏》，《十三經注疏》（臺北市：藍燈文化公司），卷1之1，頁11、13，總頁16、17。

17　〔清〕程廷祚：〈詩論十三〉，收入郭紹虞：《中國歷代文學論著精選》（臺北市：華正書局，1991年），上冊，頁58。

廢的詩經學論戰。宋學反漢學，曾經發起了聲勢浩大的廢《序》運動；清代復興漢學又堅持尊《序》說《詩》；而清末的今文學家對漢學又抱持著懷疑的態度。總之，尊《序》與廢《序》的運動，貫穿著宋以後的傳統詩經學。

　　近世學界疑古辨偽的先導——廖平，其早在清光緒二十三年（1897）即出版〈論詩序〉與〈續論詩序〉二文，批評《詩序》各詩題旨之誤，指出它們並非古聖先賢的原解，而是起於東漢。五四新文化運動的疑古思潮，繼之而起，大力批判傳統的經學，在《詩經》的研究上，即展開了反《詩序》運動，明確而言，「晚清今文學家已揭開批判《詩序》的序幕。而正式上演類似宋代的反《詩序》運動，則是民國十一年（1922）以後的事。」[18]

　　從一九二二年起至抗日戰爭期間，陸續出現批判《詩序》的論文，約有二十餘篇，目前尚能見到的有十餘篇。首先，一九二二年二月，錢玄同在給顧頡剛一篇題為〈論詩經真相書〉的信中寫道：

> 研究《詩經》，只應該從文章上去體會出某詩是講的什麼。至於那什麼「刺某王」、「美某公」、「后妃之德」、「文王之化」等等話頭，即使讓一百步，說作詩者確有此等言外之意，但作者既未曾明明白白地告訴咱們，咱們也只好闕而不講；——況且這些言外之意和藝術底本身無關，儘可不去理會它。

因此，主張要「將毛學究、鄭獸子底文理不通處舉出幾條，『昭示來茲』」[19]，認為應該要摒棄漢儒美刺之說，直接從文章上去體會詩中的涵義。

　　五四以後，反《詩序》最早且最有力的專題論文代表，可謂是鄭振鐸發表於一九二三年一月《小說月報》的〈讀《毛詩序》〉[20]，文中提出《詩序》的題解若不掃除，便不可能恢復每首詩的真面目。他用了類比歸納的方

18　林慶彰：〈民國初年的反《詩序》運動〉，《貴州文史叢刊》1997年第5期，頁1。

19　錢玄同：〈論詩經真相書〉，《古史辨》，冊1，頁46-47。

20　鄭振鐸〈讀《毛詩序》〉寫成於1922年12月，發表於1923年1月《小說月報》第14卷第1號。見《古史辨》，冊3，頁382-402。以下四則引〈讀《毛詩序》〉之文，見於《古史辨》，冊3，頁395、389-390、385、401。

法，將內容相同的詩合在一起加以比較，發現詩的內容雖相同，《詩序》所定的詩旨卻大不相同。又將句式、辭意相同的八篇情詩加以類比，同樣發現其所作的題旨或美或刺也大不相同；因而豁然大悟：「原來做《詩序》的人果然是不細看詩文的！果然是隨意亂說的！」認為作《詩序》的人不是按詩篇的內容來定詩旨，而是先有某一類詩是美詩或刺詩的「成見」，誤認《詩經》是一部諫書，其中許多詩都是對帝王而發的，並且是貴族的專有品；而後便妄加附會以定出每一首詩的詩旨。即認為《詩序》的作者「有了這幾個成見在心，於是一部很好的搜集古代詩歌很完備的《詩經》，被他一解釋便變成一部毫無意義而艱深若盤誥的懸戒之書了。」因此認為《毛詩序》曲說附會，實與詩意相違，是壓蓋在《詩經》上面的重重疊疊的註疏瓦礫堆中，「最沈重，最難掃除，而又必須最先掃除的」，所以最後總結，闡釋《詩經》「第一必要的，便是去推倒《毛詩序》。」此一運用科學類比的手法，系統地抨擊《詩序》，在當時的學術界引發了極大的回響。

　　一九二三年一至三月，顧頡剛亦於《小說月報》分別發表〈讀《詩》隨筆〉四則，稱「漢人因為要把三百五篇當諫書，所以只好把《詩經》說成刺詩」[21]，於同年二月寫給錢玄同〈論《詩經》經歷及《老子》與道家書〉的信中，亦強調「漢人把三百五篇當諫書，看得《詩經》完全為美刺而作」[22]，是為《詩經》的厄運之一，表明漢儒作《序》的不可信。隨後，顧頡剛將原題為〈《詩經》的厄運與幸運〉一文易名為〈《詩經》在春秋戰國間的地位〉，發表於一九二三年三至五月的《小說月報》，重申漢儒說《詩》的附會委實要不得，宋儒、清儒的《詩》學，亦有其危險處，「《詩經》在歷來儒者手裏玩弄，好久蒙著真相，並且屢屢碰到危險的『厄運』」[23]。一九二五年九月二十九日胡適於武昌大學演講的〈談談《詩經》〉，亦提出研究《詩經》

---

21 見《古史辨》，冊3，頁372。〈讀《詩》隨筆〉，發表於1923年1-3月《小說月報》第14卷第1-3號，1923年1-3月10日。其首篇發表的時間雖同於〈讀《毛詩序》〉，然為隨筆性質，並非專論。

22 《古史辨》，冊1，頁53。

23 《古史辨》，冊3，頁310。

便是「要大膽地推翻前人的附會，自己有一種新的見解。」[24]一九二七年六月俞平伯發表的〈葺芷繚衡室讀詩札記〉亦云：「《小序》說《詩》謬妄成癖。以〈谷風〉之昭明，尚不免添些夢話，更何論其他。」[25]一九三〇年二月顧頡剛發表的〈《毛詩序》之背景與旨趣〉，則更明確地剖析《詩序》說詩之謬的關鍵，主要在於其方法上乃納「政治盛衰」、「道德優劣」、「時代早晚」、「篇第先後」為一軌，造成了「凡詩篇之在先者，其時代必早，其道德必優，其政治必盛。反是，則一切皆反」的謬誤。[26]至一九三三年張西堂為顧頡剛所輯鄭樵《詩辨妄》作序時，更明確地分析《詩序》的缺點，計有：雜取傳記、傅會書史、不合情理、妄生美刺、強立分別、自相矛盾、曲解詩意、誤用傳說、望文生義、疊見重複等十大缺失。[27]至此，反《詩序》之論說已然完足。

　　綜合之，這些文章的觀點，其一是論辨《詩序》的作者，他們首先切斷《詩序》與聖賢的關係，論證這些題解既非孔子的學生子夏所作，自然也就不具有孔子說《詩》的遺教，也就失去了歷來由《詩序》所賦予《詩經》的權威性與神聖性。其次，批判《詩序》對詩篇的曲解，指出《詩序》所釋詩旨的不合理。他們認為《詩序》「正變美刺」的解詩方法，是從歷史、政教的外圍解讀《詩經》，並沒有進入《詩經》本文，此僅就字面解釋，拒絕深入文本，是一種不當且無效的闡釋方式。如此，歷經多方的論證，民初的反《詩序》運動、反傳統舊說，成為現代詩經學開端十年的重要成績之一。[28]

---

24 《古史辨》，冊3，頁580。

25 俞平伯：〈葺芷繚衡室讀詩札記・邶風谷風〉，《古史辨》，冊3，頁485。

26 《古史辨》，冊3，頁402。

27 張西堂著，顧頡剛校點：《詩辨妄・序》，收入林慶彰主編：《民國時期經學叢書》，第1輯，冊37，頁19-21。

28 夏傳才認為，五四新文化運動揭開了現代詩經學的序幕，其後的十年中，五四新文化運動的先驅者作出了五點貢獻，即：努力恢復《詩經》的真相、反《詩序》運動、《詩經》新解興起、古史辨派的貢獻、現代詩經語言學發軔。其中，即將反《詩序》運動列為現代詩經學開端的十年中，五項重要成績之一。見夏傳才：〈現代詩經學開端的十年〉，《唐山師範學院學報》2003年第6期，頁25-30。

古史辨學者反對《詩序》是有一致的立場，雖然他們並沒有在解釋學的理論上多所闡發，但還是可以從他們的論說中，歸納出其在闡釋學上的意義。即他們反對《詩序》的根本理念，便是漢人在闡釋之初，已「先入為主」地認定《詩經》是為「諫書」，於是添了許多「夢話」、「曲說」、「附會」之意，因此無論解釋如何精采絕妙，或使之「經典」化，終究不是《詩》的「本義」。

　　然則，民初的疑古學者，並非僅僅排斥《詩序》舊說，對於其他漢、宋舊說亦皆一併反對。如鄭振鐸的〈讀《毛詩序》〉，認為朱熹的《詩集傳》由於因襲《毛詩序》的地方太多，也是必須掃除的瓦礫。[29]一九二三年二月錢玄同寫給顧頡剛的〈論《詩》說及羣經辨偽書〉中，勉勵顧頡剛要「救《詩》于漢宋腐儒之手，剝下它喬裝的聖賢面具」[30]，即是欲全面掃除漢、宋的傳統舊說。

2　否定孔子刪《詩》說

　　否定孔子刪《詩》，即反對《詩經》的載道之說、教化義旨，以推翻其經典的地位。如一九二一年十一月顧頡剛的〈論孔子刪述六經說及戰國著作偽書書〉中，否定孔子曾刪述六經，自然也就否定了孔子刪《詩》的說法。他說：

> 六經自是周代通行的幾部書，《論語》上見不到一句刪述的話。到孟子，才說他作《春秋》；到《史記》才說他贊《易》，序《書》，刪《詩》；到《尚書緯》，才說他刪《書》；到清代的今文家，才說他作《易經》、作《儀禮》。

從以上的考辨，可以清晰地看到，「六經」是歷代一步一步加給孔子的，這也是顧頡剛提出的「層累地造成的中國古史」說的重要表現。所以顧頡剛接著說：

29　《古史辨》，冊3，頁386。
30　《古史辨》，冊1，頁50。

總之，他們看著不全的指為孔子所刪；看著全的指為孔子所作。……
「六經皆周公之舊典」一句話，已經給「今文家」推翻；「六經皆孔
子之作品」一個觀念，現在也可駁倒了。[31]

顧頡剛對孔子刪述六經的否定，打破了儒家傳統的「道統」說，從而使得歷
來一向被視為倫理教化的儒家經典和孔子地位都大為動搖，無疑對經學時代
的終結起了重要的推動作用。

其後，一九二二年二月錢玄同於〈論《詩經》真相書〉中接著以更嚴厲
的口吻強調，《詩經》的編纂「和孔老頭兒也全不相干」。[32]一九二三年二月
顧頡剛發表的〈讀《詩》隨筆〉，明確主張《詩經》不是孔子編輯的，且認
為「今本《詩經》的輯集，必在孔子之後」，「必在孟子之前」，「是戰國中期
的出品」。[33]同年二月，顧頡剛〈論《詩經》經歷及《老子》與道家書〉認
為「把《詩經》亂講到歷史上去」、「使《詩經》與孔子發生了關係，成了聖
道王化的偶像」等，是為《詩經》的厄運之二。[34]明確點出《詩經》成為王
道教化經典的重要關鍵，便是將孔子視為《詩》的編輯者、刪定者。一九二
五年胡適的〈談談《詩經》〉也同樣指出：「孔子並沒有刪《詩》，『詩三百
篇』本是一個成語。」[35]至一九二六年十一月張壽林作〈詩經是不是孔子所
刪定的？〉，對歷來有關孔子刪《詩》的說法，進行系統的辯證分析，從而
總結道：「證明《詩經》並不是孔子所刪的」[36]。

以上古史辨學者們，從編者而言，切斷了《詩》與聖人的關係，以解除
其神聖經典的地位。孔子刪《詩》之說不可信，已成為疑古學者的共識。那
麼，孔子與《詩經》的關係又如何？首先，疑古學者採取極端疏離的態度，

---

31 以上二則引文皆見於《古史辨》，冊1，頁42。
32 《古史辨》，冊1，頁46~47。
33 《古史辨》，冊3，頁372。
34 《古史辨》，冊1，頁53。
35 《古史辨》，冊3，頁578。
36 《古史辨》，冊3，頁379。

如錢玄同〈論《詩經》真相書〉認為:「不過他老人家曾經讀過它罷了」[37]，孔子之於《詩經》，就如同一般人一樣，只不過是一名「讀者」，《詩》中自然不具有孔子的微言大義，也不具有聖人經典教化的義旨。而如此過度極端的說法，當是為了扭轉傳統將《詩》視為聖經的局勢，所必須採用的手段；其後，經過一段時間的沉澱與論辯，對此一問題的觀點轉為溫和而中肯，如顧頡剛〈《詩經》在春秋戰國間的地位〉提出:「孔子最歡喜說《詩》，又歡喜勸人學《詩》」，因此當鄭聲流行，雅樂敗壞之際，「孔子秉著好古的宗旨，又有樂律的智識，所以能把雅樂在鄭聲攪亂之中重新整理一番，回復了它的真相。」[38]

然而，疑古學者既承認孔子好學《詩》、說《詩》、教《詩》，且又做了部分整理，恢復原貌的工作；那麼，他們想要在闡釋詩旨上全然抹去教化色彩，必然有其偏限性。此外，這些史學家既然將《詩經》視為史料，而所謂「史可殷鑑」，他們卻完全忽略其中可能具有某些「殷鑑」的教化義涵，同樣會在闡釋詩旨上受到偏限，而先後產生了解構經典地位之正向相應的作用力，與受阻後反向修正的作用力。以下繼續分別深論之。

（二）解構經典地位的正作用力——譯註多闡發情詩或情思

任何闡釋行為都不可能全然擺脫傳統，因而疑古學者自然產生強烈的闡釋焦慮，從而以激烈的手法，打擊傳統歷史與倫理，政治與教化合一的闡釋觀。疑古學者批判歷來《詩經》學的成見，使得《詩經》的地位、性質，均有了很大的改觀，他們既指出了前人所釋詩旨的不合理處，必然須要進一步提出《詩經》的新解，乃至於運用白話註解、翻譯的主張，以有效達到理論實踐與普及推廣的目標，這也有效促進了《詩經》白話譯註發展的轉向，譯註的內涵從教化的濃厚色彩，轉為以闡發《詩》中的「情詩」，或《詩》中的「情思」為主。

37　《古史辨》，冊1，頁46。
38　《古史辨》，冊3，頁351。

　　在疑古思潮下所產生的《詩經》研究，很明顯地富有主情的色彩，大大
摒棄了漢儒以來政治教化的闡釋觀點。羅根澤在《周秦兩漢文學批評史》中
即曾提到：「五四以前的文學觀念是載道的，由是〈關雎〉便是『后妃之德
也』（《毛詩序》）。五四以後的文學觀念是緣情的，由是〈漢廣〉便是孔子調
戲處女的證據。」[39]疑古思潮影響所及，現代詩經學中的《詩經》白話譯
註，在闡釋詩旨上，大多是從「緣情」的角度解詩。「詩緣情」說乃承自陸
機〈文賦〉：「詩緣情而綺靡」，張啟成〈論魏晉南北朝詩學觀的新突破〉認
為此「緣情說」大抵有兩個顯著特點：一是強調詩歌抒情的功能與作用，二
是強調多樣化的感情因素，不侷限於符合道德禮義的情態，是對「詩言志」
傳統詩教的一種挑戰。[40]因此，五四以來《詩經》白話譯註的「緣情」傾
向，使其不僅關注於《詩經》中男女婚戀的「情詩」；亦解譯了其中各種樣
式的「情思」，且不限於符合道德禮義者，盼能藉此找回《詩》中因牽強附
會而失去的活潑情意。

1 漸次擴大的反重統譯詩

　　民國以後，就目前確實能夠見到最早的《詩經》白話註解本，是為上海
茂記書局於一九一八年初版，但沒有標明作者的八卷本《詩經白話註解》一
書，其對《詩經》的解釋尚富含政教的觀點，如將〈周南·關雎〉第一章解
為：「淑女指后妃，君子指文王。這章下二句是正意，大致說周文王本是聖
人，又得了有聖德的姒氏作配，真是佳偶。」又如釋〈葛覃〉為：「這詩說
后妃已經富貴，仍舊勤女工、尚節儉，尊敬那師傅，孝敬那父母。」釋〈卷
耳〉首章云：「懷人，指文王，實周行，是說后妃這時候想著了文王，連采
卷耳也沒心緒，把頃筐放在路旁。」[41]其說《詩》仍承繼傳統經學的闡釋
觀，只是在文字的表達上，使用了白話文。

39　羅根澤：《周秦兩漢文學批評史》（臺北市：臺灣商務印書館，1966年），頁26-27。
40　參見張啟成：〈論魏晉南北朝詩學觀的新突破〉，《貴州大學學報》1997年第2期，頁
　　65。
41　以上三則引文皆見於《詩經白話註解》（上海市：茂記書局，1918年），卷1，頁1。

一九一九年起新文化運動興起，一九二〇年起展開疑古思潮的論辯，一九二二年八月郭沫若即完成了《卷耳集》，此乃中國最早的《詩經》白話註解加翻譯的選本專著。而其所選譯的四十首全釋為情詩，且全無《詩序》之說。民國反《詩序》運動自一九二二年起，依時間推算，郭氏如此確然地反《詩序》，應是開疑古思潮的實踐先鋒，與一九二二年二月錢玄同〈論《詩經》真相書〉提出的理論主張，可謂相互呼應。其與一九一八年出版的《詩經白話註解》僅僅四年之隔，即有了如此大的差別。不過，郭氏於一九二二年八月完稿時所寫的〈序〉中，尚稱對於古代傳統的解釋，是「略供參考」，一九二三年七月出版前所寫的〈自跋〉，則極為強烈地排斥所有的傳統舊說，認為：

> 《詩經》一書為舊解所淹沒，這是既明的事實。舊解的腐爛值不得我們去迷戀，也值不得我們去批評。我們當今的急務，是在從古詩中直接去感受它的真美，不在與迂腐的古儒作無聊的訟辯。[42]

即主張摒除所有的傳統舊說，重新給《詩經》新解、新詮才是最重要的。

郭沫若於一九二二年初著手寫作《卷耳集》時，已有強烈反《詩序》的傾向，是以書中全無《詩序》之說，亦常於譯後之「註」「解」中直陳《詩序》之誤，[43]但仍不免參考古代傳統說法。一九二三年七月於出版前所寫的〈自跋〉中則稱：「事隔一年，我自己的見解微有變遷」[44]，且幸拜出版緩慢之賜，因而得了改正的機會。檢視《卷耳集》中，則僅有一處改正的說明，即於〈王風‧大車〉一詩的註解之後附「誌」說明修正後的見解云：

> 此詩譯文，純依舊解，今重校讀此，心有不安，覺得「子指巡吏」未免牽強。「子」似宜解作女子之丈夫，詩似有夫之妻畏其夫之防閑而

---

42 前則引文出於郭沫若《卷耳集‧序》，頁3；此則引文出於《卷耳集‧自跋》，頁150。《民國時期經學叢書》第1輯，冊35。

43 郭氏於〈邶風‧新臺〉、〈邶風‧柏舟〉的「解」中，均明言不相信《詩序》這種傳統的說法，不過郭氏在此誤將《詩序》寫做《毛傳》。見《卷耳集》，頁103、105。

44 郭沫若：《卷耳集‧自跋》，頁149。

不敢幽會之意。乘大車往來者疑即女子之愛人。譯文已印就不便改
譯，特誌此數語以求正於讀者。[45]

文中所指的「舊解」是為《集傳》。蓋《序》：「〈大車〉，刺周大夫也。禮義
陵遲，男女淫奔，故陳古以刺今大夫不能聽男女之訟焉。」《集傳》：「周
衰，大夫猶有能以刑政治其私邑者，故淫奔者畏而歌之如此。」[46]二說一刺
一美，表面上看來意正相反，然實質的精神則是相同的，皆是從教化的觀點
釋《詩》。郭氏解此詩云：「女子畏巡吏之峻嚴不敢與其愛人相會，作詩以誓
志。」[47]顯然是承襲了《集傳》之說。其後所以欲將此承朱《傳》之說刪
改，依照時間的推算，其從完稿至出版的一年間，有鄭振鐸〈讀《毛詩
序》〉的論文發表，很可能即是受其既反《詩序》亦反《集傳》的影響，故
欲將譯註中仍保有傳統舊說的教化觀予以全然刪除，而純以情愛的角度釋
《詩》。

　　其後，疑古學者亦熱衷於《詩》的譯解，他們一方面在理論上陸續發表
反《詩序》、反傳統舊說，及否定孔子刪詩的論說；一方面於一九二三年至
一九二九年陸續於各報刊雜誌發表有關《詩經》個別詩篇義旨的討論，後收
錄於《古史辨》第三冊中。這些疑古學者在全力反《詩序》、反傳統的思維
之下，譯詩已不從傳統舊說。其中，王伯祥的〈雞鳴〉為目前所見民國以後
第一篇以情詩的眼光白話新解《詩經》，並正式發表的單篇論文，其發表於
一九二三年六月出刊的《小說月報》，而在此之前，《小說月報》於一至五
月，陸續刊載了鄭振鐸的〈讀《毛詩序》〉，顧頡剛的〈讀《詩》隨筆〉、
〈《詩經》在春秋戰國間的地位〉，均強力主張反《詩序》、反傳統舊說，可
見王伯祥解譯〈雞鳴〉當深受這些疑古學者論說觀點的影響。〈雞鳴〉為
〈齊風〉的第一篇，《詩序》：「思賢妃也。哀公荒淫怠慢，故陳賢妃貞女夙

---

45 郭沫若：《卷耳集》，頁112。
46 前則見《毛詩注疏》，卷4之1，頁16，總頁153。後則見《詩集傳》（題作《詩經集
　　註》，臺北市：華正書局，1974年），卷2，頁37。
47 郭沫若：《卷耳集》，頁112。

夜警戒相成之道焉。」朱熹釋此詩云：

> 言古之賢妃御於君所，至於將旦之時必告君曰：雞既鳴矣，會朝之臣
> 既已盈矣。欲令君早起而視朝也。然其實非雞之鳴也，乃蒼蠅之聲
> 也。蓋賢妃當夙興之時，心常恐晚，故聞其似者而以爲眞，非其心存
> 警畏，而不留於逸欲，何以能此。故詩人叙其事，而美之也。[48]

王氏將此詩視為一首「情詩」，不僅不同於漢儒《詩序》之說，亦不同於主
張「淫詩說」的宋代朱熹，他批評道：

> 〈齊風・雞鳴〉詩明明是一首很好的情詩。它寫男女燕暱的狀態，真
> 是活靈活現，使讀這首詩的人可以彷彿想見他們在那裡說話，而且是
> 女對男發的一種無可奈何的說辭。……決不是什麼「賢妃御於君
> 所」,「心存警畏」,「欲令君早起視朝」一類的話頭。[49]

在此，《詩序》與《集傳》之說均含有美刺教化的色彩，王氏選擇〈齊風・
雞鳴〉做為新解《詩經》之例，對《詩序》、傳統美刺教化之說，做了鮮明
的反駁，而明確將之釋為情詩。

2 集中解釋〈國風〉的婚戀情詩

　　自王伯祥〈雞鳴〉之後，疑古學者掀起了一股解譯詩的風潮，他們好於
單篇論文中邊論說邊解詩邊譯詩，討論的內容亦如《卷耳集》，好集中於
〈國風〉。如上文所列，除俞平伯解〈召南・行露〉因大義甚晦澀而云不明
詩旨外，其餘均從緣情的角度釋詩；其中，除俞平伯解〈召南・小星〉為：
「宵征見星，抱衾與裯的怨詛詩」外，其餘均釋為婚戀的情詩，且又好聚焦
於情愛濃烈的〈靜女〉一詩。[50]對於〈靜女〉詩的討論，共計有九位學者的

48　前則見《毛詩注疏》，卷5之1，頁4，總頁187；後則見朱熹：《詩集傳》，卷3，頁46。

49　《古史辨》，冊3，頁452。

50　這些討論〈靜女〉的文字極多，且分散於不同的刊物，後有不同的輯本：一九二六年
　　杜子勁《靜女的討論》作為開封一師的講義，未刊行；一九二九年劉大白的《白屋說

十三篇論文收於《古史辨》中，其中收錄了十位學者、學生所譯成的十一種
不同的譯文，但在詩旨的闡釋上卻大同小異，皆釋為愛情詩。[51]其他如王伯
祥釋〈齊風·雞鳴〉為「寫男女燕暱的狀態」，俞平伯〈葺芷繚衡室讀詩札
記〉釋〈召南·野有死麕〉為「山野之民相與及時為婚姻之詩」，陳槃〈周
召二南與文王之化〉釋〈關雎〉為「抒寫相思很深刻的情詩」，又釋〈漢
廣〉是「極言男子思女之苦」屬於「浪漫式的抒情詩」，[52]皆關注於詩中的
情詩。

　　其後，此種解譯情詩的風潮，又廣泛流行於專著中，且擴及於非主流學
者，如一九三一年上海經緯書局出版縱白踪的《關雎集》，選譯了《詩經》
中的三十七首抒情詩，其中雖納入了〈小雅〉的〈采綠〉、〈何草不黃〉、〈菁
菁者莪〉、〈谷風〉四首，但基本上仍因將此四詩視為男女婚戀的情詩，方才
做為譯註的對象。又如一九三二年上海女子書店出版陳漱琴的《詩經情詩今
譯》，由書的命名即可知，全書皆以「情詩」為今譯的對象。此書實為編著
的性質，譯者除陳漱琴之外，尚有儲皖峰、顧頡剛、魏建功、劉大白、鍾敬
文、汪靜之、陸侃如等人，共計選譯了〈國風〉中二十七首情詩，譯成三十
二篇譯文。[53]陳氏釋情詩的角度十分大膽直露，如釋〈野有蔓草〉為「敘述
野合，男子心滿意足的情詩」，釋〈東方之日〉為「男女私會的情詩」，釋

詩》，收文章十一篇；一九三一年《古史辨》，冊3，收文章十三篇。

51 根據《古史辨》第三冊輯錄的內容，共有九位學者參與〈靜女〉一詩的討論，即顧頡
　剛、張履珍、謝祖瓊、劉大白、郭全和、魏建功、劉復、董作賓、杜子勁，共收錄了
　十三篇文章。其中共錄有十位學者及學生（董作賓之生），十一種不同的譯文，即除
　顧頡剛原譯的一篇（頁512-513），及根據劉大白意見修改的一篇（頁524-525）外，另
　有郭沫若（頁519）、謝祖瓊（頁522）、魏建功（頁539）、董作賓（頁511）、房儒林
　（頁552）、劉化棠（頁553）、王經邦（頁554）、湯傳斌（頁555）、劉大白（頁565）
　的譯文各一篇。而顧頡剛有意依《毛傳》之意所譯成的白話譯詩（頁514），乃是做為
　錯誤的示範以突顯其謬誤，故不列入其中。

52 以上四篇解詩的引文見《古史辨》，冊3，頁452、472、430、428。

53 其中〈靜女〉分別有顧頡剛、魏建功、劉大白、謝寒四人之譯，〈遵大路〉有汪靜
　之、劉大白二人之譯，〈褰裳〉有汪靜之、陳漱琴二人之譯，除去重複之詩篇，共計
　翻譯了二十七首詩，三十二篇譯文，另又附譯了一篇〈伐檀〉的諷刺詩。

〈東方未明〉為「男女私奔的情詩」。[54]而於全書之首有顧頡剛為之作〈序〉，則可知其譯書的基本立場亦多承自疑古學者，陳氏於〈自序〉中說：

> 我國社會被秦漢以後的腐儒糟蹋著不成樣子。試看《詩經·國風》中的情詩，有的是寫私奔，野合，有的是寫互戀，單思、最顯明的是〈齊〉〈鄭風〉裏有不少的女惑男的詩，我們很可以窺見當時底社會是那樣的解放，民族底思想是那樣的自由；個人底性情是那樣的活潑，天真！那些主張復古的人，他們只見到漢儒宋儒製成禮教的網，蒙住了古代社會的偽現象，見不到古代社會的真面目。[55]

又顧頡剛在為《詩經情詩今譯》所作的〈序〉中，更進一步說明：

> 時代變了，封建社會，宗法思想，一切瓦解了。既失去了這曲說的背景，當然沒有這曲說的存在的餘地，而這些情詩的真面目又復透露，又復為人所歡欣贊嘆。所以十年以來，常有人用白話文作翻譯。

由以上可以發現，在疑古思潮之下的《詩經》研究者，他們反對漢儒宋儒以「禮教的網」解詩，而主張以白話文翻譯詩中的情詩，盼能藉此揭示詩的「真面目」，乃至於古代社會的「真面目」。

3 審度詩中的情思

疑古思潮之下，學者們除了關注《三百篇》中的「情詩」，亦多方審度詩中的「情思」。一九二三年十月俞平伯開始寫作〈葺芷繚衡室讀詩札記〉，確立了「不遠乎人情物理，而又能首尾貫串，自圓其說」[56]的說《詩》標準，其於〈邶風·柏舟〉云：「詩以抒寫性情；三百篇中每有一往情深，百讀不厭之佳篇」，因而以「審度其情思」的角度，釋〈柏舟〉為：

---

54 以上三則引文見陳漱琴：《詩經情詩今譯》，頁57、62、64，收入林慶彰主編：《民國時期經學叢書》，第1輯，冊35。

55 陳漱琴：《詩經情詩今譯·自序》，頁32。

56 俞平伯：〈葺芷繚衡室讀詩札記·邶風谷風故訓淺釋〉，《古史辨》，冊3，頁490。

情文悱惻，風度纏綿，怨而不怒的好詩。五章一氣呵成，娓娓而下，將胸中之愁思，身世之畸零，宛轉申訴出來。通篇措詞委婉幽抑，取喻起興巧密工細，在素樸的《詩經》中是不易多得之作。[57]

其中，極力讚揚詩中「怨而不怒」的「愁思」。

又如一九二六年六月魏建功發表了〈〈邶風‧靜女〉的討論〉一文，文中解〈魏風‧伐檀〉一詩，認為：

首三行說的伐檀時情狀，不稼不穡以下便託在伐檀者的嘴裏對一班「君子」下的攻擊，的確是實情；但是這等人又有什麼法子，末了對這不平允的事情，只有浩歎，悠然發出一句遣情的冷譏的刺語說道：「閒人呵，是不吃白飯的呵！」這一句沈痛的嘆語放在伐檀者嘴裡，於懷疑一班人不稼不穡，不狩不獵，能得禾和一切的牲畜之後，隨即接轉，其意味之深沈是如何有咬嚼！[58]

其中，對百姓「怨嘆不平」而「冷譏刺語」的情思轉折，剖析得十分細膩。

疑古學者即使面對非情詩的篇章，也著意於闡發其中「緣情」的部分，即詩中的「真性情」。顧頡剛在為《詩經情詩今譯》所作的〈序〉中又云：

〈國風〉中的詩篇所以值得翻譯，為的是有真性情。這些詩和唐人的絕句，宋人的詞，近代的民間小曲，雖遣辭有工拙的不同，而敢於赤裸裸地抒寫情感則無異。中華民族的文化，苦于禮法的成分太重而情詩的成分太少，似乎中庸而實是無非無刺的鄉愿，似乎和平而實是麻木不仁的病夫。我們要救起我們的民族，首須激起其情感，使在快樂時敢於快樂，悲哀時敢於悲哀，打破假中庸假和平等毒害我們的舊訓。而情感最集中，最深入的是男女之情，故以打破宗法的家族制度

57　以上三則引文見於〈萑苣繚衡室讀詩札記‧邶風柏舟〉，《古史辨》，冊3，頁473、476、473。

58　魏建功：〈〈邶風‧靜女〉的討論〉，《古史辨》，冊3，頁531。

下的障壁為第一義。這些吐露真性情的詩篇，使人讀了發生共鳴，感
到其可寶貴，從而想到自己性情的可寶貴，就是打破這種遏抑，自然
的障壁的好工具。[59]

這也說明了疑古學者何以特別熱衷於〈國風〉的白話解譯，正由於其中富含
了詩人的「真性情」，讀者可藉此一方面寶貴、涵養自己的真性情；一方面
「打破假中庸假和平等毒害我們的舊訓」、「打破宗法的家族制度下的障
壁」，進而「救起我們的民族」，點出了新文化運動的終極目標。

4 侷限於《詩經》的選註、選譯

　　接受疑古思潮洗禮的學者們紛紛投入《詩經》的新註、新解、新譯，首
先由疑古的主流學開先鋒，如郭沫若的《卷耳集》、俞平伯的〈葺芷繚衡室
讀詩札記〉、胡適的〈周南新解〉、劉大白的《白屋說詩》，以及其他收錄於
《古史辨》中的討論；而後擴及非主流學者，如陳漱琴的《詩經情詩今
譯》、縱白踪的《關雎集》等，他們都著意於闡釋《詩》中的情詩、情思。
然而，《詩序》解詩，乃至於其他傳統舊說，本不可盡信亦不可盡廢，刻意
地、全然地背離《詩序》及傳統舊說以求新解，勢必無法通行於《三百
篇》。疑古學者為了避免如朱熹《詩集傳》一樣，出現理論與實際的落差，[60]
必須採取的手段便是選註、選譯。從正面而言，他們往往特意挑選愛情濃烈
的「情詩」，或富有文學意味的「情思」，做為典型的詩例，以對抗傳統的
「迂腐」陳說，二者之間的反差，可以做為論點的有效明證；但從負面而
言，疑古學者如此著重闡釋情詩、情思，必定很難離開〈國風〉的範疇，即
便是超出了〈國風〉，也至多納入〈雅〉中的情詩，以迎合他們的反《詩
序》、反傳統論點。

---

59 陳漱琴：《詩經情詩今譯・顧序》，收入林慶彰主編：《民國時期經學叢書》，第1輯，
　　冊35，頁7。

60 朱熹的說《詩》，在理論上反《詩序》，反《毛傳》、《鄭箋》，然實際解《詩》時，卻
　　又常常跟隨漢儒之說。俞平伯〈葺芷繚衡室讀詩札記・召南小星〉即批評：「朱熹為攻
　　擊〈小序〉之祖師，但他實往往做〈小序〉的奴才。」《古史辨》，冊3，頁468。

　　例如胡適本欲完成《詩經新解》，通解《詩經》三百五篇，然其後僅完成了〈周南新解〉即無下文。蓋胡適的〈周南新解〉因必須通解〈周南〉十一首詩，在文本的選擇上一旦失去自由，說解上也就容易出現矛盾，於最後一首〈麟之趾〉的「今說」中，胡適則不免迎合傳統之說，云：

> 姚際恆說似最近理。但此詩的末句並不像嘆美的口氣，故朱熹不能不費大氣力來解說他。依我看來，這詩很像譏刺貴族的詩，頗像是說：這班公族的後輩已很不像樣了，已算不得麟了，只剩得麟的一條腿，一只角了。[61]

胡適本反對傳統美刺正變之說，然卻將此詩定為「刺」詩，並將詩中主人翁視為「貴族」，與傳統教化說《詩》的精神頗為相類。胡適於一九二五年演說的〈談談《詩經》〉中亦有論及〈麟之趾〉的詩篇義旨，同樣認為是「譏誚當時一班少爺公子」[62]的詩，然於一九三一年出版的《古史辨》第三冊所收錄的〈談談《詩經》〉中，卻將此解說〈麟之趾〉之文整則刪除，可見胡氏對於此解應是感到有所不妥與不安。[63]於此，胡適可能已自我意識到，全然摒除傳統舊說以新解《詩經》，確有其實際的困難。[64]

61　胡適著，歐陽哲生編：《胡適文集》（北京市：北京大學出版社，1998年），第10集，頁60。

62　藝林社編輯：《文學論集》，頁18。但胡適於一九三一年發表的〈周南新解〉則仍以此相類的說法解〈麟之趾〉。

63　胡適〈談談《詩經》〉於一九三一年的修改版中，刪除〈葛覃〉之解，修改〈小星〉之說，可能是受了周作人〈談「談談詩經」〉的影響，然對於〈麟之趾〉之解，周氏並未批評。

64　當然這也僅是其無法通解全《詩》的眾多原因之一，胡適一生的學術著作繁多，但常有僅完成前部分而無後繼的情形，如《中國哲學史大綱》、《白話文學史》均只有上卷。李澤厚從世界觀、方法論角度，對胡適的「半部」現象做了推斷。他認為：「胡適自己以及所謂『胡適派』的許多人的工作，卻多半表現為一些細枝末節的考證、翻案、辨偽等等。……但就總體來說，胡適以及『胡適派』的學者們對中國通史、斷代史、或思想史，哲學史，都少有具有概括規律意義的宏觀論點、論證或論著。」因此，「他（胡適）之所以永遠不能完成他的《中國哲學史》，而花幾十年去搞《水經

　　由以上可知，僅以「情詩」、「情思」釋《詩》，勢必無法通行於富含多方義旨的《詩經》全本，這也就顯示反《詩序》、反傳統舊說對於《詩經》白話譯註的發展，雖有其影響力但也有其侷限性，即會出現一種理論與實際無法全然吻合的窘境。

（三）解構經典的反作用力——譯註對舊說的繼承與修正

　　意欲通解《詩經》三百五篇，乃至於通解某一〈國風〉，若全然地以「情詩」、「情思」釋之，以及全然地「反《詩序》、反傳統舊說」，是很難達成的，是以受阻後一股救濟、反省的反作用力應運而生，即不能全然以情詩、情思釋詩，且須並陳君臣式的政治教化與平民式的倫理教化，對於傳統之說，既有所承繼又有所修正，並由此擴展為《詩經》的全註、全譯，闡釋《詩》中豐富多元的內容主題。

1 擴展為《詩經》的全註、全譯

　　疑古思潮之後，首部《詩經》白話「全解本」的出現，無法由全然反對傳統的主流學者完成，而是落在不全然反傳統的非主流學者身上。他們主要的觀點或仍贊同孔子刪《詩》之說，或認為《詩》中仍含有教化義涵。即經由疑古思潮的洗禮，再經由其「反作用力」的調和，終於一九二六年再次出現《詩經》白話註解的「全」本，其是由上海中原書局出版的洪子良《新註詩經白話解》。此書於各章原文之後有「註」、「義」，以分章解詩；全詩之後又有「序」，以解全詩大義。「序」中或先引《詩序》（又分《小序》、《大序》）、《毛傳》之說，或再引《集傳》等後人之說，最後再抒己意。檢視洪氏的師承，可以發現其師仍是守傳統舊說的學者，在為《新註詩經白話解》

注》的小考證，都反映了、代表了、呈現了他的這種方法論，而且這不止是方法論，同時是他的世界觀和個性特點。」見《中國現代思想史論》（臺北市：三民書局，2009年），頁100-101。

寫〈序〉時即云：「余以孔子刪《詩》，存三百篇」，此一孔子刪《詩》的概
念，必當影響了洪氏的《詩》說，即說解中仍不免含有聖人教化的色彩。不
過，身處於疑古思潮盛行之際，洪氏的說《詩》也必然會受疑古思潮的影
響，而出現了與其師不同的說解，故其師於〈序〉中即一方面感歎：「其義
甚新穎，然不合於古也」；一方面又以肯定的語氣：「然其解說既能一貫，義
主通俗，不必強執古訓，以有索也。」[65]因此，洪氏說《詩》在傳統師承與
疑古思潮的交互影響之下，往往搖擺於傳統與反傳統之間，其與出版於民初
疑古思潮之前，全然以教化觀點解詩的《詩經白話註解》，雖同為《詩經》
的全註本，然亦有著鮮明的差異。

　　隨後，一九二六年九月，目前所知第一本《詩經》白話「全註全譯」本
出現了，即由上海群學社出版的許嘯天《分類詩經》，其各篇依序列出章數
詩旨、詩篇原文並標明各章賦比興之體，再以白話翻譯原文，最後則有
（義）註與音註。許氏《分類詩經》在正文之前，除有一篇自作的〈詩經新
序〉之外，亦羅列了唐圭璋〈三百篇修詞之研究〉、徐家齊〈三百篇用韻之
研究〉、顧頡剛〈論詩經所錄全為樂歌〉與崔述《讀風偶識》，顯見其《詩》
學既承自傳統，亦有來自疑古思潮者，如同樣認為孔子未曾刪《詩》。

　　此外，許嘯天的《分類詩經》乃首度將《詩經》按內容義旨重新排列，
分為家庭、宮庭、政治、軍事、風俗、雜類（意思不明白者）六大類。僅就
此種分類方式而言，可知其眼中的《詩三百》是富有多元面向的義涵。此後
繼之者，如聞一多《風詩類鈔·序例提綱》主張將〈國風〉按照婚姻、家
庭、社會三大類目重新編次，[66]也同樣擴展了《詩經》的內涵，使《詩經》
乃至於〈國風〉不再限定為「情詩」、「情思」的範疇。

---

65 以上三則見洪子良：〈序〉，《新註詩經白話解》，收入林慶彰主編：《民國時期經學叢
　　書》，第4輯，冊24，頁1、2。
66 聞一多：《聞一多全集·風詩類鈔·序例提綱》（武漢市：湖北人民出版社，2004年），
　　冊4，頁456。

2 並陳君臣式的政教與平民式的倫教

　　疑古學者闡釋《詩經》詩篇旨義尚有另一個特色，即往往將男女主人翁從君王、后妃的高階，下降至一般民夫、民婦的「情思」，以除去其深刻的經學教化義涵。如胡適於〈談談《詩經》〉中新解〈小星〉一詩，《詩序》：「〈小星〉，惠及下也。夫人無妒忌之行，惠及賤妾，進御於君，知其命有貴賤，能盡其心矣。」[67]胡氏則解為：「妓女星夜求歡的描寫」[68]，從視為寫「夫人」的高位大幅下降為寫「妓女」。又如〈葛覃〉一詩，《詩序》：「后妃之本也。后妃在父母家，則志在於女功之事。」[69]胡適則解為：「描寫女工人放假急忙要歸的情景」[70]，從視為寫「后妃」的高位大幅下降為寫「女工」。而這些過度新潮的說法，在當時即受到同為古史辨學者周作人的強烈批評，周氏於一九二五年十二月發表〈談「談談詩經」〉多所反駁，對其〈葛覃〉之說，批評當時理應沒有工廠、女工；對其〈小星〉之說，認為「讀《詩》也不定要篇篇咬實這是講什麼」。[71]或許是受了周作人批判的影響，胡適此文收錄於《古史辨》之前，於一九三一年九月先做了一番修改，其中即將〈葛覃〉一則的解說全數刪除；[72]並將〈小星〉稍做更改為：「是寫妓女生活的最古記載」[73]，已較不如前說膽大、露骨。胡適本欲完成《詩經新解》，然纔走了一小步便受到了質疑，且來自同為疑古學者的質疑，顯見極力反傳統而自創新解的解詩、譯詩，必然要有所修正。

---

67 《毛詩注疏》，卷1之5，頁4，總頁63。

68 胡適演講〈談談《詩經》〉的大意，曾由劉大杰筆記，於同年刊登於北京《晨報副刊》，後於一九三一年九月十一日經胡適修正了部分的內容，重新發表於《古史辨》第三冊。此段引文，乃胡適〈談談《詩經》〉的第一個版本，收入於藝林社編輯：《文學論集》（上海：中國文化出版社，1936年），頁17。

69 《毛詩注疏》，卷1之2，頁1，總頁30。

70 此句見於胡適〈談談《詩經》〉的第一個版本，《文學論集》，頁18。

71 《古史辨》，冊3，頁588。

72 但同為一九三一年公開發表的〈周南新解〉則仍用此解，殊為怪異，值得深究。很可能《古史辨》刪去此說，乃是為回應周作人〈談「談談詩經」〉的嚴厲批評，然心中仍堅持此說。

73 《古史辨》，冊3，頁585。

其後，一些非主流學者繼之而起，他們所做的修正便是不全然反傳統，而依違於傳統與反傳統之間，或仍保留、酌取傳統君臣式的教化之義；或將主人翁從君王、后妃的高階，下降至一般民夫、民婦，闡發其中平民式的倫常教化之義；或對於傳統舊說採取不置可否的中立態度等，從而完成了與前人解《詩》宗旨迥異的《詩經》全註、全譯。如洪子良《新註詩經白話解》釋〈周南・關雎〉云：

> 〈小序〉以為后妃的德行，《集傳》又謂宮人咏大姒和文王的。他們的據說，姑且不論，總之都是採取民間的詩篇，贊美淑女得配君子的意思。把它當作初婚的房中樂歌，用在鄉下的地方，用在邦國的地方，都可以的。這篇詩，中正平和，所以孔子把他取在三百篇的第一。[74]

很明顯地，洪氏對於《詩序》與《集傳》舊說並沒有全然否定，而是採取較為中立的態度「姑且不論」，解詩中仍含有贊美教化的義涵，並且認為孔子是《三百篇》的編者，將〈關雎〉置為第一篇是有其「中正平和」的《詩》教深義。而用之鄉人、用之邦國皆可，則顯示了《詩》用的廣泛與普及，不僅限於君王后妃。

又如〈衛風・芄蘭〉一詩，雖反對《序》之「刺惠公」之說，然解為「刺童子性好躐等。狂妄無知，可見先進退讓的禮體。」與《序》同是以「刺」意解詩，不過所「刺」的對象不同，由「君王后妃」的高度下降為一般的「童子」。至如〈衛風・淇奧〉一詩，則贊同《序》之「美武公之德」說，並贊曰：「這篇詩道學深邃」[75]。總之，洪氏對於《詩序》等傳統舊說，採取了或依、或違、或中立、或酌取的態度。

又如許嘯天的《分類詩經》，其認為孔子很重視《詩》教，《詩》中應富含孔子的教化之義：

---

74 洪子良：《新註詩經白話解》，頁2-3。
75 以上二則引文依序見洪子良：《新註詩經白話解》，頁68、61。

孔子說的：「詩可以興，可以觀，可以群，可以怨；邇之事父，遠之
事君，並多識於鳥獸草木之名也。」從這幾句話裏看来，後人讀《詩
經》，於世道人心道德倫理，有何等偉大的功用。[76]

是以許氏譯註《詩經》，亦重視闡發其中的教化深義。由其所分「宮庭」、
「政治」、「軍事」之名而言，即很難捨棄君臣美刺的教化觀。如〈邶風‧靜
女〉一詩，《詩序》：「刺時也。衛君無道，夫人無德」，《集傳》：「此淫奔期
會之詩」[77]，古史辨學者如前文所述，均將此詩視為男女愛情詩，許氏卻將
其分入「宮庭」類，定為「譏刺宣公好色偷娶子婦的事體」[78]，此乃承自方
玉潤《詩經原始》：「〈靜女〉，衛宣公納伋妻也」[79]的說法。又如〈邶風‧谷
風〉，《詩序》：「刺夫婦失道也」，《集傳》：「婦人為夫所棄，故作此詩以敘其
悲怨之情」[80]，俞平伯將其解為「棄婦怨其故夫」[81]之辭，許氏則將其分入
「政治類」，定其詩旨為「被皇帝趕出去的臣子自己悲傷的意思」[82]，此亦承
自方玉潤《詩經原始》：「逐臣自傷也」[83]的說法。〈靜女〉與〈邶風‧谷風〉
二詩，古史辨學者分別視為愛情、棄婦的婚戀詩，然許氏之說，既不從《詩
序》、《集傳》，亦不同於古史辨學者，而是近於清代詩經學家方玉潤。[84]方氏
論《詩》排斥《詩序》等舊說，而欲自擬一序以補其缺失，有其獨立創新的
精神，然實亦多承自傳統，[85]許嘯天作《分類詩經》之精神類於方氏，雖以

---

76 許嘯天：《分類詩經》（一）之〈詩經新序〉，收入林慶彰主編：《民國時期經學叢書》，
　　第4輯，冊26，總頁29。

77 《毛詩注疏》卷2之3，頁12，總頁104；朱熹《詩集傳》卷2，頁21。

78 許嘯天：《分類詩經》（一），總頁317。

79 〔清〕方玉潤：《詩經原始》（北京市：中華書局，1986年），頁147。

80 《毛詩注疏》卷2之2，頁10，總頁89；朱熹：《詩集傳》卷2，頁17。

81 《古史辨》，冊3，頁484。

82 許嘯天：《分類詩經》（二），收入林慶彰主編：《民國時期經學叢書》，第4輯，冊27，
　　總頁412。

83 〔清〕方玉潤《詩經原始》，頁135。

84 許嘯天：於《分類詩經》（一）之〈詩經新序〉中批評漢學家拘泥，批評宋學家空
　　泛，而特別贊許清代崔述與方玉潤，認為二人的見解最是確切，見總頁29。

85 洪湛侯言方玉潤：「亦不過在舊說基礎上花樣翻新而已」見洪湛侯：《詩經學史》（北

新解《詩經》自許，亦具有徘徊於傳統與反傳統間的特色。如〈魏風・碩鼠〉一詩，學者多贊同《詩序》：「刺重斂也」的說法，方玉潤亦從此說，然許氏卻不用傳統「美、刺」的教化字眼，而云：「百姓怨官家收稅太重」[86]，其以「怨」代「刺」，更合於孔子所云《詩》可以「興觀群怨」的「抒怨」之教，展現自我論說的教化底蘊。

　　更鮮明的詩例如〈葛覃〉，許氏定詩旨為：「女人回娘家去穿的衣服十分樸實是表明那時女人的好德性」[87]，與胡適新穎的「女工」之說不同，與《詩序》：「〈葛覃〉，后妃之本也。后妃在父母家，則志在於女功之事」[88]相較，其教化的質素亦不同。又如〈小星〉，許氏定其詩旨為：「小老婆伺候他的丈夫夜去早回沒有怨恨的意思」[89]，與胡適新穎的「妓女」之說不同，與《詩序》：「〈小星〉，惠及下也。夫人無妒忌之行，惠及賤妾，進御於君，知其命有貴賤，能盡其心矣。」[90]相較，其教化的質素亦不同，褪去了神聖而嚴肅的君臣政教色彩，成為普及且平民化的倫常教化。且不論其所論詩旨的適切與否，僅就此一層面而言，此種修正，也可算是對前說的一種改良與進步。

三　疑古思潮建構《詩經》的文學性質

　　民國以後，乃是相對於舊時代的新社會、新國家，再加上新文化運動的興起、新學術觀念的形成，以及教育的普及、西學的東漸、科學研究法的加入等，使得《詩經》的研究產生了「形」與「質」的變化。其逐漸脫去自漢至清以來歷史化、政治化、倫理化、功利化的經學規範與價值，而被視為

　　京市：中華書局，2002年），下冊，頁573。
86　許嘯天：《分類詩經》（二），總頁444。
87　許嘯天：《分類詩經》（一），總頁217-218。
88　《毛詩注疏》，卷1之2，頁1，總頁30。
89　許嘯天：《分類詩經》（一），總頁241。
90　《毛詩注疏》，卷1之5，頁4，總頁63。

「詩歌總集」，定性為文學作品來研究，其影響所及，產生了《詩經》白話
譯註發展的轉變與興盛。誠如趙沛霖《現代學術文化思潮與詩經研究——二
十世紀詩經研究史》所云：

> 《詩經》白話文譯翻的產生和長期繁榮，其文化思想前提主要有二：
> 關於《詩經》經學觀念的破除和大眾化意識的流行。這兩個方面為
> 《詩經》的白話文翻譯提供了最為適宜的發展空間。[91]

而關於《詩經》經學觀念的破除，趙先生又云：「不是單純憑個人的覺悟，
而是時代前進的結果，是歷史發展的必然。」故他繼而主張研究《詩經》白
話譯註的問題：「單靠個別譯本的舉證式研究是根本不可能的，而必須從時
代學術文化思潮與學術史發展相結合的高度，密切結合《詩經》研究，將它
作為一個具體的發展過程從整體上加以把握。」

　　對於傳統舊說予以解構，並進行多方的辯駁與有限的融合之後，疑古學
者進一步建構《詩經》文學的性質與價值，陸續提出《詩》為文學作品的主
張，乃是接著從《詩經》本身的性質而言，否定其為經典。一九二二年二
月，錢玄同在給顧頡剛〈論《詩經》真相書〉的信中寫道：

> 《詩經》只是一部最古的「總集」，與《文選》、《花間集》、《太平樂
> 府》等書性質全同，與什麼「聖經」是風馬牛不相及的。（「聖經」這
> 樣東西，壓根兒就是沒有的）[92]

錢氏將《詩經》視為最古的文學類總集，而非神聖的經典。胡適一九二二年
四月二十六日的日記裡也提出要「用文學的眼光來讀《詩》」[93]。錢玄同在
一九二三年二月九日寫給顧頡剛〈論《詩》說及群經辨偽書〉的信中，一方
面肯定顧頡剛的《詩》說，一方面希望他能好好整理《詩經》，「歸還它原來

91 趙沛霖：《現代學術文化思潮與詩經研究——二十世紀詩經研究史》（北京市：學苑出
　　版社，2006年），頁350。以下二則趙先生的引文亦見於此頁。
92 《古史辨》，冊1，頁46。
93 曹伯言整理：《胡適日記全編》（臺北市：聯經出版公司，2004年），冊3，頁644。

的文學真相。」[94]則指引出「文學真相」的還原，是為整理《詩經》的重要目標與手段。他們都主張《詩經》不是神聖的經典，而是一部文學作品，故應以文學的角度來研究《詩經》，其進一步實踐的手段之一，便是以文學的角度，運用白話的方式，重新註解、翻譯《詩經》。

疑古思潮之後，《詩經》的白話譯註乃深受其影響，而多改以文學的視角解經，首先出現的郭沫若《卷耳集》，是中國最早的註解加翻譯的專著，選譯了四十首〈國風〉的情詩，被傳統詩經學誤為「鄭聲淫」的〈鄭風〉即有十四首之多，原因之一便是他認為「情詩」最能體現《詩經》是為「優美的平民文學」[95]的特質。則知，解構《詩經》的經典地位，進而建構其普及化、淺白化、平民化的文學性質，乃有效促使《詩經》白話譯註發展的轉向。綜合之，疑古學者建構《詩經》的文學性質，反應於《詩經》的白話譯註上，有以下三點特色。

（一）以多元視角欣賞詩藝——對譯註內涵的影響

疑古學者既將《詩》視為文學作品而非經典，研讀它、批評它的方法自然不同，因此既主張須具有傳統「訓詁考據」的基礎能力，又主張融合相關學科，如社會學、歷史學、考古學、民俗學、人類學等知識，以深入考察詩篇的文學藝術，形成以多元視角欣賞詩篇文學藝術的特質。

在「訓詁考據」方面，疑古學者主張以此能力為基礎進而欣賞詩篇的文藝，此乃有一個發展的歷程。首先，一九二三年三至五月，顧頡剛發表的〈《詩經》在春秋戰國間的地位〉一文中，即由衷地呼籲：

> 我們既知道它是一部文學書，就應該用文學的眼光去批評它，用文學書的慣例去注釋它，才是正辦。

---

94 《古史辨》，冊1，頁50。
95 《卷耳集·序》，頁5。

顧氏明確主張以「文學的角度」來注解《詩經》，才是研究《詩經》的正
路，並且盼能由此「洗刷出《詩經》的真相」[96]，將「文學」視為《詩經》
本真的質素。

　　接著，如一九二三年十月俞平伯開始寫作〈葺芷繚衡室讀詩札記〉，確
立了以「人情物理」[97]為主的說《詩》標準，並於〈召南‧小星〉中強調：
「《詩三百篇》非必全是文藝，但能以文藝之眼光讀《詩》，方有是處。」又
提出方法上的主次之別云：

> 我們讀《詩》，當以虛明無滓之心臨之，斯為第一要義；考據和論辨
> 反是第二義也。[98]

《文心雕龍‧神思》：「是以陶鈞文思，貴在虛靜，疏瀹五藏，澡雪精神」[99]，
為文貴在虛靜，臨文讀詩亦當如是。是以俞氏主張讀《詩》須「以虛明無滓
之心臨之」，以便進行文藝的賞析。俞氏於〈邶風‧柏舟〉中又強調應「就
《詩》而論《詩》，『考辨』與『欣賞』同為目今研治此書不可或缺之工
作」，然「文學本以欣賞為質，煩瑣之考辨非所貴尚」，「考辨論證之事，在
文壇上只是一種打掃工夫」。俞氏將《詩經》視為文學作品，訓詁考辨則是
為了要明其義的輔助工夫，有助於掃除《詩》中「重重之翳障」[100]，最終
的目的便是要以文藝的眼光鑑賞之，以達到對《詩經》欣賞的高峰體驗。

　　其三，如一九二五年九月胡適發表的〈談談《詩經》〉，在前人的基礎之
上，具體提出《詩經》研究法有進程上的先後，其云：

> （第一）訓詁：用小心的精密的科學的方法，來做一種新的訓詁的工
> 夫，對於《詩經》的文字和文法上都從新下註解。

---

96 以上二則引文見於〈《詩經》在春秋戰國間的地位〉，《古史辨》，冊3，頁309、312。
97 〈葺芷繚衡室讀詩札記‧邶風谷風故訓淺釋〉，《古史辨》，冊3，頁490。
98 以上二則引文見於〈葺芷繚衡室讀詩札記‧召南小星〉，《古史辨》，冊3，頁468、
　　469。
99 劉勰著，范文瀾注：《文心雕龍注》（臺北市：學海出版社，1991年），頁493。
100 以上四則引文見於〈葺芷繚衡室讀詩札記‧邶風柏舟〉，《古史辨》，冊3，頁478。

　（第二）解題：大膽地推翻二千年來積下來的附會的見解；完全用社
　會學的，歷史的，文學的眼光從新給每一首詩下個解釋。[101]

其主張首先從訓詁做起，掌握文字、文法，重新以己意、今言解釋字句篇
章；進而在此基礎之上，結合社會、歷史、文學的眼光，給每首詩做出新的
題解。於此，不僅更加強調文藝鑑賞的地位、份量與重要性，且更擴大而結
合社會學、歷史學等多元學科的考察，以進行整首詩的題解。

　綜合胡適的論說，其結合學科的範圍十分廣闊，且亦有一認知上的發展
進程。早在一九二二年四月二十六日的日記裡，即提出研究《詩經》「須用
社會學與人類學的知識來幫助解釋」[102]。在一九二五年六月發表的〈論野
有死麕書〉，提出《詩》為民歌的看法，認為：「研究民歌者當兼讀關于民俗
學的書，可得不少的暗示。」[103]又在一九二五年九月演講的〈談談《詩
經》〉中，主張《詩》「可以做社會史的材料，可以做政治史的材料，可以做
文化史的材料。」故胡適最終主張應該「完全用社會學的，歷史的，文學的
眼光從（重）新給每一首詩下個解釋」，即胡適依序主張結合社會學、人類
學、民俗學、社會史、政治史、文化史、歷史學、文化史的知識，最終則以
文學的眼光題解詩篇。

　蓋疑古學者將《詩經》視為文學作品，而文學作品本身可以透過抒情、
敘事、描寫等方式，以表達作者的所思、所見，其內容可涵蓋社會、歷史、
考古、民俗、語言等多元的內涵；因此，疑古學者認為研究《詩經》須以訓
詁考據為基礎，進而結合社會學、歷史學、考古學、民俗學、人類學等多元
學科的知識，以欣賞詩篇的文學性。除胡適之外，梁啟超、郭沫若、顧頡
剛、鄭振鐸、聞一多等受西方人類學、民俗學、文學理論等研究方法的影
響，均對此有許多的闡發，或進而運用此法以解讀詩篇。

101　胡適：〈談談《詩經》〉，《古史辨》，冊3，頁580。「從新」乃「重新」之誤，胡適於
　　一九三五年收於《胡適文存》四集中的〈談談詩經〉，即做了校正，收入胡適著，歐
　　陽哲生主編：《胡適文集》（北京市：北京大學出版社，1998年），頁14。
102　曹伯言整理：《胡適日記全編》，冊3，頁644。
103　《古史辨》，冊3，頁443。

　　受此思潮的影響，《詩經》在白話譯註的內涵上有以下三種轉變：

1 以訓詁考據為基礎欣賞詩藝

　　如胡適從事《詩經》解譯之前，即先做好訓詁考據的工夫，故胡適早在宣統三年（1911 年 5 月 11 日），即寫成了〈詩三百篇言字解〉。因「言」字是《詩經》中常見的詞語，歷來訓詁不一，胡適即運用考證的方法，將「言」字在《詩經》中的運用，廣泛列舉進行比較，又與它在其他典籍中的應用加以比較，對它的語法作用「歸納」出三點看法，即：「言」字其用與「而」字相似、「言」字又作「乃」解、「言」字有時亦作代名之「之」字。[104] 這種在文字、文法上博證求通的研究方法，就是他所說的「關於一句一字，都要用小心的科學的方法去研究」[105]，這是將清代訓詁考據學與西方科學理論的匯合與應用。胡適於此文之末段意味深長地說：

> 抑吾又不能已於言者，《三百篇》中，如式字，孔字，斯字，載字，其用法皆與尋常迥異。暇日當一探討，為作新箋今詁。此為以新文法讀吾國舊籍之起點。[106]

胡適欲以訓詁考據為基礎、為起點，由此展開對《詩經》的一些新注、新解。只可惜此類文法訓詁的文章並不多，且其所論亦時有不確，如釋「薄言采之」、「薄言往愬」等之「言」字為「乃」，「薄」作「甫」字解，即始也，二句以今言譯之即「乃始采之」，「乃甫往愬」，然則「薄言」以高鴻縉先生所釋「迫而」為最佳，猶今之口語「趕快」之意，[107] 以顯現女子採摘治療不孕之藥「車前草」，那不欲為人知的急迫情狀。由此可見胡適新解《詩經》的精確性、合宜性均有不足，成績也就有限了。然其提出此一科學歸納

104　胡適：〈詩三百篇言字解〉，《古史辨》，冊3，頁574~575。

105　胡適：〈談談《詩經》〉，《古史辨》，冊3，頁580。

106　胡適：〈詩三百篇言字解〉，《古史辨》，冊3，頁575、576。

107　余培林：《詩經正詁・芣苢》（臺北市：三民書局，1993年），上冊，頁25，註4。「薄言」引高鴻縉先生之說，並贊同此說。

法，對於推動《詩經》研究也發揮了一定的作用。

　　魏建功於一九二六年六月發表的〈〈邶風‧靜女〉的討論〉中，亦強調讀《詩》須兼顧訓詁名物與文藝鑑賞，他認為不能偏重訓詁考證，而「把全文的意義和文學的藝術忘了」，應當「既要顧到全文的意義，又要注意文學的表現手腕——藝術。這種地方就是文學的生命；往往經過拘泥的考據把神氣失了，是件最可惜的事！」如於此文中解〈魏風‧伐檀〉一詩，除了有譯文，並對詩中的「素餐」、「君子」、「爾」、「我」等字詞之義，做了一番考辨外，更對其中的文藝手法有番剖析：

> 首三行說的伐檀時情狀，不稼不穡以下便託在伐檀者的嘴裏對一班「君子」下的攻擊，的確是實情；但是這等人又有什麼法子，末了對這不平允的事情，只有浩歎，悠然發出一句遣情的冷譏的刺語說道：「闊人呵，是不吃白飯的呵！」這一句沈痛的嘆語放在伐檀者嘴裡，於懷疑一班人不稼不強穡，不狩不獵，能得禾和一切的牲畜之後，隨即接轉，其意味之深沈是如何有咬嚼！[108]

對其中「情思的轉折」，以及「沈痛的嘆語」、「遣情的冷譏」等意味深長的文藝手法，分析得十分細膩，誠如一九二八年陳槃於〈周召二南與文王之化〉中所強調的，是「用民間文藝的眼光」[109]來讀《詩》。

　　不僅是古史辨學者主張並實踐了讀《詩》、解《詩》應兼顧文藝鑑賞與訓詁考據，檢視民初《詩經》白話譯註的專書，亦有此一趨勢，多於文學意味濃厚的白話翻譯之外，亦有「註」以訓詁、考證字詞義。以一九二六年上海群學社出版的許嘯天《分類詩經》為例，其每篇於白話翻譯之外，另有「（義）註」以訓詁字詞之義。許氏於首篇的〈詩經新序〉中呼應胡適的說法，強調研究《詩經》的兩條方法之一，便是要「用細心的精密的科學方

---

108 以上三則引文皆見於魏建功：〈〈邶風‧靜女〉的討論〉，《古史辨》，冊3，頁530、532、531。
109 《古史辨》，冊3，頁435。

法，來做訓詁的文法的工夫」[110]。如同樣對《詩經》中普遍運用的「言」字，思考其訓詁的問題：

> 言字，在《詩經》中用得很多而且很難講；漢儒把他當作我字解，直至王氏父子纔把言字作虛字解，亦從比較法得來的。我初見〈彤弓〉之「受言藏之」一句，覺得有點費解；再看受字藏字都是動字，因而悟到言字即而字的意思，「受言藏之」，即受而藏之。得此暗示後，再觀其他如〈泉水〉之「駕言出游」，〈載馳〉之「言至於漕」，〈七月〉之「言私其豵」，皆可迎刃而解，毫無高深的意義，這都是古人不懂文法以虛為實的錯誤。[111]

由此可見，許氏在譯註詩篇時，十分重視字詞義的「訓詁」工夫。再以一九三四年由上海廣益書局出版的江蔭香《詩經譯注》為例，其於原文之後，列有「題義」，說明詩篇義旨；「註音」，標難字之音；「白話註」，訓詁難解字詞之義；「白話解」，翻譯為白話文。其對「鴟鴞」一詞訓為：「是惡鳥，又名鵩鵩，俗叫貓頭鷹，要捉別的小鳥吃的，詩裏拿來比管叔和武庚。」並將首章譯為：

> 你這萬惡的鴟鴞啊！你這萬惡的鴟鴞啊！你已經攫取我的兒子吃了，不要再來毀壞我的窠了；我是用恩情愛護他，又是勤力的扶助他，養這個兒子，也是很可憐的呢！這是周公把雀兒自比，撫養成王，何等辛苦，豈容你鴟鴞般的武庚，在成王跟前說我的壞話，要想謀取周朝的天下。[112]

---

110 許嘯天：《分類詩經》（一），收入林慶彰主編：《民國時期經學叢書》，第4輯，冊26，總頁41。

111 許嘯天：《分類詩經‧詩經新序》（一），總頁42。許氏此〈序〉文寫於《分類詩經》完稿之後，然檢閱此四篇詩的譯文，仍皆以「我」釋「言」，可見許氏雖有此悟，然並未回頭再去修改已完成的註、譯。

112 江蔭香：《詩經譯注》，卷3，頁125，收入林慶彰主編：《民國時期經學叢書》，第2輯，冊35，總頁247。

在此，江氏以訓詁「鴟鴞」的名物為基礎，解析其中「比」的文藝手法，並進而以白話翻譯之，將文中所「喻」之義一併解譯，以使文義更為明白曉暢，期能有助於讀者深入欣賞詩篇的文學藝術，進而體悟其中的主題思想。

2 融合多元學科考察詩篇文學性

　　早在一九二二年郭沫若撰寫《卷耳集》時，即已運用此多元學科的考察以譯註《詩經》，同以〈召南·野有死麕〉為例，其譯為：

> 有位勇士打了一隻鹿子回來，／用白色的茅草把牠包好，／搭在左邊的肩上；／他右手拿著弓和箭。／背後有隻獵犬跟著。
> 他走到一處平野上來的時候，／看見一位少女坐在一株白楊樹下。／少女是很清秀地，就像一塊玉石一樣。／勇士便放下弓箭，把鹿子捧在手裏，／走去跪在她的面前說要把鹿子獻給她。
> 少女說：你規矩些，你和雅些，／不要拉我的手巾呀！／我怕你那尨犬兒，／不要使牠咬了我呀！[113]

同樣是〈野有死麕〉一詩，胡適即運用了類比的手法，以亞洲、美洲蠻族的習俗做參考比較的材料來研究，因而對於顧頡剛〈野有死麕〉中對詩篇所謂「性的滿足」之說提出糾正，認為「只說那女子接受了那男子的愛情，約他來相會，就夠了」，進而提出自我的說解：

> 〈野有死麕〉一詩最有社會學上的意味。初民社會中，男子求婚于女子，往往獵取野獸，獻與女子。女子若收其所獻，即是允許的表示。此俗至今猶存于亞洲美洲的一部分民族之中。此詩第一第二章說那用白茅包著的死鹿，正是吉士誘佳人的贄禮也。[114]

胡適的說解與前引郭沫若的譯文十分相類，細部的差別在於胡適類比其他民

---

113 《卷耳集》，頁8-9。
114 此上三則引文皆見於胡適：〈論野有死麕書〉，《古史辨》，冊3，頁442。

族的文化，將詩文與禮俗結合，強調說明詩歌背後民俗學的意味；而郭氏則逐句翻譯詩篇，將民俗學的意涵融於譯文中，再增添了許多文學細節的想像。

　　此種融合多元學科的讀《詩》法，獲得了當時許多學者的認同。聞一多在〈匡齋尺牘〉中亦認為《詩經》應該是「社會學的」，應把《詩》當「社會史料、文化史料讀」。因此，他又明確指出，「希求用『《詩經》時代』的眼光讀《詩經》」[115]，《風詩類鈔甲·序例提綱》又提出要用「語體文」，「將《詩經》移至讀者的時代」；要用民俗學、考古學、語言學等方法，「縮短時間距離」「帶讀者到《詩經》的時代」。[116]其特別強調要融合多元學科以研究《詩經》，並以「白話文」重新解讀，讓現代人更能讀懂《詩經》、親近《詩經》。聞氏關於《詩經》的著作收入新版《聞一多全集·詩經編》中，研究類論文有〈詩經的性欲觀〉、〈詩新臺鴻字說〉、〈匡齋尺牘〉、〈說魚〉，而《聞一多全集·神話編》中的〈高唐神女傳說之分析〉、〈朝雲考〉、〈姜嫄履大人跡考〉也可視為《詩經》的研究論文，其中即運用考古、訓詁、民俗學、心理學、神話學等多元視角以研究《詩經》。關於注釋類的專著有《詩經新義》、《詩經通義》甲、乙；屬於分類注釋的有《風詩類鈔》甲、乙；另有字典性質的《詩經詞類》及確定風詩體制的《詩風辨體》，亦可見其以多元視角註解詩篇、欣賞文藝的理念實踐。

3 以文學角度重新分類詩篇

　　此外，民國以後的《詩經》研究，受此多元研究視角的影響，對詩篇的內容產生了多元的解讀，在詩篇的分類上亦出現了一些新的想法。傳統詩經學將《詩》分為〈風〉、〈雅〉、〈頌〉三類，顧頡剛以為這是從「聲音」的角度所進行的分類，而不是意義的關係。[117]受疑古思潮的影響，則另有一些

---

115 聞一多：〈匡齋尺牘〉，《聞一多全集》（武漢市：湖北人民出版社，2004年），第3
　　冊，頁215。

116 聞一多：《風詩類鈔甲·序例提綱》，《聞一多全集》，冊4，頁457。

117 〈從《詩經》中整理出歌謠的意見〉：「我始終以為《詩》的分為〈風〉〈雅〉〈頌〉

學者提出可按內容義旨重新分類，以反應《詩經》文學的內涵與特質，如鄭振鐸於《文學大綱》中，即提出按「詩人的創作」、「民間歌謠」、「貴族樂歌」等三部分重新分類，每大類之下再細分為若干小類；[118]又如聞一多的《風詩類鈔》主張將〈國風〉按照婚姻、家庭、社會三大類目重新編次。[119]在《詩經》白話譯註的著作上，亦有相應的實際表現，如許嘯天的《分類詩經》，其於〈詩經新序〉中自云：

> 用客觀的方法去整理：（一）排去經解；（二）就《詩》的本旨去分類；（三）註解字意。[120]

即從內容義旨的角度將《詩經》重新分為：家庭、宮室、政治、軍事、風俗、雜類六大類，以分類譯註詩篇。又如繆天綬的《詩經選讀》，亦是從內容上加以分類，將《詩經》區分為抒情詩（上、下）、描寫詩、諷刺詩、陳說詩四大類，以分別譯註詩篇，其於〈序言〉中剖析：

> 用〈風〉、〈雅〉、〈頌〉分別《三百篇》，我們在今日弄不清楚了，還不如在詩的本身上分它的類，似覺爽快些。抒寫情緒的就是抒情詩，描寫事物的就是描寫詩，陳說道理的就是陳說詩。〈衛風〉的〈伯兮〉、〈小雅〉的〈杕杜〉，都是思婦之詞，不管它是〈風〉是〈雅〉，一言以蔽之，抒情詩就是了。〈豳風〉的、〈七月〉，〈小雅〉的〈無羊〉，一是描寫農功的，一是描寫牧羊的，也不管它是〈風〉是〈雅〉，我們稱它描寫詩就是了。[121]

受疑古思潮以多元視角研究《詩經》的影響，《詩經》不僅是文學作品，同

是聲音上的關係，態度上的關係，而不是意義上的關係。」《古史辨》，冊3，頁590。
118 鄭振鐸：《文學大綱》（上海市：上海書店，1986年影印），上冊，頁276。
119 聞一多：《風詩類鈔甲・序例提綱》，《聞一多全集》，冊4，頁456。
120 許嘯天：《分類詩經》（一），總頁47。
121 繆天綬：《詩經選讀・序言》，收入林慶彰主編：《民國時期經學叢書》，第1輯，冊35，頁11。

時具有社會、政治、民俗等方面的素材，為反應此一特質，《詩經》的白話
譯註即產生了一些從詩篇內容重新分類《詩經》的專著，其分類雖不夠精緻、
完足，且未能彰顯《詩》為樂歌總集的特質，然從另一個層面來看，此開啟
了對《詩經》文學內涵的重視，以及其中所具多元性、豐富性、活潑性的文
學認識，對於疑古學者的建構《詩經》文學性質，做了相當程度的回應。

（二）視《詩》為樂歌、歌謠──對註譯文體的影響

　　疑古學者確立了《詩》為文學作品之後，進一步注意到其樂歌的特質，
如一九二三年一月鄭振鐸的〈讀《毛詩序》〉強調「《詩經》是中國古代詩歌
的總集」[122]，一九二三年三月顧頡剛的〈《詩經》在春秋戰國間的地位〉強
調《詩經》「是入樂的詩的一部總集」[123]，因此如聞一多《風詩類鈔‧序例
提綱》即主張要「注意古歌詩特有的技巧」[124]以研究《詩經》；顧頡剛於
《古史辨》第三冊〈自序〉中亦強調編輯此書下編討論《詩三百篇》論文的
目的，在於「破壞其文武周公的聖經的地位，而建設其樂歌的地位」[125]。
亦即將《詩經》從聖經的地位降下，欲努力恢復其為「樂歌」的本相。
　　此外，另有一些學者將《詩經》的地位再從樂歌下降為「歌謠」，如胡
適於一九二二年的日記裡主張研究《詩經》「須用歌謠（中國的，東西洋
的）做比較的材料，可得許多暗示」[126]，即以歌謠研究《詩經》；一九二三
年於〈《國學季刊》發刊宣言〉中公開表示：「在歷史的眼光裡，今日民間小
兒女唱的歌謠，和《詩》三百篇有同等的位置」[127]，即《詩經》與歌謠的
性質相同；一九二五年的〈談談詩經〉則直接稱《詩經》「確實是一部古代

122　《古史辨》，冊3，頁382。
123　《古史辨》，冊3，頁312。
124　《聞一多全集‧風詩類鈔‧序例提綱》，冊4，頁457。
125　《古史辨》，冊3〈自序〉，頁1。
126　一九二二年四月二十六日的日記，曹伯言整理：《胡適日記全編》，冊3，頁643。
127　胡適：〈《國學季刊》發刊宣言〉，《胡適文存》二集，收入歐陽哲生編：《胡適文集》，
　　　第3集，頁11。

歌謠的總集」[128]，即將三百五篇全數視為歌謠。至一九二七年俞平伯發表的〈萱芘緯衡室讀詩札記・召南小星〉即主張：「〈國風〉本係諸國民謠，不但不得當作經典讀，且亦不得當為高等的詩歌讀，直當作好的歌謠讀可耳。」[129]則是直接將《詩經》視為歌謠來閱讀。至一九二九年何定生的〈關於詩的起興〉則又降一級，論定「《詩經》是第一部詩」，因而「同民歌兒歌一樣自然」[130]，將《詩》與淺白的民歌、兒歌相類比。

以上疑古的學者，將《詩經》從聖經的地位，節節普及化、淺白化、俚俗化，降為樂歌、歌謠，甚至等同於民歌、兒歌，如今看來，將《詩》全視為民歌、歌謠，正如同將《詩》全視為「聖經」一樣是有疑義的。《詩經》中〈雅〉、〈頌〉是貴族的作品，絕不是民謠；〈國風〉中也只有一小部分具有民謠的特質，而《詩經》中「賦、比、興」的文藝手法，更不可與兒歌相提並論。然此一主張，在當時引起了不少的回響，不僅卸下了《詩經》「聖經」的神聖光環，同時建構了《詩經》成為一種平民的文學。如前所述，郭沫若《卷耳集》選註、選譯《詩經》，即將《詩經》視為「優美的平民文學」[131]。

受此疑古思潮的影響，《詩經》的白話譯註在使用的文體上，則出現了白話散文、新詩、歌謠等自由體的新形式，以期能更真實地呈現《詩經》的文學質性；爾後，再衍生出諸多體式交互融合的譯詩法。茲將其發展的進程與表現分述如下。

1 歌謠化的新詩譯法，無押韻

將《詩經》原文翻譯成白話文，最早見於一九二三年八月出版的郭沫若《卷耳集》，以〈靜女〉一詩為例，其將首章譯為：

128　《古史辨》，冊3，頁577。
129　《古史辨》，冊3，頁468。
130　《古史辨》，冊3，頁702。
131　《卷耳集・序》，收入林慶彰主編：《民國時期經學叢書》，第1輯，冊35，頁5。

　　她是又幽閒又美麗的一位牧羊女子，

　　她叫我今晚上在這城邊等她。

　　天色已經昏朦了，她還沒有來，

　　叫我心上心下地真是搔摸不著！[132]

郭氏不僅是位學者，還是位詩人，譯詩富有濃厚的新體詩意味，然由於尚為創始階段，亦具有歌謠化的意味，且無押韻。同時，郭氏亦發揮其文學的想像力，而增添了「天色已經昏朦」、「我心上心下地」此類文學性的細節描寫。（詳見下節）

　　其次，如一九二六年二月顧頡剛發表的〈瞎子斷匾的一例——靜女〉一文中，將〈靜女〉首章譯為：

　　幽靜的女子美好呵，她在城角裏等候著我。

　　我愛她，但見不到（或尋不見）她，使得我搔著頭，好沒主意。[133]

此亦為歌謠化的新詩譯法，且無押韻。

2 歌謠化的新詩譯法，有押韻

　　一九二三年以後，《詩》為歌謠、民歌的相關討論愈來愈熱烈，《詩經》的譯法也更加歌謠化、新詩化，甚至講究譯句的押韻。一九二六年五月魏建功將〈靜女〉譯為：

　　幽靜人兒呵漂亮，

　　等著我在城牆角：

　　——我愛心肝見不著，

　　抓耳撓顋沒主張！[134]

132　郭沫若：《卷耳集》，頁11。

133　《古史辨》，冊3，頁512。

134　《古史辨》，冊3，頁538。

此在行文上更加歌謠化、新詩化，節奏較輕快有韻律感，且「亮」與「張」，「角」與「著」協韻。此篇譯文除收入於《古史辨》之外，亦收入於陳漱琴編著的《詩經情詩今譯》，而陳氏自譯的〈狡童〉一詩，同樣也是歌謠化的譯法：

> 一個小滑頭，
> 不和我說話；
> 都是為了你，
> 使我飯也吃不下！
>
> 一個小滑頭，
> 不陪我吃飯；
> 都是為了你，
> 使我睡也睡不安！

陳氏並於譯文之後註解說明：

> 這首詩本來譯作「那姣好而滑頭的人兒喲！為甚麼不把相思和我細說？我為了渴慕你的原故，連吃飯都不能下咽！」「那姣好而滑頭的人兒喲！為甚麼不到這裏和我共食？我為了渴慕你的原故，我的心兒不能安息！」的，總嫌它太散文氣了。後來見著一位先生，他把前段改了一下，變成了民歌的聲口，頗覺圓熟而有趣。所以我也把後段改了。[135]

由此可見，陳氏乃有意識地將帶有散文氣的歌謠譯法，改為更純粹的「民歌的聲口」，認為比較「圓熟而有趣」，正是疑古學者視《詩》為民歌理念的實踐。然而，《詩》中不僅有情詩，亦有貴族宴饗、宗廟祭祀等詩，故疑古學者將《詩經》視為歌謠、民歌，影響所及，《詩經》的白話譯文亦歌謠化，

---

135 陳漱琴：《詩經情詩今譯》，頁50-51。

文辭過於淺白、口語，與將《詩經》視為「聖經」一樣，是對《詩經》的一種「成見」，未必符合其「真相」，恐怕在普及、推廣《詩經》的同時，也正對《詩經》進行著另一種的扭曲與變形。

3　白話散文式的譯法

　　由以上的論述可知，故欲對《詩經》全本做一番全面而深入的解說、譯註之時，歌謠、民歌輕快的、簡潔的筆調，較無法勝任，因而一些非主流學者對於疑古的主流學者之說做了一些改易，他們的說《詩》往往搖擺於傳統與反傳統之間，時或如傳統般附會史實，申述微言教義；時或如反傳統般闡發情詩、情思，以文藝的筆調譯註詩篇，融合了傳統與反傳統之說，因而譯註的形式也做了一些相應的改變，即多以白話散文的方式，以呈現詩歌複雜的情境意涵。同以〈靜女〉一詩為例，如許嘯天《分類詩經》譯為：

> 一個幽嫻貞靜齊國的女兒，他的面貌聽說是長得十分美麗的；我衛宣公便在河邊造一座新臺，把齊國女兒娶來，先安頓在新臺裏。他已站在臺角上守候著我了，我心中十分歡喜這個美人；在不曾和這美人見面以前，我心十分焦急，拿手搔著頭皮，兩腳走來走去不停的呢！[136]

許氏言此詩的詩旨為：「譏刺宣公好色偷娶子婦的事體」，與傳統《詩序》所云：「〈靜女〉，刺時也。衛君無道，夫人無德」[137]相近，同樣犯了附會史實的弊病，落實了男女主人翁為衛宣公與齊女宣姜。然而，受到疑古思潮以情詩、情思釋《詩》的影響，譯文較不似《詩序》如此富有嚴厲的諷刺意味，而是有更多情感的流露，融合了傳統與反傳統的思維，故較適合選擇以白話散文的形式，娓娓譯出其中複雜的詩歌背景與內容義涵。

　　又如出版於一九三二年喻守真的《詩經童話》，他在譯註《詩經》時，一方面仍保有部分傳統的教化觀，因而在觀念上融合了傳統與現代的詩經

136　許嘯天：《分類詩經》（一），總頁318，下則引文見總頁317。

137　《毛詩注疏》，卷2之3，頁12，總頁104。

學，認為：「《詩經》這部書，本是古時民間的歌謠，抒寫各地當時的風土人情；有的讚美，有的諷刺，有的是在祭祀或請客時候用來唱歌的，那時國家也特設采風的官吏，專管搜採民間的歌謠，來作施行政治的標準。」且認為《詩經》是「經孔子刪定的」。另一方面又受到現代疑古思潮的影響，在譯解《詩經》的時候，「用文藝的描寫，來避免枯澀板滯的弊病，使讀者容易引起興趣」。他總共選譯了二十七篇詩，特別是「關於國家的觀念，和社會的道德的，都儘量與以介紹。」[138]在這樣的著書宗旨之下，其解譯的方式也是白話散文式的，如〈柏舟〉一詩喻氏解為「憂國」，並將第一章「汎彼柏舟，亦汎其流。耿耿不寐，如有隱憂。微我無酒，以敖以遊」譯為：

> 唉！我們國家好像一隻柏樹做的船，原是很堅固的，不過目下卻在風浪中盪著，這是多麼危險的事呢！我很替他提心吊膽，難以成寐。我何嘗不可用酒來消愁，可是一想到國家的危險，就一滴也不能下嚥。[139]

《詩序》：「〈柏舟〉言仁而不遇也。衛頃公之時，仁人不遇，小人在側。」鄭《箋》解首章亦依此意，云：「舟載渡物者，今不用而與眾物汎汎然俱流水中，興者，喻仁人之不見用而與羣小人並列。」[140]喻氏言此詩詩旨：「邶國沒有給衛國併吞以前，君主昏庸，佞臣擅權，國勢一日衰似一日」[141]，譯此詩時則特別強調賢大夫替國家擔憂的情形，因此特別注重其中情節的鋪陳、文藝的筆調、情感的抒發等文學性，即以較為感性的筆法闡發其中的教化意涵，與漢儒較為嚴肅的政教之意有所不同。為與此內涵相應，則不適宜再用歌謠、新詩如此輕快的方式解譯詩篇，而是採用散文的方式進行鋪陳，方能暢快淋漓地表達其中融合傳統與反傳的思維，及感性的內容意旨，也較能進行《詩經》全本的譯註。

---

138 以上四則引文見喻守真：《詩經童話・序》，收入林慶彰主編：《民國時期經學叢書》，第2輯，冊37，頁1、2。

139 喻守真：《詩經童話・柏舟》，頁6。

140 《毛詩注疏》，卷2之1，頁6，總頁71。

141 喻守真：《詩經童話・柏舟》，頁5-6。

（三）以諷誦涵詠體會詩譯——對譯註方式的影響

　　疑古學者肯定回歸、面向《詩經》文本的闡釋學意義，如顧頡剛責難《詩序》偏離《詩經》文本，批評道：「夫惟彼之善惡不繫于詩之本文而繫于詩篇之位置」[142]。對於勇於反傳統，好以文學角度說《詩》的朱熹，則讚揚其「敢于擯去《詩序》而直接求之於本經，於是許多久被漢人遮飾的淫詩又被他揭破了真相了。」[143]至於如何「直接求之於本經」，朱熹提出了「諷詠以昌之，涵濡以體之」[144]的讀詩法。清代的《詩經》闡釋中，較為激進、明朗、叛逆、前衛的特立獨行者——姚際恆、崔述、方玉潤等人，十分受到古史辨學者的推崇，他們對於漢儒等人，從外部政教的方式進入《詩經》文本的外圍式闡釋抨擊甚多，主張應聚焦於《詩經》本文。姚際恆《詩經通論》：「惟是涵詠篇章，尋繹文義，辨別前說，以從其是而黜其非，庶使詩意不致大歧，埋沒於若固、若妄、若鑿之中。」[145]崔述《讀風偶識》云：「余於〈國風〉，惟知體會經文，即詞以求其意，如讀唐、宋人詩然者，了然絕無新舊漢宋之念存於胸中，惟合於詩意者則從之，不合者則違之。」[146]方玉潤《詩經原始》主張：「原詩人始意也」「反覆涵詠，參論其間，務求得古人作詩本意而止，不顧《序》，不顧《傳》，不顧《論》，唯其是者從而非者正。」[147]三人皆強調闡釋《詩經》應從其文本著手。

　　《詩序》解《詩》的恰當性既受到歷來疑古學者的嚴厲批判，民初的疑古學者受此影響，將《詩經》視為詩歌，故主張以「諷誦涵詠」的讀詩法來讀《詩》，以提供一種比傳統更為精當且令人信服的闡釋。如鄭振鐸〈讀

---

142 顧頡剛：〈《毛詩序》之背景與旨趣〉，《古史辨》，冊3，頁402。
143 顧頡剛：〈重刻《詩疑》序〉，《古史辨》，冊3，頁408。
144 朱熹：《詩集傳·序》（題作《詩經集註》，臺北市：華正書局，1974年），頁2。
145 姚際恆：《詩經通論·序》（臺北市：廣文書局，1993年），頁3。
146 崔述：《讀風偶識·序》（臺北市：學海出版社，1992年），頁1。
147 方玉潤：《詩經原始·序》（北京市：中華書局，1986年），頁3。《序》指《毛詩序》，《傳》指《詩集傳》，《論》指《詩經通論》。

《毛詩序》〉:「《詩經》中如無重重之翳障在,則吾人誠可直接就諷誦間欣賞古詩人之真美,不勞學作迂儒之聲口矣」[148],認為在掃除《毛詩序》等傳統舊說之後,便要直接諷誦欣賞詩篇內涵。胡適〈談談《詩經》〉亦云:

> 你要懂得《詩經》的文字和文法,必須要用歸納比較的方法。你要懂
> 得三百篇中每一首的題旨,必須撇開一切《毛傳》《鄭箋》《朱注》等
> 等,自己去細細涵詠原文。但你必須多備一些參考比較的材料;你必
> 須多研究民俗學,社會學,文學,史學。你的比較材料越多,你就會
> 覺得《詩經》越有趣味了。[149]

其主張要細細涵詠,從而發掘《三百篇》中每一首詩的題旨。俞平伯〈葺芷繚衡室讀詩札記〉亦云:「吾人苟誠能涵泳咀味其趣味神思,則密察之考辨不妨姑置為第二義」[150],認為考辨、訓詁是為基本工夫,最終還是希望能涵詠詩中的趣味與神思。

　　疑古學者主張以「諷誦涵詠」的讀詩法讀《詩》,此法乃是對詩篇內容文學性的體悟法,由於體悟程度的不同,可大致分為依表層「字面義」的涵詠與以想像闡發詩歌「表達義」的涵詠,受此影響,《詩經》的白話譯註,則分別形成了文學性的「直譯法」與「意譯法」兩種不同的方式。

1 文學性的直譯法

　　漢代儒者解釋《詩經》,好將《詩》與政治教化聯繫起來,以尋求字面義之外的深層表達義;當然,這種深層的表達義,並非個人闡釋時的任意想像,而是約束在王道興衰的範疇之內,這往往使得詩的最終意義與字面意義大相逕庭。宋代的儒者,如鄭樵、朱熹,雖也不滿漢儒此種拘泥政教的解《詩》方式,並且能夠從《詩》的字面義來解釋其中的一部分詩篇,但由於他們解《詩》還未能全然擺脫《詩》為經學的觀點,因此做得還不夠徹底,

---

148 《古史辨》,冊3,頁478。
149 《古史辨》,冊3,頁587。
150 俞平伯:〈葺芷繚衡室讀詩札記・邶風柏舟〉,收入《古史辨》,冊3,頁473。

如朱熹就認為〈關雎〉是歌頌文王的,其中「君子」一詞指的便是文王。而真正從字面義來解釋《詩經》者,便要等到《詩經》的闡釋能全然「從經學轉向文學」的五四疑古學者。

　　胡適在《白話文學史》中認為「《詩經》裡許多的民歌也都是當時的白話文學」[151],一旦確定《詩經》為當時的白話文學,則一切都明白清晰,只須以現今白話文學的筆調翻譯古代的白話文學,直接「從文章上去體會出某詩是講的什麼」[152],《詩經》的主題可以在字面義中得到說明,其意旨也不會超越字面義的範圍,這樣就可以更直接地展開闡釋者的欣賞與批評,不會因為過多的比興、隱喻(metaphor)而導致了詩意的迂迴、曲折與深刻,誠如何定生〈關於詩的起興〉所云:「爽爽直直地取消什麼縹緲的形而上的話(抽象之謂)比較妥當」[153]。因此,部分疑古學者採取了字義對應的還原法,即「直譯法」來翻譯《詩經》,並好以此法闡釋《詩》中情詩、情思的文學意味。再以〈靜女〉一詩為例,古史辨學者依據字面義,將其解釋為男女等待約會的情詩,如顧頡剛〈瞎子斷扁的一例——靜女〉依據此一理解,將此詩翻譯為白話文:

　　幽靜的女子美好呵,她在城角裏等候著我。

我愛她,但見不到(或尋不見)她,使得我搔著頭,好沒主意。

　　幽靜的女子柔婉呵,她送給我硃漆的管子。
　　這個硃漆的管子好光亮,我真是歡喜你(指管)的美麗。

　　從野裏帶回來的莄草,實在的好看而且特別。
　　但這原不是你(指莄)的好呵,好只好在是美人送給我的。[154]

151　《胡適文集》,第8集,頁157。
152　《古史辨》,冊1,頁46。
153　《古史辨》,冊3,頁699。
154　《古史辨》,冊3,頁512-513。

參加討論〈靜女〉一詩解譯的，除了顧頡剛以外，還有劉大白、魏建功、劉復、董作賓和鍾敬文等知名的學者，以及一般讀者和學生，《古史辨》中所收相關討論的文章有十三篇，共完成了十一種不同的譯文，這些不同主要是部分字詞解釋的不同，在詩旨的詮釋上則是相同的，均認為是男女相約等待於城隅的一首情詩，且均是採用字義對應的「直譯法」。顧氏於〈瞎子斷匾的一例——靜女〉一文中，亦分別依《毛傳》、《鄭箋》的解說將此詩譯為白話文，如依《毛傳》之解，將此詩直譯為：

> 貞靜而有法度的女子這等美色，她等候我在高而不可踰的城隅。
> 我愛她，我想去見她，但是我的腳步卻停住了，這使得我搔首踟躕呢。
> 貞靜而有法度的女子這等美色，她送給我赤心正人的女史的彤管，這是可以匹配人君的古人的法度。
> 彤管的顏色很紅，……
> 從田官那裏拿來的始生的茅，是取它的自始有終，……
> 我不是單歡喜你的美色呵，實在是歡喜那人送給我的古人的法則。[155]

前後兩種譯文相較，可以發現後者多了「匹配人君的古人的法度」此一政教的隱喻，注重政教隱喻的深意，這使得漢儒在解《詩》時，往往越過了字面義而尋求隱喻的表達義。此種解譯的方式受到顧頡剛等疑古學者的強烈反對，主要是他們抱持了字面義與表達義必須相一致的理念，即主張以文學性的「直譯法」譯詩，因此認定了漢儒此種字面義與表達義分離的解譯法是無效的，進而否定了對毛《傳》、鄭《箋》經學性直譯的內容。然則文學本具有隱喻性，詩歌尤然，字面義與表達義時有不同的情況，不可一概而論。只可惜這些疑古學者並沒能從理論上證明漢儒此種解《詩》的方式何以無效，而大多是停留在主觀式的、情感式的惋惜與批評，如顧頡剛依毛《傳》所釋譯完〈靜女〉後，感嘆：「自己看著也是莫名其妙」、「這更使人摸不著頭路

---

155 《古史辨》，冊3，頁514。

了」；依鄭《箋》所釋譯完〈靜女〉後，感嘆：「寫到這裏，我實在沒有勇氣再寫下去了。可憐，可憐，我們有了理性，只是不能對著他們用！」[156]

有趣的是，同為運用直譯法譯《詩》的疑古學者，他們對於彼此的譯文也會有所批判，並進而提出譯詩的原則，以求能達到「準確性」。字詞的訓詁、考辨為準確求得字詞解釋的基本工夫，然真正重要的是全文的意義和文學藝術。因此，疑古學者解譯《詩》篇，強調從文學藝術的角度把握句意以直譯詩文。分析之，有以下幾種要求：

（1）根據原文的語法結構準確把握句意

如劉大白〈再談〈靜女〉〉反對顧頡剛將「靜女其姝」、「靜女其孌」譯為「幽靜的女子美好呀」、「幽靜的女子柔婉呀」，並從語法結構上剖析譯文不準確的原因，就在於沒能準確掌握兩個「其」字都是前置介字，在散文中應說成「姝其靜女」、「孌其靜女」，譯作「美好的靜女」、「柔婉的靜女」。[157]

（2）根據全詩的語句姿態準確把握句意

在〈靜女〉一詩中，究竟是誰俟於「城隅」，即「愛而不見」的行為者究竟是誰，這牽涉到抒情主人公究竟是誰的問題，當然也就關係到句意的正確解讀。依郭沫若的譯文，是男子等候女子；依照顧頡剛的解釋，是女子等候男子。張履珍〈誰俟於城隅？〉則認為從「全詩的口氣」來看，這詩是男人的口氣，是男子歌詠女子的詩，因此「在城角裡等候情人的也自然是男子無疑」，「愛而不見，搔首踟躕」的是女子，於是這首詩便是男子「歌詠他的情人，則當他的情人在城角裏等候的時候看不見她的情人來，自然搔著頭不知怎麼樣了。」[158]

（3）根據文本的藝術特質準確把握句意

如謝祖瓊〈〈靜女〉的討論〉從文義一貫的藝術特點，批評張履珍的譯文錯誤太甚，於文義不貫，認為〈靜女〉中「愛而不見，搔首踟躕」是「男子等不著他的情人，自述當時他自己搔著首，好沒主意的表現，並不是敘述

---

156 以上三則引文見《古史辨》，冊3，頁514、515、517。
157 《古史辨》，冊3，頁526。
158 《古史辨》，冊3，頁520。

他的情人——女子——的狀態」[159]。董作賓〈《邶風・靜女》篇「荑」的討論〉則從藝術形式的表達批評魏建功的譯文「太整齊些」[160]。鍾敬文的〈談談興詩〉，也曾就藝術的特質惋惜郭沫若《卷耳集》中，「把許多搖曳生姿的興詩多改成了質率鮮味的賦詩」[161]，並沒有表現出文本「興」詩的特質與形式。

　　以上三點均是從文學的角度出發，要求譯詩要能忠於原作，將原詩的內容、形式、藝術手法，忠實地傳達給讀者，對於後來的譯詩，起到了一定程度的示範作用。惜一切尚屬於起步階段，使得理論上的探討與認識，在深度與廣度都不足；且由於相關知識的不足，訓詁字詞即有誤，使得解譯上也發生了錯誤。如對「靜女其姝」之「其姝」的解釋，「《詩經》中凡形容詞之上冠以『其』字，猶冠以『有』字，或此形容詞之疊字。」[162]故「其姝」猶「有姝」、「姝姝」、「姝然」，即美好貌，劉氏在語法的解說上是有疑義的，這使得他們在實務上的譯作實踐，也會出現相應的疑義。不過，從文本上深究語法結構、語氣姿態、文藝特質以準確把握句意的精神，則是可取的。

　　在譯註的專著上，許嘯天的《分類詩經》亦多運用字義對應的還原法「直譯」《詩經》，大體能符合以上三點文學性的要求。如〈卷耳〉一詩，全詩四章，後三章疊詠，亦依原詩重複翻譯，注意到文本重章疊詠的藝術特質。又其將首章：「采采卷耳，不盈頃筐；嗟我懷人，寘彼周行！」譯為：

> 採啊，採啊！快採這地上的卷耳菜罷！可憐我心頭有事，手也懶了；採了半天還不曾採滿這一竹筐。唉！想起我那心頭上的丈夫來，我更無心採他，便把這竹筐拋在大路傍。

其從語氣上確定此乃婦人思念丈夫的情詩，這是合宜的；但同樣由於認識的不足，其從訓詁及語法結構而言，認為「采采和採字通用，采采，是說採了

159　《古史辨》，冊3，頁522。

160　《古史辨》，冊3，頁550。

161　《古史辨》，冊3，頁683。原文本即作「質率」而非「直率」。

162　余培林：《詩經正詁》，上冊，頁121。

又採，時候採得很久」，但仍「不滿一竹籃，是表示他心中有事，無心採野菜的神情」[163]，此解則是有疑義的，根據丁聲樹〈詩卷耳芣苡采采說〉的研究，古漢語外動詞無疊用情形，此「采采」應訓為狀詞「茂盛」才是。[164]許氏雖注意到訓詁語法結構的文學要點，但由於相關知識的不足，故亦未能精確、合宜的解譯詩篇。

　　此外，如許嘯天等一些非主流的學者，其解譯詩篇往往搖擺於傳統與反傳統之間，故雖保有教化的經學色彩，但仍流露出相當的文學性。如其《分類詩經》中置於「宮庭」類的〈綠衣〉，解其詩旨為：「衛莊公寵小老婆，大老婆莊姜失了寵，做這首詩表示他的傷心。」[165]此說乃依《詩序》：「衛莊姜傷己也。妾上僭夫人失位而作是詩也。」[166]然二說相較，許氏所釋的「失寵」較《詩序》所釋的「失位」，有較多文學性的情感闡發。其將首章「綠兮衣兮！綠衣黃裏。心之憂兮！曷維其已？」直譯為：「綠色是不正的顏色啊！如今卻拿來做衣服了。拿不正的綠色做著衣服面子，卻拿黃的正色做衣服夾裏；好似衛莊公寵著小老婆，卻反不愛我做大老婆的。叫我心中憂愁著啊！怎麼能夠有完的時候啊？」[167]莊姜所傷心的，不是「妾上僭」違反了禮制，而是失去了衛莊公的寵愛，使得本詩成為一首宮廷的情詩，淡化了傳統濃重的經學意涵，而強化其中文學情感的涵詠與體會。此外，由於譯文尚具有教化色彩，此直譯的成分也就不十分純粹，而仍含有字面義以外的隱喻意涵。

2 文學的意譯法

　　疑古學者亦主張從諷誦涵詠中以發揮想像、領會詩意，如胡適於一九二二年四月二十六日的日記中強調：「沒有文學的賞鑑力與想像力的人，不能

163　以上三則引文見於許嘯天：《詩經分類》（一），總頁221、222、222。

164　《國立北京大學四十週年紀念論文集乙編上》（昆明市：北京大學出版組，1940年）。

165　許嘯天：《詩經分類》（一），總頁304。

166　《毛詩注疏》卷2之1，頁8，總頁75。

167　許嘯天：《詩經分類》（一），總頁304。

讀《詩》。」168即進一步強調《詩經》具有文學要素中「想像」的藝術特質，研究《詩經》必須發揮文學的「賞鑑力」與「想像力」。一九二五年周作人的〈談「談談詩經」〉在批評胡適〈談談詩經〉新解的謬誤之後，即提出「不求甚解」之說，認為讀《詩》既不可穿鑿附會，但又要由讀者自己發揮想像以領會詩意。169即從諷誦間發揮想像，以涵詠古人之真情，欣賞古人之真意。此種譯詩法雖與漢儒一樣，好追求字面義之外的深層表達義，然漢儒所求的表達義乃約束在王道興衰的政教範疇之內；而民初的意譯法，則主張可依個人涵詠的自由想像以譯解詩篇的表達義。

在實際解《詩》上，胡適即符合其「發揮想像」的理念，如〈談談《詩經》〉中將〈小星〉解為「妓女星夜求歡的描寫」，「是寫妓女生活的最古記載」170，將〈葛覃〉解為「描寫女工人放假急忙要歸的情景」，171則有過度發揮想像之嫌，因而受到周作人〈談「談談詩經」〉中嚴厲的批判：「守舊的固然是武斷，過於求新者也容易流為別的武斷」，並提出警告：「要大膽，要大膽，但是不可太大膽」，172也就是呼籲在發揮想像的同時，還要注意有所節制，避免穿鑿附會。然則，如周氏這樣的警悟，於疑古思潮下的《詩經》解譯中，並沒有得到足夠的回響，以過度發揮想像的「意譯法」解譯詩篇，成為當時的普遍現象，只不過想像的程度會有強弱的不同。

郭沫若的《卷耳集》，為最早以發揮想像從事「意譯法」譯《詩》的專著，亦是將此類譯詩法發揮得淋漓盡致的代表作。他於〈自序〉中說明譯詩的方法：

> 我對於各詩的解譯，是很大膽的。所有一切古代的傳統的解釋，除略供參考之外，我是純依我一人的直觀，直接在各詩中去追求他的生

168 曹伯言整理：《胡適日記全編》，冊3，頁644。
169 《古史辨》，冊3，頁588-589。
170 藝林社編輯：《文學論集》（上海市：中國文化出版社，1936年），頁17；《古史辨》，冊3，頁585。
171 《文學論集》，頁18。
172 《古史辨》，冊3，頁589。

命。我不要擺渡的船，我僅憑我的力所能及，在這海中游泳；我在此
戲逐波瀾，我自己感受著無限的愉快。

又說：

> 我譯述的方法，不是純粹逐字逐句的直譯。我譯得非常自由，我也不
> 相信譯詩定要限於直譯。太戈兒把他自己的詩從本加兒語譯成英文，
> 在他「園丁集」的短序上說過：「這些譯品不必是字字直譯──原文
> 有時有被省略處，有時有被義釋處」。他這種譯法，我覺得是譯詩的
> 正宗。我這幾十首譯詩，我承認是受了些「園丁集」的暗示。[173]

郭氏在翻譯的方式上，不太相信，也不太採用「直譯法」，而常是「直接在
各詩中去追求他的生命」，也就是依個人主觀的想像「意譯」詩文，如此，
即產了一些譯詩的弊端，茲說明如下。

（1）改變詩體形式

就以《卷耳集》中的第一首譯詩〈卷耳〉為例，其首章：「采采卷耳，
不盈傾筐。嗟我懷人，寘彼周行。」郭氏譯為：

> 一片碧綠的平原，
> 原中有卷耳蔓草開著白色的花。
> 有位青年婦人左邊肘上掛著一隻淺淺的提籃，
> 她時時弓下背去摘取卷耳，
> 又時時昂起頭來凝視著遠方的山丘。
> 她的愛人不久纔出了遠門，
> 是騎著一匹黑馬，攜著一個童僕去的。
> 她在家中思念著他坐立不安，
> 所以纔提著籃兒走出郊外來摘取卷耳。
> 但是她在卷耳的青白色的葉上，

---

173 以上二則引文見於郭沫若：《卷耳集・序》，頁3、4。

　　　看見他愛人的英姿；

　　　她在卷耳的銀白色的花中，

　　　也看見她愛人在向她微笑。

　　　遠方的山丘上也看見她的愛人在立馬躊躇，

　　　帶著個愁慘的面容，

　　　又好像在向她訴說別離羈旅的痛苦。

　　　所以她終竟沒有心腸採取卷耳了，

　　　她終竟把她的提籃丟在路旁，

　　　儘在草茵之上思索。[174]

短短的四句詩，郭氏卻譯為十九句，可知其的確是憑著自己的直觀、靈感、想像，自由地、極力地去體會、涵詠詩人的思想感情，並將它重新表現出來，既不同於傳統比興隱喻的譯法，亦不同於同時代一些疑古學者的「直譯法」，而是一種自由的「意譯法」，在原詩文本的基礎上進行再創造，加上自我「直觀」後的「發現」。從其解《詩》的方向與內涵而言，可見其極欲掙脫傳統「經學」解《詩》框架的束縛，盼能諷誦涵詠體會詩中的情意，自然有其創新之處；然而過分強調「純依我一人的直觀」、「不要擺渡的船」、「僅憑我的力所能及，在這海中游泳」、「譯得非常自由」、「不是純粹逐字逐句的直譯」等極度自主的譯詩方式，必然會越過一些翻譯上應當遵守的合理界限與規範，而為使詩意的表達能完整傳神、淋漓盡致，有時不免超出了原詩可能承載的意義，而成為另一種「附會」的詮釋。

　　郭氏解《詩》改變詩體形式的情況有許多種，不僅是增句、減句，亦有增章、減章者，茲將其各種情況列表如下，以見其變化之態。

---

174 郭沫若：《卷耳集》，頁1-3。

樣　　　式			篇數	總數	百分比
章數、句數不變			18	18	45%
章數不變	增句	增意	6	7	17.5%
		拆句	1		
	減句		3	3	7.5%
增加章數	增句		3	3	7.5%
	句數不變		1	1	2.5%
減少章數	只譯一章並增句	分為三節	2	3	7.5%
		不分節	1		
	譯章減句	合併數章	1	2	5%
		刪減數章	1		
	譯章句句相應		3	3	7.5%

表一：郭沫若《卷耳集》改變詩體形式譯《詩》一覽表

　　由上表可知，郭氏譯《詩》確實是十分自由的，呈現出多種樣貌；不過，仍有十八篇，佔百分之四十五的詩篇維持章數、句數均不變的（即句句相對應），並不像趙沛霖等學者所認知的那樣，只佔少部分。[175]另有二十二篇，佔百分之五十五的詩篇增減章數、句數（行數）的情形，茲將其變化說明如下：

　　其一，章數不變之中，有增句、減句兩種。增句當中又可別為作者外加上己意的增句，及將一句拆為數句的增句兩種。[176]

175 趙沛霖：《現代學術文化思潮與詩經研究──二十世紀詩經研究史》（北京市：學苑出版社，2006年）認為郭氏譯詩除〈采葛〉、〈大車〉、〈將仲子〉、〈葛生〉、〈十畝之間〉等少部分譯詩與原詩章句數目相同之外，大多數譯詩的句數比原詩的章句數目都有所增減。（見頁362）然根據筆者統計，《卷耳集》中章數、句數與原詩相同者計有〈靜女〉、〈新台〉、〈蝃蝀〉、〈伯兮〉、〈采葛〉、〈大車〉、〈有女同車〉、〈山有扶蘇〉、〈狡童〉、〈丰〉、〈東門之墠〉、〈風雨〉、〈子衿〉、〈鄭風‧揚之水〉、〈十畝之間〉、〈宛丘〉、〈東門之楊〉、〈墓門〉十八篇，佔百分之四十五的比率，為數並不像趙氏所云的那樣少。

176 章數不變之中，「增句增意」者有〈野有死麕〉、〈遵大路〉、〈褰裳〉、〈唐風‧揚之

　　其二，依己意增加章數，有句數亦跟著增加者，另有調動合併某些句子，使句數依然不變者。[177]

　　其三，依己意減少章數，有「只譯一章並增句」者，即對於重章疊詠的篇章，其意義極為相近者，只譯其中一章，並增句翻譯，而譯文有拆為三節，或不拆節者。有減章後，「譯章減句」翻譯者，對於部分重章加以合併或刪減，並減句翻譯。有減章後，「譯章句句相應」翻譯者。[178]

　　概言之，郭氏譯《詩》會隨己意增減章數、句數。在增加句數、章數方面，如前所舉〈卷耳〉一詩，第一章本四句，譯為十九句（行）[179]；全詩四章十六句，譯詩增為五節四十九句，多出了三十三句。在減章、減句方面，如〈陳風‧東門之池〉全詩三章，每章四句，譯詩改為二節，每節三句。將二、三句「可以漚麻。彼美淑姬」合譯為「那位漂著白麻的美好姑娘」一句；而第三章則刪除不譯。仔細尋思，可以看出郭氏譯詩的思考，二、三句合譯可使作品節奏更加凝練、緊湊；而第三章不譯，當是認為二、三章變換疊詠的「漚苧／漚菅」、「晤語／晤言」意義相近同，不須重複翻譯。最明顯的如〈秦風‧蒹葭〉三章疊詠只譯一章（然分為三節呈現），〈鄭風‧溱洧〉二章疊詠只譯一章（然分為三節呈現），〈陳風‧月出〉三章疊詠只譯一章。郭氏譯詩在章句數的增減上，大體有類於此的情況，即在詩意不明之中力求完整，在詩意重複之中力求精減的考量，雖有其用心，卻恐造成原詩義涵的扭曲，甚至連《詩》中「重章疊詠」此一最具特色的樂歌特質也隨之喪失。

　　水〉、〈綢繆〉、〈防有鵲巢〉六篇。「拆句增句」者有〈籜兮〉一篇。「減句」者有〈柏舟〉、〈將仲子〉、〈東方之日〉三篇。

177 增加章數之中，「增句」者有〈卷耳〉、〈雞鳴〉、〈女曰雞鳴〉三篇。「句數不變」者有〈東門之枌〉一篇。

178 減少章數之中，「只譯一章並增句」者，拆為三節者有〈溱洧〉、〈蒹葭〉二篇；不拆節者有〈月出〉一篇。減章後「所譯之章又減句」者，如〈東門之池〉二、三章合併又減句翻譯，又如〈澤陂〉不譯第三章外，一、二章又分別減句翻譯。減章後，「譯章句句相應」者，有〈君子于役〉、〈葛生〉、〈衡門〉三篇。

179 以下言「句」實應稱「行」，有時一「行」又細分為兩句以上。

（2）改變「興體」為「賦體」

《詩經》在藝術手法上最具特色的「興體」詩，郭氏亦任意加以譯為「賦體」詩，以使「意譯」的表達更為清晰明白，並更能符合其翻譯文字上的淺白體式。如〈鄭風・揚之水〉全詩共二章，其首二句興句均以「揚之水，不流束×」的套語起興，郭氏於首章翻譯其字面義：「激揚的流水，難道不能沖動一束薪麼？」於二章則譯成其所理解的「興」義：「激揚的眼淚，難道不能打動你的心麼？」直譯後改為「賦體」，前章以景物意象為譯，後章以本事意象為譯，不僅前後譯法不一，且損傷了原作「興體」隱喻的藝術風格。

（3）增添故事情節

郭沫若《卷耳集》除增減章數、句數外，亦發揮想像以增添詩歌的故事情節，如〈卷耳〉於篇末乃增加了一章「尾聲」：

> 婦人坐在草茵上儘管這麼凝想，
> 旅途中的一山一谷
> 便是她心坎中的一波一瀾。
> 卷耳草開著白色的花，
> 她淺淺的籃兒永沒有採滿的時候。[180]

增添的這五句譯詩，使得全詩的情節、故事性更加完足，然則就忠於原詩的「今譯」角度而言，頗有畫蛇添足之嫌，恐已超出了作者的原意。

又如聞一多解〈芣苢〉一詩，在運用充足的樸學考據傳統，訓詁「芣苢」一詞的來源與義涵外，亦運用想像、藝術的手法，再配合民俗學、心理學，以優美的語言，表達出他所理解的詩境：

> 那是一個夏天，芣苢都結子了，滿山谷是採芣苢的婦女，滿山谷響著
> 歌聲。這邊人群中有個新嫁的少婦，正捻那希望的璣珠出神，羞澀忽
> 然潮上她的曆輔，一個巧笑，急忙的把它擤在懷裡了，然後她的手只

---

180 郭沫若：《卷耳集》，頁6。

是機械似的替他摘，替她往懷裡裝，她的喉嚨只隨著大家的歌聲囀著歌聲——一片不知名的欣慰，沒遮攔的狂歡。不過，那邊山坳裡，你瞧，還有一個傴僂的背影。她許是一個中年的磽确的女性。她在尋求一粒真實的新生的種子，一個禎祥，她在給她的命運一個救星，因為她急於要取得母的資格以穩固她的妻的地位。在那每一掇一捋之間，她用盡了全副的腕力和精誠，她的歌聲也便在那「掇」、「捋」兩字上，用力的響應著兩個頓挫，彷彿這樣便可以幫助她摘來一顆真正靈驗的種子。但是疑慮馬上又警告她那都是枉然的。她不是又記起已往連年失望的經驗了嗎？悲哀和恐怖又回來了——失望的悲哀和失依的恐怖。動作，聲音，一齊都凝住了。淚珠在她眼裡。[181]

在此，顯示聞一多讀《詩》在傳統樸學考據之外，亦具有民俗性、社會性，最主要的是具有豐沛的想像力，增添了詩歌的文學性與藝術性。其結合各種考證手法與詩情欣賞，欲再現上古社會那一幕幕逼真的畫面，帶領讀者深入詩歌的內涵底蘊：「一個婦人在做妻以後，做母以前的憧憬與恐怖」，「明白這采芣苢的風俗所含的意義是何等嚴重與神聖。」聞一多揭示了這樣一條發揮想像的《詩經》闡釋之路，增添了豐富而生動的故事情節，並還鼓勵友人繼續朝這樣的方向前進：「其餘的你可以類推。我已經替你把想像的齒輪撥動了，現在你讓它們轉罷，轉罷！」[182]在此基礎之下所產生的《詩經》白話譯註，不免又出現了如漢儒論《詩》一樣，表達義超出了字面義。只不過二者運用的手法不同，漢儒運用了比興隱喻法，民初的白話譯註則多好用想像推演法。

　　以上譯詩任意發揮想像，或改變詩篇的形式、體式、情節，以至於詩篇的風格、結構、意旨亦隨之改變，此乃是對於原詩的「不忠」，終非譯詩的正途。後之評論者大多肯定郭氏《卷耳集》的開創之功，但對於其「直觀的

181 聞一多：〈匡齋尺牘・芣苢〉，《聞一多全集》，冊3，頁208。
182 以上三則引文見聞一多〈匡齋尺牘・芣苢〉，收入《聞一多全集》，冊3，頁206、206、208-209。

意譯法」則多所貶抑，除前所引鍾敬文〈談談興詩〉惋其將「搖曳生姿的興詩多改成了質率鮮味的賦詩」[183]外；李思樂〈小議《詩經》注譯的幾個問題〉嘆其譯法已超出了他自己所總結的「另鑄新詞」的範圍，而成了「另鑄新意」了；[184]趙沛霖甚至認為洪湛侯言郭氏《卷耳集》「為後來的古詩今譯工作起了很好的示範作用」是很不恰當的，認為：「其具體譯法，可以理解，但不宜提倡。」進而將《卷耳集》具體評為：「張揚個性，盡情馳騁，無節制地追求自由的學術個性特徵」[185]。

　　仔細尋思郭沫若如此學術個性特徵的形成，自有其複雜的因素：一是由於《卷耳集》為《詩經》學史上的第一本白話註解加翻譯本，既無前人的作品可茲參考，其譯文便隨作者自由發揮；二是來自於作者既是學者，更具有詩人的藝術性格，是以自由發揮的結果，便具有充足的浪漫想像與張揚的激越情懷；三是與當時疑古辨偽的思潮密切相關，不拘傳統、勇於創新、獨立思考，欲從《詩序》傳統經學解《詩》的牢籠中解脫出來，重新建構《詩經》的文學性質，成為時代的產物。而這些特點，也大多能在同為詩人的聞一多身上尋得，顯見「意譯法」有其形成的各方要素。

四　結語

　　民初整理國故運動與新文化運動，掀起了思想啟蒙與解放的疑古思潮，主張以科學的方法整理古書，以恢復古書的真相，進而研究古史，以恢復古史的真相。《詩經》不僅蘊含獨特的古史觀念，又是歷來被歪曲最嚴重的經典，故疑古學者多致力於《詩經》的辨偽與真相的還原，以做為古史研究的起點，進而促使《詩經》白話譯註的形成與發展，以做為其理論的延伸與深

183　《古史辨》，冊3，頁683。

184　李思樂：〈小議《詩經》注譯的幾個問題〉，《古籍整理研究學刊》1989年第5期，頁61。

185　趙沛霖：《現代學術文化思潮與詩經研究——二十世紀詩經研究史》，頁364、361。洪湛侯之言見於〈當代《詩經》譯本綜論〉，《語文導報》1986年第1期。

化。探討二者之間的因果關係，以及其形成情形、發展轉變、進程表現與學術意義等，可以從經典地位的解構與文學性質的建構兩方面觀察。

（一）從「解構《詩經》的經典地位」而言

　　首先釐清民初疑古思潮解構《詩經》經典地位的主張，發現疑古學者反《詩序》、反傳統舊說，否定孔子刪《詩》，從《詩經》的傳注至《詩經》的編者，系統地否認了《詩》為聖經賢傳的高位，主張其不具有深刻的政治教化義涵。然而，任何闡釋行為都不可能全然擺脫傳統，因而疑古學者自然產生強烈的闡釋焦慮，從而以激烈的手法，批判歷來《詩經》學的成見，以解構《詩經》的聖經地位。指出前人闡釋的不合理之後，學者們須要進一步提出《詩經》的新解，乃至於運用翻譯的方式詳解，以達到理論實踐與宣傳推廣的效應，這也就加速了《詩經》白話譯註的發展與轉變。

　　疑古思潮解構《詩經》的經典地位，對《詩經》白話譯註的發展，先後產生了解構經典地位的「正作用力」與「反作用力」。就「解構經典地位的正作用力」來看，疑古學者主張從內容上摒棄載道之說，認為〈國風〉中的情詩富含真性情，最適合做為反漢宋傳統「迂腐」舊說的利器，影響所及，《詩經》的白話譯註則漸次擴大其反傳統的譯詩份量，集中解譯〈國風〉的婚戀情詩，或專注於審度詩中的情思，即多從「情詩」或「情思」的角度解譯詩篇。然而傳統舊說，本不可盡信亦不可盡廢，刻意地、全然地背離《詩序》及傳統舊說以求新解，勢必無法通行於富含多方義旨的《詩經》全本，於是完全以情詩看待《詩經》者，大多僅能侷限於《詩經》的選註、選譯，尤其多侷限於〈國風〉的部分。

　　由於以上的侷限，「解構經典地位的反作用力」乃應運而生，即對解構《詩經》經典地位的主張有所救濟、反省而修正，影響所及，《詩經》的白話譯註轉為不全然以情詩、情思釋《詩》，如此，則對傳統舊說既有所繼承亦有所修正者，較能進行《詩經》的全註、全譯。蓋《詩經》反映了先秦貴族、百姓的多種面向，既是歷史的，又是文學的，部分篇章可以推斷出與歷

史事實的相關性，而部分篇章則基於文學性的想像，無法坐實到歷史事實
上。因此，漢儒及其他傳統舊說解《詩》，一概將《詩》倫理化、歷史化，
遺漏其文學性，不免陷入一偏之見，而導致了對《詩》的扭曲、穿鑿與附
會；而民初的疑古思潮，全然以文學的情詩來解譯《詩》，則同樣會造成對
《詩》的扭曲、穿鑿與附會。因此，於疑古思潮之下開始進行《詩經》全
解、全譯的學者，必然要面對一個問題，即全面反傳統舊說的可行性與適切
性，因而在解譯《詩經》時，在傳統與反傳統之間吸取各自的優長，以闡釋
出《詩》中豐富多元的主題內涵，不再侷限於情詩或情思的闡發，且並陳君
臣式的政教，以及較為普及、平民化的倫常教化之義。

　　民國以後《詩經》白話譯註的發展，深受疑古思潮解構《詩經》經典地
位的影響，首先由主張恢復古史真相的疑古學者（包括主流學者及非主流學
者），以情詩、情思的角度熱烈參與《詩經》的選註、選譯；其後再加入一
些吸收了部分疑古思想，但仍保有平民式教化觀的非主流學者們，依違於傳
統與反傳統之間，認識到《詩》中具有更多元的內涵，而熱心參與《詩經》
的全註、全譯，乃有其學術發展上的必然性。自一九二〇年起，疑古思潮的
主張與譯註的實踐即彼此不斷地交互影響、交互推進，而各自有了可觀的成
績。惜一切尚屬起步階段，譯註的理論與實踐在深度、廣度、準確度上都不
足，成果亦尚未成熟，但仍起到了一定程度的奠基作用，而其後初步開展出
《詩經》多元闡釋的精神，亦具有啟發後代的作用，使得《詩經》的白話譯
註成為民初國故整理，挽救《詩經》運動的重要成果之一。

（二）從「建構《詩經》的文學性質」而言

　　其一，疑古學者主張以多元視角欣賞詩篇文藝，對《詩經》的白話譯註
產生了譯註內涵的影響。一者，以訓詁考據為基礎，盼能深入欣賞詩篇的文
學藝術，進而體悟詩篇的主題思想。二者，又融合歷史、社會、民俗、考
古、語言學等多元學科的考察以譯註詩篇，從內容上廣泛解讀詩篇義旨，盼
能有效地貼近詩篇文本，以求能從《詩經》時代的眼光來解譯詩篇。三者，

以文學的角度重新分類詩篇，從分類上，打破〈風〉、〈雅〉、〈頌〉的教化分類法，而從詩篇內容對《詩經》重新分類，回應了疑古學者主張《詩》為珍貴史料、文學作品的觀點。這些看法開啟了對《詩經》文學內涵多元性、豐富性、活潑性，且又普及化、淺白化、平民化的認識。然由於尚為起步階段，相關的知識並不充足，以至於在實際譯註的表現上，不免有所疏漏、錯誤等缺失。

　　其二，疑古學者視《詩》為樂歌、歌謠，對《詩經》的白話譯註產生了譯註文體的影響，即以多種文學體式解譯詩文。疑古學者確立了《詩》為文學作品之後，進一步注意到其樂歌的特質，對《詩經》觀點由文學作品而樂歌、歌謠，節節普及化、淺白化、俚俗化，甚至與淺白的民歌、兒歌相類比。在譯註的形式上，則依序出現相應的不同體式，起初是「歌謠化的新詩譯法，無押韻」，其後是「歌謠化的新詩譯法，有押韻」，以期反應出《詩》為詩歌、樂歌的本質與屬性；再後則是「白話散文式的譯法」，以完成《詩經》全本的譯註，一些搖擺於傳統與反傳統之間的非主流學者，則是認知到過於自由或淺白的譯詩法是有侷限的，無法通行於《詩經》三百〇五篇，因此於譯註全本時，則採取了白話散文的形式，以突顯其中較為感性的教化義涵。由此可見疑古思潮的論說主張與譯註實踐，乃會相互生成、相互推進，且當遇到阻礙或侷限時，則會思考因應之道，而改變譯詩的方式。然而，同樣由於相關認知的不足，再加上搖擺於傳統與反傳統之間論說立場的不穩定，以至於出現如許嘯天《分類詩經》中對〈靜女〉一詩的解譯，釋為衛宣公造新臺等待齊宣姜的一首情詩，同時擁有傳統解詩附會史實之病，及疑古思潮釋《詩》為情詩的特質，恐亦是對《詩》的一種扭曲與變形。

　　其三，疑古學者主張以諷誦涵詠體會詩意，即以讀詩的方式讀《詩》，對《詩經》的白話譯註產生了譯註方式的影響。即由於「諷誦涵詠」對詩篇文學性體悟的不同，而產生不同的譯註方式，可大致分為依表層「字面義」涵詠的「直譯法」，及以想像闡發「表達義」涵詠的「意譯法」。「直譯法」要求除了有紮實的訓詁、考據工夫外，亦能根據原文的語法結構、全詩的語氣姿態、文本的藝術特質以準確把握句意，力求詩意的解譯更為適切。此些

觀點立意甚佳,然同樣由於相關知識的不足,如未能正確地從文法上訓詁字詞義,故未能正確、合宜地解譯詩篇,以許嘯天《分類詩經》為例,其將「采采卷耳」之「采采」釋為「採了又採」即是不正確的。

而「意譯法」則鼓勵讀者儘量發揮想像,以解譯出《詩》中字面義所沒有顯現的部分,此法以郭沫若的《卷耳集》為代表,此或改變詩體形式,或改變「興體」為「賦體」,或增添故事情節,是以字面義為基礎,發揮創意、聯想,以補足字面義之間所聯接的表達義,不同於漢儒尋求字面義與表達義分離,及限定於政教範疇之聯想的比興隱喻法;亦不同於「直譯法」中尋求字面義與表達義一致的方式。其雖使得詩義的表達更為豐富而完足,更具有敘述的藝術魅力,然不免出現了許多不能忠於原詩、穿鑿附會、過度引申的弊端,終非譯詩的正途。

在疑古思潮中,學者們解構《詩經》的經學地位之後,繼續建構《詩經》的文學性質,使得《詩經》的闡釋穩固而鮮明地由經學而轉向文學,同時影響著《詩經》白話譯註發展的轉變,並與之相互推進、相互生成。可惜,這些疑古學者並沒有在理論上進行多方的論證,如證明漢儒堅持字面義與表達義分離的比興隱喻法是無效的,而多停留在主觀經驗的反駁、客觀現象的描述。此外,相關知識的不足,也大大降低了他們解譯詩篇的精確性、合宜度,使他們的成績「不免消極的破壞多于積極的建設」[186]。不過,他們尚能提供一些解詩的原則與實踐,從主流學者的選註、選譯,至非主流學者的全註、全譯,在內容、形式、藝術手法上,均對往後的譯《詩》工作,起到了一定程度的示範作用。如近六十年來的《詩經》譯註,亦多具有以上所云的特點,即以多元視角欣賞詩藝、以多種文體解譯詩篇,以諷誦涵詠體

---

186 周予同:〈五十年來中國之新史學〉中評價「疑古派」的優點,認為其使中國的史學完全脫離經學而獨立,自有不可抹殺的業績。進而又指出其存在的缺點:「他們的史料限于記載的本書,他們的研究方法仍不免帶有主觀的成見,他們的研究範圍僅及于秦、漢以前的古史以及若干部文學著作,因之,他們的成績不免消極的破壞多于積極的建設。」見朱維錚編:《周予同經學史論著選集》(上海市:上海人民出版社,1983年),頁547。周氏所論,由本研究可以得到部分的證實。

詩經研究   民初《詩經》白話譯註的形成與發展 ❖ 317

會詩意;細部而言,如同樣兼顧訓詁考據與文藝欣賞,融合多元學科的考察,兼採傳統與反傳統的說詩,注意詩篇中的想像、象徵、意象等。不過,由於地下出土文物的陸續出現,以及相關知識的逐漸充實,譯註的精確性與合宜度也逐漸增強。

面對過去的研究成果,誠如夏傳才先生所云:「我們認為兩千年積累的《詩經》研究資料極為豐富,訓詁、名物考證、音韻、校勘都有積極的成果,如果離開這些資料,《詩經》在現代人面前只是一串串不可理解的文字符號。我們對待這些資料的態度,是必須積極而又審慎地接受和利用它們。它們還不完善,而且又有歧誤,我們的任務是在已有的基礎上辨別歧誤,考補闕遺,使《詩經》的注解日益精確和完善。」[187]故這些民國初年的《詩經》白話譯註,雖存有諸多的缺失,但後人在此基礎之上,尤其是《詩經》的文學闡釋方面,以審慎的態度接受它們、利用它們,即帶動了《詩經》的白話譯註,朝向精確、完善、蓬勃而成熟的發展。

---

187 夏傳才:《詩經研究史概要》(臺北市:萬卷樓圖書公司,1993年),頁271。

民國初期《詩經》民俗文化的研究
——以聞一多《詩經》婚嫁民俗闡釋為例

朱孟庭

國立臺北大學中國文學系教授

一　前言

　　《詩經》為中國第一部詩歌總集，全書收集了周初至春秋中葉五百多年的作品，其內容多樣、主題豐富、涉及面廣、信息量大，多方反映當時社會生活的各方面，除了反映當時的政治、經濟、軍事等實質內容，也反映了當時的社會習俗、風土人情、精神心理等文化風貌，是一部包羅萬象的百科全書。趙明主編的《先秦大文學史》即稱《詩經》：「不但是周代社會生活的藝術反映，同時也是周代文化特徵的藝術體現。」[1] 在這樣的意義之下，《詩經》可以說是中國最古老的一部文化資料總集。

　　對《詩經》文化屬性的認同，其實自孔子時已有所表述。孔子曾自謂：「吾自衛反魯，然後樂正，〈雅〉、〈頌〉各得其所。」又曾云：「小子何莫學夫《詩》，《詩》可以興，可以觀，可以群，可以怨。邇之事父，遠之事君，多識於鳥獸草木之名。」「《詩三百》，一言以蔽之，曰：思無邪。」[2] 由此可知，孔子對於《詩經》所涵豐富的文化底蘊，是有著深刻的體會與認識的。然則，從漢至清，《詩經》作為經學典籍而備受關注，以至學界對《詩經》的傳、箋、

1　趙明主編：《先秦大文學史》（長春市：吉林大學出版社，1993年），頁154。
2　以上三則分別見於《論語・子罕》、《論語・陽貨》、《論語・為政》，《論語注疏》（臺北市：藍燈文化公司），卷9頁6、7，卷17頁5，卷2頁1，總頁79-80、156、16。

注、疏等訓詁和考據的工作，有著斐然的成績；而對它的文化內涵，卻挖掘甚少。因此，今日吾人研究《詩經》，可從文化的角度進行多方闡釋，以補前人研究的不足。

　　二十世紀八、九〇年代，開始有較多的學者從文化視角切入，對《詩經》進行全方位的文化觀照，並深切認知此一研究視角的重要性。王明洲在《先秦兩漢文化與文學·自序》中談到：「在本書中，……我力圖把研究文學文化的關係作為切入點，從本質上認識先秦兩漢文學發展的某些規律性問題。」[3] 許志剛也指出：「對《詩經》文本的解讀就應當建立在對當時的文化、當時的人的全面、系統了解的基礎上。」[4] 除此之外，廖群在《詩經與中國文化·引言》[5]、李山在《詩經的文化精神·後記》[6]、徐志嘯在《先秦詩·真與奇的耦合》[7]、姚小鷗在《詩經三頌與先秦禮樂文化·導論》[8]、李笑野在《先秦文學與文化研究》[9]、趙敏俐在《周漢詩歌綜論·後記》[10] 中也都有類似的說明。因此，趙沛霖在〈文化意識與二十世紀晚期的《詩經》研究〉一文中特別強調：「在告別了五〇至七〇年代的古典文學研究中的「反映論」模式之後，一種新的從文化角度研究文學的方式已經悄然顯現，並在短時間內演變為《詩經》文學研究的熱點。」[11]

　　從文化的角度研究《詩經》是有其必要性的，溯其源，早在民國初期即有了此一研究的風潮，且著重在民俗文化的研究上。民俗是為文化的一環，經過長期歷史積澱而形成。鍾敬文在〈民俗文化學發凡〉一文中，闡釋民俗文化學的概念：「民俗文化，簡要地說，是世間廣泛流傳的各種風俗習尚的

3　王明洲：《先秦兩漢文化與文學》（濟南市：山東大學出版社，1996年），頁3。

4　許志剛：《詩經略論》（瀋陽市：遼寧大學出版社，2000年），頁367。

5　廖群：《詩經與中國文化》（開封市：河南大學出版社，1995年）。

6　李山：《詩經的文化精神》（北京市：東方出版社，1997年）。

7　徐志嘯：《先秦詩·真與奇的耦合》（桂林市：廣西師範大學出版社，1999年）。

8　姚小鷗：《詩經三頌與先秦禮樂文化》（北京市：廣播學院出版社，2000年）。

9　李笑野：《先秦文學與文化研究》（上海市：上海財經大學出版社，2000年）。

10　趙敏俐：《周漢詩歌綜論》（北京市：學苑出版社，2002年）。

11　趙沛霖：〈文化意識與二十世紀晚期的《詩經》研究〉《天津社會科學》2005年第1期。

總稱。」在此文中，鍾敬文又進一步指出民俗文化的範圍說：「大體包括存在於民間的物質文化、社會組織、意識形態和口頭語言等各種社會習慣、風尚事物。」[12]由此可知，所謂「民俗文化」乃包括了物質層面與精神層面，可以定義為一個國家或民族中廣大民眾所創造、享用和傳承的生活文化。《詩經》的作品不僅反映的時代長，而且產生的地域也廣，約相當於今陝西、山西、河南、河北、山東及湖北北部一帶。周代實行采詩制度，其中一個重要的目的，便是觀風俗以觀民風。如此看來，民俗文化是為《詩經》文化研究中重要的切入視角，民國初期開始展開的研究風潮是值得關注的。

　　在民國初期《詩經》民俗文化研究的發展中，聞一多具有鮮明的成果，可謂當時的集大成者，尤其值得重視。近年來關於聞一多的研究頗多，學位論文如侯美珍《聞一多詩經學研究》（國立政治大學國文研究所碩士論文，1995 年）、白憲娟《二十世紀二三十年代的《詩經》研究──以胡適、顧頡剛、聞一多《詩經》研究為例》（山東大學碩士學學位論文，2006 年），專著如張巨才、劉殿祥《聞一多學術思想評傳》（北京：北京圖書館出版社，2000 年），單篇論文如趙制陽〈聞家驊詩經論文評介〉（《詩經名著評介，臺北：臺灣學生書局，1983 年），對於聞一多的《詩經》學，乃至於整體的學術思想，做了相當的論述，可大致了解聞一多論《詩》的特點、成績、方法與得失，但其中並未詳論其婚嫁民俗的闡釋。繼聞一多之後，有一些學者亦運用民俗文化的角度研究《詩經》，如孫述山《詩經中的民俗資料》（臺東：作者自印，1978 年）、周蒙《詩經民俗文化論》（哈爾濱：黑龍江教育出版社，1994 年）、王巍《詩經民俗文化闡釋》（北京：商務印書館，2004 年），其可貴之處，除了開展出對《詩》的創新見解，同時也予人方法論上的啟示。對於《詩經》民俗文化，乃至於文化的闡釋，尚有許多待開發的空間，吾人在接續深入研究之際，了解前人研究的成果是十分重要的。是以本文一方面探究民國時期《詩經》民俗文化研究的發展進程，以明其所以形成的原因、概況與成果；一方面以具有代表性、集大成的聞一多為對象，具體而微

12　《鍾敬文民俗學論集》（上海市：上海文藝出版社，1998年），頁270。

地探討其婚嫁民俗的相關論述，並明其得失，以做為日後研究的殷鑑。

二　民國初期《詩經》民俗文化的研究

　　民俗學的研究最早於二十世紀初傳入中國，一九一三年十二月周作人在他的〈兒歌之研究〉一文中，從日本引進並首先使用了民俗學的概念與研究法。一九二〇年底，北京大學由周作人主持，成立了「歌謠研究會」，並於一九二二年創刊了《歌謠周刊》。該刊在發刊詞中明確指出：

> 本會搜集歌謠的目的共有兩種：一是學術的，一是文藝的。我們相信民俗學的研究在現今的中國確是很重要的一件事業，雖然還沒有學者注意及此[13]

由此可知，中國最早的民俗學研究是從歌謠開始，顯現出民俗學與文藝之間的密切關係。二〇年代末期，許多學者如梁啟超（1873-1929）、胡適（1891-1962）、郭沫若（1892-1978）、顧頡剛（1893-1980）、鄭振鐸（1898-1958）、聞一多（1899-1946）等人，同時受到西方人類學、民俗學、文學理論等研究方法的影響，試圖以此新的方法、新的角度來重新研究、認識中國古典文學。在橫的方面，采集當時各地的歌謠，也配合田野調查，對各不同地區的民族方言、地方戲曲、風俗文化等，進行記錄和研究；縱的方面，中國的神話、各地的風俗、民間文學等也成為研究的範疇。[14]這樣一種民俗研究風氣的興盛，自然也影響了《詩經》研究的方向，認為想要確切地了解《詩經》這樣一部先秦的詩歌選集，自然要以當時風俗文化的研究成果為基礎。

　　「五四」時期，新文化運動興起後，古史辨派學者，以打倒孔教、辨偽

13　〈《歌謠》周刊發刊詞〉，《周作人民俗學論集》（上海市：上海文藝出版社，1999年），頁98。

14　參見王文寶：〈我國民俗運動的發端與開拓時期（1918-1927）〉，《中國民俗學發展史》（瀋陽市：遼寧大學出版社，1987年），第三章，頁17-62。

經書為學術主流，自古將《詩經》視為「神聖經典」的觀念也隨之瓦解，承繼朱熹所謂：「風者，民俗歌謠之詩」的認知，將《詩經》視為古代的歌謠集。因此，《詩經》民俗文化的研究，與當時的學術潮流密切相關，且有其發展的進程，可別為以下四個階段。

（一）將《詩經》去聖經化，視其為文學作品

　　梁啟超為近世重要的詩人、詩論家。在他早期的文論中，儒家文論的經學邏輯性非常強大。然而，他後期的文論則不同，漸漸開始用西方的理論、視角和批評方法來重新詮釋傳統文學，至二〇年代，梁氏文學研究的藝術審美批評的傾向，相較於其考證傾向更為鮮明，黃霖《近代文學批評史》中即曾論道：「一九二〇年後，梁啟超所寫的一系列研究中國古典詩學的論著，更是與以前強調政治性、功利性不同，完全以學者的身份，運用西方的文學理論，著重探討和總結其藝術價值。」[15]如在治《詩》上，其將《詩》作為「詩」來讀，在《中國近三百年學術史》中，對清代經學史之「文學」研究派者，如姚際恆、方玉潤等人倍加讚賞。而其後期的文論，有兩個較為明顯的轉向：即考證傾向與審美傾向。

　　《中國之美文及其歷史》是梁啟超篇幅最長的文學研究論著，此為專著的體例，從章節的設計來看，內容豐富，體制龐大，可惜並沒有完稿。在此書中，梁啟超嘗試從「美文」這一線索，來梳理中國文學的發展演變，至於所謂「美文」，梁氏並沒有下一個明確的定義，若從「古歌謠及樂府」中他所列舉的歌謠樂府及分析評價來看，他對「美文」的理解是「情感的文學」。而在「周秦時代之美文」中，主要是研究《詩經》的，但只有「第一章《詩經》之篇數及其續集」與「第二章《詩經》的年代」，剛起了頭便戛然而止，後人無法從中了解梁氏對《詩經》發表的見解。

　　此外，在審美傾向中，梁啟超亦關注於文學表現情感的藝術規律上，此

---

15 黃霖：《近代文學批評史》，收入王運熙、顧易生主編：《中國文學批評通史》之七，
　　（上海市：上海古籍出版社，1993年），頁369。

一研究傾向，在〈中國韻文裏頭所表現的情感〉中具有充分的開展。此文是
由梁啟超為清華文學社學生作課外講演的講稿整理而成的，主要內容是討論
情感呈現於文學的各種方法，所謂「韻文」，主要是指傳統的詩、詞、曲、
賦。其中，對於情感呈現於文學的方式，梁氏分成六類來探討：即奔進的、
回蕩的、蘊藉的、象徵派的、浪漫派的和寫實派的表情法。梁氏幾乎每講一
種手法，便引證《詩經》的詩句，並以《詩經》為發端。如講「奔進的表情
法」，引〈蓼莪〉、〈黃鳥〉，次及「易水」之歌，再次「古樂府」、「虞兮
歌」、「大風歌」，直至杜工部、吳梅村詩，宋詞、元曲，一一「奔進」而
出，似後世詩人此類的情感，均根植於《詩經》。[16]

　　此外，他亦有直接評論《詩經》者，如就整體而言，在談到「回蕩法」
的時候，將此法細分為四種不同的表達方式，並說：「《詩經》中這類表情
法，真是無體不備，像這樣好的還很多，〈小雅〉十有九皆是。真是所謂
『溫柔敦厚』，放在我們心坎裡頭是暖的。《詩經》這部書所表示的，正是我
們民族情感最健全的狀態。」又如講到「蘊藉法」的第一類時說：「這類作
品，自然以《三百篇》為絕唱。」[17]就個別詩篇而言，如論〈鴟鴞〉云：
「那表情方法，是用螺旋式，一層深過一層。」論〈載馳〉云：「一派纏綿
悱惻，把女性優美完全表出。」[18]這些評論，頗為妥貼入微，有如詩話論詩
般，直將《詩經》去聖經化，將其視為文學作品，並認為《詩》為後世文學
的濫觴，後代文學的內容、形式與表現手法，均可溯源於《詩經》。

　　梁啟超後期，尤其是二〇年代以後的文論，不僅是他個人研究生涯的一
大轉折，同時也是民國時期《詩經》研究的一大轉折，他開啟了民國時期
《詩經》的文學研究，並進而開啟了民國時期《詩經》民俗文化的研究之
路。

16　〈中國韻文裏頭所表現的情感〉，收入《梁啟超學術論著集（文學卷）》（上海市：華東
　　師範大學出版社，1998年），頁174-178。
17　《梁啟超學術論著集（文學卷）》，頁181、205。
18　《梁啟超學術論著集（文學卷）》，頁179、216。

（二）將《詩經》視為歌謠

　　顧頡剛通過對歌謠的研究，進一步闡發出《詩經》內在的歌謠性。事實上，他「對於歌謠本身並沒有多大興趣」，研究歌謠是為了「研究《詩經》的比較的需要」。[19]他在一九二三年發表的〈從詩經中整理出歌謠的意見〉一文中，全面展現了對《詩經》歌謠質素的觀點，他認為：〈風〉中大多為歌謠，但非歌謠的部分也實在不少，〈小雅〉中有部分歌謠，〈大雅〉和〈頌〉全非歌謠。並且說：「《詩經》裏的歌謠都是已成為樂章的歌謠，不是歌謠的本相。凡是歌謠，只要唱完就算」，而樂章則因奏樂的關係，「一定要往復重沓的好幾遍」。因而認為《詩經》中的詩僅一章是原來的歌謠，其他數章都是「樂師申述的樂章」。[20]也就是說他認為《詩經》是歌謠的變體。以〈野有死麕〉為例，顧頡剛認為這是一首情歌。第一章說吉士誘懷春之女。第二章說「有女如玉」。到第三章說道：「舒而脫脫兮，無感我帨兮，無使尨也吠！」對此，他有一番詳細的解說：

> 帨，是配在身上的巾。古人身上配的東西很多，所以《詩經》中有
> 「佩玉將將」，「雜佩以贈之」的話。「脫脫」，是緩慢。「感」，是撼
> 動。「尨」，是狗。這三句話的意思，是：「你慢慢兒的來，不要搖動
> 我的身上掛的東西（以致發出聲音），不要使得狗叫（因為牠聽見了
> 聲音）。」這明明是一個女子為要得到性的滿足，對于異性說出的懇
> 摯的叮囑。[21]

19　《古史辨・自序》（臺北市：明倫出版社，1970年），冊1，頁75。以下見於《古史辨》者，皆為此版本，不另註明其出版者與出版年份。以下各書籍重複出現者亦皆循此例。

20　顧頡剛：〈從詩經中整理出歌謠的意見〉，《古史辨》，冊3，頁589-592，引文均見於頁591。

21　〈野有死麕〉，《古史辨》，冊3，頁440。

他並強烈批評《詩序》:「被文王之化,雖當亂世,猶惡無禮也。」鄭
《箋》:「貞女欲吉士以禮來……又疾時無禮,彊暴之男相劫脅。」[22]及朱熹
《詩集傳》:「此章乃述女子拒之之辭,言姑徐徐而來,毋動我之帨,毋驚我
之犬,以甚言其不能相及也。其懔然不可犯之意蓋可見矣!」[23]等經學家的
說法,感嘆道:「可憐一班經學家的心給聖人之道迷蒙住了!」[24]顧氏進而
舉出《吳歌甲集》中第六十八首歌詞與此詩類比,做為最後論說的證據。

　　此外,在古今歌謠的比較中,顧氏也確定了《詩經》的本來面目是為樂
歌,並且肯定了其中「一小部分是由徒歌變成的樂歌」[25]。而歌謠的起興手
法,也進一步使顧頡剛領悟到《詩經》興的含義。以〈關雎〉為例,顧頡剛
〈起興〉認為:

> 作這詩的人原只要說「窈窕淑女,君子好逑。」但嫌太單調了,太率
> 直了,所以先說一句「關關雎鳩,在河之洲。」它的最重要的意義,
> 只在「洲」與「逑」的協韻。至于雎鳩的情摯而有別,淑女與君子的
> 和樂而恭敬,原是作詩的人所絕沒有想到的。[26]

文末顧氏剛巧引蘇州唱本的兩句:「山歌好唱起頭難,起仔頭來便不難。」
來說明《詩經》中起興存在的理由。

　　顧氏將《詩經》視為歌謠,不僅在《詩經》「興」的含義上,排拒了歷
來經學家倫理教化的義涵,且在本質上,使《詩》成為民俗作品。《詩經》
民俗文化的研究,可謂又向前邁進了一步。

22　《毛詩正義》(卷一之五),頁8、10,總頁65下、66下。

23　〔宋〕朱熹:《詩集傳》(臺北市:華正書局,1974年,題作《詩經集註》),頁10、11。

24　〈野有死麕〉,《古史辨》,冊3,頁440。

25　〈論詩經所錄全為樂歌〉,《古史辨》,冊3,頁625。

26　〈起興〉,《古史辨》,冊3,頁676。

（三）將《詩經》視為社會、文化史的材料

在將《詩經》去聖經化，視其為文學作品、為古代歌謠的基礎上，進一步發展，乃將《詩經》視為「文化史的材料」，認為應從社會、歷史、文化的角度加以闡釋，方可有較佳的研究成果。

如胡適在一九二五年發表的〈談談詩經〉一文中說：

> 《詩經》不是一部經典。從前的人把這部《詩經》都看得非常神聖，說它是一部經典，我們現在要打破這個觀念；假如這個觀念不能打破，《詩經》簡直可以不研究了。因為《詩經》並不是一部聖經，確實是一部古代歌謠的總集，可以做社會史的材料，可以做政治史的材料，可以做文化史的材料。萬不可說它是一部神聖經典。[27]

他一方面認為《詩》非經典，應為歌謠總集；一方面又明確指出《詩》為一部「文化史的材料」。而顧頡剛研究〈野有死麕〉一文，引起了眾多學者的回響；其中，胡適致函顧頡剛討論此詩時直指：「研究民歌者當兼讀關于民俗學的書，可得不少的暗示。」並認為「〈野有死麕〉一詩最有社會學上的意味」[28]。

《詩經》中有許多的戀歌，鄭振鐸曾加以讚揚說：「在全部《詩經》中，戀歌可說是最晶瑩的圓珠圭璧……他們的光輝竟照得全部的《詩經》都金碧輝煌，光彩眩目起來。」[29]至於男女之間要如何求愛？胡適認為〈周南‧關雎〉中有所記載：

> 他求之不得，便寤寐思服，輾轉反側，這是描寫他的相思苦情；他用

27　胡適：〈談談詩經〉，收入《古史辨》（三），頁577。

28　胡適：〈論野有死麕書〉，收入《古史辨》（三）（臺北市：明倫出版社，1970年），頁443、442。

29　鄭振鐸：《插圖本中國文學史》（一），（出版地、出版年均不詳），頁48-49。

了一種種勾引女子的手段，友以琴瑟，樂以鐘鼓，這完全是初民時代
的社會風俗，并沒有什麼希奇。意大利西班牙有幾個地方，至今男子
在女子的窗下彈琴唱歌，取歡於女子。至今中國的苗民還保存這種風
俗。[30]

他認為〈關雎〉不是描寫新婚的詩，而是一首求愛詩。「琴瑟友之」、「鐘鼓
樂之」不過是苦情男子所想出的求愛方式。同時他也採用「類比」的方式，
以義大利、西班牙異族做為參考比較的材料，認為男女間這種求愛的方式應
是中外皆同的。在此，對於胡適之說當有所補充，即先秦時，鐘鼓之樂乃為
貴族專有，非一般平民所能觸及。因此，若以鐘鼓之樂求愛，應為貴族中相
當慎重且具有規模的一種求愛方式。

　　胡適的解《詩》實踐，啟發了學者在進行《詩經》研究時，能運用現代
眾多學科知識方法，以發掘《詩經》的文化內涵，尤其是原始文化的內涵。
他在〈談談詩經〉中即明確表示：

> 總而言之，你要懂得《詩經》的文字和文法，必須要用歸納比較的方
> 法。你要懂得《三百篇》中每一首的題旨，必須撇開一切《毛傳》、
> 《鄭箋》、《朱注》等等，自己去細細涵咏原文。但你必須多備一些參
> 考比較的材料：你必須多研究民俗學，社會學，文學，史學。你的比
> 較材料越多，你就會覺得《詩經》越有趣味了。[31]

胡適對研究方法的一再強調，進而帶來學者對研究方法的自覺，可以說是胡
適對於《詩經》研究的一大貢獻。

　　然而，胡適雖提出了許多解《詩》的原則，但真正運用這些原則來解析
作品時，往往又顯得力不從心。他對作品的解讀因而也流於浮泛，缺乏深刻
的思想分析。趙沛霖曾加以剖析道：

---

30 胡適：〈談談詩經〉，《古史辨》（三），頁585。
31 胡適：〈談談詩經〉，《古史辨》（三），頁587。

他對一些詩篇如〈召南・小星〉、〈小雅・正月〉提出的新解也屬「大
膽假設」，缺乏論證而不足以服人。造成這種情況的原因，除了他沒
有對《詩經》進行全面系統的研究之外，更主要的原因還在於思想理
論方面：他所謂的「社會學的、歷史的」方法，只是一般的抽象原
則，由於不能觸及時代歷史和社會生活的本質而缺乏思想理論的指導
力量。所以，他對作品的解說，除了運用民俗學和文化人類學的方法
帶來一些新的氣息之外，並沒有從整體上取得大的突破和進步。[32]

在此，可以看出胡適在《詩經》民俗文化研究上，有著理論方法與實際批評
上的落差。雖然如此，他從社會文化的角度解《詩》，並強調研究的方法，
對於《詩經》民俗文化的研究，仍具有推進之功。

至於郭沫若於一九二八年完成的《中國古代社會研究》，其研究中國古
代社會歷史的發展變化，本是屬於一部歷史學著作，但由於廣泛涉及到《詩
經》，將其視為古代文獻的基本資料，因此，亦充分而具體地展示了《詩
經》所反映的時代和社會生活。例如：生產的方式、產業的發展、社會的制
度、階級的變化、平和的生活、殘酷的戰爭、政治的紊亂、家庭的糾紛等
等，郭沫若在其著作中，均有所分析。其從不同的角度，形成了《詩經》不
同專題的研究，如從經濟的角度把相關的作品貫串起來，形成了具有經濟史
特徵的作品系列。

《中國古代社會研究》注意到《三百篇》與其所處時代、社會之間的關
係，並使《三百篇》與其時代、社會、歷史緊密地聯繫在一起，想要呈現出
《三百篇》「活生生」的本來面目。雖然《中國古代社會研究》所提出的一
些觀點，並不完全符合中國古代社會的實際情況，然而他所運用的研究方
法，確實是可貴的。趙沛霖曾說：「《中國古代社會研究》正是將文學研究與
有關的政治、經濟、歷史、哲學、宗教和思想文化研究結合起來，形成了對
《詩經》的綜合研究。」並讚譽此書不僅「為《詩經》乃至全部古典文學的

---

32 趙沛霖：〈郭沫若《中國古代社會研究》在《詩經》學史上的意義〉，《齊魯學刊》2004
年第4期（總第181期），頁6。

綜合研究開闢了新的方向。」[33]如此綜合性的研究，尤其偏重於社會、歷史的實質研究，自然對於《詩經》民俗文化的研究，亦做出了相當的貢獻。

（四）由零星的而成為系統的《詩經》民俗文化研究

鄭振鐸在〈讀毛詩序〉一文中，明確表明《詩經》非貴族的專有品，其所以被解釋成聖賢垂訓後世之作，是因為其「久已為重重疊疊的註疏的瓦礫把它的真相掩蓋住了。」在闡釋《詩經》方面，他對於傳統《詩》學的重要文獻《毛詩序》大加撻伐，指責它對《詩》的解釋充斥著「附會詩意，穿鑿不通」之處，並曾說：「凡是研究中國古代的文學，古代的社會情形，乃至古代的思想，對於《詩經》都應視他為一部很好的資料。」[34]鄭振鐸的《詩經》研究就在此基調下，不斷地深入、廣泛，人類學、民俗學的研究傾向即成為他研究中國文學的兩大特色，他並將此種方法看做是傳統經學外，「開闢門戶」且異於考辨的「另一條更接近真理的路。」[35]

鄭氏於一九三二年完成的《插圖本中國文學史》對《詩經》的研究，即多為此民俗文化的視角。《詩經》中有許多表現農業生產習俗的詩，如〈豳風・七月〉、〈周頌・載芟〉等，反映了周人按照節氣進行農耕、開墾荒地、播種百穀、千耦其耘、秋天收割，以及祭祀土神、穀神的熱鬧場面。鄭振鐸於《插圖本中國文學史》中即對這類農歌加以稱讚說：

> 民間的農歌，在《詩經》裏有許多極好的。他們將當時的農村生活，極活潑生動的表現出來，使我們在二千餘年之後，還如目睹著二千餘年前的農民在祭祀，在宴會，在牽引他們的牛羊，在割稻之後，快快樂樂的歌唱著；還可以看見他們在日下耕種，他們的妻去送飯；還可

---

33 同前註，頁7。

34 以上三則引文見於鄭振鐸：〈讀毛詩序〉，《古史辨》（三），頁383、388、383。

35 鄭振鐸：〈湯禱篇〉，《鄭振鐸古典文學論文集》（上海市：上海古籍出版社，2000年），頁100。

以看見一大羣的牛羊在草地上靜靜的低頭食草；還可以看見他們怎樣
地在咒恨土地所有者，怒罵他們奪去了農民的辛苦的收穫；還可以看
見他們互相的談話，譏嘲，責罵。總之，在那些農歌裏，我們竟不意
的見到了古代的最生動的一幅耕牧圖了。[36]

以上對於農村民俗現象的描繪，十分地精采。

　　此外，他認為中國社會裡有許多「蠻性的遺留」[37]，所以他從探討原始
蠻性的遺留此點出發，一九四六年完成了〈黃鳥篇〉一文，他運用了人類
學、民俗學的研究方法，將歷代對〈黃鳥〉篇的詮釋進行分析後，指出其中
所存的古代社會制度：

　　孔《疏》云：「《箋》解婦人自為夫所出」，其實恰恰的相反，乃是夫
　　為婦家所「出」，或為婦家所虐待，故作了這一首詩。古代農村社會
　　裏，盛行著贅婿或「入門女婿」的制度。這首詩，我以為，便是一個
　　受了虐待的苦作的贅婿所寫的「哀吟」。[38]

他認為這是古代一種贅婿的制度，表現著古代農村生活的一個悲慘面。這個
悲慘面，在今日的一部分中國農村裡還存在著。同時，他認為緊接在〈黃
鳥〉之後的〈我行其野〉也是一首贅婿之歌，且比〈黃鳥〉更慘，更迫切。
〈黃鳥〉的作者是自動的離開，而〈我行其野〉的作者，則是被遺棄的。至
於何以會有贅婿制度？鄭振鐸亦加以分析道：「在中國農村社會裏，所謂
『贅婿』，其地位是很低的。農家贅了一個女婿，即等于得到了一個無報酬
的終身的長工。」[39]原來，這是有其經濟因素的考量。

　　然則，鄭氏的「贅婿」之說，於〈我行其野〉能有通解[40]，而於〈黃

---

36 鄭振鐸：《插圖本中國文學史》（一），頁50、51。

37 鄭振鐸：〈湯禱篇〉，《鄭振鐸古典文學論文集》，頁113-122。

38 鄭振鐸：〈黃鳥篇〉，《鄭振鐸古典文學論文集》，頁151。下文引論見於頁152-154。

39 同前註，頁154。

40 〈我行其野〉何以知道是婦棄夫？朱杰仁認為其理由有三：首先，「婚」與「姻」不
　　同，「婚」指婦家，「姻」指婿家，詩言：「不思舊姻」，故知被棄者為夫。其二，

鳥〉則恐為附會,〈黃鳥〉中並尋不出贅婿之意,其中云:「此邦之人」,邦
乃「國」之意,若為贅婿,當言「此家之人」,故此詩應是流寓自異國者思
歸之詩。《集傳》曰:「民適異國,不得其所,故作是詩。」[41]其說近是。故
鄭氏以語境相近,將二詩均視為「贅婿」之作,恐流於以偏概全、類比過甚
之病。

　　然而,較有系統且大量地以專著、專文的方式研究《詩經》的民俗文
化,且兼顧民俗文化實質表相與精神內涵者,則是始於聞一多。聞一多關於
《詩經》的著作有研究類、注釋類等數種,收入新版《聞一多全集·詩經
編》中的研究類論文有〈詩經的性欲觀〉、〈詩新臺鴻字說〉、〈匡齋尺牘〉、
〈說魚〉,而《聞一多全集·神話編》中的〈高唐神女傳說之分析〉、〈朝雲
考〉、〈姜嫄履大人迹考〉也可視為《詩經》的研究論文。關於注釋類的專著
有《詩經新義》、《詩經通義》甲、乙;屬於分類注釋的有《風詩類鈔》甲、
乙;另有字典性質的《詩經詞類》及確定風詩體制的《詩風辨體》。其中,
〈詩經的性欲觀〉載於一九二七年七月,為聞一多研究《詩經》的第一篇論
文;而〈說魚〉則載於一九四五年五月,為聞一多研究《詩經》的最後一篇
論文,總計聞一多的《詩經》研究,時間跨越了近十八年。

　　王國維《古史新證》提出「二重證據法」之說,認為傳統文獻不能作為
唯一史源,還必須通過地下考古材料的比證,才可以得到肯定的答案。[42]葉

「匹」與「特」不同,「匹」泛指配偶,「特」則專指男性配偶。詩言:「求爾新特」,
則知被棄的是男性。其三,詩言「昏姻之故,言就爾居/言就爾宿」,表現出一種不
得已的委屈情緒,不像出自女子之口,女子婚後住夫家,是天經地義的事。筆者以為
其說適切。見於周嘯天主編《詩經鑑賞集成》(下),頁683-684。

41 〔宋〕朱熹:《詩集傳》(臺北市:華正書局,1974年),卷5,頁98。

42 王國維《古史新證》第一章〈總論〉中說:「吾輩生於今日,幸于紙上之材料外,更得
地下之新材料。由此種材料,我輩固得據以補正紙上之材料,亦得證明古書之某部分
全為實錄,即百家不雅馴之言,亦不無表示一面之事實。此二重證據法,惟在今日始
得為之。雖古書之未得證明者不能加以否定,而其已得證明者不能不加以肯定,可斷
言也。」(北京市:清華大學出版社,2000年,頁2、3)經王國維提倡,訓詁考據由單
一的文獻引證,發展「二重證據」,即典籍文字不能作為唯一史源,還必須結合地下
發掘的出土文物來考察,從而把文史典籍的訓詁考據與考古學的發掘工作結合起來。

舒憲《詩經的文化闡釋》中則提出「三重證據法」的思維，認為「人類學」，即「民俗」和「神話材料」是「足以同經史文獻和地下材料並重的高度」，以「獲得三重論證的考據學新格局」。[43]在聞一多的《詩經》學中，此一融合民俗學思維的「三重證據法」格外顯著。對《詩經》進行本源性分析，欲給予其歷史背景一個真實的文化還原。《詩經》篇章生成的歷史真實情景，當與民俗學意義上的民間文學、風俗習慣、宗教儀典、原始禮儀、原始文化等具有密不可分的深層關係。並且在思想主題、表述傾向和抒情語式上，都具有民俗學的特點和痕跡。他在《風詩類鈔·序例提綱》中即曾表明從經學的、歷史的、文學的角度來研究《詩經》是舊的讀法，然則《詩》的讀法應該是「社會學的」，應該把《詩》當「社會史料、文化史料讀」。因此，他又明確指出，「希求用『《詩經》時代』的眼光讀《詩經》」[44]，要用語體文，「將《詩經》移至讀者的時代」；要用民俗學、考古學、語言學等方法，「帶讀者到《詩經》的時代。」用以「縮短時間距離」[45]，使我們與《詩經》更為接近。

　　因此，聞一多亦將《詩經》視為歌謠集，他在〈匡齋尺牘〉中批評道：

> 漢人功利觀念太深，把《三百篇》做了政治的課本；宋人稍好點，又拉著道學不放手——一股頭巾氣；清人較為客觀，但訓詁學不是詩；近人囊中滿是科學方法，真屬害。無奈歷史——唯物史觀的與非唯物史觀的，離詩還是很遠。明明一部歌謠集，為什麼沒人認真的把它當文藝看呢！[46]

他將《詩經》視為一部民歌來研究。又認為《詩經》是二千五百年以前的作

43　葉舒憲《詩經的文化闡釋》以〈人類學「三重證據法」與考據學的更新〉為「自序」，即提出了「三重證據法」之說。(武漢市：湖北人民出版社，1997年)，頁5。

44　聞一多〈匡齋尺牘〉，《聞一多全集》(三)(武漢市：湖北人民出版社，2004年)，頁215。以下《聞一多全集》見於此版本者，皆不另註明其版本及出版年份。

45　聞一多《風詩類鈔甲·序例提綱》，《聞一多全集》(四)，頁457。

46　聞一多：〈匡齋尺牘〉，《聞一多全集》(三)，頁214。

品，因此我們不可用自己的眼光、自己的心理去讀《詩》，應該要設法建立一個客觀的標準，這客觀的標準最低限度要採用「推論法」，他說：「推論的根據，與推論的前提，必須性質相近，愈近愈好。現在，就空間方面看，與我血緣最近的民族，在與《詩經》時代文化程度相當時期中的歌謠，是研究《詩經》上好的參考材料，試驗推論的好本錢」[47]聞一多的理論與實際相應，其對《詩經》的民俗文化研究中，確實運用了許多民歌的材料做為推論的根據。

此外，聞一多主張以細讀的手法研讀《詩經》，他曾說：「每讀一首詩，必須把那裡每個字的意義都追問透徹，不許存下絲毫的疑惑——這態度在原則上總是不錯的。」[48]因此，他同時也運用了許多文字、聲韻、訓詁、考據等方法，一字一句細細追究，以與其《詩經》的民俗文化研究密切結合、相互印證。其中，他特別提出要注意古歌詩特有的技巧，即「象徵廋語」（symbolism）與「諧聲廋語」（puns），這樣才能「串講通全篇大義」。[49]

民國時期《詩經》的民俗文化研究，可以說是此時期《詩經》研究的一大特色，也是《詩經》學的一大轉變。其中，又以聞一多的研究成果最為豐富、具體，且有系統，可以說是民國時期的代表者、集大成者，其宏觀、廣博、多重方法之匯合，據此破譯了許多《詩經》的文化消息，為解讀《詩經》開創了一條嶄新的局面。郭沫若曾說：「用科學的方法來治理文獻或文字，其實也就是科學」[50]聞一多對《詩經》民俗文化的研究，可以說是一種科學的研究法，其以訓詁、考據學為根基，以文化還原為目的，探詢文化的本真義涵，因而有時不免超越了訓詁學，呈現出古典訓詁學所無能企及的成果。不僅為民國時期《詩經》民俗文化研究的主力，也將民國時期的《詩經》研究提高到一個新的水平。在此基礎上，《詩經》的文化研究，漸成為近年來愈來愈多的學者所樂於採用的研究方向，聞一多以專著且系統的研

47　同前註，頁200。

48　同註46，頁202。

49　聞一多：《風詩類鈔甲・序例提綱》，《聞一多全集》（四），頁457。

50　郭沫若：《聞一多全集・序》（北京市：三聯書店，1982年），頁3。

究，其功不可沒。然其說仍不免有些瑕疵，本文就其《詩經》婚嫁民俗的闡釋加以論述，並明其得失，以做為日後進一步研究的參考。

三　聞一多《詩經》的婚嫁民俗闡釋

聞一多的《詩經》研究，對此民俗文化的層面多所闡發，趙沛霖先生曾評述聞氏《詩經通義》論《詩》的方法說：「聞氏鑑於前人不悟古代社會生活、地域習俗、宗教觀念對於詩歌創作的巨大影響，不悟『初期文藝之慣技』，如雙聲、聲諧、象徵、禁忌、廋語諸方法，『但以字面釋之，於是詩之所以為詩者益晦』的教訓，特從文字訓詁入手，廣泛運用民俗學、神話學、宗教學、歷史學乃至文化人類學的研究成果，進行多學科的綜合性研究，而寫成此書。」明確點出了聞氏論《詩》的特點，趙先生接著又補充說明：「此書雖十分重視訓詁，但它絕不以此為限，而是在訓釋字義基礎上，廣泛涉及到作品的題旨、時地、風俗習慣、典章制度、名物、服飾、時令、物候以及思想觀念、宗教意識、審美情趣和藝術表現等等，通過多方面的立體交插研究，將讀者帶到《詩經》的時代，以便『用「《詩經》時代」的眼光讀《詩經》』，從而幫助讀者了解《詩經》的真義。」[51]然聞氏此一「立體交插」的多重證法，實不僅用於《詩經通義》上，而是他整個論《詩》的通用法則，具有劃時代的意義，對後代的研究提供了許多啟示，惜聞氏往往在運用方法上有某些偏執，以致於出現了所得結果不近真實，或有所矛盾等缺失。本文依其所論內容分為「婚前」、「婚禮」、「婚後」三部分析論之，詳述其此一釋《詩》的內涵、手法，並析論其得失。

---

51 趙沛霖：《詩經研究反思》（天津市：天津教育出版社，1989年），頁390。

（一）婚前

1　男女相悅──祀高禖之神於桑中

〈鄘風·桑中〉：「爰采唐矣，沬之鄉矣。云誰之思？美孟姜矣。期我乎桑中，要我乎上宮，送我乎淇之上矣。」聞一多從民俗的角度深入考證，以為「桑林」即「桑山之林」的省稱，並斷定「桑林」即宋的高禖，與楚的高禖「雲夢」同類，亦為宋的社。並依《周禮·禖氏》：「中春之月，令會男女。於是時也，奔者不禁。若無故而不用令者罰之，司男女之無夫家者而會之。……凡男女之陰訟，聽之于勝國之社。」以歸納禖氏的職責有二：其一，在於聽男女之陰訟；其二，在於「令會男女，……奔者不禁」。因此認為男女相會於此是有深意的：

> 《周禮·媒氏》「中春之月，令會男女」，與夫〈桑中〉、〈溱洧〉等詩所昭示的風俗，也都是祀高禖的故事。這些事實可以證明高禖這祀典，確乎是十足的代表著那以生殖機能為宗教的原始時代的一種禮俗。文明的進步把羞恥心培植出來了，虔誠一變而為淫慾，驚畏一變而為玩狎[52]

在後人眼中，視〈桑中〉為男女相約淫奔之詩，聞氏則還原時代的民情風俗來看，認為相約至此乃是為了「祀高禖」，此不僅非淫，反倒表達了一種「虔誠」、「驚畏」之情，是「十足的代表著那以生殖機能為宗教的原始時代的一種禮俗」。其後隨著文明的變遷，風俗的變易，則成為「淫慾」、「玩狎」，是以聞氏於其後的注釋中特加考證，說明祀高禖時有一種〈萬舞〉的表演：「其舞富於誘惑性，則高禖之祀，頗涉邪淫。」聞氏在此不僅從民俗文化的角度加以闡釋，並注意到民俗文化的時代變遷，以此說明此詩的本質義涵原是誠正的。

52　聞一多：〈高堂神女傳說之分析〉，《聞一多全集》（三）（武漢市：湖北人民出版社，2004年），頁26。以下相關引文出於此〈高堂神女傳說之分析〉註57，頁32。

2 男女相約——期會於城隅、上宮、城闕

　　聞一多並列〈邶風・靜女〉:「俟我于城隅」,〈鄘風・桑中〉:「要我乎上宮」,〈鄭風・子衿〉:「在城闕兮」三詩,認為其中「城隅」、「上宮」、「城闕」,皆為男女期會之處。其云:「凡連語例可分言,隅樓分言之,或曰隅,或曰樓,義則一而已矣。」[53]是「城隅」即「城樓」。又曰:「〈考工記〉有宮隅,上宮蓋即宮牆之角樓,以其在宮牆上,故謂之上宮,(一說上讀為尚,言加于宮牆之上,亦通),亦謂之樓。然宮與城皆垣牆之名,惟所在有遠近為異,故疑宮隅城隅,其制不殊,而上宮城隅,亦名異而實同。」又舉《爾雅・釋宮》:「觀謂之闕」,孫《注》曰:「宮門雙闕」,《說文》曰:「闕,門觀也」等典籍為證,認為:「觀亦臺也。蓋城牆當門兩旁築臺,臺上設樓,是為觀,亦謂之闕。城隅,上宮為城宮牆角之樓,城闕為城正面夾門兩旁之樓」,故「城闕」、「城隅」、「上宮」三者相類,皆為城樓,是為男女期會之所。而所以男女好以此為相約之所,聞氏闡釋道:「宮隅城隅之屋,非人所常居,故行旅往來,或借以止宿,又以其地幽閒,而人所罕至,故亦為男女私會之所。」此說富有濃濃的民俗意味,頗合情理。

　　至於〈鄘風・桑中〉:「期我乎桑中,要我乎上宮,送我乎淇之上矣。」之「桑中」、「上宮」、「淇上」,則如胡承珙《毛詩後箋》所云:「皆在一處耳」[54],即三者相鄰,在一個大範圍之內。又王靜芝《詩經通釋》云:「彼與我相期於桑林中之樓上。相別之時,且送我於淇水之上。」[55]若再參酌聞一多的說法,則可進而勾勒此詩所描述的民風詳情,即:男女相悅,相約至桑林之中以祀高禖以表交往、結配之誠意,祀後再相邀於桑林之城樓上,後相別之時,且送於淇水之上。

　　如此看來,這些相約期會的詩,並非如宋代朱熹所謂「淫奔」之詩,而

53 以下關於此則的探討,見聞一多:《詩經通義甲・靜女》,《聞一多全集》(三),頁375-377。

54 〔清〕胡承珙:《毛詩後箋》,收入《續修四庫全書》(上海市:上海古籍出版社,1995年),冊67,卷4,頁15,總頁125。

55 王靜芝:《詩經通釋》(臺北縣:輔仁大學出版部,1968年),頁125。

是表達男女相悅的戀歌。同樣好以民俗說《詩》的鄭振鐸，曾讚揚《詩經》中的戀歌說：「在全部《詩經》中，戀歌可說是最晶瑩的圓珠圭璧……他們的光輝竟照得全部的《詩經》都金碧輝煌，光彩眩目起來。」[56]聞氏對於《詩》中戀歌的看法與鄭氏相近，亦給予正面的肯定。

（二）婚禮

1 納徵

（1）男之求女，以鹿為贄

在上古的漁獵時代，男子向女子求愛，往往要獻上自己獵獲的獸物，若是對方接受了，便意味著愛情的成功。因為鹿是獸中之大者，最能表達自己的盛意，因此獻鹿求婚便成了一種習俗。後來此俗逐漸演變成一種禮儀，若女子接受男子之禮，表示定了婚，便叫做「納徵」。聞一多以為〈周南·麟之趾〉、〈召南·野有死麕〉均描寫出當時的「納徵」之禮，其綜合運用典籍資料與出土古文物，對「麟」與「麕」進行文字考釋之後，認為「麕」即「麟」，進而從民俗學角度進行闡釋，說明〈野有死麕〉乃古時男向女求婚，以「麕」（一種大鹿）為贄，而〈麟之趾〉乃是以「麟」為贄的納徵之禮。並論曰：

> 納徵用麟者，麟慶古同字。……吉禮用贄，以麟為貴，故相承即以麟為禮之象徵。……謂壻家能行此納徵之禮，不以強暴相陵，而求急亟之會也。[57]

而聞氏之前，胡適致函顧頡剛討論〈野有死麕〉時，亦有類似的說法：

> 〈野有死麕〉一詩最有社會學上的意味。初民社會中，男子求婚于女

---

56 鄭振鐸：《插圖本中國文學史》（一），（出版地、出版年均不詳），頁48-49。
57 聞一多：《詩經通義甲·麟之趾》，《聞一多全集》（三），頁317。以下二則引文亦見於此篇，頁317。

　　子，往往獵取野獸，獻與女子。女子若收其所獻，即是允許的表示。
　　此俗至今猶存于亞洲、美洲的一部分民族之中。此詩第一第二章說那
　　用白茅包著的死鹿，正是吉士誘佳人的贄禮也。[58]

可見聞氏此說乃有所承，而胡適更類比他族之民俗為證，增強了論證的可信
度。

　　又聞一多注意到禮俗的變易，認為〈野有死麕〉表示「婚禮古蓋以全鹿
為贄」，至於後世為求簡化，「始易以鹿皮。」此論頗有意義。然其又證之以
〈麟之趾〉，認為此「有趾，有定（頂），有角，蓋亦全鹿。」則恐有誤。清
人姚際恆《詩經通論》即云：

　　詩因言麟，而舉麟之「趾」、「定」、「角」為辭，詩例次敘本如此；不
　　必論其趾為若何，定為若何，角為若何也。又「趾」、「子」，「定」、
　　「姓」，「角」、「族」，弟取協韻，不必有義；亦不必有以趾若何喻子
　　若何，定若何喻姓若何，角若何喻族若何也。惟是趾、定、角由下而
　　及上，子、姓、族由近而及遠，此則詩之章法也。[59]

比較姚氏與聞氏之說的異同，相同之處在於二者皆直譯「趾、定、角」之義
不加附會。相異之處，則在於姚氏純就詩歌詠嘆的手法而論，認為此乃由下
而上的依序疊詠，並取其協韻而已；聞氏則從禮俗的角度而言，認為此乃指
明納徵之禮所用者為「全鹿」。二者相較，聞氏之說雖較有深意，然恐非詩
之真義。屈萬里《詩經詮釋》云：「此頌美公侯子孫盛多之詩。」[60]又余培
林先生《詩經正詁》云：「此頌美公侯子孫眾多而傑出如麟之詩。」[61]今人
之說大體不出二者。「趾、定、角」雖無深意，然「麟」則用以象徵公侯子
孫，並有「眾多」、「傑出」之義。由此可知，民俗文化的闡釋雖可幫助讀者

58　胡適：〈論野有死麕書〉，《古史辨》（三）（臺北市：明倫出版社，1970年），頁442。
59　姚際恆：《詩經通論》（臺北市：廣文書局，1993年3版），卷1，頁30。
60　屈萬里：《詩經詮釋》（臺北市：聯經出版公司，2006年），頁19。
61　余培林：《詩經正詁》云：「此頌美公侯子孫眾多而傑出如麟之詩。」（上）（臺北市：
　　三民書局，1993年），頁34。

回到《詩經》的時代,「用《詩經》時代的眼光讀《詩經》」,然若有誤植或誤認的情況,則不僅無助於解詩,恐有誤導之疑。因此,吾人解詩,在援引民俗文化闡釋的同時,還須從上下文深入剖析才是。

(2)女之求男,以果(梅)為贄

〈召南・摽有梅〉:「摽有梅」,毛《傳》訓「摽」為「落」,鄭《箋》由此發揮詩旨說:「梅實尚餘七未落,喻始衰也。謂女二十春盛而不嫁,至夏則衰。」[62]聞一多以為《傳》《箋》此說乃為皮相之論,其從民俗的角度,配合典籍記載與出土古文物以深入考證之,認為「摽」,乃古「拋」字,擲物以擊人亦謂之摽。「摽有梅」,謂以梅拋予人也。並論之曰:

> 疑初民習俗,於夏日果熟時,有報年之祭,大會族人於果園之中,恣為歡樂,於時士女分曹而坐,女競以新果投其所悅之士,中焉者或解佩玉以相報,即相與為夫婦焉。[63]

聞氏並認為古代女子本負有採集蔬果的責任,故以果為贄,拋水果以表情,是適宜的。而接收果子的男士,若報之以佩玉,二人即結為夫婦。他又引〈衛風・木瓜〉:「投我以木瓜,報之以瓊琚。匪報也,永以為好也。」為證,認為此亦表述「拋果報玉」的民俗,且此俗至魏晉間依然存在。

聞一多又進一步闡釋〈摽有梅〉一詩之義涵道:

> 一章可拋的梅子,十分還有七分,心想這回求到的大概是吉士罷。二章可拋的梅子,十分只有三分,心想這回大概是位堪士罷。三章梅子都拋光了,索興連筐子也扔給他,心想這回準是嫁給他了。[64]

其認為女子拋梅,由所剩七分而三分,即所拋出之梅由三分而增至七分,至最後則「頃筐墍之」。墍,《傳》:「取也」,全筐取而扔之,對男子的傾心,與嫁予他的決心,層層加深。然縱觀上下文,若就〈木瓜〉一詩而言,此俗

62　《毛詩正義》(臺北市:藍燈文化公司,出版年不詳),卷1之5,頁3,總頁63。

63　聞一多:《詩經通義甲・摽有梅》,《聞一多全集》(三),頁327。

64　《風詩類鈔甲・摽有梅》,《聞一多全集》(四),頁474。

或確有之，然以之釋〈摽有梅〉則恐非也。此詩三章末句疊詠「求我庶士」，由「迨其吉兮」而「迨其今兮」而「迨其謂之」，顯見其傷時之意漸深而待嫁之意漸切。由此進而檢視「摽」之意，歷來主要有「落」與「擊」（擊而落之）兩種說法，《爾雅・釋詁》訓為「落」，《傳》同，而《說文》訓為「擊」，嚴粲《詩緝》：「摽本訓擊，……此詩謂擊而落之。」[65]胡承珙《毛詩後箋》評曰：「于文義多一轉折。」[66]按「摽」當訓「落」為是，余培林先生《詩經正詁》即云：「訓落，方能顯出時日之逝，而有傷時之意；若訓為擊，或擊而落之，則有乖自然，而傷時之意盡失矣。」[67]聞氏訓「拋」類同於「擊」，誤也。

　　此外，趙制陽先生曾指出聞氏論《詩》常犯了「好以改字為訓，詞義益見分歧」的毛病，如此詩即是，其改「今」為「堪」，訓為「堪士」，改「謂」為「歸」，訓為「出嫁」，趙氏認為殊無道理，並梳理詩義認為：「該詩從女子失時求偶的心態上說，初則希能擇吉而字，繼則但求今時，末則盼對方來說親，一言可定；時愈後而情愈急。如此說詩，女子待嫁的心境躍然紙上，以見詩人運筆之妙。」[68]此說極是。如此則知，倘若為符合民俗之說而改動詩文字句，則大謬矣！

　　又聞氏進一步思考〈摽有梅〉中女求男何以要拋果？又何以所拋之果為「梅」？他先推想：

> 疑女以果實為求偶之媒介，亦兼取其蕃殖性能之象徵意義。……擲人果實，即寓貽人嗣胤之意，故女欲事人者，即以果實擲之其人以表誠也。……

即女以果實求偶，乃取果實所具強大的繁殖性能。接著，聞氏則以典籍記載

65　嚴粲：《詩緝》，收入《景印文淵閣四庫全書》，冊75，卷2頁15，總頁37。

66　胡承珙：《毛詩後箋》，卷2，頁33。

67　余培林：《詩經正詁》（上），頁57。

68　趙制陽：《詩經名著評介・聞家驊詩經論文評介》（臺北市：臺灣學生書局，1983年），頁345-346。

與金文等來證實自我的推測，他認為「梅」即「楳、某」，與女子的關係尤深，「某」為古「無」字之省變，又「無」、「毋」通，「毋」即「母」字，故：

> 梅也者，猶言為人妻為人母之果也。然則此果之得名，即昉於摽梅求士之俗。求士以梅為介，故某楳二形又孳乳為媒字，因之梅（楳）之涵義，又為媒合二姓之果。要之，女之求士，以梅為贄，其淵源甚古，其涵義甚多。[69]

聞氏在此所賦予〈摽有梅〉的深義是令人質疑的。一來，「摽」當依《爾雅》訓為「落」，則聞氏推測拋果以寓「貽人嗣胤」之意當為誤。二來，由「梅」推而至「母」，言其是為人妻為人母之果，則有推演過甚之嫌，而此曲折的衍生只為了迎合其預設的「繁殖」之義。實「摽有梅」乃以梅之落喻女子青春之飛逝，而所以以「梅」為喻，或者梅落的景象令作者印象鮮明，故「節取以託意」[70]，實不必幾經轉折而推演出「為人妻為人母之果」等義。

2 請期——婚期以春、秋為正時

對於古代的婚期，有所謂「迨冰未泮」（〈邶風·匏有苦葉〉）的說法。至於「泮」究為何義？《傳》：「散也」，聞一多則訓為「合」，認為「古者本以春、秋為嫁娶之正時，此曰『迨冰未泮』，乃就秋言之。」[71]其引證頗詳，主要論點有三：

其一，舉數則典籍之注以考證字義，如：

> 《周禮·朝士》「凡有責者有判書」，鄭《注》曰「判，半分而合者」，〈媒氏〉「掌萬民之判」，《注》曰：「判，半也。得耦而合，主合其半，成夫婦也」

---

69 以上二則見於聞一多：《詩經通義甲·摽有梅》，《聞一多全集》（三），頁327-328。
70 黃侃《文心雕龍札記·比興》所云：「原夫興之為用，觸物以起情，節取以託意；故有物同而感異者，亦有事異而情同者。」（臺北市：文星書店，1965年），頁163。
71 聞一多：《詩經通義甲·匏有苦葉》，《聞一多全集》（三），頁367。以下所見關於此一議題的引論皆見於此篇，頁367-369。

其二，舉數例典籍所載以證此民俗，如：

〈夏小正〉「二月，綏多女士」，某氏《傳》曰：「綏，安也，冠子娶婦之時也」，《周禮・媒氏》「中春之月，令會男女，於是時也，奔者不禁」，鄭《注》曰「中春陰陽交，以成昏禮，順天時也」，《白虎通義・嫁娶篇》亦曰「嫁取必以春，何？春者，天地交通，萬物始生，陰陽交接之時也。」據此，疑自古昏姻本以春為正時，故《詩》中所見昏期，春日最多。

其三，舉詩中所紀之景象物候論其時節，曰：

舉凡詩中所紀，若匏葉枯落，渡頭水深，並雉雛雁鳴，皆秋日河水未合以前景象。審如《傳》說，以冰泮為解凍，則與《詩》中物候相左矣。

聞氏又進而統計、列舉《詩》中所見之婚期，有明著春日者，如〈召南・野有死麕〉、〈豳風・七月〉；有描寫春日物候者，如〈周南・桃夭〉、〈邶風・燕燕〉、〈豳風・東山〉；有以秋為期者，如〈邶風・匏有苦葉〉、〈衛風・氓〉；有以冬日為期者，如〈邶風・北風〉。根據以上的統計，聞氏進而從民俗的角度，總結古時之婚期，認為應以春、秋為正時，並論其原因曰：

春最多，秋次之，冬最少，其所以如此，殆有故焉。嘗試論之，初民根據其感應魔術原理，以為行夫婦之事，可以助五穀之蕃育，故嫁娶必於二月農事作始之時行之。鄭注《周禮》所謂「順天時」，《白虎通》所謂「天地交通，萬物始生，陰陽交接之時」，皆其遺說也。次之，則初秋亦為一部分穀類下種之時，故嫁娶之事，亦或在秋日，然終不若春之盛，則以自農事觀點言之，秋之重要本不若春也。

最後，聞氏再從民俗變遷的角度，來解釋何以後世又有訓「泮」為「散」的原因：

　　蓋「冰泮殺止」為相傳古語，本謂嫁娶正時至冰合而止，今以冰合為
冰解者，乃曲解舊術語以迎合新事實耳。此誠古今社會之一大變也。

閩氏認為後世以冰未散之冬日為婚期者，茲因禮俗因時而異之故；至於後世
言冬日亦可婚，「乃曲解舊術語以迎合新事實耳。」

　　閩氏如此一貫而下的說解，初步看來，兼顧到論證的各方面，應具有相
當的說服力。然仔細思考，仍有所不足。如趙制陽先生認為閩氏在「新解求
證之際，常有偏執的現象」[72]，此對於婚期的論述即是，因而對於〈邶風・
匏有苦葉〉：「士如歸妻，迨冰未泮」加以辨析：

　　其一，從字義上來看，「泮」字從「水」從「半」，引《說文》：「半，物
中分也。從八牛，牛為物大可以分也。凡半之屬皆從半。」等說，認為
「泮」之從「半」是聲兼義，「冰未泮」宜訓為「冰尚未溶解」。

　　其二，從同從「半」的「判」義來看，認為「判書」實即債券，原是各
取一半，分別執存，合之旨在驗其真偽；亦即各執一半以存證的意思。

　　其三，從古籍記載與情理上看，《荀子・大略》：「霜降逆女，冰泮殺
止。」《家語》：「霜降而婦功成，嫁娶者行焉。冰泮而農業起，昏禮殺於
此。」這是古代由秋收以後春耕以前，利用農閒時間辦理婚事的最可信資
料。認為：「風俗不外乎人情，人情不外乎實際生活之需要。」農業社會以
春耕秋收為最重要時節，因此，於農忙之後，「霜降以後冰解以前舉行婚
禮，是較恰當的時間。」而若云：「霜降之後開始婚嫁，至冰合之時即止」，
其婚期過於短促，亦不合於情理。

　　其四，從物候上看，認為「士如歸妻」有假設意義，非指已在進行的
事；「迨冰未泮」，更是明言可期待的時間，詩中「匏有苦葉，濟有深涉。」
的物候景象與婚期的願望是有時差的。聞一多乃誤以願望為事實。

　　總之，趙氏認為：「討論《詩經》中的結婚時令，不宜憑一詩以為斷，
更不宜在分歧的舊說中專取一家之言作為定論。聞氏所論之未臻允當，其問

---

72 此見於趙制陽《詩經名著評介・聞家驊詩經論文評介》「參之一」的標題，頁329。以
　　下對趙氏之說的引論，皆見於此節，頁329-332。

題即在於此。」

　　觀以上趙氏所論合於情理，恐足以動搖聞氏的論點，尤其是他從民俗學的角度來駁斥聞氏之說，最具有說服力。他認為民俗與實際生活的情理應相合，農忙之餘辦婚事才最為適切，能點出聞說矛盾之處。

　　然則，儒家經典對於先秦婚姻季節的記載是多樣的；因此，經學家們往往各執一端，爭論不休，直到今日仍未能得出明確的答案。如《周禮·媒氏》：「中春之月，令會男女。」及鄭玄之《注》、班固《白虎通義·嫁娶》所述，皆認為嫁娶宜在春季。而《荀子·大略》、董仲舒《春秋繁露·循天之道》、王肅《孔子家語》則認為秋冬嫁娶才適宜。另有將兩種說法加以調合者，如晉束皙便提出上古嫁娶是四時皆宜，唐杜佑贊同此說，認為：「婚姻之義，在於賢淑，四時通用，協於詩禮。安可以秋冬之節，方為合好之期？先賢以時月為限，恐非至當。束氏之說，暢于禮矣。」[73]

　　趙制陽先生認為對此於一問題：「不宜憑一詩以為斷，更不宜在分歧的舊說中專取一家之言作為定論。」此說至為允當，也就點出了聞氏論《詩》的偏執之誤。李炳海《部族文化與先秦文學》一書，從部族、地域文化的角度切入，將各家的說法，及各典籍所載相關婚嫁的資料，加以分門歸納處理，而得出以下的結論：

> 先秦時期的嫁娶時月存在兩個不同的系統，一是晉地系統，迎娶時間在春季；一是周、齊、魯系統，迎娶季節在秋、冬至初春。……一為春季，一以秋冬為主，兩個系統是不相混淆的。[74]

所謂晉地系統，即屬夏文化；周、齊、魯系統，即屬商、周文化。此一新說，既無偏執一家，且對於各典籍所載婚嫁之時，亦加以羅列、分類，並舉《詩經》諸婚嫁詩為例，是十分科學的。然仔細考察，仍有疑義之處。首先，李氏舉《春秋》、《左傳》中有關魯國娶婦的條目共有六處。四次在秋

---

73 〔唐〕杜佑：《通典》，收入《景印文淵閣四庫全書》，冊603，卷59，頁14，總頁726。

74 李炳海：《部族文化與先秦文學》（北京市：高等教育出版社，1995年），頁337。

季，另外兩次，一次是宣公元年春「公子遂如齊逆女」；一次則是文公四年夏「逆婦姜于齊」。其中，即有兩次婚禮不在秋冬舉行。關於春季的部分，李氏因而不得不把周、齊、魯系統的時間延長為「秋、冬至初春」，一來，其如何得知《春秋》宣公元年所云之「春」為「初春」？二來，若果為初春，則又與晉地系統相混，怎可說是「不相混淆的」？由此看來，李氏之說有其矛盾之處。其二，李氏列舉諸《詩經》婚嫁之詩，以為〈唐風〉、〈周南〉、〈召南〉是為晉地系統，即夏文化的系統，因此所載之嫁娶詩為春季；而〈邶風〉、〈衛風〉、〈豳風〉、〈陳風〉等為周、齊、魯系統，即商、周文化的系統，因此所載之嫁娶詩為秋冬季。然則，依前聞氏所羅列出來的八首婚嫁詩中，如有明著為春日之〈豳風·七月〉，亦有描寫春日物候的〈邶風·燕燕〉、〈豳風·東山〉，此三詩顯然皆不合於李說，然李氏對於此不合其說之三詩亦皆未有所提及。

筆者以為，在尚無新證據之前，就現有典籍所載考察，《詩經》所載的婚期既是春、秋、冬（即〈邶風·匏有苦葉〉）三季皆有，且《春秋》、《左傳》亦載有夏季成婚之例，則很可能正如束皙、杜佑所主張的，先秦時本四季皆可婚。

3 親迎

〈齊風·著〉：「俟我於庭乎而，充耳以青乎而，尚之以瓊瑩乎而。」中很明顯地描寫出古時親迎之禮。聞一多曰：

> 古代婚姻有親迎之禮，壻乘車來到婦家，在庭中等候著，婦從內寢出來，父親將婦的手遞給壻，壻牽著婦的手走出門，一同上車載回自己家來。[75]

---

75 聞一多《風詩類鈔甲·著》，《聞一多全集》（四），頁475。聞一多以為此詩乃壻至婦家，壻親迎的情形，然筆者以為，詩言：「俟我於著乎而」「俟我於庭乎而」「俟我於堂乎而」，由「著」而「庭」而「堂」的變化，乃由外而內，顯是嫁者記至壻家，壻親迎的情形。

依此，聞一多以為〈邶風·泉水〉：「女子有行，遠父母兄弟。」指的便是親迎之禮。[76] 此外，他又舉出《詩》中另外六則出現「行」字的詩篇：

> 〈邶風·北風〉：「攜手同行。」
>
> 〈鄘風·蝃蝀〉：「女子有行，遠父母兄弟。」
>
> 〈鄘風·載馳〉：「女子善懷，亦各有行。」
>
> 〈衛風·竹竿〉：「女子有行，遠父母兄弟。」
>
> 〈鄭風·有女同車〉：「有女同行。」
>
> 〈鄭風·丰〉：「駕予與行。」

以為這些「行」字皆指女子出嫁。他以其中的〈北風〉為例，認為其三章分別疊詠「攜手同行／同歸／同車」，「車」為親迎之車，「歸」為「之子于歸」之歸，則「同行」應與「同歸」、「同車」一義，描寫女子出嫁親迎的情形。此外，聞氏又引後世詩文為例，如〈古詩十九首〉之十六：「良人惟古歡，枉駕惠前綏，願得常巧笑，攜手同車歸。」認為此說親迎事乃語襲〈北風〉。由此可知聞氏論說之法為：

其一，條列類比用字、用詞相同的詩句以為概括詮解，並相互引證，《詩經通義甲》中即多用此法。

其二，注意《詩》重章疊詠手法中，換詞疊詠的詩句間，具有「同義並列」的關係。

其三，引後世相似的詩句，以明此說乃有所傳承。

聞氏在此犯了一個錯誤，即概括詮解相同字詞時，並沒有細細思量各詩文前後的詩意，便以偏概全，以部分代全體的類比；因此，即有了類舉上的失誤。如〈泉水〉篇很明顯地可以看出是描寫女子出嫁的詩，然如〈北風〉、〈載馳〉則當非也。〈北風〉：「北風其涼，雨雪其雱。惠而好我，攜手同行。其虛其邪？既亟只且。」此若描寫的是親迎嫁女的情形，何以用「北

---

76 以下關於此篇的引論見於聞一多：《詩經通義甲·泉水》，《聞一多全集》（三），頁374-375。

風其涼，雨雪其雱。」這樣一種天候不佳的景象起興？於上下詩義顯然不合。「行」，《集傳》釋為「去」是也，《詩序》：「〈北風〉，刺虐也。衛國並為威虐，百姓不親，莫不相攜持而去焉。」[77]頗近詩旨。蓋首二句為興句，乃象徵姦邪當道，國是日非，因而下四句，即表明欲趕緊與好友同歸田園之意。至於〈載馳〉：「女子善懷，亦各有行。」下文既云：「許人尤之，眾穉且狂。」則上文之「行」，當如《傳》云：「道也」，謂女子之多思，亦各有其道理。即前二句乃許穆夫人自謂己之所思本有其理，故其下乃深責許之大夫，既驕傲且狂妄也，上下文形成對比。若如聞氏所云「行」指女子出嫁，則上下文不得通解。

中國文字本具有多義性，若「以偏概全」，認為不同詩篇的同一字皆為同義，或指的是同一習俗，而不通解全詩上下文之義，則必有所誤，聞一多在此即犯了此一弊病。其實，聞氏並非不知論《詩》當貫通上下文，然往往好用類比字詞義的手法，或有所偏執以迎合其所論，因而不免產生謬誤。

4 婚禮中有析薪束薪刈楚刈蔞之禮

〈周南・漢廣〉：「翹翹錯薪，言刈其楚／蔞。之子于歸，言秣其馬／駒。」聞一多以為其中的「楚」為草名，故本篇將「楚」與「蔞」並舉。而「刈楚」與「刈蔞」乃「當時婚禮中實有之儀式」，並認為「《箋》以楚為泛喻女之高絜，乃誤以賦為比。」他又說：「馬以駕親迎之車，與薪皆婚禮中必用之物。」「析薪束薪蓋上世婚禮中實有之儀式」[78]是以聞一多舉證贊同呂氏《讀詩記》引陳氏曰「析薪者以喻昏姻」的說法，並舉〈齊風・南山〉：「析薪如之何？匪斧不克。取妻如之何？匪媒不得。」認為此「以析薪喻取妻，最為顯白。」[79]此說合於上下詩文之義。

---

77 《毛詩正義》，卷二之三，頁11，總頁104。

78 以上四則引文見於聞一多：《詩經通義甲》，收入《聞一多全集》（三），前二則引文見於〈漢廣〉，頁124；後二則引文見於〈凱風〉，頁363。

79 以上見於聞一多：《詩經通義甲・凱風》，收入《聞一多全集》（三），頁362、363、362。

　　不過，聞氏在此又以其慣用的「類比」手法論說，條列了《詩》中十一則出現「薪」字的詩例，以為其均與婚姻、夫妻相關，如他說〈王風・揚之水〉與〈鄭風・揚之水〉均言：「揚之水，不流束薪。」二者皆是「水喻夫，薪喻妻，夫將遠行，不能載妻與俱，猶激揚之水不能浮束薪以俱流也。」前者乃戍士思歸之詞，「彼其之子」，斥其妻言。後者似夫將遠行，慰勉其妻。[80]觀全詩上下文，聞氏之說恐不合於情理，亦不合於文理，〈王風・揚之水〉中，戍士本無攜眷之俗，自當無「斥妻」之理；而〈鄭風・揚之水〉中下文既云：「終鮮兄弟，維予二人。」則所言當非指男女、夫妻的關係。於此，聞一多以〈漢廣〉、〈南山〉的風俗、喻意，與〈王風・揚之水〉、〈鄭風・揚之水〉相類比，亦犯了以偏概全的毛病。

（三）婚後

1　食芣苢能受胎生子

　　〈周南・芣苢〉[81]全詩三章，章四句，形式複疊，全詩僅六字不同，可以別為六組疊詠句：「采采芣苢，薄言采／掇／捋之。采采芣苢，薄言有／袺／襭之。」

　　此詩看似簡單，實則令人費思量。聞一多即曾與友人論及：「〈芣苢〉之所以有討論的必要，乃是因為字句縱然都看懂了，你還是不明白那首詩的好處在那裏。換言之，除了一種機械式的節奏之外，你尋不出〈芣苢〉的『詩』在那裏。」[82]想要尋出其詩味，最主要的關鍵在於「芣苢」，因此，聞一多費了很大的工夫，仔細論述「芣苢」究為何物，以明本詩的意蘊。其運用的研究方法非常多，茲分述如下：

80　聞一多：《詩經通義甲・凱風》，收入《聞一多全集》（三），頁362。

81　「苢」與「苢」通，聞一多皆作「苢」，現今《詩經》版本多作「苢」。今為求統一計，皆用「苢」字。

82　聞一多：〈匡齋尺牘・芣苢〉，收入《聞一多全集》（三），頁202，以下所見關於「芣苢」的引論皆見於此，頁202-208。

首先，運用植物學的觀點，據《毛傳》以為「芣苢」是為車前子。

其次，運用古代的傳說，以為「芣苢」具有「宜子」的功能，是由禹母吞薏苢（即芣苢）而孕禹的故事所產生的。

其三，運用聲韻學的觀點，以「聲同義亦同」的原則，證實「芣苢」的本字就是「胚胎」。

其四，運用文字學的觀點，因文字的孳乳分化，本字「不以」用為植物名變作「芣苢」，用在人身上變作「胚胎」。

其五，從修辭學的觀點來看，「芣苢」與「胚胎」為雙關隱語。

其六，從生物學的觀點來看，採芣苢的習俗，是為性本能的演出。

其七，從社會學的觀點來看，宗法社會裡，因女人具有種族傳遞、蕃衍生機的功能，因此採芣苢具有莊嚴且神聖的意義。

其八，從訓詁學來看，〈芣苢〉「薄言采之」的「薄言」，在《詩》中總計共見十八次，均有「趕忙的」、「快快的」義涵。就本篇而言，尤有一種迫切的情調。

其九，從章法學來看。配合上下文義，一章「采」、「有」；二章「掇」、「捋」；三章「袺」、「襭」，均是上下意義相近的詞彙。「掇」、「捋」是非常有勁的動作。

其十，運用藝術、想像的手法，再配合民俗學、心理學，以優美的語言，表達出他所理解的詩境：

> 那是一個夏天，芣苢都結子了，滿山谷是採芣苢的婦女，滿山谷響著歌聲。這邊人群中有個新嫁的少婦，正捻那希望的璣珠出神，羞澀忽然潮上她的靨輔，一個巧笑，急忙的把它揣在懷裡了，然後她的手只是機械似的替他摘，替她往懷裡裝，她的喉嚨只隨著大家的歌聲囀著歌聲──一片不知名的欣慰，沒遮攔的狂歡。不過，那邊山坳裡，你瞧，還有一個傴僂的背影。她許是一個中年的磽确的女性。她在尋求一粒真實的新生的種子，一個禎祥，她在給她的命運一個救星，因為她急於要取得母的資格以穩固她的妻的地位。在那每一掇一捋之間，

她用盡了全副的腕力和精誠，她的歌聲也便在那「掇」、「捋」兩字
上，用力的響應著兩個頓挫，彷彿這樣便可以幫助她摘來一顆真正靈
驗的種子。但是疑慮馬上又警告她那都是枉然的。她不是又記起已往
連年失望的經驗了嗎？悲哀和恐怖又回來了──失望的悲哀和失依的
恐怖。動作，聲音，一齊都凝住了。淚珠在她眼裡。[83]

在此，顯示聞一多讀《詩》除具有充足的樸學考據傳統外，亦具有民俗性、
社會性、文學性、藝術性，還具有豐沛的想像力。其結合各種考證手法與詩
情欣賞，無非是想再現上古社會那一幕幕逼真的畫面，帶領讀者深入詩歌的
內涵底蘊：「一個婦人在做妻以後，做母以前的憧憬與恐怖」，「明白這采芣
苢的風俗所含的意義是何等嚴重與神聖。」聞一多揭示了這樣一條發揮想像
的《詩經》民俗闡釋之路，並還鼓勵友人繼續朝這樣的方向前進：「其餘的你
可以類推。我已經替你把想像的齒輪撥動了，現在你讓它們轉罷，轉罷！」

　　以上聞氏分別從十種角度來論證「芣苢」一詞，可謂旁徵博引，然雖用
力甚多，卻也有不少令人質之處。蓋「芣苢」為車前子，除《傳》有云，
《爾雅・釋草》亦云：「芣苢，馬舃，馮舃，車前。」[84]又《說文》云：「芣
苢，一名馬舃，其實如李，令人宜子。」[85]則「芣苢」確可助婦人生子，聞
氏此解大體無誤，從民俗的角度來看，〈芣苢〉中確有採芣苢以助生子的迫
切期望。然問題在於其論證的角度過多，不免有證據不足之處。如其從古代
傳說、聲韻、文字、修辭等角度來說：禹母吞薏苢（即芣苢）；「芣苢」與
「胚胎」古音不分，二者聲同義亦同；「芣苢」本作「不以」，用為植物名為
「芣苢」，用在人身上變作「胚胎」；「芣苢」與「胚胎」為雙關隱語等，皆
缺乏證據力。此外，聞氏承自清代方玉潤的說法，並運用藝術、想像、民俗
學、心理學，以優美的語言所表達出的詩境，雖不免有想像過甚之嫌，然賦

---

83 聞一多：〈匡齋尺牘・芣苢〉，收入《聞一多全集》（三），頁208。以下三則引文分別
　　見於206、206、208~209。
84 《爾雅注疏・釋草》（臺北市：藍燈文化公司，出版年不詳），卷8，頁19，總頁143。
85 《說文解字注》（臺北市：黎明文化公司，出版年不詳），卷一篇下，頁15，總頁29。

予詩歌生命力，是以後人解此詩，亦多承自方氏或聞氏。但筆者以為，在二說的基礎上，還可做一些補充與修正：

其一，「芣苢」，《毛傳》：「車前也，宜懷妊焉。」陸德明《經典釋文》：「治婦人難產。」則知，車前草是用來治不孕症的，不孕對於古代婦女而言，是件極為羞愧的事，當不可類比為婦女登山「採」，結伴謳歌的遺風，是以不可能有方玉潤所謂於「平原繡野、風和日麗中羣歌互答，餘音裊裊」[86]的情景。

其二，聞一多既看出了採芣苢是具有嚴肅而神聖的意義，在面對自己不孕的情況，那心情必然是沉重的，不可能是滿山谷響著歌聲。且歷來並無「採藥」之歌。

其三，這首詩不是集體的歌唱，還可以從詩歌上下文來吟詠，一章的「采」、「有」，寫始往之情，泛言取之；二章的「掇」、「捋」，寫採時具體的動作，摘而取之；三章的「袺」、「襭」，寫所盛之處，既採後盛於衣裙，並將下襭繫在腰帶上。三章的動作是一貫的。

其四，再配合「薄言」，趕忙的意思，「芣苢」又名「當道」，在路上或路旁的開闊處經常可見，則知描寫的是一個婦人採摘芣苢的過程，既羞怯而又不欲為人知的匆忙情狀。

由以上可知，愉快式的、呼朋引伴式的採摘「芣苢」，皆是不合情理的。

2 陪嫁——師氏為姆，隨女子出嫁助其婚後處理雜事

聞一多比較〈周南・葛覃〉：「言告師氏」；〈小雅・十月之交〉：「楀維師氏」；〈大雅・雲漢〉：「趣馬師氏」三詩中「師氏」的異同，並配合古代婚姻禮俗而云：「案古者女子將嫁，師氏教以事人之道，所謂『婦德，婦言，婦容，婦功』是也。」[87]聞氏在此，廣泛徵引經、史、子，和文字學典籍等，

---

86 方玉潤：《詩經原始》（北京市：中華書局，1986年），卷之一，頁85。
87 聞一多：《詩經通義甲・葛覃》，收入《聞一多全集》（三），頁297。以下二則引論，皆見於此篇，頁297、298。

以證「師氏」即地位低的「保姆」。其舉《白虎通・嫁娶》篇：「婦人所以有師何？學事人之道也。……國君取大夫之妾，士之妻，老無子，而明於婦道者，又祿之，使教宗室五屬之女。」及《儀禮・士昏禮》鄭《注》：「姆，婦人年五十無子，出而不復嫁，能以婦道教人者」典籍之說，以論證曰：

> 師氏之名，雖若甚尊，其職則甚卑。因知所謂德言容功者，亦不過倫常日用之委瑣細故，論其性質，直今傭婦之事耳。……今呼傭婦或曰阿媽，即阿母矣。師氏或以男為之。《墨子・尚賢》下篇曰「伊尹為莘氏女師僕」，師僕即師氏之男者。謂之僕，則其地位之低可知。要之，女師之職，略同奴婢，特以其年事長而明於婦道，故尊之曰師，親之曰姆（母）耳。

聞一多由此推知「師氏」的地位低，相當於僕人，有男有女，〈葛覃〉、〈十月之交〉、〈雲漢〉三詩中，前者為女婢，後二者為男僕。

歷來多將〈葛覃〉「薄汙我私，薄澣我衣」釋為女主人公自污、自澣，即形容其勤勞、認真，具有婦德，然聞氏基於以上的認識，進而反駁前人之說，曰：

> 《詩》曰：「言告師氏，言告言歸：『薄汙我私，薄澣我衣！』」告者，告師氏為己澣衣也，「薄」為命令之詞。師氏本封建貴族之一種家庭奴隸，故詩人之言如此。《傳》、《箋》專就其教人之事言之，則一若其道甚嚴而位甚尊者，此不可不辯也。

他認為「薄」為命令之詞，「薄汙我私，薄澣我衣」，是女主人要歸寧前催促師氏趕緊將她須要換洗的衣物洗好。此由禮俗中「師氏」的職責與地位，為〈葛覃〉末章的義涵，開闢了一條可行的詮解新路。更可貴者，聞氏在此能配合詩篇上下文之義以求論證的完善，趙沛霖《詩經研究反思》即曾論曰：

> 傳統治《詩》，多孤立訓詁而不顧詩義，即單純著眼於局部而忽略整體，聞氏即深知其弊，十分注意把握整體，密切結合詩義訓詁，通過

訓詁揭示詩義。〈周南·葛覃〉中的「師氏」，《傳》、《箋》皆就「教以婦德」等言之，似為尊貴之職。這樣解釋與為我「汙私」、「浣衣」等卑賤職事不符。[88]

明確點出聞氏解此詩的成功，主要在於能把握整體詩義。惜聞氏此種解詩法，並未能普遍用於其解《詩》上，有時他則是枉顧上下詩義，而犯了以偏概全的類比之誤。

四　結語

民國初期，民俗學的概念與研究法由日本引進，首先用於歌謠的研究，而後漸用於《詩經》的研究上。其發展的歷程可別為四：

首先，將《詩經》去聖經化，視其為文學作品。

其次，將《詩經》視為歌謠。

其三，將《詩經》視為社會、文化史的材料。

其四，由零星而成為系統的《詩經》民俗文化研究。

然則，此四個階段的起始時間雖有先後的層次，但其後的發展時間則是有所重疊的。其間主要歷經了梁啟超、顧頡剛、胡適、郭沫若、鄭振鐸等人較為零星的論說，至聞一多則以專文、專著的形式系統的集大成。歸納之，民國時期《詩經》的民俗文化研究，具有兩種鮮明的特點，正符合胡適〈談談詩經〉結論中所言的讀《詩》法：

其一，撇開一切《毛傳》、《鄭箋》、《朱注》等，自己去細細涵詠原文，以明白詩旨。

如梁啟超後期的文論，著重探討和總結《詩》的藝術價值，與以前強調政治性、功利性不同。顧頡剛將《詩》視為歌謠，不僅在《詩》興的含義

---

88 趙沛霖：《詩經研究反思》，頁391。

上，排拒了歷來經學家倫理教化的義涵，且在本質上，使《詩》成為民俗作品。胡適〈談談詩經〉強調《詩》並不是一部聖經，而是一部古代歌謠的總集。郭沫若《中國古代社會研究》即自己去細細涵詠原文，將《詩經》與有關的政治、經濟、歷史、哲學、宗教和思想文化研究結合起來。鄭振鐸〈讀毛詩序〉中，明確表明《詩經》非聖賢垂訓後世之作，大加撻伐《毛詩序》解《詩》的「附會詩意，穿鑿不通」。聞一多〈匡齋尺牘〉中亦曾批評漢人的將《詩》視為政治課本、宋人的拉著道學不放等讀《詩》法，認為應將《詩》視為文藝作品。

其二，用歸納比較的方法，且參考比較的材料愈多，愈覺得　　　《詩》有趣味。

如梁啟超在〈中國韻文裏頭所表現的情感〉中，每講一種手法，便引證《詩》句，並以《詩》為發端，再徵引後世相關諸作，以見此一手法的源流。顧頡剛論〈野有死麕〉舉出《吳歌甲集》中第六十八首歌詞與此詩類比，做為最後論說的證據。胡適致函顧頡剛討論此詩獻獸求婚民俗時，以亞洲、美洲蠻族的習俗做參考類比的材料。郭沫若《中國古代社會研究》將《詩》中不同專題的相關作品貫串起來，形成了具有經濟史特徵的作品系列。鄭振鐸〈黃鳥論〉中類比緊接在〈黃鳥〉之後的〈我行其野〉，認為二詩皆為贅婿之歌。至於聞一多運用類比、歸納的手法則更具規模，有根據《詩經》文本，亦有根據古詩、民歌、語境等。如論〈齊風·南山〉：「析薪如之何？匪斧不克。取妻如之何？匪媒不得。」中之「薪」，即以文本類比，另條列《詩》中十一則同樣出現「薪」字的詩例，以為均與婚姻、夫妻相關。另〈邶風·北風〉論「攜手同車／同歸」，則以〈古詩十九首〉之十六「攜手同車歸」來類比。

而聞一多首先以系統而大量的民俗文化角度來闡釋《詩經》，帶來了《詩經》研究的新契機。然由於處於開創階段，有得亦不免有失。以下總論聞氏《詩經》婚嫁民俗闡釋之優點與缺點。

其一，優點：融合多重論證法，旁徵博引，可增加論證的強度
　　　缺點：惜有所偏執，或穿鑿，或改字為說，故不免有誤

　　聞一多對《詩經》的解釋，繼承了正統乾嘉學派的小學考據與歷史考據，並進而將它視為民俗還原的出發點，以理定《詩經》曲折的文史義涵，欲以此發掘因文化變遷而被掩蓋的本來背景。因而他論證的手法，往往結合典籍記載、出土古文物與民俗的考證手法，並善於運用各類學科如心理學、植物學、文字學、聲韻學、訓詁學、統計學、社會學、生物學、章法學、修辭學、藝術學等，再加以豐富的想像及優美的語言，以考證詩義、描繪詩境，增加詩文的審美情趣。如此旁徵博引，可增加論證的強度，是其鮮明的優點。

　　惜聞一多有時在論證中或有所偏執，看似先有一個結論，為符合此一結論而專取一家之言而略去其他證據，雖多方論證，然已預設立場；或論證的過程過於跳躍、穿鑿；或逕自改字為訓，是以不免有誤。如〈周南・芣苢〉中對「芣苢」的論證，運用典籍資料、古文物資料，再加上植物學、訓詁學、統計學、社會學、生物學、章法學等，這些方面的闡釋，使得詩歌的義旨與意境，呈現出栩栩如生的立體場面。然其又運用了古代傳說、聲韻、文字、修辭等方法，說「芣苢」即「胚胎」，則論證不免過於跳躍，而有穿鑿之嫌。

　　再如〈召南・摽有梅〉，改「今」為「堪」，訓為「堪士」；改「謂」為「歸」，訓為「出嫁」，因而得出〈摽有梅〉乃女求男拋梅為贄的習俗，此即為符合己意而改字為說。又如舊籍論婚姻嫁娶之時有多種說法，釋「泮」為分或合，典籍中亦皆有所論，然聞氏以為當訓「合」為是，便只取其中合於己意的說法，而不論及其他，進而得出古時嫁娶以春秋為正時的結論，不免令人質疑。

其二，優點：重視考據、統計、綜合、歸納、類比等工夫，有
　　　所破立

缺點：惜手法未臻成熟，類比過甚，以偏概全，因而不免有誤

　　胡適在〈談談詩經〉中曾明確指出：「要懂得《詩經》的文字和文法，必須要用歸納比較的方法。」「要懂得《三百篇》中每一首的題旨，必須撇開一切《毛傳》、《鄭箋》、《朱注》等等，自己去細細涵詠原文。」同時，他還認為「必須多備一些參考比較的材料」，「必須多研究民俗學，社會學，文學，史學。」[89]聞一多實際的研究手法與胡適理論的提出正不謀而合。他往往綜合、歸納、統計並條列《詩》中相同語境、用字的詩文，以明其民俗義涵上的通則、通釋。如此，經過科學的歸納、統計，對詩文的闡釋，有所破立，是其可貴的優點。

　　惜聞氏有時類比過甚，不免犯了以偏概全之誤。如論〈齊風・南山〉以析薪喻娶妻，另舉出《詩》中十一則含有「薪」字的詩句，以為皆有夫妻、婚姻之義。其所類比的〈小雅・車舝〉「析其柞薪」，確有此意，正如《集傳》：「此燕樂其新婚之詩」，並可進一步確定《詩序》所謂：「大夫刺幽王也」之誤。然其所類比的〈鄭風・揚之水〉：「揚之水，不流束薪。」則不確，因下文既云：「終鮮兄弟，維予二人。」則所言明為「兄弟」關係，而非夫妻關係。

　　此外，聞氏對於論證的手法，雖時有正確的認知，但實際運用時，因手法未臻成熟，故未能全然遵守，且往往為類比的手法所掩，而喪失此一優勢。如既知解詩當配合詩歌上下文或前後章文義的相關性，在釋〈邶風・北風〉時，認為三章分別疊詠的「同行」、「同歸」、「同車」一義，均描寫女子出嫁親迎之禮。然有時過度運用類比、歸納手法，則忽略須照應詩篇上下文義的原則，如不就〈鄭風・揚之水〉上下文加以體會，便以類比的手法，斷定此亦為描寫男女、夫妻的詩，謬誤於焉而生。

89　胡適：〈談談詩經〉，《古史辨》（三），頁587。

其三，優點：注意民俗的時空變化，可增加論說的深度與廣度
　　　缺點：惜有時不免藉時空變化之由，以掩其論說的不足

　　聞一多往往能注意到民俗的時空變化，沿波而討源，以此還原民俗的真相，不至於為後世的民俗所掩，並可從中以見民俗的源流演變，增加其論說的深度。如他不僅從〈野有死麕〉以證納徵之禮中，本以全鹿為贄，並注意禮俗的流變，說明後世禮俗為簡便計，乃以鹿皮為贄。然聞氏有時則不免藉時空變化之由，以掩其論說的不足，如他認為婚期以春、秋為正時，〈匏有苦葉〉：「士如歸妻，迨冰未泮」，是冰未合之前，然後世明載有以冰未散之冬日為婚期者，聞氏無以為說，便云此乃後世曲解舊術語以迎合新事實，即以時空變化為由，以掩蓋其論說的不足。

　　總之，民俗文化的論《詩》方法，有助於對《詩》的深入理解；然而，若過度引申，類比過甚，以偏概全，亦會引來另一重的誤解。實吾人應拋下任何成見，《傳》、《箋》之說，未可盡棄；民國初期的民俗研究，亦有可貴的確解，其雖未必皆合宜，但終究是提出了一條可貴的研究路線，給予後人《詩經》的研究以相當的啟迪。其中，聞一多的研究成果最豐，尤多婚嫁民俗的相關闡釋，其以二重證據法為根基，不僅加入了三重證據的民俗、神話論證法，同時亦結合傳說、想像、心理學、社會學等手法，且重視收集、整理、綜合、歸納、統計、類比的工夫，配合詩歌上下文、前後章文義的相關性來解讀民俗文化，特別還注意到民俗文化的時空變化。不過，聞氏仍有其論證之失，如論證新解之際，不免有所偏執，只取其中合於己意的說法，而不論及其他，且過度類比引申，以偏概全，以部分代全體，因而不免有誤，殊為可惜。於今，細細考察聞氏研究的得與失，對於吾人今後《詩經》的研究，均能獲益良多。是以吾人讀《詩》，在善用各種方法之際，理應細細涵詠原文，「大膽假設，小心求證」為是！

聞一多說《詩》中的原始社會與生殖文化

呂珍玉
東海大學中國文學系教授

一　前言

　　聞一多，清光緒二十五年（1899）十月二十二日生於湖北浠水，名亦多，字友三，號友山，家族排行叫家驊，到北京清華學校上學後改名多，筆名一多。家傳淵源，自幼愛好古典詩詞和美術，一九一二年考入北京清華學校，一九一六年開始在《清華周刊》發表系列讀書筆記，總稱《二月廬漫記》，一九一九年五四運動積極參加學生運動，一九二一年十一月與梁實秋等人發起成立清華文學社，一九二二年與姨妹高孝貞結婚，並完成〈律詩底研究〉，開始系統地研究新詩格律化理論。同年七月赴美芝加哥美術學院學習，雖學美術卻志在文學，一九二三年暑假過後轉學柯羅拉多大學，[1]一九二三年出版第一部詩集《紅燭》。一九二四年進入紐約美術學生聯合會（Art Students' Leage of New York）但興趣卻在演戲。一九二五年七月回國後，歷任北京藝術專科學校教務長，一九二六年應潘光旦之邀到吳淞國立政治大學，擔任訓導上的職務，擔任《晨報》副刊〈詩鐫〉編輯，一九二七年任《新月》編輯，國立第四中山大學外文系主任（一九二八年更名為中央大學，一九四九年更名為南京大學），一九二八年任國立武漢大學文學院院長兼外文系主任，出版第二部詩集《死水》，此後致

1　據梁實秋回憶說：「是他拋棄圖畫專攻文學的一個關鍵。」

力於古典文學研究，對《周易》、《詩經》、《莊子》、《楚辭》四部古籍加以整理研究。一九三〇年到青島，任國立青島大學（後改為國立山東大學）文學院長兼國文系主任，一九三二年應聘清華大學中文系教授，一九三七年對日抗戰開始，他在昆明西南聯大任教，以抗戰不勝不剃鬍鬚表示必勝決心。一九四三年後，因不滿國民政府的貪腐獨裁，積極參與反對行動。[2]一九四五年為中國民主同盟會委員兼雲南省負責人，昆明《民主周刊》社長。一二一慘案發生後，他更加強烈反對蔣介石政權，一九四六年七月十五日在悼念被國民黨特務暗殺的李公樸大會上，發表〈最後一次的演講〉，當天下午在返回西倉坡家中附近被國民黨昆明警備司令部派人槍殺。

　　聞一多是位具有多方面才華的人，在民國學術界、文藝界十分知名活躍，又擅長美術、治印、書法。朱自清在《聞一多全集‧序》：「他這輩子是詩人，是學者，也是鬥士。由一九二三年參加《晨報》的詩刊，到一九二九年任教青島大學，可說是他的詩人時期；以後到一九四四年參加昆明西南聯合大學的五四晚會，可以說是他的學者時期；再接著的兩年，至一九四六年七月十五日遭暗殺而死，是他的鬥士時期。而在每個階段，他都是雜揉著詩人、學者、鬥士性格為一體的出色人物。」他的《詩經》詮釋也大體融合詩人的感性、學者的理性和鬥士的勇於突破創新性格於其中。[3]

　　聞一多（1899-1946）的《詩經》研究始於一九二七年發表的〈詩經的性欲觀〉[4]，經過十多年持續研究，根據新版《聞一多全集》[5]他的《詩經》研究成果共計九項（不分甲乙），其中論文有〈詩經的性欲觀〉、〈詩新臺鴻

2　一九四三年四月蔣介石《中國之命運》出版，書中提出一個政黨，一個主義，一個領袖的主張，而且國民黨政府規定每個人必須閱讀，聞一多以其公開向五四精神宣戰起而反對。

3　以上有關聞一多的生平事蹟參考季鎮淮編撰：《聞朱年譜》（北京市：清華大學出版社，1986年）、《聞一多年譜》，收入《聞一多全集》（武漢市：湖北人民出版社，2004年），以及聞黎明、侯菊坤編：《聞一多年譜長編》（武漢市：湖北人民出版社，1994年）。

4　發表於《時事新報‧學燈》。

5　舊版《聞一多全集》係由朱自清整理編集，於一九四八年由開明書店出版。新版《聞一多全集》係由袁謇正等人整理編集，於二〇〇四年五月由湖北人民出版社出版。

字說〉、〈匡齋尺牘〉、〈說魚〉；專著有《詩經新義》、《詩經通義》、《風詩類
鈔》；另有屬於工具性質的《詩經詞類》與《詩風辨體》。他為了突破舊說，
不僅從文學、考據學、歷史學的角度，還從社會學、文化人類學、文藝發生
學、弗洛依德（Sigmund Freud）心理分析等現代理論與科學方法，帶讀者
到《詩經》的時代，讓讀者瞭解《詩經》的真面目。他突破「國學」的種種
局限，隨著民國以來學術思潮，由傳統而向現代轉型，建立《詩經》研究的
新範式，取得一定的成就，被推崇為民國以來研究《詩經》最有創獲的學者
之一。[6]

　　在聞一多的《詩經》研究中尤其是對原始社會與生殖文化的揭示，最為
鮮明獨特。他要帶讀者到《詩經》的時代，真切瞭解原始人類的生活，如此
才能拭去幾千年來以禮教說《詩》的障蔽，真正看到原始的生命力和文化的
源頭。他認為《詩經》承襲原始時代社會風俗，將《詩經》視為民歌，又援
用西方新興的弗洛依德精神分析學，以考據學、社會學、文化人類學、象徵
廋語等方法，觀察原始社會人類的情欲、婚姻、風俗、生殖崇拜等。弗洛伊
德認為文明是建立在對原始生命本能壓抑基礎上的，文明是以克制生命衝動
為代價的。潛意識便成了被壓抑的生命自由活動的區域，意識與潛意識的衝
突，事實上也就成了原始生命本能與文明的衝突。這樣的觀點被聞一多援用
過來考察原始社會與生殖文化，形成他研究《詩經》相當獨特的視角。

　　前人在這個議題上，僅分別從他援用弗洛伊德學說說《詩》，或探討生
殖崇拜觀察，未見將兩者放在一起觀察，於是對他援用弗洛伊德學說提出較
多責難批評。如果我們全面觀察他的《詩經》研究宗旨，是要以詩的眼光讀
《詩》，真正回到《詩經》的社會，那麼他借用潛意識，分析原始社會人類
的情欲，是他進而探討《詩經》時代生殖崇拜的基礎。出於這樣的想法，本
文循序從聞一多說詩的時代背景與方法，進而探討他說《詩》中的原始社會

6　例如郭沫若在開明版《聞一全集・序言》：「他那眼光的犀利，考索的賅博，立說的新
　穎而詳實，不僅是前無古人，恐怕還要後無來者的。」夏傳才將聞一多列為現代《詩
　經》研究大師之一，見夏傳才：〈聞一多對詩經研究的貢獻〉，《齊魯學刊》1983年第3
　期（1983年5月）。

與生殖文化，分成原始社會的性欲、原始社會的婚姻與愛情、原始社會的生殖崇拜、原始社會的生殖符碼等幾方面，引用弗洛伊德精神分析學、榮格（Carl Gustav Jung）原型理論、法國人類學家列維・布留爾（Lvy-Bruhl，Lucien）《原始思維》、英國人類學家弗雷澤（James George Frazer）《金枝：巫術與宗教之研究》之觀點，觀察他對原始社會與生殖文化的發掘。聞一多的《詩經》研究充份展現五四以來推翻舊說，求新求變的學術思潮特色，亦難免除論據不足，說解粗疏的毛病。

　　聞一多集詩人、學者、鬥士三種身分，在大陸學界備受推崇。藍棣之說聞一多「敢於大聲地說出還沒有想成熟的意見，這乃是創造性思維的一大特徵。」[7]又說：「從聞一多我們知道，怪論的價值是很高的，怪論與胡說八道、嘩眾取寵或為怪而怪是完全不同的。……我認為，那些輕而易舉地抹煞怪論而看不出其中創見的人，很可能是一些以嚴謹面目出現，實際很平庸的人。這種人若從事行政管理工作，則開創不了新局面；搞學術研究，則只會講些空話和廢話。」[8]這段話應能代表肯定聞一多勇於突破舊說，以創造性思維研究《詩經》一派對他的高度評價。這一派人對他論點中的思慮不周，有較大的包融。但就學術求實態度，仍應解剖怪論之所以不能被接受的原因。雖然聞一多在二十世紀的《詩經》研究上有可貴的貢獻，但亦不必諱言他書中存在不少粗疏之處，而這些問題正是上世紀《詩經》研究最為鮮明的標記：為突破傳統舊說，而援用西方新興學科，忽視文本，缺乏嚴謹考據。是以如何兼顧文本，發掘《詩經》中的文化，並與世界文化交融，是本文企圖提出的思索。

7　見藍棣之：〈論聞一多的創造性思維〉，《聞一多研究四十年》（北京市：清華大學出版　社，1988年），頁408。

8　同前註，頁410。

二　聞一多說《詩》的時代背景與方法

（一）時代背景

　　郭沫若在〈聞一多全集序言〉中說：「聞先生治理古代文獻的態度是承繼了清代樸學大師們的考據方法」，從他的《古典新義》、《詩經新義》、《離騷解詁》、《莊子》之中，確實可看出他紮實的小學功夫。此外他也繼承五四、古史辨精神，在民國以來強烈異文化衝擊下，反思傳統文化，交融中西文化，為《詩經》研究開創新視野。

1 五四新文化運動以來的開放學風

　　五四新文化運動以來，學術界用新的思想觀念和方法，重新審視古典文學和文化，取得歷史性的成就，並建立起現代意義上的研究體系。例如；梁啟超《中國之美文及其歷史》之論《詩經》對《毛序》四詩說質疑，提出新解[9]；魯迅《漢文學史綱要》中〈書與詩〉一章批判詩教說；一九二五年胡適在武昌大學以〈談談詩經〉為題發表學術演講說：「《詩經》並不是一部聖經，確實是一部古代歌謠總集，可以做社會史的材料，可以做政治史的材料，可以做文化史的材料，萬不可說它是一部神聖經典。」[10]並提出要以科學的精神重新研究《詩經》，以訓詁、解題等具體方法，大膽地推翻二千年來積下來的附會見解。要用社會學的、歷史學的、文學的眼光審視《詩經》。[11]《詩經》研究上聖經觀念的瓦解、研究方法多元蓬勃，展開新世紀《詩經》研究的局面。聞一多在一九四四年參加五四座談，回憶自己的思想

9　參〈周秦時代之美文〉一節，梁氏以為〈毛序〉分風、大小二雅、頌有問題，應從音樂節奏上分為南、風、雅、頌四種詩體。梁啟超：《中國之美文及其歷史》（臺北市：臺灣中華書局，1956年），頁89-97。

10　見顧頡剛等編著：《古史辨》（香港；太平書局，1941年），冊3，頁577。

11　同前註，頁580。

變化說：

> 從小我就受《詩》云子曰的影響，但愈讀中國書就愈覺得他是要不得
> 的，我的讀中國書是要戳破他的瘡疤，揭穿他的黑暗，而不是是捧
> 他。[12]

談到五四運動時，他又說：

> 當時要打倒孔家店，現在更要打倒，不過當時大家講不出理由來，今
> 天你們可以來請教我，我念過幾十年的經書，愈多愈知道孔子的要不
> 得，因為那是封建社會底下，封建社會是病態的社會，儒家就是用來
> 維持封建社會的假秩序的。

五天之後，他又在聯大文藝晚會上發言：「五四的任務沒有完成，我們還要
幹！我們還要科學、要民主，要打倒孔家店和封建勢力！」[13]五四新文化運
動時期的進化論思潮、疑古思潮、科學民主思潮、個人主義思潮，對學術界
產生驚濤駭浪的影響，普遍存在於魯迅、胡適、顧頡剛等民初學者的論著之
中。

　　一九二七年〈詩經的性欲觀〉開啟聞一多《詩經》研究之途，此時五四
雖已過去八年，但勇於立論，大膽假設的學風還在。繼胡適認為小星是「寫
妓女生活的最古記載」，證以《老殘遊記》所寫的黃河流域妓女送鋪蓋上店
陪客；聞一多以「性欲觀」論《詩經》，較之胡適更為大膽，求證更為小
心。聞氏自謂離經叛道到了這步田地，恐怕要算至矣！盡矣！蔑以加矣！[14]

2　古史辨時期的疑古辨偽風氣

　　五四以來在胡適提倡科學方法和獨立思考的影響下，從一九二六年開始
到一九四一年止，以顧頡剛為首的古史辨派繼承歷史上疑古辨偽的優良傳

---

12 見《聞一多全集》，卷2，頁367。
13 見《聞一多全集》，卷2，頁215。
14 見〈詩經的性欲觀〉，《聞一多全集》，卷3，頁190。

統，以進化論為理論依據，共成書七冊，收錄文章三百多篇，計三百二十多
萬字。「古史辨派」的顧頡剛認為：古籍所載古代史和傳說，由於後代不斷
的添加附會，故越古越不可靠，這就是「層累的歷史造成說」。因此應以考
古學、民俗學等新學科方法，去確立真正科學的古代史。在清理傳統《詩
經》學時，顧頡剛曾指出：「我們用了現代智識引而伸之，就覺新意義是很
多的了。」[15]古史辨學者認為《詩經》是文學作品，研究《詩經》必須符合
文學的特徵。此外也自覺的把當代民歌研究成果和民間文學理論運用於《詩
經》研究。聞一多的《詩經》研究以文化人類學為基本方法[16]，輔以考古手
段、史料辨析、考證和文字訓詁之學，完成從神話到歷史的推源過程，他的
研究所繼承的就是古史辨的精神。另外顧頡剛、朱自清等人都曾致力於採集
歌謠，聞一多撰寫〈說魚〉也引證不少以魚為隱語的地方民歌，而且在參加
湘黔滇旅行團時，他的學生劉兆吉沿途收集二千多首民歌，編定為《西南采
風錄》，聞一多掛名為他的指導人。可見他重視民歌收集和民間文學理論，
亦承襲古史辨以來疑古辨偽學風。

3　世界文化的衝擊

　　晚清、民國以來由於政治、社會的大變動，中國門戶大開放，受到西方
學術的衝擊，許多學者開始研究西方思想，如王國維研究叔本華（Arthur
Schopenhauer）、章太炎研究印度哲學。在《詩經》的詮釋上亦出現為和西方
接軌，或民族自尊情結，而突破舊說太過，令人啼笑皆非的例子。如古文派
俞樾、孫詒讓等人喜用經學比附西學，竟說：「八大行星是中國首先發明。
《詩經》不是說『嘒彼小星，三五在東麼？』三加五就是八大行星了。」[17]
五四時代胡適、陳獨秀鼓吹文學革命，胡適《中國哲學史大綱》第一次用西

15　見〈自序〉，《古史辨》，冊3，第1頁。
16　據載聞一多與西南聯大社會學系教授，人類學家陶雲逵有交往。「先生研究古代文
　　學，運用社會學、人類學諸方法，其中不少觀點與陶雲逵磋商過，兩人情誼真摯。」
　　（《聞一多年譜長編》，頁697，伏義考就是多學科研究的成果）
17　范文瀾：〈中國經學史的演變〉，收入《范文瀾全集》（石家莊市：河北教育出版社，
　　2002年），頁71。

方觀點對中國古代思想進行分析研究，並提倡「全盤西化」。在中國新文學方面亦普遍受到外國文學的影響，例如郭沫若的詩受到惠特曼（Walt Whitman）、歌德（Johann Wolfgang Von Goethe）的影響，徐志摩的詩受到華茲華斯（William Wordsworth）的影響，冰心的詩受到泰戈爾的影響。

　　二十世紀初至三〇年代，正逢西方各種現代學說及流派蓬勃發展之際。例如，風靡一時的「審美移情說」，費稀納（Gustav Theodor Fechner）的科學實驗方法，弗洛伊德的「精神分析學說」，杜威（John Dewey）的實證主義以及同樣注重實證和田野調查的「社會學研究方法」、「文化人類學的研究方法」等等，都開啟著民國以來人們的思維，擴展著人們的研究視野。五四運動之後，中國學者開始大量引進西方先進的科學思想和研究方法。一些國學功底深厚的中國青年學者，他們受到強勁的西學東漸之風的影響，開始以西方的研究方法來重新審視中國文化和文學。那時，中國傳統的「單純的訓詁考據法容納了新輸入的分析論證方法，而擴展變化為文化闡釋法；西方的實證主義和經驗主義研究模式被同化到清代以來的實事求是的樸實傳統之中。」[18]

　　聞一多是一個內心熱愛中國傳統文化，鍾情於古代詩歌的學者，但自從進入預備留學的清華學校，受到較多西方文化氛圍的影響，後來又留學美國三年，當時正值美國意象派詩歌興盛之時[19]，難免使他產生中西、新舊矛盾與如何調合的思維。繼一九一六年五月發表文章，提倡「振興國學」之後，一九二〇年他又提出一個新的藝術方向：「我們談藝術的時候，應該把腦筋裏原有的一個舊藝術底印象掃去，換上一個新的，理想的藝術底想象，這個藝術不是西方現有的藝術，更不是中國的偏枯腐朽的藝術底僵尸，乃是融合

18　陳欣、邱紫華：〈論聞一多的詩性批評〉，《武漢理工大學學報》2008年第6期，頁907-913。

19　「他對當時美國所謂的『意象派』的新詩發生興趣，特別喜愛的是擅長細膩描寫的 Fletcher。他說：『他是設色的神手，他的詩充滿濃麗的東方色彩。』」見梁實秋：《談聞一多》（臺北市：傳記文學出版社，1967年），頁26。

兩派底精華底結晶體。」[20]這是他為提高新詩質量所提出中西文化交融的論點[21]。爾後在文化史、文學、研究方法等方面持續發出這樣的論點。

　　聞一多在〈文學的歷史動向〉從世界歷史文化的發展，從中國文學發展的經驗教訓中，提出一個十分重要而深刻的觀點：任何文化都必須不斷地從異質文化中吸取養份，才能發展壯大，否則就會逐漸消亡。一九四四年五月三日他在〈五四歷史座談〉：「……我在外國所學的本來不是文學，但因為這種 nationalism 的思想而注意中文忽略了功課，為的是使中國好，……但是愈讀中國書就愈覺得他是要不得的。」梁實秋回憶他在研究《詩經》時：「浩然長歎，認為我們中國文學雖然內容豐富，但研究的方法實在落後了。」熊佛西〈悼聞一多先生〉也提到他曾說：「中國的文學浩如烟海，要在研究上有點成績，必須學西洋人治學的方法，先挑選一兩個作家來研究，或選定一個時代來研究。」[22]面對強大的西方文化，熱愛中國文化的他，並不主張全盤西化[23]，但又不得不痛苦對自己的民族文化自我批判，轉而埋首於古典文獻的研究，他說：「向外發展的路既走不通，我就不能不轉向內走。」[24]又說：「經過十餘年故紙堆中的生活，我有了把握，看清了我們這民族，這文化的病症，我敢於開方了。」[25]受到外來文化強力的衝擊，聞一多通過清理古籍，探幽發微，終於找到被封建文化掩蓋，他所謂的「本土文化」。他驚喜地發現了那遙遠古代的神秘與美麗，那降伏了他的橫暴的威靈

---

20 聞一多：〈徵求藝術專門的同業者底呼聲〉，《清華周刊》第192期，1921年10月1日。

21 詳參劉烜：〈聞一多與中外文化〉，收入李鎮淮主編：《聞一多研究四十年》（北京市：清華大學出版社，1988年）。論述聞一多中西文化交融的觀點是受到蔡元培、梁啟超、梁漱溟等人的啟發與影響。

22 轉引自《聞一多年譜長編》，頁443。

23 聞一多認為「真要建設一個好的世界文學，只有各國文學充分發展其地方色彩」（見〈女神〉之地方色彩）世界文化由許多民族文化組成，每個民族文化有自己的傳統，不能全盤西化。

24 聞一多：〈致饒孟侃〉，收入《聞一多全集》，卷3，頁265。聞氏自言向內走的工作是編毛詩字典、楚辭校議、全唐詩校勘記、全唐詩補編……等等整理傳統典籍的工作。

25 聞一多：〈致臧克家〉，收入《聞一多全集》，卷3，頁380。

與一道金光，以及那原始的生命力。他欣喜的爆發出一句話「咱們的中國」！[26]

（二）說《詩》方法

　　郭沫若〈聞一多全集序〉：「聞一多學兼中西，廣泛吸納，研讀過法國學者朗松的《文學史方法論》、弗洛伊德的心理分析、比較文學方法以及兼容文史哲於一體的文化學方法，又承繼了清代樸學大師的考據方法。」聞一多曾在《楚辭校補》的引言承認自己「承繼了清代樸學大師們的考據方法」，更說這種方法於古典文學尤其是上古文學研究的不可或缺，「較古的文學作品所以難讀，大概不出三種原因：1 先作品而存在的時代背景與作者個人的意識形態，因年代久遠，史料不足，難於瞭解。2 作品所用的語言文字，尤其是那些『約定俗成』的白字（訓詁家所謂假借字）最易陷讀者於多歧亡羊的苦境。3 後作品而產生的傳本的訛誤，往往也誤人不淺。」也就是聞氏十分注意 1 說明背景 2 注釋詞義 3 校正文字三項課題。他的《詩經》注釋也特別留意這三方面。除此之外聞氏稱其讀詩用「社會學」的讀法，把《詩》當社會史料文化史料讀，在《風詩類鈔甲編・序例提綱》還提到用《詩經》時代的眼光讀《詩經》，縮短闡釋的「時間距離」，用考古學、民俗學、語言學帶讀者到《詩經》的時代，又注意古歌詩特有的技巧：象徵廋語和諧聲廋語。大體而言聞一多的《詩經》詮釋是以文化人類學為宏觀架構，將考據學、社會學、民俗學、精神分析學等多學科方法統攝於其中。他說：「文化既不是一件衣裳，可以隨你的興致脫下來，穿上去，那麼，你如何能擺開你的主見，去悟入那完全和你生疏的『詩人』的心理！」所以他認為後世人的研究工作，就是要幫助讀者了解當時的文化心理。〈芣苢〉是他的示範之作，他從文化人類學的觀點說：「結子的欲望，在原始女性，是強烈得非

---

[26] 〈死水・一句話〉：有一句話說出就是禍／有一句話能點得著火／別看五千年沒有說破／你猜得透火山的緘默？說不定是突然著了魔／突然青天裏一個霹靂／爆一聲：「咱們的中國！」⋯⋯。收入《聞一多全集》，卷1，頁155。

常。」又從弗洛伊德性心理觀點說：「采芣苢的習俗，便是性本能的演出，而〈芣苢〉這首詩便是那種本能的吶喊了。」

　　在聞一多所使用的西方學說中，尤其以弗洛伊德的學說和文化人類學最為獨特，而這兩種學說在書中的應用也難以絕然劃分，以下略述兩種學說及聞一多如何應用於《詩經》研究。

1 文化人類學

　　著名人類學家威斯勒（Clark Wissler）在《納爾遜百科全書》為文化人類學下過定義，他認為文化人類學就是「社會生活的自然史。換言之，便是關於各民族的文化的現狀及其演進的研究。」[27]由於它強調人類文化學研究對象各民族，也就是全人類，以及強調社會生活與文化兩個特點，著名文化人類學家林惠祥認為這個定義最好。林氏正是根據這樣的理解，說文化人類學就是「探討人類的生活狀況、社會組織、倫理觀念、宗教、魔術、語言、藝術等制度的起源、演進及傳播……。」[28]的學問。趙沛霖指出文化人類學研究對象不限於某一個民族和地域，則體現了世界性的目光；研究對象不限於文化的某一方面內容，則必然形成多方面的文化的會通與整合。作為一種研究方法和研究模式，文化人類學具有世界性學術視野、多學科交叉的綜合性、指導原理的普遍性等三項基本特徵。[29]當時學界以文化人類研究文史的學者如凌純聲、魯迅、朱光潛、鄭振鐸、郭沫若等，都獲得相當的成果。又根據吳萬鍾〈試談聞一多先生「詩經的性欲觀」的思維背景〉指出聞一多的《詩經》研究極有可能受到法國人類學家葛蘭言（Marcel Granet）《古代中國的節慶與歌謠》的影響[30]。葛蘭言在書中主要分析《詩經》風詩的情歌，

---

27 林惠祥：《文化人類學》（臺北市：臺灣商務印書館，1991年），頁16。

28 同前註。

29 見趙沛霖：《現代學術文化思潮與詩經研究——二十世紀詩經研究史》（北京市：學苑出版社，2006年），頁226-227。

30 吳萬鍾：〈試談聞一多先生「詩經的性欲觀」的思維背景〉，收入林慶彰主編《經學研究論叢》（臺北市：臺灣學生書局，1999年），第6輯。

試圖從情歌中觀察古代中國社會的形態，吳萬鍾文中亦具體比較兩人說
《詩》類似之處。

　　聞一多應用文化人類學探討原始社會的男女交往、婚姻、家庭、宗教信
仰等等問題，在解說〈新臺〉一詩時還說這首詩為流傳歐亞的新郎變蟾故
事[31]，從中西共有的原始變形神話思維觀點，擴大《詩經》的文化視野。整
體而言二十世紀從三、四十年代開始，文化人類學的觀點和方法，將《詩
經》研究帶到另一個全新的境界。文化人類學的觀點和方法所體現的世界目
光，使《詩經》研究的學術視野由中國走向世界，由文學擴大到文化。

2 弗洛伊德學說

　　朱自清說：「……他不但研究文化人類學，還研究佛羅依德的心理分析
學來照明原始社會這個對象。」[32]聞一多在〈詩經的性欲觀〉中提到過一次
弗洛伊德，他說：「譬如〈鄭風・大叔于田〉，即使我不說那是一首象徵性交
的詩，Freud 恐怕要說出來了。」而且在這篇文章的開頭部份說：「……用
研究性欲的方法來研究《詩經》，自然最能瞭解《詩經》的真相。」並分析
《詩經》表現性欲的五種方法。又根據鄧喬彬說：聞一多關於圖騰的研究，
未刊手稿中還有《圖騰雜考擬目》內有「圖騰宴」、「階級沓布（toboo）」、
「性（亂倫）沓布」……等小目，很可惜都未及完成，……[33]劉烜〈聞一多
與中外文化〉也說：「聞一多的神話研究，也運用了民俗學、精神分析學的
成果。他在昆明讀了弗洛伊德《圖騰與禁忌》，頗受影響。」[34]這些研究內
涵和弗洛依德《圖騰與禁忌》類似。他在〈朝雲考〉說虹為性的塔布，卜辭
以屈虹為有祟，無異於弗洛伊德所說的圖騰禁忌，可見他讀過弗洛依德的
書，並受到影響。

---

31 聞一多之所以這樣說應是「魚網之設，鴻則罹之。」設網捕魚（求偶之象徵廋語），
　竟然捕到癩蛤蟆（鴻為苦龍合音，苦龍為癩蛤蟆。）女子出嫁本求佳偶，但新郎卻是
　隻蟾蜍。不過後來在〈說魚〉一文他又修正前說，將「鴻」說成鳥。
32 《聞一多全集》，卷12，頁445-446，附錄開明版《聞一多全集》序。
33 見鄧喬彬、趙曉嵐：《學者聞一多》（上海市：學林出版社，2001年），頁90。
34 劉烜：〈聞一多與中外文化〉，收入《聞一多研究四十年》，頁479。

　　吳萬鍾〈試談聞一多先生「詩經性欲觀」的思維背景〉一文，對聞一多赴美留學前、後受到弗洛伊德的學說影響，以及弗洛伊德文學藝術觀在中國初期的影響曾加以考察。侯美珍〈古典的新義—談聞一多解《詩》對弗洛伊德學說的應用〉說：「我們無法確知聞一多在美國時是否曾留心過精神分析學派的理論，然而始自清華時期 Mordell 一書的影響，往後他與潘光旦之間的切磋，倒是可以得到確切證實的。後來一九四四年九月在西南聯大時，潘光旦翻譯了靄理士的《性心理學》，稿成提詩五首，其一云：『二南風教久銷沉，瞎馬盲人騎到今，欲挽狂瀾應有術，先從理性覓高深。』這直是聞一多援性解《詩》的代言。」[35]在聞一多《詩經》相關研究中，若隱若現存在著弗洛伊德的學說，大概和弗洛伊德學說含括人的知覺、意識，可以說和所有的人類活動不能分開之故有關。聞一多《詩經》研究中的以性觀點、生殖崇拜和隱喻象徵說詩，都不能完全排除和弗洛伊德的學說的關聯。

　　〔日〕祖父江孝男《簡明文化人類學》對弗洛伊德的精神分析學有精要的介紹。[36]弗洛伊德的精神分析理論基本上企圖說明人類的一切行為活動是

---

35 文載《河北師院學報》（社會科學版）1997年第1期，頁86。

36 他的學說大致分為兩大部份，也就是說，第一個是深層心理學（epthpsychology），第二個是性欲心理學（sex psychology）。弗洛伊德認為在人類的心理中，從表面經常可以輕易把握住的精神過程（意識界）向下深入一層，後面還存在兩個意識層次。在上面的是「平常想不出來，但如果努力想可以想出來的層次」（前意識界），由它再向下的是「通常的時候，不能感受出來的層次」（無意識界）。在這個無意識界中，進行著不同於人們在意識界所見到的那種邏輯法則的思維。圍繞著這一問題而存在著的論著，有《前邏輯性的思維》，無意識根據它特有的邏輯產生各種各樣的作用。比如說復合（condensation）（兩個東西疊在一起，成為一個東西被顯現出來）、象徵化（symbolization）（把一個具體性的東西替換成其它具體性的東西。——例如，把具有性的意味的東西，用其它的東西替換等）戲劇化（dramatization）（抽象的事物變成具體的形象被顯現出來）等等，其中哪一個也是以我們的夢等形式思維的形象。而投射（projection）（把自己的心靈狀態投入對象）等，則是我們在觀賞形形色色的繪畫和攝影，或者風景的時候產生的現象。而且，弗洛伊德認為，在人類社會從自古以來流傳的神話、民謠、童話、禮儀等事物之中由於這些無意識的活動被投射，而創造出來的內容非常多。可是，作為這些無意識界心理活動統帥的東西是檢閱（censorship）和壓抑（repression）這兩者的作用，是某些不被允許的非道德的欲望，由於人的良心

欲望受到壓抑而不能滿足的表現。這些欲望中最強烈的就是性欲。根據弗洛
伊德的觀點，文學創作的動因是力比多（libido），即性欲。藝術家和一般人
一樣，試圖在文藝創作中得到感情的宣洩，尋找歡樂。因此他們的創作動因
就是這種「性欲的衝動」。[37]他的泛性論、生的本能和死的本能影響了好幾
代作家的創作思想，他的無意識、夢幻和自由聯想則開闢了作家的視野，豐
富了創作的技巧。聞一多研究《詩經》時正逢他的學說盛行，注重詩歌幻
想、情感，不可分析比量質素的他[38]，和弗洛伊德強調人的生命中最強而有
力的推動力是情欲和潛意識的動機，而不是智力或理智；潛意識心理生活遠
比意識生活更為重要。兩人觀點有某種程度的相似性，自然很容易接受弗洛
伊德學說。

三　聞一多論《詩經》中的原始社會與生殖文化

　　聞一多的《詩經》研究經常提到原始社會一詞，但他並未具體說明原始
社會的時間，也未交代原始社會各層面的概略狀態，只是在談愛情婚姻與生
殖文化時，經常從文明前的原始社會現象，以為詩篇所寫的就是原始社會遺

運用這兩者的作用變形而在意識表面顯露出來的形式。像在前面已經涉及過的那樣，
這一作用顯露出來最活躍形式，是夢。就是在日常的生活中，它也以口誤等方式出
現。所以，人類各種各樣的行為和產物，有許多時候是被無意識界的活動所決定的。
從而弗洛伊德決定，從把握無意識界的情況開始，使之被人們所了解。其次，第二個
是性欲心理學（sex psychology）又叫泛性欲說，而在這個理論中，他首先假定作為最
基本的概念利比多（libido）的存在。所謂利比多，在拉丁語中是「欲望」的意思，
而弗洛伊德采納它，以「使性衝動發動的本能性力量」這一意味來使用，弗洛伊德用
它解釋人的一切行為的根源。

37　參霍夫曼著，王寧等譯：《弗洛伊德主義與文學思想》（北京市：生活、讀書、新知三
　　聯書店，1987年），頁45。

38　一九二二年〈「冬夜」評論〉：「詩底真精神其實不在音節上。音節究屬外在的質素，
　　外在質素是具質成形的，所以有分析、比量的餘地。偏是可以分析比量的東西，是最
　　不值得分析比量的。幻想，情感──詩底其餘的兩個更為重要的質素──最有分析比
　　量底價值的兩部分，倒不容易分析比量了。因為他們是不可思議，同佛法一般。」

俗，所以此節無法獨立對他說原始社會加以論述，而且於他的論述中很難切割性欲觀、愛情婚姻、生殖文化單獨討論，所以把這些問題綜合於下文論述。

　　一般對中國原始社會的瞭解是指夏代以前時期[39]，由於受到文明社會的侵襲，原始社會遺俗很難繼續被保留下來。想瞭解原始社會人類的生活與文化，今人多透過典籍記載、出土文物，以社會學、人類學等方法加以建構。聞一多把《詩經》視為民歌、情詩，這和他的成長環境有很大的關係，他出生的湖北浠水，屬於古代的楚地，巫風盛行。位居巴河鎮的聞家面對浩渺的向天湖，每年端午節祭祀屈原，湖上龍舟競渡，極為熱鬧。[40]除了端午節慶外，巴河鎮的廟會也常有戲劇演出，聞一多很喜歡跟著老家人韋奇去看戲，除熱鬧的廟會活動與精彩的戲劇之外，一路上老家人所講的傳說故事，也吸引著聞一多。[41]而巴河鎮的主神——一位傳說紛紜的女神，和其神秘的儀式活動，又深深牽動聞一多的好奇心。這些經驗多少影響他將《詩經》視為民間文學。而在他遠赴昆明西南聯大，參加湘滇黔旅行團時，途經一處湘西苗寨，偶然發現一尊人首蛇身神像，使他興奮不已。[42]如此難得見到的一手資料，促使他重新思考民族傳說與歷史淵源。抵昆後，他開始研究伏羲神話。再說五四新文化運動以來學界普遍將《詩經》視為民間歌謠總集，整理國故也從經史子集擴大到民俗歌謠，在研究《詩經》時亦常採用民俗、歌謠作為參照比較的材料。聞一多對《詩經》研究史作簡明的歸納、判斷亦持此見：

　　　漢人功利觀念太深，把三百篇做了政治的課本；宋人稍好點，又拉著

---

39 如晁福林《夏商西周的社會變遷》：「按照大多數專家的研究，我國上古時代是自夏王朝開始進入文明時代的，亦即由原始社會邁進了階級社會。」（北京市：北京師範大學出版社，1996年），頁229。山西大學歷史系中國古代史教研室編製〈中國歷史大系表〉：「從元謀人起，至夏朝建立止，即一百七十萬年前至公元前二〇七〇年，共一百七十萬年。」（太原市：山西人民出版社，2001年）。

40 見《聞一多年譜長編》，頁9。

41 見劉烜《聞一多評傳》，（北京市：北京大學出版社，1983年），頁5。

42 馬學良：〈記聞一多在湘西采風二三事〉，《楚風》1982年第2期。轉引自楊利慧《女媧溯源——女媧信仰起源地的再推測》，（北京市：北京師範大學出版社，1999年），頁9。

道學不放手——一股頭巾氣；清人較為客觀，但訓詁學不是詩；近人意
中滿是科學方法，真厲害。無奈歷史——唯物史觀與非唯物史觀的，離
詩還是很遠。明明一部歌謠集，為什麼沒人認真把它當文藝看呢？[43]

一九三九年六月，他發表了〈歌與詩〉指出《詩經》是古代歌與詩合流的結
果。他認為《三百篇》有兩個源頭：一是歌，一是詩。歌與詩合流誕生了
《詩三百篇》，既記事又抒情，歌、詩的平等合作，情、事的平均發展，正
是《詩經》的特質。他除了把《詩經》當歌謠集看之外，還把風詩講成愛情
詩。王瑤〈念聞一多先生〉：

> 譬如他講《詩經》中的風詩是愛情詩，就從「風」字的古義講
> 起，……它本來就是指異性相接，所以《左傳》上說「風馬牛不相
> 及」，意思是說馬牛不相類，故不能「風」，後世訓「風」為「遠」，
> 實誤。由此發展下來的詞彙，如風流、風韻、風情、風月、風騷等，
> 皆與異性相慕之情有關。[44]

《左傳》「風馬牛不相及」，風係通假字，正字為放。意為北海南海遙隔，放
馬牛都不會跑到對方去，以喻雙方互不相關。由此發展之詞彙風流、風韻、
風情、風月、風騷係輾轉引申詞義，不能即說為《詩經》之用義。聞一多的
《詩經》研究主要以風詩為主[45]，在前提上他已經將〈國風〉視為情詩，試
圖從這些民間文學的愛情詩中發掘《詩經》中的原始社會與生殖文化，揭發
《詩經》流傳和解釋中的矛盾：「從前的人，即便認出一首淫詩來，也不敢
那樣講，因為一個學者得顧全他的身分，他的名譽。如今這世界可不同了。
譬如鄭風〈大叔于田〉，即便我不說那是一首象徵性交的詩，Freud 恐怕要
說出來了。」[46]於是他寫〈詩經的性欲觀〉：

---

43 見〈匡齋尺牘〉，《聞一多全集》，頁214。
44 見《聞一多年譜長編》，頁473。
45 只有《詩經通義乙》及於〈小雅·苕之華〉。
46 〈詩經的性欲觀〉，《聞一多全集》，卷3，頁189。

……讀者讀完了這篇文章不要忘了的主意是要證明《詩經》的時代雖然出了幾個聖人（了），卻還不是什麼黃金時代。前面講了，《詩經》時代的生活，還沒有脫盡原始的蛻殼。現在我還要肯定的說一句，真正《詩經》時代的人只知道殺、淫。一部《左傳》簡直充滿了戰爭和奸案。《左傳》裏的人物，是有理智、講體面的上層階級，尚且如此，那《詩經》裏的榛榛狉狉的平民，便可想而知了。不管十五國風裏那大多數的詩，是淫詩，還是刺淫的詩，即便退一步來講，承認都是刺淫的詩，也得有淫，然後才可刺。認清了《左傳》是部穢史，《詩經》是一部淫詩，我們才能看到春秋時代的真面目。

聞一多以為除非讀者能伸長想像的觸鬚，伸到二千五百年前那陌生得古怪的世界去，這情形豈是現代讀者所能領會的。他以採蓮和採苤苢為譬，對於前者，讀者可以有多少浪漫的聯想，美麗的回憶，整部的南朝樂府和無數的唐詩給它作注腳。但是後者，若沒有古代社會、古代女性的知識，那便全是陌生，像不認識的字，沒猜破的謎，如何能欣賞。因此他以文化人類學、社會學和弗洛伊德精神分析學等新的研究方法，揭開《詩經》中原始社會的面貌，批判漢儒以來說《詩》充斥禮教道德瓦礫，覆蓋了詩人的本義。

　　為研究原始社會與上古文學史，聞一多確實下過功夫。他在寫給學生臧克家的信說：

我始終沒有忘記除了我們今天外，還有那二三千年的昨天，除了我們這角落外還有整個世界。我的歷史課題甚至伸展到歷史以前，所以我研究了神話，我的文化課題超出了文化圈外，所以我又在研究以原始社會為對象的文化人類學。[47]

根據蕭荻〈我們應當寫聞一多頌〉：

聞一多為準備講授上古文學史，曾廣泛閱讀了中外關於社會學、人類

---

47 見〈致臧克家〉，收入《聞一多全集》，卷12，頁381。

學的專著，摩爾根的《古代社會》以外，還研究過恩格斯《家庭、私
有制和國家的起源》[48]

又根據劉烜〈聞一多與中外文化〉：

> 聞一多的研究延伸到遠古時代，他在一九四〇年撰寫〈伏羲考〉得出
> 「兄妹配偶兼洪水遺民型的人類推源故事。」他寫的中國上古文學史，
> 「第一段總論巫史文學」時間：「夏少康中興後至春秋末，前十九世
> 紀—前三世紀。他對古老民族系統的推測：「東西—夷夏—龍鳳（圖
> 騰遺跡的分析）；夏—北西南中—主體單位；夷—自東徙人—客體單
> 位；夏人起於今河南省中部，所謂中原華夏之起—中華。」這時期的
> 文化：「從巫術到宗教—巫到史—神到人；祭器—祖先崇拜。」[49]

聞一多認為《詩經》中有許多原始時代的民情、風俗、宗教、神話的遺留，
因為時代久遠已成為難以瞭解的密碼，今日研究《詩經》宜拆解那些覆蓋其
上的密碼，方能得到詩人之意。帶讀者到《詩經》的時代，才能真正瞭解過
去說《詩》的問題。聞氏這種文化延續性的觀點，正如於弗雷澤所說：「現
代人類與原始人類的相似，還多於其相異。」[50]。又因他把《詩經》視為民
間歌謠，在《風詩類鈔乙》還區分男詞和女詞，意圖從兩性關係探討十分明
顯。他所談及〈國風〉反映的原始社會，幾乎都是有關人類性欲、繁殖與婚
姻的生殖文化。下文分成幾項觀察探析：

（一）原始社會的性欲

原始社會時期，由於人類的生活環境艱苦惡劣，若要維持生命，延續後

---

48 文載《聞一多紀念文集》，轉引自鄧喬彬、趙曉蘭著：《學者聞一多》（上海市：學林
　出版社，2001年），頁104。
49 見劉烜：〈聞一多與中外文化〉，《聞一多手稿》，收入《聞一多研究四十年》。
50 轉引自林惠祥：《文化人類學》（臺北市：臺灣商務印書館，1981年），頁24。

代，面臨極為嚴峻的考驗。因而人類渴求人丁興旺，種族繁盛。雖然原始人類，未必對兩性生理有所瞭解，不過從原始岩畫中的性和生殖器官崇拜遺留，可推測人類已直覺到男女交配可以生殖後代。

根據弗洛伊德的看法，研究性的問題最簡單、最直接的途徑是從研究原始人的性生活和兒童時期的性需求入手。因為在原始和兒童時期，性的因素採取最簡單、最純粹的形式，因而也最能揭示人類「性」的問題的本來面目。弗洛伊德精神分析學說的核心是：人的心理能量儲存於人的內心身處，叫做「潛意識」。這種潛意識像一口本能和欲望沸騰的大鍋，混沌彌漫，但被「自我」所控制和壓抑，在這許多原始的衝動和壓抑中尤以性欲為主。弗洛伊德的這種理論客觀上是反對理性主義的人道主義對性欲的束縛，帶有反理性的色彩。聞一多則依據他的這種心理分析來研究和揭示原始社會人們對情欲的崇拜，但他和弗洛伊德不同，弗洛伊德把這種衝動歸結為人的生物本能，聞一多認為除了生物本能外，還要從社會學的角度去考察。弗洛伊德所說的性欲並不一定是以生殖為目的，聞一多援用性欲觀研究《詩經》，一再談性交、生殖，可見他無意於區隔，將兩者視為二而實一，從性欲到性交到生殖，必然發展到對生殖文化的觀察。

傳統說《詩》，並非不從性出發，例如〈野有蔓草〉，鄭《箋》：「蔓草而有露，謂仲春之時草始生，霜為露也。《周禮》，仲春之月，令會男女之無夫家者。」〈溱洧〉，鄭《箋》：「男女相棄，各無匹偶，感春氣，並出託采芬香之草，而為淫佚之行。」朱熹更是指出《詩》中有二十幾首淫詩，只是這些傳統舊說往往用政治、社會、倫禮道德教化為包裝，而聞一多則以生殖文化為包裝之差異罷了。何者才是《詩》的本義？在各自定見下的詮釋，都有可信及可疑之處。

上世紀二〇年代新性道德學說在中國流行，學者不僅譯介相關外國書籍，而且大膽提倡愛慾。[51]在社會普遍開放談性風氣下，聞一多以性談經

51 詳參許慧琦：〈一九二〇年代戀愛與新性道德論述──從章錫琛參與的三次論戰談起〉，《近代中國婦女史研究》第16期（2008年12月）。

典，自不令人訝異。他採弗洛伊德的性本能（libido）和心理分析詮釋《詩經》始於一九二七年七月發表的〈詩經的性欲觀〉一文，將《詩經》二十五首詩中有關情欲的詩句分門別類摘錄出來，歸納成「明言性交」、「隱喻性交」、「暗示性交」、「聯想性交」、「象徵性交」五類，從而揭開早期社會生活的面紗，文中他認為《詩經》時代的生活還未脫盡原始人的蛻殼，在詩中表現性交是很平常的事，用研究性欲的方法來研究《詩經》，自然最能了解《詩經》的真相。還幽默的說：「原始時代本來就是那一回事。也不要提原始時代了，咱們這開化的二十世紀還不是一樣的？我們應該驚訝的，倒是《詩經》怎麼沒有更淫一點！」

　　之後大抵依據〈詩經的性欲觀〉，將《詩經》看成許多原始社會風俗的遺留。以性觀點釋《詩》並分散及寫於一九三二至一九三六年的《風詩類鈔》、一九三四年《匡齋尺牘》[52]、一九三七年《詩經新義》[53]、一九四三年《詩經通義》[54]、一九四五年〈說魚〉[55]。

　　聞一多〈詩經的性欲觀〉明言性交有〈草蟲〉、〈野有蔓草〉、〈溱洧〉、〈東方之日〉、〈候人〉等五首；隱喻性交有〈蟋蟀〉、〈東方未明〉、〈敝笱〉、〈終風〉等四首；暗示性交有〈野有死麕〉、〈桑中〉、〈載驅〉、〈九罭〉等四首；聯想性交的有〈小星〉、〈大車〉、〈葛生〉、〈雞鳴〉、〈芄蘭〉、〈桑中〉、〈東門之枌〉等七首；象徵性交的有〈大叔于田〉、〈叔于田〉、〈清人〉、〈猗嗟〉、〈小戎〉等五首。他說：「性欲的本能抑制得那樣到家，那產生《詩經》的時代，在人類進化史上，不是一件大怪事嗎？」[56]又說：「當時的人類至少在性欲上，是

52　發表於1934年5月《學文》創刊號及7月《學文》第1卷第3期。其中論「苤苢」即提出生殖崇拜說。

53　《詩經新義・二南》1937年1月發表於《清華學報》第12卷第1期。

54　《詩經通義・召南》1943年10月發表於《中山文化季刊》第1卷第3期。周南未發表，後收入開明版（舊版）《聞一多全集》。《詩經通義乙》為未定、未刊稿，根據北京圖書館所藏手稿照相複製件整理，後收入湖北人民出版社版（新版）《聞一多全集》。

55　1945年5月作，發表於1946年6月昆明《邊疆人文》（乙種）第2卷第3、4期合刊。

56　見《聞一多全集》，卷3，頁170。

和下等動物差不多一樣沒有節制。」[57]他以性本能衝動為前提，配合詩篇中有關情欲的詩句，加以分類說：

> 明言用不著解釋。隱喻和暗示的分別，前者是說了性交，但是用譬喻的方法說出，後者是只說性交前後的情形，或其背影，不說性交，讓讀者自己去想像。聯想又有點不同，是無意識的和性交有關係的事物，讀者不由得要聯想到性交一類的事。象徵的說到性交，簡直是出於潛意識的主動，和無意識的又不同了。當然一首詩可以包括幾種的表現方法，又有介乎兩種之間的表現方法，所以極端嚴格的分野，是不可能的。[58]

他除了分析詩中人物的性心理外，還指出許多與性有關的象徵廋語。先說他採用弗洛伊德主張性本能為人類一切行為的根源可議之處，由於過於誇大性本能在人類行為中的作用，在他以為《詩經》中人類的性欲和下等動物一樣無節制的觀念下，配合著難以控制的潛意識下進行的象徵性交，於是不難想像幾乎所有的詩篇都可以和性搭上關係，〈大叔于田〉、〈叔于田〉、〈清人〉、〈猗嗟〉、〈小戎〉等五首詩如何象徵性交？聞一多是這樣回答的：「我屢次的聲明過我所謂象徵的表現方法，是出於詩人的潛意識。那麼，假如有人要認為這種作品太傷風化了，我可以替詩人辯護一句，一個人的潛意識要活動起來，他自己實在不能負責任。做詩的人不能負責，那麼這責任就該輪到講詩的人身上來了罷？那也未始不可。……」[59]

　　弗洛伊德論文藝創作的動因是力比多（libido），創作活動是無意識或自由聯想[60]，聞一多在無意識或自由聯想心理層面下，又增加一層潛意識，來說明象徵性交的心理活動。潛意識是人的精神活動的深層基礎，其中隱藏著各種永不停息的本能，和永不滿足的欲望。但平心而論，誰能了解詩人潛意識運作下的詩意？即便他說解明言性交這類，也往往只是將詩中有關情欲的

---

57 見《聞一多全集》，冊3，頁184。
58 見《聞一多全集》，冊3，頁170。
59 見《聞一多全集》，冊3，頁188。
60 詳參王寧：《文學與精神分析學》（北京市：北京人民出版社，2002年），頁4-5。

詞語講成性交，而不顧詩義是否通順，例如將〈草蟲〉「覯」、〈野有蔓草〉「邂逅」、〈溱洧〉「謔」都說成「性交」[61]，尤其是把〈溱洧〉的「謔」釋為「性心理中有一種以虐待對方，同受虐待為快樂的傾向。」並且援例甚豐，最後還引《說文》和段注，得出，覆手爪人，也可以聯想到，原始人最自然的性交狀態。謔字可見也有性欲的含義。[62]把〈溱洧〉詩中的「謔」和弗洛伊德互虐性變態行為類比，忽視兩者詞義語境完全不同，還從虐的字形說解，過度聯想引申詞義，簡直就不倫不類了。說解〈東方之日〉：

> 鄭玄說這是男子淫奔來到女子之室。揣摩詩中的詞意，正是那麼一回
> 事，但是他把「履」字訓錯了。「履」當依段《注》訓踐。《說文》：
> 「履，足所依也；從尸，服履者也；從彳攵（《注》云，彳攵皆行也）从
> 舟，象履形。」詩裏這個字用得妙極了。走路而覺得有鞋在腳上，是踏
> 得極輕，或怕被人發覺了，正好描寫做虧心事的人走路神氣。「即」訓
> 就，「發」訓亂；〈谷風〉「毋發我笱」，《韓詩》訓亂，同這裏的意義一
> 樣。馬瑞辰訓為開。發又與撥的意義相近。〈長發〉傳云：「撥，治
> 也。」簡潔了當。「履我發兮」就是偷偷的走來和我行夫婦之事。

聞一多在這裏未能正確分析「履我發兮」句子結構，「履」下應逗，也未能正確釋「履」義為「禮」，全句義為：男子以禮來，我則隨之而行。[63]而且任意比附「毋發我笱」，訓發為撥治，把「笱」象女性性器，套用於此句。除了好以性欲注入詩義外，他還過度幻想、誇張《詩》義，例如：

> 〈候人〉不是刺共公的，更沒有「遠君子而近小人」的深意，詩人恐怕

---

61 《詩經》時代縱有原始社會男女雜交遺俗，〈野有蔓草〉、〈溱洧〉兩詩也未必寫此事。〈野有蔓草〉《毛傳》；「邂逅，不期而會。」〈溱洧〉詩中「謔」無關性虐待。至於〈草蟲〉，《鄭箋》：「既見，謂已同牢而食也，既覯，謂已婚也……易曰：『男女覯精，萬物化生。』」有關新婦廟見祭祖成婦，各家說法不一，無論如何不論結婚成妻或廟見成婦之禮，已進入父系社會的禮制，和原始社會男女雜交不可並論。

62 見《聞一多全集》，卷3，頁173-174。後來他在《詩經通義乙》未如此解說。

63 詳參龍宇純：〈詩義三則〉，《絲竹軒詩說》。

是一個血氣方剛，而性欲不大滿足的少年。他走過共公的宮院，前面看
見一個個的侍衛扛著六尺多長的戈，一丈多長的殳，森森的排列著，把
守那宮門。這禁衛森嚴的景象，促醒了他，今天他特別感到一種強烈的
引誘，那三百個宮女，三百顆怒放的花苞，都活現到他眼。他看見她們
臉上都掛滿了顰頷，仿佛是鐵籠關病了的鳥兒。他又看見她們笑了，對
他自己笑，她們在熱烈的要求他，要求他的青春，他的熱，他的力，他
的生命，但是看看情形，他是不能應付這要求的。他如今真像那刁著一
尺多長的嘴，頸下吊著一只口袋的水鳥，不知道去捕魚，只呆呆的站在
石梁上，翅膀和嗉子連一滴水也沒有沾，他不免恨他自己太無用了。他
想到：「你看南山上起了一陣寒雲，雲裏交臥著鮮豔的虹蜺。他們真是幸
運！但是妳婉孌的少女，你只在那裏乾熬著肉欲的飢荒。你真可憐
呀！」其實他自己也是一樣可憐。[64]

這樣完全不管詩義「三百赤芾」能否指宮女（按：赤芾在《詩》中為男性官服
外之蔽膝），說成一群性幻想的宮女，從潛意識、性壓抑、性幻想，加上「隔離
式的思維習慣」[65]去解釋〈候人〉，雖區舊求新，但偏偏採用弗洛伊德學說中最
少科學依據，最為學界質疑的部份。而且在神話編〈高唐神女傳說之分析〉又
作不同的解說：「以上將本篇中鵜不得魚的比喻及飢字的含義說明了，意在證明
〈候人〉的曹女是在青春的成熟期中，為一種迫切的要求所驅使，不能自禁，
因而犯著倫教的嚴限，派人去迎候她所不當迎候的人。」[66]同樣是誇大性的需
求，其釋《詩》的隨意性於此亦可見。

　　其他有關性交各詩，大都有這樣或那樣的詮釋缺失，就不一一例舉了。[67]
明言性交的詩例尚且無法讓人看出有性交行為，更遑論隱喻性交、暗示性交、

64　見〈詩經的性欲觀〉，收入《聞一多全集》，卷3，頁176。

65　見《聞一多全集》，冊3，頁218。聞一多講〈碩人〉、〈狼跋〉詩中碩人、公孫之形
　　象，即用這種隔離式的思維習慣來解說。

66　見〈聞一多全集〉，卷3，頁6。

67　侯美珍：〈古典的新義——談聞一多解《詩》對佛洛依德學說的運用〉，《河北師院學
　　報》1997年第1期，頁81-88。一文也指出一些問題，可參考。

聯想性交了，依附在自由聯想的心理活動和詩性思維之下，聞一多說《詩》就不免流於直覺印象。

至於他指出與性有關的象徵庾語亦相當普遍，表列於下：

	詞彙	備　　註
性器象徵	茷 魚 筍 帨 釜鬵	〈東門之枌〉羅典《說詩》講為陽具[68]。 魚，男女性器通用。 筍、帨、釜鬵女性性器
性別象徵	天象類：日、月、風、飄風、凱風、雨 山川類：水、水道 植物類：薪、棘薪、棘、葛藟、杜、莨楚、椒、蘀、苓、喬木、樛木、榛、棠 動物類：魚、鳥、鴞、鵜鶘、狐、烏、鳩	喻男性 水喻男、水道喻女。 薪、棘薪、棘、葛藟、杜、莨楚、椒、蘀、苓喻女；喬木、樛木、榛、棠喻男。 魚，男女互稱；鳥、鴞、鵜鶘、狐喻男；烏、鳩喻女。
性交象徵	食、飲食、覯、邂逅、遇、偶、謔、施、行雨、虹	
性心理象徵	飢、朝飢、飽、憂	憂指性的衝動所引起的煩躁不安的心理狀態（詩經通義乙·蜉蝣）
求偶象徵	釣魚、捕魚、烹魚、食桃（棘）	

上表這些與男女匹配或性象徵有關的詞彙，據聞一多在〈說魚〉認為是通過隱語來表現，隱相當於《易》的「象」和《詩》的「興」。其實和弗洛伊德的

---

68 羅典釋「茷」為陽具，見顧頡剛《古史辨》。聞一多在〈詩經的性欲觀〉如此說，但在《詩經通義乙》又改變說法，不採此說。

精神分析[69]，或他雖然不曾接觸的榮格原型理論[70]，似乎都有一些類似，顯然是人類文化的共同現象。我們還發現弗洛伊德夢中性器官象徵物如魚、樹木、蛇等，也是原始文化生殖崇拜的符號，夢的象徵邏輯和原始文化的象徵邏輯並無一致。〈小雅・無羊〉牧人夢到魚[71]，占夢官解釋這是豐年的象徵，而且會人丁興旺。朱熹《詩集傳》說：「占夢之說未詳。」是因為他未從魚在上古文化的象徵意義去破譯這個文化密碼。從聞一多〈說魚〉對《詩經》的論證，以及後來學者對魚圖騰的考據，我們才得到證明，魚最初是女陰的象徵之物，正由此出發，魚具有了豐收、人丁繁庶、生命力旺盛等文化意義。弗洛伊德僅用夢來解釋個人的性心理，聞一多卻由此延伸到認識原始文化的方法。

　　聞一多以隱語說詩，固然注意到萬物一體或心理聯想，具有廣闊深遠的文化根源認識，而且確實也可以將少數詩篇或詩句解說得深刻精微。例如說〈江有汜〉是一篇婦人對負心丈夫的怨辭，考證「汜亦沱也」，均為「枝出」之意。「婦人蓋以水喻其夫，以水道自喻，而以水之旁流枝出，不循正軌，喻夫之情愛別有所歸。」還以地方民歌為證，但把「之子歸」說成第三者新人，則未必是詩意。而且他有時也難免過度用這些象徵廈語，例如：〈苕之華〉「人可以食」把「食」說成同於〈有杕之杜〉的隱語[72]，釋〈候人〉「季女斯飢」、〈采薇〉「載飢載渴」的「飢」、「渴」為性的欲求，將原本與性無關的詩意和性欲攀

---

69 弗洛伊德《夢的解析》認為很多潛意識的意念都是透過「象徵」來間接表現的。譬如夢中長形直豎的東西，如手杖、傘、竹竿、樹木；有穿刺性和傷害性的物體，如各種利器；出水之物，如水籠頭；可拉長之物，如伸縮鉛筆等，都是男性性器官的象徵。而一切有空間性和容納性的東西如洞穴、櫥櫃、瓶罐、船舶等都是女性生殖器的象徵。

70 榮格在與他的老師弗洛伊德分道揚鑣之後，終於找到力比多轉化成的同集體無意識統一起來可經驗、可實驗的實體。在榮格早期著作中，這個可經驗可證實的實體叫做「原始意象」（primodial image），後來則正式命名為原型（arche types）。在原型中，每一意象都凝聚著一些人類心理和人類命運的因素，滲透著我們祖先歷史中大致按照同樣方式無數次重複產生的歡樂與悲傷的殘留物。（榮格：《論分析心理學與詩的關係》，見葉舒憲編譯：《神話──原型批評》（西安市：陝西師大出版社，1987年），頁100。

71 另外如〈小雅・斯干〉夢到熊羆會生男、夢到虺蛇會生女，也是圖騰文化的遺留。

72 見《詩經通義乙》，收入《聞一多全集》，卷4，頁452。

上關係；另外將所有「鳩」都喻女，對能「正是四國」、「正是國人」的「淑人君子」，在〈鳲鳩〉一詩而言，容有商榷餘地。總之為了揭開原始社會普遍存在的情欲，他過於將許多字詞視為受到文明演進而隱藏的密碼，因而出現解釋粗疏，不符詩意之處[73]。朱自清說：「……他不但研究文化人類學，還研究佛洛依德的心理分析學來照明原始社會這個對象。」我們雖不能同意他過度用弗洛伊德精神分析說《詩》，強調性本能的衝動，為了探討原始社會的生殖文化，解釋部份詩篇中的性欲、性交，不免粗疏，不過他大量發現兩性的象徵隱語，從文化積澱上溯源，開展《詩經》研究的新視野，這樣的觀念是新穎可取的。

（二）原始社會的婚俗與愛情

人類婚姻史經歷了原始群婚、血族群婚（族內婚）、亞血族婚（族外婚）、對偶婚等幾種婚姻制度，最後確立一夫一妻制度。這和原始宗教的三種主要信仰崇拜發展階段時間一致——自然崇拜產生於血緣家庭時期、圖騰崇拜產生於母系制家庭時期、祖先崇拜產生於父系制家庭時期。《詩經》時代跨越西周初至春秋中葉漫長的六百年，此時是父權制已完全確立，但又存留著母系社會遺風的過渡階段。這時代的婚姻禮俗呈現豐富多樣性，雖有不少詩篇反映親迎、媒妁、婚時、婚禮，父系社會的一夫一妻制，但仍有原始母系社會的遺風流韻，從聞一多說《詩》中我們找到幾處原始婚俗的反映：

1 野合雜交（或血族群婚）

〈大雅・生民〉首章：「厥初生民，時維姜嫄。生民如何？克禋克祀，以弗無子。履帝武敏歆，攸介攸止，載震載夙，載生載育，時維后稷。」對

---

73 趙制陽：〈聞家驊詩經論文評介〉，《孔孟月刊》第42期（1981年9月）。指出其不少錯誤粗疏之處，並在結論處說：「聞氏以廋語說詩，為其創見之一，本可視為美事；惟其偏於男女性慾一端，所證又多牽強附會，故罕有實際意義，反使詩格流於卑下，為害不淺。」但如果從聞一多說《詩》的方向與特點去看這個問題，或許可以不必如此嚴厲指責他。

於這段履跡感孕各家有不同說法。郭沫若《中國古代社會研究》認為姜嫄之時，周人尚處於「野合的雜交時代或血族群婚的母系社會。」[74]聞一多在〈姜嫄履大人跡考〉以為「克禋克祀，以弗無子」是關鍵，綜合毛、鄭和《御覽》一三五引《春秋元命苞》所說，指出「感生」之地是進行祀郊禖之祭的禖宮（閟宮）（按，禖是求子之神）。詩中「上云禋祀，下云履跡，是履跡乃祭祀儀式之一部份，疑即一種象徵的舞蹈。」聞一多拂去神聖色彩說：「所謂帝實即代表上帝之神尸。神尸舞於前，姜嫄尾隨其後，踐神尸之跡而舞，其事可樂，故曰履帝武敏歆，猶言與尸伴舞而甚悅喜也。攸介攸止，介林義光讀為愒，息也，至確。蓋舞畢而相攜止息於幽閑之處，因而有孕也。」[75]但他又進一步探索，注意到《爾雅·釋訓》「履帝武敏」，《釋文》所引舍人本將「敏」作「亩」（按，繁體為畝），及注：「古者姜嫄履天帝之跡於畎畝之中，而生后稷。」並從《史記·封禪書》語：「自禹興而修社祀，后稷稼穡，故有稷祠。」及諸多記載，證「履天帝之跡於畎畝之中」果不為無因。如此「與尸伴舞」的內容就可具體為：「履帝跡於畎畝中，蓋即象徵畯田之舞，帝（神尸）導於前，姜嫄從後，相與踐踏於畎畝之中，以象耕田也。」最後他得出結論：

> 詩所紀既為祭時所奏之象徵舞，則其間情節，去其本事之真相已遠，自不待言。以意逆之，當時實情，只是耕時與人野合而有身，後人諱言野合，則曰履人之跡，更欲神異其事，乃曰履帝跡耳。[76]

聞一多的說法雖然除去神異色彩，揭露生殖崇拜中「處女生殖」的本來面目，但是也不過從禋祀儀式的象徵舞蹈，簡單的退回到野合而有身。[77]

---

74 見郭沫若：《中國古代社會研究·導論》，（石家莊市：河北教育出版社，2002年），頁20。

75 見《聞一多全集》，冊3，頁50。

76 見《聞一多全集》，冊3，頁53。

77 陳泳超：〈聞一多神話研究解析〉，《文化研究》2003年第3期，頁20-27。對聞一多推論也提出一些質疑：「……這樣說來，上面費了半天勁復原的祭祀舞蹈儀式，到底是指姜嫄親自參與的祭祀儀式呢？還是指周人祭祀姜嫄的儀式呢？一般的理解，似乎應

　　關於〈生民〉描寫姜嫄履跡生子，除了郭沫若的反映母系社會背景說、
聞一多的踐神尸之跡而舞，舞畢相止息而受孕說外，尚有于省吾提出的圖騰
受孕說，[78]此說並無異於黃帝以至堯、舜、禹這些傳說中感天而生的神化人
物。感天而生者，即在多夫多妻的對偶家庭中，人們尚不能正確的認識自己
親生的父親，於是不能不托於龍、蛇、熊之類的動物以設定一個假設的父
親。反映的是圖騰崇拜的母系制家庭時期。

　　除了解釋周族如何生民外，聞一多還透過一些詩篇觀察原始愛情活動，
呈現男女交往極為自由的樣貌。他在〈詩經的性欲觀〉解釋《周禮・地官・
媒氏》:「仲春之月，令會男女，于是時也，奔者不禁，若無故而不用令者罰
之，司男女之無夫家者而會之。」這段話說:

> 這種風俗在原始的生活裏，是極自然的。在一個指定的期間時，凡是
> 沒有成婚的男女，都可以到一個僻遠的曠野集齊，吃著喝著，跳著
> 舞，各人自由的互相挑選，双方看中了的，便可以馬上交媾起來，從
> 此他們便是名正言順的夫婦了。[79]

〈國風〉表現當時人們情感的率真熱烈，婚姻方式的自由任性，這樣的論點
形成他解釋〈國風〉許多詩篇為愛情詩和男女性欲有關的張本，例如〈野有
死麕〉、〈野有蔓草〉、〈有狐〉、〈北風〉、〈蜉蝣〉、〈下泉〉等詩。

　　除了這種近於野合的男女交往形式外，他也觀察到男女婚姻逐步向禮進
化的過程。在〈摽有梅〉他還提到節日歡會的求偶方式:「在某種節令的聚

該是前者，可是這樣就在時間上、邏輯上有問題（如上所論），而且既與神尸行夫婦
之事，又與此處所謂『耕時與人野合而有身』不合；若是後者，則姜嫄的真相乃是野
合，前面所有論證的儀式，都是後人追加的典禮，其中的姜嫄只是演員而已，這樣的
解釋從邏輯上說倒是順了，而且似乎也符合人類學所指示的對遠古社會的一般想像
「以意逆之」的，其可信程度就值得懷疑了。……」

78 于省吾認為姜嫄所履跡是周人遠祖的圖騰，因而受孕生子是原始圖騰宗教觀念的反
　映。見于省吾:〈詩履帝武敏歆解〉,《澤螺居詩經新證》（北京市:中華書局，1982
　年），頁202。
79 見《聞一多全集》,冊3,頁171。

會裏，女子用新熟的果子，擲向他所屬意的男子，雙方如果同意，并在一定的期間裏送上禮物來，二人便可以結為夫婦（參木瓜篇）」[80] 此說和法國葛蘭言《古代中國的節慶與歌謠》十分類似。

2 亞血族婚

聞一多透過《詩經》出現詞彙，考察原始社會家族制度，釋〈丰〉「叔、伯」：「婦人呼其夫之兄弟為伯叔，亦呼其夫為伯叔，此上古亞血族群婚之遺痕。（郭沫若說）」[81] 又說：「婦人呼其夫（已婚或未婚）曰叔伯。」[82]

郭沫若在《中國古代社會》說：

> 我們知道人類的原始社會是母系的社會。這種社會的最典型的結婚是
> 亞血族群婚，便是姊妹共夫，兄弟共妻。唐、虞時代是怎麼樣呢？堯
> 的二女娥皇、女英共夫舜，所謂「釐降二女于嬀汭，嬪于虞」（見尚
> 書堯典）」這在我們中國成為了再普遍也沒有的傳說。但是舜的兄弟
> 和他哥哥共妻娥皇、女英的事，便完全為後人所隱蔽了。……[83]

由於生產力的發展，人類過渡到相對定居的生活，而大規模的狩獵活動又加強了各自孤立的血族群體之間的聯繫，這就為社會組織形式的變化提供了條件。同時，人類在長期生活實踐中認識到近親婚配對後代體質發展的不利影響，從而引起婚姻家庭關係的變革，即血族婚轉變為亞血族婚，或稱族內婚轉變為族處婚。在這種婚姻形式下，本氏族的兄弟或姊妹必須在相互通婚的對方氏族的女子或男子中尋找配偶。同樣，對方氏族中的兄弟或姊妹則在本氏族的女子或男子中尋找配偶。男子可以把對方氏族中任何女子作為自己的妻子，女子也可以把對方氏族中的任何男子作為自己的丈夫。

郭沫若〈釋祖妣〉：「亞血族群婚之古習大約於入周之後即逐漸廢除，然

---

80 見《聞一多全集·風詩類鈔甲》，卷4，頁474。
81 見《聞一多全集·詩經通義乙》，卷4，頁209。
82 見《聞一多全集·風詩類鈔甲》，卷4，頁476。
83 《中國古代社會研究》外二種，（石家莊市：河北教育出版社，2002年），頁94-95。

如春秋諸侯娶婦必有同姓之娣姪為媵，則猶其半面之存根。」[84]西周至春秋時代承襲商代習俗，天子和諸侯婚配盛行著「媵」的制度，如〈大雅・韓奕〉：「韓侯娶妻，汾王之甥，蹶父之子。韓侯迎止，于蹶之里……諸娣從之，祁祁如雲。韓侯顧之，爛其盈門。」描寫韓侯娶妻，諸娣從嫁如雲的盛況。朱熹《詩集傳》釋云：「諸侯一娶九女，二國媵之，皆有娣姪也。」見諸侯之子取於國中，貴家大族聯姻公室，同樣有一大群娣、姪隨嫁。《詩經》中雖沒有兄弟共妻的記載，但根據《左傳・昭公元年》記載：「鄭徐吾犯之妹美，公孫楚聘之矣，公孫黑又使強委禽焉。犯懼，告子產。子產曰：『是國無政，非子之患也。唯所欲與？』犯請于二子，請使女擇焉，皆許之。」《列女傳・貞順傳》：「衛宣夫人者，齊侯之女也，嫁於衛至城門而衛君死。保母曰：可以還矣，女不聽。遂入，持三年之喪畢，弟立，請曰：『衛小國也，不容二庖，請願同庖。』……終不聽。」（按：《詩序》說〈鄘風・柏舟〉詩旨似即此事。）從這些記載，似乎透露出當時女性仍保有母權時代婚姻的自主權，或有兄弟共妻、叔接嫂的遺俗。

聞一多透過叔、伯稱謂發掘這種婚制的殘留遺風，建立考察原始社會的方法。只是《詩經》〈鄭風・褰兮〉、〈丰〉和〈邶風・旄丘〉等詩中的「叔」、「伯」是否為女子呼其夫，仍有討論的空間，聞一多只是擇其一端以論原始社會的家族制度罷了。

3 阿注婚

聞一多在《詩經通義甲》〈靜女〉釋城隅、上宮、城闕為男女期會之處，引李宗昉《黔記》六曰：「八寨黑苗，在都勻府屬。……各寨野外均造一房，名曰馬郎房，未婚之女，晚來相聚其所歡悅者。」（《小方壺齋輿地叢鈔》第七帙）[85]說今夷人寨子中亦所在有之，名曰「公房」，亦男女集聚之所。疑城隅、上宮、城闕即馬郎房、公房之類，俟更考之。聞一多從詩中人

---

84 見郭沫若：〈考古編〉，《郭沫若全集》（北京市：科學出版社，2002年），卷1，頁8。
85 見《聞一多全集・詩經通義甲》，卷3，頁377。

物心理推測，與苗夷民俗近似，但後來並未繼續考證。根據李宗昉《黔記》
的描述頗類原始阿注婚的遺俗，吳天明〈苗瑤先民的馬郎婦現象〉:「馬郎應
為麻欄，是古代西南、華南苗瑤先民『阿注』幽會情郎之所，『馬郎婦』當
即『阿注』，是苗瑤先民實行族外群婚制的產物，『馬郎房』和『馬郎婦』并
非苗瑤先民特有的風俗，而曾經是全球各種族原始先民『同夫共妻』階段的
共同現象。」[86]此俗今見於瀘沽湖納西族畔摩梭人的阿注婚，阿注在摩梭語
中是親密的朋友之意，其特點是:男不娶，女不嫁，男女各在母系大家庭中
生活，結交阿注關係的夫妻沒有實質上的經濟關係，男子夜間到女家居住，
白天回到母家，所生子女由母親或姊妹撫養，父親不撫養孩子，他撫養的是
自己的外甥，而他的孩子又由阿注家舅舅撫養。這種阿注婚殘存原始社會對
偶婚特點的走婚形式。

　　聞一多只從城隅、上宮、城闕等建築物類似於馬郎房，就推論是未婚之
女，晚來相聚其所歡悅者的地方，似乎有意說明當時有這樣一種原始婚俗遺
跡，但還須要許多證據。

（三）原始社會的生殖崇拜

　　生殖崇拜的深層意涵是祈望生殖繁盛，解決人口問題。最初階段是對生
殖器的崇拜，這在龍山文化和齊家文化遺址中發現陶祖和石祖可為印證，隨
後則代以生殖器象徵物崇拜[87]，這是人類從圖騰崇拜，進入祖先崇拜之始。
郭沫若〈釋祖妣〉:「其為人世之初祖者，則牝牡二器是也。故生殖神之崇
拜，其事幾與人類俱來。」[88]聞一多〈高唐神女傳說之分析〉深受其影響也

86　吳天明:〈苗瑤先民的馬郎婦現象〉，《廣西民族學院學報》2002年第6期，頁93-96。

87　趙國華《生殖崇拜文化論》（北京市:中國社會科學出版社，1990年）一書對中國原
　　始生殖崇拜提供很多考古資料和理論分析。例如;作者以魚紋、蛙紋與月亮神話、花
　　卉紋等象徵意義，闡述原始社會的女性生殖崇拜;以鳥紋、蜥蜴、玉琮等象徵意義，
　　闡述男性生殖器崇拜。

88　見〈考古編〉，《郭沫若全集》，卷1，頁40。

主張：「以生殖機能為宗教的原始時代。」[89]這是在弗洛伊德生物本能性欲觀之外，聞一多要從社會學角度更進一層去考察的地方。他在解釋「迨冰未泮」，雖誤釋泮為合[90]，將此詩婚期說成秋天。[91]不過他指出《詩經》時代的婚姻性愛習俗，是同巫術的生殖觀念緊密相連，具有季節性和明確的功利性。當時的性愛活動「春最多，秋次之，冬最少。……初民根據其感應魔術原理，以為行夫婦之事，可以助五穀之蕃育。故嫁娶必於二月農事作始之時行之。鄭注《周禮》所謂『順天時』，《白虎通》所謂『天地交通，萬物始生，陰陽交接之時』，皆其遺說也。」[92]認為行夫婦之事，有助於植物成長。這個看法和英國人類學家弗雷澤《金枝》〈兩性關係對於植物的影響〉相同，[93]可見人類重視生殖的共同觀念。他在〈匡齋尺牘〉說：「結子的欲望，在原始女性，是強烈得非常，強到恐怕不是我們能想像的程度。」[94]〈芣苢〉一詩朱熹《詩集傳》：「化行俗美，家室和平，婦人無事相與采此芣苢，而賦其事以相樂也。」方玉潤《詩經原始》發揮朱熹之說：「……田家婦女，三三五五於平原繡野，風和日麗中，群歌互答，……」後人多從此說。聞一多更進一步為采芣苢重溯源頭，找出上古生殖崇拜的深層積澱。[95]

89　郭沫若〈釋祖妣〉寫於一九三一年，聞一多〈高唐神女傳說之分析〉原載《清華學
　　報》第10卷第4期（1935年）。（收入《聞一多全集》第三卷）。該文六.高唐與高陽，聞
　　一多肯定郭沫若解釋《墨子·明鬼》：「燕之有祖，當齊之社稷，宋之桑林，楚之雲夢
　　也。此男女之所屬而觀也。」為祀高禖情形，祖、社稷、桑林和雲夢為諸國的高禖；
　　並在九.結論，提出祀高禖為以生殖機能為宗教的原始時代禮俗。

90　《說文解字》：「泮，諸侯饗射之宮，西南為水，東北為牆。从水半，半亦聲。」泮宮
　　之形半圓；又《毛傳》：「泮，散也。」泮，不能如聞一多訓為合。

91　詳參趙制陽：〈聞家驊詩經論文評介〉，《孔孟學報》第42期（1981年9月），頁231-
　　253。

92　見《聞一多全集·詩經通義甲》，卷3，頁368。

93　弗雷澤：「我們未開化的祖先把植物的能力擬人化為男性、女性，並且按照順勢的或
　　模擬的巫術原則，企圖通過以五朔之王和王后以及降靈新娘新郎等等人身表現的樹木
　　精靈的婚嫁以促使樹木花草的生長。」《金枝》（臺北市：聯經出版公司，1991年），
　　頁207。

94　見《聞一多全集》，卷3，頁205。

95　見《聞一多全集·匡齋尺牘》，卷3，頁204。

說芣苢有宜子的功用，是生命的仁子，采芣苢的習俗是性本能的演出。先從語言學說芣苢音同胚胎，又從生物學觀察其多子特性，再從社會學的觀點看，宗法社會是沒有「個人」的，一個人的存在是為他的種族而存在的，一個女人是在為種族傳遞并蕃衍生機的功能上而存在著的，如果她不能證實這功能，就得被她的儕類賤視，被她的男人詛咒以致驅逐，而尤其令人膽顫的是據說還得遭神─祖宗的譴責。[96]在釋〈唐風·椒聊〉時說：

> 椒即花椒，草木實聚生成叢，古語叫做聊，今語叫做嘟嚕。「椒聊之實，蕃衍盈升」，是說一嘟嚕花椒子兒，蕃衍起來，可以滿一升。椒類多子，所以古人常用來比女人。椒類中有一種結實聚生成房的，一房椒叫做椒房。漢朝人借「椒房」這個名詞來稱呼他們皇后所住的房屋，正取其多子的吉祥意義[97]

在釋〈陳風·東門之枌〉「莜」（茮）說：

> 椒結實成茮，與聊同義（椒聊篇）。男對女說：「我看你像一個花椒嘟嚕一樣，你定能給我一把花椒子兒。意思是說你將來定能替我生許多子息。」[98]

從中看出聞一多從「詩性思維」（原始思維）的原始宗教觀點揭示《詩經》的生殖文化[99]。其他如〈螽斯〉、〈桃夭〉這些詩祝福人家多子，便是這種生

---

96 見《聞一多全集·匡齋尺牘》，卷3，頁205。
97 見《聞一多全集·風詩類鈔甲》，卷4，頁477。
98 見《聞一多全集·風詩類鈔甲》，卷4，頁477-478。
99 二十世紀的現代思維科學則稱「詩性思維」為「原始思維」。維柯的《新科學》從「追本溯源」的原則出發，去發現人類意識形態形成的根源，去解說其基本特徵。他認為應當立足於古代人的思維方式、宗教、習俗、道德倫理法則來「還原」歷史和神話傳說。他把古代人類的思維稱為「詩性思維」，這種思維充滿形象性和和情感性，其內涵很接近法國人類文化學家列維·布留爾所謂的「原始表象」、「互滲律」的思維方式。「原始思維」為「對象維」、「觀念維」和「主體維」三維交會的焦點，三維都滲入其中。例如芣苢為對象維，多子為觀念維，吃了多子的植物就易懷孕生子為

殖崇拜的反映。《詩經》中如魚、螽斯、桃、芣苢、花椒、瓜等等這些多產、多子意象的動植物，與婦女的生育行為進行類比，用來隱喻繁殖後代，子孫眾多了。其中尤其是對魚的文化意義做了比較廣泛深入的探討，在〈詩經通義甲〉釋〈汝墳〉他說：

> 野蠻民族往往以魚為性的象徵，古代埃及、亞洲西部及希臘等民族亦然。亞洲西部尤多崇拜魚神之俗，謂魚與神之生殖功能有密切關係。至今閃族人猶視魚為男性器官之象，所佩之厭勝物，有波伊歐式（Boeotian）尖底瓶，瓶上飾以神魚，神魚者彼之某種赫米斯（Hermes）之象徵也。……疑我國謠俗以魚為情偶之代語，初亦出於性的象徵。容續考之。[100]

後來寫〈說魚〉一文，文中共討論六個問題：什麼是隱語、魚、打魚釣魚、烹魚吃魚、吃魚的鳥獸、探源。他從隱語的定義和功用入手，引出中國以「魚」代替「匹偶」或「情侶」這一隱語，接著引《周易》、《左傳》、《詩經》、《管子》、樂府詩，以及各地民歌，論證魚為情侶的隱語[101]；打魚、釣魚則是求偶的隱語；烹魚、吃魚喻合歡或結配。吃魚的鳥獸（鸕鶿、白鷺、雁、獺、野貓），則是主動方面，魚為被動方面。文章最後「探源」，解釋魚的生殖文化意義：

> 為什麼用魚來象徵配偶呢？這除了它的蕃殖功能，似乎沒有更好的解

主體維。見苗啟明、溫益群：《原始社會的精神歷史構架》（昆明市：雲南人民出版社，1993年），頁24。

100 見《聞一多全集》，卷3，頁315-316。聞一多後來撰寫〈說魚〉並未進一步論證「以魚為情偶之代語，最初出於性的象徵。」後人在這個問題上有更多探討證實聞一多的先見，例如王寧宇、黨榮華：〈陝西民間蓮族藝術內涵初探（下）〉，《中國美術史》1985年第2期，頁78。

101 例如他在〈說魚〉引《管子》：「桓公使管仲求寧戚，寧戚應之曰：『浩浩乎！育育乎！』管仲不知，至中食而慮之。婢子曰：『公何慮？』管仲曰：『……公使我求寧戚，寧戚應我曰：「浩浩乎！育育乎！」吾不識。』婢子曰：『《詩》有之：「浩浩者水，育育者魚，未有家室，而安召我居，寧子其欲室乎？」』」

釋，大家都知道，在原始人類的觀念裏，婚姻是人生第一大事，而傳種是婚姻的唯一目的，這在我國古代的禮俗中，表現得非常清楚，不必贅述。種族的蕃殖既如此被重視，而魚是繁殖力最強的一種生物，所以在古代，把一個人比作魚，在某一意義上，差不多就等於恭維他是最好的人，而在青年男女間，若稱其對方為魚，那就等於說：「你是我最理想的配偶！」[102]

〈說魚〉的結論，更清楚呈現原始社會與文明社會的強烈對比，因而現代讀《詩經》不免隔閡：

> 文化發展的結果，是婚姻漸漸失去保存種族的社會意義，因此也就漸漸失去繁殖種族的生物意義，代之而興的，是個人享樂主義，於是作為配偶象徵的詞彙，不是魚而是鴛鴦，蝴蝶和花之類了。幸虧害這種「文化病」的，只是上層社會，生活態度比較健康的下層社會，則還固執著舊日的生物意識。這是何等鮮明的對照。[103]

生殖崇拜萌生於遠古時代，不僅積澱在以象徵多產、多子動植物為喻的文學作品、民歌謠諺中，不論道家思想[104]，甚至儒家經典亦時見天地交媾，化生萬物，並成為中國古代哲學家整體把握世界的基本法則和模式：

> 《易·繫辭》：「天地絪縕，萬物化醇；男女構精，萬物化生。」
> 《易·歸妹》：「天地不交，而萬物不興。」
> 《易·繫辭下》：「乾坤，其易之門邪！乾，陽物也。坤，陰物也。陰陽合德，而剛柔有體，以體天地之撰，以通神明之德。」
> 《禮記·哀公問》：「天地不合，萬物不生。」
> 《禮記·郊特牲》：「天地合而後萬物興焉。」
> 《中庸》：「君子之道，造端於夫婦，及其至也，察乎天地。」

---

102 見《聞一多全集》，卷3，頁245。
103 見《聞一多全集》，卷3，頁249。
104 例如《老子》書中以母腹、子宮、牝器、乳房等為人類和大地生殖力、生命力之象徵。

至如《易‧繫辭上》所說：「夫乾，其靜也專，其動也直，是以大生焉。夫
坤，其靜也翕，其動也闢，是以廣生焉。」更似是兩性特點的描寫。周予同
〈孝與生殖崇拜〉為之論道：「在這些文字裏，我們一目了然地知道儒家是
在用哲學而又文學的筆調，莊嚴地純潔地描寫本體的兩性，歌頌本體的兩性
之性交，贊嘆本體的兩性之性交後的化育。」[105]又說：「在儒家的觀念中，
以為萬物的化生，人群的繁衍，完全在於生殖。倘若生殖一旦停止，則一切
毀滅，那時，無所謂社會，也無所謂宇宙，更無所謂討論宇宙原理或人類法
則的哲學了。所以『生殖』或者露骨些說『性交』，在儒家是認為最偉大最
神聖的工作。」[106]如此說來《詩經》中存在性象徵與生殖文化，也不足為
怪了，聞一多的探討實開風氣之先。

　　聞一多除了發掘《詩經》中的崇拜生殖思想外，還發掘祈子風俗的宗教
文化儀式。他在〈高唐神女傳說之分析〉從語音角度分析高唐與高陽、高密
乃至於高禖的聯繫。考察從母系社會「先妣」崇拜到父系社會「始祖」崇拜
的演變過程與社會原因。釐清高唐與大禹妻子塗山氏、殷商的先妣簡狄相互
的關係，揭示高唐神女傳說的文化原型，指出一位總先妣的存在，高唐、塗
山、簡狄、姜嫄等各民族先妣，都是從她分化而來，故皆有相近的傳
說。[107]虹為女子，為先妣之靈。先妣也就是高禖，高禖神是管理結婚與生
子的女神，齊國祀高禖有「尸女」儀式。在〈高唐神女傳說之分析〉註五十
七中說祭祀高禖還有用萬舞的儀式，並引《左傳‧莊公二十八年》楚令尹子
元以萬舞蠱惑新寡之文夫人，以及〈邶風‧簡兮〉說：「愛慕之情，生於觀
萬舞，此則舞之富於誘惑性可知。夫萬舞為祭高禖時所用之舞，而其舞富於
誘惑性，則高禖之祀，頗涉邪淫，亦可想見矣。」[108]他在〈說魚〉中提到
「俟我于城隅」「在城闕兮」時說：「古代作為男女幽會之所的高禖，其所在

105　見《周予同經學史論著選集》（上海市：上海人民出版社，1983年），頁80。
106　同前註，頁78。
107　參《聞一多全集》，卷3，頁25。
108　見《聞一多全集》，卷3，頁32。

地，必依山傍水，因為那是行秘密之事的地方。」[109]〈桑中〉、〈溱洧〉所
昭示的風俗為祀高禖，以生殖機能為宗教的原始時代禮俗。但因文明的進步
把羞恥心培植出來了，虔誠一變而為淫欲，驚畏一變而為玩狎，於是那以先
妣而兼高禖的高唐，在宋玉的賦中，便不能不墮落成一個奔女了。他在〈高
唐神女傳說的分析〉找到了生殖崇拜的文化源頭：

> ……齊國祀高禖有「尸女」的儀式，〈月令〉所載高禖的祀典也有
> 「天子親往，后妃率九嬪御」一節，而在民間，則《周禮·媒氏》
> 「仲春之月，令會男女」，與夫〈桑中〉、〈溱洧〉等詩所昭示的風
> 俗，也都是祀高禖的故事。這些事實可以證明高禖這祀典，確乎是十
> 足代表著那以生殖機能為宗教的原始時代的一種禮俗。[110]

他的學生孫作雲《詩經與周代社會》〈詩經戀歌發微—關於上巳節（三月三
日）二三事〉，在繼郭沫若和他之後，對祀高禖習俗有更精詳的闡發。[111]

（四）原始社會的生殖符碼

　　何星亮：「中國人最基本的思維方式是關聯思維，中國人十分善於聯
想，善於排列對比，善於把自然現象與社會和人類相關聯。」[112]聞一多說
《詩》十分著重這些原始思維符碼的破譯。前文論及他的象徵廋語相當於
《易》之「象」與《詩》之興，透過「象」的哲學表現方式，以及「興」的
藝術表現方式的破譯，縮短與詩人間的距離。他的有些論點仍從弗洛伊德主

---

109 見《聞一多全集》，卷3，頁245。
110 見《聞一多全集》，卷3，頁26。
111 孫作雲以為「高禖」是管理結婚和生子的女神，亦即「大母之神」。這種「媒神」或
　　「母神」在最早時期都是各個部族的先妣，亦即該族在母系氏族社會期間所想像
　　的第一位女祖。到後代，主要在階級社會裏，這些原始部族的先妣便變成了各地方
　　司婚姻與生子的女神。殷周二族都把自己相傳為「第一位女祖宗」祀為媒神。
112 見〈中國傳統文化的象徵體系〉，《中南民族大學學報》2003年第6期，頁136。

張的生物傳統出發，尤其是一些與性欲有關的隱語。不過也有不少隱語如魚、麟、荇菅、鳥、擲果等的詮釋論點和榮格集體無意識相似。榮格和他的老師弗洛伊德分道揚鑣主要是對力比多（libido）的認識不同，他認為力比多（libido）不僅僅是性本能的代稱，而是指一種中性的個人身心能量，這種能量總是經過轉變以象徵形式表現出來，構成神話、民間傳說、童話的永恆主題，成為藝術創作的根本動力。在生物本能之外，他注意的是力比多轉化成象徵的集體無意識，而作為文化的集體無意識，它也就是一種傳統，一種文化的存在。大致說榮格的集體無意識就是文化人類學的觀點，聞一多雖未讀過他的書，但他是用文化人類學去破解這些已不為現代讀《詩》瞭解的象徵密碼。

聞一多〈說魚〉一文說：「《詩》—作為社會詩、政治詩的雅，和作為風情詩的風，在各種性質的沓布（taboo）的監視下，必須帶著偽裝，秘密活動，所以詩人的語言中，尤其不能沒有興。」人類文明不斷進化，隨著禮教文化的定型，使得原始性文化以及其常用的表現方式如隱喻、象徵，漸漸成為千古密碼，因此必須透過文字學、語源學、神話學、社會學、人類文化學結合的方法，為它們做發生學的還原，考察它們發生的過程。他在《風詩類鈔》序例提綱中提到要注意古歌詩特有的象徵廋語、諧聲廋語和其他特有的表現技巧。除了以隱語為說之外，他還以名實兩義為說：

> 識名的工夫，對於讀詩的人，決不是最重要的事，須知道在《詩經》
> 裏，「名」不僅是「實」的標籤，還是「義」的符號，「名」是表業
> 的，也是表德的，所以識名必須包括「課名責實」與「顧名思義」兩
> 種涵義對於讀詩的人，才有用處。譬如〈麟之趾〉篇的「麟」字是獸
> 的名號，同時也是仁的象徵，必須有這雙層的涵義，下文「振振公
> 子」才有著落。同樣的，荇菅是一種植物，也是一種品性，一個
> allegory（撰者按：即寓托。意義的暗號，象徵的表象。）。[113]

---

113 見《聞一多全集‧匡齋尺牘》，卷3，頁203-204。

他視《詩經》為民間歌謠，有些字詞具有外在的名與內在的實，兩種不同的含義，所作的是超越字詞之外的文化訓詁，發掘興象系統中所儲存的上古文化原型，進行一場精神的考古發掘。

〈說魚〉一文研究《詩經》中魚和食兩系列語詞的隱語意義。是他破解這個密碼的示範之作，他以文化人類學的觀念訓釋，並證以各地民歌「魚」之意象，以為「魚」是男女情人之間稱呼對方的象徵廋語。他說：「隱語，古人只稱作隱，它的手段和喻一樣，而目的完全相反，喻訓曉，只借另一事物來把本來可以說不明白的說得明白點；隱訓藏，是借另一事物把本來可以說得明白的說得不明白點。」他在〈詩經通義甲〉說：

> 《三百篇》中以鳥起興者，不可勝計，其基本觀點疑亦導源於圖騰，歌謠中稱鳥者，在歌者之心理，最初本只自視為鳥，非假鳥以為喻也。假鳥為喻，但為一種修詞術；自視為鳥，則圖騰意識之殘餘。歷時愈久，圖騰意識愈淡，而修詞意味愈濃。乃以各種鳥類不同的屬性分別代表人類的各種屬性。……[114]

除了解說這些隱語符碼外，聞一多還破解原始社會的思維與信仰。例如〈芣苢〉：「芣苢，音近胚胎，故古人根據類似律（聲音相近）之魔術觀念，以為食芣苢即能受胎而生子。」[115]〈摽有梅〉：「……夫果實為女所有，則女之求士，以果為贄，固宜。然疑女以果實為求偶之媒介，亦兼取其蕃殖性能之象徵意義……擲人果實，即寓貽人嗣胤之意，故女欲事人者，即以果實擲之其人以表誠也。」[116]

前文所列性的象徵廋語表格中，聞一多已破譯其中部份的興或象，對原始生殖文化的瞭解，有著相當重要的意義。不過僅及其中魚、鳥、水、雲、雨、風、植物果實等原始生殖崇拜的象徵廋語，仍有一些未作解說。例如最

---

114 見《聞一多全集・詩經通義甲》，卷3，頁293。
115 見《聞一多全集・詩經通義甲》，卷3，頁308。
116 見《聞一多全集・詩經通義甲》，卷3，頁327-328。

普遍的樹木生殖崇拜，弗雷澤在《金枝》中說：「毛利人的圖霍部族說樹木
有能力使婦女多生子女。這些樹木是與某些神話中祖先的臍帶有關，好像所
有嬰兒的臍帶掛在這些樹上的習俗直到近代仍然實行著。所有剛出生嬰兒身
上都掛有臍帶一樣。不孕的婦女只要雙臂擁抱這神樹，就會懷孕，懷的是男
嬰或女嬰，則取決於她擁抱的是樹身的東側或西側。」[117]這樣的風俗和思
維方式同樣存在於中國生殖文化思維習慣中，漢民族姓氏中殘留著社木崇拜
的痕跡，姓氏中从木的特別多，如李，朱、杜、柳、楊、桑……，隱含著廣
闊的生殖崇拜背景。其他如日月之象徵男性、棘薪之象徵女性等等，都可以
從民俗或生殖崇拜的途徑獲得更多的解釋。總之透過《詩經》中與生殖有關
的象徵廋語，我們發現聞一多的詮釋方式，類似法國人類學家列維‧布留爾
在《原始思維》一書中所謂的「互滲」。生殖文化的衍生層次，是從人類的
生育生殖功能，不斷地向大自然萬物推展出去，從而使得自然生命中也體現
著人類的生殖文化特徵。相對的大自然的蓄育能力，也可以加強人類旺盛的
生命力，彼此間互滲交融。聞一多說《詩》雖然無法一一詳盡交代這些大自
然萬物與生殖的關係，不過他獨具慧眼從原始社會生殖崇拜觀察，是《詩
經》研究的開創，也啟發後人研究上古生殖文化。

四　結論

趙沛霖《現代學術文化思潮與詩經研究》說：

> 《詩經》作為我國第一部詩歌總集，收錄了公元前十一世紀至公元前
> 六世紀前後五百餘年的詩歌作品，但它的內容卻遠不限於這個時間範
> 圍，而大量保存了此前社會乃至原始時代的痕跡，諸如思想觀念、生
> 活習俗、宗教禮儀等等。前代文化經過歷史的篩選、轉換和變異，被
> 整合在新的文化中，成為新文化的組成部份，是常見的歷史現象。宗
> 教文化學者泰勒把這些保存下來的前代文化的產物稱為文化『遺

117　〈樹神崇拜〉，《金枝》，頁179。

留』。從歷史發展和文化性質的角度看，可以說《詩經》是保存文化
『遺留』最多的典籍之一。[118]

文化具有延續性和不可切割性，不僅《詩經》中存有原始社會遺俗，即便今
日社會亦無所不存在。四○年代中國國土部份淪於日本帝國主義，聞一多除
從古典文學研究外，還從多方面喚醒華夏民族的「原始生命力」[119]。他繼
承清代乾嘉考據精神，隨著民國以來的學術思潮，創立從文化視野，宏觀角
度出發的新訓詁學，將歷史學、宗教學、民俗學、社會學、文化人類學、弗
洛依德性心理學等結合起來，通過揭示《詩經》某些字詞的文化學意義以探
求作品的內涵，重新思考作者的意向，期望將傳注和訓詁與詩歌藝術結合起
來，這些構想為《詩經》研究開啟寬廣大門。

　　本文從他說《詩》時代背景，探討他具有開放精神，從多元角度，將
《詩》視為社會史料、文化史料，對原始社會與生殖文化加以審視，發掘久
為經學觀點掩蓋的原始生命力，探討民族文化的源頭。由於聞一多興趣廣
泛，涉獵範圍遠遠超過一般考據訓詁的界限，在研究方法上也與考據家不
同。他善於吸取社會學、人類學中關於原始社會以及宗教，神話等知識來訓
解《詩經》，而得到不少新解。當然許多時候不免過於從原始社會遺俗，或
者詩人心理臆測，而忽視字詞訓解原則與詩義通暢，令人覺得趨新太過，缺
乏嚴謹考據。[120]撰者探討聞一多的《詩經》研究，經過瑣碎的探析過程，
既有肯定，亦提出不少商榷之處。對於聞一多在研究方法上的一些問題，正

---

118 見趙沛霖：《現代學術文化思潮與詩經研究——二十世紀詩經研究史》，頁230-131。
119 例如在〈西南采風錄序〉中引用許多反抗封建禮教和封建壓迫的民歌後寫道：「你說
　　這是原始，是野。蠻。對了，如今我們須要的正是它。我們文明得太久了，如今人
　　家逼得我們沒有路走，我們須拿出人性中最後，最神聖的一張牌來，讓我們那在人
　　性的幽暗角落裏蟄伏了數千年的獸性跳出來反噬它一口。……如今是千載一時的機
　　會，給我們試驗自己血中是否還有著那隻猙獰的動物，如果沒有，只好自認是個精
　　神上『天閹』的民族，休想在這地面上混下去了。」
120 拙著：〈聞一多的詩經訓詁商榷〉，《詩經訓詁研究》（臺北市：文津出版社，2007
　　年），文中亦曾指出聞一多《詩經》研究有過度新詮、任意改字、隨意比附詞語三項
　　缺失。

如陳泳超〈聞一多神話解析〉所述：

> 他的基本方法是新興的人類學原理（卻未必有自己的相關人類學調
> 查）加上傳統的語詞文獻考證；他的證據多為間接證據，直接證據很
> 少，便有也常常在疑似之間；他的論證思路具有強烈的求同舍異的傾
> 向，所求之同很多是不在同一層面上的感性印象，所棄之異又經常不
> 能給與恰當的解釋；其論證過程是迂遠曲折的，每一部分推導之間都
> 存在著多種可能性，他選擇了其中一種，如此展轉推進，最後得出的
> 結論經常出人意表，讓人很難遽信，但它似乎又能自圓其說（盡管其
> 中的聯繫經常十分薄弱），真要反駁推翻它，卻與要證明它一樣複雜
> 艱難。[121]

　　聞一多是繼胡適、顧頡剛以來推動《詩經》從經學到文學研究轉型的重
要人物之一。周作人曾批評胡適的〈談談詩經〉：「古往今來談《詩經》最舊
的見解大約要算《毛傳》，最新的自然是當今的胡適博士了……〈談談詩
經〉的下半覺得有些地方太新了，正同太舊一樣有點不自然，這是很可惜
的……」[122]今天我們看聞一多的《詩經》研究，似乎有同樣的感覺。他在
《詩經》的研究上，諸多開創性的觀點與當時學術思潮息息相關。他的《詩
經》研究愈至後期愈重考據，而且成就也愈高，尤其是較大篇幅的《詩經通
義乙》[123]；他曾在〈卷耳〉一文中說：

> 我一壁想多恢復《詩經》中的詩，使它名實相副；一壁又常常擔心把
> 《詩經》解得太像我們的詩了。一個人會不會有時讓自己過度的熱

---

121 陳泳超：〈聞一多神話解析〉，《文化研究》2003年第3期，頁26-27。

122 見《古史辨》，第3冊，頁587。

123 根據鄧喬彬等著：《學者聞一多》，頁93。指出，「《詩經通義乙》篇幅最大，共對一
　　七一首作品擇詞施訓，雖未及《詩經》全部，亦已逾泰半。這應是他對《詩經》詞
　　義訓詁的集成之作，不但引用字詞工具書甚多，史傳和集部亦援引諸多例證，胡承
　　琪、馬瑞辰等清人所著，以及近人林義光等人的見解，亦多參照，進而辨析論證，
　　以求字詞真義，亦涉詩旨探求。可以認為他的《詩經》研究愈至後期就愈重考據，
　　在這方面的成究也就愈高。」

心，將《詩經》以外，《詩經》以後的詩給我們私運講《詩經》裏去了，連自己還不知道呢？我的信心之動搖，惶怯之發生，是從讀〈卷耳〉開始了。這就是說，讀《詩經》要有歷史的態度，還以本來的面目。[124]

聞一多提出讀《詩》要有歷史態度，固然可貴，但他對自己援引西方新興學科說《詩》，大膽而不夠周延，不是沒有自覺。從毛鄭、朱熹到聞一多，歷來學者說《詩》，無非出之自我「定見」下的詮釋，何人能完全符合文本？如是選擇聞一多發掘原始社會與生殖文化中可信的論述，在開拓經典研究視野時也能小心求證，是文末要提出來的思考。

---

124 轉引自季鎮淮編：《聞一多研究四十年》，頁203。

聞一多的詩經學研究軌跡

聞黎明

中國社會科學院近代史研究所研究員

　　無論在大陸還是臺灣，聞一多都被認為是集詩人、學者、民主鬥士三重人格於一身的歷史人物。但是，如果從職業上說，他幾乎一生從事的都是教書育人的高等教育事業；從人生追求上說，則從來沒有停止對中國古典文化的整理與思考。因此，從本質上講，聞一多是個希望能用自己的畢生精力，為中華文化的發展與傳承有所創造、有所貢獻的學者。光陰荏苒，時光流逝。再過二十天，是聞一多誕辰一百一十週年的日子，而明年則是他離開我們六十四週年的時候。但是，他的生命仍然在延長，其原因就是，他在中國學術道路上的探索，業經融入中華文化的優秀遺產之中。這其中，就包括著他留給後人的諸多經學研究成果。

一　動力溯源

　　嚴格地說，聞一多並沒有把經學作為一個單獨物件，而是把它當作中國古典文化的一個構成部分進行研究的。「中國古典文化」，在大陸常常被泛稱為「國學」，聞一多實際上做的是國學研究，經學只是他的國學研究中的一個方面。

　　聞一多曾在多種場合下說，他的最大理想，是做個教授中國文學的教師。說到這裏，就不能不說家庭和環境對他的影響。

　　聞一多生於光緒二十五年十月二十二日（1899年11月24日），在湖北省浠水縣巴河鎮聞家鋪子村的一個地主家庭。據乾隆四十六年（1781）纂修的《聞氏

宗譜》記載，浠水聞氏的原籍是江西吉安廬陵，南宋景炎二年（1277）為了避
亂從江西吉安廬陵遷至湖北浠水，為了隱姓埋名，改「文」為「聞」。[1]家譜還
提到抗金英雄文天祥，故浠水聞氏一直自稱是文天祥的後人。這個傳說在浠水
聞氏家族中流傳很久，但因語焉不詳，無法證實。後來，聞一多到清華學校讀
書時，曾想弄清浠水聞氏的源流。在他的遺稿中，就有一篇未能完成的《聞氏
先德考》。

　　上個世紀末，浠水聞一多紀念館為了弄清這個問題，曾派人到湖北武穴市
龍坪鎮五里村考察。他們在文天祥堂兄文天禎二十二世裔孫文明傑處，看到清
朝乾隆丁亥年（1767）刻的十四冊《文氏宗譜》，內中《江右統宗世系》詳細記
載了文氏自西周受姓起，至天禎、天祥二公七十一世的流傳脈絡。該書中，以
漢景帝蜀郡太守文球為江右始祖的世系下，記載有第二十世孫中良彥、良輔弟
兄倆人，但其下均注明「世系未詳」。而浠水聞氏一世祖正是「聞良輔」。根據
名字相同、籍貫吻合、世系銜接、背景同一等因素，很可能《文氏宗譜》中的
「聞良輔」就是《聞氏宗譜》中的「文良輔」。如果這種考證成立的話，那麼聞
一多與文天祥的關係便是同根共祖，但浠水聞氏不是文天祥的嫡系後裔，而是
文天祥家族的旁系後裔。[2]

　　浠水聞氏雖非文天祥後人，但文天祥的民族氣節和愛國情操，卻在這個家
族是受到極高的崇敬與膜拜。走筆至此，使我想起傅斯年。傅斯年的先祖傅以
漸是清朝開國後的第一位狀元，而且是順治皇帝欽點的，但傅斯年從來不提這
位先祖。這是因為傅斯年認為這位先祖缺少民族氣節。浠水聞氏卻不同，屢次
修訂家譜，總不忘說追溯到文天祥。

　　浠水聞氏經過多年繁衍生息，成為當地望族。到了聞一多祖父一代，族中

1　〔清〕聞大烱：《總理前修族譜序》，《聞氏宗譜》（浠水：敦本堂，1916年），卷1，頁
　　42。案：此《聞氏宗譜》為四修本，《總理前修族譜序》為聞大烱於清乾隆四十六年
　　初修《聞氏宗譜》時撰寫。

2　參見龔成俊、朱興中、王潤：《關於改「文」為「聞」的考證》收入陸耀東、趙慧、
　　陳國恩主編：《聞一多國際學術研討會論文選》（武漢市：武漢大學出版社，2002年），
　　頁290-295。

連出過四個進士，其中一人曾三次出任河南鄉試同考官。但是，這些人都是聞一多祖父的堂兄，而聞一多這一支，因為單傳，要能留在家中治家守業，無力攻取功名。所以，當聞一多的祖父佐湴公產業興旺後，就決心要把子弟們培養成材。於是，他先是建立了所小型圖書館，接著又辦了所家塾，來後還擴大成小學校。聞一多的啟蒙教育，就是在這種條件下開始的。

　　如果說聞一多的祖父為他的初期教育創造了條件，那麼他的父親邦本公則影響了他早期觀念和意識。聞一多的父親生於同治二年（1863）十二月十二日，那是一個中國遭受帝國主義侵略的年代，這一時期成長起來的知識份子，大都有著反對列強的愛國思想。聞一多的父親是縣學的優增生，算是小知識份子，戊戌維新之際，他常與兄弟們聚在一起議論形勢，贊成新政。於是，聞一多在接受啟蒙教育的時候，就接觸到《東方雜誌》、《新民叢報》等報刊，得到愛國愛民意識的薰陶。

　　和所有接受啟蒙教育的兒童一樣，聞一多最早讀的也是《三字經》、《幼學瓊林》、《爾雅》和四書之類的開蒙讀物。到了晚上，父親還給他開小灶，教他讀《漢書》。聞一多在自傳中說：一次，他隨父親讀《漢書》時，「數旁引日課中古事之相類者以為比，父大悅，自爾每夜必舉書中名人言行以告之」。[3]這些基礎教育，對聞一多後來的興趣與志向，起了很大的作用。而父親對他的最大決策，則是送他進入了清華學校。

　　一九一二年，清華學校至武昌招生，聞一多雖然各科成績平平，但「初試時，一篇文題《多聞闕疑》的中文作文，大得主考人贊許，據說是模仿當時最時髦的梁任公筆調而作的。」[4]這篇作文沒有保留下來，但能夠模仿梁啟超的文筆，對一個十三歲的少年來說，卻絕非易事。這年，清華學校在湖北招收四名學生，聞一多僅被錄為備取第一名。赴京復試的路上，他在哥哥

3　《聞多》，武漢大學聞一多研究室編：《聞一多全集》（武漢市：湖北人民出版社，1993年），卷2，頁295。案：該文原收清華學校一九二一年中等科畢業級刊《辛酉鏡》，書中有本級學生之小傳，《聞多》一文據同級密友吳澤霖辨認為聞一多自撰。

4　聞展民：〈哭四弟一多〉，收入李聞二烈士紀念委員會編：《人民英烈》（上海市：李聞二烈士紀念委員會，1948年），頁376。

輔導下趕學了一些英語，最後在鄂籍學生中以第一名被清華學校錄取。

清華學校是所留美預備學校，學制比較特殊，當時設高等科三年、中等科五年。那年，清華學校實行因材施教原則，進校的新生並不是統統編入中等科一年級，而是「以文境之深淺，定級次之高下」，按實際程度分別編入一至五年級。當時，四十二位新生中，唯「聞多列入五年級」，編入中文四年級者，亦只邱椿等三人，編入中文三年級者則僅薩本鐵等兩人，其餘均編入中文一、二年級。[5]從這件事上可以看出，還屬於少年時期的聞一多，在國學上就顯示出了一定的基礎。不過，聞一多到學校時，距大考只有一個月，加上剛剛接觸英文，遂於一九一三年重新從一年級讀起。這一年級的學生將於一九二一年（辛酉年）高等科畢業，按中國習慣，稱作辛酉級。辛酉級入學時共七十三人，其中有羅隆基、何浩若、浦薛鳳、沈宗濂、薩本棟、吳澤霖、時昭涵、沈有乾、王昌林、瞿世英等，後來插入這一級的，還有吳國禎等。

清華學校是專為培養赴美留學而建立的學校，課程設置雖然有西學、國學兩部，但西學課程與留學關係密切，學生們十分重視。而國學課程恰恰相反，均安排在下午，而且既使不及格也可以畢業。在這種風氣下，造成一些學生重視英文課，而輕視國文課，致使有的學生常在國學課上演出些鬧劇。聞一多很不滿意這種現象，特寫了《論振興國學》一文。這篇文章，是聞一多對於國學的第一篇論述，文中認為國學乃文明之所寄，國粹之所憑，希臘、羅馬均因文衰而國衰，而我之「《禮》以節人，《樂》以發和，《書》以道事，《詩》以達意，《易》以道化，《春秋》以道義」，實「亙萬世而不渝，臚萬事而一理者」。[6]這篇洋洋灑灑的文章，核心是「振興國學為吾輩之責」，說明的則是國學與國運的關係。對於這一點，聞一多身體力行，他不滿足在學校學到的國學知識，每年寒暑假返鄉，總要集中時間閱讀古典書

5　清華學校庚申級編：《級史》（北京：清華學校，1916年）。案：該書為清華學校1920級（庚申級）中等科畢業紀念刊。

6　聞一多：〈論振興國學〉，《聞一多全集》，卷2，頁282。案：原載《清華週刊》第77期，1916年5月17日。

籍。他將讀書的房間起名「二月廬」，取其每年在此讀書兩月之意，在這寫下的文章、隨筆，彙集後命名為《二月廬漫紀》。

如此強調國學意義的聞一多，卻不大贊成讀經。一九一四年三月十四日，寒假後開學伊始，辛酉級和高一級的庚申級舉行了一次辯論會，辯論的題目是「今日中國小學校能否有讀經」。辯論究竟是怎樣進行的，無從得知，但以聞一多為主辯的一組最終獲勝。[7] 這次辯論，旨在練習演講口才，聞一多所在的一組抽中的是正組還是反組，兩種記載。[8] 但不管抽中哪一組，都反映了這些少年們對經學前途的思考。

前述的《二月廬漫紀》，也可以說明聞一多對經書的態度。該文是聞一多求學時期的讀書筆記，前後發表十六篇。這十六篇中，包括《史記》、《晉書》、《桓譚新語》、《通鑑綱目》、《法言》、《三國典略》、《支離謾語》（張玄羽）、《修文御覽》，及王勃、杜牧、杜佑、蘇東坡、岳飛、楊敬之、曾南豐、徐電發、閔佩鍔、高絜平等人的詩集，甚至還有墓誌銘、墓表和一些圖題。而在經學方面，文中出現較多的只是《詩經》，間及涉及到《易》和《論語》。聞一多的胞弟聞家駟說：「在經史子集四類書籍中，父親主張讀經，一多兄則主張多讀子史集」，在他的影響下，「我也讀起《史記》、《漢書》、《古文辭類纂》、《十八家詩鈔》這一類書籍來了」。[9]《二月廬漫紀》反映的圖書典籍，證實聞家駟之言不虛。

聞一多的國學知識，很大程度上是自學的，但清華學校的教育也不應忽

7　《辛酉鏡‧演說辯論》。其文云：「吾級初有課餘補習會設演講部，每星期開會，以資練習。然其時規模甫具，於演說一門，未臻完備，不過為改革進行之根據耳。至民國三年春，與二年級博約會舉行聯合辯論會，始稍著成績也。是會於三月十四日舉行，場設博物教室，校長周先生（周寄梅）實為主席。辯論題為『今日中國小學校能否有讀經』。吾級主辯聞多，助辯陳念宗、錢宗堡，為正組。博約會主辯羅發組，助辯邱椿、吳澤湘，為反組。其結果吾級獲勝。裁判乃陳筱田、李仲華、張愷三先生也。」

8　《辛酉鏡‧演說辯論》記載聞一多抽中的是正組，但《辛酉鏡‧大事記》則云抽中的是反組。

9　聞家駟：〈呂端大事不糊塗──回憶一多兄對我的教誨〉，收入趙慧編：《回憶紀念聞一多》（武漢市：武漢出版社，1999年），頁423。

視。學校聘請教授中文的教師，可以說也經過認真挑選，其中有不少是飽學之士，有些還是前清的舉人、進士。光緒二十九年殿試二榜第一一六名進士陳曾壽，便於一九一九年春至清華學校教授文學史。陳家世居浠水陳家大嶺，與浠水聞氏只一山之隔，兩家世代聯姻，因陳曾壽與聞一多的大伯聞侍臣相熟，故其到校後，聞一多還特去拜望了他。[10]這些功名不一的老夫子，自然十分重視國學，這對聞一多走上治學之路大有裨益。

　　一九二二年，聞一多赴美留學。[11]在美國，除了學習到許多文化知識外，在思想上也出現了重大變化。一九二四年，聞一多與清華學校部分留美同學醞釀發起一個政治性組織，這個組織一九二四年成立時定名「大江會」。據資料記載，有名有姓的大江會會員共二十九人，包括王化成、何浩若、吳文藻、沈有乾、沈宗濂、吳景超、吳澤霖、胡竟銘、梁實秋、浦薛鳳、潘光旦、羅隆基、顧毓琇等後來在不同領域產生影響的人。大江會宣揚「大江的國家主義」，主張謀求「中華政治的自由發展」、「中華經濟的自由抉擇」、「中華文化的自由演進」。在大江會中，聞一多是「文化的國家主義」最有力的堅持者，其思想在〈大江會宣言〉中表述為：「文化乃國家之精神團結力也，文化摧殘則國家滅亡矣，故求文化之保存及發揚，即國家生命之保存及發揚也。」[12]在這一思想推動下，聞一多把文化的昌盛與國家的興衰更加緊緊地聯繫在一起，他的〈南海之神——中山先生頌〉、〈醒呀！〉、〈愛國的心〉、〈洗衣曲〉等一批具有強烈愛國意識的詩歌，就是在這一動力下誕生的。其中〈七子之歌〉中的〈澳門〉，一九九九年澳門回歸時被譜曲傳唱，一時響遍大江南北，被人稱為澳門回歸時唯一的主題歌。

　　由於身在海外，留美時期聞一多沒有更多地接觸國學。但是，他並沒有

---

10 聞一多：《儀老日記》1919年3月3日條，收入《聞一多全集》，卷12，頁425。

11 聞一多本應一九二一年赴美留學，但畢業時恰逢北京八校教職員發動索薪運動，清華學校學生響應北京市學聯決議，舉行全校罷課。聞一多所在的辛酉級放洋在即，三分之二同學未參加罷課，而聞一多等二十九人則堅決罷課，受到學校留級一年處分，故於一九二二年方赴美。

12 聞一多：〈大江會宣言〉，《大江季刊》第1卷第2期（1925年11月15日）。

忘記宣導中國文化的責任。為了實踐「文化的國家主義」，一九二四年聞一多與餘上沅、趙太侔等人合作編寫排練了五幕英文古裝劇〈楊貴妃〉。在波士頓的梁實秋、顧毓琇、謝冰心等受到啟發，於次年春也排演了英文古裝劇〈琵琶記〉。這兩個劇的演出，是中國戲劇第一次登上北美舞臺，它不僅在中國近代戲劇史上具有劃時代的意義，而且也見證了聞一多對推動中國文化發展的努力。

　　綜上所述，聞一多的家庭與教育，他在國內和國外求學期間的思想發展，從不同方面反映了他對國學的認識。這些，可以說是他日後從事包括經學在內的國學研究的思想動力和精神準備。

二　研究管窺

　　無論是早期的家庭教育，還是在清華學校所受的教育，所有課程中，並沒有專門設置系統性的國學課程。這一教育背景，使他不能像大多數國學研究者一樣，通過正規和嚴格的訓練，走上治學之路，而只能依靠個人興趣，逐漸摸索門徑。支持他堅持這一方向的，首先是興趣。一九二二年十月，他到美國僅兩月，便急欲回國。他在家信中說，「急欲歸國更有一理由，則研究文學是也。恐怕我對於文學的興味比美術還深，我在文學中已得的成就比美術亦太，此一層別人恐不深悉，但我確有把握。」[13]信中說到的「文學」，可以理解既包括了經學在內的國學，也包括五四運動後興起的新文學。

　　對於文學，特別是古代詩歌，聞一多下過一番功夫。在清華學校高等科時，儘管功課繁重，他仍制定了一個兩年讀詩的計畫。在聞一多僅存的四個半月的日記中，就有這樣的記錄：「近決志學詩，讀詩自清、明以上，溯魏、漢、先秦。讀《別裁》畢，讀《明詩綜》，次《元詩選》、《宋詩選》，次

13　聞一多：〈致父母親（1922年10月28日）〉，收入《聞一多全集》，卷12，頁109。

《全唐詩》，次《八代詩選》，期於二年內讀畢。」[14]新文化運動後，他的精力轉移到新詩創作與理論探討。為了這項工作，就必須從中國古詩中汲取營養，於是很自然地進入了十三經中的《詩經》。

一九二七年七月十四日，聞一多《詩經》研究的第一個成果〈詩經的性欲觀〉，開始在上海《時事新報・學燈》上連載。這篇長文，是我為編纂《聞一多年譜》收集資料時，偶然在《時事新報》上發現的，此前從未收入任何文集，也從未聽人說起。

如果說這篇佚文的發現讓我興奮的話，倒莫說文章的內容讓我吃驚。首先，在此之前，我沒有發現聞一多在《詩經》研究方面有過的任何記錄，怎麼能一下子就寫出這樣長的一篇文章。其次，在傳統文化中，「性欲」是個極力迴避的名詞，而且傳統經學家對《詩經》的理念，也是從社會政治史角度去闡發的。但是，聞一多卻十分大膽地指出〈齊詩・東方未明〉中的「折柳樊圃」與性欲有關，認為〈谷風〉中所講到捕魚的「笱」，也是隱喻女陰，與「媾」、「覯」有聯繫。還說《詩經》中常出現「風」和「雨」，也是性欲的衝動，後來引申出的「風流」、「風騷」，也含有性的意味。進而，他指出《詩經》中數首詩，都認為或暗示性交，或本身就是情詩。這篇文章把《詩經》表現的性欲方式分為五種，即：明言性交、隱喻性交、暗示性交、聯想性交、象徵性交。結論中，他說：「前人總喜歡用史事來解《詩經》，往往牽強附會，不值一笑」。其實「象徵性交的詩」，「是出於詩人的潛意識」，這是因為「《詩經》時代的生活，還沒有脫盡原始的蛻殼」。由此，他斷言，只有認清了「《詩經》是一部淫詩，我們才能看到春秋時代的真面目。可是等看到了真面目的時候，你也不必怕，不必大驚小怪。原始時代本來就是那一會事」。[15]

〈詩經的性欲觀〉非常明顯的運用佛洛伊德的精神分析法，與聞一多在美國的留學經歷分不開。他在美國所學的課程中，並沒有這方面的記錄，我

14　聞一多：《儀老日記》1919年2月10日條，收入《聞一多全集》，卷12，頁421。
15　聞一多：《詩經的性欲觀》，收入《聞一多全集》，卷3，頁190。

猜想，有兩種資源可能是他獲取這一科學知識的管道。第一，自己看了些有關書籍，而他腦子天天想的是國學，所以很容易產生聯想，引起重視與思考。第二，他的好友潘光旦、吳澤霖、吳景超、吳文藻，攻讀的是社會學、人類學，聞一多與他們交談時，很容易得到這方面的資訊，從而促使他閱讀有關圖書。這只是我個人的推測，缺乏資料證明，但不管怎麼說，聞一多畢竟運用佛洛伊德的理論，寫下了這令人驚駭的這篇文章。

在後來的治學生涯中，聞一多繼續沿著這條路走了下去。聞一多是一九二五年為了推動國劇運動提前回國的，抱著這個目標，他回國後的主要精力，最初集中在建立戲劇專業、創作新詩、探索新詩理論。他的職業，也是北京藝術專科學校教務長、吳淞政治大學訓導長、北伐軍部政治部英文秘書兼藝術股股長等。一九二七年，他擔任南京第四中山大學（中央大學的前身），職務也是外文系主任。直到一九二八年，聞一多到武漢大學擔任文學院院長，遇到了游國恩先生，在游國恩的慫惠下，才真正開始了中國古典文化的研究。

游國恩先生是著名《詩經》研究家，當時在武漢大學任教。游國恩認為《詩經》是中國詩歌的源頭，聞一多既然那麼鍾情新詩，就應從源頭研究起。這話對聞一多頗有啟發。另一個原因，就是當時聞一多擔任的是文學院長，文學院包括中文系，而在武漢大學中文系占主導地位的是傳統的經學派，這些人認為聞一多沒有國學方面的成果，因此內心看不起他。而聞一多要領導他們，必須在這方面有所表現。這兩種因素，促使聞一多下決心對《詩經》做一番研究。

一九三〇年，聞一多到青島大學，職務仍然是文學院長，並且兼任中文系主任。聞一多到青島大學，是校長楊振聲熱情邀請去的，同去的還有梁實秋，另外，與聞一多一起在紐約排演英文古裝劇，又一起回國的趙太侔，也在這所學校。這些人都是關係極好的朋友，而梁實秋除了擔任外文系主任外，還擔任學校圖書館館長，聞一多需要什麼書，圖書館就買什麼書。因此，對於聞一多來說，青島大學可謂是人地兩宜。青島大學和諧的人際關係，和優越的物質條件，使聞一多集中精力，投入到期盼已久的學術研究。

當時的情況，梁實秋在《談聞一多》中有不少描寫，這裡不多贅述。

在青島大學，聞一多的研究不僅集中在《詩經》上，由於教學關係，也由於原本的興趣，以及打算寫一本中國文學史的願望，研究物件不斷擴大，深入國學的其他領域。一九三二年，聞一多回到闊別十年的母校。回到清華時，學校本請他擔任中文系主任，但他經過武漢大學特別是青島大學的學潮，對行政工作心灰意冷，拒絕了這一職務，因而能夠擺脫雜事，全身心地繼續學術研究。而他的研究，除了大量使用傳統方法外，也繼續運用了佛洛伊德的文化人類學理論。

由於方法上的創新，聞一多的《詩經》研究常有新意。有兩個例子可能大家都很熟悉，不妨在這再說一下。

《詩經・周南・芣苢》是《詩經》很普通的一篇，但在聞一多的闡釋中，卻表現的與眾不同。「芣苢」是車前草，對於這首詩的理解，很長時期一直被認為是勞動時唱的歌。但是，芣苢本是最普通不過的植物，長得又不美，不值得歌頌，為什麼要在勞動時唱它。在《匡齋尺牘》中，聞一多從生物學和社會學角度進行了思考。他的答案是，車前草是種多籽植物，它的歌唱，是為了表達女人希望多孩子的願望。這是因為在上古時代，女性最大的責任就是傳種接代，只有多生孩子，個人才能在這個社會具有地位。[16]

《詩經・邶風・新臺》中有一個鴻字，過去一直認為指的是大鳥，詩的意思說是打魚的人，因捕到一隻大鳥而非常掃興。但是，聞一多認為這種解釋講不通，因為詩打魚時捕到「鴻」應該高興，怎麼能掃興。於是，他試圖用音韻學方法，對這首詩做了重新考察，發現「鴻」是「苦隆」的切音，而「苦隆」是蝦蟆的別名，全詩的意思是，打魚本想捕到一條大魚，卻捕到一隻蛤蟆，所以才特別掃興。接著，他又運用文化人類學方法，認為這首詩的原意是，女子本來想找一個英俊的男青年，沒想到找到的竟是一個像蛤蟆一樣的老頭子。[17]郭沫若讀了聞一多文章後，非常讚歎，說：「這確是很重要

---

16 詳見聞一多：《匡齋尺牘》，收入《聞一多全集》，卷3，頁202-214。

17 詳見聞一多：《詩新臺鴻字說》，收入《聞一多全集》，卷3，頁191-197。

的發現。要把這『鴻』解成蝦蟆，然後全詩的意義才能暢通。全詩是說本來是求年青的愛侶卻得到一個弓腰駝背的老頭子，也就如本來是想打魚而卻打到了蝦蟆的那樣。假如是鴻鵠的鴻，那是很美好的鳥，向來不合惡義，而且也不會落在魚網子裏，那實在是講不通的。然而兩千多年來，差不多誰都以這不通為通而忽略過去了。」[18]

運用上述方法研究《詩經》，聞一多曾做過這樣的總結。他說：

> 今天要看到《詩經》的真面目，是頗不容易的，尤其是那聖人或「聖人們」賜給它的點化，最是我們的障礙。當儒家道統面前的香火正盛時，自然《詩經》的面目正因其不是真的，才更莊嚴，更神聖。但在今天，我們要的恐怕是真，不是神聖。（真中自有著它的神聖在！）我們不稀罕那一點化，雖然是聖人的。讀詩時，我們要瞭解的是詩人，不是聖人。[19]

今天，人們把聞一多研究《詩經》中使用的方法，統稱為文化人類學方法。運用文化人類學方法研究中國古典作品，不止聞一多一人，並且他的結論也仍然有繼續討論的餘地。但是，窺探中國文化源頭時代人的心態變化，還原上古時代的原始面貌，有勇氣用科學的態度挑戰傳統的注經觀點，這一點對學術研究而言，無疑具有啟發價值。

當然，聞一多在研究《詩經》時，同樣也採取了文字辨證、詞義解析等清代樸學的考據方法，在糾正倒、脫、訛、衍等方面做了很多努力。不過，他與前人不同的是，他只是把考據當作一種手段，一種途徑，而不是為考據而考據。這樣，就使他特別重視在傳統考據訓詁基礎上，運用多種現代學科方法，從而開創出現代《詩經》研究的新的訓詁學方法。

聞一多學術研究有一個很突出的特點，即把研究的目的、目前的困難、克服的辦法、解決的步驟等，明明確確、條理清晰地擺出來。〈匡齋尺牘〉

---

18 郭沫若：《聞一多全集·序》，收入《聞一多全集》，卷12，頁432。
19 聞一多：《匡齋尺牘》，收入《聞一多全集》，卷3，頁199。

就是這樣做的，開篇的兩節，一是「應下了工作」，一是「工作的三樁困難」。《風詩類鈔甲》也是如此，篇首《序例提綱》列出「關於編次」、「關於寫定」、「關於箋注」。在「關於編次」中，他說目前的《詩經》讀法有經學的、歷史的、文學的三種，而他使用的則是社會學的。類似的處理，還出現在《楚辭校補》中。這一工作，雖然反映的是聞一多從事這一專題研究的基本思路和努力途徑，但其意義則在於為學術研究梳理和歸納了一種十分重要的境界與目標。如果說個案研究的貢獻是解決了某個具體問題的話，那麼這一帶有宗旨意義的提示，則表現了更宏觀的關照，也更具有普遍價值，受其恩澤者可以說不乏其人。

　　說到這裡，我想特別強調一下聞一多在學術研究上所追求的徹底精神。聞一多在清華講授《詩經》時，曾要求選修這門課的同學每人從《詩經》中選擇一個字，然後把《詩經》中所有這個字全部集中起來，逐一作以注釋，以期進行對照分析。他認為，如果不把《詩經》中每一個字的含意徹底弄清楚，就無法對它做出準確的判斷。一九三七年，聞一多任教滿五年，按例可以休假一年，他計畫利用假期編纂一部醞釀了幾年的《詩經字典》。學校批准了這個計畫，並給他配備了研究助手，但是，就在即將動手之際，抗日戰爭爆發了，使他的這個夙願未能實現。

　　還有一個例子，也很能說明聞一多治學的徹底精神。上個世紀八十年代，我為了編纂《聞一多年譜長編》，寫信給張清常先生。張先生馬上給我回了信，說他一九三四年剛剛考入清華大學研究生時，到聞一多家裡去拜望，聞一多給他提了一個建議。這個建議，信上是這樣說的：「有個問題可供你們搞語言的人考慮。今日所見《詩經》的本子，漢熹平石經、唐開成石經是刻在石頭上的，齊魯韓毛四家各本是後代抄本轉木刻本，文字都已去古甚遠，不是《詩經》時代的面貌。如果你利用古文字學的知識，把《詩經》用兩周金文寫下來，換句話說，也就是使《詩經》恢復西周東周當時的文字面貌，這對於你研究《詩經》，研究上古漢語，會有很大幫助的。」[20]

---

20 張清常給作者信，一九八八年八月十日。

　　張清常信中沒有提到他是否按照這個建議做了，但聞一多本人則用古籀文寫了多篇《詩經》，其中現存的有〈關雎〉、〈葛覃〉、〈卷耳〉、〈樛木〉、〈螽斯〉、〈桃夭〉、〈兔罝〉、〈芣苢〉、〈漢廣〉、〈汝墳〉、〈麟之趾〉、〈鵲巢〉、〈采蘩〉、〈草蟲〉、〈采蘋〉、〈離騷〉等十五篇。這種方法很是特別，不知道現在做《詩經》研究的人，是否想到這一層。但是，中國文字是象形文字，若要進一步理解《詩經》，就需要把《詩經》還原為《詩經》時代的文字。聞一多用古籀文寫的《詩經》，可能是由於不屬於創作的關係，沒有收入一九四八年八月開明書店出版朱自清、郭沫若、吳晗、葉聖陶主編的《聞一多全集》。不過，湖北人民出版社出版的十二卷本《全集》，專列了一卷「美術卷」，使他的這一嘗試得以與大家見面。

　　聞一多的《詩經》研究，除了上面提到的〈詩經的性欲觀〉、〈詩新臺鴻字說〉、〈匡齋尺牘〉外，收入湖北版《全集》的還有〈說魚〉、〈詩經新義〉、〈詩經通義甲〉、〈詩經通義乙〉、〈風詩類鈔甲〉、〈風詩類鈔乙〉、〈詩風辨體〉、〈詩經詞典〉等。湖北版《全集》出版後，聞一多幼女聞惠羽發現遺漏了八十四篇，其中與家存捐獻北京圖書館篇目清單對照後，僅《詩經》部分就遺漏了〈詩經聲訓〉、〈說風〉、〈說興〉、〈民歌〉、〈比興〉、〈說魚雜記〉、〈詩經雜記〉、〈璞堂雜記·詩類〉、〈《禮記》引詩〉、〈風詩中的代語〉、〈卷耳〉，及《詩經通義乙·兔罝篇》、《風詩類鈔乙·定之方中篇》等。聞一多經學研究的其他手稿，也遺漏了《周易類纂》、《璞堂雜記·周易類》、《周易纂詁》。[21]遺漏最多的是《莊子校釋》，該手稿有五冊一八四頁之多。[22]

　　湖北版《全集》是根據手稿的縮微膠捲整理的，但一些手稿是未完成稿，編輯時由整理者做了聯綴。聞惠羽認真閱讀了《詩經通義》部分，並與

21　參見聞惠羽：《湖北版〈聞一多全集〉闕如篇目》，中國現代文化學會聞一多研究專業委員會編：《聞一多研究動態》（北京市：中國現代文化學會聞一多研究專業委員會，1996年1月），頁1-2。

22　一九九七年，湖北版《聞一多全集》古典文學部分整理者、武漢大學袁謇正教授，對《全集》遺漏問題做了說明和解釋，詳見《聞一多研究動態》第15期（1997年12月）。

手稿進行了校勘，認為存在若干問題。於是，她重新整理了《詩經通義》，
一九九六年由時代文藝出版社出版。該書主要做的是校勘和補正工作，八○
八條校記補正了原稿中不少技術性錯誤和闕漏。

　　對於聞一多國學研究，評價的人很多，但我覺得朱自清先生有句話很準
確。他說，聞一多的研究是「要使局部化了石的古代復活在現代人的心目
中」。[23]我想，這可以說是聞一多學術研究的一個目的。

三　敘述風格

　　清華學校注重全面培養的教育體制，以及提倡個性發展的培養方式，加
上聞一多喜愛文學的天性和相當現代化的審美觀念，使他對學術成果的表
現，也形成了一種令人陶醉卻難以完全模仿的獨特風格。他的一些學術論
文，給人一種遠離學院派範式的感覺，仿佛是意味濃厚的散文，幾乎可以把
讀者帶入風景如畫，甚至伴有音樂的現場。在這種氣息中閱讀他的論文，會
讓人情不自禁的拍案叫絕。

　　就拿前面提到的《詩經‧周南‧芣苢》來說，這首詩很短，全篇只有四
十八個字，而且歌詞大多是重複的，僅有六個字不同。

> 采采芣苢，薄言采之！采采芣苢，薄言有之！
> 采采芣苢，薄百掇之！采采芣苢，薄言捋之！
> 采采芣苢，薄言袺之！采采芣苢，薄言襭之！（《周南》之八）

為了說明這六個字的重要性，聞一多說：「一首詩全篇都明白，只剩下一個
字，僅僅一個字沒有看懂，也許那一個字就是篇中最要緊的字，詩的好壞，
關鍵全在它。所以，每讀一首詩，必須把那裏每個字的意義都追問透徹，不
許存下絲毫的疑惑－這態度在原則上總是不錯的。」[24]細讀這段解釋，文字

23　朱自清：〈中國學術的大損失——悼聞一多先生〉，收入趙慧編：《回憶紀念聞一多》，頁
　　46。
24　聞一多：〈匡齋尺牘〉，收入《聞一多全集》，卷3，頁202。

十分平易，語言也很直白，感覺是在和讀者談話，而不是生硬的告訴你什麼
道理。

　　論述觀點時，使用的也是同樣的口吻：

> 先從生物學的觀點看去，芣苢既是生命的仁子，那麼采芣苢的習俗，
> 便是性本能的演出，而《芣苢》這首詩便是那種本能的吶喊了。但這
> 是何等的神秘！這無名的迫切，杳茫的勒令，居然能教那女人們熱烈
> 的追逐著自身的毀滅，教她們為著「秋實」甘心毀棄了「春華！」你
> 可以憤慨的說，「天地不仁，以萬物為芻狗！」但是你錯了，你又
> 是現代人在說話。[25]

再借社會學的觀點看。你知道，宗法社會中是沒有「個人」的，一個人的存
在是為他的種族而存在的，一個女人是在為種族傳遞並繁衍生機的功能上而
厚在著的。如果她不能證實這功能，就得被她的儕類賤視，被她的男人詛咒
以致驅逐，而尤其令人膽戰的是據說還得遭神——祖宗的譴責。環境的要求
便是法律，不，環境的權威超過了法律。而「個人」偏偏是一種最柔順的東
西，在積威之下，他居然接受集團的意志為他個人的意志。所以，在生理
上，一個婦人的母性本能縱然十分薄弱，可是環境的包圍，欺詐與恐嚇，自
能給他逼出一種常態的母性意識來，這意識的堅牢性高到某種程度時，你便
稱它為「准本能的」，亦無不可。總之，你若想像得到一個婦人在做妻以
後，做母以前的幢憬與恐怖，你便明白這采芣苢的風俗所含的意義是何等嚴
重與神聖。

　　這樣看來，前有本能的引誘，後有環境的鞭策，在各種社會狀態之下，
凡是女性，生子的欲望沒有不強烈的。可不要把它和性的衝突混雜起來，這
是一種較潔白的，閃著靈光的母性的欲望，與性欲不同。雖然，除非你能伸
長你的想像的觸鬚，伸到二千五百年前那陌生得古怪的世界去，這情形又豈

25　同前註，頁205。

是你現代人所能領會的！[26]

　　在同樣前面已經提到的〈詩經的性欲觀〉中，聞一多寫到〈野有蔓草〉時，做了如下形容：

> 你可以想像到了深夜，露珠漸漸綴滿了草地，草是初春的嫩芽，摸上去，滿是清新的涼意。有的找到了一個僻靜的岩下，有的選上了一個幽暗的樹陰。一對對的都坐下了，躺下了，嘹亮的笑聲變成了低微的絮語，絮語又漸漸消滅在寂寞裏，仿佛雪花消滅在海上。他們的靈魂也消滅了，這個的靈魂消滅在那個的靈魂裏。[27]

這種生動的敘述，使讀者仿佛身臨其境，平添和層如夢如幻的浪漫之感。

　　類似的例子太多了，研究經學特別是研究《詩經》的學者對聞一多的這一特點十分熟悉。

　　聞一多的這種行文風格，與他的個人成長道路有很大關係。在清華學校，他開始是非常活躍的戲劇編寫者和演出者，辛酉級演出的第一個劇《革命軍》，就是他根據親歷武昌起義的感受創作的，後來學校成立專司戲劇演出的新劇社，他一直是主要負責人之一。五四運動後，他開始創作新詩，一發而不可止。他的《紅燭》，是中國新詩史上第七本詩集，而《死水》更是為他帶來上了格律派首領的光環。他去美國留學，攻讀的是西洋美術，而他所在的芝加哥美術，正是美國文藝復興運動的發源地，由於房東的熱情引薦，使他與不少大名鼎鼎的美國文藝復興運動領袖有過直接接觸。這種多元文化對聞一多產生的影響十分明顯。上面講到他的學術論文的幾個例子，就能感受到一種既是不拘一格，又將敘事和論證有機結合的風格。

　　聞一多的這種風格，拉近了與讀者的距離。今天，我們閱讀一些學術論文時，多少會有些難讀的感覺，讀與自己專業較遠的論文時尤其如此。因此，我想，在這講一下這個問題不是有必要。

---

26 聞一多：〈匡齋尺牘〉，收入《聞一多全集》，卷3，頁205-206。

27 聞一多：〈詩經的性欲觀〉，收入《聞一多全集》，卷3，頁172。

　　聞一多的學術研究，在經學方面除了《詩經》，還有《周易》、《春秋》、《爾雅》等。他在上古神話、楚辭、莊子、唐詩等領域的成果，也非常豐富。湖北人民出版社出版的《聞一多全集》，十二卷中絕大部分是學術研究果實。從這部目前收集聞一多著述最完整的書中，我們可以看到他的研究領域多麼廣泛，而且在方法上也使用了文藝學、語言學、歷史學、考古學、民俗學、人類文化學、心理學等新的理論。人們普遍認為，聞一多的治學，既繼承了中國樸學注重名物訓詁考據的傳統，又廣泛吸取了西方社會的各種學說。因此他的研究不僅考索賅博，紮實可信，並且大膽開拓，新見疊出。正因如此，朱自清聽到聞一多被刺的消息時，第一個反應是「中國學術的大損失」。

林義光《詩經通解》研究

邱惠芬

長庚科技大學通識教育中心副教授

一　前言

　　民國初年，援用金、石、甲骨等古文字學考證《詩經》中的古義，已是《詩經》學歷史發展的必然要求。隨著大量的龜甲與鐘鼎彝器出土，以及王國維提出以地下出土的新材料來補正紙上材料的「二重證據法」，所衍生思考出來的治學新取向，均較清儒從紙上材料考證論辨，更加具體且科學。

　　王國維〈毛公鼎銘考釋〉一文指出古器文字與文義本有不可盡識及強通的情況，所以，他提出四種方式：「考史事與制度文物，可幫助瞭解時代的情狀」、「本之《詩》、《書》，可推求其文義例」、「考古音可通假借」、「參照彝器可知字古今變化」等，供作研究[1]，深遠地影響了後來學者，具有啟導之功，例如林義光、于省吾、聞一多三人，在這方面都有突出的成就。其中，林義光《詩經通解》更是王國維之後，第一個大量採用古文字材料，全面訓釋《詩經》的專著。

　　考察三人《詩經》著作的研究，學界過去對於王國維、于省吾及聞一多的研究較為關注，但對於林義光的《詩經通解》則較少。此書是繼王國維之後，以古文字研究《詩經》，並唯一標注全文，通解全書的專著。目前臺灣學界僅有季旭昇先生〈析林義光詩經通解中的古文字運用〉一文，針對此書

1　王國維：〈毛公鼎銘考釋〉，《王國維先生全集》初編（四），收入《觀堂集林》卷2（臺北市：臺灣大通書局），同註33，頁4868-4869。

古文字在〈國風〉部分的運用情形，進行評析[2]，另外，陳文采《清末民初詩經學史論》論文略為敘述[3]。

　　林義光，字藥園，福建閩侯人，生卒年不詳，民初從事古籍研究的名家，也是殷墟發掘以前，最早研究甲骨文的學者之一，著有《文源》及《詩經通解》。《文源》一書十二卷，成於一九二〇年，目的在以金文確定文字本形、本義，《詩經通解》二十卷多據此書以說解《詩》義。《詩經通解》一書條理清晰，文字簡明，尤其能「徵引鍾鼎銘文，考證文字孳生通假之故，古書傳寫改易之迹」，探究詩義[4]。

　　聞一多《詩經新義》、《詩經通義》成於一八九九至一九四六間，而于省吾《澤螺居詩經新證》上卷由一九三五出版的《雙劍誃詩經新證》刪訂而成，中卷分別發表於《文史》第一、二輯的《澤螺居詩經札記》（1962年）、第二輯《澤螺居詩義解結》（1963 年），下卷則是已發表的的有關《詩經》考證的單篇論文，按聞、于二人撰著年代及引用林氏的說法[5]看來，成

2　李先生研析十三則中有四則是證成舊說，另外九則是提出與一般舊解不同的新說。（《第五屆近代中國學術研討會》，桃園縣：國立中央大學中國文學系，1994年），頁121-134。

3　陳文采：《清末民初詩經學史論》（臺北市：東吳大學中國文學研究所博士論文，2002年），頁318-323。。

4　洪湛侯：「書中條理清晰，文字簡明，然其書的特色，還在于徵引鍾鼎銘文，考證文字孳生通假之故，古書傳寫改易之迹，以探究詩義。」（《詩經學史》，北京市：中華書局，2002年），頁781。夏傳才：「該書最大的特色是徵引鐘鼎銘文，考證文字孳生通假之故，古書傳習改易之迹」（《二十世紀詩經學》，北京市：學苑出版社，2005年7月），頁120。

5　于省吾《澤螺居詩經新證》（北京市：中華書局，2003年）引林義光說法者，共有〈敬之〉「佛時仔肩」（頁60）、〈雨無正〉「淪胥以鋪」（頁85）、〈大明〉「會朝清明」（頁97）、〈文王有聲〉「維龜正之」（頁102）、〈詩履帝武敏歆解〉（頁137）等；聞一多引引林義光說法者，《詩經新義》有「今」、「墍溉介」、「命」等，詳見孫黨伯，袁謇正主編：《聞一多全集》第三冊（武漢市：湖北人民出版社，1993年），頁275、277、281；《詩經通義·甲》之〈摽有梅〉、〈小星〉、〈日月〉、〈小雅·谷風〉等，詳見孫黨伯，袁謇正主編：《聞一多全集》第三冊（武漢市：湖北人民出版社，1993年），頁329、332-333、354、372；《詩經通義·乙》之〈葛覃〉、〈桃天〉、〈君子偕

於一九三〇年的林義光《詩經通解》，可說是繼王國維之後，開啟于省吾、
聞一多以古文字研究《詩經》的先聲[6]。

　　本文考論者，主要有三：一則考察林義光的解詩立場觀點，次則探究
《詩經通解》解詩的方法，再者歸納《詩經通解》的解詩特色及影響，以見
林義光在民初《詩經》研究影響的學術證據，解答並驗證學術史上對於林義
光的論斷，期對民國初年變動中的經學有更深一層的認識。

二　《詩經通解》的解詩體例與觀念立場

　　《詩經通解》一書體例，正文前有「序」文自述著作梗概；「例略」一
篇揭示詩觀；「詩音韻通說」表明音韻觀點。「正文」二十卷，則詳列詩句，
於字音收元音與輔音者，用羅馬音標表示。每章引列舊注、前人說法，以明
詞訓、讀音。每篇之後，分列「篇義」、「別義」與「異文」。「篇義」選錄諸
家說解，多以《詩序》為根據。「別義」於《序》說及前人說解不同之處，
發明己見。「異文」臚列各家文字異同，供作參考。

　　在駁正《序》說與前人說解的「別義」方面，經統計「國風」有三十
首，「雅」詩四首，「頌」詩七首。其中，或以指涉對象不同而分野，如〈葛
覃〉一詩，林氏以為非后夫人之事，所以「古法不踰境則可以歸寧」[7]。又
如〈有女同車〉一詩，林氏以為此詩與〈山有扶蘇〉、〈蘀兮〉、〈狡童〉諸篇
《序》說皆以為刺忽而作，然觀詩中則全無此意。他舉了《左傳》六卿為韓

老〉、〈碩人〉、〈豐〉、〈蟋蟀〉、〈綢繆〉、〈鴇羽〉、〈七月〉、〈小雅‧谷風〉、〈杕杜〉、
　　〈采芑〉、〈庭燎〉、〈我行其野〉、〈小弁〉、〈大東〉、〈車舝〉、〈苕之華〉等，詳見孫黨
　　伯，袁謇正主編：《聞一多全集》第四冊（武漢市：湖北人民出版社，1993年），頁
　　15、21、119、153、209、248、257、262、329、342、348、372、379、382、398、
　　403、414、418、419、429-432、440、451。

6　橋川時雄：《中國文化界人物總鑑》（北京市：中華法令編印館，1940年）一書以林義
　　光《詩經通解》是《澤螺居詩經新證》的先聲。

7　林義光：《詩經通解》（上海市：中西書局，2012年），頁5。

起賦詩以觀鄭志，證明《序》非[8]；或參考禮制以別其非，如〈野有死麕〉，林氏以昏禮無用死麕之事，《傳》、《箋》「分其肉」的說法，不近情理，其說不通[9]；或以《序說》不符《詩》義而別識，如〈草蟲〉一詩，林氏考察詩義，全無以禮自防之意，《序》說顯然不可從[10]等等。

　　《詩經通解》此書乃自一九二〇年發表《文源》以來，殫精竭慮，歷十年而成之作。名為「通解」，旨在通曉歷來傳讀《三百篇》的晻昧難懂之處，除甄擇舊說之外，另增益出土等古文字材料，補正從來說解的違失之處。清儒高郵王氏父子、俞樾的卓絕成就，最受林義光重視，此引用清儒意見最多者為高郵王氏父子，其次是俞樾，再者為馬瑞辰[11]。

　　《詩經通解》一書的解詩觀念立場，約有六端：

（一）欲究詩義，必由古音、古字求之

　　　　夫《詩》之難讀，既由今昔詞言殊致，則欲究《詩》義，自必於古音
　　　　古字求之。往者毛、鄭說詩，猶本斯法；惟其用之未密，是以疑滯罕
　　　　宣。及清代經師講求音聲故訓得其義例，博辨精覈，超漢儒而上。之
　　　　而高郵王氏、德清俞氏，尤為卓絕，剖析一義，往往昭若發矇。然詮
　　　　釋未及全經，其所蓄疑，猶不可勝紀，豈其識有不逮歟？蓋諸先生雖
　　　　明於古之語言，而獨未習其文字。則於古書未能暢讀，亦時為之也。
　　　　（《詩經通解·序》）[12]

林義光以詩之難讀，在於古今詞語的不同，唯有求古音古字，才能求得詩義。對於清儒講求音聲故訓的成就，他認為即便像高郵王氏父子、俞樾之卓然有成，在《詩經》的研究著述上，也僅是摘錄章句，擇一訓釋，未及全

8　同註7，頁97-98。

9　同註7，頁27。

10　同註7，頁17。

11　同註7，《詩經通解·序》，頁1。

12　同註11。

書，令人疑惑。考究原因，他猜測應當是才識有限，力有未逮的緣故。在他看來，前人雖然明瞭古代語言，但卻不能在古文字上下工夫，以致無法暢讀古書，十分遺憾。而他身處三代器物逐漸出土的時代，有幸躬逢其盛的他便冀望能以新出土的材料，結合清儒音聲故訓的研究成果，進一步爬梳文字孳生通假，傳寫改易的變化，以改正前人之錯謬舊說。

（二）欲達先聖玄意，須明瞭文字孳生通假與古書傳寫改易

> 輓近三代器物日顯於世，學者始得見真古文，由之以博稽精思，合以清儒所得音聲故訓之端緒，則文字孳生通假之故，古書傳寫改易之迹，憭然易明。羣籍之泯泯棼棼者，至是始可得其統紀，將欲達先聖之玄意，曉真其言於氓庶，今其時矣。（《詩經通解・序》）[13]

林義光主張在三代器物逐漸出土、真古文得以見到的時代，學者應當把握這些可貴材料，結合清儒音聲故訓的研究成果，互相發明，使文字孳生通假的原委以及古書傳寫過程中的改易情形，通曉明白，以解決經籍治絲益棼的困境，通達先聖旨意。

（三）賦比興之名體，屬於句不屬於篇

> 風、雅、頌之別，存乎聲歌；與詩之言辭別為一事。……若賦、比、興之殊體，則非言辭莫屬。鋪陳其事謂之賦，取譬於物謂之比，斯灼然矣。至毛公述《傳》，於百十六篇標以興體，則興之與比，多不可分。而淮南王安亦謂〈關雎〉興於鳥，〈鹿鳴〉興於獸。夫以感物造端，比、賦間出，輒謂之興，是必通篇曲譬，不入本言，如〈匏有苦葉〉、〈鴟鴞〉者，乃可稱比；求於全詩，何可多覯，而煩專立此稱？其一章之中，前比後賦者，特名曰興，又何贅也！竊謂賦、比、興之

---

13 同註11。

名體，屬於句不屬於篇。三者之間，必存顯別。蓋《詩》者情發於中而形於言，於是有嗟歎，有咏歌。咏歎之不同於賦，猶賦之不同於比也。如「彼美人兮，西方之人兮」、「懷哉懷哉，曷月予還歸哉」、「優哉游哉，亦是戾矣」、「於乎！前王不忘」皆非平鋪直敘之語，而有壹倡三歎之音，斯為興耳。故雎鳩、喬木、氾、渚、風、霾，比也，非興也。悠哉悠哉、云何吁矣，興也，非賦也。〈大明〉之詩曰：「矢于牧野，維予侯興。上帝臨女，無貳爾心」，是則奮撱激越之語，其體為興，有明徵矣。斯說也，與前世而異撰，初未謂為必然，惟賦、比、興三者非是，則難於離析，聊載於此，俟覽者擇焉。(〈例略〉)[14]

撰作《詩經通解》之初，林義光自述對於賦、比、興，並沒有特別研究。後來，發現不明白作《詩》方法，便難以解讀《詩》義，才開始琢磨。他主張賦、比、興應以句子來分辨，而不是以篇章也就是整首詩來區分。所以，「關關雎鳩，在河之洲」(〈關雎〉)、「南有喬木，不可休思」(〈漢廣〉)、「江有氾，不我以」(〈江有氾〉)、「終風且霾，惠然肯來」(〈終風〉)等平鋪直敘的詩句，是比而不是興。反倒是「悠哉悠哉」(〈關雎〉)、「云何吁矣」(〈卷耳〉)、「矢于牧野，維予侯興，上帝臨女，無貳爾心」(〈大明〉)等激越的語氣及奮揚的心情，才是所謂的興。

　　一般而言，興體結合了發端與譬喻的功能，是詩人見到某一景、物，觸動情思，發言為詩的創作過程，是人與自然對應下的一種顯現。這種「感物造端，比、賦間出」的方式，選擇的形象不具有必然的邏輯關係，其多義性、暗示性的語言最耐人尋味。重點在於烘托、象徵情緒，調節韻律，喚起感情，力求情調的一致性。但林義光認為這樣的方式是比而不是興。他以〈匏有苦葉〉、〈鴟鴞〉二詩為例，說明一章裡前比後賦稱為興的情形，實過於冗贅失當。

　　林義光以「一唱三歎」為千百年來繁複的興義作出折衷的論點，簡化有餘，迥異前人，但卻相對削弱《詩經》中興義之委婉曲說與靈思巧妙，值得

---

14 同註7，《詩經通解‧例略》，頁1-2。

商榷。同時在他看來是比而不是興的句子，若按照他的思維理路來看，更像
是賦。

（四）以遺存文物證驗古事

> 文章有異於古言，或代異時殊，而語相因襲，其文其事弗協於本始者
> 必多矣。錄而傳之，以見古來未墜之文，僅此而已。非謂存者皆可
> 信，不信者則不可存也……近時學者，追趨逐嗜，輕詆古書，儕六籍
> 於野言，造游辭為史實。以此為治學之隆軌，亦誤之甚者矣。嘗試論
> 之，書固不可盡信，要亦不可盡疑。近世言古事者，莫若以遺存之物
> 為證驗，諸彝器載車服之賜詳矣……〈例略〉）[15]

林義光以孔子的述而不作、信而好古為典範，並以「敏求信述」自許，面對
與群經記載不相符合的事證及言論時，採存錄不廢、不偏的態度。他主張以
遺存的古文物為證驗的依據，並參覈諸彝器銘文，詳加證明。他舉了〈邾公
鐘〉銘文為例，說明〈草蟲〉終、蟲古音相合，陸終乃陸融之孫，確有其
人，乃邾國曹姓先祖。此外，也舉例〈靜敦〉銘辭證明漢代博士以辟雍為學
校的說法。

（五）貴君賤民之說，曲解溫柔敦厚

> 《詩》之至者，〈國風〉好色而不淫，〈小雅〉怨傷而不怒。夫好色而
> 不淫，斯無邪之極則。若怨傷而不怒，則有以為民族積弱之原者。以
> 余觀之，特皮相之論耳。夫好色而不淫者，止於禮也；怨傷而不怒
> 者，止於義也。義固不可以怒，又何弱乎？至於義而怒者亦有之矣。
> 「如火烈烈，則莫我敢遏」，此湯之怒也……他若苛政猛於虎，為民
> 父忍於率獸食人，為之民者，銜真俎之痛，懷覆舟之思；則怨與怒皆

---

15 同註7，《詩經通解‧例略》，頁2。

其義矣。秦漢以後，貴君賤民之說，習於人心，儒生固於為《詩》，每謬託溫柔敦厚之辭，以深泯沸羹慰囂之迹。如〈揚之水〉篇致嫉平王，而曰「彼其之子」；〈唐‧羔裘〉「將覆其主」，而曰「豈無他人」；皆文詞之易曉者，而必為之曲解，使無怨讟乃已……此皆末師之陋，要非《詩》意本然。學《詩》者先明乎此，則知三代盛時政體之良，人君皆以敬民畏民為治，與後世帝者僅以愛民為善政迥不同也。(〈例略〉)[16]

林義光認為〈小雅〉中民怨激憤沸揚的心聲，過去在貴君賤民的思想觀念下，往往被轉移或假託成溫柔敦厚的說法，成為後人譏諷民族積弱本原的依據。因此，他主張說《詩》應還原人民本色，即使像「怨傷而不怒」的詩作，也仍然以義為基礎，故毋須假託溫柔敦厚之辭，刻意壓抑及泯滅人民怨怒的心聲。

（六）三百篇多錄婦女之作，不宜詆毀女性，為害國俗

古昔教人，不專主學校，人才之生，風俗之成，多由於父詔其子，兄勉其弟。故女子之習教於教化，與國之髦俊無以異焉。《三百篇》中，多錄婦女之作。目〈葛覃〉、〈汝墳〉以逮〈小明〉、〈白華〉，婉孌篇章，文質之美，與哲夫所成難分高下。而考其時俗，尊慕女子，奉之若師保，有為意想所不及者……其女子之於郎人，亦或若師保之臨其弟子……後儒說《詩》不窹乎此。於〈斯干〉篇「無非無儀」一語，竟以女子不可為善解之，是直以有其思變之儔不列於人類矣。顧於南國婦人，屢褒之曰不妒忌；於鄭、衛女子，概詆之曰淫。考於經文，或未有其一字，皆儒生挾其輕女之見，瞀亂本真爾。昔之贊《易》者，於〈咸〉曰：「男下女」；於〈家人〉曰：「男女正」。等是為人，理相匹敵，厥意可知。而兩千年積習，獨使為女子者德慧陵

夷，罕能自拔，豈非經術之階屬也。余觀舊說茲經，頗多謬戾，而尤
以此為害國俗，故具論之。(〈例略〉)[17]

林義光考究古代時俗，實尊慕女子才德，無異於髦俊良士。《三百篇》多錄
婦女之作，如〈東門之池〉、〈車轄〉等詩，皆讚譽賢女化導君子，達識盡
責，令人景仰。但後儒輕詆女性，每以樂淫概指鄭衛女子，不甚恰當。他認
為謂男女對等，理相匹敵，是中國傳統善良風俗，不容變易。

三　《詩經通解》的解詩方法

(一) 據古音以通解詩義

林義光對於音韻的重視，從《文源》「古音略說」與《詩經通解》「詩音
韻通說」二文，可略窺一斑。在他看來，確立《詩》的音韻，掌握音讀，訂
正傳寫訛變是通解《詩》義的重要方法。

首先，在《文源》「古音略說」中，他依聲母、諸書異文、聲訓、《說
文》重文、《說文》聲讀等五種方法，推定古音通例；並定古雙聲之法（以
一語之轉定及連語定雙聲）及古疊韻之法（以古書有韻之文及連語定疊韻）。
認為在這三個準則下求通古音，即使小有出入，也是屬於通轉的範圍[18]。而
通轉有定例，本音亦有常居。

其次，世殊言雜，剖析愈密，反而錯誤愈多，如《三百篇》的用韻，便
是其例。所以，他主張論《詩》不講四聲，反而較清楚明白。

再者，《詩經通解》「詩音韻通說」中，說明了標音讀、用韻的準則。

---

17 同註7，《詩經通解・例略》，頁3-4。

18 林義光《文源》：「世異言雜，不可一概斟量，大抵剖析愈密，而牴牾亦愈甚。如三百
篇用韻，四聲亦頗以類相從，而錯迕者多，則不言四聲為勝，韻有歌麻，紐有輕脣重
脣有舌頭舌上有齒頭正齒本易混淆，於古尤多不別。則併為一部，始得其原，至於通
轉有定例，本音有常居，舉其大綱，弗能紊也。」（上海市：中西書局，2012年），頁
21。

文字之讀音，作《詩》之時有與近今顯然不同者……皆可於《詩》之用韻見之。由此可證，古今語音多所變易，《三百篇》詩雖非一時一地之作，在當時則字有定音，舛牾極少。蓋作詩之時，華夏語言較今日為整齊畫一也。[19]

語音隨著時代的不同而有所變易，但在他看來，非一時一地之作的《三百篇》，在當時是有定音的。所以，他提出七個主張：

第一，形聲字孳生之字，必與其聲母同音，並可見於《詩》的用韻上[20]。

第二，《三百篇》用韻可分古音若干部，同部之字用韻可相通[21]。

第三，由《三百篇》之用韻，又知陰聲、陽聲皆自相配合[22]。

第四，《詩》中常以入聲與陰聲通韻，而不與陽聲相通[23]。

第五，《詩》之用韻不以平上聲為分界[24]。

第六，形聲之字，古皆與聲母同音，且聲母無齒頭、正齒之分[25]。

第七，古音某字屬某紐，頗與今音不同。故紐音之擬定，必須廣採文字之聲訓，群書之異文，以為例證[26]。

茲就以下幾則訓例，以見林氏據古音通解《詩》義的情形。

---

19 同註7，《詩經通解・詩音韻通說》，頁1。

20 同註7，《詩經通解・詩音韻通說》，頁1。林義光同時此條變例者，有〈正月〉、〈緜〉、〈皇矣〉、〈行葦〉、〈鄘・柏舟〉、〈伐檀〉、〈秦・黃鳥〉、〈我行其野〉、〈正月〉等詩，然終究為少數。

21 同註7，《詩經通解・詩音韻通說》，頁2。林氏並將《三百篇》用韻分成二十七類，區劃為三：一為陰聲，其字音皆收於元音；二為陽聲，其字音皆收於輔音；三為入聲，其字音亦收於輔音而較為短促。」

22 同註7，《詩經通解・詩音韻通說》，頁2。

23 同註7，《詩經通解・詩音韻通說》，頁5。

24 同註7，《詩經通解・詩音韻通說》，頁8。

25 同註7，《詩經通解・詩音韻通說》，頁9。

26 同註7，《詩經通解・詩音韻通說》，頁9-10。

1 〈出其東門〉「縞衣綦巾，聊樂我員」

> 員，《廣雅》云：「有也」。按：有謂之員者，員（圓）口（圓）雙聲對
> 轉，而義相近。口與厶同字。說見《文源》。自環為厶，即私字則口亦私
> 有之義也[27]。

　　林義光以員、口雙聲對轉，訓「員」有私有之義，與王引之《經傳釋
詞》釋云為語詞的說法不同。今考察《文源》，員字從口從鼎，實圓之本
字[28]。至於口字，其云：

> 韓非曰：「倉頡作字，自營為厶。」按公字篆从厶，古作𥝅，从口。
> 見公字條則口與厶同字，自圍亦私有之義。厶今字以私為之。口、厶疊
> 韻，口音轉為厶，猶惠音穗也。《韓非子》「自環者謂之私」〈五蠹〉字
> 惟作口，乃得云自營自環也。營古音與環近而通用。〈羽獵賦〉「禁御所營。」
> 營，環也。[29]。

今參覈詩文脈絡，訓員為私，無妨詩義，應當可從。

　　此外，〈正月〉一詩，尚有「無棄爾輔，員于爾輻」與「洽比其鄰，昏
姻孔云」二員字。前者標以員、圍雙聲對轉，讀為圍；後者則標讀為圓，釋
為圓滿。如：

> 云讀為圓。古圓、云字皆作員。鄭玄〈玄鳥〉箋云：員，古文云。此詩員字
> 義本為圓，後人誤寫為云也。襄公二十九年《左傳》「子大叔引『協
> 比其鄰。昏姻孔云』」，而釋之云『晉不鄰矣，其誰云之？』云亦圓之
> 義。」[30]

林氏依照《左傳》引詩，證明云字當為圓的意思。今作云字，乃後人誤寫。

27　同註7，頁103-104。
28　同註18（卷4，頁11），頁170。
29　同註18（卷3，頁11），頁145。
30　同註7，頁222。

而據《文源》「員」字所云：

> 《說文》云：「員，物數也。从貝口聲。」按：古作 █〈員父尊彝〉，
> 从口从鼎，實圓之本字。▲，鼎口也。鼎口圓象，省作 █〈員父
> 敦〉。[31]

〈員父尊彝〉、〈員父敦〉等古文字材料，則可佐證「員」為「圓」的本字。
若此，與上句「洽比其鄰」合而解釋，似乎不如高本漢釋為芸（云為芸之省
體），謂眾多親戚來得恰當[32]。

2 〈蟋蟀〉「好樂無荒，良士休休」

> 休休，自斂制之意也。《爾雅》：「瞿瞿、休休，儉也。」儉為斂之借
> 字。《說文》：「逑，斂聚也。」斂又謂之收，收古音亦如逑。收從丩得
> 聲，丩求古同音。休，古文從求得聲。說見《文源》。則休、逑古亦同音
> 也。凡言休止者，亦以斂制為義。良士休休者，謂娛樂之時，心有儆
> 惕，自斂制之毋使大過也[33]。

林義光從收、求、休古同音，《文源》並引〈格伯敦〉、〈頌敦〉，證休字「从
人，求省聲」[34]，「休休」有自我收斂約束的意思。按《傳》訓休休為「樂
道之心」，與詩上章「良士瞿瞿」、「良士蹶蹶」等句，意義不合。今林氏以
古音通解「休休」為自我約束要求，較為允當。

---

31 同註18（卷4，頁11），頁170。
32 高本漢以「云」是「芸」的省體，認為《詩經》中只用聲符而略去義符的省體字是很
　　普通的。而且，這和下面「念我獨兮」的「獨」字，正好成對比。(《高本漢詩經注
　　釋》，臺北市：國立編譯館，1979年)，頁538。
33 同註7，頁121-122。
34 同註18（卷11，頁8），頁398。

3 〈正月〉「有皇上帝，伊誰云憎」

> 憎讀為贈，古贈賞字作曾尚。說見《文源》。曾與尚亦一聲之轉，古人
> 凡賞賜可謂之曾。《詩》作憎者，傳寫由曾字改成也。「伊誰云贈」蓋
> 謂有皇上帝將降賚何人使之定亂乎？[35]

　　林義光以曾、尚一聲之轉，訓「憎」為「贈賞」，並從《文源》引《艮
敦》為例證，說明曾是贈的古文。今詳察《文源》「尚」字下云：

> 凡贈賞者以自有之物增加於他人所有之物，故曾古層字增字、尚皆可
> 訓為加，曾、尚亦一聲之轉。故曾為詞與嘗尚聲同義[36]。

故「伊誰云憎」與上句通讀，似有呼天哀告上天賜贈賢人以平定亂事的意
思。若此，雖相較釋為憎惡的語氣不同，但無妨全詩大義，當可從之。

4 〈緜〉「緜緜瓜瓞，緜民之初生」

> 民，古萌字，民、萌一聲之轉。說見《文源》。《詩》以瓜瓞喻周之子孫
> 緜延，而溯其萌芽初生之時，即自杜以遷漆。蓋周之興，始於后稷居
> 邰。杜即邰地。是周之萌芽生於杜也。漆即豳地。公劉由邰遷豳，仍
> 在萌芽初生之時。故云緜緜瓜瓞，萌之初生自杜徂漆也。及太王由漆
> 岐，傳之文王，則周業漸大，如由萌而瓞，由瓞而瓜矣。瓞，小瓜也。
> 〈生民〉篇「厥初生民，時維姜嫄」生民亦即生萌。舊解民為周民，
> 則幾以后稷子孫而外不復有人民矣。[37]

林義光此訓利用民、萌聲轉，訓民為萌。《文源》書中除了引用《說文》：
「𡧛，眾萌（𡰣）也。从古文之象。」的說法外，並引〈齊侯鎛〉𡨄及〈洹

---

35 同註7，頁136。

36 《文源》：「凡贈賞者以自有之物增加於他人所有之物，故曾、尚皆可訓為加。曾、尚
　亦一聲之轉，故曾為詞，與嘗同義。」（同註18，卷10，頁19-20），頁361-362。

37 同註7，頁306。

子器〉等象草芽之形的古文字，證明「民（臻韻）」當為「萌（陽韻）」的古文，音轉為萌，亦轉為氓（陽韻）[38]。若此，於詩句並無異解，當可從。

5 〈皇矣〉「帝作邦作對，自大伯王季」

邦讀為奉，邦、奉皆从丰得聲，古為同音；而奉金文作䎒，又與邦形近，故傳寫者譌作邦字也。奉、對猶對揚，諸彝器每言對揚，而〈召伯虎敦〉云：「奉揚朕宗君其休」，是奉亦對揚之義。《書・雒誥》云「奉答天命」，奉答亦即奉對矣。〈陳侯因齊敦〉云「答揚厥德」，是對亦作答。帝作奉作對自大伯王季者，言太伯王季始對揚天休也。《廣雅》云：「作，始也」。天之休命將在文王，而非太伯王季之友愛，則文王不得嗣立，故以太伯王季為奉答天命之始[39]。

林義光主張「邦」讀為「奉」，有三個理據：第一，邦、奉二字古同音，皆从丰得聲；第二，考釋金文，奉、邦二字形近；第三，奉對意即對揚，諸彝器每有「對揚」二字，如〈召伯虎敦〉、〈陳侯因齊敦〉等。所以，他推論今作「帝作邦作對」，乃傳寫者譌作。若此，詩句就解成奉答天命就從大伯王季開始。與邦作國家解釋，並無太多差別，此例可從。

6 〈節南山〉「不弔昊天，不宜空我師」

不弔，不淑也。金文叔字皆借弔字為之。叔、弔，雙聲旁轉。故淑亦通作弔。《書・費誓》「無敢不弔」。《史記・魯世家》作「無敢不善」。襄十六年《左傳》「旻天不弔」。鄭眾注《周禮・大祝》引作「閔天不淑」，是弔即淑也。《詩》言尹氏宜俾民不迷，不宜空窮我

---

38 同註18（卷1，頁14），頁69。

39 同註7，頁318。

眾。其稱不淑昊天，乃痛傷歎嗟之詞。[40]

林義光以叔、弔二字雙聲旁轉，故相通，其並援引諸書文字，證明「不
弔」、「不善」、「不淑」皆同義。《文源》引〈豆閉敦〉古文字，證明弔皆以
為叔字，且叔字幽韻，弔字宵韻，雙聲旁轉。此訓合於詩義，並可與王國維
〈與友人論詩書中成語書〉以「不淑」二字為成語，謂古多用為遭際不善之
專名，不弔亦即不淑不善的說法，相互發明[41]。

7 〈王・黍離〉「悠悠蒼天，此何人哉」

> 人讀為仁。人、仁古字通。蒼天何仁，猶言昊天不惠，不弔昊天也。不
> 弔即不淑。〈四月〉篇云：「先祖匪人（仁）」，蓋人疾痛慘怛之時，於天
> 於祖不無譙讓。故〈雲漢〉亦云「先祖于摧」也。摧讀為譙，說詳彼
> 詩。[42]

林義光以人、仁二字古字相通，而訓〈黍離〉與〈四月〉二詩之「人」為
「仁」。前者於詩義，似不妥當，至於後者，則無妨詩義。
大抵而言，《詩經通解》以多以雙聲對轉、旁轉通解詩義，時有新解，異於
前人。今扣緊上下詩文脈絡，加以查驗，無妨詩義者，當可聊備一格，供作
參考。過於繁冗曲說者，理應棄除。

（二）據古文字以通解詩義

　　茲就以下幾則訓例，以見林氏據古文字通解詩義的情形。

---

40 同註7，頁214。

41 同註1，頁81。

42 同註7，頁51。

1 〈王風·揚之水〉「懷哉懷哉，曷月予還歸」

> 月當作夕。月、夕兩字古文不甚分別。〈尤盂〉「唯五夕初吉」，五夕，五月也。〈曆
> 尊彝〉「其用凤月將享」，凤月，凤夕也。夕，古釋字也。說見〈載驅〉篇「齊子
> 發夕」。曷釋予還歸，何時釋我還歸也。《詩》中曷字皆訓為何時，不
> 訓為何；而何月謂之曷月，古今曾無此言也[43]。

林義光引用〈尤盂〉及〈曆尊彝〉的材料，佐證月當作夕。由於夕是古釋
字，所以，此詩「曷月予還歸」當解作「何時釋我還歸」。他並以《詩》中
「曷」字常訓為何時，不訓為何，由古至今從無何月釋曷月之例。今查驗詩
文脈絡，無妨於詩義，當可從。

2 〈正月〉「憂心慘慘，念國之為虐」

> 國讀為或，古文國字多作或，如〈毛公鼎〉之「喪我或」，〈宗周鍾〉之「畯保
> 四或」，或皆讀為國。《詩》中作國者，每由後人改之。惟此章之或字則
> 義本為或，不宜改作國也。念或之為虐，慮有為虐之人也。蓋沼水甚
> 淺，魚雖潛伏亦甚昭著，故常以有人虐害為憂也。作詩者之憂心似之
> 矣[44]。

林義光引〈毛公鼎〉、〈宗周鍾〉佐證古文國字多作或。主張《詩》中作國
者，多由後人改之。然此章之「或」義作「或」，「念國之為虐」的應釋「念
或之為虐」，所以，此詩不宜改作國，作「邦國」解。今查驗詩文脈絡，此
訓國為「邦國」或是「或」義，雖所指小異，然無妨詩義。

3 〈緜〉「古公亶父，來朝走馬」、〈大明〉「肆伐大商，會朝清明」

> 來當為黎。黎字古作𧆨。〈石鼓文〉𪍿字偏旁。省作𥞇。〈曾伯𪍿盙〉𪍿字偏

旁。形與來近，遂譌為来，黎朝猶言犁旦。《史記·尉佗列傳》「犁旦城中皆降伏」。即黎明也[45]。

林義光訓「來」為「黎」字。理由是黎字形與來近，遂譌為来。此詩「來朝走馬」應作「黎朝走馬」解，黎朝即犁旦、黎明。林氏並引《史記·尉佗列傳》：「犁旦城中皆降伏」為佐證。

　　清人俞樾自云年幼讀書時，即疑「來朝」二字，遂以〈小雅·彤弓〉「一朝饗之」及〈大雅·大明〉「會朝清明」為例，說明此詩「來朝走馬」當是「夾朝走馬」。《達齋詩說》云：

> 夫來朝者，從其未來之時計之也，猶曰明日耳，豈有追述百年以前之事而猶曰來朝哉？誠言來朝，則詩中必應及其先一日事，乃於「古公亶父」之下，不著一語，即曰「來朝走馬」，此語大有可疑。求之朱《傳》，不得其說，求之毛、鄭，仍不得其說，及作《群經平議》得一創解，終以無徵不信，刪而不存，今姑錄於此。竊疑来字乃夾字之誤，夾與甲通。《周禮》射鳥氏則以并夾取之。《注》云「夾讀為甲」。《尚書·多方》篇因甲於丙亂，《正義》曰夾聲近甲，古文甲與夾通，並其證也。夾朝者，甲朝也。〈大明〉篇「會朝清明」，《毛傳》曰「會，甲也」，會朝即甲朝也。〈彤弓〉篇「一朝饗之」，《傳》曰「一朝猶早朝」。夫經既言朝，其早不待言矣。此早字乃甲字之誤，說詳《群經平議》。甲為十日之首，引申之為第一之稱，故毛公云「一朝猶甲朝」。甲朝之稱蓋當時常言也。「會朝清明」者，一朝清明也。「夾朝走馬」者，一朝走馬也。夾乃甲之假借而來，又夾之誤字耳。《楚辭·哀郢》篇「甲之鼂吾以行」，此正襲詩人甲朝走馬之義，且可證甲朝之為古人常言矣[46]。

由於作《群經平議》時未有旁證，故刪而不錄；其後作《達齋詩說》，俞氏

45　同註7，頁308。

46　俞樾：《春在堂全書》（光緒25年重訂本，環球書局），頁1365-1366。

方才補上《周禮》及《尚書》中夾、甲二字聲近之例，以證諸「來朝」二字
之疑。但這樣的說法，則被于省吾否定：

> 按：朝、周古音近字通……然則「來朝走馬」，應讀作來周走馬。謂
> 太王自豳遷于岐周，而養馬于斯也……三章云「周原膴膴」，正言來
> 周後見周原之膴膴也……自來說《詩》者以走馬為趨馬，不知如是
> 解，則成后世俚言矣。周初決無此等語例也。俞樾云：「豈有追述百
> 年以前之事，而猶曰來朝哉？誠言來朝，則詩中應及其先一日事，乃
> 于古公亶父之下，不著一語，即曰來朝走馬，此語大有可疑。」按：
> 俞氏之致疑，是也。然俞氏以來朝為夾朝，夾朝走馬者，亦所謂不知
> 而妄作矣[47]。

于氏以朝、周古音相通，「來朝走馬」應讀作「來周走馬」。俞樾以混「來朝
走馬」與「會朝清明」，訓「來」為「夾」，是為謬誤。

　　就詩義來看，〈大明〉一詩「會朝清明」四字，旨在說明武王伐商會戰
時的天地人和。「會朝清明」的「會朝」二字，歷來有釋為黎明、甲子日的
黎明、一朝、甲日的早上、天尚未大明之際、不終朝等六種說法。林義光的
看法，是把「會朝」二字解釋成早晨清明之時[48]，如《詩經通解》：

> 會朝清明，言適會早晨清明之時也。〈牧誓〉云：「時甲子昧爽，王朝
> 至于商郊牧野，乃誓。」〈周語〉「泠州鳩言武王伐殷，以二月癸亥夜
> 陳未畢而雨」。然則夜陳而朝誓師者，必以遇雨未獲畢陳，至朝而清
> 明乃復陳之也[49]。

---

47 于省吾：《澤螺居詩經新證》（北京市：中華書局，2003年），頁34-35。

48 季旭昇〈大雅大明會朝清明古義新證〉一文中，指出林義光的訓解雖持之有故，卻未
　能言之成理。按理〈大明〉一詩側重描寫周人滅殷的關鍵戰役，若只是說當日早晨天
　氣清明，未免詩義不夠完整。故此說雖不可取，但也不可全廢。（《詩經古義新證》，
　臺北市：文史哲出版社，1995年，頁132-134）。

49 同註7，頁306。

這樣的說法，被于省吾所接受[50]，但在〈緜〉詩的「來朝走馬」一句，林義光則認為是敘述古公亶父遷岐時，黎明驅馬勘察周地的說法。但于省吾則解釋「來周走馬」為說古公亶父遷岐於周，養馬於此。于氏訓來為周，顯然與「走馬」二字無法連義。不如林氏以形近訓「來」為「黎」允當。

4 〈常棣〉「常棣之華，鄂不韡韡」

> 鄂不，鄭玄云：「承華者曰鄂（萼）不當作柎。柎，鄂足也。」按：不字本義為萼足，象形說見《文源》。作柎者，後出字耳。凡花萼由萼片群集而成，萼片有尖細者，其末端分散同承一花狀如鼓架，是為萼柎，亦即萼足。不字三足雖向下，若承花之萼，則其足倒而向上，觀月季花之萼可得其形。萼足相比次以承花，猶兄弟協力以承家也[51]。

林義光以「不」字本義為柎，柎是後出字。柎字解為萼足，承載花片的主架，就好比是兄弟同心協力以持家。他並引《文源》說法佐證：

> 《說文》云：「⻊，鳥飛上翔不下來也。从一，一猶天也。象形。」按：⻊與鳥形不類，周伯琦云：「鄂足也。萼足謂之柎。不、柎雙聲旁轉。」《詩》「鄂不韡韡」《箋》云：「不當作柎，柎，鄂足也。」《左傳》「三周華不注」成二年山名華不注，亦取義於華柎[52]。

同時，他認為不為之韻，柎為遇韻，二字雙聲旁轉[53]。林氏的看法，顯然與清人沿用《鄭箋》的說法相近，但于省吾卻有不同的見解。其云：

> 戴震《毛鄭詩考正》謂「鄂不今字為萼柎」，陳奐《詩毛氏傳疏》謂「《藝文類聚》引《三家詩》作煒煒。不，語詞。」按：以上各種說

---

50 同註47，頁97。

51 同註7，頁179。

52 同註18（卷1，頁14），頁69-70。

53 同註18，「古音略說」，頁24。

法都不足以為據。清代學者多宗《鄭箋》之說，但是，首句為「常棣之華」，則下句所形容的對象當然要就華為言。以「鄂足得華之光明」為解，殊不知華本向陽面，如何能說「得華之光明」呢?今再以《詩》證《詩》，也足以駁倒鄭箋的臆說。《詩經》中咏「常棣之華」者，除此詩以外凡兩見，皆屬詰問語氣。〈何彼襛矣〉稱「何彼襛矣，唐棣之華」。唐、常古字通，唐棣即常棣。襛字系形容「唐棣之華」的盛多;〈采薇〉稱「彼爾維何，維常之華。」《毛傳》謂常即常棣。爾通薾，《說文》訓薾為「華盛」，是爾字也係形容「常棣之華」的繁盛。然則此詩之「鄂不韡韡」應該就是華言之，而非鄂柎甚明。鄂不猶言胡不、遐不，《詩》言胡不、遐不者習見。古讀鄂如胡，古讀遐為「公虎切」（見江有誥《廿一部皆聲表》）。鄂、胡、遐三字，就聲言之，并屬淺喉;就韵言之，并屬魚部。然則「鄂不」之可以讀作「胡不」是沒有問題的。「常棣之華，胡不韡韡」（《說文》訓韡為盛，《廣韵·上尾》訓韡為「華盛茂」），猶〈出車〉的「彼旟旐斯，胡不旆旆」，以「胡不旆旆」形容旟旐旒垂之盛，與此詩以「胡不旆旆」形容「常棣之華」的旺盛，其文法詞例完相仿。「胡不韡韡」係反結語，正言其韡韡。可是，自來說此詩者多宗《鄭箋》，讀鄂不為萼柎，把反結語改作華萼之名，詞義俱乖[54]。

于省吾的論點有三：第一，「鄂不韡韡」當承上句「常棣之華」而言，常棣之花本向陽，清人沿襲《鄭箋》以鄂足得花的光明，實不妥當。第二，〈何彼襛矣〉「何彼襛矣，唐棣之華」〈采薇〉「彼爾維何，維常之華」二詩，皆屬詰問語氣，在於形容常棣之花的繁盛。因此，本詩「鄂不韡韡」應當指花而不是指鄂柎。歷來解詩者，皆把詰語當成華萼之名，詞義乖戾。第三，〈出車〉「彼旟旐斯，胡不旆旆」的句子，可證明此二詩文法詞例相同。所以，「鄂不」即如「胡不」、「遐不」。鄂、胡、遐三字聲、韻皆可相通。

　　就全詩詩義看來，于省吾的訓釋，顯然較林義光的說法合理。

---

54 同註47，頁77-78。

5 〈天保〉「俾爾單厚，何福不除」

> 除者余之假借。余本義為賜予。說見《文源》。〈太保彝〉:「王衍太保，錫休余土。」余土者，錫以土也。今字作予，何福不予，賜以多福也[55]。《說文》云:「⟨圖⟩，語之舒也。从八，舍省聲。」按:余為語之舒，其說未聞。余本義為賜予，即予之或體。〈太保彝〉「王衍太保，錫休余土」是也。古作⟨圖⟩郘公華鐘，从口、八，與曾、尚同意……《詩》「何福不除」〈天保〉除蓋借為余，亦賜予之義。[56]

林義光以除為余，有賜予之義的訓釋，而且，他還引用了〈太保彝〉當佐證。今據馬瑞辰《毛詩傳箋通釋》訓釋「何福不除」，從《傳》訓與王引之訓為「開」，進一步引伸「開」猶「啟」、啟猶起，起猶興，且除、余古通用，余、予古今字,「何福不除」猶云「何福不予」[57]的說法看來，《詩經通解》是藉用古文字材料，用以證明前人舊注。

對此，于省吾的說法是這樣:

> 按除、余、餘古音近義通。《說文》:「除，从𨸏余聲。」《爾雅·釋天》:「四月為余。」《小明·箋》作「四月為除。」《周禮·委人》:「凡其余聚以待頒賜。」《注》:「余當為餘。」《周禮·夏官·職方氏》「昭餘祁」。《爾雅》作「昭余祁」。吳鍾山碑「父有余財」，即父有餘財。《呂覽·辨士》:「亦無使有餘」，《注》:「餘猶多也。」然則「何福不余」者，何福不多也。下云「俾爾多益，以莫不庶」，正申述單厚有餘之意也。次章云「降爾遐福，維日不足」，五章云「詒爾多福」，意皆相若也。《傳》、《箋》訓除為開，俞樾讀除為儲，均非達詁[58]。

---

55 同註7，頁184。

56 同註18（卷10，頁6），頁335。

57 馬瑞辰著，陳金生點校:《毛詩傳箋通釋》（北京市:中華書局，1989年），頁510。

58 同註47，頁18。

依全詩的意思來看，于省吾以除、余、餘古音近義通，訓「何福不余」即
「何福不多」，言亶厚有餘福，參照《傳》訓、王引之、馬瑞辰以及林義光
的說法，其實都可成訓，而不相違背。

6 〈雨無正〉「凡百君子，各敬爾身」

> 敬讀為苟。音亟。苟者，急也。《說文》：苟，自急敕也。各急爾身，謂各
> 以己身之事為急，不恤國難也。敬字古或通作苟。〈師虎敦〉「苟夙
> 夜」。苟即敬字也。此詩敬字本當作苟，傳寫者誤讀為敬，因改其字
> 矣[59]。

林義光引〈師虎敦〉「苟夙夜」，證明敬字古或通作苟。他認為此詩「各敬爾
身」應作「各苟爾身」，意即各以己身之事為急迫之事，與前人「儆戒己
身」的說法不同。他對「苟」字作「敬」的看法是傳寫者誤讀改字所造成
的。而這種傳寫者誤讀改字的情形，在《詩經通解》的訓釋裡，屢見不鮮。
如〈文王〉「常服黼冔」[60]、〈皇矣〉「憎其式廓」[61]等詩，林氏便引用敦、鼎
等古器銘文，證諸文字傳寫改易的現象，以通解詩義。

7 〈雨無正〉「雨無正」

> 詩名「雨無正」者，無正即正大夫離居之謂。雨，疑周字之誤。古金

---

59 同註7，頁228。
60 林義光云：「常讀為尚。常為後出字，古文本作尚。〈陳侯因齊敦〉：「永為典尚。」典
　尚即典常。是義為常者，字亦為尚也。此詩之常當從古文作尚，傳寫者誤改為常。」
　「黼讀為夫，黼亦後出字，古文以夫為之。〈伯晨鼎〉：「玄袞衣幽夫」，幽夫即黝黼
　（說見〈采菽〉篇）。此詩之黼，古文當亦作夫。傳寫者見與冔字連文，遂疑為黼字
　假借，而徑改為黼心。此夫字為語助詞，實非黼義，冔為殷冠，黼則非殷服也。」
　（同註7），頁302。
61 林義光云：「憎讀為增，增字古文作曾（說見《文源》）。此詩憎字，古文當亦省借作
　曾，今作憎者，傳寫改之也。曾雖可惜為憎，而在此詩則非憎惡之義。」（同註7），
　頁317。

文周字作囻，形與雨近，故誤認為雨字也。周無正謂周無大臣耳。
後《序》云：「雨自上下者也。眾多如雨，而非所以為政也。」說既
謬迂，且亦非此詩之意矣。[62]

此詩篇名，向來令人費疑猜。大抵上，《詩》的命名，皆摘取詩中的句子，
但是本詩命名卻無法求得。因此，林義光據古金文周字作囻，推測與雨字
形狀相似，而被誤認為雨。因此，「雨無正」當作「周無正」。

俞樾曾解此詩「雨無正」為「眾無正」，《茶香室經說》云：

> 愚按：〈雨無正〉名篇，自來不得其解，如《序》所言，亦甚迂曲。
> 疑此《序》有衍字。本云「雨無正，大夫刺幽王也，眾多如雨而無正
> 也。」此正字當訓長，古謂官長為正。《周禮・天官》序官「宮正」，
> 《注》曰「正，長也。官正主宮中官之長。」又《酒正・注》曰「酒
> 正，酒官之長是也。」《詩》云「正大夫離居」，《箋》云「正，長
> 也。長官之大夫，於王流于彘而皆散處。」此正大夫即《序》所謂正
> 也。王流于彘而正大夫皆散，是無正也。其下之官屬猶有在者，而其
> 長皆散去，則眾無正矣，故曰「眾多如雨而無正也」。雨無正猶云眾
> 無正，雨有眾義。〈敝笱〉篇首章曰「其從如雲」，《傳》曰「如雲言
> 盛也」。次章曰「其從如雨」，《傳》曰「如雨言多也」。三章曰「其從
> 如水」，《傳》曰「水喻眾也」。是雨與雲、水皆喻眾多。此《序》曰
> 「眾多如雨」與詩人之辭正合。後人不達其義，乃申說雨字，曰雨自
> 上下者也，又申說無正之義，曰非所以為政也。傳寫并入《序》中，
> 以意增刪，而《序》義晦，詩義亦晦矣。[63]

俞氏為證明《詩序》之「雨自上下者也」及「非所以為政也」為衍文，不從
前人訓正為政，援引《箋》訓「正大夫離證，訓《詩》「雨無正」之「正」為
官長。據〈敝笱〉篇《傳》訓以雲、雨、水喻眾多，義正與《序》文「眾多

---

62 同註7，頁229。
63 同註46，《茶香室經說》，卷3，頁5148。

如雨」相合，解「雨無正」為「眾無正」。今詩名篇「雨無正」乃傳寫謬誤。

　　自來說此詩者，多取《韓詩》為證，謂霪雨成姦，在上者無道，政治昏亂，如雨無極，傷我稼穡，而謂〈雨無極〉或〈雨無政〉[64]。俞氏以「眾無正」傳寫誤謬成「雨無正」，而林義光則由金文的周、雨二字形近，推測當為「周無正」，都是扣緊詩義而發，言之成理，然有待更多資料，予以輔證，方能確說。

8 〈十月之交〉「擇三有事，亶侯多藏」

　　三有事，即〈雨無正〉篇所謂三事大夫也。三事大夫從皇父徙居于向，而王朝遂無一老，與〈雨無正〉篇正大夫離居三事大夫莫肯夙夜情事相合，蓋二詩同時作也。三有事，三事。舊說以為三公或三卿，其實不然。〈雨無正〉先言正大夫，次言三事大夫。《書・立政》篇：「繼自今我其立政。立事、準人、牧夫。」先言政，次言事，又以事、牧、準並舉，謂之三有宅。其所謂政，即正大夫；所謂事，即三事大夫也。同篇，事牧準又謂之準夫牧作三事，是其證。凡官之長曰正說見〈節南山〉末章，三公即正大夫。《詩》、《書》言三事皆在正大夫以外，則三事非即三公明矣。〈毛公鼎〉於卿事寮、太史寮而外，又言參有司，其參有司即三事。近出〈周明公尊彝〉云：「保尹三事四方，受卿事寮」，於卿事寮而外，又言三事四方，與〈雨無正〉以正大夫三事邦君分言者正合。皆可見三事之不為長官。故胡承珙謂三事大夫為在內卿大夫之總稱；對下君句為在外諸侯之總稱，其說甚塙也。至何以列之為三，則〈周明公尊彝〉云：「舍三事命。暨卿事寮，暨諸尹，暨里君，暨百工，暨諸侯甸男，舍四方命。」舍命即錫命，說見〈鄭・羔裘〉

---

64 朱熹《詩集傳》引劉元城云：「嘗讀《韓詩》，有〈雨無極〉篇……比《毛詩》篇首多『雨無其極，傷我稼穡』八字，而董氏《讀詩記》引《韓詩章句》則作〈雨無政〉。范處義《詩補傳》以《韓詩》世罕有其書，或出好事者之附會。

篇。所云諸侯甸男既即四方，則三事分言之似即為諸尹里君百工矣[65]。

林義光以此詩「三有事」與〈雨無正〉的「三事大夫」相同，二首詩是同時期的作品。但他主張三事不為長官，原因有四：第一，〈雨無正〉一詩中先言正大夫離居，後言三事大夫，可見三事不為長官；第二，《書》中立事、準人、牧夫並舉，證明三事非三公；第三，〈毛公鼎〉的「參有司」為三事；第四，〈周明公尊彝〉言「三事四方，受卿事寮」，可見三事自別於卿事寮之外。據此，他認為舊說以三有事為三公、三卿的說法，是錯誤的。因此，依〈周明公尊彝〉的古文字，斷定三事似指諸尹、里君、百工，並駁斥胡承珙以三事大夫為內卿大夫的總稱。

對此，季旭昇先生〈澤螺居詩經新證述評〉一文，引用劉雨《兩周金文官制研究》及為證，並指出〈雨無正〉「三事大夫，莫肯夙夜；邦君諸侯，莫肯朝夕」詩句中的「三事大夫」與「邦君諸侯」相對，以及金文「三事」和「四方」對舉，來證明「三事」地位的崇高[66]。

大抵而言，《詩經通解》企圖據古器物銘文以證詞例、訂正傳寫誤謬及禮制歷史等，屢有新解。雖然用以佐證的論點，不盡周全，但卻也同時開啟有別於以往從故紙堆中找答案的一種新思維和新方法。

9 〈閟宮〉「三壽作朋」

　　朋，《說文》云：「佣，輔也。朋、佣同。」三壽作朋，言以三壽之人為輔佐也。任用老人以安國，《詩》、《書》中屢言之。如〈蕩〉篇云：「雖無老成人，尚有典型。曾是莫聽，大命以傾。」《書・文侯之命》云：「即我御事，罔或耆壽俊在厥服。予則罔克」之類是也。此詩自「黃髮台背」以下，始為祝壽之辭，而「保彼東方」至「如岡如陵」數語，則但言保國而與祝壽無涉。猶〈宗周鐘〉云「降余多福，

---

65 同註7，頁225。

66 季旭昇：〈澤螺居詩經新證〉，《語文、情性、義理——中國文學的多層面探討國際學術會議論文集》（臺北市：國立臺灣大學中國文學系，1996年），頁751。

福余□孫，三壽惟利，割（匄）其萬年，畯保四國。」言保國而不及壽。〈晉姜鼎〉云：「用祈綽綰眉壽，作惠為亟，萬年無疆。」此為祝壽之辭，而下文云：「用享用德，畯保其孫子，三壽是利。」亦言保孫子而不及壽也。解詩者徒見經有三壽二字，遂謂為祝壽考，則過矣。〈宗周鍾〉、〈晉姜鼎〉之利字讀為賴。利、賴一語而分兩音，賴古文作剌，與利同字，說見《文源》。三壽惟賴，三壽是賴，言依賴老壽之人以保國保孫子，與詩之「三壽作朋」同意，朋之言憑也。《韓非子·十過篇》公仲朋，《史記·甘茂傳》作公仲侈；徐廣曰侈一作馮，《藝文類聚》引六韜，九江得大貝百馮，《淮南子·道應篇》作大貝百朋，又暴虎馮河之馮，《說文》作淜，是朋、馮古同音。憑亦賴也。朋訓為輔，亦憑賴之引伸義耳[67]。

林義光訓朋為輔，以《詩》、《書》中多用老人輔國，故「三壽作朋」是指任用三壽之人為輔佐。其參證〈宗周鐘〉「三壽惟利」、〈晉姜鼎〉「三壽是利」等古文字材料，訓利為賴，指依賴老人保國保孫子，與此詩的「三壽作朋」同意。

　　對此，季旭昇先生舉出徐中舒〈金文嘏辭釋例〉駁斥《詩經通解》的說法，並根據另外二件銘文〈其中乍仲生飲壺〉及〈者減鐘〉，證明「三壽作朋」的三壽是「參壽」，指祝福人家如參星一樣長壽的意思[68]。

四　《詩經通解》的特色與影響

　　林義光撰述《文源》一書質教於通學，其後習《詩》，甄擇舊說，益以新知，十年後成《詩經通義》。《文源》乃林義光研究古文字的重要作品，大陸學者葉玉英在〈論林義光對古文字學的貢獻〉一文中，指出林氏古文字研究主要有兩方面，一是利用金文印證說文，一是從金文材料中摸索古文字

67　同註7，頁427-428。

68　同註48，頁150-154。

形、音、義演變的規律[69]。而《詩經通解》引用的理據，有大部分是取決《文源》的說法。詳考《詩經通解》全書引用金文的情形，「國風」部分計有詩二十七首三十二條，「小雅」部分詩二十二首三十條，「大雅」部分詩二十首四十二條，「三頌」部分詩二十首三十二條。因此，研究《詩經通解》必須重視《文源》裡的說法及意見。

綜言之，《詩經通解》一書特色有五：

（一）據古音古字探求詩義，說而有據

林義光借助出土的古文字，研究《說文》，考釋文字音義及傳寫改易之迹。《詩經通解》一書臚引諸家說解，得當不繁，雖所言未必成理，然其說必有根據。

如〈子衿〉「挑兮達兮」：

> 挑達，雙聲字，謂行不相遇也。《說文》：「𡲥，滑也。」「泰，滑也。」濯物於水，因其滑而有所脫除謂之𡲥泰，今字變作洮汰。𡲥泰即洮汰，說見《文源》泰字條。人往來不相遇，與滑脫之意亦近；故謂之挑達。說文訓𡲥為滑，訓達為行不相遇。引《詩》曰：「𡲥兮達兮」，是許君謂不相遇即滑脫也。挑達、𡲥達今字並作逃脫。挑、𡲥、洮、逃古同音，達、泰、汰、脫古同音。《詩》言日行城闕而不相見，故曰逃兮脫兮[70]。泰，脫也。即洮汰之汰本字。凡洮汰者，以物置水中，因其滑而脫去之[71]。泰從大聲，達從𢌳聲，𢌳又從大聲，故泰、達同音[72]。

---

69 葉玉英：〈論林義光對古文字學的貢獻〉，《福建師範大學學報》2004年第2期，頁90。另於《文源》的文字學理論研究》碩士論文中也指出：「林義光之所以能取得成功，《文源》不正是林義光運用古文字材料研究《說文》的成果，即使是在古文字研究處於鼎盛時期的今天看來，《文源》中的大部分說解都是正確的。」（福州市：福建師範大學碩士論文，2003年）。

70 同註7，頁64。

71 同註18（卷6，頁36），頁250。

72 同註18，〈古音略說〉，頁19。

此詩歷來解釋多沿用《傳》訓「往來相見貌」，如馬瑞辰引《左傳·成公二年》「楚師輕窕」，訓為「疾行滑利之貌」。林義光訓解「挑達」為「往來不相遇」，迴異前人，未能成理，然引用《說文》條例，訓「挑達」為「滑脫」之意，指二人日行於城闕，卻逃脫不得相見，以及《文源》云此屬於古音通例中的「以聲母定同音」等說，皆有所根據。

此外，〈漢廣〉「言秣其駒」的「駒」字，及〈株林〉、〈皇皇者華〉二詩之駒同。此五尺以上、六尺以下之駒，後變稱為驕。《說文》引「駒」作「驕」。段玉裁《說文解字注》謂《詩》本作驕，今作駒者，乃俗人改字以就韻。林義光則指出諸詩之駒若易為驕，於韻不協。他並引金文〈伯晨鼎〉、〈兮田盤〉皆云「錫駒車」，證明駕車之駒與諸詩之駒字義合，故詩之駒字本不作驕，段氏的說法顯然不通[73]。

（二）通解詩義，擺落前人詩教迂說

《詩經通解》旨在「通解」前人說解難通之處，除了時殊世異，文字音形變易外，對於前人說《詩》多陷詩教迷障，曲說旁解，也進行批判。對於秦漢以後貴君賤民的思想習於人心，致使說《詩》者每每假託溫柔敦厚的說法，林義光表示，苛政無度、宛如率獸食人的暴君，人民無不銜怨懷怒怨，痛苦不堪，陋儒解詩強抑人情之常，實非詩之本義。所以，他勇於從詩句找線索，擺落前人迂曲婉說，以別義識之，並舉四詩為例[74]。

〈揚之子〉一詩，林氏遵從《詩序》的說法，以此詩為周平王東遷洛邑，派兵戍守申、許、呂幾個小國，以防備楚國侵略，人民思歸而怨，詩句「彼其之子」其實是在影射周平王。

〈唐·羔裘〉一詩，按《詩序》說法旨在諷刺在位之人倨慢可惡，「豈無他人」一句即人民百姓的埋怨心聲。

73　同註7，頁11-12。

74　同註7，《詩經通解·例略》，頁4。

　　〈小雅‧甫田〉一詩，按《詩序》說法乃是諷刺周幽王當政，倉廩空虛，政繁賦重，農夫失職，致使君子傷今而思古。「倬彼甫田，歲取十千，我取其陳，食我農人，自古有年。」的詩句意思是在稱揚豐收年歲，政府官員用倉庫裡的陳糧餵飽農夫們，是官民和樂融融的景象。但有人解讀是「貴族食新糧，農夫食陳米」的階級剝削，認為國君厲民以自養的苛政行為。

　　〈大雅‧靈臺〉一詩，按《詩序》說法是借百姓為周王建造靈臺、辟廱來說明文王有德，人民樂於歸附他，呈現的是文王與民偕樂的景象。然後世說詩者，卻以「眾民來攻，如子趨父事」解釋之。林義光指出：

> 自漢以後，說經者未嘗夢見古昔之盛治，以為民賤君貴，必無同樂之理，故趙岐注《孟子》以經始勿亟為文王不督促眾民，是文王雖寬假之，其民未嘗不勤苦供役，而後人又分三章為兩章，以上六句專言庶民之致，下六句專言文王之娛樂，於是臺池鳥獸仍為文王所獨有，偕樂云者徒為虛語，此詩之精意遂全失矣[75]。

因為「貴君賤民」的思想使人認為盛治君民和樂的景象是虛妄的，果如其言然，則整首詩的意思將失去了它的精義。他認為三代盛治，人君皆以敬民、畏民為治，此與後世帝王以愛民為善政，迥然不同。後人之固陋成見，絕非詩的本義。

　　另外，林義光對於〈鄭風〉歷來的說解，也很不以為然，而主張「燕好之語與淫詩有別」。他從《左傳》鄭國六卿餞行韓宣子時賦詩言志的情形，知道除了〈羔裘〉一詩，都是表示親好的意思，所以絕不可以淫褻的觀點來看待這些詩；而鄭詩中之〈山有扶蘇〉、〈狡童〉、〈東門之墠〉、〈子衿〉、〈揚之水〉等詩，察其辭意，也是燕好之語，說詩者應當就其詩之本文以觀詩義，毋須偏見曲說。〈靜女〉一詩，原為男女約會之辭，大旨為陳情欲以歌道義，故稱女為「靜女」，皆與溱洧間互相戲謔的女子有別[76]。

75　同註7，頁323。
76　同註7，頁54。

（三）巧妙利用甲骨文、金文等古文字材料研究《詩經》，為後世詩經研究開拓新方向

　　林義光研究《詩經》的方法，基本上與王國維是一致的。但是王國維研究的重點在史學，林義光則是著重在《詩經》字的音、形及詩義的本來面目。所以，利用甲骨文、金文等古文字材料說解《詩經》，仍是冀望求通詩義。大陸學者曹建國〈出土文獻與先秦《詩》學研究〉一文指出林義光最大的成就在於利用金文，或解字，或考證名物，或與《詩經》中的成詞、成語比較，精當之例，不勝枚舉[77]。他舉了林義光引用金文訓〈小雅‧甫田〉「攸介攸止」的「介」為「愒」的假借字[78]，以及引用〈毛公鼎〉訓〈大雅‧韓奕〉「榦不庭方」的「榦」為扞等二例[79]，證明林義光的訓釋一出，遂為定論，之後訓詁《詩經》者，無不提出回應。又如〈周頌‧時邁〉「時邁其邦，昊天其子之，實右序有周。」《毛傳》訓「邁」為「行」，後世多從其說。然林義光以諸彝器「萬年」多作「邁年」，而斷言「邁」讀為「萬」，此一說解較《毛傳》通順，今人高亨《周頌考釋》便採納這個意見，且進一步列舉六十一件彝器上的金文「萬」作「邁」的例證[80]。

77　參曹建國：《出土文獻與先秦《詩》學研究》（上海市：復旦大學中文系博士論文，2004年），頁75。

78　〈小雅‧甫田〉：「攸介攸止」一句，《鄭箋》訓「介」為「舍」，言百姓人民鋤作耘籽時，閒暇止息的廬舍。」清人陳奐《詩毛氏傳疏》則訓「介」為「大」。林義光《詩經通解》以「介」讀為愒。並引《說文》：「愒，息也」。林氏並以金文「以介眉壽」之「介」皆作「匃」。愒從匃得聲，故介、愒古同音。且據《書‧酒誥》「爾乃自介用逸」、「不惟自息乃逸」，證明「自介」即「自息」，「介」乃「愒」的假借字。（同註7，頁267）

79　〈大雅‧韓奕〉「榦不庭方」，古訓作「正」。林氏以為不妥，而引〈毛公鼎〉之「率懷不廷方無不閒」的說法，謂閒亦讀為扞。斷言《詩》之「榦不庭方」，榦、閒古同音。（同註7，頁379）

80　參曹建國：《出土文獻與先秦《詩》學研究》（上海市：復旦大學中文系博士論文，2004年），頁8。高亨以金文萬作邁者，有〈蔡大師鼎〉等二十七件；作彿者有十七

　　林義光的成就對於後來以古文字學研究《詩經》的于省吾，以及利用古文字作為文化闡釋和文學鑑賞的聞一多，都有相當影響的，此從于、聞二人著作中，引述林義光的意見，即可看出承襲之跡。

　　如《詩經新義》釋「墍溉介」條下：

> 金文乞取字多作匃，亦有作乞者，郘公纛鼎「用气釁壽萬年無疆」洹子孟姜壺「用气嘉命，」詩則多用介。匃介同祭部，乞在脂部，最相近故三字通用。匃乞皆兼取與二義，介字亦然。小明篇「介爾景福，」既醉篇「介爾昭明，」林義光並讀匃訊予，得之。今案雝篇曰「綏我眉壽介以繁祉，」綏讀為遺，尹篇「綏我思成，」林義光讀綏為遺，云「與烈祖篇『賚我思成，』義正相同也……[81]。

〈摽有梅〉釋「今」字條下：

> 林義光曰：「今讀為堪。堪字通作伣。」二十年《左傳》「王心弗堪」《漢書・五行志》作「王心弗伣」孟康曰「伣，古堪字。」又《說文》引《書》「西伯既伣黎」《爾雅》郭注引《書》作堪黎。伣亦後出字，古文省借，宜作今也。古今文伯作白，仲作中，祖作且，錫作易，並是其例。首章『迨其吉兮，』言於眾士而嫁之。此章則已以失時為懼，故曰『迨其堪兮，』言有可嫁者即嫁之，不暇審擇也。」案：林讀今為堪，是也，惟首章之吉既謂吉士，〈野有死麕〉「吉士誘之」，〈卷阿〉「王多吉士，」《書・立政》「庶常吉士。」則二章之堪亦當謂堪士，核諸詞例，最為顯白。《呂氏春秋・報更》篇「堪士不可以驕恣有也，」是古有堪士之語。堪能義近，堪士猶能士也，《荀子・王霸》篇「足以容天下之能士矣。」《韓非子・說難》篇「今以

件；作蠆者有十五件，鐈、蠤皆遾之省文，以遾為萬是常見之事。見《中華文史論叢》第四輯（北京市：中華書局，1963年），頁100。

81 孫黨伯、袁謇正編：《聞一多全集》第三冊（武漢市：湖北人民出版社，1993年），頁276-277。

　　吾言為宰虜，而可以聽用而振世，此非能士〔今作仕，從史記老莊申
　　韓列傳索隱引改，〕之所恥。「迨其堪兮，」猶言庶幾此所求得之士
　　為堪士爾。《傳》誤讀「今」如字而訓為急辭，林氏辯之審矣。然林
　　氏讀今為堪，而釋之曰「有可嫁即嫁之，不暇審擇」，則是名雖易
　　《傳》而實從之，宜其進退失據，不能自圓其說[82]。

　又如《澤螺居詩經新證》〈敬之〉「佛時仔肩」一條，于省吾云：

　　《箋》訓「佛」為「輔」，讀「佛」為「弼」。林義光謂仔為保之訛，
　　是也。金文保字作𤔲，甲骨文𤔲字習見，即保之初文……然則「佛時
　　仔肩」，應讀作「佛時保賢」，言輔善保賢也。此《詩序》以為群臣進
　　戒嗣王，故以輔善保賢為言，猶云輔之以善，保之以賢。下云「示我
　　顯德行」，語意正相吻合。《傳》以大克為訓，《箋》以輔佛是任為
　　訓，均不得其解[83]。

（四）訓釋簡明，體例清晰，音標清楚明確

　　《詩經通解》一書訓釋簡明，標音清楚明確。體例網舉目張，明列「正
文」、「篇義」、「別義」、「異文」，且前人諸說條理井然，不致繁冗無當。相
較時人以古文字詮解《詩經》的專著，此書系統完整，便於研讀。

（五）借詩以證古史，斷代〈商頌〉之作

　　林義光主張〈商頌〉之作必在商時，而詩義指涉的對象，〈那〉、〈烈
祖〉二詩應為稱美主祭之人，與〈魯頌‧閟宮〉類同；〈玄鳥〉、〈長發〉、
〈殷武〉三詩則為稱頌先祖而作。其云：

82　同註81，頁275。

83　同註47，頁60-61。

十二篇者既為商之名頌，則必為世間所盛傳。惟禮樂壞之後，所傳不無錯亂。故正考父校於周之大師，正其篇次，改以〈那〉為首也。閔馬父稱此十二篇為商之名頌，則頌之作必在商時。惟諸篇中詞句平易，或與〈采芑〉、〈烝民〉、〈江漢〉、〈閟宮〉諸詩轉相因襲，說者或疑不類殷人所為。不知古人成語雖在遠世亦可相襲，至於一時代之文難易錯出，見於《詩》、《書》及彝器者尤所恆有。以辭之難易論定作者年代，非能毫釐不失者也。十二篇之中，今所存者惟五篇。《序》以為此篇祀成湯，〈烈祖〉祀中宗，皆於詩義無據。蓋二詩皆美主祭之人，與〈魯頌〉之〈閟宮〉相類。至〈玄鳥〉、〈長發〉、〈殷武〉乃為稱頌先祖之辭爾[84]。

其以正考父得〈商頌〉十二篇於周太師，正其篇次，改以〈那〉為首，是《詩序》據《國語》閔馬父所言，按此，〈商頌〉當在微子以前作。而古人成語遠世相襲，〈商頌〉諸篇詞句平易，旨在贊美主祭之人或稱頌先祖，雖有推疑非殷人所作，然查考《詩》、《書》及古彝銘文，同一時代文詞多難易錯出，故不當以此遽論作者年代。

　　林氏的意見與歷來學者視〈商頌〉作於春秋時代的說法，顯然不同[85]，但卻與當今學者辯證〈商頌〉作於宋代晚期的立論，可等同而觀[86]。

---

84 同註7，頁432。

85 歷來學者以〈商頌〉作於春秋時代，乃正考父美宋襄公之作，有魏源《詩古微》、皮錫瑞《經學通論》等，王國維亦作有〈說商頌〉上、下篇，分別從詩中所言地理位置、卜辭中稱謂與句法用例於〈商頌〉中無一可尋，以及詩中語句多襲周詩等，證明〈商頌〉乃春秋時宋國臣子歌頌宋襄公之作品。

86 中國學者楊公驥與張松如合撰〈論商頌〉(《文學遺產增刊》第二輯，1956年)，其後，張松如《商頌研究》(天津市：南開大學出版社，1995年)，一一反駁〈商頌〉為宋詩。陳桐生《史記與詩經》(北京市：人民文學出版社，2000年)整理並增列二條共十三條例說明之(頁158-175)。

五　結論

　　從解詩的觀點立場來看，《詩經通解》以古音古字求通詩義、掌握文字孳生通假與古書傳寫改易原由，立說有據，求真確實。其論賦比興之名體屬句不屬篇，且以「一唱三歎」作為最難釐清界定的「興」的標準，相對削弱《詩經》中興義之委婉曲說、觸物起情的靈思巧妙，值得商榷。而他對於前人受囿於貴君賤民的成見，刻意壓抑人本情性，曲說溫柔敦厚的意思，以及將燕好之語視同為淫詩等詆毀女性的說法，提出了批判。這種尊重女性，並重新檢視「淫詩」的作法，頗具新時代觀點，值得重視。

　　其次，從《詩經通解》據古音、古文字以通解詩義的方法及成果來看，林義光立說有據，以甲骨文、金文等古文字研究《說文》，突破了清儒以《說文》解詩的限制，使得《詩經》有了更真實的面貌。《詩經通解》有許多迥異前人的新解，部分訓解無妨全詩義旨，聊備一格，可供參酌，但仍待後來更多佐證研究，方能定讞。

　　再者，《詩經通解》駁正《詩序》的「別義」部分僅有四十一首，佔全書比例不多，可見其仍多遵從《詩序》的說法，相較於後來的聞一多等人，學術性格較為保守。而在繼承清儒《詩經》考證的成果上，他最為推崇王氏父子與俞樾，對於清中葉胡承珙、馬瑞辰、陳奐三人的《詩經》見解，多所援引。其中，馬瑞辰《毛詩傳箋通釋》的說法，最常被他引用，這或許是「通釋」與「通解」的性質較為接近的關係，而馬瑞辰在引用金文以訓釋《詩經》的成就上，也在胡、陳之上。此外，在古文字部分研究上，除了繼承清儒顧炎武、江永、段玉裁、王念孫、嚴可均、孔廣森、張惠言、朱駿聲等人古韻分部的成果外[87]，並能進一步結合出土文物的時代優勢，對於《詩經》的經文提出強而有力的說法。

　　綜合之，「據古音古字探求詩義，說而有據」、「通解詩義，擺落前人詩

87　詳見〈詩音韻通說〉，同註7，頁4-10。

教迂說」、「巧妙利用甲骨文、金文等古文字材料研究《詩經》，為後世詩經
研究開拓新方向」、「訓釋簡明，體例清晰，音標清楚明確」、「借詩以證古
史，斷代〈商頌〉之作」是《詩經通解》一書的特色。然而面對新出土的古
文字材料與音韻通用情形，書中雖每有新解，然待查證尚無定論者亦不少，
卻是他的限制。在引用古文字以解《詩》的過程中，不論是材料的選擇與解
說上，都不如後來的于省吾完整；而在跳脫前人執著於文字詁訓而忽略詩義
的企圖，比起以民俗學、人類學解釋《詩經》的聞一多，又相對遜色。然
而，林義光能著眼於靜態的文字共時性結構，並能重視文字發展的歷時性動
態軌跡，利用深厚的文字學養與豐富的古文字材料研究《詩經》，對於啟導
聞一多、于省吾二人《詩經》古文字的研究，卻是毋庸置疑的。

　　—— 原載《輔仁國文學報》第 32 期（2011 年 4 月），頁一○五～一三三。
　　　今依上海中西書局出版之《詩經通解》、《文源》，更正引文頁碼，內
　　　容亦略增補之。

讀黃節《詩旨纂辭》小識

李雄溪
嶺南大學中文系教授

一　前言

　　《詩旨纂辭》[1]是黃節（1873-1935）在北京大學授課的講義，於民國十九年（1930）由北京大學出版部印行。孟子微在〈蒹葭樓與顧炎武詩〉一文中指出：「先生（黃節）前在北京時，在北京大學授詩。所開課程，包括有：詩經、樂府、曹子建詩、阮步兵詩、謝康樂詩等。其每開一門功課，都是他用力甚勤，鑽研極精的。並且凡是與該門課程有關的書籍，他都極力羅致，以備參考之用。譬如他開『詩經』一課程，他所搜索得與《詩經》有關的書籍，便達到數百種之多，他自己也正在撰述《詩旨纂辭》，惜未能終卷。」[2]作為詩學大家的黃節，用力極勤，又注意材料的搜集，其著作理應是擲地有聲之作。然而事實剛好相反，《詩旨纂辭》在「詩經學」中，一直沒有佔很重要的地位。像《詩經百科辭典》[3]之「研究篇」，列古今《詩經》著述四百三十多種，但並無收入《詩旨纂辭》；夏傳才《二十世紀的詩經學》[4]把黃節與姜亮夫、夏承燾、繆鉞、徐中舒、陸侃如、馮沅君、朱東潤、張西堂、郭紹虞等同列，稱之為「戰火中的現代詩經學建設時期」的一代名家，卻沒有詳細介紹《詩旨纂辭》。對黃

1　黃節：《詩旨纂辭》三卷（北京市：北京大學出版部，1930年）。
2　孟子微：〈蒹葭樓與顧炎武詩〉，《藝林叢錄》（香港：商務印書館，1973年），第3編，頁203-205。
3　遲文浚：《詩經百科辭典》（瀋陽市：遼寧人民出版社，1998年）。
4　夏傳才：《二十世紀的詩經學》（北京市：學苑出版社，2005年），頁129。

節《詩旨纂辭》作較有系統的研究，是陳文采的〈黃節及其對《三百篇》詩旨的闡述〉[5]。

　　陳文采談到《詩旨纂辭》不受重視的原因：「可見黃節對《詩經》的基本態度是宗古文毛詩說，這和民初反傳統的《詩經》研究主流是相抵觸的。更由於他濃厚的文化保守主義色彩，使這兩冊書（《詩旨纂辭》和《詩序非衛宏作說》）在民初有關《詩經》的討論中遭受冷落。」[6]這是中肯的說法，然而，《詩旨纂辭》遭受冷落另一主要的原因，恐怕還是由於它本身確實沒有非常高的學術價值。

　　《續修四庫全書總目提要》經部詩類有一段對《詩旨纂辭》介紹的文字：

> 黃節纂。無序例。如關雎迄木瓜。國風猶未完也。義主毛傳。毛傳缺者。以鄭箋補之。低一格次經文下。案語低二格次傳箋下。所據大率姚際恒胡承珙魏源馬瑞辰陳奐數家之說。間附韓詩說以備參。不據以駁毛也。又次引詩。蓋采經子史中引經語文次詩辭。蓋采漢魏六朝詩賦中用經字。末附重言雙聲疊韻等。自引詩以下。俱低經文一格。自案語以下俱用雙行小字。節在北京大學授詩。即用此作講義。講義例一年而易。故止於此。然引詩一類。無所考證。詩辭一類。徒獵華藻。俱於說經無與。不作可也。[7]

這一方面說明《詩旨纂辭》的體例，另一方面作出頗為負面的評價。平心而論，《詩旨纂辭》確有「無所考證」之弊。然《詩旨纂辭》並非一無可取，下文就從詞義訓釋的角度，略談《詩旨纂辭》值得我們注意的地方。

5　陳文采：〈黃節及其對《三百篇》詩旨的闡述〉，收入林慶彰主編：《經學研究論叢》（臺北市：臺灣學生書局，2001年），第9輯，頁121-143。陳氏一文，除「前言」和「結論」，分為三部分：生平暨學術淵源、《詩旨纂辭》解詩的方法與內容、對《詩序》的態度。

6　同前註，頁121。

7　中國科學院圖書館整理：《續修四庫全書總目提要》（北京市：中華書局，1993年），頁432。

二　詞義訓釋可取之處

　　黃節的《詩旨纂辭》，字詞訓釋多引前人的注解，提出自己見解的地方不多。不過從訓詁的角度來看，特別在名物釋詁、假借義、重言等方面，都有精到之處，仍然有其參考價值。以下各舉一例以為證。

　　《詩旨纂辭》於〈關雎〉下曰：

> 節案：《爾雅》：「雎鳩，王雎。」而郭璞注云：「雕類，今江東呼之為鶚，好在江渚邊食魚。」徐鉉又云：「鶚性好峙，每特立不移，謂之鶚立。」又云：「交則雙翔，別則立而異處。《傳》所云：摯而有別，則以其善匹不狎處也。又名鷲，則即鶚而異其名。」《說文》：「白鷲，王雎也。」而陸璣《疏》云：「雎鳩如鷗，深目，目上骨露。幽州人謂之鷲。」則是一物而三名。由南北之稱不同也，摯與鷲通。[8]

黃節引錄諸家的說法，以證明《詩經》的「雎鳩」相當於鶚一類之猛禽。這種說法，明李時珍（1518-1593）的《本草綱目》可以提供佐證，《本草綱目》卷四十九：

> [釋名]魚鷹（禽經）、雕雞（詩疏）、雎鳩（周詩）、王雎（音疽）、沸波（淮南子）、下窟烏。[時珍曰]鶚狀可愕，故謂之鶚。其視雎健，故謂之雎。能入穴取食，故謂之下窟烏。翱翔水上，扇魚令出，故曰沸波。禽經云：王雎，魚鷹也。尾上白者名白鷲。」又：[集解] [時珍曰]鶚，雕類也。似鷹而土黃色，深目，好峙。雄雌相得，鷲而有別，交則雙翔，別則異處。能翱翔水上，捕魚食，江表人呼為食魚鷹，亦啖蛇。詩云：關關雎鳩，在河之洲，即此。[9]

8　《詩旨纂辭》，卷1，頁3。

9　〔明〕李時珍：《本草綱目》（香港：商務印書館，1967年），下冊，頁19。

今人有從現代動物學的角度對《詩經》名物加以闡釋，如高明乾、佟玉華、劉坤《詩經動物釋詁》說：

> 雎鳩：鶚（鷹科）*Pandion haliaetus*。鶚又稱魚鷹、雕雞、王雎、沸波、下窟鳥等。鶚又稱魚鷹，但不是漁翁馴養的魚鷹（鸕鶿 *Phalacrocorax carbo*）。鶚是中型猛禽，體長五十一至六十五釐米。前額、頭頂、枕和頭側皆白色，微綴皮黃色，頭頂有黑褐色縱紋，枕部羽毛呈披針形，形成短羽冠，頭兩側各有一寬黑帶從前額基部過眼到後頸。上體黑褐色，微具紫色光澤。下體白色，胸部有赤褐色斑紋，翼下覆羽白色，有暗色斑。飛翔時兩翅狹長，向後彎曲成一定角度，常在水面上盤旋。幼鳥與成鳥基本相似。棲息和活動於湖泊、河流、水庫、海岸等水域，常單獨和成雙活動，多在水面上低空緩慢飛行。主要以魚為食，也捕食蛙、蜥蜴、小型鳥等。繁殖期我國南方在二至五月，東北多在五至八月。鶚在我國原來分布較廣，近幾十年，有些地方（如雲南）已經消失，其他地方的種群數量也在減少。現已被列入國家重點保護野生動物名錄，屬國家二級保護動物。[10]

同時也可以印證黃節的講法。

凡讀古書者，不能不知通假。前人總結讀書心得，亦指出「明通假」的重要，如王引之（1766-1834）《經義述聞》〈自序〉曰：「字之聲同聲近者，經傳往往假借，破假借之字而讀以本字，則渙然冰釋，如其假借之字而強為之解，則詰籟為病矣。」[11]俞樾（1821-1907）〈上曾滌生書〉曰：「讀古人書不外乎正句讀、審字義、通古文假借。而三者之中，通假借尤要。」[12]黃節對《詩經》中通假的情況就十分留意，他多取胡承珙（1776-1832）、馬瑞辰（1782-1853）、陳奐（1786-1863）等清代學者之說，如〈鄘風・柏舟〉「之死矢靡慝」句，黃節引馬瑞辰假借說如下：

---

10 高明乾、佟玉華、劉坤：《詩經動物釋詁》（北京市：中華書局，2005年），頁3。

11 〔清〕王引之：《經義述聞》（南京市：江蘇古籍出版社，1985年），頁2。

12 〔清〕俞樾：《俞曲園尺牘》（上海市：商務印書館，1921年），上冊，頁18上。

節案：馬瑞辰曰：按：慝當為忒之同音假借。《爾雅・釋言》：「爽，
忒也。」《說文》：「忒，更也。」靡忒猶靡他也。《文選》王仲宣詩：
「龍雖勿用，志亦靡忒」，「靡忒」二字疑本此詩。《洪範》：「民用僭
忒」。《漢書・王嘉傳》引作「僭慝」，此假慝為忒之證。[13]

《玉篇》：「慝，惡也。」[14]以「惡」釋詩，迂曲難通，實不如謂「慝」假作
「忒」，作「更改」解合理。「慝」、「忒」二字古音同屬透母職部，又有《尚
書》的句子作書證，可見馬說不誤。

　　黃節於每詩之後附重言、雙聲詞、疊韻詞的解釋，其解釋往往的當，如
〈桃夭〉的「灼灼」，黃節引《玉篇》和《毛詩傳箋通釋》的講法：「《玉
篇》：灼灼，花盛貌。馬瑞辰曰：灼為焯之假借。」[15]《說文解字》卷十上火
部：「灼，灸也。」[16]又說：「焯，明也。」[17]《書・立政》曰：「有克知三有
宅心，灼見三有俊心。」《說文》焯字下引《周書》作「焯見三有俊心」，[18]
可以作為「灼」通作「焯」之例證。研究《詩經》重言的李雲光，也同意這
種看法，他認為「灼灼為鮮明皃，蓋假借焯字之義。」[19]足見黃說可從。

三　詞義訓釋可議之處

　　上文提及《詩旨纂辭》有可取之處，但由於全書多引錄前人的訓釋，而
沒有仔細的分析和論證，當中難免有不少可以商榷的地方，下舉數例以作說
明。

13　《詩旨纂辭》，卷3，頁2。
14　〔梁〕顧野王：《玉篇》（上海市：商務印書館，1936年），卷8，頁35。
15　《詩旨纂辭》，卷1，頁12。
16　〔漢〕許慎：《說文解字》（香港：中華書局，1985年），頁209上。
17　同前註，頁209下。
18　可詳參馮其庸、鄧安生：《通假字彙釋》（北京市：北京大學出版社，2006年），頁575。
19　李雲光：《毛詩重言通釋》（臺北市：臺灣商務印書館，1978年），上冊，頁732。

（一）嘒彼小星

　　黃節於〈邶風‧泉水〉「孌彼諸姬」句後說：「重言而用一字，王筠曰：本字之下加彼字者，如『嘒彼小星』、『汎彼柏舟』亦其例。」黃節的評語未必可從。事實上，不少《詩經》學者提出形容詞之後加上綴詞，其意義與重言相同。如楊合鳴在《詩經句法研究》中引了黃侃（1886-1936）的講法，指出《詩經》的形容詞「除單音節『A』及重言『AA』以外，還有加綴詞」[20]，而其中一種方式是狀詞本字下加「彼」字。他又說：「『A 其』、『其 A』、『彼 A』、『A 彼』、『有 A』、『斯 A』、『思 A』之類雙音節形容詞均可以重言詞『AA』觀之。若不明此理。即使訓詁大家也不免有誤。」[21]

　　黃節同意「A 彼」就是「AA」，也就是說，「嘒彼小星」等於「嘒嘒小星」，「彼」為詞綴。我在拙文〈「嘒彼小星」解〉中認為這種看法十分可疑，並從兩方面論證，提出不同的意見：

　　　第一、《詩經》中單音節詞與重言意義相同者，的確不乏其例，如「嚶」和「嚶嚶」皆為鳥鳴聲，如「嚶其鳴矣，求其友聲」〈小雅‧伐木〉，「伐木丁丁，鳥鳴嚶嚶」〈小雅‧伐木〉；「沃」和「沃沃」皆指潤澤貌，如「隰桑有阿，其葉有沃」〈小雅‧隰桑〉，「天之沃沃，樂子之無知」〈檜風‧隰有萇楚〉；「霏」和「霏霏」皆為雪盛之貌，如「北風其喈，雨雪其霏」〈邶風‧北風〉，「今我來思，雨雪霏霏」〈小雅‧采薇〉。但單音節詞與重言意義相異者，亦在所多見。「敖」指傲慢，如「謔浪笑敖，中心是悼」〈邶風‧終風〉，「敖敖」指身材高大，如「碩人敖敖，說于農郊」〈衛風‧碩人〉。「薦」指除草，如「厭厭其苗，綿綿其薦」〈周頌‧載芟〉，「薦薦」指威武貌，如「清人在消，駟介薦薦」〈鄭風‧清人〉。「嘒」與「嘒嘒」的關係當屬後

---

20 楊合鳴：《詩經句法研究》（武漢市：武漢大學出版社，1993年），頁7。

21 同前註，頁8。

者。理由十分簡單，重言詞「嘒嘒」在《詩經》中凡三見，分別為「鳴蜩嘒嘒」〈小雅・小弁〉、「鸞聲嘒嘒」〈小雅・采菽〉、「嘒嘒管聲」〈商頌・那〉。重言詞「嘒嘒」皆為象聲詞，分別指蟬鳴聲、鈴聲、管樂聲。本詩「嘒彼小星」句，與聲音不可能拉上關係，故「嘒」不同於「嘒嘒」實在不言自明。第二、在《詩經》中「彼」的用法只有三種：第一，作指示代詞、第二，作人稱代詞、第三，通作「匪」。其中又以第一種用法最為常見，如「毖彼泉水」、「孌彼諸姬」〈邶風・泉水〉，「倬彼甫田」〈小雅・甫田〉，「弁彼鸒斯」、「菀彼柳斯」〈小雅・小弁〉，「駜彼乘黃」、「駜彼乘牡」、「駜彼乘駰」〈魯頌・有駜〉等等。自漢以來，說《詩》者皆以「彼」為代詞，以「彼」作詞綴，未見其例。故以「嘒彼」即「嘒嘒」之說，實不可從。[22]

由此可見，用《詩經》相同的句式和用例作對照的研究，可以得到更為令人信服的結論。

（二）德音

〈邶風・日月〉「德音無良」句，黃節的案語引胡承珙《毛詩後箋》曰：

> 胡承珙曰：「嚴華谷云：『德音，言語也。此詩「德音無良」及谷風「德音莫違」，皆婦人言其夫待己之意耳。』案：德音非必有德之音，如豳風德音而曰瑕，此詩德音而曰無良，所謂德有凶有吉也。」節謂首章曰不我顧，言顏色不親矣；二章曰不我報，言聲問且絕矣；三章報矣，然德音無良，以無良之音相報，故卒章曰報我不述。此四

---

22 李雄溪：〈「嘒彼小星」解〉，收入單周堯、陸鏡光主編：《語言文字學研究》（北京市：中國社會科學出版社，2005年），頁70-73。

章之序。[23]

對於「德音」的訓釋，眾說紛紜，莫衷一是。屈萬里（1907-1979）〈詩三百篇成語零釋〉就反對《毛詩後箋》「德有凶有吉」的講法，而謂「德音」即「其言」[24]。向熹在一九八六初版的《詩經詞典》[25]中，指出《詩經》中的「德音」作四解，一解作「善言」，如〈邶風‧谷風〉：「德音莫違，及爾同死」；二解作「好名譽」，如〈秦風‧小戎〉：「厭厭良人，秩秩德音」、《小雅‧南山有臺》：「樂只君子，德音不已」；三解作「道德品行」，如〈邶風‧日月〉：「乃如之人兮，德音無良」、〈小雅‧鹿鳴〉：「我有嘉賓，德音孔召」；四解作「有美德的人」，如〈小雅‧車舝〉：「匪飢匪渴，德音來括」。可見「德音」在《詩》中意義並不統一，很難一概而論。值得注意的是，在一九九七年出版的《詩經詞典》[26]修訂本中，「德音」條下增加了另一說：即「品德和語言」，而這個說法實源自于省吾（1896-1984）的〈詩「德音」解〉。于氏指出：

> 《詩經》中有的「德音」本應作「德言」，「德言」二字應該平列，和德音之音與「德」字為主從關係者判然有別。《抑》：「無言不讎，無德不報。」《論語‧憲問》：「有德者必有言，有言者不必有德。」《書‧康誥》：「祗遹乃文考，紹聞衣（讀殷）德言。」以上所舉三個例子，或以「德」與「言」分言，或以「德言」連稱，都係平列。「德言無良」，是說其人內而德性、外而言語之不良善。德而不善為「凶德」（「凶德」見《書‧盤庚》）。這與《毛詩後箋》不知「德音」之本作「德言」，而訓德音之德為「凶德」者迥然不同。[27]

---

23 《詩旨纂辭》，卷2，頁11。

24 屈萬里：〈詩三百篇成語零釋〉，收入林慶彰主編：《詩經研究論集》（臺北市：臺灣學生書局，1987年），第2集，頁329-350。

25 向熹：《詩經辭典》（成都市：四川人民出版社，1986年），頁75-76。

26 向熹：《詩經辭典》（成都市：四川人民出版社，1997年），頁108。

27 于省吾：〈詩「德音」解〉，收入《澤螺居詩經新證》（北京市：中華書局，1982年），頁196。

于氏從金文的字形和書證兩方面來討論，認為「德音無良」中的「德音」即「品德和語言」，其說可從。黃節取胡承珙之說，並不可信。

（三）不瑕有害

　　黃節於〈邶風・二子乘舟〉「不瑕有害」句後曰：「節案：陳奐曰：瑕讀為遐，有為句中語助。不遐有害言不遠害也。」[28]黃節取陳奐的訓釋，認為有認為「瑕」是「遐」的假借，作「遠」解。黃節一向重視馬瑞辰的《毛詩箋傳通釋》，引其說甚多。馬氏訓釋本句，也以假借說詩，但他認為「瑕」應通作「胡」，《毛詩箋傳通釋》曰：

> 「不瑕有害」，《傳》：「言二字之不遠害。」《箋》云：「瑕，猶過也。我思念此二字之事，於行無過差，有何不可而不去也？」瑞辰按：瑕、遐古通用。〈隰桑〉詩『遐不謂矣』，《禮記・表記》引《詩》作「瑕不謂矣」。遐之言胡也。胡、無一聲之轉，故胡寧又轉為無寧。凡《詩》言「遐不眉壽」、「遐不黃耉」、「遐不謂矣」、「遐不作人」，「遐不」猶云胡不，信之之詞也。易其詞則曰「瑕」，凡《詩》言「不瑕有害」、「不瑕有愆」，「不瑕」猶云不無，疑之之詞也。《傳》訓瑕為遠，《箋》訓遐為過，皆不免緣詞生訓矣。[29]

「瑕」字古音曉母魚部、「遐」字古音匣母魚部、「胡」字古音為匣母魚部，單語音來說，三字韻部相同，聲母或相同或相近，所以都有通假的條件。可是，如果只以語音為據而談通假，就很容易會變得氾濫而無指歸，提出具體的書證是談假借的重要條件。馬瑞辰引《詩經》的其他句子和《禮記》為證據，其說實比黃節所採的陳說可信。

28　《詩旨纂辭》，卷2，頁49。
29　〔清〕馬瑞辰：《毛詩傳箋通釋》（北京市：中華書局，1989年），上冊，頁162-163。

（四）巧笑之瑳

〈衛風・竹竿〉「巧笑之瑳」句之後，黃節加案語曰：「案：胡承珙曰瑳疑齒差之假借。《說文》：『齒差，齒參差也。』詩不必定作是解，但當為笑而見齒之貌耳。」[30]

黃節從胡承珙對「瑳」解釋。然而胡承珙《毛詩後箋》疑「瑳」為「齒差」之假借，不過他說得不太確實，謂詩不必定作「齒參差」解，應為笑而見齒之貌，有點模稜兩可。馬瑞辰《毛詩傳箋通釋》曰：「瑳與此雙聲，瑳當為齜之假借。《說文》齜字注：『一曰，開口見齒之貌。讀若柴。』笑而見齒，故以齜狀之。齜之借作瑳，猶玼或作瑳也。」[31]馬氏認為「瑳」為「齜」的假借，取《說文》的解釋，訓為「開口見齒之貌」。胡承珙和馬瑞辰皆以假借義說詩，然皆見牽強，實不如朱熹（1130-1200）《詩集傳》的講法，《集傳》曰：「瑳，鮮白色。笑而見齒，其色瑳然，猶所謂粲然皆笑也。」[32]明何楷（？-？）《毛詩世本古義》補充朱熹的意見說：「瑳，《說文》云：『玉色鮮白也。』笑而見齒，其色似之。」這是以引申義說詩。《說文》卷一上玉部曰：「瑳，玉色鮮白也。」「瑳」是從玉差聲的形聲字，本義是玉色鮮白，再由玉色鮮白引申作牙齒顏色的鮮白。

朱熹和何楷的說法較為可信，透過原詩的分析可以得到證明。拙文〈〈衛風・竹竿〉「巧笑之瑳」清人諸訓評議〉指出：

> 「巧笑之瑳」下接「佩玉之儺」，「儺」是「行有節度」，寫的是身上掛佩玉，有節奏地走路的婀娜多姿之態。換句話來說，「巧笑之瑳，佩玉之儺」二句是寫女子的美態。如「瑳」為「齒差」之假借，作「齒參差」解，毫不見其美。如「瑳」為「齜」的假借，取《說文》

30　《詩旨纂辭》，卷3，頁40。
31　《毛詩傳箋通釋》，上冊，頁215。
32　〔宋〕朱熹：《詩集傳》（香港：中華書局，1983年），頁39。

開口見齒之貌，也沒有形象地描述女子的美態。只有把「瑳」解作顏色的鮮白，才能鮮明地描寫其巧笑之美，使讀者如見其人。因此，還是以引申義釋詩較為理順，符合詩意。另一旁證是〈衛風·碩人〉中的描寫，〈碩人〉是《詩經》中寫美人的名篇，章有「齒如瓠犀」句。「瓠犀」即「瓠瓣」，詩人把牙齒比喻為瓠瓜之籽，朱熹《詩集傳》曰：「瓠犀，瓠中之子方正潔白，而比次整齊也。」足證整齊鮮白乃露齒之美。所以本詩「巧笑之瑳」寫齒之鮮白，正好配合當時的審美習慣。[33]

可見用引申義說詩，怡然理順，黃節取胡承珙的假借的說法，顯然不是一個很好的選擇。

四　小結

《詩旨纂辭》在訓釋詞義時，多引前人之成說，很少提出自己的新見。不過，在眾多的材料中選擇和取捨，也涉及個人的識力。黃節是一代詩學宗師，其對詞義的說明，自有可取之處，然疏漏的地方亦復不少。

陳文采在其文的結語中指出《詩旨纂辭》的限制，包括「未能有效的使用新材料和新方法」、「固守傳統的寫作形式」[34]，確是的論。後出轉精，這正是學術研究得以不斷進步的原因。《詩旨纂辭》是上課時的講義，與學術論文講求嚴格的考證，細密的分析，不能同日而語。加上黃節是老一輩的學者，受著時代的局限，我們似無必要責備求全，過求於前人。

---

33 李雄溪：〈〈衛風·竹竿〉「巧笑之瑳」清人諸訓評議〉，《東方文化》第40卷第1、2期（2005年12月），頁1-5。

34 陳文采：〈黃節及其對《三百篇》詩旨的闡述〉，收入林慶彰主編：《經學研究論叢》，第9輯，頁142-143。

張壽林《詩經》學研究

陳文采

臺南應用科技大學通識教育中心副教授

一　前言

　　張壽林（1907-？），字任甫，安徽壽縣人，室名浮翠室，另有藏書室名寶詩籍[1]，燕京大學國學研究院畢業。歷任燕京大學文學院、北平民國學院文學系、河北省立女子師範學院中文系、北京女子師範中文系講師、教授，以及《世界日報》、《燕大月刊》編輯等職[2]。一九二七年，東方文化事業總委員會人文科學研究所在北京成立，以日本退還的部分「庚子賠款」，進行《續修四庫全書總目提要》的編纂，張氏於一九三三年受聘為研究員，參與提要的撰寫與整理[3]。

1　《續修四庫全書總目提要（稿本）》（濟南市：齊魯書社，1996年）中，部分提要所標示的版本為張壽林寶詩籍藏本，知以此名其藏書室，其間所藏又以明清間刊本、鈔本為多。

2　參見橋川時雄編：《中國文化界人物總鑑》（北京市：中華法令編印館，1940年），頁427。陳玉堂編：《中國近現代人物名號大辭典》（杭州市：浙江古籍出版社，1993年），頁442。張壽林：《李清照評傳》（原名《清照詞》）（臺北市：水牛圖書公司，1984年）。

3　1928年以後，中國委員聲明退出「東方文化事業總委員會」，此後提要的編纂，由日人橋川時雄總其事，中國學者則以私人身份受聘參加，其間於一九三一年、一九三三年、一九三八年，分三批共聘請中國學者七十一人，擔任提要撰稿工作。張氏與其妻陸會因，均參與提要的編寫，並於一九四〇年七月，與橋川時雄、謝國楨、孫海波、班書閣，赴韓國京城訪書。參見何朋：〈續修四庫全書提要簡介〉，《崇基學報》第5卷2期（1966年5月），頁235-245。梁容若：〈評續修四庫全書提要〉，《國語日報・書和人》第

　　據文獻檢索所得，張氏的《詩經》研究論著包括：專書二種、單篇論文
二十一篇[4]，又《續修四庫全書總目提要（稿本）》收錄張氏所撰《詩經》類
提要一百三十三篇。其主要內容約有四個面向：

（一）《詩經》基礎課題的梳理

　　張壽林《詩經》研究主要成果的兩冊專書《論詩六稿》（1929 年）與
《三百篇研究》（1935 年），從內容結構看，是《詩經》的概論，著重對幾個
基礎課題的釐析；從思考的脈絡看，是民初反傳統《詩》說的一支；從內容
闡述的徑路看，則又可見其在《詩經》研究方法上轉折的歷程。

　　其中〈《詩經》是不是孔子所刪定的〉一文，收入《古史辨》第三冊，
是《古史辨》學者對《詩經》討論的一環；另張氏又有〈老子《道德經》出
於儒後考〉一文，收入《古史辨》第四冊，是民初學者關於「老子年代」問
題論戰的一部分[5]。無論是《詩經》研究議題的選擇，或文史考辨方法的開
拓，張氏的《詩經》研究均與《古史辨》纂輯的意旨相通，只是近、現代學
者對於《古史辨》思潮下的《詩經》學研究，仍多侷限於對胡適、顧頡剛的
探討，關於張氏的《詩經》學則尚未有專文討論。

245期（1974年9月），頁1-8。羅琳：〈續修四庫全書總目提要稿本纂修始末〉，《書目
季刊》，第30卷3期（1996年12月），頁3-11。

4　詳目見拙著：《清末民初詩經學史論》（臺北縣：花木蘭文化出版社，2007年），附錄：
　　清末民初間《詩經》研究著作一覽，頁298。張氏全部著作詳目，見陳文采、袁明嶸
　　編：〈張壽林著作目錄〉，《中國文哲研究通訊》17卷4期（2007年12月），頁75-84。另補
　　入〈興與象徵〉，《華北日報徒然週刊》第20期（1929年5月28日），頁2-3。又據
　　（清）賀雙卿著、張壽林校輯：《雪壓軒集》（北京市：北京文學社，1927年）書前標
　　識：「本書編者其他的著述——浮翠室論集（論文）、三百篇新探（論文）、二南新
　　解、易安居士與漱玉詞」，由於未標明出版項，又部分書名與已知刊本略有出入，或
　　為書商誤植，仍待查證。

5　相關內容詳見拙著：〈「老子年代」問題在民初（1919-1936）論辯過程的分析研究〉，
　　《臺南科大學報》第26期（2007年10月），頁1-21。

（二）《詩經》研究與通俗文學的結合

張壽林對於通俗文學的興趣極為廣泛，包括：歌謠、戲曲、神話傳說、笑話等，均著有專文討論，並且從事平民讀物的創作[6]。從著作的年代上看，與其所從事的《詩經》研究有一定程度的重疊，兩者間的淵源與影響，當是值得關注的議題。另外民國以來關於神話傳說的研究，早在《古史辨》編輯出版前，便將一些古帝王譜系的偶像視為是神話虛構物了，也為後來的疑古辨偽學術運動提供了重要啟示，使經典研究有機會突破儒學的神聖光環，而能與多種學科的研究相結合。張氏在一九二八年發表的〈關於桑的神話與傳說的點點滴滴〉，與鄭振鐸〈湯禱篇——古史新辨之一〉[7]，算是《詩經》研究向文化人類學領域拓展的一種嘗試。

（三）《詩經》語言文字的研究

在民初，有關《詩經》語言的研究是很受關注的課題，張壽林的研究主要是對《詩經》聯綿字和語助詞的整理與考釋。另於一九三二至一九三四年間，嘗與教育部大辭典編纂處合作，執行「《三百篇》方言考」專題研究，其步驟是先自《三百篇》中選出特殊的方言，再參考先秦諸書，及揚雄《方言》，加以考釋，並分別其流行之區域，惜於此未見具體成果發表。《三百篇》中的雙聲聯綿字，是考察古音字母的重要材料，王國維有感「古韻之學，創於宋人，至於近世而極盛。……至於古音中之字母，則尚未有論其全體者，此亦音韻學上一闕點也[8]。」乃為北大研究所國學門擬有「古字母之研究」、「古文學中聯綿字之研究」兩個研究發題，並有〈肅霜滌場說〉及

6　詳目見同註4。

7　見《東方雜誌》第30卷1期（1932年）。

8　見王國維：〈致沈兼士——1922年12月8日〉，《王國維學術經典集（下卷）》（南昌市：江西人民出版社，1997年），頁460。

《聯綿字譜》之作[9]。《詩經》助詞的研究，有助於上古時代語言中特殊文法的發現，至於文法學之於古籍研究的迫切需要，則更是民初學者在《詩經》研究上所關懷的議題，如胡適自一九二一年起著力從聲音、訓詁、文法中，求《三百篇》真意，以作為《詩》的「新序」[10]。後來又在《詩經》「維」字的整理中，發憤想把《詩經》中的虛字——關係詞、區別詞、助詞——一齊都歸納出來，寫成《詩經》虛字分類表[11]。雖然胡適終究沒有完成這項工作，引發的議題卻促使許多學者參與討論，如楊樹達、吳世昌、黎錦熙、胡樸安等，均在《詩經》虛字及古代語法的研究上有顯著的成績。另外〈商頌考〉一文，是自王國維以後，近代學者從語言角度來論證〈商頌〉五篇為春秋時宋詩的討論之一。可見張氏有關《詩經》語文的研究，與民初北京各大學國學研究的學術氛圍實有密切的聯繫，其成就與影響則有待進一步的探究。

（四）《詩經》學文獻的整理

　　《續修四庫全書總目》是利用日人退還庚子賠款的一部分，所從事的中國古籍整理工作，據目前已出版的三個版本相較，一九六六年齊魯書社出版的《續修四庫全書總目提要（稿本）》內容最多，其中收錄張壽林所撰《詩經》類提要共一三三篇，相較於《四庫全書總目》經紀昀刪定後，所呈現統一的學術主張，「續修提要」實保留較完整的撰述者之論學態度，張氏於提要稿中所探究的議題，均與民初的學術思潮有明顯的呼應，又在《詩經》文獻上的關注，除詩類提要稿中有十一種為張氏私人藏本外，另有〈清代《詩經》著述考略〉、〈休寧戴氏《詩經補注》題記〉二文，據此不僅可為清末民

9　〈肅霜滌場說〉收入《觀堂集林》卷二。《聯綿字譜》則是王門弟子整理王國維遺作時發現的手稿。

10　相關內容是一九二一年四月二十七日，胡適為梁思永等人的讀書會講演「《詩經》研究」後的日記所載。見《胡適日記》（北京市：中華書局，1985年），上冊，頁24-25。

11　見同前註，下冊，頁445、449。

初《詩經》學史研究的基礎，亦可藉以考察張氏在《詩經》文獻整理的思考。

　　基於上述，本文主要研究目的在於張壽林《詩經》學專題研究，期能拓展關於《古史辨》思潮下《詩經》學研究的範疇。並探究《續修四庫全書總目提要》中張氏所撰《詩》類提要，在清末民初間《詩經》學文獻整理上的貢獻。由於目前尚無關於張氏的研究專著，僅在有關《古史辨》學者《詩經》學的討論，及民初關於「老子年代」論戰的研究中約略及之，本文期能藉此一課題，進一步深化對民初《詩經》學的探討。

二　《詩經》基礎課題的梳理

　　大抵而言，張氏肯定《詩經》做為文學材料，有其無可替代的歷史價值，因為早於《詩經》的詩篇「或空存其名（如〈駕辯〉、〈繕咢〉之類），或出於偽託（如〈康衢〉之類），或出於追寫（如〈彈歌〉之類），都不足信。」（〈詩經的傳出〉，《論詩六稿》，頁 6）但這部先民的寶藏卻被歷代的附會「用道德的眼光來玩弄，藏蔽了它的真情，而加些美刺的花頭」，因此「肅清《詩》說」便成了研究《詩經》的必要步驟。此一概念，從《論詩六稿》的「整齊故說」，到一九三五年張氏撰述《三百篇研究》時，已逐步將思考集中到對方法的探討，特別是「在以前，差不多可以說只有《三百篇》的應用與賞鑑，而沒有《三百篇》的研究；現在我們卻不能不如崔東壁所說，對於《三百篇》『惟知體會經文，即詞以求意，如讀唐宋人詩者然，了然絕無新舊漢宋之念，存於胸中。』用冷靜的科學方法，把《三百篇》原原本本的加以詳細的考察與觀照。」故其在第一講〈導論〉即提出：

> 我們研究《三百篇》，最重要的是研究的方法。因為一般人研究《三百篇》的失敗，其主要的原因，依我的推論，不除方法的錯誤。因為方法錯誤，則材料之整理沒由，對於我們研究的工作有很大的影響。（《三百篇研究》，頁 6）

基於上述的思考，張氏在梳理《詩經》基礎課題的工作上，屢屢著墨於方法的陳述。主要著作，據〈論詩六稿自序〉：一九二六年張氏在其父親的指示下，點讀了清儒關於《詩經》的著述，並隨手寫成十萬多字的札記，這其間又「曾經把札記整理了，在北京大學研究所《國學月刊》、《晨報副刊》之類的期鐫中發表過。[12]」而在寫成《二南新探》的不久，其父親就故去了。（〈論詩六稿自序〉，頁4）幾年後才又在《論詩六稿》的基礎上增補寫成《三百篇研究》。就此三個階段的論述內容觀之，其中在研究方法上的遞嬗之跡，又與民初強調用科學的方法整理國故的運動，呈現有趣的對應，茲就其大要分述如下：

（一）以審定文學材料為基礎的《三百篇》還原工作

「我們要得到《詩經》真的面目，非有一番斬除的工作不可。」（〈詩經的傳出〉，《論詩六稿》，頁 3）是張氏《詩經》研究最初的思考。這個概念原是顧頡剛在〈詩經的厄運與幸運〉一文中提出的[13]，並在日後發展成為一個以「推倒漢學，重視民間」為核心的，《古史辨》思潮下的《詩經》研究運動。張氏深受其影響，幾乎吸納了顧氏的全部結論，成為《論詩六稿》的主要論述。如，從打破經典權威的角度，考辨《序》說的偽誤及孔子刪詩問

---

12 參見〈論詩六稿自序〉，頁6。據檢索所得其內容共六篇，包括，發表於《晨報副刊》的三篇：〈詩經的傳出〉（1926年9月18-25日）、〈三百篇的文學觀〉（1927年9月22-26日）、〈三百篇所表現的時代背景及思想〉（1928年4月9-14日）；發表於《北大國學門月刊》的一篇：〈詩經是不是孔子所刪定的〉第1卷第2號，1926年11月；發表於《華北日報·徒然副刊》的一篇：〈釋「四詩」（南、風、雅、頌）〉，1929年3月12、19日；發表於《認識週報》的一篇：〈釋賦、比、興〉，1929年3月16、23日。

13 參見顧頡剛：〈詩經在春秋戰國的地位〉，《古史辨》（臺北市：明倫出版社，1970年），冊3，頁309。另據〈詩經的傳出〉，頁3，張氏云：「年來，顧頡剛先生以超越的識見，精博的考證，從事於肅清，極有功於《詩》。可惜他還沒有專書印行。」知其著述的動機。

題[14]；從樂歌的觀點界定《三百篇》的「六義」[15]；因疑漢儒「託古改制」的竄亂，而疑及一切先秦典籍及史事，視《詩經》為唯一真實的史料，並主張：「只把詩中的敘述，看作流動的某一事的表現，而不看到固定的某一事的表現」，(〈三百篇所表現的時代背景及思想〉，《論詩六稿》，頁 128) 一如錢玄同在致顧頡剛〈論今、古文經學及辨偽叢書書〉所說：

> 先生（顧頡剛）說，因為要研究歷史，於是要蒐集史料、審定史料；因為要蒐集史料、審定史料，於是要辨偽。我以為這個意思是極對的。我并且以為，不但歷史，一切「國故」要研究它們，總以辨偽為第一步。[16]

「辨偽」和「歌謠」是疑古派學者對傳統《詩》說進行梳理時，在方法上的兩項利器。張壽林關注史料的審定，撰有〈劉知幾與章實齋之史料蒐集及鑑別法〉一文，以章學誠「六經皆史」的概念申述：「《尚書》、《左傳》全部皆為史料，而《詩經》中有史詩 Epic 性質者亦屬史料。[17]」並以間接史料的鑑別，又可以分為書的鑑別與事的鑑別。其中書籍的鑑別，以章氏「尊重證據的態度，完全是乾嘉樸學的精神，而頗近於近世的科學方法，他論書籍的鑑別，不出歸納的比較與歷史的觀察兩途。[18]」史事的鑑別，又可歸納出反

---

14 見《論詩六稿》，頁31。張氏云：「古代的詩歌決不止三百多篇。因為古代的人既然比現今的人喜歡歌詩（顧頡剛先生的〈詩經的厄運與幸運〉裏說之極詳……）」。

15 張氏云：「鄭樵說三百篇俱是樂歌，我以為極有見解。最近顧頡剛先生有一篇極精博的長文，考定《詩經》所錄全為樂歌，更可以使我們相信鄭樵的話了。」(《論詩六稿》，頁23) 張氏云：「則邠與邶、鄘……，一樣的是以地繫風，不能把它單獨認為四詩之一。關於這一點，顧頡剛先生論得極好，我這裏不更多說。」(《論詩六稿》，頁51-52)

16 見《古史辨》，冊1，頁29。另錢玄同替張壽林一九二九年出版的《論詩六稿》封面題字，亦可推想兩人在學術見解上的淵源。

17 見張壽林：〈劉知幾與章實齋之史料蒐集及鑑別法二〉，《晨報副刊》，第2005號，1927年7月19日。

18 見張壽林：〈劉知幾與章實齋之史料蒐集及鑑別法三〉，《晨報副刊》，第2006號，1927年7月20日。

證法、推論法兩種，其中尤以〈疑古篇〉全用反證法以鑑別史事。[19]並肯定
兩人的「離經叛道，非聖謗賢」，是能以求真的方法審查史料。上述內容與
《古史辨》第一冊收錄胡適、顧頡剛、錢玄同三人往來書札中，關於辨偽工
作的討論，有諸多的呼應[20]，如「辨『偽事』比辨『偽書』尤為重要[21]」；反
對經書中「聖道王功」的教化，視六經為古史料，並藉經書辨偽的工作，期
能進一步推翻「孔子刪述六經」的成說[22]，可見其學術思想的淵源。只是相
較於顧頡剛視《詩經》為一般的上古文獻，將《詩經》研究局限於文化批判
的考據辨偽工作，張氏對於《詩經》的文學性及史料性，均有較多的反省與
修正。

1 關於刪詩問題的釐定

　　雖然在辨偽工作，未見顯著的成績，《論詩六稿》在審定材料上仍做了
一些縝密的工夫，在許多議題的梳理上，張氏往往彙集歷代《詩》說，進行
釐析鑑別，相較於一意反傳統的疑古派學者，更能客觀審視歷代《詩經》研
究的成果。

　　「救《詩》于漢宋腐儒之手，剝下它喬裝的聖賢面具，歸還它原來的文
學真相」，是民初學者整理《詩經》的重要工作。[23]而《詩序》作為解
《詩》的系統，歷代學者在「探求聖人本意」的目的下，往往「出主入奴；
從毛者便攻朱，從三家者便攻毛。他們輾轉相非，終不能脫註疏之範圍；而
所謂註疏，又差不多都是曲說附會，離《詩經》本義千里以外的。[24]」其中

19　見張壽林：〈劉知幾與章寔齋之史料蒐集及鑑別法四〉，《晨報副刊》第2007號，1927
　　年7月21日。
20　關於一九二○年十一月至一九二三年二月間，三人以討論編輯《辨偽叢刊》為主的三
　　十五封書札，在辨偽觀念上的遞變與成形。參見拙著：〈顧頡剛疑古辨偽的思考與方
　　法〉，《經學研究論叢》（臺北市：臺灣學生書局，1999年），第6輯，頁24-28。
21　見錢玄同致顧頡剛：〈論近人辨偽見解書〉，《古史辨》，冊1，頁24-25。
22　參見顧頡剛：〈自序〉，《古史辨》，冊4。
23　見錢玄同：〈論《詩經》及群經辨偽書〉，《古史辨》，冊1，頁50。
24　見鄭振鐸：〈讀毛詩序〉，《古史辨》，冊3，頁384-385。

製造曲解的兩大主軸，一是附會聖人，一是附會史事，所以駁《序》說的附會，又與孔子刪詩與否相涉。因此胡適、錢玄同、顧頡剛、張壽林皆曾撰文主張孔子刪詩之說不可信[25]。張氏臚列歷代相關文獻，以見出疑難雖起於孔穎達，至清代樸學極盛，始有機會將此附會打破。並述崔述、鄭樵、江永、葉適、朱彝尊等學者的考辨六種，在排比論證之餘，認為就算排除幾點證據較薄弱的，亦足可證明孔子沒有刪詩。(〈《詩經》是不是孔子所刪定的？〉，《論詩六稿》，頁 36-39)

　　至於《詩》僅三〇五篇傳世的原因，顧頡剛引據歌謠的公例說：「刪詩問題，其中心不在某一個人上，而在人群之自然選擇上。無論何種樂曲，作者必甚多；而人群選擇之結果，終必淘汰其不佳者，甚或喪失其甚佳妙者；而僅存若干，此皆不可抗拒之勢也。[26]」此說乃淵源於崔述：「蓋凡文章一道，美斯愛，愛斯傳，乃天下之常理」的說法，對此張氏提出兩點批駁的理由：

> 　　（一）在文藝賞鑑上論起來，文藝的愛好是不一致的。而有時也會有如廚川白村所說的：「但在非常超軼的特異的天才，則其人的生活內容，往往竟和同時代的人們全然離絕，進向遙遠的前而去」。這樣的情形，所以《三百篇》是否全為人們所愛好，不無可疑。（二）在事實上論起來，即使都為人們所愛好，但口頭流傳，是否能夠久遠，也甚可疑。(〈《詩經》是不是孔子所刪定的？〉，《論詩六稿》，頁 40)

並且又引據顧頡剛考定《詩經》所錄全為樂歌的結論，說明鄭樵以為「《三百篇》是有譜可歌，逸詩則否」，及朱彝尊所說：「況多至三千，樂師矇瞍安能徧其諷誦？竊疑當日掌之王朝，頒之侯服者，亦止於三百餘篇而已」。

25　相關文章參見胡適：〈談談詩經〉，《胡適文存》，第四集，頁557。顧頡剛：〈論孔子刪述六經說及戰國著作偽書書〉，《古史辨》，冊1，頁42。張壽林：〈《詩經》是不是孔子所刪定的？〉，《古史辨》，冊3，頁376-379。

26　見顧頡剛：《顧頡剛讀書筆記》「刪詩說之非」條（臺北市：聯經出版公司，1990年），頁2409-2410。

（〈《詩經》是不是孔子所刪定的？〉，《論詩六稿》，頁 41-42）是比較可信
的說法。可見張氏能在吸納《古史辨》學者相關的考證文字之餘，更賦予新
的解讀，相較於顧頡剛一方面從歌謠的角度，將《三百篇》存逸的原因，簡
化為文藝上的好惡；一方面又從樂歌的角度，批駁自漢以來的經學家「以正
變的篇第區分詩篇的入樂與否」是極謬誤的[27]。張氏僅就資料所呈現的實
況，分析「孔子的時候古詩便只有三百多篇」是可信的，至於存逸的原因，
又大約與古人用樂的情形相關，如此則使屬於文化批判的破壞工作，轉化為
貼近上古史實的細膩陳述。

2 《詩經》時代的剖析

以《詩經》為唯一可靠的上古史材料，這個概念最早是胡適提出的[28]。
後來顧頡剛說：「我們要找春秋時人，以至西周時人作品，只有它是比較的
最完全，而且最可靠。[29]」

張壽林則視「文學是準據於當時生活及思想的」，因此以聲音為重的詩
歌，比其他史料更重要，在〈三百篇所表現的時代背景及思想〉一文中，除
了以「《三百篇》是民間歌詩的結集，所以每一首都可以表現當時的國政、
民情、風俗、思想，都可以看作真寔的史料。」（《論詩六稿》，頁 125）更
強調文藝的詩歌是「時代精神的正確解釋」。因此張氏在胡適「詩人時代」
瑣細的派別間，尋出一個思想的源頭，也就是古代人類共同的中心思想——
素樸的天道觀，並從《詩經》材料中見出這個天道觀念具有三個特質：（1）
天是有意識的人格神，如〈大雅・皇矣〉的天能「監觀四方」，〈大雅・大
明〉的天會「降罰於世」。（2）崇信陰陽災異的說法，這在《三百篇》中不
勝枚舉。（3）由於天的權威逐漸形成政教合一的社會，〈大雅・皇矣〉中
「不知不識，順帝之則」的政治哲學。這樣的天命觀，自然產生消極思想。
而積極的想法，則有待成、康以後，因長期紛亂，一般人對天的信仰產生了

---

27 參見顧頡剛：〈論《詩經》所錄全為樂歌〉，《古史辨》，冊3，頁608-657。

28 見胡適：《中國哲學史大綱卷上》（臺北市：臺灣商務印書館，1979年），頁22。

29 見顧頡剛：〈《詩經》在春秋戰國間的地位〉，《古史辨》，冊3，頁309-311。

動搖，所以「天道觀念的差異」，是造成兩派思想，也是社會進化的主因。（《論詩六稿》頁 151-160）

　　再則張氏一方面展佈大量詩篇原文，以建構上古社會現象；另方面則對詩句的引申則相對顯得謹慎，並且比較細心地處理了《詩經》所涵蓋的極為漫長的時代。不僅避免了如《序》說「用了史籍去比附《三百篇》的笨事」，也避免了民初學者利用參考比較材料時的過度想像。

3　從修辭看《詩經》分體

　　由於後人求賦、比、興的絕對分別，所產生夾纏，張壽林從修辭的角度看：《詩經》中「包納各種體裁的樂歌」，「所謂風、雅、頌者，是用了音樂做立腳點」，「而所謂賦、比、興者，則是用修辭的方法做立點」（〈釋「賦」、「比」、「興」〉，《論詩六稿》，頁 61-68），所以他說：

> 因為我們相信言為心聲，詩以抒寫性情，所以我們欣賞《三百篇》，除了審度它所蘊蓄的情思，而加以涵泳咀味之外，一切的考辨，和用了含義不清的賦、比、興去分類的事，本來都可以不要。即使退一步說，為了幫助我們體玩詩意，而不得不采取這樣的方法，我們的態度也應當改變。（同上，頁85）

對此朱自清以《左傳》為例：「賦《詩》顯用喻義的九篇，有七篇是興詩，引《詩》顯用喻義的十篇，有五篇興詩，因都是即景生情，所以親切易曉」，而推究《詩經》「六義」中的種種糾葛，則皆起因於《毛傳》說《詩》因失了背景，所以無中生有[30]。

　　至於「興」的作用，顧頡剛從輯集歌謠中悟得「起首的一句和承接的一句是沒有關係的」，並從與歌謠、古樂府的對比中，看出「興」詩的首句，一是從韻腳上引起下文，一是從語勢上引起下文[31]。此一結論，固有助於斬

30　見朱自清：〈詩言志辨〉，《朱自清古典文學論文集》（臺北市：宏業書局，1983年），上冊，頁250-254。

31　見顧頡剛：〈起興〉，《古史辨》，冊3，頁672-676。

除歷代《詩》說的附會，但如此簡化的類比，有將詩歌文學的研究，侷限於為文化批判服務之嫌，對文學材料的審定亦難免以偏概全之失。張氏以為起興雖大體無意義，但也有不少變例，他說：

> 所謂興者，用了現在的話來講，就是一種象徵。有時又和修辭學中的「隱比」（Metaphor）很相近。我們對於一種物象有了感懷，因此引起別的情緒，但是這情緒，也許和物象本身離得很遠，使我們看不出其間的關連，不過設使沒有那物象，則我們的詩人也許根本寫不出這首詩來。（〈釋「賦」「比」「興」〉，《論詩六稿》，頁81）

對此民初學者，如劉大白、鍾敬文、朱自清、何定生等亦皆有補充，目的大抵都在回復《詩經》作為文學材料的豐富性，張氏尤其特別強調「修辭寔一般文學作品所賴以成立者」，（〈三百篇之文學觀〉，《論詩六稿》，頁94）故研究《詩經》的文學，不得不首先注意它的修辭的方法。

（二）歌謠角度的「今箋新注」

〈論詩六稿自序〉中提及完成於一九二六年的《二南新探》，內容全貌不詳，今僅見已發表者有：〈樛木〉[32]、〈周南新探〉[33]，及內容命意相近的〈論三百篇中的兩篇合歌（「式微」、「雞鳴」）〉[34]。就其內容題旨觀之，這幾篇詩的「新探」，又與胡適〈周南新解〉的用意相契[35]。此一被胡適用以作為「整理國故」範例的《詩經》新解，最初的概念起於一九一一年，因感漢儒解經之謬，未有如《詩箋》之甚者矣！而想「一以己意造《今箋新

32　見《燕大月刊》第6卷第1期（1930年3月），頁13-18。題目下標「浮翠室詩說之四」，當是《二南新探》的第四篇。

33　見《民大中國文學系叢刊》第1卷1期（1934年1月），頁35-46。內容有〈關雎〉、〈葛覃〉、〈卷耳〉三篇的解題。

34　見《北晨學園》第9-11號（1930年12月29-31日）。

35　見《青年界》第1卷4期（1931年6月），頁13-42。

注》」。一九二五年的〈談談詩經〉又進一步將方法化約規劃出「訓詁」、「解題」兩大項，張氏的「新探」，大抵循其徑路，唯於內容、方法均有所斟酌損益。

1 解題

在認定《三百篇》為民間歌謠的基礎上，胡適的解題方法特別強調：「你要懂得《三百篇》中每一首的題旨，必須撇開一切《毛傳》、《鄭箋》、《朱傳》等等，自己去細細涵泳原文。但你必須多備一些參考比較的材料；你必須多研究民俗學，社會學，文學，史學。[36]」從他民族的風土民情推闡詩意，張氏亦有所取焉，如取《鎮雄州志》所載苗族風俗釋〈關雎〉，呼應胡適的「琴挑」解。（〈周南新探〉，頁39）但相較於胡適往往用不相應的文化模式框套，張氏更著重於回歸歌謠本身，從「形式」上解讀詩篇，他解釋這個研究的背景說：

> 關於歌謠的研究，在中國雖然是晚近才開始的工作。……但是為了這方面所累積的經驗，為了親炙現代歌謠所得的知識，使我們在所謂《三百篇》這部中華民族第一部詩集的研究上，卻得到了不少的提示，……，而沿著這樣的途徑，舉示若干證據，以究考《三百篇》中一切的問題，這是我一向的目的。[37]

具體的成績，如釋〈樛木〉云：「凡三章四句，其型式完全一樣，僅於每首中，更換兩個字，而所更換的字，意思又復相近」，像這樣「把好幾章只是聲音不同，並無意義上關係的作品聯合起來，這都是樂歌的面目，而不是徒歌了。」（〈樛木〉，頁16）又從民歌中看出「凡是在結婚的時候所唱的歌，大都是一種嘏辭——所謂吉利話之類」，〈關雎〉在形式上完全不同，以檢視

---

36 見胡適：〈談談詩經〉，《胡適文存》（上海：亞東圖書館第十三版，1930年），第4集，頁566。

37 見張壽林：〈論三百篇中兩篇合歌（一）「式微」「雞鳴」〉，《北晨學園》第9號（1930年12月29日）。

方玉潤：「此詩概周邑之詠初婚」、鄭振鐸：「明明可以看出〈關雎〉是嫁女時樂工所唱的祝頌歌」的說法無法令人滿意。(〈周南新探〉，頁35-39) 另如分析〈葛覃〉的形式說：

> 《三百篇》中有許多前數章型式相同，而意思不同，至卒章乃承接前兩章的意思以為說；但其型式相同的數章，亦非毫不相關，其意思多銜接而轉變，或在連續不連續之間，不可過於拘執。這樣的型式，在現代的民歌中也有相似的。(〈周南新探〉，頁 39)

至於歌謠中最常見的原始形式：合歌，張氏以為《三百篇》均已合樂，非歌謠的本相，固不能指實某一篇的合歌，卻可以從意義上推測出那一篇樂章是用合歌做底子的。且這樣的合歌，在《三百篇》中必然不少，「因為合歌在歌謠中，差不多是一種很普遍的型式」，而且「從先秦的古籍中，也可以找出許多古人喜歡互相唱答的記錄」。(〈論三百篇中的兩篇合歌（「式微」、「雞鳴」)〉) 如〈卷耳〉一文，歷代解說多所夾纏，張氏以楊慎的說法：「蓋身在閨門，而思在道路，若後此詞所謂：『計程應說到涼州』意耳」，切近詩旨，並從意義上推測「不僅把它解釋作懷人之詩，而且把它解釋作一首男女唱答的歌。」(〈周南新探〉，頁45) 另如〈式微〉、〈雞鳴〉、〈野有死麕〉亦都是有跡可尋的合歌。

2 訓詁

由於對漢人說《詩》的不滿意，因此用科學者的方法重新做訓詁的工作，是民初學者《詩經》研究的主要課題之一。胡適主張要對「《詩經》的文字和文法上都從新下注解。[38]」顧頡剛著重在「辨明齊、魯、韓、毛、鄭諸家《詩》說，及《詩序》的不合於《三百篇》。[39]」俞平伯則「先求自身立說之明通」，鄙薄「引經據典以講說破碎支離淆混駁雜之名物訓詁。[40]」

38　見胡適：〈談談詩經〉，《胡適文存》，第四集，頁566。
39　見顧頡剛：〈自序〉，《古史辨》，冊3，頁1-2。
40　見俞平伯：〈讀詩札記〉，《論詩詞曲雜著》(臺北市：長安出版社，1986年)，頁36-37。

大抵此一時期《詩經》訓詁的特徵，重在強調訓解的科學性、力求以簡馭繁、剗除傳統《詩》說中不當的附會[41]。張壽林的《詩經》訓詁亦呈現相同的風格，主要的工作有兩方面：

首先，是屬於「破壞」的，特別是對於四家《詩》說的梳理，原因是：

> 因為誤信采詩之說，則喜以政治附會文學；誤信刪詩之說，則喜以禮教附會詩歌；誤解六義之旨，則於《三百篇》之體制不明，而喜以美刺附會詩旨。這種障礙不掃除，則我們將無從了解《三百篇》正確的意義。[42]

以〈葛覃〉為例，昔人因拘於漢儒對「師氏」的訓詁，而淆亂詩旨為「于歸之詩」。張氏取《說文》解「姆」為女師，以為「傅姆與女師初無二義，古者女已出嫁，姆尚隨行」，又有《公羊》襄公三十年傳為例，足證女師得隨女在夫家。張氏並推究其源頭說：

> 從前的學者，最喜歡以經解經，尤其喜歡以《左氏傳》、《禮記》來附會《三百篇》。《毛傳》解釋「師氏」說：「師，女師也。古者女師教以婦德婦言婦容婦功。祖廟未毀，教於公宮，三月，祖廟既毀，教於宗室。」其說即本於《禮記・昏義》篇及《儀禮・士昏禮》，但女師無同適夫家之義，因此不惜妄改詩旨，以為后妃在父母家，而釋「歸」為「于歸」，不知「歸」即卒章歸寧之歸，不當別為異說。（〈周南新探〉，頁40-41）

---

41 趙沛霖以為「二十世紀《詩經》傳注和訓詁有其鮮明的現代性特徵，這種特徵主要表現在四個方面：一、訓詁的科學精神；二、訓詁的文化視野；三、訓詁突出文學特徵；四、由繁趨簡的現代傳注風格。以上四個方面是二十世紀《詩經》傳注訓詁的總的時代特徵，也是二十世紀為《詩經》作傳注的學者的共同傾向。但如果就某一位或幾位學者的論著來看，很難全部體現出來。」參見氏著：《現代學術文化思潮與詩經研究——二十世紀詩經研究史》（北京市：學苑出版社，2006年），頁6。就以胡適「整理國故」的思考為主導的經書訓詁而言，則特別強調對傳統訓詁的批判性、重新訓解的科學性，及淺白易懂的風格。

42 見張壽林：〈第六講四家詩及其序〉，《三百篇研究》（天津市：百成書局，1935年），頁53。

「師氏」，《毛傳》、《鄭箋》、《孔疏》都釋為女師，唯於其來源都含混言之，後人解《詩》又拘於《序》文「歸安父母」，甚至疑及經文，多出許多糾纏。[43]此亦張氏於各詩篇的「新探」，必先辨明四家《詩》說的用意。

再者，是善用現代語文學的常識，如〈卷耳〉一詩中有六個「彼」字，七個「我」字，俞平伯曾以「惟『實彼』之『彼』為代名詞，以外諸『彼』字為指示形容詞」，以解決訓詁紛歧之苦[44]。張氏又取胡適在〈吾我篇〉中說：「我字用于偏次之時，其所指者，複數為常，單數為變」，以支持劉大白對此詩的解釋說：「其釋『我馬……』『我僕……』等四個我字，都是兼指丈夫而言，是複數的我，等于現在北京話中的咱們。」（《白屋說詩》）是用文法的概念，使詩意更易於明白。張氏另有關於《詩經》聯綿字及助詞的專文，大抵可見藉助語文學以解決訓詁上的疑難，是民初學者共同關注的議題。

（三）從對材料的關注到跨學科的研究

開始於一九一九年的「整理國故」運動，到一九三〇年代，有了明顯的轉折，一方面淡化了疑古的態度，再方面則是突出新材料的重要性。其中關鍵性的原因之一，是中央研究院歷史語言研究所的成立，象徵國學研究在學科範疇和材料運用上的超越。事實上，對照一九二一年胡適在〈自述古史觀〉的說法：

> 大概我的古史觀是：現在先把古史縮短二、三千年，從《詩》三百篇做起。將來等到金石學、考古學發達，上了科學軌道以後，然後用地底下掘出的史料，慢慢拉長東周以前。（《古史辨》第一冊，頁22）

新材料的出現，本是整理國故之初學者所期待的，結果不僅使國學研究的工作，由疑古到重建有了階段性的改變，在概念上也提高了「材料」對學術研

---

43 關於「師氏」訓詁的各家說法，參見呂玉珍：《詩經訓詁研究》（臺北市：文津出版社，2007年），頁315-323。

44 見〈讀詩札記〉，《論詩詞曲雜著》，頁40。

究的影響。今將張壽林一九三五年出版的《三百篇研究》，與一九二九年出版的《論詩六稿》，做一番比對，其間增補的內容，隱然亦可見學術氛圍轉變的脈絡。以〈第一講導論〉說「詩的起源」為例，大抵呈現三段的論述：

　　首先，使用文字學做根據，從「詩」這個字的字源，推測出所謂詩的概念。故此劉氏《釋名》因「詩」字的古文，承襲了《序》，而有「詩，之也。志之所之也」的訓釋。張氏以為「這樣簡單的概念，不足以代表詩的整個兒的含義」，這個問題是「非有可徵的文獻不能知道的。[45]」

　　再者，根據《尚書‧堯典》，則舜命夔去典音樂的時候，詩的意義已經確立了。只是這段史實含有神話的意味，故張氏以為「在還沒有一部可靠的古史出現的現在，對於這樣的事情，我們是多少覺得有點懷疑的。」

　　此外，從詩歌的發生看，古代的詩與歌有不可分的關連，原始的跳舞常常是合唱的，原始的詩常常取音樂的形式。又依蓋萊和司格脫在《文學批評的方法及材料》所列文學發生的八項動機，歸納詩的起源的研究，可以從兩方面著手：一方面是心理學的研究，一方面是社會學或發生學的研究。[46]

　　從上述內容分析，張壽林的研究存在一個：從傳統文籍考辨，向多學科研究拓展的方法意識。唯就《三百篇研究》的內容看，似乎並未得出一定的成績，原因在於，自一八九九年以來，雖然各種新材料的出土，使《詩經》研究有了逐步向專門領域系統之學發展的可能，但受限於學者深化研究的能力，及各專門領域研究成果的累積尚未成熟，難免出現學術研究的過渡現象。

1 文籍考辨的延伸與困境

　　乾嘉樸學在文籍考辨上的方法運用，在五四時期被認為是具科學精神的。張壽林在梳理歷代《詩》學的過程中，原則是在傳統文籍考辨的基礎上，又著意延伸，期使方法更具科學性，他說：

45　參見張壽林：《三百篇研究》，頁1-2。

46　見同前註，頁9-10。

> 而所謂科學的方法者，要亦不出兩方面：一是材料的積聚與剖解，一
> 是材料的組織與貫通。(《三百篇研究》，頁6)

至於主張研究《三百篇》必需具備的方法，包括：搜集、考證、校勘、訓
詁、審察、整理等六種，又有不同於傳統的解讀說：

> 因為搜集屬於學，考證、約取、審察屬於識，整理屬於才。劉知幾
> 《史通》說，一個歷史家應當兼有這三種長處，所以這樣重擔絕不是
> 幾個人所能擔負的。為了這原故，專門的研究實在是最需要的，《詩
> 經》中任何一個問題的研究都是一生的工作……(《三百篇研究》，頁
> 9)

其間學術分工與專門研究的概念，頗有意在傳統的通人之學上有所跨越。唯
這個方法的細目，如辨別真偽的方法有：文辭、體制、史實，與胡適在《中
國哲學史大綱・導言》所舉審定史料之法：史事、文字、文體、思想、旁
證，立意相同，結果則亦正如張壽林曾參與其中的那場民初關於「老子年
代」問題的論戰，美其名是考證，實則是大家在有限的材料上，做不同的推
論[47]。究其原因更是民初學者對於材料的掌握，原不如他們所標榜的理論那
麼具備科學性，往往方法與實際研究間存在較大的落差，此亦張氏在《三百
篇研究・導論》標舉完備的「研究三百篇的方法」，並未能落實於全書研究
的主因。

2 拓展專門領域研究的嘗試

　　張壽林梳理古代《詩》說，發現其間多用心理學的理論解釋詩的起源，
且「自從〈堯典〉廣義的把所謂詩者，解釋作蘊藏在人們內心的諸現象—志
的表現。其後引用這句話的人，卻很多都被引入了一條異常曖昧的歧途」，
如賈誼《新書》說：「詩者，志德之理，而明其指，令人緣之以自成也。」

---

47 相關內容詳見拙著：〈「老子年代」問題在民初 (1919-1936) 論辯過程的分析研究〉，
　《臺南科大學報》第26期 (2007年10月)，頁1-21。

如此便把詩歸入道德意志，而脫離了情感，為了避免這樣的歧解，張氏主張「不能不離開如『詩言志』那樣漠然廣泛的解釋，而加以其他的限制。(《三百篇研究》，頁3)」且在心理的解釋外，必與藝術的發生學的研究相輔，其方法為：

> 所謂藝術的發生底研究，是從考古學方面，去研究原始民族的藝術實際上是如何發生，而與人類學、人種學相輔而行的最新的研究方法。（《三百篇研究》，頁11）

在考古學方面，張氏依一般文學的定義，以為「沒有文字便不成為文學」，而據一八九九年以來安陽地區考古發現的甲骨，及孫詒讓對甲骨刻辭的考釋，羅振玉、王國維的考證研究，推動「卜辭」是盤庚至帝乙時的遺物，此亦中國詩歌的萌芽時期。張氏又將卜辭中關於「氏族」、「貞卜事類」、「樂器」、「舞蹈」的記錄，經一番歸納整理的工夫，得出一個時代的大約輪廓，只是其間不曾針對考古實物進行研究，所得亦僅在「整理故說」而已。

在人類學方面，張壽林於一九二八年發表的〈關於「桑」的神話與傳說的點點滴滴〉一文中，引用人類學者的解釋說：「一切的神話與傳說，其起源都是由於習俗」，所以神話與傳說往往是解說環境諸現象的[48]。在《詩經》和《易經》等書中，桑蠶並提的很多，故關於桑蠶至遲在周初已為一般人所注意了。只是張氏並未進一步解析《詩經》中桑蠶的意涵。此一工作到了一九三二年鄭振鐸在〈湯禱篇─古史新探之一〉中，解讀〈大雅‧雲漢〉中的禱辭，以為與湯禱桑林一樣，都是「蠻性的遺留」，且「愈是今人以為大不近人情，大不合理，卻愈有其至深且厚，至真且確的根據在著。[49]」這個從以微觀考釋見長的經史傳統，向文化闡釋的轉化，在方法上的意義，是

---

48 見〈關於「桑」的神話與傳說的點點滴滴（一）〉，《晨報副刊》第2204號（1928年2月16日）。

49 見西蒂（鄭振鐸）：〈湯禱篇──古史新辨之一〉，《東方雜誌》第30卷1號（1932年），頁122-130。

將神話、傳說的材料，提升到與經史文獻和地下材料並重的高度；在學術發展的意義上，則如鄭氏所說：「我以為《古史辨》的時代，是應該告一個結束了！為了使今人明瞭古代社會的真實情形，似有另找一條路走的必要。[50]」

三　《詩經》語文的考釋與研究

　　語言文字之學，在中國向來是和古典文獻發生關係的學問，而「在五四以前所作的語言研究，大致是屬於語文學範圍的[51]。」清末以來學者，受西方語言學的影響，從講求經典注釋的方法論，逐步延伸成對文字形、音、義的專題與系統之學。儘管許多的研究工作仍不脫經典考釋的範疇，但語言學的方法論，對清中葉以來，乃至近現代學者，在語文學上所取得的成果，確實存在一定的貢獻[52]。並且部分地改變《詩經》研究的面貌，一如聶崇岐所說：

> 晚近以來，樸學以受新思潮之激盪而益盛，於是《詩》之研究，遂轉趨新的方面：或用以考證古代史實，或用以解釋春秋以前之社會風俗，或旁徵博引以改舊日說《詩》之謬，或綜合排比以求一字一詞之義，其精到之處，每有非昔儒所能幾及者。此類著作之發表於民國二十年以前者，顧頡剛先生《古史辨》第三冊下編大致皆已收入；其以後發表者，如黎錦熙先生〈三百篇之之〉，吳世昌先生〈釋詩書之誕〉、〈詩三百篇言字新解〉，張壽林先生〈三百篇聯綿字之研究〉之類，多散見於報章雜誌，其數量則非一時所能統計。[53]

---

50 見同前註。

51 見王力：〈前言〉，《中國語言學史》（臺北市：谷風出版社，1987年），頁1-3。有關語言學、語文學的分野，及傳統語文學向現代語言學的發展，近、現代學者有許多的討論，參見程克雅：〈由語文學到語言學——論民國以來經注與樸學考據方法的嬗變〉，「變動時代的經學與經學家（1912-1949）第一次學術研討會」宣讀論文（臺北市：中央研究院中國文哲研究所，2007年7月）。

52 參見岑溢成：〈小學探義〉，《國立中央大學文學院院刊》第5期（1987年6月）。

53 見聶崇岐：《毛詩引得——附標注經文・序》（北平：燕京大學圖書館，1934年），頁1-2。

　　張壽林對《詩經》語言文字的研究有，〈三百篇聯綿字研究〉、〈三百篇
聯綿字考釋〉、〈三百篇助詞釋例──釋思、釋哉〉三文，主要內容除了對經
典文字的考釋外，究其著述目的與方法，又趨向古音學和語法學的歸納比
較，茲就此兩大範疇，略述其內容得失與時代意義如下：

（一）《詩經》聯綿字研究

　　在民初，《詩經》聯綿字的研究徑路有二：一是修辭學的，主要作為
《詩經》文學研究的一環；一是古音學的，目的在作為上古聲紐系聯時的材
料支援。張壽林的研究在方法和材料上，均深受王國維的影響，比較接近清
代樸學的延續，與近代語言學的接軌。特別是「古字母之研究」，王國維在
〈致沈兼士〉的研究發題中特舉出：經傳異文、漢人音讀、音訓、雙聲字、
反切等五端為材料，並以此「仿顧氏《唐韻正》之例，勒為一書，庶幾古字
母部目或睹其全」，唯其事甚為煩重，非數年之力所能畢事。後來林義光在
一九三三年出版的《詩經通解》，以羅馬拼音法標注古紐音，並於卷前〈詩
音韻通說〉說明其作用：

> 蓋古紐音之互相出入，亦如古韻之有通轉，而古紐音之擬定，必須廣
> 採文字之聲訓，群書之異文以為例證。其事浩博難窮，較之研究古韻
> 其難倍蓰，非假以歲月，述以專書，有弗能備，而茲編之標注古紐音
> 固祇能懸擬其大概也。[54]

基於上述同樣的思考，張壽林以《詩經》聯綿字為材料，因「聯綿之語，肇
始太初，今之所存於《詩》者為多」，而「聯綿之用，《三百篇》中已蘊其
密，宋齊之際，其用斯顯」，並述前代研究成果如下：

> 宋季張有，作《復古編》，特標「聯綿」，首發其例；雖語焉不詳，不
> 無遺憾，然創始者難，要有足多。曹氏（本）《續編》，祖述其例，雖

54　見林義光：〈詩音韻通說〉，《詩經通解》（臺北市：臺灣中華書局，1986年），頁6-7。

有增益，猶屬舉隅。升庵楊氏，蓋宗其說。自後朱氏《指南》、艮齋《字說》並揭斯例。降及有清，常州陳氏（奐）、棲霞郝氏（懿行）、高郵王氏（念孫）並解斯例；嘉定錢氏（坫）為《詩音表》、安邱王氏（筠）為《毛詩重言》《毛詩雙聲疊韻說》、江寧鄧氏（廷楨）為《詩雙聲疊韻譜》、海寧王氏（國維）為《聯綿字譜》，發明益多。（〈三百篇聯綿字研究〉，頁 173）

據林慶彰師的研究，楊慎的古音學著作，時舉《詩經》為例，不僅能駁前人疑誤，又往往與清代學者對《詩》古音的考訂不謀而合[55]。張氏於此雖無詳論，但以明楊慎之學，作為清代詩古音學階梯，卻是個頗具識見的提法。至於具體部勒材料的工作，張氏云：

聯綿之字，既不限於雙聲疊韻，前人《駢雅》、《別雅》、《疊雅》諸書，頗以義類，從而部居。不知連語之成，聲重於義，舍本從末，理實乖異。吾人研究之始，自宜別為部居，經之以聲，緯之以義，庶幾窮其變化，而觀其會通。（〈三百篇聯綿字研究〉，頁 174）

這段說明，實際全襲自王國維〈致沈兼士〉「研究發題（三）古文學中聯綿字之研究」的內容，唯張氏在後來完成的〈三百篇聯綿字考釋〉一文，自〈周南‧關雎〉以迄〈周頌‧那〉，舉其雙聲聯綿字，字下各標記古聲母，並不作古聲母系統的論證，只是展佈材料以為古聲紐擬定的考察，究其所得，約有以下數端：

依王國維古音二十三紐的主張，不採章太炎「娘、日歸泥」，及曾運乾「喻三歸匣、喻四歸定」二說，將古音日母、喻母獨立。此一觀點與現代更

---

55 關於楊慎在考訂《詩》古音的成績，林慶彰師的研究以為「其後焦竑《筆乘》有『古詩無叶音』條，陳第更著《毛詩古音考》四卷，所考之字多至四百四十餘，且將所舉之例釐為本證、旁證。此皆闡用修之風而起者也。今人每以考《詩》音始自陳第，實不免以雲仍為高曾」。參見林慶彰：《明代考據學研究》，（臺北市：東吳大學中文研究所博士論文，1983年），頁60-62。

多的研究結論是一致的[56]。

　　錢大昕「古無輕脣音」、「古無舌頭、舌上之分」，是普遍被接受的結論，張氏將「非」母獨立，有待商榷。至於將端、透、定母獨立，較王國維只將端、知二母分立，所析更加細密，所舉九例可提供進一步的討論。

　　王國維二十三紐將精、照二系合併，是採取黃侃「照系二等並入精系」，及林義光「古無齒頭、正齒之分」的主張，張氏則將兩系分立。

　　上述可見，張氏對於相近的聲紐，均採分立的態度，與清末民初趨向合併的研究徑路相背反，原因即在於僅守「順材以求合，而不為合而驗材」的原則，此晚近學者王力亦主張「一昧把古紐合併，恐怕並不符合真實情況[57]」。因此張氏〈三百篇聯綿字考釋〉至少具有為古音學研究提供材料的意義。除了《詩》古音的研究範疇，另述張氏在《詩經》聯綿字的研究成果如下：

1 究其淵源，準音以求義

　　聯綿字研究在意義上的淆亂，王國維已云：「前人《駢雅》、《別雅》諸書，頗以義類部居聯綿字，然不以聲為之綱領；其書蓋去類書無幾耳。[58]」張壽林從謠諺的視角明其淵源說：

> 謠諺之音，多循天籟；而其所以能諧音律者，一由韻叶，一由聯語，虞廷賡歌，則有「股肱」、「叢脞」之言，〈彈歌〉、〈擊壤〉亦多疊用雙聲之語，自有書契以來，聯字尚矣。（〈三百篇聯綿字研究〉，頁172）

---

56 王力主張：「只能認為上古日母近似泥母，還不能完全混同」。至於曾運乾的主張應該修正為：「不是喻四歸定，只是喻四在上古接近定母」。見王力：《中國語言學史》，頁178。另王文耀：〈周秦古聲母新論〉，《社會科學戰線》1985年第4期，經概率統計，亦得到同樣的結論。

57 見同前註。

58 見王國維：〈致沈兼士〉，收入《王國維學術經典集》，下卷，頁461。

蓋聯綿字之為義，既「準音以求義，綴字而成詞」，故聲重於義也。張氏以雙聲、疊韻、重言、成語及其他四類部勒住《詩經》中的聯綿字，並述其方法云：

> 第研究之始，尤宜推究聲韻，予以排比，雙聲字以聲母為次，疊韻字以韻母為次，舍此二者，則以第一字之聲或韻為次，同一聲韻，則復以音義相近者互相繫連，造為圖表，比較研究。（〈三百篇聯綿字研究〉，頁176）

唯張氏並未如其所述的，在《詩經》聯綿字的聲、義上作繫聯比較，亦無進一步延伸性的系統論證[59]。而是在明其體用的考釋上有較明顯的成績，特別是對傳統的經典注釋系統中，昧於聲而求諸字的幾種錯誤典型，提出批駁。

首先，聯綿字所以「合兩字之音，以成一字之意」也。經注文字，往往有拘於字義，分別為訓而誤者，如：

「跋涉」釋義：《毛傳》云：「草行曰跋，水行曰涉」……壽林案：王說得之，跋涉聯綿為義，謂不擇蹊徑，以狀行路之艱苦。《淮南・修務》篇云：「申包胥跋涉谷行」，高注：不由蹊，遂曰跋涉，義本韓說，《毛傳》分別為訓，恐非詩旨。

「切磋」釋義：《毛傳》云：「治骨曰切，象曰磋」。朱氏《集傳》云：「治骨角者，既切以刀鋸，而復磋以鑢錫」……壽林案：切磋聯綿為義，以為治器之名，毛、朱分別為訓，失之。

「吉蠲」釋義：《毛傳》云：「吉善，蠲潔也。」……壽林案：馬氏釋蠲為潔，允矣。然自毛以下於吉蠲，皆分別為訓，恐失之矣。吉蠲雙聲聯綿字，以狀為饎之清潔。吉通絜，《大戴禮・諸侯遷廟》篇盧辨（辯）注，引《詩》作絜，蠲為饎，吉絜雙

---

59 據張壽林在〈三百篇聯綿字研究〉：「二雅三頌，多廟堂詩人之作，亦視〈國風〉為少」的結論下，有一小注云：「參見拙作〈三百篇聯綿字考釋〉，卷六，三百篇聯綿字統計表。」則其論述或已成書，唯今所見僅發表於《女師學院期刊》第4卷1、2合刊的「雙聲篇」部分，其餘內容不可知。

聲，故三家詩吉或作絜，絜之言潔也。吉蠲聯言，猶《呂
覽》:「臨飲食必蠲絜」，蠲絜二字聯言也。

「蠻髦」釋義:《毛傳》云:「蠻，南蠻也;髦，夷髦也」。……壽林案:蠻
髦猶夷狄也。蠻非一種舉二者以概其全也。蠻、髦皆無知之
名，故《詩》以喻小人之無知。且蠻，貊雙聲，詩〈魯頌·閟
宮〉云:「淮夷蠻貊」，蠻貊猶蠻髦也。《中庸》云:「施及蠻
貊」，亦泛指四夷之無知者，陳氏宗毛，必分別為訓，泥矣。

以上《毛傳》分訓之誤，亦有《毛傳》不誤，諸家誤分者，如:

「干戈」釋義:《毛傳》無釋。《鄭箋》云:「干，盾也;戈，句子戟
也。」……壽林案:自《箋》以下，皆以干戈分別為訓，干
戈兵器也，兵非一種，故舉二者以概其全，分言之則干為
盾，戈為句戟，合言之則為戰具之總名，鄭氏具分別為訓，
失之泥矣。

「作祝」釋義:《毛傳》云:「作祝，詛也。」《孔疏》謂作即古詛字，與祝
分別，故各言侯。……壽林案:李說是也。作祝聯綿為義，
猶詛祝也。焦循、馬瑞辰並引《釋名》助訓乍，《呂覽·高
注》苴音同酢。《說文》詛之古文即从歺从作，是「詛」、
「作」音訓互通，故毛訓作祝為詛，陸、孔分別為訓，蓋失
之矣。

　　再者，聯綿字的分化，亦往往造成經注上的謬誤，其原因在於「聯綿之
字，意不在形而在音，義不在字而在神;聲似則字原不拘，音肖則形可不
論，是以分化既多，變遷亦繁。」(〈三百篇聯綿字研究〉，頁180) 這些可能
是由一個詞派生出來的同源詞，前人因不察其遞嬗之跡，或拘泥於字形，而
造成解釋上的種種歧義。張氏以為「聯綿字者，大都本無其字，假借以成，
初無所謂正體也，說者不求諸聲，而求諸字，鑿矣。」(〈三百篇聯綿字考
釋〉，頁7) 並依其通假孳乳之因，將這些字區分為同音假借、疊韻假借、雙
聲假借、字義分化四大類。又〈三百篇聯綿字考釋〉中於各雙聲聯綿字下，
另立「分化」一類，如「踟躕」之分化有:彳亍、躊躇、跢跦、猶預;「觱

發」之分化有：鬐沸、煇炦；「燕譽」之分化有：逸豫、悅懌、引翼……，
是為經傳文字考釋之資，亦以察前代經說之是非，如：

「栗烈」釋義：《毛傳》云：「栗烈，寒氣也。」金壇段氏玉裁《詩經小
　　　　　學》云：「〈下泉〉《正義》：『〈七月〉云：『二之日栗冽』，字
　　　　　從冰，是遇寒之意。」……壽林案：段說是也。馬氏《毛詩
　　　　　傳箋通釋》舉十二證以寔之宜矣。然〈四月〉箋云：「烈烈
　　　　　猶栗烈也」，則毛本未必非如字，必課栗烈字從火，不得為
　　　　　寒氣，泥矣。蓋聯綿之字，義寄於聲，初無所謂本字也。

　　蓋明乎通假之理，則不煩改字。又如鬐發、鬐沸、煇炦字形不同，前人
解釋各異，實為雙聲聯綿字之分化，音近義通，均有「盛大」之義，如果不
從聯綿分化上考察，便不易看出其間相通的關係。

2　明乎體用，以究修辭之功

　　《詩經》聯綿字對後代文學的影響，大抵自漢魏以降，詩人寫物狀情，
凡屬連語，類多取材於斯。其所以能資修辭之功，則在「或相連而成詞，或
添字以為句，位置每殊，體例亦繁」，張氏為察其體用，分項述之，一為
「聯式」：因其構造及其在文章中之位置，析分為八大類。二為「聯義」：察
其詞性，而求其關係，含同義字複合、不同義字複合，及重言三類。三為
「詞性」：又有連語用作名詞、代詞、動詞、形容詞、副詞、嘆詞等六例。
並據統計結果分析，則「形容詞、副詞，實居其半，其於文學上之功用，要
亦在此。」（〈三百篇聯綿字研究〉，頁91）唯其將雙聲、疊韻、重言、成語
及其他等五類聯綿字，分繫於各項敘述之下，模糊了不同類型的聯綿字，在
句中位置及結構上的特性。以重言為例，三百篇中約有三分之二的詩篇使用
重言，出現比例較先秦其他作品為多，是《詩經》的詞彙特點之一，張氏在
處理上，便呈現了至少三項缺失：首先，在詞性上，重言多數是形容詞，特
殊的例子有：「燕燕于飛，差池其羽」（〈邶風‧燕燕〉），燕燕作為句子的主
語，是名詞，在《詩經》中只有一例，張氏將之與「苤菲」、「蟋蟀」等並
列，失卻了它的特殊意義。再者，《詩經》重言中有處處、言言、語語、宿

宿、信信等五個動詞[60]，張氏於連語用作動詞例，獨缺重言，無論從統計研究，或提供分析之資而言，均是明顯的失誤。此外，「有」、「其」、「斯」、「思」與形容詞結合構成的複合詞，意義和語法功能大多跟重言相當，是為重言的變式，在《詩經》中這類複合詞相當豐富，據向熹的統計共有一四六個，相關內容如王筠《毛詩重言》、劉毓崧《有字訓狀物之詞說》均有全面的研究，張氏漏列，有明顯疏忽之嫌。

（二）《詩經》助詞釋例

中國訓詁之學，經清儒的疏通，已大抵完備；雖有清代劉淇《助字辨略》、王引之《經傳釋詞》的草創之功，又有馬建忠《文通》初步建構語法體系，民初的古籍文法學研究，仍然還在萌發階段。[61]一九一一年胡適作《詩經言字解》提出《詩經》「新箋今詁」的構想，作為以新文法讀吾國舊籍的起點，後來黎錦熙在〈三百篇之之〉一文則肯定對於《詩經》虛字的分析，可以達到三個終極目標：一是可以發現某時代語言中特別的文法。二是可以作為辨別古書真偽的幫助。三是可以得到一個鈐鍵，來解釋本書文學上的作風和修辭等。[62]張壽林對《詩經》助詞的研究，主要受馬建忠、黎錦熙的啟迪，特別是馬氏在詞類中另立「助詞」一類，是西洋語法中所沒有的，張氏以《詩經》助詞為題，亦有得於漢語語法的特殊性。

其方法是「取《三百篇》之助詞歸納董理，略為詮釋，以求其義例。[63]」所謂助詞指「助詞句而寫狀聲吻之虛字」，據張氏統計《三百篇》中都凡七

---

60 向熹以為：「從意義上看，它們多少帶有一些描寫的性質。所以《廣雅‧釋訓》說『言言、語語，喜也。』這跟現代漢語動詞重疊式，表示短時體是完全不同的。在句法功能上，它們都作謂語用，後面不帶賓語，但可以受表示處所的介詞結構的修飾，這是跟形容詞不同的。」參見向熹：《詩經語文論集》（成都市：四川民族出版社，2002年），頁52-53。

61 參見王力：《中國語言學史》，頁204-212。

62 見黎錦熙：〈三百篇之之〉，《燕京學報》第6期（1929年），頁1021。

63 見張壽林：〈三百篇助詞釋例──釋思釋哉〉，頁1。

十二字，惜僅發表了「思」、「哉」二字的考釋。其間較明顯的成績，是對傳統傳箋解釋的辨誤釐正，於「思」字共訂正《鄭箋》之誤凡十例，主要由於《鄭箋》於思字，多訓思願，以虛為實，故扞格難通；《孔疏》之誤四例，《朱傳》之誤二例。《毛傳》雖標語辭，唯在解釋上要多疏謬，清代樸學已知歸納的方法研究古書中「語詞」的用法，但仍局限於缺乏文法學的概念與方法。張氏處民初對語言學研究的視野已有進一步拓展的時代，故視前代經說的含糊，更加全面縝密。

四　近代《詩經》學文獻的整理

民初出現多種《詩經》研究的專題書目[64]，哈佛燕京學社在一九三○年代，也編纂了《毛詩引得》、《毛詩注疏引書引得》兩種「逐字引得」，均是在「整理國故」氛圍下的《詩經》學文獻整理工作，關於專題書目興起於近代的意義，張壽林說：

> 典籍之學，肇始《七略》，書籍日充，簿錄尤眾。然近世以來，學術之範圍既廣，目錄之編制亦異，於是分別部居，各造專書。朱氏《經義考》、謝氏《小學考》，其創彌細，其事彌專，而覽者亦彌便，倘推斯例，以畢四部，一藝之專，巨細畢核，其於學者，裨益實多。[65]

因對《詩經》研究的關注，張氏有《詩考》若干卷，並就《詩考》取有清二百餘年《詩》部著述，排比成〈清代詩經著述考略〉，目的除了表彰清代《詩經》學，更便後之學者有所取徑。大抵「提示門徑」為民初整理國故運動的前期作業，中國書沒有整理過，十分難讀，是民初學者共同的體認，故將「國學書目」視為整理國故工作尚未完備之時，方便治學的法門。

64　參見拙著：〈民初學者開列的研究《詩經》參考書單〉，《清末民初詩經學史論》，收入《古典文獻研究輯刊》（臺北縣：花木蘭文化出版社，2007年），第5編，冊16，頁227-228。

65　見張壽林：〈清代詩經著述考略〉，《女師學院期刊》第3卷1期（1935年1月），頁1。

　　《續修四庫全書總目提要》是同一時代稍晚的文獻整理工作，儘管其學
術意涵與「整理國故」運動截然不同，但仍可藉以考察，工具書的編纂在民
初《詩經》研究上的意義。

　　據一九七二年，臺灣商務印書館據日本東方文化學院京都研究所藏原稿
打印出版之《續修四庫全書提要》，大部分未標明提要撰者，張壽林所撰提
要篇目亦零星散見。一九九三年，北京中華書局據中國科學院整理出版之
《續修四庫全書總目提要‧經部》，較日本東方文化學院京都研究所原稿，
多二一〇書，並逐一落實提要撰者姓名，共收錄張氏撰寫經部提要共三〇九
篇，包括：易一篇、書六篇、詩一二三篇、禮六篇、春秋一六八篇、四書三
篇、群經二篇。其中詩類提要撰稿人主要有：江瀚、倫明、張壽林。一九九
六年，山東齊魯書社出版之《續修四庫全書總目提要（稿本）》，第十九冊頁
二十五下，至第二十一冊頁五十一上，收錄張氏撰寫提要共一五九二篇，四
部均有，其中詩類提要有一三三篇[66]。

　　有關「續修四庫提要」的纂修始末，已有各種角度的分析研究，但由於
纂修過程，在一九二八年以後，中國委員聲明退出「東方文化事業總委員
會」，此後由日方總其事，中國學者乃以私人身份受聘參加，基於時代背
景，及民族情緒等複雜的因素，參與撰稿的中國學者多諱言其事。張寶三就
諸多日方原始文件，說明狩野直喜以「其事業應以研究、保存，及向世界介
紹中國數千年來之文化為目的，並宜超越於政治目的之外」的動機，以及民
初知識界對於續修《四庫全書》的期許與努力，部分地釐清「續修提要」在
學術目的與價值上的疑慮[67]。另據一九二七年議定的「北京人文科學研究所
暫行細則」，明載《四庫全書》之續修事業分二階段進行。一為對乾隆年間

<hr />

66 另據橋川時雄：《四庫全書提要續修事業完成期に於ける計劃書》，經部詩類，由江
　　翰、張壽林任整理之責，道家類，由張壽林主編兼整理，楚辭類，由張壽林兼整理之
　　任。參見何朋：〈續修四庫全書提要簡介〉，《崇基學報》第5卷2期（1966年5月），頁
　　235-245。
67 參見張寶三：〈狩野直喜與《續修四庫全書提要》之關係〉，《臺大中文學報》第10期
　　（1998年5月），頁241-272。

選輯之《四庫全書》中所失收之書，廣泛加以細查。第二為就乾隆以後至宣
統年間（原注：但現代人不著錄）之著作中，選定著錄書目」[68]，然今於稿
本中所見頗有：王闓運、廖平、劉師培、王國維、林義光、江瀚、黃節等，
清末民初間學者著作；另於清人〔不含入民國者〕《詩經》類著作計收錄三
百七十餘種，較之其他書目、藝文志所載為夥[69]，可作為了解清代（特別是
晚清）《詩經》學的參考材料，大抵而言，其內容可視為是民初學者對近代
《詩經》學的一項大型文獻整理工作。以下僅就張壽林所撰提要內容，分別
論之：

（一）治《詩》方法的多元思考

就中國的學術傳統看，人文學科在方法論上主要有「詩文評」和「訓詁
考據」兩大主軸。二十世紀在西學東漸的背景下，學者參照西學對上述兩大
方法論，出現了厚此薄彼的傾向。在對於《詩經》的研究上，張氏明顯地接
近實證科學的考據工作，強調「各家都還他一個本來真面目。[70]」唯其撰寫
的《續修四庫全書總目提要》裡，關於治《詩》方法的討論，則呈現更多元
與彈性的態度。原因是清代經學與文學全面復興，為數眾多的作家在致力於
文學創作的同時，也積極從事經學研究和經學文獻的整理；到了晚清，經學
從衰落到終結的過程，又與近代文學由傳統向現代的轉型相互影響[71]，表現
在近代《詩經》學著作上的諸多面貌，便不是用民初「科學的方法」如此單
一的判準所能含納。以訓詁考據為例，（民國）王樹枏《爾雅說詩》提要
云：

---

68 見同前註，頁16。

69 據曾聖益統計《續修四庫全書》易類之著錄，其結論亦相同。參見曾聖益：〈《續修四
　　庫全書總目提要》易類述論〉，《國家圖書館館刊》第86卷第2期（1997年12月），頁
　　191-227。

70 見胡適：〈新思潮的意義〉，《胡適文存》（上海市：亞東圖書館，1930年），第1集，頁
　　735。

71 參見劉再華：《近代經學與文學》（北京市：東方出版社，2004年），頁1-21。

是編之作，蓋以先儒解《詩》，多據《爾雅》以立說。讀《詩》而不治《爾雅》，則異字而同義者難知；治《爾雅》而不讀《傳》、《疏》，則字同而義異者莫辨。惟兩書卷帙浩繁，翻檢匪易，往往欲兩盡，反至兩窮。王氏因摘錄《三百篇》之名物訓詁，分別附之《爾雅》各條之下，而取《傳》、《箋》、《正義》、《說文》、《方言》、《廣雅》及諸家之說，以疏通證明之。……案《爾雅》一書，或以為周公作，或以為仲尼所增，或以為子夏所益，或以為叔孫通所補。張揖〈進廣雅表〉謂其疑莫能明。惟鄭氏〈駁五經異義〉云：「玄之聞也，《爾雅》者孔子門人所作，以釋六藝之旨」，其說差為近之。然秦漢儒者要多增益，則其價值，亦正與《傳》、《箋》等耳。王氏是書以《爾雅》發明《傳》、《箋》，要亦治《詩》之一法。（《續修四庫全書總目提要（稿本）》，19 冊，頁 668）

張氏對是書「間有穿鑿附會」，特別是「必因《序》說，強之以從雅訓」者，有所批駁，但仍肯定「以《爾雅》發明《傳》、《箋》，要亦治《詩》之一也。」另在文籍考辨的範疇，尤著意於新材料對《詩經》校勘的突破。清末間發現的敦煌所存群經寫本，以《詩》為最多，《敦煌本毛詩故訓傳殘卷》雖為殘卷，偶有譌誤，提要仍肯定其價值云：「大體皆較後世傳本為勝，是資校勘。上虞羅氏嘗撰為《校記》四卷，載入群經點勘中，誠有功於載籍者也。」（《續修四庫全書總目提要（稿本）》，冊19，頁338）

　　然治《詩經》非徒辨識名物，考證訓詁而已，張氏於奎章閣寫本《詩名多識》提要云：「考證名物，而不詳比興之旨，核之詁經之體，尤未免可議焉。」（《續修四庫全書總目提要（稿本）》，冊19，頁137）又於（清）方宗誠《說詩章義》提要中進一步闡明訓詁、比興的關係：

按朱子論學《詩》之道，宜章句以綱之，訓詁以紀之，風詠以昌之，涵濡以體之，察之情性隱微之間，審之言行樞機之始。宗誠學宗宋儒，故深諱其言，以為風、雅、頌體裁雖殊，非明其章句訓詁，不能知其言之有序；非善于諷詠涵濡，不能言之有物。（《續修四庫全書總

目提要（稿本）》，冊 20，頁 429）

方宗誠桐城人，桐城派承朱子之緒，是清代調和漢、宋的一支，宗旨在直接
涵泳經文，主張「簡要清新，詁釋明白，句讀通暢」，是「由文章家轉而釋
經」。這樣的的主張雖不必然與民初文學觀點的《詩經》闡釋直接相關，卻呈
現極相似的文化關懷和文學史觀。張氏雖對明、清間說《詩》不脫時文習
氣，多有批駁，但對《詩經》文學性質的確認，和直接涵泳本文的方法，仍
持肯定的態度。（清）金人瑞《唱經堂釋小雅》提要云：

> 其說大抵不甚訓詁章句，惟一意欣賞，細心體玩。以說樂府、五七言
> 詩之法釋《三百篇》，故能一掃前人謬說，而深得風人之旨。雖流弊
> 所及，或不免於恍惚無著，然詩以性靈為主，就詩論《詩》，以體玩
> 詩人之旨，終不失為治《詩》之良法也。（《續修四庫全書總目提要
> （稿本）》，冊20，頁428）

基於同樣的思考背景，張氏對於取《三百篇》之詩，與魏晉六朝以來諸家之
作相擬議，雖不免牽強附會之處，然大體能得詩人之旨，故肯定「比較研
究，要亦不失為治《詩》之一法焉。」（《續修四庫全書總目提要（稿本）》，
19 冊，頁 124）

（二）善用目錄學訂考證之是非，見學術發展之脈絡

張氏所撰提要，舉凡作者的辨證、版刻源流的釐清，乃至文字訛誤的考
訂，均能善用歷代書志、叢刊等目錄學上的知識，以判定是非，如《春秋穀
梁傳注疏校勘記》提要云：

> 阮氏校云：劉瑤。隋、唐志並作劉珧。今考隋、唐兩志，既無劉瑤，
> 亦無劉珧。僅有《春秋·公羊、穀梁傳》十二卷，晉劉兆撰。嘉善盧
> 文弨謂劉瑤即劉珧。今考《楊疏》亦多引劉兆之說。則文弨之言不誤，
> 而阮校失之矣。（《續修四庫全書總目提要（稿本）》，冊19，頁377）

又如《春秋穀梁傳注》魏糜信撰。「糜」，楊士勛《穀梁疏》作「麋」；孔穎達《禮記正義》作「麋」，《太平御覽》引《穀梁注》作「庾」，並誤。張氏據陸德明《經典釋文》、隋唐兩志、《冊府元龜》諸家所錄訂正之。

　　此外目錄之學有助於「辨章學術，考鏡源流」，張氏往往據以釐清各專經學史之源流，如《毛詩舒氏義疏》提要云：

> 按《隋志》於舒援、沈重義疏之外，題《毛詩義疏》者，凡五家，今皆不傳。則是編雖僅存一鱗半爪，不足以窺其全豹，然六朝義疏之文筆，藉此亦可知其概略，此其所以足珍歟。（《續修四庫全書總目提要（稿本）》，冊19，頁326）

大抵張氏對於典籍之學的關注，肇始於讀書哈佛燕京國學研究所時，因有感「朱氏《經義考》、謝氏《小學考》，其別彌細，其事彌專，而覽者亦彌便。[72]」曾有《詩考》之作，惟因卷帙浩繁，未見刊行。復因《經義考》不及康熙以下，《清史藝文志》譌誤百出，遂就《詩考》取清代二百年《詩經》學著作，分別部居，析為六類，成〈清代《詩經》著述考略〉一文，各書題名下除作者、版本外，均有全書大旨及評騭，有清一代《詩經》學史之脈絡大體可見，惜所錄僅及道光間著作，亦未完之稿，或可取與《續修四庫全書總目》「詩經類」提要相參酌，當有助於對清代《詩經》學史的掌握。

（三）批判意識與「新經學」思維

　　張氏所撰提要在對各家著述的評騭上，所呈現的開放態度，及反傳統的批判意識，與歷代書志往往局限於家派傳統的唯一判準，明顯更具學術的現代化特質。在「詩經類」提要中又主要表現在《詩經》的文學性質，和「《詩序》存廢」兩項議題上，如《非詩辨妄》提要云：

---

72 見張壽林：〈清代《詩經》著述考略〉，《女師學院期刊》第3卷第1期（1935年），頁1。

《四庫全書總目提要》亦謂樵書未見傳本，而孚書巋然獨存，豈非神物呵護，以延風雅一脈哉。烏呼！識者難得，二千年來儒者因襲固陋之習，良可嘆也。（《續修四庫全書總目提要（稿本）》，冊19，頁230）

又《毛詩振雅》提要云：

> 案晚明之世，學者治《詩》，喜以公安、竟陵之詩派竄入經義。《四庫全書總目提要》深斥其貽害於學者。然詩人之為書，本古昔歌謠之辭，與漢、魏樂府，初無以異。而學者知《詩》之為經，不知《詩》之為詩，寔《詩》學之一蔽。晚明學者以治五、七言之法治《三百篇》，正足以破腐儒之陋。《四庫全書總目提要》過而斥之，是門戶之見，非天下之公議也。（《續修四庫全書總目提要（稿本）》，冊19，頁651）

在民初，「新經學」概念的被提出，主要因為漢、魏以來經師不肯承認古經難懂，都要「強為之說」。張氏提要除了對傳統經學權威的批判外，亦將《詩經》研究議題中新的問題意識納入討論。如《詩經》是否入樂的問題，（清）鞏于汦《詩經大旨》「遠宗紫陽，近承顧氏」之說，以變〈風〉、變〈雅〉為《詩》之不入樂者。張氏提要取顧頡剛〈論《詩經》所錄全為樂歌〉的結論，批駁朱、顧二人的疏誤。又如《詩序》附會史事之謬、孔子刪詩說不可信、歌謠角度的《詩經》研究等，均是張氏在所撰寫的提要中一再關注的議題。

五　結語

　　上述僅就張壽林已刊行發表的《詩經》研究論文，進行分類討論，所得結論約有以下數端：

　　一，對傳統《詩經》學進行清理，是民初《詩經》研究者面對學術轉型的首要工作。檢視《古史辨》第三冊下收錄的《詩經》研究論文，大抵是一、兩位學者對歷代《詩》學中的基礎課題提出新的反省與研究，所引起的

回應與討論。如顧頡剛提出《詩經》辨偽工作、《詩序》問題、從《詩經》整理出歌謠的意見、《詩經》所錄全為樂歌的討論、興詩的議題，胡適提出《詩經》的訓詁、解題及白話翻譯的工作等。參與討論的文章，除《古史辨》所收外，更大量散見同時期的報紙期刊中，呈現單一議題篇幅短小的形式，與過去的經學家窮畢生之力所完成的鉅作顯然不同。張壽林刊行的兩本《詩經》研究專著，雖據〈論詩六稿自序〉說目的只在「整齊故說」，內容卻如上述是對反傳統《詩經》研究議題的一種回應。[73]只是張氏對議題的回應是全面性，加以對歷代《詩經》學有一定的掌握，故雖是單篇論文的組合，卻能有系統的論述，實際上呈現一部分民初觀點的《詩經》概論。

　　二，相較於議題提出者強烈的批判色彩，張壽林在《詩經》基礎課題梳理上的貢獻，是在批判傳統的基礎上進行修正。如顧頡剛一方面從歌謠的角度解讀《詩經》，是想在聖賢傳統外，另尋一個庶民文化傳統的源頭；一方面又將《詩經》視為史料，企圖用辨偽的方法，清理歷代加在《詩經》上的附會。只是過度強調《詩經》的史料性質，就必然一定程度的否定其文學特徵，因此當顧頡剛用力於考據和辨偽的工作，便難以同時細細地涵泳《詩經》本文。張壽林視《詩經》為上古文學材料，因此不僅有〈三百篇之文學觀〉、〈三百篇所表現之時代背景及思想〉的論述，且能從修辭的角度分析《詩》之六義，對《詩經》的文學性和史料性，均有較深刻的思考，在態度上亦相對地較為謹慎。另外關於二《南》詩篇的新探，方法雖淵源自胡適，

---

73 例如述〈詩經的傳出〉，內容是對顧頡剛〈詩經的厄運與幸運〉的回應與補充。據張壽林：〈詩經的傳出〉，《論詩六稿》（北平市：文化學社，1929年），頁3-4。以為查詢《詩經》的來源，以精博的考證，肅清《詩》說，是得到《詩經》真面目的方法，顯然與顧頡剛〈詩經的厄運與幸運〉中斬除藤蘿的想法一致的。只是文中提到顧頡剛沒有專書印行，可見看到的是《小說月報》上的文字，而不知道一九二五年上海商務印書館刊行的《小說月報叢刊》曾收錄此書。又如〈三百篇所表現的時代背景及思想〉中，肯定把《詩》中的敘述，看作流動的某一事的表現是可靠的。並進而將詩篇歸納整理出：《三百篇》產生的大部分時代，也就是「詩的時代」，這樣的提法，與胡適《中國哲學史大綱卷上》，將中國哲學的結胎時代稱為「詩人時代」，在思考的路向上是一致的。

但在取捨上，明顯略過爭議性高的比較研究，而著力於用新的學科知識重新做訓詁工作。在解題的工作上，則回歸歌謠本質的討論，特別是《詩經》篇章中屬於歌謠形式的遺留。

三，張壽林的《詩經》語文學研究，在方法和材料上，均深受王國維、黎錦熙的影響，更確切地說《詩經》語文學研究是當時北京部分大學，如北大研究所國學門、清大國學研究院、燕大國學研究院等，所關注的研究課題，主要的研究成果亦來自大學校園的師生，比較接近清代樸學的延續，與近代語言學的接軌。只是在〈三百篇聯綿字考釋〉一文中，並未作古聲母系統的論證，僅展佈材料以為古聲紐擬定的考察，整體而言，張氏對於相近的聲紐，採分立的態度，與清末民初趨向合併的研究徑路相背反，然在「順材以求合」原則上，或更接近上古的實際情況。是將語文學作為《詩經》研究的工具，而非將《詩經》作為研究古代漢語的材料。

再則雖然張氏從謠諺的角度說明聯綿字的淵源，但並未在《詩經》聯綿字的聲、義上作繫聯比較。較明顯的成績，反而是對傳統的解經系統中，幾種昧於聲而求諸字的錯誤典型，提出批駁。從修辭的功能看，〈三百篇聯綿字研究〉將雙聲、疊韻、重言、成語其他等五類聯綿字，分繫於各項敘述下，模糊了不同類型的聯綿字，在句中位置及結構上的特性。再則材料的彙整不夠完備，以重言為例，多有漏列，失卻了對《詩經》詞彙豐富性、多元性的掌握。

四，一九三五年出版的《三百篇研究》，除了《論詩六稿》原有的基礎外，更加入了發生學的研究方法，主要從考古學方面，觀察詩的起源，並與人類學、人種學相輔而行，所增材料，與「整理國故」運動的成果，及從疑古到重建轉變的脈絡，多有契合之處。只是張氏的研究，雖然存在一個「從文籍考辨向多學科研究」的方法意識，但研究成果與所標舉的方法論，存在明顯的落差，這種學術研究的過渡現象，實普遍存在民初的《詩經》學中，以開風氣之先的胡適為例，雖提出正確的解釋原則，但大部分的研究卻流於浮泛。趙沛霖分析其原因說：「他所謂的『社會學的』、『歷史的』原則，只是一般抽象的原則，由于不能觸及事物的本質，而缺乏具體深刻的內容，所

以他對作品的解說，除了由于運用民俗學和文化人類學的方法帶來一些新的氣息外，并沒有從整體上取得大的突破和進步[74]」。張氏雖對部分議題著力於延伸研究，所得卻仍是有限，原因有二：首先，是缺乏跨學科知識的訓練與研究能力，如他用力頗多的歌謠、民俗、神話研究，仍多是傳統的文史考辨學，因此當他希望用研究現代歌謠所得的知識，以考究《三百篇》中一切的問題，便只能是空懸的理想。再者，未能有效貫徹系統的研究，如屬於文獻整理的〈清代《詩經》著述考略〉未竟稿；對詩篇解讀的〈二南新探〉只作了四篇；屬於語文學研究的「《三百篇》聯綿字統計表」未見發表等，均使張氏的研究出現難以「開拓領域，深入經營」的困境。

　　五，《續修四庫全書總目提要》是民初學者的一項大型文獻整理工作，唯因編纂過程的特殊時空背景，不僅全書未竟其功，內容體例亦未經統整，故不曾產生該有的影響。其中經部《詩》類，張壽林不僅撰寫大部分的提要，並任整理之責。本文僅就其所撰提要內容分析，明顯可見《詩經》文學性質確立，和對傳統《傳》、《箋》系統的批判等民初《詩經》研究議題中新的問題意識，仍是其主要關注的議題，呈現出文獻整理工作所隱藏的學術思潮上的意涵。據此不僅可為清末民初《詩經》學史研究的基礎，對張壽林《詩經》學的研究亦是不可缺的材料。至於從《詩經》專題書目的角度看《續修四庫全書總目「詩經類」提要》的得失與貢獻，由於內容龐雜，牽涉廣泛，有待來日另著專文討論。

74　見趙沛霖：《現代學術文化思潮與詩經研究──二十世紀詩經研究史》，頁90。

郭沫若詩經研究

邱惠芬
長庚科技大學通識教育中心副教授

一　前言

　　民國以來政治社會環境的改變與外來思潮的衝擊，經學研究面臨了思想、方法與實踐上的批判與重建。在整理國故的浪潮下，古史辨學者倡導經典去聖化，《詩經》褪去了教化嚴肅的外衣，強調詩歌真實的生命；而地下出土材料的發現，更使得《詩經》的疑古、考古、釋古及證古等探索，凸顯了一定的普適性和前瞻性。其中，白話翻譯《詩經》並以世界觀視閾建構《詩經》古史社會，拔新領異，造成重大影響者，當屬甲骨四堂之一的郭沫若莫屬。

　　郭沫若身兼詩人、小說家、戲劇家、史學家、考古家等多種身分，中國第一本《詩經》白話翻譯《卷耳集》，是他與《詩經》研究連結的開始。流日期間所作《甲骨文字研究》、《中國古代社會研究》、《卜辭通纂》、《金文叢考》等專著，則是他援引唯物史觀進行古史新證的《詩經》相關研究。翻譯《詩經》可說是郭沫若張揚自我的創作表現；援《詩》考古、證史，或許是他避難沈潛、自勵堅貞的一種出路[1]。郭氏《詩經》研究所開創的格局及影

1　郭沫若為《金文叢考》作序時，說明「金文叢考」標題頁的背面，有以古文字題句「大夫去楚，香草美人。公子囚秦，〈說難〉、〈孤憤〉。我遘其厄，媿無其文。爰將金玉，自勵堅貞。」用以表述流亡期間感傷的心情與期許。詳見郭沫若：《郭沫若全集》（北京市：人民出版社，1954年），考古編，卷5，頁3。

響，自有其個人與時代的因緣，所論證對於近代中國學界造成的重大影響，
遠非他始料所及。其專著今由郭沫若著作編輯出版委員會編錄於《郭沫若全
集》，共計文學編二十卷、歷史編八卷、考古編十卷。

　　考察學界對於郭沫若的《詩經》研究，中國學者的研究成果很多，相形
之下，臺灣學者較少。大抵上，郭氏《詩經》研究的向度有三：第一，《詩
經》白話譯詩的討論，如曹聚仁、趙制陽、伍明春、唐瑛、陳文采、李霞、
熊玲淄等論文[2]；其次，是闡釋《詩經》時代社會的研究，如胡義成、徐復
觀、金達凱、潘光哲、周朝民、歐崇敬、王霞、戴晉新等專論[3]；再者，則
是《詩經》古文字考論，如江淑惠、卜慶華、邱敏文、陳仕益、符丹、侯書
勇、徐明波等[4]專著論文。此外，夏傳才、洪湛侯、陳文采、趙沛霖等《詩

2　曹聚仁：《卷耳討論集》（上海市：梁溪圖書館，1925年）、胡義成：〈郭沫若與《詩
　　經》〉，《西南師範大學學報》（人文社會科學版）（1981年2月）、夏傳才：〈試論郭沫若
　　對《詩經》研究的貢獻〉，《文學評論》（1982年6月）、趙制陽：〈郭沫若詩經論文評
　　介〉，《詩經名著評介》第三集（臺北市：萬卷樓圖書公司，1999年）、伍明春：〈古詩
　　今譯：另一種新詩〉，《重慶郵電學院學報》（社會科學版）2006年第6期、陳文采：
　　〈談談胡適與郭沫若的《詩經》新解〉，《國文天地》第22卷10期（2007年3月）、鄭
　　群：《詩經與周代婚姻禮俗研究》（揚州市：揚州大學博士論文，2007年）、唐瑛：〈隨
　　意點染也譯詩——由郭沫若今譯卷耳集引發的一點思考〉，《郭沫若學刊》（2008年2
　　月）、李霞：〈《詩經》農事詩研究綜述〉，《湖北成人教育學院學報》（2012年5月）、熊
　　玲淄：〈詩經今譯以情感和意境為特徵的詩性傳統的繼承——以郭沫若《卷耳集》為
　　例〉。
3　徐復觀：〈駁郭沫若殷周奴隸社會說〉，《中華雜誌》12卷4期（1974年4月）、金達凱：
　　〈論郭沫若殷周奴隸社會說的謬誤〉，《東亞季刊》11卷3期（1980年1月）、潘光哲：
　　《郭沫若與中國馬克思主義史學的發展——以中國古代社會研究為中心的討論》（臺
　　北市：國立政治大學歷史研究所碩士論文，1990年）、〈郭沫若治古史的現實意涵〉，
　　《二十一世紀》29期（1995年6月）、周朝民：〈王國維與郭沫若在古史研究上之關
　　係〉，《中國文化月刊》180期（1994年10月）、歐崇敬：〈胡適、顧頡剛、陳寅恪、錢
　　穆、傅斯年、郭沫若、洪業等新時代史學家在哲學上的貢獻〉，《當代中國哲學學報》
　　第4期（2006年）、王霞：〈淺析郭沫若《中國古代社會研究》〉，《安徽文學》（2008年8
　　月）、戴晉新：〈是其所以是，非其所以非：談幾則有關王國維史學的評論〉，《輔仁歷
　　史學報》28期（2012年3月）。
4　江淑惠：《郭沫若之金石文字學研究》（臺北市：華正書局，1992年）、卜慶華：〈郭沫

經》學史專著[5]，亦有部分論述。

　　以上研究大多就單一向度或《詩經》學發展概論進行申論，關於郭氏《詩經》研究的思想脈絡、方法與實踐成果，尚待全整性的整理討論。故此，本文將以郭沫若學思歷程為經，翻譯及考古等《詩經》相關研究為緯，分別從《詩經》風韻譯的創作衍繹、唯物史觀下《詩經》社會圖像以及考古研究與《詩經》訓詁新證等三方面，進行考察整理，期以瞭解郭沫若《詩經》研究的成就與侷限。

二　《詩經》風韻譯的創作衍繹

（一）《卷耳集》翻譯的學思因緣

　　郭沫若（1892-1978），四川樂山人，原名開貞，號尚武。小時候在家塾裡接受傳統教育，曾抄寫《說文部首》，讀過段玉裁《群經音韻譜》。雖然少年時代適逢科舉制度改革，廢八股，改設學堂，但家塾並沒有廢除，家課反而比蒙學堂的學課內容還要充實[6]。他從大哥采集的新書中，開始大量接觸新書報，並嘗試寫詩[7]。十五歲（1906）入小學讀書，帥平均教授的《今文尚書》令他獲益良多，但對學校其他教員及教法頗多微詞，因反對教員被記

　　若研究考訂三則〉，《吉林大學學報》（社會科學版）1998年第4期、邱敏文：《郭沫若
　　甲骨學研究》（臺北市：中國文化大學中國文學研究所碩士論文，2002年）、陳仕益：
　　《郭沫若考古文論》（成都市：巴蜀書社，2009年）、符丹：《郭沫若古文字整理方法
　　研究》（成都市：西南交通大學碩士論文，2010年）、〈郭沫若金文古史研究的成就與
　　局限〉，《郭沫若學刊》2009年第2期、徐明波：〈從傳統金石學走向科學考古學──郭
　　沫若甲骨文、青銅器研究中考古學方法的應用〉，《郭沫若學刊》（2013年1月）。

5　洪湛侯：《詩經學史》（北京市：中華書局，2002年）、陳文采：《清末民初詩經學史
　　論》（臺北市：東吳大學中文研究所博士論文，2002年）、夏傳才：《二十世紀詩經學》
　　（北京市：學苑出版社，2005年）、趙沛霖：《現代學術文化思潮與詩經研究－二十世
　　紀詩經研究史》（北京市：學苑出版社，2006年）。

6　《郭沫若全集》（北京市：人民文學出版社，1992年），文學編，卷12，頁3。

7　王繼權、童煒鋼編：《郭沫若年譜》（南京市：江蘇人民出版社，1983年），頁8-13。

大過[8]。十六歲（1907）讀《史記》，翻閱《皇清經解》，嘗試找出梅賾《古文尚書》偽撰部分。此時他成績優異，但個性驕傲、散漫懶惰，因發動罷課而被退學。之後，考入嘉定中學，仍因學校教學一塌糊塗，而自暴自棄[9]。此時他最感興趣的經學是《春秋》[10]。十八歲（1909）因故被學校退學[11]。十九歲（1910）進成都分設中學，對學校的腐敗感到失望；代表學校參加教育研討會後，隨即遭學校斥退。在大哥周旋下，雖返校續讀，但憎惡禮教、追求解放的心情絲毫未減[12]。二十歲（1911）參加川漢鐵路「保路同志會」成立大會，赴藩台衙門請願。武昌起義，辛亥革命爆發後，他把象徵封建壓迫和民族壓迫的辮子剪了，加入學生自願軍[13]。二十二歲（1913）考取天津陸軍軍醫學校，但因原本就沒有學醫的意志，也不想借醫來醫人及餬口，而複試時光怪陸離的題目，便使他毅然放棄就讀。最後，在大哥的安排下，赴日求學[14]。

　　二十三歲（1914）考取東京第一高等學校的預科，因畏習數學而選擇醫科，希望日後對國家社會作出切實的貢獻。開學後，結識張資平、郁達夫等人，也接觸泰戈爾詩集，成了泰戈爾的崇拜者[15]。二十四歲（1915）被分配到岡山的六高醫科，結織成仿吾。在偶然機緣下買了《王文成公全集》，萌生靜坐的念頭，卻也因靜坐治癒神經衰弱症。因為喜歡莊子，被導引到老子、孔門哲學、印度哲學以及近世歐陸唯心派哲學[16]。二十五歲（1916）開始翻譯泰戈爾，學德文，認識了歌德與海涅，接受了哲學上的泛神論影響[17]。

8　同註7，頁20。
9　同註7，頁23-26。
10　同註6，頁11。
11　同註7，頁30。
12　同註7，頁32-37。
13　同註7，頁38-39。
14　同註7，頁49-52。
15　同註7，頁57。
16　同註7，頁59-60。
17　同註7，頁63。

二十六歲（1917）因經濟問題，想出版譯著《泰戈爾詩選》，卻遭拒受挫[18]。
二十七歲（1918）進入九州帝國大學醫科就讀，決心和文學斷緣，專攻醫
學。其後，與張資平醞釀辦文學雜誌並提倡新文學[19]。二十八歲（1919）曾
因學醫枯燥，且雙耳重聽而想改入文科，但遭妻子反對。在零碎地翻譯歌德
《浮士德》中，得到思想的共鳴。六月與福岡同學組織「夏社」，為增進社
團的通訊，訂閱上海《時事新報》。其後偶然間在副刊《學燈》上看到康白
情的白話新詩，激起他將詩作投寄發表的欲望，不久後即獲刊登。此時因接
觸惠特曼豪放自由的詩作並受其影響，創作了一系列崇高奔放、粗暴的詩
作，如《鳳凰涅槃》等[20]。

　　三十歲（1921）時，與成仿吾、田壽昌信件討論辦理純文藝雜誌的創刊
事宜，並擬轉入京都文科大學，後因成仿吾反對而作罷。此時心情煩悶到連
學堂都不願進，整天只讀文學和哲學一類的書。妻子於是同意他棄醫回國，
另找出路[21]。回國後，在《女神》序詩中公開宣稱自己是無產階級者，儘管
當時對馬克思思想仍感茫然。六月赴日東京與郁達夫、張資平等商量《創
造》季刊的創刊事宜，七月返上海開譯《少年維特的煩惱》；八月出版詩集
《女神》，引發新詩界和青年讀者極大注意及好評，聞一多更稱譽他為「現
代第一詩人」。九月回日本繼續學業[22]。三十一歲（1922）發表《星空》詩
集。此時，他的思考有了變化，詩風也與先前爆發式的情感不同。五月《創
造》季刊創刊號出版。暑假期間返國，八月十四日寫《卷耳集》序，說明翻
譯《詩經》的原由、目的和方法。譯詩並於九月五日至二十六日在《中華新
報・創造日》上發表[23]。三十二歲（1923）三月自九州帝國醫科大學畢業，
但因聽覺不靈，遂放棄做醫生的希望，決心回國從事文學活動。五月譯尼

18　同註7，頁68-69。
19　同註7，頁71-78。
20　同註7，頁83-88。
21　同註7，頁112。
22　同註7，頁117-122。
23　同註7，頁128-141。

采，七月二十三日《卷耳集》寫跋強調研究文學必須重視原著，要從作品本身求生命[24]；八月《卷耳集》出版，引發古書今譯的討論，便又作〈我對卷耳一詩的解釋〉、〈釋玄黃〉等相關回應[25]。三十三歲（1924）作〈整理國故的評價〉批評國故整理運動，〈古書今譯的問題〉大談其翻譯〈國風〉的體會。四月，赴日本研究生理學，同時學習社會科學。其後，譯日人河上肇《社會組織與社會革命》，深受影響，對社會革命與文藝也有了新的認識，故放棄專攻生理學。十一月回上海[26]。三十四歲（1925）時，想樹立一個文藝論的基礎，並利用近代醫學尤其生理學的知識來解釋文藝現象[27]。三十五歲（1926）參加北伐；三十七歲（1928）一月作〈譯關雎〉；二月赴日，展開流亡的生活[28]。

　　一九二八年以前的郭沫若，性情浪漫、好批判，求學歷程幾經波折。誠如他在《少年時代》所言：「我自己頗感覺著也就像大渡河裡面的水一樣，一直是在崇山峻嶺中迂迴曲折地流著[29]。」對新式教育的失望，使他轉向遊山玩水、吃酒賦詩的名士習氣。因緣際會赴日習醫後，幾度想棄醫從文，但囿於家庭、朋友及務實的經濟因素，仍完成學業。他對基礎醫學深感興趣，卻因重聽而在臨床醫學的學習上，痛苦萬分。畢業後雖未行醫，可是幾年的醫學教育讓他洞察人體和生物的秘密以及近代科學方法的門徑，對於後來從事文藝寫作、學術研究乃至政治活動，都有很大的幫助[30]。

　　一九二一年他與郁達夫、成仿吾等人共同創立「創造社」[31]，將文藝當做高興時的遊戲或失意時的消遣之作。相對另一個新文學社團「文學研究社」為人生而藝術、文學應反映社會現象的文學主張，崇向浪漫主義的「創

24　《郭沫若全集》（北京市：人民文學出版社，1984年），文學編，卷5，頁208。
25　《郭沫若全集》（北京市：人民文學出版社，1990年），文學編，卷15，頁328-334。
26　同註7，頁171-183。
27　同註7，頁190。
28　同註6，頁231-243。
29　《郭沫若全集》（北京市：人民文學出版社，1992年），文學編，卷11，頁3。
30　同註6，，頁16-18。
31　同註7，頁117。

造社」，明顯缺乏理性的文化建構意識。由於「創造社」成員都是住日本近十年之久的留學生，長期沈浸在經濟、文化相對成熟、以人為本的大正時期（1912-1926）社會氛圍中，任性縱情，時髦感性。尚新磊《前期創造社作家精神心理研究》指出，在他們身上凝聚的是個人與社會、個人與國家、個人與時代以及個人與自我的凌亂複雜的關係。而徘徊在中日社會文化的夾縫間，學業不成，前途不定，孤獨感與身分的焦慮，既是「創造社」成員自我異化的體驗，也是日後轉型到文藝道路的主要原因[32]。

童曉薇〈日本大正時期都市社會對創造社的影響〉亦云：

> 他們的感情往往是跳躍的、狂躁的，色彩是斑斕的，因過於以自我為中心而顯得有些神經質。他們的故事述說的是都市青年對性、對愛情的迷惑和追求，對前途的擔憂，或對祖國的眷念和憧憬，對自己的遠大抱負的激勵[33]。

由此可知，大正時期的日本都市社會對創造社成員產生了重要的影響，而這正是創造社文學的起始點。他們普遍具備了現代都市人的意識和素質，文學作品與評論也大量模仿或借鑒日本文藝思潮和理論[34]。

郭沫若在〈論國內的評壇及我對於創作上的態度〉一文中曾說自己是一個偏於主觀、個性衝動的人，想像力比觀察力強，由於自幼嗜好文學，所以

---

32 尚新磊《前期創造社作家精神心理研究》指出，前期創造社作家由於疏離了本土社會，沒有強烈的家國觀念所集成的責任意識，個體的感性體驗與情感欲望使他們處於放任狀態，隨波逐流地體驗著異域的社會風情，汲取著西方文學、文化的營養。他們的身心處於極度混亂的狀態，身份的模糊與情感認同的危機，使得他們獲得感性的同時卻也失去了自己社會、文化上的身份，這樣的情況下，總體體驗是「異化」，精神情態是「焦灼」與「混亂」，情感特徵是「感傷」，而這些都促使前期創造社作家本著內心的要求，走上了文藝的道路。」（南京市：南京師範大學碩士論文，2011年，頁44。）

33 童曉薇：〈日本大正時期都市社會對創造社的影響〉，《歷史教學》第475期（2003年6月），頁45-48。

34 宮下正興：《以日本大正時代為背景的郭沫若文學論考》（濟南市：山東大學博士論文，2006年），頁116-117。

便借文學以鳴存在，在文學中借了詩歌這只蘆笛。他回顧走過的半生行路，
大都任由衝動在奔馳，作起詩來更是如此。對於性格的偏頗與意志的薄弱，
他是很樂意進行糾正與鍛煉的。所以，即使面對不甚喜好的科學，也決意把
醫學作為畢生研究的對象，希望藉此養成縝密的客觀性與堅強的意志力。在
藝術的見解上，始終覺得應當是創造的。所謂「真正的藝術作品應當是充實
了的主觀的產品」、「文藝如由真實生活的源泉流出」，主張藝術不應當迎合
時勢[35]。

（二）風韻譯的創作理論

五四時期，譯介西方浪漫主義文學並引入中國而蔚為潮流者，當屬「創
造社」的貢獻最大。詳察郭沫若的文藝活動，基本上是以創作詩歌、翻譯外
國作家作品為主。而他的詩歌翻譯理論又與他詩歌創作理論，息息相關[36]。

留日期間，郭氏曾吸納西方柏克森、弗洛伊德、斯賓諾莎、尼采等哲
學，也接受了泰戈爾、雪萊、莎士比亞、海涅、歌德、惠特曼等作家作品的
洗禮，創作與譯介數量頗豐。一九一九年九月首次署名「沫若」，投寄詩作
至上海《時事新報》副刊〈學燈〉，獲主編宗白華賞識[37]，此後直到一九二
〇年四月底宗白華辭掉職務赴德留學為止，作品幾乎全數刊登，堪稱是他創
作的爆發期。一九二一年八月出版中國新詩的奠基之作《女神》。由於先前
曾翻譯《泰戈爾詩選》、《海涅詩選集》、《雪萊詩選》、《浮士德》、《少年維特
的煩惱》等，所以，在詩歌的創作上，深受泰戈爾擺脫古體詩格律限制的那
種清淡平和的無韻詩影響。其次，惠特曼題材多樣的自由詩體，那種高昂激
情的分明個性，以及雪萊節奏明快，氣勢磅礴的詩歌，對他的詩歌創作產生

35　同註25，頁225-228。

36　李春在〈翻譯主體與新文學的身份想像──郭沫若「風韻譯」及其論爭〉文中指出，
　　細加考察郭沫若的翻譯理論，可以發現翻譯理論其實是結合他的詩學觀念與對新文學
　　的構想。(《北京第二外國語學院學報》第12期，2009年，頁22)。

37　同註7，頁98。

極大的影響[38]。

　　在創作及翻譯的實踐中，郭沫若探索出「風韻譯」和「創作論」的翻譯理論。一九二〇年，為田漢〈歌德詩中所表現的思想〉一文所寫的附白中，他提出了詩歌「風韻譯」的標準。

> 詩的生命，全在他那種不可把捉的風韻，所以我想譯詩的手腕於直譯、意譯之外，當得有種風韻譯[39]。

而一九二二年在〈談文學翻譯工作〉文中，又再次重申「風韻譯」的主張，云：

> 詩的生命在他內含的一種音樂的精神。至於俗歌民謠尤以聲律為重。翻譯散文、詩、自由詩時自另當別論，翻譯歌謠及格律嚴峻之作，也只是隨隨便便地直譯一番，這不是藝術家的譯品，這只是言語學家的解釋了。我始終相信，譯詩於直譯，意譯，之外，還有一種風韻譯。字面，意義，風韻，三者均能兼顧，自是上乘。即使字義有失而風韻能傳，尚不失為佳品。若是純粹的直譯死譯，那只好屏諸藝壇之外了[40]！

在他看來，直譯、意譯只是翻譯表層的第一道、第二道程序。他所主張的風韻譯，是詩的生命中不可捉摸的風韻，也是超乎字義的一種靈動生命力。其

38　郭沫若在擬作《我的著作生活的回顧》中，曾列出對他的文學生涯有影響的作家有：詩的修養時代——唐詩；詩的覺醒期——泰戈爾、海涅；詩的爆發期——惠特曼、雪萊（《郭沫若全集》文學編第13卷，北京市：人民文學出版社，1992年，頁299-300）。而王影《郭沫若翻譯理論與實踐研究》中亦指出郭沫若早期的詩作如〈VenuS〉、〈新月與白雲〉、〈死的誘惑〉等都受到了泰戈爾無韻詩的影響，體現了清淡平和的詩風，擺脫了古體詩格式韻律的束縛；惠特曼的詩歌，尤其是《草葉集》對郭沫若的詩歌創作產生了決定性的影響，這在詩集《女神》中有明顯的體現；〈天狗〉一詩作為詩集《女神》的代表作之一，受雪萊的《西風頌》的影響非常明顯。」（保定市：河北大學碩士論文，2011年，頁29-31）。

39　同註25，頁98。

40　《郭沫若全集》（北京市：人民文學出版社，1989年），文學編，卷17，頁227-228。

既非「直譯」嚴格地遵從原著句式、意義，也不像「意譯」那樣忠實地傳達原著[41]，而是在譯者閱讀原詩之後，不損及意義的情況下，自由移易地將詩中靈動的氣韻，用自己的語言復現出來的一種自我表現。

而在〈論詩三札〉中，他說：

> 詩的精神在其內在的韻律，內在的韻律（或曰無形律）並不是甚麼平
> 上去入，高下抑揚，強弱長短，宮商徵羽；也並不是甚麼雙聲疊韻，
> 甚麼押在句中的韻文！這些都是外在的韻律或有形律。內在的韻律便
> 是「情緒的自然消漲」。這是我自己在心理學上求得的一種解釋，前
> 人已曾道過與否不得而知，將來有暇時擬詳細的論述。內在的韻律訴
> 諸心而不訴諸耳[42]。

所以，郭氏強調詩歌裡的神韻就是「詩的內在的韻律」。他認為譯詩者對詩歌必須要有很深厚的瞭解，至於不寫詩的人，肯定是不能譯詩的。譯者唯有充分發揮想像力，深入挖掘深層的意象和情趣，對原詩心領神會，才可能在譯詩中完全再現原詩的神韻[43]。

對於文學翻譯的工作，他給予極高的評價。認為文學是現實生活的反映，透過翻譯可以承受全世界的文學遺產，了解各國人民的生活習慣和願望，還能消除人為的隔閡，對於保衛世界和平、反對新戰爭威脅，有很大的作用。尤其，翻譯還可以促進本國的創作，促進作家的創作欲。在他看來，翻譯工作是一項艱苦的工作，也是一種創作性的工作。

> 好的翻譯等於創作，甚至還可能超過創作。這不是一件平庸的工作，
> 有時候翻譯比創作還要困難。創作要有生活體驗，翻譯卻要體驗別人

---

41 楊敏、王慶：〈郭沫若譯詩「真的美」看「風韻譯」的得失〉，《世紀橋》2012年第13期（總第252期），頁23。

42 同註25，頁337。

43 郭沫若認為當時大家多只注重媒婆，而不注重處子；只注重翻譯，而不注重產生。而主張處女應當尊重，也就是自由創造的翻譯理應受到重視，而單純照本宣科的鸚鵡名士，也就是媒婆，則應當稍加過抑。（同註25，頁340-341）。

所體驗的生活。翻譯工作者要精通本國的語文，而且要有很好的外文
基礎，所以它並不比創作容易[44]。

郭氏指出翻譯的條件原則，即譯者態度應具高度責任感，不可輕率。下筆之
前應對作品的時代、環境、生活有深刻的了解，從各方衡量一部作品的價值
與影響，要具備文學的修養和語文的修養，更重要的是本國語文的修養，才
能運用自如，因為「詩有一定的格調，一定的韻律，一定的詩的成分的。」
所以，他在〈古書今譯的問題〉文中認為詩的翻譯，不可能像翻電報號碼的
逐譯，詩的翻譯應該是譯者在原詩中所感得的情緒的復現[45]。

　　因此，郭沫若的「風韻譯」主張，其實也是翻譯的創作理論。王影《郭
沫若翻譯理論與實踐研究》指出郭氏的「風韻譯」是一種審美理想，是翻譯
所要達到的目標。「創作論」則是一種方法論意義上的翻譯理論，是實現
「風韻譯」這一審美理想的方法和途徑。若以「風韻譯」為目標，必不可少
地要運用「創作論」的方法；只有通過「創作論」的充分發揮，才能達到
「風韻譯」的目標[46]。

（三）《卷耳集》的翻譯衍繹

　　《詩經》的白話翻譯當以一九二一年顧頡剛〈瞎子斷篇的一例──靜
女〉為最早，但尚未發表。一九二三年，郭沫若出版了第一本《詩經》白話
選譯的專著《卷耳集》。一九二六年，顧氏將譯作發表在《現代評論》第三
卷六十三期中，便引發了張履珍、謝祖瓊、劉大白、魏建功、郭全和、劉
復、董作賓、杜子勁等人分別就詩中靜女、彤管、荑等訓詁，進行討論[47]。

---

44 同註40，頁72-76。

45 同註40，頁163-166

46 王影：《郭沫若翻譯理論與實踐研究》（保定市：河北大學碩士論文，2011年），頁16-
　19。

47 有關〈靜女〉一詩的討論，當時有劉大白〈關於瞎子斷扁的一例──靜女的異議〉、
　〈再談靜女〉、〈三談靜女〉、〈四談靜女〉、郭全和〈讀邶風靜女的討論〉、魏建功〈邶

　　郭沫若譯詩的立場主張，於〈古書今譯的問題〉文中指出四書、五經之所以令人深感困難，主要在於外觀古澀而不是內容艱深。在他看來，〈國風〉中許多的抒情詩，十二、三歲的人未必不能領會，只要給它們換上一套容易看懂的文字即可。所以，整理國故最大目標是使有用的古書普及，讓更多人得以接近。他認為讀經並不容易，提倡讀經應注重道德涵養、研究古史、識字等目的，《沸羹集》收有〈論讀經〉一文，云：

> 我不反對讀經，而且我也提倡讀經。但我為尊重讀經起見，卻不希望年青人讀經，而希望成年人讀經，更尤其希望提倡讀經的人認真讀經。……我們在普遍地提倡讀經之前，總得先走一步翻經或譯經的工作。把古代難懂的經文翻譯成現代文，先要讓人們能夠親近。不僅《易》、《書》、《詩》等難懂的經有翻譯的必要，就連比較容易懂的「四子書」都有翻譯的必要。舊時對於聖經賢傳視同圖騰禁忌，不准易一字，省一筆。那樣的科舉時代已經老早過去了。我們現在所需要的是精神。誰個吃胡桃而不肯去掉青的果皮，硬的核殼，如可能時再沒法去其仁衣的呢？不去皮、不去殼的胡桃果你就要青年吃，他怎麼也是吃不下去的。你會說讓他自己去剝吧，真正多謝你的親切啦[48]。

以上敘述，可看出他翻譯或譯經都是為青年剝除舊時代皮衣的首要工作。同時，他也坦言自己時常讀經，但並不全懂。對於沒有文字學的素養，缺乏原始社會的研究、不諳科學方法，以及沒有各種豐富科學常識的青年，他認為還不具有讀經的資格。也因此，他的《詩經》白話翻譯就是在提倡讀經的前提下，希望成年人認真讀經而做的工作。

　　在〈簡單地談談詩經〉一文中，他提出民間文藝的生命往往比貴族文藝或宮廷文藝的生命更豐富，更活潑，所以，〈國風〉最具有文學價值。然

風靜女的討論〉、劉復〈瞎嚼噴蛆的說詩〉、董作賓〈邶風靜女篇薁的討論〉、杜子勁〈詩經靜女討論的起漚與剝洗〉等，收錄於顧頡剛：《古史辨》（臺北市：藍燈文化公司，1987年），冊3，頁510-573。

48　《郭沫若全集》（北京市：人民文學出版社，1992年），文學編，卷19，頁370-374。

而，由於年代相隔太遠，生活習慣、語言音韻古今差異，令人不易接近，倘若能經過一番解釋，稍懂古音古訓的話，讀來當別有風味。他說：

> 〈國風〉多是一些抒情小調，調子相當簡單，喜歡用重復的辭句反復地詠嘆，一章之中僅僅更換三兩個字的例子是很多的。這正是一般民間歌謠的特徵，尤其是帶些原始性的民間歌謠。在這種風格上正保證著〈國風〉是比較可靠的文獻。敘事的成分很少。中國古詩人有一種風尚，不高興用韻文形式來敘事。別的民族在很古的時代便流傳出大規模的史詩，在我們的確是沒有的。或許有過，沒有後人搜集而失傳了吧？因此，在〈國風〉中沒有什麼波瀾壯闊的成分，沒有什麼悲壯的成分，這可以說是一種缺點[49]。

同樣的，他認為〈大雅〉、〈小雅〉和〈商頌〉、〈魯頌〉也多是抒情的讚頌或詛咒，敘事的成分仍然很少。至於多為斷片的〈周頌〉，時代最早，有的遠在西周初年，但最為無聊，沒有什麼文學價值。〈雅〉、〈頌〉則主要采自宗廟朝廷的貴族文學，略有加工，但在自然和生動的情趣上遠遠不如〈國風〉，反倒是含有詛咒的「變雅」，比較值得推薦[50]。

　　大抵上，郭沫若的《詩經》白話語體翻釋，主要有二部分：一是〈國風〉的愛情詩翻譯；另一則是論述西周農業的詩。前者主要收錄於《卷耳集》，一九二三年八月由泰東圖書局出版，列為《辛夷小叢書》，收有語體《詩經·國風》四十首，現收《全集》文學編第五卷；後者則見於〈由周代農事詩論到周代社會〉一文，一九四四年二月十七日用語體譯成〈豳風〉、〈豳雅〉、〈豳頌〉等十首農事詩，現收於《全集》歷史編第一卷《青銅時代》。

　　在一九二二年八月十四日《卷耳集》序言中，他說：

> 我這個小小的躍試，在老師碩儒看來，或許會說我是「離經畔道」，

49　同註40，頁227-228。

50　同註40，頁227-228。

　　但是，我想，不怕就孔子再生，他定也要說出「啟予者沫若也」的一
　　句話[51]。

　　郭氏自信地表示，在新人名士看來，或許會說他是「在舊紙堆中尋生
活」，但他認為倘若能在這故紙堆中尋得剎那剎那的生命，也就心滿意足
了。而之所以只選譯〈國風〉中男女戀愛的情歌四十首，是因為有些好詩不
能譯，有些譯不好，才只好割愛。也因此，《卷耳集》中第一首詩非〈關
雎〉而是〈卷耳〉。此書初版本附有原詩及譯者注解，一九五七年收入《沫
若文集》第二卷時刪去。

　　考察《卷耳集》一書除譯詩外，另有詩旨解題，其中，敘男女幽會者
七；怨媒妁之言、婚姻不自由、有待而不遇、夫奴役而亡者四；相戀男女或
夫妻之思念、勸戒或相約私奔者十二；男女合歡合唱風俗者三；失戀者三；
男子戀慕女子者四；女戀慕男子者三；自由戀愛、自由離婚者一；國王與王
妃閨房對話者一；悼亡妻者一；女子自敘婚姻生活安適者一。詩中女子口吻
有二十二首，男子口吻十一首，男女問答者七首。

　　經對照譯詩與原詩，析分其解題、翻譯之結構佈局，可歸納出《卷耳
集》翻譯特色主要有六：

1 鋪排全詩場景作為引言

　　書中多首譯詩大多先鋪排全詩場景作為譯詩引言，再按原詩章次予以翻
譯，如〈卷耳〉、〈野有死麕〉、〈女曰雞鳴〉、〈溱洧〉、〈雞鳴〉、〈綢繆〉、〈蒹
葭〉等。以〈野有死麕〉為例，不採逐譯方式，而先鋪陳勇士帶著獵犬同
行，獵鹿後將鹿背在左肩，右手拿著弓、箭的樣貌。然後揉合原詩第一、二
章，安排勇士巧遇清秀佳人，獻鹿引誘，然後女子告誡男子規矩守禮等，勾
勒出一幅男女相戀時活靈活現的景象。

51　同註24，頁157。

2 運用意識流進行內心獨白

〈卷耳〉譯詩一開頭僅譯原詩第一章人與物（卷耳、頃筐），描繪一幅婦人在家思夫坐立難安，而後外出摘取卷耳，時而昂頭遠眺的靜默圖像。詩開頭「采采卷耳」及「不盈頃筐」則在第二段及最後一段才分別譯出。原詩「嗟我懷人，寘彼周行。」於譯詩第二段開頭譯出；「我僕」及「我馬玄馬」提前到譯詩第二段譯出。而原詩第二章「陟彼崔嵬，我馬虺隤。我姑酌彼金罍，維以不永懷。」與第三章陟彼高岡，我馬玄黃。我姑酌彼兕觥，維以不永傷。」則在譯詩第三、四段婦人的心理想像中出現。

在女子的心理想像中，愛人影像浮現在卷耳葉上、花中，對著她微笑；而在遠眺的山丘上，她彷彿看見了愛人立馬躊躇，帶著愁慘的面容，向她訴說別離羈旅的痛苦。因此，沒有心情采取卷耳的她，坐在草地上憂思男子思念她時、走上危巖高山、馬病而黃、僕人生病之愁苦憂歎，而懊惱著自己沒辦法在他身旁勸慰他。當婦人坐在草地上思念男子可能遭逢的困頓場景時，終究無心採取卷耳，而心裡的波瀾轉折如同遠方的綿延起伏的山谷。

此詩翻譯有別於直譯、意譯，而是雜揉全詩物、事、人，以女子「情緒的自然消漲」為主軸，從女子出外采卷耳一事鋪陳開來，並且匠心獨運地利用「意識流文學」技法來處理女子意識流動狀態，此詩乃《卷耳集》中唯一採用「意識流文學[52]」技巧的翻譯之作。

3 義複節略或合譯

《卷耳集》譯詩有二節或三節義同，僅譯其中一節者，如〈君子于役〉、〈葛生〉、〈蒹葭〉、〈衡門〉、〈東門之池〉、〈月出〉、〈澤陂〉等。如〈衡門〉一詩，首譯「衡門之下，可以棲遲，泌之洋洋，可以樂飢。」一章，譯

---

52 意識流原是心理學上的名詞，運用於文學，指的是一種寫作技巧，泛指一種心靈活動，指未形諸於語言之前，人的心理意識像瀑布般流動，其意識可超越時間與空間。十九世紀由美國心理學家威廉‧詹姆斯所創。指人的意識活動持續流動的性質，意識並不是片段的連接，而是不斷的流動，如一條河的流水。說詳於梅‧弗里德曼：《意識流：文學手法研究》（上海市：華東師範大學出版社，1992年），頁2。

云：

> 我們的住家是淺淺的茅屋，
> 我們的門外有活活的流泉。
> 我在這兒盡可以自得優游，
> 我就受些饑寒也心甘情願。

　　此詩後二章，郭氏以「末尾兩節意本相同，只表現出一種旋律的作用」，便為譯述之便，併成一節。

　　而〈月出〉譯詩云：

> 皎皎的一輪月光，
> 照著位嬌好的女郎。
> 照著她天裊的行姿，
> 照著她悄悄的幽思。
> 她在那白楊樹下徐行，
> 她在低著頭兒想甚？

此詩三章形容佳人從容悠閒、嫻靜優雅的樣貌，郭氏亦以「三節同解，只譯其一。」且把「勞心悄兮」、「勞心慅兮」、「勞心慘兮」譯成美女幽思。而譯詩最後二句，則依據個人想像，衍繹成「她在那白楊樹下徐行，她在低著頭兒想甚？」

　　至如〈澤陂〉一詩，郭氏亦以第三章與第二章詩義重複，略去不譯，美人之「碩大且卷」、「碩大且儼」等美好及矜莊樣貌因而沒有譯出；此外，疑〈蒹葭〉一詩表現出一種幻覺（Hallucination），故三節義同而只譯其一，其後白露由霜至未晞到未已，因時間推移造成的遞進心象，以及一唱三歎佳人縹緲迷離的距離美感，都略而未譯。

4 男女歡會之戲劇性對話

　　《卷耳集》中男女歡會應答大多為幽會之詩。郭氏擅用戲劇性對話，取

代平鋪直敘的詩義。如〈女曰雞鳴〉一詩，譯曰：

> 獵人同他的愛人
> 在一座崖洞裡過夜；
> 他們說了通宵的情話，
> 惺忪忪地沒有些兒睡意。

> 女的說：「雞怕快要叫了吧？」
> 獵人說：「天怕還沒有亮呢？」
> 兩人走出崖洞來看看天色，
> 還看見光琳琅的一天星斗；
> 并立在星光之下幽幽地對語。

> 獵人說：「白鳥快要來了，
> 雁鵝也快要來了。
> 到那我要射兩隻來親迎你。
> 我們兩人對坐著飲酒，
> 你彈琴，我鼓瑟，
> 我們的生命要融和在一起。」

> 女的摘下了荷包來送他，
> 向他說：「我知道你是要來的，
> 我把這荷包來送你。
> 我知道你是不會失信的，
> 我把這荷包做把憑。
> 我知道你是愛我的，
> 我請把這荷包當成我。」

此詩郭氏譯為戀人幽會、通宵達旦互訴情話，最後相約親迎、以荷包為憑信

的婚嫁誓言。相較《毛詩序》云「刺不說德也。陳古義以刺今不說德而好色也。」朱熹、方玉潤「述賢夫婦相警戒之辭」等說解，譯詩的浪漫色彩顯然多了幾分。

　　又如〈雞鳴〉一詩，《毛詩序》云「哀公荒淫怠慢，故陳賢妃貞女，夙夜警戒相成之道。」方玉潤《詩經原始》「此正士夫之家，雞鳴待旦，賢婦關心，常恐早期遲誤有累盛德。」郭氏解題只說：「讀譯詩自明。」而譯詩則云國王與王妃貪著春睡而不上早朝，雖仍不脫傳統釋義，然直指詩中人物為國王、王妃，在《卷耳集》中仍較突兀。

　　再者，〈溱洧〉一詩郭氏以此為男女跳舞，因而相愛慕的詩。其譯詩呈現的是一幅青年男女相遇在汪洋河水旁，盡情跳舞說笑，交換花草的玩耍圖像。〈綢繆〉一詩他則認為本敘一夜間星空斡旋、變換的事，詩意讀譯文自然明瞭，對於歷來將「三星」解作「參星」在天空中出現的好幾個月時節的說法，反倒辜負了一首好詩。在他看來，此詩乃女子在白虎三星高掛天空時到山中捆柴，而在背柴回家途中遇著了戀人，一路上男子隨伴在側，並在她耳邊悄悄說著話。

5 引入西方社會科學注釋名物

　　郭氏翻譯的目的，是要從《詩經》中直接感受它的真美，而不與迂腐的先儒古注訟辯。《卷耳集》自跋云：

> 人們研究文學，每每重視別人的批評而忽視作者的原著……研究《詩經》的人也不免有這種習氣。《詩經》一書為舊解所淹沒，這是既明的事實。舊解的腐爛值不得我們去迷戀，也值不得我們去批評。我們當今的急務，是在從古詩中直接去感受它的真美，不在與迂腐的古儒作無聊的訟辯[53]。

因此，他對《詩經》中的名物注釋，並不考究，有時甚至逕以西方社會科學

53　同註24，頁208。

等名詞注釋說明。如〈邶風‧靜女〉中牧羊女所持的彤管，郭氏解作紅色針筒，並說明詩的末尾兩節則有男女相戀中通有的拜物戀（Fetichism）變態心理，就是援引西方社會科學的方法。

此外，一九二一年〈我對於卷耳一詩的解釋〉一文回應曹聚仁對他詩譯「我馬玄黃」為「他騎的一匹黑馬怕也生了病，毛都變黃了」的批評[54]，認為曹氏過於信任陳奐、王引之的說法。而云：

> 玄馬病了究竟變不變成黃色，我們雖不曾專門地實際試驗過，但據醫學的經驗上說來，這個事實是全不悖理的。我們就把人的頭髮來說罷，病人或產婦的頭髮每每由黑翻黃，這是因為營養不良，表皮的胎芽層中色素減少了的原故。這件事情是我們時常經驗的，可見「玄病則黃」並不是「不通」，並不是「完全不能成立」，轉是合乎學理的了。陳、王二家只知其然不知其所以然，他們曉得依據古解，曉得玄黃是病，而不知玄黃何以是病。他們曉得玄黃是雙聲，但這只捫著造字時的第二假功夫；這可以解釋詩人用字時，何以不用「黑黃」而用「玄黃」的一個疑問。詩人為求音調的美，所以在字面上加了一層修飾；但是玄黃何以是病？並不是雙聲二字便可以攏統說明的了。至於陳碩甫說：「黃本馬之正色，黃而玄為馬之病色」，這是顛倒事實，荒謬得不可思議！王引之所解的，何草不黃，何木不玄的為病貌，牽扯到「玄黃」二字去，這也是表明訓詁家只是一個字籠，草是青色，旱魃為虐，把他晒黃了，晒黑了，是簡切了當，老嫗孺子都了解的常識，而考據家偏要矜他的淵博，走一番轉路，這是書在講書，不是人的腦筋在講書了[55]。

此以醫學論證說明「玄病則黃」的合乎學理，並援《爾雅》訓「玄黃，病

---

54 曹聚仁氏細核譯詩採用的訓詁，發現《卷耳集》中訓詁取《毛傳》及朱說甚多。其援陳奐以虺頹疊韻，玄黃雙聲，皆合二字成義，不可分釋，以駁正毛訓「玄馬病則黃」為非。詳見曹聚仁編：《卷耳討論集》（上海市：梁溪圖書館，1925年），頁22-23。

55 同註54，頁23。

也」為訓，主張《毛傳》「玄馬病則黃」的訓釋正確，指摘訓詁家矜其淵博，繞了一大圈闡釋人人皆曉的常識，實不足取。

6 以情緒直寫來譯詩

郭氏極力反對、排斥甚至輕視用心的「做」詩，認為「做」詩本身就是矯揉造作的表現[56]。因此，譯詩側重情緒的直寫。他摒棄呆笨的直譯，提倡「風韻譯」，一九二三年四月〈討論注釋運動及其他〉曾云：

> 我們相信理想的翻譯對於原文的字句，對於原文的意義，自然不許走轉，而對於原文的氣韻尤其不許走轉。原文中的字句應該應有盡有，然不必逐字逐譯的呆譯，或先或後，或綜或析，在不損及意義的範圍以內，為氣韻起見可以自由移易[57]。

在他看來，逐字逐句的直譯，雖把死的字面意思照顧著了，但活的精神卻遺失了。對於原文應有的字句，他以不影響詩義的範圍內，雜揉地錯綜譯出。

一九二八年郭氏染上傷寒重病癒後，譯作〈關雎〉一詩，云：

> 夜怕已經深了吧？深了吧？深了吧？
> 那淒切的水鳥兒還在河心的沙洲上哀叫。
> 在那兒我遇見過一位美好的少女呀，
> 她，她使我無晝無夜地日日為她顛倒。
>
> 我遇見她在那洲邊上采集荇菜，

---

56 徐芳〈郭沫若與聞一多新詩理論比較〉一文指出，郭沫若偏重以充滿蓬勃激情的想像來呼喚時代的黎明。與其說是新詩的建設者，毋寧說最大意義在於對舊體詩的徹底破壞。在詩歌創作的具體態度上，郭沫若主張寫詩觀，極力反對排斥甚至輕視用心的「做」詩，認為「做」詩本身就是矯揉造作的表現，美的詩、好的詩就是情緒本身的直寫。此與聞一多反對任意發揮的「寫」詩、倡導注重對詩的語言和內容進行精雕細琢的「做詩觀」不同。（濟南市：山東師範大學碩士論文，2010年，頁5-6）。

57 《郭沫若全集》（北京市：人民文學出版社，1989年），文學編，卷16，頁143-145。

那青青的荇菜參差不齊地長在洲邊。

她或左或右地弓起背兒采了，

她采了，采了那荇菜的嫩巔。

她采了，又把那荇菜來在河水中沖洗，

在那涓潔的河水中她洗得真是如意。

我很想把我的琴和我的瑟為她彈奏呀，

或者是搖我的鐘擊我的鼓請她跳舞。

我自從遇見她，我便想她，想她，想她呀，

沙洲上我不知道一天要去多少回；

但我遇見她一次後，便再也不能見她了，

我不知道她住在何處，她真是有去無歸。

啊！這夜深真是長呀，長呀，長呀，

我翻來覆去地再也不能睡熟。

河中的水鳥喲，你仍然在不斷地哀叫，

你是不是也在追求愛人，和我一樣孤獨？[58]

由上可知，郭氏譯詩顯然增衍了許多創作的成分，而為堅持貫徹詩裡男子思念女子感歎的語氣，他調整了原詩中各章的順序，將「琴瑟有之」與「鐘鼓樂之」放在同章譯出，期以氣韻不走轉。

　　又如〈白駒〉一詩，譯云：

小白馬兒多麼好，

牧場上面吃嫩草。

抓著它，拴著它，

58　《郭沫若全集》（北京市：人民文學出版社，1982年），文學編，卷1，頁360-361。

拴它一個大清早。
好和我那人，
一道去逍遙。

小白馬兒多麼歡，
牧場上面吃嫩顛。
抓著它，拴著它，
拴它整整一晚間。
好和我那人，
通宵話纏綿。

小白馬兒多麼陡，
遠遠跳來把頭抖。
你們公，你們侯，
歡樂永遠無盡頭。
好生守規矩，
不要到處溜。

小白馬兒多麼姣，
一逃逃進背山坳。
人來了一把草，
多情哥哥真是好。
時常捎信來，
不要忘記了[59]。

儘管郭氏認是這是仲春通淫期間，行執駒之禮的男女戀詩，但從此詩的翻譯

---

59 《金文叢考補錄》，收入《郭沫若全集》（北京市：科學出版社，2002年），考古編，卷6，頁125-128。

內容看來，捨棄原詩「縶之維之」、「于焉嘉客」、「爾公爾侯」等句，純就男女相戀的情調，加以引申想像。

　　伍明春〈古詩今譯：另一種新詩〉一文指出，郭氏譯詩所體現的完全是一種現代人的抒情姿態，與原詩可謂大異其趣，而其目的是在創造一個全新的文本，與其稱之為「譯」，毋寧說是一種「寫」。呈現在讀者面前的這些詩、語言、形式甚至「詩意」都發生了變異，無疑是一種「新詩」，一種被「更新」的詩[60]。

（四）農事詩的翻譯衍繹

　　一九二四年四月郭沫若翻譯河上肇《社會組織與社會革命》一書，系統地接觸馬克思主義後，思想有了轉變[61]，後來的哲學觀、文藝觀與政治觀也都起了變化。一九二六年〈文藝家的覺悟〉一文曾云：

> 當一個社會快要臨著變革的時候，就是一個時代的被壓迫階級被虐得快要鋌而走險，素來是一種潛伏著的階級鬥爭快要成為具體的表現的時候，在一般人雖尚未感受得十分迫切，而在神經質的文藝家卻已預先感受著，先把民眾的痛苦叫喊了出來，先把革命的必要叫喊了出來。所以文藝每每成為革命的前驅，而每個革命時代的革命思潮多半是由於文藝家或者於文藝有素養的人濫觴出來的[62]。

以及〈革命與文學〉亦曰：

60　伍明春：〈古詩今譯：另一種新詩〉，《重慶郵電學院學報》（社會科學版）2006年第6
　　期，頁908。

61　同註56，頁6-21。郭沫若在〈孤鴻──致成仿吾的一封信〉中，陳述自己在面臨物質
　　條件困頓及精神不安定的情況下，無法從事艱苦的生理學研究，而身處最有意義的大
　　革命時代裡，他認為馬克思主義是所處時代的唯一寶筏。河上肇《社會組織與社會革
　　命》一書的譯出，是他一生中重要的轉換時期，此書喚醒了半眠狀態的他，也把彷徨
　　歧路的他拉了回來，讓他徹底成為馬克思主義的忠實信徒。

62　同註56，頁22。

> 文學是社會上的一種產物，它的生存不能違背社會的基本而生存，它
> 的發展也不能違反社會的進化而發展。所以我們可以說一句話，凡是
> 合乎社會的基調的文學方能有存在的價值，而合乎社會進化的文學方
> 能為活的文學，進步的文學[63]。
>
> 真正的文學只有革命文學的一種。所以真正的文學永遠是革命的前
> 驅，而革命的時期中總會有一個文學的黃金時代出現[64]。

由上可知，身處社會變革之際，自詡神經質的文藝家的他，預先感受地且有
必要地必須把民眾的痛苦吶喊出來。而此時「文學永遠是革命先驅」、「文學
是社會進化的產物」的論點已與先前「創造社」力主詩歌無功利論的看法大
不相同[65]。

　　而他根據朱熹《詩集傳》以「〈雅〉、〈頌〉之中，凡為農事而作者，皆
可冠以豳號。」疑〈七月〉為「豳風」，〈楚茨〉、〈信南山〉、〈甫田〉、〈大
田〉為「豳雅」，〈思文〉、〈臣工〉、〈噫嘻〉、〈豐年〉、〈載芟〉、〈良耜〉為
「豳頌」[66]，在〈詩書時代的社會變革與其思想上的反映〉及〈由周代農事
詩論到周代社會〉二篇論文中，他正式提出「農事詩」定義的篇目，包括了
農業生產的〈七月〉及餘下的十篇農業祭祀詩[67]。

63　同註56，頁35。

64　同註56，頁37。

65　潘雲《郭沫若詩歌理論初探》將郭沫若的詩歌理論分成早、中、後三期，早期（五四
　　前夕到二〇年代中後期）主要特徵是反抗束縛，張揚個性，表現自我。「情感論」是
　　詩論的核心。強調詩歌是「情感的自然流露」，詩歌的美主要體現在內在的韻律；中
　　期（二〇年代中後期到四〇年代中期）則由原來的創作的無功利性轉向功利性和工具
　　性，強調詩歌為社會革命服務。在內容上主張詩歌創作要反映時代的革命要求，體現
　　革命精神，反映革命階級的生活與鬥爭，表現社會主義的思想。在形式上，他從浪漫
　　主義轉向現實主義；後期（四〇年代中期以後），詩歌理論逐漸上升到「人民文學」
　　的高度，並且是站在歷史的高度上對「人民」加以理解。（蘇州市：蘇州大學碩士論
　　文，2009年，頁20-21）。

66　朱熹：《詩集傳》（北京市：中華書局，1958年），頁98、158、235。

67　郭沫若提出農事詩篇目後，後來多有就農事詩篇目及專題進行考察者，學者李霞整理
　　指出，有張西堂《詩經六論》除去〈思文〉以外的十篇為農事詩；郭預衡《中國文學

　　相較於一九二八年〈詩書時代的社會變革與其思想上的反映〉文中憤懟偏激的情感，一九四四年〈由周代農事詩論到周代社會〉文中的十首譯詩，乃郭氏充分接觸古代史料後，重新檢點《詩經》農事詩的新詮釋。今對照譯詩與原詩，可見農事詩翻譯特色主要有四：

1 逐句直譯農官勸耕的和樂景象

　　有別於《卷耳集》的文學自由翻譯，郭氏採逐句直譯的方式翻譯農事詩，如〈臣工〉、〈載芟〉、〈良耜〉、〈大田〉、〈甫田〉等農官勸耕、國君視察等和樂景象，即依原詩句逐次直譯。基本上，在譯述農事詩時，郭氏仍能兼顧字面、詩義及風韻，十首譯詩均能呈現農民耕作、祭祀敬謹等生命靈動力。

2 詠嘆振奮的激昂語調

　　譯詩中多以呵、啊等激昂語氣聲調，呈現農官勸耕之鼓舞振奮情狀，以及對生產工具、農作、儀式等咏嘆。如〈豐年〉「年辰好呵」、〈載芟〉「有一千對人在薅草呵」、「啊，陸續的射出禾苗來了」、〈良耜〉「堅利的好犁頭呵」、「戴的笠子多別致呵」、〈甫田〉「開朗呵，好廣大的田，一年要收十千石的收成。」〈信南山〉「敬神的儀式是多麼堂皇呵，祖宗是多麼光輝呵」等[68]。

史》另外加上〈國風〉中〈芣苢〉、〈十畝之間〉和〈七月〉三首；鄭振鐸《插圖本中國文學史》以「農歌」來定義農事詩，包括〈七月〉、〈甫田〉、〈大田〉、〈行葦〉、〈既醉〉、〈思文〉；陸侃如、馮元君《中國詩史》以〈思文〉、〈噫嘻〉等五篇為「祭歌」，以〈楚茨〉、〈信南山〉等四篇為「祭祀詩」；羅麗〈淺析古代農事詩的淵源〉定義農事詩為二十一首，其中加入了〈潛〉、〈無羊〉、〈生民〉等；張應斌〈周代的農業文學〉中加入〈生民〉、〈雲漢〉、〈鴇羽〉、〈碩鼠〉、〈伐檀〉、〈十畝之間〉等共十七篇；吳倫柏〈詩經農事詩與周代農耕社會〉點明只要涉及農業的詩都算農事詩，總共一三三首等。詳見〈詩經農事詩研究綜述〉，《湖北成人教育學院學報》第18卷第5期（2012年9月），頁79。

68　《郭沫若全集》（北京市：人民出版社，1982年），歷史編，卷1，頁409-417。

3 借重歷史歌劇技法

　　郭氏以歷史新歌劇的技法，運用在《詩經》譯詩上，如〈臣工〉一詩，譯云：

> 啊啊，你們這些耕作的人們！好生當心你們的工作。國王賞識你們的成就，親自來慰問你們來了！
>
> 王問道：「啊啊，你們這些管田的官，在這暮春時節，你們可有什麼要求？兩歲的新田種得怎麼樣？三歲的畬田種得怎麼樣？」
>
> 管田的官回答：「很好的大麥（牟）小麥（來）來都來抽穗了。感謝老天爺照顧，年年都是有好收成的。」
>
> 王又向著大家說：「好生準備你們的耕具呵，今年又會看到好收成的啦！」

郭氏此詩以國王與田官的設問方式譯出，認為是周王親自催耕之作，其云「首節是傳宣使的宣說，次節與三節為王與保介的一問一答，尾節為王給臣工的命令[69]。」全詩描繪出君臣民樂、活影活現的場景。

　　又〈楚茨〉譯云：

> 很條暢的蒺藜，它老是在抽它的刺。
>
> 我們是幹什麼的呢？從古以來便耕我們的地。
>
> 我們的黃米長得好，我們的高粱長得高，
>
> 我們的倉裝滿了，我們的穀堆有十千。
>
> 拿來煮酒，拿來煮飯，拿來祭祖宗，拿來祭鬼神，祈求大的幸福。
>
> 大家熱熱鬧鬧的，牽起你們的羊，牽起你們的牛，去趕祭祀吧。
>
> 有些人來剝皮，有些人來煮肉，有些人來陳設，有些人來運搬，我們要在神堂祈禱。
>
> 我們的祭典多麼堂皇呵，我們的祖先多麼光輝呵，

---

69 同註68，頁408

神靈是要保佑的，我們的主子有幸福。

我們要報祭先祖，祈求多福多壽，沒有盡頭。

管灶的人忙忙碌碌的，祭盤做得頂頂大。

有的在叉燒，有的在油炙，主婦們都誠心誠意的，為了賓客做了不少的席面。

大家要敬酒，你敬我一杯，我回敬你一杯，禮節要周到，談笑要盡興。

神靈是要保佑的呵，我們要報祭先祖，祈求多福多壽，這就是報酬。

我們都好興奮的呵，儀式沒有差池的了。

司儀的人要開始司儀了，他要宣告著：「主祭者就位。」

香氣蓬蓬的祭品，神靈都很喜歡，

要給你一百種的幸福呵，一分一厘也不周轉。

祭獻已畢，神意再宣：

「永遠保佑你到盡頭，福分讓你有十萬八千。」

儀式都準備好了，鐘鼓手也都在等候著奏樂了。

主祭者就了位，司儀的人開始司儀了。

神靈都喝醉了，皇尸離開神位了。

奏樂送尸，神靈也就回去了。

管膳事的人，和主婦們，都趕快把祭獻撤了。

老老少少，大家都一團和氣地有說有笑。

樂移到後堂裡去奏，大家在後堂裡享享快樂。

「你們都請就席啦，別嫌棄啦！」

「那裡，好得很呵！」

醉的醉了，飽的飽了，大大小小都叩頭告辭了。

「神靈喜歡你們的飲食，要使你們延年益壽。」

「真是慷慨呵，真是合時呵，一切都好到了盡頭。」

祝你們的子子孫孫，世世代代，

都照著你們這樣天長地久。

從譯詩的內容，可以看出從祭祀的準備、場地的佈置、祭品的烹煮，到司儀宣讀儀式禮成的完成，整個祭祀活動進行的程序及不同場景的換置，宛在眼前，逆轉農事詩板重樸質的風格，而為活潑熱鬧的嘉年華會。

4 側重西周社會制度的反映

　　郭氏曾說農事詩對於「西周的生產方式是很好的啟示」，所以他盡可能客觀地、實事求是地進行檢點。其翻譯側重在西周社會制度的反映，每首詩均先檢點詳細說明其時代背景、社會制度、生產工具等，最後再譯詩。如〈噫嘻〉一詩譯「成王」為周成王，有別於《毛傳》譯作「成是王事」。郭氏認為按文法結構看來，成王分明是一個人，而且是詩中的主格，故此詩當即周成王乃毫無疑問。而他在王國維考證的基礎上，據彝器斷定謚法大抵為戰國中葉以後，故此詩應是周室史官所作[70]。然而，郭氏一九五六年八月有〈讀了關於〈周頌·噫嘻〉的解釋〉一文中，亦載有此詩翻譯，相較前後二種版本翻譯，乃經愨之先生糾正「昭假」二字乃祭祀時的階級習慣語，是被用在生人對神或死人的在天之靈說話的時候，是人對神昭假，而不是神對人昭假」後，將原譯「要你們率領著這些耕田的人去播種百穀」改成「他率領著這些農夫，開始農作物的播種」[71]。

　　其次，郭氏從農事詩裡可看出當時大規模的公田制，耦耕的人多至千對或十千對。如〈載芟〉「千耦其耘」與〈噫嘻〉的「十千維耦」相印證，可知當時耕種的大規模，且全國上下都參與耕作勞動[72]。而〈甫田〉之大田一年可取十千石，可斷定土地依然屬於公有[73]；〈大田〉「雨我公田，遂及我私」則足證公有土田之外，另有私有土田，且沒有生產力的寡婦成了乞丐[74]。其並援以周代金文〈卯簋〉、〈格伯簋〉、〈曶鼎〉等錫土田或以土田為貿易賠償

70　同註68，頁406-407。
71　同註40，頁157-160。
72　同註68，頁410。
73　同註68，頁413。
74　同註68，頁415。

的紀錄，更正先前否定周初井田制的錯誤判斷[75]。

（五）《詩經》翻譯的侷限

　　詳察郭沫若《詩經》翻譯共有五十二首，按時間可以一九二八年為界，分為前、後二階段。依譯詩內容則可分成情詩與農事詩兩大類。一九二八年以前《卷耳集》、〈關雎〉及一九五六年〈白駒〉等四十二首譯詩，端賴直觀情緒的衝動奔馳，風格清麗，自由衍繹〈國風〉情詩，與其說是譯詩，不如說是寫詩來得恰當。《卷耳集》的目的是要吹噓些生命進去優美的平民文學——《詩經》，讓千年沈睡的木乃伊甦醒過來[76]。然而，由於是《詩經》的再創作，任意增添或減略若干字句，以情緒直寫，務求一氣呵成的翻譯方式，難免會與原詩存在若干差異，致使本義失真。

　　《卷耳集》出版以來，備受爭議，一九二六至一九三一年間學界甚至出現關於《詩經》白話文翻譯的大討論[77]。大抵上，圍繞在《卷耳集》所進行的批判，主要有三方面：第一，是《詩經》的白話翻譯可行性；第二，是字詞訓詁；第三是名物考釋。首先，在《詩經》白話翻譯的可行性爭議上，朱光潛〈替詩的音律辯護——讀胡適的白話文學史後意見〉徹底懷疑《卷耳集》的翻譯，其云：

75　同註68，頁427。

76　同註24，頁158。

77　一九二六至一九三一年間學界討論《詩經》白話文翻譯的專論，計有：梁繩煒：《評郭沫若著〈卷耳集〉》，《晨報副刊》（1923年2月27日）、小民：〈十頁《卷耳集》的贊詞〉，《時事新報・文學》第93期（1923年10月22日）、施蟄存：〈蘋華室詩見——周南・卷耳〉，《時事新報・文學》第100期（1923年12月10日）、蔣鐘澤：〈我也來談《卷耳集》〉，《時事新報・文學》第102期（1923年12月24日）、梁繩煒：〈評《卷耳集》的尾聲〉，《晨報副刊》（1924年7月27日）等。李欣〈《詩經》白話譯本的接受意義〉一文指出，郭沫若《卷耳集》問世於一九二三年，作為《詩經》白話譯本嚆矢，明顯滲透出五四時期個性解放氣質，以力能扛鼎之勢掀起《詩經》白話翻譯浪潮，成為現代「《詩經》熱」中關鍵的一環（《吉林師範大學學報》（人文社會科學版），2011年6月，頁27）。

> 凡詩都不可譯為散文，也不可譯為外國文，因為詩中音義俱重，義可
> 譯而音不可譯。成功的譯品都是創造而不是翻譯……記得郭沫若先生
> 曾選《詩經》若干首譯為白話文，成《卷耳集》，手頭現無此書可
> 考，想來一定是一場大失敗。詩不但不能譯為外國文，而且不能譯為
> 本國文中的另一體裁或是另一時代的語言，因為語言的音和義是隨時
> 變遷的，現代文的音節不能代替古代文所需的音節，現代文的字義的
> 聯想不能代替古代文的字義的聯想[78]。

朱氏認為白話文的音節無法取代古代的音節，如原文是驚嘆的語氣，譯文只
能表現出敘述的語氣，而語氣及用字構句的分別，往往因為譯者的情思與作
者情思存在著隔閡，所以他堅持詩不可譯為白話詩，因為詩是絕對無法適切
地被轉譯的。

　　針對諸多批評，郭沫若始終從容自信的因應面對，尤其《卷耳集》、《魯
拜集》以及雪萊詩的翻譯，都是他比較稱心的著作。所以，在〈古書今譯的
問題〉一文，他澄清及強調自己譯詩的立場，云：

> 但我相信青年朋友們讀我的譯詩必比讀〈國風〉原詩容易領略。不幸
> 而年紀稍長已為先入見所蒙蔽的人，他要理解我離經叛道的行為，至
> 少他先要改換過一次頭腦。自《卷耳集》出版後，知我者雖不乏人，
> 而罪我者亦時有所見。故意的無理解，卑劣的嘲罵或夾雜不純的抨
> 擊，我都以一笑視之。我不願作天下的鄉愿，嘲罵、抨擊原是在所不
> 辭了。最近北京《晨報副刊》上的梁繩褘君和南京《東南評論》上的
> 周世釗君各有一篇〈評卷耳集〉的文字，他們都以為我的翻譯是失敗
> 了，因而斷定古書今譯是走不通的路，古詩是不能譯和不必譯的東
> 西。其實我的翻譯失敗是一個小小的問題，而古書今譯卻另外是一個
> 重大的問題。以我一次小小嘗試的失敗，便要把來解決一個重大問

78　朱光潛：《詩論》，收入《朱光潛全集》（合肥市：安徽教育出版社，1987年），卷3，
　　頁233-234。

題，那卻未免太早計，未免把我太過於尊重了。我覺得他們的言論大
有討論的必要，所以我不惜辭費，特地來縷述幾句[79]。

在此他重申詩的翻譯應該是譯者在原詩中所感受的情緒的復現，詩之不能譯
指的應是詩不能逐字逐句的直譯。囿於字數的限制以及漢字廢棄的結成，在
當時古書的普及要求下，他認為唯有今譯一途，別無他法。

其次，在字詞訓詁上，郭氏將〈卷耳〉「云何吁矣」譯作「他後思著家
鄉，前悲著往路，不知道在怎樣地長吁短嘆了。」曹聚仁以詩中「云何吁
矣」凡三見，引據《爾雅》及戴震說「吁」是「盱」即「忓」字，其義為
憂，否定郭氏長吁短嘆的翻譯。郭氏則主張二種訓解可同時並存，並進一步
指出：「我相信天地間沒有絕對的是非，只有相對的自信，有人有更適當的
解釋，贏得我的自信的時候，我可以服從[80]。」又如時人對郭沫若將詩中
「我」字譯成「他」字的批判，郭氏則解釋《詩經》上的「我」字作複數甚
多，如「母氏聖善，我無令人」、「我車既攻，我馬既同」、「雨我公田，遂及
我私」等，因此，他把「卷耳」的「我」字當成複數，指我們的馬、我們的
僕人[81]。

此外，〈七月〉一詩之「霄發」說成「辟里拍拉的響」、「一之日」的斷
句訓釋，以及「滌場」譯為「開心見腸」等，也都被批評是相當離譜的錯
譯[82]。

再者，名物考釋方面，郭氏訓〈靜女〉「彤管」為針筒，釋〈女曰雞鳴〉
「雜佩」為荷包，以及〈宛丘〉之「缶」、〈齊風・雞鳴〉之「蒼蠅」、〈子
衿〉之青衿以及〈七月〉曆法等，都缺乏嚴謹的考證。趙制陽曾批評其《詩
經》研究原無根柢，又不肯讀前人注疏，自以為「不要擺渡的船」就能「在

---

79 同註24，頁165-166。

80 同註24，頁331。

81 施蟄存〈蘋華室詩見〉一文中，批評郭沫若〈卷耳〉譯詩以第三者口吻傳述的直覺翻
　　譯，認為減卻了原詩的 sentiment 情詩（同註54，頁32）。

82 趙制陽：〈郭沫若詩經論文評介〉，《詩經名著評介》（臺北市：萬卷樓圖書公司，1999
　　年），冊3，頁251-255。

這詩海中游泳」[83]。另外，面對曹聚仁援他書旁證、《詩經》旁訓、聲韻上之轉證反證以及《牛馬經》等，再復郭氏「玄黃」的訓釋，郭氏則以生理學解釋營養不良導致馬毛色素減少，堅持「玄病而黃」的說法，並說即便有五百個戴東原出來，也不怕他笑[84]。

今檢核郭沫若《卷耳集》、〈關雎〉、〈白駒〉等四十二首譯詩皆符合他所提出重視節奏情調的「風韻譯」。都這種突顯詩中內在韻律的情調或情緒，追溯到他對於屈原與陶淵明詩歌的喜愛，以及對自我詩作的剖析，可以清楚看到雄渾與沖淡二種風格在他譯詩、寫詩、創作詩等的實踐情形[85]。事實上，郭沫若，基本上而這正是。然而《卷耳集》順應當時文化發展趨勢，訂正《詩經》舊說，把〈國風〉當作古代民謠來讀，進行白話選譯，別開生面，但也因為自由而過度的創作衍繹，增刪章句的翻譯，損害了詩的原貌，但卻不免看作詩經研究從經學研究過渡到文學研究的一個重要信號[86]。

一九三五年陳漱琴《詩經情詩今譯》對《卷耳集》中任意增減語句、把興詩譯成質直的賦及不講究韻律的部分，覺得不滿意[87]。而鍾敬文〈談談興詩〉亦指出郭氏將《詩經》四十首情歌繙成國語的詩歌，這是一件很有意義的工作，但把許多搖曳生姿的興詩改成質率鮮味的賦詩，則十分可惜[88]。今人唐瑛〈隨意點染也譯詩──由郭沫若今譯卷耳集引發的一點思考〉指陳譯詩失去原詩重章複遝所構成的韻律迴旋之美[89]。陳文采《民初詩經學史論》也指出郭沫若在方法上，自覺地提高了詩與文在譯法上的區隔，給予譯者較

---

83 同註82，頁251-255。

84 同註54，頁29-32；同註25，頁332-334。

85 〈題畫記〉一文中，郭沫若套用了司空圖《二十四詩品》的雄渾與沖淡二品，用來說明陶淵明是優美的沖淡代表，而屈原則是悲壯美的雄渾一品代表。詳見〈題畫記〉，《今昔集》（重慶市：東方書社，1943年），頁225-231。

86 洪湛侯：《詩經學史》（北京市：中華書局，2002年），頁803-804。

87 陳漱琴：《詩經情詩今譯》（上海市：女子書店，1935年），頁4-5。

88 同註47，頁683。

89 唐瑛：〈隨意點染也譯詩──由郭沫若今譯卷耳集引發的一點思考〉，《郭沫若學刊》（2008年2月），頁56。

自由的揮灑空間，實質上更接近詩歌的再創作，對於詩經的本相也就不可避免的造成一些損傷，其中較明顯的是「自鑄新意，扭曲詩篇原貌」、「失卻興詩的意味」、「抹殺詩經重章複沓的特色」、「訓詁名物不甚措意，譯文牽強」等[90]。

　　況且不論《卷耳集》自由創作的譯法，減卻托物起興、低迴反覆的情致，以白話新詩體復現詩中意象、情境及句式結構、韻腳，都是相當高難度，即便《卷耳集》中已籠統略括考證及解題等。誠如高玉〈古詩詞今譯作為翻譯的質疑〉所言，所有的翻譯都是權宜之計，古詩詞今譯是為了緩解消除及解決文學，因時間差所造成的語言障礙及陌生感問題。今譯不僅無法完整譯出古詩詞中格式簡練、意境或是多樣性，反而強制性的解讀及改變古詩詞裡原來的意義內容，還原了詩詞裡被隱藏的平庸雜蕪[91]。故此，《卷耳集》風韻譯的創作衍繹自有其先天及後天的侷限。

　　一九四四年以後翻譯的十首「農事詩」，此時郭氏已全盤接受唯物史觀，並藉以檢視中國社會，故揀擇〈豳風〉、〈豳雅〉、〈豳頌〉等農事詩，一改前期以寫詩取代譯詩的創作手法，以古代史料為基礎，進行中國古史社會的建構論述。在沿襲風韻譯的原下，其吸納歷史新歌劇中的技法，進行逐句翻譯。但也由於唯物史觀的主觀成見，使得農事詩成為生產方式、社會制度及階級對立的另一種目標功利導向的衍繹。透過農事詩的翻譯，雖可微觀《詩經》可親近的史詩圖像，但擺落傳統詩教溫柔敦厚、興觀群怨範式，一概化約詩句內容為庶民遭貴族剝削欺榨，寄沈痛於農事的表達，則未免庸俗粗魯，盡失情致，而這正是農事詩翻譯的侷限。

　　趙制陽〈郭沫若詩經論文評介〉批評郭沫若譯詩的文藝技巧相當欠缺，指他有關《詩經》的著述，大都成於旅居日本的青年時期。由於他忙於譯

---

90 陳文采指出《卷耳集》因為在方法上舍棄直譯改採義譯，所以將起興的內容，根據字面的意義，譯成了實有的情事，遂都成了「比」或「賦」。而郭氏將詩篇譯成不擇韻的白話詩後，又失去了韻腳上的聯繫，說詳《民初詩經學史論》（臺北市：東吳大學中文研究所博士論文，2002年），頁191。

91 高玉：〈古詩詞今譯作為翻譯的質疑〉，《社會科學研究》2009年1期，頁180-182。

著，反而《詩經》下的功夫不多，後人尊之為《詩經》新解的宗師，恐為
「向聲背實」[92]。持平而論，趙氏的批判值得商榷。從郭氏譯詩的立場態度
來看，《卷耳集》乃基於經典新譯的創作衍繹，而農事詩則是以呈顯階級制
度下農業社會的縮影，所以，詩中呈現的情緒自然消漲與史詩圖像才是郭沫
若譯詩強調的特色，至於字句訓詁與名物考證，則非他關注的層面。尤其翻
譯農事詩的時候，早已完成許多考古文論的研究，如〈釋支干〉一文駁斥日
人新城新藏甲骨文十二支文字的牽強附會，而從甲骨文字的字形，十二歲名
的發音以及參稽歷來的天文傳說，得知古時候的十二辰實為黃天周天的十二
恆星，且與巴比倫的十二宮頗相一致。而推溯歲陰紀年在殷周之際或以前，
周人已多不識十二辰本為星名，以致星象多所轉變等[93]。顯而易見，郭氏是
有能力處理特定名物所象徵的標誌的考證，但因為翻譯的重點在於從古詩中
直接感受它的真美或論述古史社會，所以，選擇擺落傳統字義訓詁與詳盡的
名物考證，自詡不與「迂腐的古儒作無聊的訟辯」，以致於譯詩無法符合詩
的真正意涵，簡譯、誤譯因此成了他《詩經》翻譯的一大侷限。

三　唯物史觀下的《詩經》社會圖像

　　一九二八年二月，三十七歲的郭沫若流亡日本，受到日本反動當局的嚴
密監視。在行動不甚自由的情況下，他轉向研究中國古史，並陸續完成〈周
易時代的社會生活〉（1927年8月）、〈詩書時代的社會變革與其思想上之反
映〉（1928年8月）等論文，且同時翻譯《政治經濟學批判》（1928年12月）、
《德意志意識形態》（1931年12月）等馬克思思想的相關著作，對唯物史觀
有了更全面深層的瞭解。

　　郭沫若與唯物史觀的因緣，從一九二三年〈我們的新文學運動〉、〈泰戈
爾來華的我見〉等宣告反抗資本主義及由文藝轉談政治的興味，略窺端倪；

92　同註82，頁274
93　《郭沫若全集》（北京市：科學出版社，1982年），考古編，卷1，頁155-340。

而一九二四年譯介《社會組織與社會革命》、一九二六年發表〈革命與文學〉、〈文藝家的覺悟〉及寫給成仿吾的信中，指出「昨日的文藝是有產階級的消閑聖品，今日的文藝只有促進社會革命才配得上文藝的稱號」，並對自己過去缺乏有機統一的半覺醒狀態，進行批判[94]，顯然易見思想的轉變。然而此時郭氏大抵上仍強調研究文學應重視原著，並未將馬克思主義的思想具體實踐在在寫詩或譯著上，直至流日期間郭氏才引進唯物史觀進行相關研究，從〈英雄樹〉、〈桌子的跳舞〉、〈留聲機器的回音〉、〈文學革命之回顧〉、〈關於文藝的不朽性〉和〈眼中釘〉等主張論述，可以確知唯物史觀對於他思想價值觀的全面性影響[95]。郭氏此一時期的研究特點，除了套用唯物史觀以建構中國古史外，還結合地下出土的甲骨文、金文以證明發揮中國古代社會生產發展和社會結構[96]。

（一）批判的整理國故

　　一九一九年前後，疑古辨偽思想、五四新文化運動與西學東漸的話語形構，在歷時性與共時性的整合後，整理國故的實踐呈現出史料學派和唯物史觀學派兩種極端的態勢。史料學派以「評判的態度」來重新檢視經典古籍，企圖還原本來面目，他們大多重排序列，標榜為「學術而學術」，以「求

94 同註56，頁6-43。

95 同註56，頁44-119。另外，有關郭沫若思想的轉變分期及年限，宋耀宗〈對郭沫若前期思想發展的一些理解〉一文臚引樓棲《論郭沫若的詩》、艾揚〈試論郭沫若思想的發展〉等多家說法，斷定一九二四年是他開始走上研究馬克思主義的道路，思想產生質變的預備階段；而避日期間（1927-1937）則是他步入馬克思主義史學研究領域的成長期（《中國文學史資料全編・現代卷》，北京市：知識產權出版社，2009年，頁510-511）。

96 張永山〈郭沫若學案〉一文中指出，郭沫若是一位自覺的適應革命需要成長起來的馬克思主義史學家。摩爾根《古代社會》和恩格斯《家庭、私有制和國家起源》是郭氏作為開啟中國古代社會之門的鑰匙。說詳楊向奎等著：《百年學案》（瀋陽市：遼寧人民出版社，2003年），頁576-577。

真」為旗幟[97]，其學術成就雖為中國史學的轉型提供重要的基礎，但也因對
社會生活刻意疏遠，排斥現實關懷，致使學術流於偏枯。相對地，唯物史觀
派則強調「為現實而歷史」，注重史學與生活、時代和社會的聯繫，視歷史
為連亙過去、現在、未來整個全人類生活[98]，申明「求致用」而研究歷史，
尤其更注重經濟因素在歷史變遷中的作用，著墨於歷史上的大規模變動，主
張由下往上看歷史[99]。然而，卻也因為無法清楚劃清學術與政治的分野，流
於偏鋒極端。

　　唯物史觀派代表人物之一的郭沫若曾說：「對於未來社會的待望逼迫著
我們不能不生出清算過往社會的要求。古人說：『前事不忘，後事之師。』
唯有認清楚過往的來程，才能決定好未來的去向[100]。」在這種現實的思考

97　史料學派的顧頡剛提出「在學問上則只當問真不真，不當問用不用。學問固然可以
　　應用，但應用只是學問的自然的結果，而不是著手做學問時的目的」，並聲明要大膽
　　作無用的研究（《古史辨・自序》，臺北市：藍燈文化公司，1987年，頁25。）；而王
　　國維認為「學術之發達，存於其獨立而已」，「未有不視學術為一目的而能發達者。」
　　（詳見〈論近年之學術界〉，《王國維論學集》，北京市：中國社會科學出版社，1997
　　年，頁215）另外，傅斯年專從史學上立論，說史學的工作就是整理史料，不是去扶
　　持或推倒這個運動或那個主義（詳見《傅斯年全集》第2卷《史學方法導論》，長沙
　　市：湖南教育出版社，2000年，頁308）。

98　史觀派學者李大釗說：「我以為世間最可寶貴的就是今，過去與未來皆是現在，所有
　　過去都埋沒於現在的裡邊，無限的過去都以現在為歸宿，無限的未來都以現在為淵
　　源，過去、未來之間因有現在以成其連續，以成其永遠，以成其無始無終的大實在
　　（詳見《李大釗文集》卷14，長春市：遼寧電子圖書公司，2003年，頁1）；翦伯贊
　　亦云：「我們研究歷史，不是為了宣揚我們的祖先，而是為了啟示我們正在被壓抑中
　　活著的人類；不是為了說明歷史而研究歷史，反之，是為了改變歷史而研究歷史。」
　　（《歷史哲學教程》，上海市：新知書店，1946年，頁3）。

99　王學典、陳峰〈二十世紀唯物史觀派史學的學術史意義〉一文指出其學派四大特
　　徵：第一，把生產力的作用視作社會變動的最後之因；第二，追求跨學科研究，致
　　力於社會學、經濟學、人類學等在史學領域裡的引進；第三，更同情歷史上的「小
　　人物」和普通百姓的遭遇與處境，主張寫「從下向上看」的歷史；第四，特別喜愛
　　研究歷史上的大規模變動，願意在歷史的大關節、大轉捩點上下功夫。說詳山東社
　　會科學院《東嶽論叢》第23卷第2期（2002年3月），頁49-58。

100　同註68，頁3。

以及待望未來的情況下,他嘗試用世界觀的格局及視野,重新估價舊價值。雖然對顧頡剛「層累地造成的中國古史」的見解,極為稱讚,但對於史料派學者的研究,則有不客氣的批判。

> 一般經史子集的整理,充其量只是一種報告,是一種舊價值的重新估評,並不是一種新價值的創造。它在一個時代的文化的進展上,所效的貢獻殊屬微末[101]。
>
> 「整理」的究極目標是在「實事求是」,我們的「批判」精神是要在「實事之中求其所以是」。
>
> 「整理」的方法所能做到的是「知其然」,我們的「批判」精神是要「知其所以然」[102]。

在他看來,「整理」是「批判」過程必經之路,但仍僅是古史研究的第一階段。所以,胡適倡導用歷史的眼光整理一切過去文化歷史的做法,非常不以為然,認為並未摸著邊際,所以凡是胡氏「整理」過的,全部都有重新進行「批判」的必要。他並且鄭重地呼籲談國故的人除了飽讀戴東原、王念孫、章學誠等人的著作外,也應該瞭解馬克思、恩格斯著作中辯證唯物論的觀念,跳出國學的範圍,認清國學的真相。至於二千多年來被御用學者湮滅、改造及曲解的中國社會史料,更應該應用近代的科學方法趁早療治封建思想下人們思想的近視、白內障或明盲[103]。

(二)古史斷代與《詩經》

唯物史觀派史學的開山之作──《中國古代社會研究》一書,是郭氏以世界公民的角度企圖將中國史融入世界史的著作。此書主要根據恩格斯《家庭、私有制和國家的起源》中五種社會形態:原始社會、奴隸社會、封建社

---

101 同註24,頁161-162。

102 同註68,頁7。

103 同註68,頁6。

會、資本主義社會、共產主義社會，以疑古的精神，嘗試從《易》、《詩》、《書》找答案及證據。

　　基本上，郭氏認為《詩經》是一部可靠的古書，〈詩書時代的社會變革與其思想上之反映〉一文指出堯、舜、禹是儒家託古改制中理想的聖人，禪讓傳說是儒家理想的時代[104]。而商代以前的社會是石器時代的未開代的原始社會，只是文字構造的過程，故唐、虞時代絕對不可能出現〈堯典〉、〈皋陶謨〉、〈禹貢〉這樣體例及敘述完整的作品。所以，斷言殷、周之際是原始公社制轉變成奴隸制的時期；而東周以後則是奴隸制轉成封建制的時期。

　　其後，郭氏因有感於立論證據的不夠堅強，轉而研究甲骨文、古器物銘文。對於中國古史的分期，他修正了幾次，坦言《中國古代社會研究》是他「用科學的歷史觀點研究和解釋歷史」的草創時期作品，所以材料的時代性未能劃分清楚，以致於有些分析錯誤或論證不充分[105]。然而，前車之覆，後車之戒，他勇敢的改正錯誤，並從錯誤中吸取經驗。他認為自己對古代社會的看法很難與其他人取得一致性，主要原因在於「有了正確的歷史觀點，假使沒有豐富的正確的材料，材料的時代性不明確，那也得不出正確的結論[106]」。

　　如奴隸制的時代，他前後修正了數次，〈中國古史的分期問題〉云：

> 我認為西周也是奴隸制社會。但關於奴隸的下限，我前後卻有過三種不同的說法。最早我認為：兩種社會制度的交替是在西周與東周之交，即在公元前七七〇年左右。繼後我把這種看法改變了，改定在秦漢之際，即公元前二〇六年左右。一直到一九五二年初，我寫了〈奴隸制時代〉那篇文章，才斷然把奴隸制的下限劃在春秋與戰國之交，即公元前四七五年[107]。

　　在斷代《詩經》古史以及檢視社會文化圖像，郭氏所採取的策略是掌握

104　同註68，頁97。

105　同註68，頁11。

106　同註68，頁4。

107　《郭沫若全集》（北京市：人民出版社，1984年），歷史編，卷3，頁4。

唯物史觀所強調的經濟組織的架構和生產模式。因此,《詩經》中有涉及大規模的社會變動、生產工具與生產力變遷、階級意識等詩歌內容,都是他揀擇論述的材料依據。

1 殷周之際──原始氏族社會到奴隸社會

　　在〈詩書時代的社會變革與其思想上之反映〉一文中,郭沫若從〈大雅・綿〉一詩首章「古公亶父,陶復陶穴,未有家室」看出文王祖父穴居野處;第二章「古公亶父來朝走馬,率西水滸,至于岐下,爰及姜女,聿來胥宇」則是逐水草而居的古公亶父,騎著馬兒到岐山下,找到姜姓女酋長,作了她的丈夫,而推論當時是母系社會;在解讀〈思齊〉「太姒嗣徽音,則百斯男」上,指文王的夫人有一百個兒子,是亞血族群婚的例證。

　　至於在生產力變遷上,他以「牧畜的發現為開始,以農業的發達而完成。」因為男性從漁獵中發現牧畜,克服了自然,也克服了女性。牧畜愈見發達,連動影響了男子的生活趨於固定,以及草料恐慌而變成當秫、禾黍的栽培種植。而從《詩經》〈豳風〉、〈豳雅〉、〈豳頌〉有關農業的詩,充分可見西周是牧畜社會的經濟組織一變而為農業的黃金時代。因此,最後男子有了固定的產業,女性遂變成家庭生產的附庸,轉而變成父系社會。此外,奴隸在農業中所提供的大量生產力,也是造成原始氏族向奴隸制推移的重要因素。

　　郭沫若根據《詩經》篇章所載,初步斷言殷代是原始公社制[108],而後在〈古代研究的自我批判〉[109]及《甲骨文字研究》的重印序言中,則更正為殷代是奴隸制時代[110]。

108　同註68,頁101。

109　《十批判書》,收入《郭沫若全集》(北京市:人民出版社,1982年),歷史編,卷2,頁19。

110　同註93,頁7-9。

2 春秋與戰國之交 —— 奴隸社會到封建社會

郭沫若自始至終都堅持周代是奴隸制社會，他認為這個論點是極關重要的揭發。他從保存最濃厚傳說色彩的〈生民〉一詩「厥初生民，時維姜嫄，生民如何？克禋克祀，以弗（祓）無子。履帝武敏歆，攸介攸止，載震載夙，載生載育，時維后稷。」等詩句，想像周初各種嘉稻，以及祭享時的各種熱鬧的農業狀況。其次，舉〈緜〉「周原膴膴，堇荼如飴。爰始爰謀，爰契我龜，曰止曰時，築室於茲」、「乃慰乃止，乃左乃右，乃疆乃理，乃宣乃畝。自西徂東，周爰執事」等詩句為例，說明周初離原始社會並不甚遠，在太王時都還是女酋長時代；而後太王因農業的發達，才漸漸有國家刑政的發生，短時間之內周室又吞併了四鄰，沒多久便呈現「三分天下有其二」，導致最後公然的「初始翦商」。

他發覺歷來以為周代是封建社會的說法與社會進展的程序不相合，堅持中間應有一個奴隸制度的階段。所以，在〈周代彝銘中的社會史觀〉文中，便大膽斷定周代的上半期正是奴隸制度，至於一般以西周為封建社會的說法，則主要來自於是儒家托古改制的偽造[111]。

在生產力變遷上，他從奴隸與井田制二條線索來論證。首先，從周代重要的工具彝器，也就是青銅器的銘文中，找到不少以奴隸和土田為賞賜品的記載，以及西周中葉的奴隸價格[112]。由於周代彝器中錫臣僕的紀錄頗多，如〈大盂鼎〉、〈大克鼎〉、〈令鼎〉、〈矢令簋〉、〈井侯尊〉、〈齊侯鎛〉、〈子仲姜鎛〉、〈周公簋〉、〈不嬰簋〉、〈陽亥彝〉、〈克尊〉等銘文內容，人民用以錫予的例子甚多，足證庶人、民人與臣僕都是奴隸的身分。由於大多來自俘虜，且奴隸可以賞賜、買賣、抵債，證明奴隸在周代正是一種主要的財產。

其次，在〈附庸土田之一解〉文中，郭氏以〈閟宮〉「土田附庸」、《左傳》定公四年「土田陪敦」及〈召伯虎簋〉「余考止公僕墉土田」為例，指出經孫詒讓、王國維的考釋，可知土田附庸、土田陪敦、僕傭土田三者本為一事。敦乃庸字之誤，古文敦、庸二字形甚相近。僕陪乃附的假字。此時他

---

111 同註68，頁250。

112 同註107，頁4。

由羅馬制度推測「僕傭土田」指的應當是附墉垣於土田周圍，或周圍附有墉垣的土田，充分瞭解周代殖民制度以及後世城垣的起源。郭氏並進一步點出〈崧高〉、〈韓奕〉、〈江漢〉、〈定之方中〉等詩就是殖民的實際例證。因此，春秋初年所謂的封建，只不過是築城垣建宮室的移民運動，而西周的時代社會絕非封建制度[113]。

至於奴隸制的崩潰，他主張關鍵在於井田制的崩潰。因為土地所有制遭受剝削，私有的畝積便逐漸超越公田，私家的財富逐漸超過公家。加以生產工具鐵的發明使用，大為提昇農業生產力，並促進了井田制的崩潰，以致於奴隸制的崩潰[114]。

此外，周室東遷前後是奴隸制變為真正封建制度的證明，可從《詩經》變風、變雅找出無數的證明。郭沫若總結周室東遷的前後，由奴隸制變為真正的封建制度的時期，取資證明《詩經》篇章，其分有三類：第一類是「階級意識的覺醒」，如〈何草不黃〉、〈北山〉、〈出車〉、〈采薇〉、〈葛屨〉、〈伐檀〉、〈碩鼠〉、〈黃鳥〉等；第二類是「舊貴族的破產」，如〈旄丘〉、〈北門〉、〈兔爰〉、〈園有桃〉、〈權輿〉、〈衡門〉、〈隰有萇楚〉、〈匪風〉、〈黍離〉、〈正月〉、〈十月之交〉、〈苕之華〉、〈瞻卬〉等；第三類是「新有產者的勃興」，如〈候人〉、〈節南山〉、〈正月〉、〈十月之交〉、〈巧言〉、〈大東〉、〈角弓〉、〈瞻卬〉、〈召旻〉等[115]。

（三）《詩經》時代的社會變貌

郭沫若在完成〈詩書時代的社會變革與其思想上之反映〉的初稿後，對研究的材料的時代性及可靠性便產生了懷疑，指出《詩經》的時代混沌未明，不僅是材料的純粹性有問題，每首詩的時代以及一句一字的解釋，也都有問題。例如《毛傳》論〈七月〉為「周公陳王業」的詩，經過一番考釋

---

113 同註68，頁284-286。
114 同註107，頁7-8。
115 同註68，頁155-170。

後，才知道此詩原是春秋後半葉的作品[116]；〈先秦天道觀之進展〉文中他指出〈大雅〉的〈生民之什〉和〈文王之什〉的體裁看似完全相同，但其實時代完全不同，可見《詩經》篤定是經過後代的纂詩者，通盤潤色而整齊化的成果[117]。

　　故此，為還原《詩經》的本來面目，他立基於唯物史觀的「物質的生產力是一切社會現象的基礎」，主張研究一個時代的社會首先要研究它的產業，例如漁獵、牧畜、農業、工藝、貿易等。而考察周初的產業情形，最好的資料便是《詩經》中的農事詩。所以，他在〈由周代農事詩論到周代社會〉及〈詩書時代的社會變革與其思想上的反映〉二篇論文中，正式提出「農事詩」的篇章。

　　郭沫若逐一檢查《詩經》中的周代農事詩，並且翻譯了一遍，斷言〈周頌〉裡〈噫嘻〉、〈臣工〉是西周初年的詩；而〈小雅〉和〈國風〉則是西周末年或晚至東遷以後[118]的作品；〈七月〉一詩的年代則更晚至春秋中葉以後。此外，他認為農業社會發展的進度是很遲緩的，從周初到春秋中葉雖然已經有五百年，但詩的形式並未顯示出有多麼大的變化[119]。茲就郭氏揭示《詩經》之農業、商業、社會、思想文化等社會圖像，略分七點說明《詩經》時代的社會變貌。

1 王者躬親勸耕的盛大場面

　　王國維〈遹敦跋〉文中曾揭發周初文、武、成、康、昭、穆等諸王稱號並非諡號，並推論諡法之作大抵在宗周共、懿諸王之後[120]，郭沫若〈諡法

116 郭氏指出，詩《三百篇》的時代性尤其混沌。詩之滙集成書當在春秋末年或戰國初年，而各篇的時代性除極小部分能確定者外，差不多都是渺茫的。自來說詩的人雖然對於各詩也每有年代規定，特別如像傳世的毛詩說，但那些說法差不多全不可靠（同註93，頁5）。

117 同註68，頁338。

118 同註109，頁6-7。

119 同註68，頁425。

120 王國維：《觀堂集林》（石家莊市：河北教育出版社，2001年），頁443-434。

的起源〉進一步補充〈獻侯鼎〉、〈敔毀〉等彝銘申論謚法之制當在戰國時代才規定[121]。故〈噫嘻〉一詩之「噫嘻成王」按文法結構看來，他認為指的是成王一個人，而非《傳》、《箋》訓釋。他指出：

> 這首詩便成為了研究周代農業極可寶貴的一項史料，可以作為一個標準點。特別是作於周成王時，周初的農業情形表現得異常明白。農業生產的督率是王者所躬親的要政之一；土地是國家的所有，作著大規模的耕耘；耕田者的農夫有王家官吏管率著的。這情形和殷代卜辭裡面所見的別無二致[122]。

郭氏以此詩所提的大規模耕作景況，作為周初農業生產情形極堅定的社會史料，如果不是奴隸制度，是絕對不可能辦到的[123]。而〈臣工〉一詩王親自催耕的情形，他認為與卜辭中王親自「觀黍」和「受禾」一樣[124]；〈豐年〉一詩辭句多與〈載芟〉相同，「萬億及秭」表示是國有土地上的大規模耕作，決非小有產個人或大有產地主所能企及的景況[125]；〈載芟〉「千耦其耘」與〈噫嘻〉「十千維耦」兩相印證，可知耕作規模廣大，幾乎全國上下都參加，而耕作的人有主、伯，有大夫、士的亞旅、年富力強及年紀老弱者[126]。郭氏並且認定西周詩人樸質，「十千維耦」人數約有二萬人的說法，決不可能嚮壁虛造，此與〈甫田〉「曾孫之稼，如茨如梁。曾孫之庾，如坻如京。乃求千斯倉，乃求萬斯箱。」的情況一樣，都是實寫[127]。

2 井田制的崩解與新富階級的產生

郭氏認為殷周兩代曾經實行過井田制。〈大田〉「雨我公田，遂及我私」

---

121 同註1，頁89-101。
122 同註68，頁407。
123 同註40，〈讀了關於周頌噫嘻篇的解釋〉，頁160。
124 同註68，頁408。
125 同註68，頁409。
126 同註68，頁410。
127 同註109，頁25。

二句，足證公有的土田之外已經有私有田地。農人利用公事之餘，開墾自己的私地，之後奴隸制遭受破壞而直接衝擊生產力變遷。而〈甫田〉一詩的甫田是指大田，田之大一年至少可以取十千石，顯而易見土地依然屬於公有，甚至還知道有老寡婦的乞丐[128]。他並指出田字這個象形文字具有圖畫價值，西周的金文每見賜田和以田地賠償等以田為單位的交易紀錄[129]。而他根據古器物〈召卣〉、〈殷簋〉、〈賢段〉銘文上的直接資料，以及田字本身的結構，證實了殷、周兩代是施行過豆腐乾式的均田法，也就是井田。

　　此外，他認為當農人開墾私田，私有的畝積超越公田，私有的財富超過公家，以及生產工具鐵的發明使用，都大為提昇農業生產力。因此，井田制便受到嚴重衝擊而瓦解，隨後導致奴隸制的崩潰[130]。而新富階級的產生，只要有錢就可以作三卿，所以，君子甚至也可以經營買賣事業。

3 階級統治者欺壓農業奴隸

　　郭沫若考察施行井田制背後的象徵意義，主要有二：一是作為榨取奴隸勞力的工作單位，另一則是作為賞賜奴隸管理者的報酬單位[131]。由於生產奴隸的產生，必然有管理奴隸的官人及階級統治，如卜辭中屢見以臣、宰從事征伐，或命臣以眾庶從事戰爭或耕稼的紀錄[132]。對於其他史學家認定周代為封建社會，否定井田制以及耕者為自由農民的看法，他認為關鍵在於沒有認清「民」字的本義。他認為殷、周兩代從事農耕者謂之民，謂之眾，謂之庶人，其地位比臣僕童妾等家內奴隸還要低，至於這個論點始終無法得到其他史學家的肯定與正面反駁，他覺得主要原因或許是由於農業奴隸與封建下的農奴性質相近所產生的混同。他說：

　　　農業生產奴隸和手工業的生產奴隸或商業奴隸，性質不盡同。這在典

128　同註68，頁413-415。
129　同註109，頁26。
130　同註107，頁31-32。
131　同註109，頁34。
132　同註109，頁35。

型的奴隸制時期的希臘已經是表明著的。注重手工業和商業的雅典，
奴隸是無身體自由的，而注重農業的斯巴達，它的農者黑勞士便有充
分的身體自由。這是因為農業的土地便發揮著更大的縲絏髡鉗的作
用，耕者不能離開土地，離開了便有更深沈的苦痛。這層土地的束縛
作用，連相當原始的彝族都是無意識地利用著的。中國是大農業國，
故殷、周兩代的農耕奴隸，能顯得那麼自由[133]。

他進一步表示，土地既可作為酬勞臣工的俸祿代替，那麼奴隸作為更重要的
生產工具自然也可以作為酬勞品。尤其是西周金文中他發現臣民與土田同錫
之例，屢見不鮮。此外，他從古代社會中發現人民本是生產奴隸，且解釋
民、臣二古時候都是眼目的象形文。臣是豎目，民是橫目而帶刺。古人以目
為人體的極重要的表象，每以一目代表全頭部，甚至全身。豎目表示俯首聽
命，人一埋著頭，從側面看去眼目是豎立的。橫目則是抗命平視，故古稱
「橫目之民」。橫目而帶刺，蓋盲其一目以為奴徵，故古訓云「民者盲也」。
這可見古人對待奴隸的暴虐，如〈七月〉一詩農夫一年的生活極其繁忙，戰
爭時還要土國城漕，寓兵於農[134]。

4 周正曆法比夏正早二個月

　　郭沫若以〈七月〉詩中的物候與時令與農曆相比對，認定「周正」要比
「夏正」早兩個月。而他據日本新城新藏博士《春秋長曆的研究》，發現魯
文公與宣公時代，曆法上有過重大的變化。故以此時期為界，前半葉以含有
冬至之月份的次月為歲首（所謂建丑），後半則以含有冬至之月份為歲首
（所謂建子）。又前半葉置閏法顯然無規律，後半葉則頗齊整。他對於自己
根據春秋二百四十二年間的三十七次日蝕（其中有四次應系訛誤），用現代
較精確的天文學知識所逆推出來的這個發現，是相當自豪的。而也因為這個
推論，他發現三正論係出於春秋末年曆術家的捏造，而斷定〈七月〉一詩當

133　同註109，頁38-39。
134　同註107，頁29-30。

作於春秋中葉以後。尤其詩中只稱「公子」與「公堂」，也算得是內證[135]。

5 周初商業始有貨幣

　　貨幣的發展和商業的行為是相應的，商業的發展又依存於農工。商業行為初時，貝字只是裝飾品，周代才被轉化成貨幣。貝、朋初時物尚少，僅用以作頸傭，入後始化為一般之貨幣單位。其事當在殷周之間。貝即貝子，學名所謂「貨貝」是南海出產的東西，可知殷代有貝必自南方輸入。而貝初入中國只是當作裝飾品使用，以若干貝為一朋，一朋即是一條頸鏈。故賏字從貝（賏，貝連也），賁字從貝（賁，飾也），贊字從貝（贊，美也）貝不易得，後來替之以骨，更替之以石，全仿貝子之形而加以刻畫。後更兼帶有貨幣的作用[136]。郭氏並於《甲骨文研究・釋朋篇》論朋為由貝所制之器物有朋，字於甲骨文作 ，肖頸飾之形。

　　又〈周代彝銘中的社會史觀〉中，他指出「貝」在殷代尚未真實地成為貨幣。殷彝中錫朋之數，至多者不過十朋，此與周彝中動輒有二十朋，三十朋、五十朋的判然有別，與《詩・菁菁者莪》之「錫我百朋」亦相隔甚遠。所以，殷彝中的錫朋，在他看來，是在賞賜頸環，不是在賞賜貨幣[137]。

6 從怨天到恨人的存在意識覺醒

　　精神文化無形的社會變革，往往比政治革命來得更無法抵禦。郭沫若從《詩經》中變風、變雅詩作中，看出社會的絕大變異。特別是變雅，他認為差不多全部都是怨天恨人之作。如〈北門〉、〈黍離〉、〈鴇羽〉、〈黃鳥〉、〈節南山〉、〈正月〉、〈小旻〉、〈板〉、〈桑柔〉、〈雲漢〉、〈瞻卬〉、〈召旻〉等「對於天的怨望」；〈節南山〉、〈雨無正〉、〈小弁〉、〈巧言〉、〈蕩〉、〈正月〉、〈生民〉、〈楚茨〉、〈皇矣〉、〈天保〉等「對於天的責罵」；〈園有桃〉、〈兔爰〉等「徹底的懷疑」；〈隰有萇楚〉、〈蓼莪〉、〈苕之華〉等「憤懣的厭世」；〈山有

135　同註68，頁421-422

136　同註109，頁20。

137　同註68，頁267-268。

樞〉、〈車鄰〉、〈頍弁〉等「厭世的享樂」;〈正月〉、〈小弁〉、〈四月〉、〈雲
漢〉等「祖先崇拜的懷疑」;以及〈閟宮〉、〈崧高〉、〈瞻卬〉、〈何草不黃〉、
〈十月之交〉、〈楚茨〉、〈皇矣〉、〈天保〉等「人的發現」[138]。他認為從怨
天到恨人的憤懣厭世之情,隱伏著人的存在意識的覺醒與抬頭。

7 殷、周親屬稱謂差異有別

　　親屬稱謂往往反映原始婚姻的遺存制度。郭沫若考察世界歷史中家族進
化的歷史,推論中國婚姻演進的歷程,是由上世男女雜交到亞血族群婚,再
到一夫一婦的現行制度。至於母權與父權的交替,是在殷周之際,亞血族群
婚制約於入周後逐漸廢除。這從〈小雅・斯干〉「似續妣祖」、〈周頌・豐
年〉、〈載芟〉「烝畀祖妣」的「祖妣」稱謂與金文考釋,可見一斑。

　　郭氏指出古時候祖妣父母稱謂有別,殷代男名「祖某」,女名「妣某」,
而周代則男子均稱父,女子均稱母,稱女性先祖為妣,稱男性先祖為祖。他
例舉王國維〈女字說〉以古彝器中稱「某母」共有十七件,分別為母為女作
器、女子自作器或為他人作器所稱,以及「女子之字稱某母,猶如男子之字
謂某父」、「男子之美稱莫過於父,女子之美稱莫過於母」等,認為王氏的說
法受限於鄭玄、許慎的舊說而推臆,並非古人實際情況。

　　此外,他考察家族進化的過程,以「女字均稱母,父字均稱父」係源自
於亞血族結婚制中兒女多父多母的情況,所以均稱父為「父某」,均稱母為
「母某」,周人因襲未盡廢,男女亦自稱某父某母。其後,稱謂涉嫌方而改
制,某母的稱號遂絕迹,而某父之字也改用某甫[139]。

(四)《詩經》古史研究的特色及限制

　　詳察郭沫若《詩經》古史研究,其特色主要有五:

138　同註68,頁143-153。
139　同註93,頁19-36。

第一，繼承王國維殷周古史研究成果而推闡之

　　王國維殷周古史考證以及甲骨金文研究的成果，對郭沫若有著直接的影響。郭沫若曾盛讚美王氏求實的治史態度，肯定他充分且嚴格地甄別材料，不輕斷結語的優良學風，他除了繼承王國維從古文字到古代社會經濟制度的科學性研究，還進一步補苴罅漏，張皇推闡，例如〈釋祖妣〉中就甲骨文母權時代的殘餘和宗教起源問題，改正了王國維未能解決的問題及錯誤，他依人類社會發展學說，發現「祖妣為牡牝之初字」，而這一考證成為古代婚姻制度和母權時代歷史遺產的創見[140]。

　　又如王氏轟動學界的〈殷周制度論〉，郭氏除了特別強調它在新史學方面的重要性之外，更根據文中提挈的政治與文化變化劇烈之殷周之際、立嫡宗法與同姓不婚等考證，進一步推闡；而王國維剔發卜辭中殷代先王先公這個被埋沒三千年的秘密，〈殷卜辭中所見先公先王考〉中揭示「先妣特祭」之例，證明殷代王室仍相當重視母權，郭氏繼承並進而探討後，發現特祭先妣是有父子相承的血統關係，所謂直系諸王的配偶雖被特祭，但兄終弟及的旁系諸王則配偶則不見祀典，由此可證立長立嫡的制度在殷代早已有它的根蒂[141]。

第二，以唯物史觀系統科學地建構及詮釋《詩經》古史社會

　　郭沫若借重唯物史觀為《詩經》古史社會研究開拓了新的視野。他從農事詩中大規模社會變動、生產方式、生產工具以及宗教思想等要素、結構，從社會學、經濟學、人類學等跨學科視閾，有系統地觀察追究殷、周之際的關係脈絡，並藉此檢視《詩經》背後的社會梗概。

　　夏傳才曾云：

　　　　〈詩書時代的社會變革與其思想上之反映〉這一論著，創立了一個用

---

140 周朝民：〈王國維與郭沫若史研究上之關係〉，《中國文化月刊》第180期，頁103-119。

141 同註109，頁6-7。

馬克思主義研究《詩經》的科學研究體系。當然，由於這時還未能準確判斷某些詩篇的時代性，解釋詩篇雜有臆斷，用來說明社會型態，在史學上就難免產生某些缺乏科學性的論，對於某些詩篇的譯述解說，也有待於商榷。但是，郭沫若為中國古代史，也為《詩經》提出了一個科學的研究體系，啟發我們在上古兩個重大社會變革的歷史背景上來考察《詩經》所反映的社會生活與社會意識形態，這對於揭示《詩經》的全部思想內容，把《詩經》研究建立在科學的基礎上，確實是重大的貢獻[142]。

由上可知，夏氏中肯地評價了郭氏創立《詩經》科學研究體系的時代意義，啟發用史學考察《詩經》的門徑。此外，郭氏前後數次修正研究立論，例如對殷商農牧業生產在整個社會經濟的比重，以及井田制的認識[143]等，都可看出他立論正反合的辯證歷程，這種由否定到肯定再到完善的修正過程，無疑某種程度上展現了相當科學的研究精神。

第三，從微觀角度看《詩經》時代社會史學

在建構古史社會圖像的脈絡下，郭沫若關注歷史的轉折點，留意於大規模的社會變動，尤其對殷、周時代的社會經濟狀況相當重視。他除了從《詩經》的篇章中找證據，也嘗試從卜辭中尋覓出社會經濟生產的線索，進一步回過頭來核實《詩經》中有關漁獵、畜牧、農業、工藝、商賈等生產工具、生產力，並且進行考釋。由於這些專題研究歷來在《詩經》的研究中，較少

---

142 夏傳才：《詩經研究史概要》（臺北市：萬卷樓圖書公司，1993年），頁294-295。

143 陳仕益《郭沫若考古文論》整理郭沫若對於井田制的前後不同說法，他指出：一九二九年二月作〈周代銘中的社會史觀〉時，郭沫若認為井田制並不存在，其後，一九三〇年作《中國古代社會研究》之附錄〈附庸土田之另一解〉時，則認可了井田制，一九四四年《青銅時代》之〈由周代農事詩論周代社會〉文中，也論證井田制是以與孟子之說有異的方式而存在的；然而一九四四年七月作《十批判書》之〈古代研究的自我批判〉則進一步證實井田制的存在發展和衰落情況（成都市：巴蜀書社，2009年，頁272-274）。

被論述，但堅信唯物史觀的他認為「物質的生產力是一切社會現象的基礎」，所以，為了要研究古代社會，就有必要對當時的產業、進行研究。

　　誠如趙沛霖所說《中國古代社會研究》援《詩經》等古代文獻為基本資料，「對各階級、階層人物的生活、遭遇、要求和願望，進行論證，尤其是掌握社會生活和社會制度的重大變化、讓《詩經》為它的時代作全景式的真實具體反映。而郭沫若能夠從不同的角度把《詩經》中的作品貫串起來，以致形成經濟史、階級鬥爭史和思想發展史特徵的作品系列，並在《詩經》學術史上占有一定的地位，實則標誌《詩經》學步入了一個新的歷史發展階段[144]。

　　王霞〈淺析郭沫若中國古代社會研究〉亦肯定郭沫若，從社會經濟基礎以及社會發展規律的大背景來闡發歷史，儘管《中國古代社會研究》書中所提的一些觀點並不完全符合中國古代社會的實際情形，但卻是結合政治、經濟、歷史、哲學、宗教和思想文化研究的《詩經》綜合研究[145]。此外，郭氏提挈「農事詩」的篇目與標準，並針對《詩經》中農業社會的發展、農具、農夫及農事、曆法、祭祀等進行考釋，影響後世農事祭祀詩的研究[146]。

第四，結合傳世文獻與出土文獻、器物，進行《詩經》古史論證

　　在研究中國社會史發展上，郭沫若認為傳世文獻中有不少託古改制的偽

---

144 趙沛霖：《現代學術文化思潮與詩經研究——二十世紀詩經研究史》（北京市：學苑出版社，2006年），頁93-98。

145 王霞：〈淺析郭沫若《中國古代社會研究》〉，《安徽文學》2008年第8期，頁36。

146 趙沛霖即歸納農事研究的重點有三：第一，題旨的研究；第二，〈七月〉國別的研究；第三，農事詩產生時代的研究等。他指出農事詩的研究相當繁榮，有從社會學、歷史學、民俗學等角度或利用交叉學科來看待及研究農事詩。詳見《詩經研究反思》（天津市：天津教育出版社，1989年），頁104-107。學位論文中關注《詩經》農事詩者，有吳倫柏：《詩經農事詩與周代農耕社會》（廣州市：暨南大學碩士論文，2008年）、張春霞：《詩經農事詩研究》（北京市：首都師範大學碩士論文，2001年）、王志芳：《詩經中生活習俗研究》（濟南市：山東大學博士論文，2007年）、韓高年：《詩經分類辯體》（上海市：上海古籍出版社，2011年）、李山：《詩經的文化精神》（北京市：東方出版社，1997年）等。

造，遂而將研究範圍延伸到殷墟卜辭和殷周青銅器銘刻。他以「銘文中記錄的史實，由於未經人竄改及牽強附會，可單刀直入地看定一個社會的真實相，而且還可借以判明以前的舊史料一多半都是虛偽的[147]。」所以，深感考古學知識的必要，遂而投入這看似迂闊、玩物喪志的工作，有志於「探討中國社會之起源，本非拘泥於文字史地之學。」

而為能真實地闡明中國的古代社會，則需仰仗「鋤頭考古學」等大規模地下的挖掘，才能得到最後的究竟，並讓從未經過後人竄改的銘文，說出它們所創生的時代，所謂「捨此即無由洞察古代的真相[148]」。

因此，從周代彝銘中，郭氏推論出周代是青銅器時代，彝器中有許多賞賜臣僕的紀錄、井田制的痕迹等，而且彝銘中並沒有五服五等之制。至於卜辭中無民字，亦無从民之字，他認為只是沒有機會用到，並不代表殷代無民。而民在周又稱為人鬲，人鬲又省稱鬲。臣民本是王家所授予，不可私相授受或有所損失。人民不僅可以授與，而且可以買賣，〈曶鼎〉中可到例證[149]。

第五，留意《詩經》庶民心聲，同情發掘社會底層小人物的無奈

唯物史觀在現代史學上的價值之一，是以全體人民為歷史的主體所提出的一種世界的平民的新歷史[150]。郭沫若在〈卜辭中的古代社會〉中指出，卜辭已有奚奴臣僕等字，奚、奴之从俘虜而來於字形已顯著，如奚作 𝌭 𝌭 𝌭 ，奴作 𝌭 ，俘作 𝌭 等用手捕捉人的樣子，可知當時確已有階級存在。而奴隸的用途有三，服御、牧畜耕作及常備軍警[151]。

又〈周代彝銘中的社會史觀〉亦載明庶人就是奴隸。奴隸的賜予以家數計，隸是家傳世襲。他從《詩經‧既醉》「君子萬年，景命有僕；其僕維

---

147 同註68，頁251。

148 《郭沫若全集》（北京市：科學出版社，2002年），考古編，卷4，頁1。

149 同註109，頁41-44。

150 李大釗〈唯物史觀在現代史學上的價值〉指出唯物史觀的史學，是一種社會進化的研究，而不是供權勢階級紀功耀武、愚民的工具（《新青年》第8卷第4期，1920年12月，頁4）。

151 同註68，頁241-243。

何，釐爾士女；釐爾士女，從以孫子」知道「僕」字正是奴隸的本字，不用傳統古經學破字去解釋。奴隸的來源主要是戰俘，奴隸可以用來賞賜、買賣及抵債。

對於奴隸被欺壓的對待，郭沫若深表不滿諷刺的說，糊里糊塗只求皮相的人，會以為自己看到一幅充滿牧歌意味如米勒「拾穗」的畫圖風光，而道學先生或許會搖頭擺腦，一唱三嘆，極力讚美這是首好的牧歌，把農夫的痛苦故意甘媚化。為此，他相當同情被無聊文人騙得團團轉的農夫，而對於「報以介福，萬壽無疆」呈現的場景，譯云：

> 農人萬歲喲！工人萬歲喲！只要你克勤克敏的供我榨取，你的壽命愈長愈好，萬歲喲！萬歲喲！萬萬萬萬萬歲喲！──哼哼！[152]

憤恨的他很想詩的後面再加上「嗚呼」兩個字。

又如〈大田〉「彼有不穫稺，此有不斂穧，彼有遺秉，此有滯穗，伊寡婦之利」郭氏解作奴隸的寡婦們收穫時拾些遺穗以充饑，可見當時已有乞丐的現象。他認為〈國風〉中采草卉的女人屢見不鮮，恐怕指的都是無依靠的寡婦。

再者，他指出《詩經》中〈大雅〉、〈小雅〉的詩中描述大批奴隸們大興土木，開闢土地，供徭役征戰的情形。而君子又叫作百姓，小人又叫作民、庶民、黎民、群黎，實際就是當時的奴隸。所以，周初極盛的封建時代完全是被粉飾，全盤都是虛偽的。如〈七月〉詩中一天到晚工作的農夫；〈信南山〉、〈甫田〉、〈豳頌〉六篇被公子榨取的農夫；〈甫田〉「倬彼甫田，歲取十千；我取其陳，食我農人。」階級截然對立可見一斑。農夫、庶民被當成奴隸的對待，如平時作農，有土木工事時便供徭役，如〈七月〉「上入執公宮」、〈擊鼓〉「擊鼓其鏜，踊躍用兵，土國城漕，我獨南行」、〈鴇羽〉「王事靡盬，不能蓺稷黍」等；而在征戰時，便不免要當兵或伕役，如〈東山〉等，所以，農人、工人、軍人，結果就奴隸。

---

152 同註68，頁117。

　　詳究郭沫若《詩經》古史研究的限制，主要有三：

第一，生搬硬套馬克思五種社會形態理論於中國社會，缺乏科學性結論

　　郭沫若初時作〈詩書時代的社會變革與其思想上之反映〉的時候，尚未充分接觸及掌握古代史料，以致於產生某些錯誤的論斷[153]。在研究方法上，他生搬硬套唯物史觀的公式到中國古代社會，以一般原理代替個別性，完全不能符合中國實際情形。

　　王霞〈淺析郭沫若中國古代社會研究〉一文指出，《中國古代社會研究》代表郭沫若「研究過程中的初級階段」，只是他「用科學歷史觀點研究和解釋歷史」的「草創時期的東西」。其「興趣」是在追求及考證、辯證唯物論在中國古史社會的適應度上[154]。夏傳才也點明郭氏某些詩篇的時代性及解釋，過於臆斷，至於把馬克思五種社會形態的理論機械地套用在中國社會，難免產生某些缺乏科學性的結論[155]。

　　大抵上，將五種社會形態作為人類歷史發展循序遞進的必經規律，實則違背了馬克思主義的歷史觀，由於這樣的歷史分期模式既非世界發展的唯一圖式，也缺乏充分的文本及世界性的普遍事實依據。所以，郭沫若將「亞細亞」說成是中國早期的奴隸，殷商是奴隸制，而又因為西周與古希臘、羅馬時代相當，而斷定西周也是奴隸制，進而又論東周還是奴隸社會，並將奴隸制的下限，定於春秋與戰國之交」等，既不符合中國歷史的實際情形，也缺乏堅強有力的證據。

　　誠如趙沛霖所言，郭氏《中國古代社會研究》由於未能正確處理學術研究與政治目的、革命激情與科學態度以及求真與致用之間的關係，把馬克思五種社會形態的理論機械地套用於中國社會，以一般原理代表個別，造成中國歷史和《詩經》研究許多混亂。故《中國古代社會研究》從奴隸制社會出發對《詩經》性質和思想內容所做的分析，勢必成了空中樓閣，至於其中對

153　同註68，頁405。

154　同註145，頁36。

155　同註142，頁294-295。

《三百篇》所做的歷史定位，也就變得毫無意義[156]。

第二，詩篇年代斷定及訓詁問題，有待商榷

〈七月〉一詩以時序為經，以衣食為緯，勾勒了農業社會生活面貌。其中涉及的農業生產方式以及天文曆法等時序問題，是窺探上古農業重要的關鍵線索。

郭沫若根據日人新城新藏博士《春秋長曆的研究》，認為魯文公與宣公的時代，曆法上有過重大的變化，斷定〈七月〉為春秋中葉以後的作品。他並且以此詩的物候與時令是所謂的「周正」，比舊時的農曆「夏正」還要早兩個月[157]。其云：

> 〈七月〉，《魯詩》無序，其收入《詩經》，大率較其它為晚。假使真是采自豳地，當得是秦人統治下的詩，故詩中只稱「公子」與「公堂」。這也可以算得是一些內證。又詩的「一之日」云云，「二之日」云云，向來的注家都是在「日」字點讀，講為「一月之日」、「二月之日」，但講來講去總有些地方講不通。而且既有「四月秀葽」，又有「四之日」，何以獨無一月二月三月？而五月至十月何以又不見「五之日」至「十之日」呢？這些都是應有的疑問。一句話總歸，分明是前人讀錯了。我的讀法是「日」字連下不連上。「一之」，「二之」，「三之」，也就如現今的「一來」，「二來」，「三來」了。說穿了，很平常[158]。

郭氏標斷「一之日」、「二之日」等為「一之」、「二之」的作法，並不恰當，同時，僅載七個月的農事，所言物候與詩意也不盡相通。詳察此詩曆法的記月方式，主要有「某之日」、「某月」及用名詞和月份表示的「蠶月」等三種稱謂。根據張劍之〈七月曆法與北豳先周文化〉一文指出，「某之日」的記

156　同註144，頁102。

157　同註68，頁421。

158　同註68，頁422-423。

月方法是「狩獵曆法」；而「某月」的記月方法是「農事曆法」。至於以〈七月〉曆法為代表的「豳曆」，是周先祖早期在古北豳創業時制訂的[159]。而郭氏引用新城新藏的研究，根本不能證明春秋中葉以前沒有周正曆，尤其豳地於西周末年已被玁狁侵佔，春秋時已屬西戎，且孔子、孟子、荀子等都曾引用過一詩，足證〈七月〉絕非春秋中葉以後的作品[160]。

此外，「七月流火，九月授衣」的「授衣」兩個字，按郭氏的說法是古代農民有一定的制服，到了「九月」（農曆七月），就應該發寒衣[161]。然而，授衣對象主從關係究是奴隸主授與奴隸，還是婦女製成後發給奴隸，還是國家統一發給，歷來眾說紛紜。一九七五年地下發掘出土之《睡虎地秦墓竹簡・秦律十八種・金布》所記，其授冬衣的時間與《毛傳》相合，而豳地乃平王東遷後賜秦襄公之地，顯見豳地習俗為秦所繼承的關係。至於所授的衣當為「無衣無褐，何以卒歲」的「褐」，也可以在〈金布律〉找到證據。黃新光〈豳風七月的名物訓釋與歷史文化底蘊的發掘〉認為是婦女裁製完成冬衣後再授與農夫[162]；季旭昇則根據〈金布律〉另一段記載，判斷是由國家發給，但人民必須付錢才能取得[163]。張玉林〈七月流火，九月授衣釋疑〉也是認為九月寒冬將至，公家會供應人們禦寒冬衣，但收受者要交付一定的價款，且對沒有人身自由的奴隸只供應極為粗糙、簡陋的「褐」[164]。按此看來，郭沫若解「授衣」為制服的說法，不夠詳實。

---

159 張劍：〈七月曆法與北豳先周文化〉，《固原師專學報》（社會科學版）2001年第1期（2001年1月），頁11-12。

160 同註142，頁301。

161 同註68，頁423。

162 黃新光：〈豳風七月的名物訓釋與歷史文化底蘊的發掘〉，《南昌大學學報》（人社版）第33卷第1期，（2002年1月），頁116。

163 季旭昇：《詩經古義新證》（臺北市：文史哲出版社，1995年），頁293。

164 張玉林〈七月流火，九月授衣釋疑〉，《承德民族師專學報》1995年第2期，頁51。

第三，強調詩歌怨怒之聲，捐棄溫柔敦厚情致，開啟浮躁庸俗作風

郭沫若在〈周代彝銘中的社會史觀〉中曾說：

> 固定了幾千年的傳統，一旦要作翻案本來是不很容易的事。加以我的
> 研究也尚未周到，以《易》、《詩》、《書》為研究資料大有問題。
> 《易》、《詩》、《書》雖可證明其為古書，然已傳世數千年，正不知已
> 經多少改變；而幾千年的傳世注疏更是汗牛充棟。要排除或甄別那些
> 舊說絕不容易。大家的腦中都已有先入之見，紅者見紅，白者見白，
> 孤軍獨往終不免要受以五經為我注腳之譏彈[165]。

對於打破傳統《詩經》解釋的困難與處境，郭氏早有難免被人譏諷「五經皆
我注腳」的心理準備。他從奴隸制社會出發對《詩經》內容思想進行的分析
及闡述，如〈七月〉一詩被壓榨勞役一整年的農夫奴隸，以及春日婦女們慘
遭蹂躪的傷悲；〈甫田〉詩中吃剩餘陳腐米穀的農人，愚昧得向榨取者高呼
萬歲取的蠢昧；〈大田〉一詩充滿牧歌的拾穗圖畫背後，是乞丐寡婦喫草根
過活的慘狀等[166]，對照強取豪奪的貴族公子，更顯奴隸階級的激憤不平。

然而，特別強調階級對立下奴隸者的悲憤與怨怒之情，而忽略或漠視
《詩經》「怨而不怒、哀而不傷」之溫柔敦厚情致，也是郭沫若建構古史的
一大限制。郭氏以唯物史觀原理套用在《詩經》的社會，往往因忽略特殊性
研究，而誤解詩義，如〈邶風‧北門〉、〈王風‧黍離〉等表達勞苦倦極的呼
天而告，乃人之心情，毋須比附成宗教思想上對天的怨望；而〈小雅‧北
山〉詩中小臣怨恨勞役不均的心情，與「鼓吹階級鬥爭」是根本不同的兩回
事。而郭沫若輕下結論的浮躁作風，對於二十世紀五〇年代以後驟下結語、
恣意比附民俗人類學等傾向，多少有一定的關係[167]。

---

165 同註68，頁250。
166 同註68，頁113-118。
167 同註144，頁104。

四　考古研究與《詩經》訓詁新證

　　一九二九年，三十八歲的郭沫若譯作《美術考古發現史》，並完成《甲骨文字研究》；三十九歲（1930）補記〈附庸土田〉，收於《中國古代社會研究》之〈附錄〉，且作《殷周青銅器銘文研究》、《金文叢考》；四十一歲（1932）出版《兩周金文辭大系》；四十二歲（1933）撰述研究甲骨卜辭的新體系代表作——《卜辭通纂》，集成《古代銘刻滙考》；四十三歲（1934）十一月作《兩周金文辭大系圖錄》；四十四歲（1935）出版《兩周金文辭大系考釋》；四十七歲（1937）出版《殷契粹編》；四十八歲（1939 年）出版《石鼓文研究》等。

　　避居日本期間，他在迫於無奈、聊勝於無的情況下，從事古史與古文字的研究工作。〈我怎樣寫青銅時代和十批判書〉文中，他表示如果有更多的實際工作可做，是絕不甘心做一個舊書本子裡的蠹魚[168]。〈我與考古學〉中亦表述讀了唯物辯證法的幾本書，並撰述了幾篇論文後，因有感《詩》、《書》、《易》三部書的年代沒有一定標準，而想從三部書去建構古史觀，不免有點危險。所以，才切實地感覺研究考古學以及和考古學相關學識的必要，而開始研究甲骨文字和殷周金文[169]。

　　在古史、甲骨金文的認識與研究上，郭沫若以王國維為學習典範並選擇考古證史的門徑，嘗試擘劃與胡適整理國故不同的局面[170]。他坦言開啟他對古文字研究的門徑與堂奧的是容庚與王國維。王氏《國朝金文著錄表》、《宋代金文著錄表》、《王氏說文諧聲譜補》等著作，是他研究撰寫時未嘗片刻離手的重要參考資料。其《殷周青銅銘文研究》中五篇專論銘文的韻讀之

---

168 同註107，頁486。

169 《郭沫若全集》（北京市：科學出版社，1992年），考古編，卷10，頁9-10。

170 謝保成《郭沫若評傳》指出郭沫若對於「國學」的認識，劃出了與胡適為代表的「整理國故」一派的界限，但同時又表現出了對於王國維為代表的「考古證史」一派的直接繼承。（南昌市：百花洲文藝出版社，1995年），頁22。

作，便是受到王國維認為韻讀可為考釋古文字的方法之一而啟發的。他尤其讚賞與欽佩王氏在考論古史、古制、古文字、古物的成就，是幾千年來舊學城壘上燦然放出的光輝[171]。

考察郭沫若研究古文字的歷程，最初僅將銘文作為史料，希望從中探討周代彝銘中奴隸、井田制度、五服五等之制度以及殷周的時代性等問題。細究〈周代彝銘中的社會史觀〉一文，可知他對於銘文的理解大多承襲舊說。其後，察覺中國古史觀建構立論的基礎薄弱，才轉向結合古文字、地下出土器物來觀察古代的真實情形，以破除虛偽粉飾。然而研究終極關懷仍在瞭解古代社會面貌。一九五二年重印《金文叢考》時，云：

> 我準備向搞舊學問的人挑戰，特別是想向標榜「整理國故」的胡適之流挑戰。從前搞舊學問的舊人，自視甚高，他們以為自己所搞的一套是「國粹」，年青一代的人不肯搞了，因而以裂冠設套，道喪文敝為慨望。因此，我想搞一些成績出來給他們看看。結果證明，所謂「國粹」先生們其實大多是像古董[172]。

由上可知，他研究的期許與標榜整理國故的胡適一別苗頭的意氣。

在〈卜辭中的古代社會〉一文中，他指出中國學者特別是研究古文字一流的人物，鮮少有科學的教養，所以往往不能有系統的科學把握古文字絕好的材料。直到研究甲骨文字後，才對於《詩》、《書》、《易》中被後人所粉飾或偽托的部分，終於得以撥雲霧而見青天。一九二九年八月《甲骨文字研究》初版序中，他表示研究卜辭志在探中國社會的起源，而不是拘限於文字史地之學。其中，文字是社會文化的一大要徵，關乎社會生產狀況與組織關係，因此，想要追求文化的梗概，「識字」是第一步。

一九三〇年九月給容庚的信中，郭沫若表示古文字學是他繫心的要事，只是人在日本可看到的資料太少[173]，對於當時知識分子以革命時期研究古

---

171 同註6，頁6。
172 同註1，頁3-4。
173 《郭沫若書信集・上》（北京市：中國社會科學出版社，1992年），頁328。

器物、古文字的顧慮，他胸有成竹地表示「我輩勿憂玩物而喪志，幸於玩物中以見志焉」。由於研究古文字是他探討中國古代社會的第一步，他認為要在中國進行革命、開拓未來，就不能不懂中國的過去。

此外，德國米海里司《美術考古一世紀》對於郭氏研究考古資料及建構古史，有相當大的啟發，在一九四六年十二月所寫譯者前言中自云：

> 假如沒有譯過這本書，我一定沒有本領把殷墟卜辭和殷周銅器整理得出一個頭緒來，因而我的古代社會研究也就會成為砂上樓臺的[174]。

而此書作者注重歷史的發展，實事求是地作科學的觀察，且精細地分析考證而且留心著全體的態度，啟發他用宏觀的角度去審視所整理的殷墟卜辭及商周時銅器資料。

由於他所能掌握古文字的相關資料十分有限，但他在處理殷周古文字的方法上，則受益於王國維的研究成果最多，他如羅振玉、董作賓、商承祚、容庚等人著作，也是他取酌參考的材料依據[175]。

雖然說郭氏研究古文字的目的在於古史研究，但他在金文學的貢獻以及對彝銘材料的匯集整理、青銅器體系的建立[176]，卻對古文字研究發展造成重要的影響。在傳統訓詁的學養基礎上，他借重王、羅等人的研究成果，善用辭例、以傳世文獻與地下出土文獻交驗互足，並依出土實物構件類推，據字形與歷史文化、地理風俗等發明新義[177]，往往立論新穎。茲就郭氏利用

---

174 米海里司：《美術考古一世紀》（上海市：上海書店出版社，1998年），頁2-3。

175 同註93，頁1。

176 江淑惠《郭沫若之金石文字學研究》指出金文學的內容可說是郭沫若建立起來的，而對於彝銘材料的匯集與整理以及青銅器體系的建立，正是郭氏對金文學的最大貢獻。因此，從古文字學的角度考量郭氏之成就得失，是最基本而必要的工作（臺北市：華正書局，1992，頁4-8）。他並且歸納郭氏釋字方法，共有：比較法、分析法、辭例推勘法、結合偏旁分析與字音之確定、利用古音知識以釋字、利用韻讀釋字等（頁389）。

177 符丹將郭沫若古文字考釋的一般方法分為：綜合法、據字形、文意分析法、據音韻、據辭例、據說文、據傳世文獻、比較法、據其他古文字、據出土實物、構件類

考古研究成果以訓詁《詩經》的實踐情形，分別從識本字、訓常語、新證名
物等方面探論之。

（一）識本字

1 釋䴢

〈釋庸〉

王國維「獵狁考」一文中曾考釋〈杜伯鬲〉「杜伯乍作叔䴢障鬲，其萬
年子子孫孫永寶用」，以叔字下「䴢」字為「媧」。並訓「庸姓之庸，金文作
媧，今《詩》『美孟庸矣』作庸字」[178]，而羅振玉附和此說。郭沫若指出王、
羅二人釋䴢為媧，主要是沿襲吳大澂釋䴢為庸的說法。在他看來，吳氏只
是根據此字與庸形近的關係，和〈虢季子白盤〉䴢、〈毛公鼎〉䴢、〈召伯
虎敦〉䴢並釋為庸，絕非確當。所以，他認為䴢非庸，䴢更不是媧。

其次，指出〈杜伯鬲〉乃杜伯為其女叔䴢所作的媵器，杜為陶唐氏的
後代，所以按宋代刊刻的《嘯堂集古錄》記載，〈劉公鋪〉的杜䴢即晉襄公
第四個妃子杜祁。其云：

> 䴢當為从女䴢聲之字，是則䴢聲當讀如祁。《石鼓文》之䴢䴢即
> 《詩經》中祁祁矣。〈召南·采蘩〉「被之祁祁」、〈豳風·七月〉又
> 〈小雅·出車〉「采蘩祁祁」、〈小雅·大田〉「興雨祁祁」、〈大雅·韓
> 奕〉「祁祁如雲」、〈商頌·玄鳥〉「來假祁祁」。《爾雅·釋訓》「祁
> 祁，徐也。」《毛傳》於〈采蘩〉訓舒遲，於〈七月〉訓眾多，於
> 〈大田〉訓徐，於〈韓奕〉訓徐靚。《鄭箋》於〈采蘩〉亦訓安舒，
> 於〈玄鳥〉亦訓眾多。是則祁祁有舒徐與眾多二義[179]。

推、反證法、排除法（詳見《郭沫若古文字整理方法研究》，西南交通大學碩士論
　　文，2010年，頁7）。
178　同註120，頁300。
179　同註1，頁207下。

由上可知，郭氏推論▢若▢字，乃祁的本字，而除了從字例來判定以外，他還從字形來論定▢字像是兩個▢相抵，▢就好比兩個▢之間有它物充墊的樣子，顯見▢、▢二字為同一個字，音在脂部。所以，▢當為祁姓的本字，而不是媶。

2 釋覃

　　郭沫若考察〈番生設〉及〈毛公鼎〉均有「金簟弻魚服」句，正與〈小雅・采芑〉「簟茀魚服」句例相同。而簟字在〈番生設〉作「▢」，〈毛公鼎〉作「▢」，他認為二個字的下半部「▢」、「▢」應為覃字。而他更進一步推論容庚《金文編》附錄中未能辨識的〈亞形父乙卣〉▢、〈亞形父乙爵〉▢、〈父己爵〉▢三字，均為覃字。而羅振玉《貞松堂集古遺文》著錄〈亞形父乙設〉之未識「▢」二字，也可斷定為共、覃二字。

　　此外，《說文》覃字訓云：「長味也，　▢，鹹省聲。《詩》曰：『實覃實吁』，▢古文覃，▢篆文覃省。」郭氏認為此乃▢形之誤。▢為象形文，如器皿中裝盛果實的樣子，並非鹹省聲。而下部從皿的▢▢▢等形，他主張必定也是器皿的象形。因此，今小篆譌變為▢，古音讀在侯部，依聲類推求當是豆字的異體。而在「豆」類的器皿中裝盛果實，自然有「長味」的意思[180]。

　　嚴格說來，郭氏以「覃」字下部為類似「豆」的器皿，裝盛果實可保「長味」的論述，證據不夠充分。季旭昇〈談覃鹽〉一文根據晚近出土包山楚簡及鹽金古幣等，析論「覃」原即「鹽」字，《說文》保留「覃」字「長味」、「鹹省聲」的線索及解釋，基本上是正確的。他並析分覃字作名詞指的是「鹽」；作形容詞時則解為「長味」。而「長味」的意義主要來自「覃」字上部的「鹵」，與下部放鹽的罈子「▢」無關[181]。

180　同註1，頁225-226。

181　季旭昇：〈談覃鹽〉，《龍宇純先生七秩晉五壽慶論文集》（臺北市：臺灣學生書局，2002年），頁255-256。

3 釋勿勿

　　卜辭卜牲色，多以「叀羊」與「叀□」對文。羊即後來之驊字。□或作□，有時省作□、□，下部有時是牛而不是羊。王國維釋此字為「物」，原指雜色牛的名稱，其後推衍成「雜帛」的意思。而以〈小雅・無羊〉「三十維物，爾牲則具。」《傳》云「異毛色者三十也。」為例，說明「三十維物」與「三百維群」、「九十其犉」的句法正同，指的正是三十頭雜色牛[182]。

　　郭沫若考察周代彝器〈盂鼎〉、〈克鼎〉及〈召伯毀〉等銘文，勿字作□，在〈師酉毀〉、〈命鎛〉、〈冉征〉則作□形。且卜辭多見勿字，有作□若□，但均作否定用，與□、□用來指牛色，並不相同。而由於羅振玉、王國維等人不識□□字，置列待問字例，今人已確辨為「勿」字，但因為與□□字不能相配合，故暫時並存。

　　郭氏認為□字在祖庚、祖甲時已有較多的使用機會。而□□本是犁的初文，犁字典籍多作犂。犂與驊對文，正與卜辭同，所以，黎、物都是從□演化而來的。如果是耕具就从刀从牛，若是談種植就从禾从黍。而□之轉化為銳利及吉利字的，都是由勿引伸而來。至如庶眾稱黎民，其初應當是操勿耕種的農夫；而因農耕而日曬為黑，所以黎有黑義。

　　此外，郭氏發現卜辭有□字而無黎字。□字多見於武丁時骨臼刻辭的人名，後用為吉利字；而深黑色的驪馬為駕，則牟、犁都是指黑牛，又耕具、耕事、耕牛是黑色也都是牟。犀銳的耕具以及有耕事有收穫也叫作□。耕作的人臉黑叫作黎等，基本上，都是由勿字引伸轉化而來。

　　至於周代金文所以用作勿，郭沫若認為是周人誤寫別字的緣故。勿在殷末已成古字，周人襲殷，因與習用的□□相近，因此混淆為一。據此，他更提出勿乃笏的初文，□即前詘後詘的笏形，而□□乃笏上的彣彰，《說文》篆文□及籀文□均從此出。而由於前詘後詘過度，中間□畫太長，許便誤以為「象气出形」，不知勿□為一字，又不知勿□就是笏字，所以才會

182　同註120，頁142。

在曰部的 字解作「出气冏」，而勿為㫃的初文。然而周人雖誤以勿為勿，但並不以勿為㫃。許慎去古以遠，殷周古文又未多見，故其字源說多未得當。而由於純色的笏數量較少，故从勿聲之字多含有雜駁義，如「雜帛為㫃」、「三十維物」[183]。

郭氏以牢為物字的說法，在《殷墟粹編考釋》四二四片已作了糾正[184]。而從考古出土物來看，新干大墓發現的青銅製作的犁具，足證殷代已有牛耕作，而甲骨文字从「勿」是犁形農具，由耒形器發展而來，用牛或用犬作為牽引農具向前的動力，而有「牢」字[185]。

而他對於王國維解釋《詩》「三十維物」《毛傳》訓為「異毛色者三十」的說法，提出了新證，然而，郭氏更正王氏欲求三十種不同毛色的牛的說法，顯然誤解了王國維的意思，因此，更正也就沒有必要。

大抵上，在識讀器銘古文字的部分，郭沫若多援引《詩經》作為輔助證例，其重點不在通釋《詩》義，而是在辨識及確認器銘文字的本義及古史禮制。例如他認為「矢毀銘」文可作為西周年井田制與奴隸制的佐證，惟因其中重要文字被毀滅，故舉證〈魯頌·閟宮〉「乃命魯公，俾侯于東，錫之山川，土田附庸」、〈大雅·江漢〉「王命召虎……告于文人，錫山土田」、〈大雅·崧高〉「王命申伯，式是南邦，因是謝人，以作爾庸，王命召伯，徹申伯土田」等詩所歌詠的史實，表裡互較[186]。而郭氏識讀彝器銘古文字的成果，則被于省吾[187]及聞一多[188]等，多所參閱。

---

183 同註93，頁79-88。

184 《郭沫若全集》（北京市：科學出版社，1965年），考古編，卷3，頁473。

185 邱敏文：《郭沫若甲骨學研究》（臺北市：中國文化大學碩士論文，2003年），頁177。

186 同註59，〈矢毀銘考釋〉（北京市：科學出版社，2002年），頁100-109。

187 于省吾釋〈北山〉「鮮我方將」、〈時邁〉「懷柔百神」、〈小毖〉「莫予荓蜂」等，提供于省吾訓釋時參閱的文件。詳見《澤螺居詩經新證、澤螺居楚辭新證》（北京市：中華書局，2003年），頁30、56、113。

188 孫黨伯，袁謇正主編：《聞一多全集》（武漢市：湖北人民出版社，1993年），冊4，頁89。

（二）訓常語

1 釋祖妣等

　　針對古人常語祖妣、考母，郭沫若分別從稱謂、文例、字形韻讀、民俗祭祀以及婚制廟寢等，分別考釋之。

　　首先，就文例而言，祖妣對文有〈小雅・斯干〉「似續妣祖」、〈周頌・豐年〉、〈載芟〉「烝畀祖妣」等例；而考母對文則有〈雝〉「既右烈考，亦右文母」。而金文中亦多有例證，如〈齊侯鎛鐘〉、〈子仲姜鎛〉、〈陳逆盨〉等言祖妣、考母；〈諶鼎〉、〈頌鼎〉及〈㲎〉壺諸器、〈召伯虎㲎〉、〈師趛鼎〉等單言考妣，皆可見考妣連文乃後起之事。

　　其次，從字形韻讀來看，祖、妣二字為牡、牝的本字。卜辭牡、牝二字並無定形。古文祖不從示，妣亦不從女。且乃牡器之象形，可省為丄；而牝器則似匕，故以匕為妣若牝。

　　王國維作有〈釋牡〉一文，云：

> 卜辭牡字皆从丄。丄，古士字，孔子曰：「推十合一為士。」……古音士在之部，牡在尤部，之、尤二部音最相近。牡从士聲，形聲兼會意也。士者男子之稱，古多以士女連言。牡从士，與牝从匕同。匕者，比也，比於牡也[189]。

郭氏對此提出了批評，認為母權時代，牡尚且不足與牝等同而論，孔子「推十合一」的說法，也不是士之本意。士女的士遠在士君子的士之前。而如果丄字是十與一相合，那麼土應當也是十與一相合而成。其云：

> 據余所見，土、且、士，實同為牡器之象形，土字古金文作 **（圖形）**，卜辭作 **（圖形）**，與且字形相近。由音而言，土、且，復同在魚部，而土為古社字，祀於內者為祖，祀於外者為社，祖與社二而一者也。士字卜辭未

189　同註120，頁142。

見，而由形而言士與土、且實無二致。士音古雖在之部，然每與魚部字為韻。如〈射義〉《禮記》引《詩》「曾孫侯氏」八句以舉、士、處、所、射、譽為韻，《詩·常武》首章以士、祖、父、武為韻。是士字古本有魚部音讀也。又今人之所謂古音，實僅依據周、秦、漢人文之韻讀以為說者，周以前之音，茫無可考。周秦以後音有變，則周以前之音，至周亦必有變。余謂其變且必甚劇，蓋殷周之際禮制之因革彰，而文字之損益亦甚者，則如士字蓋古本讀魚中音而轉入之部者，未可知也。牡從土聲而讀在尤，亦同此說。尤、魚二部亦有為韻之例，如〈民勞〉二章以怓韻休、逑、憂、休者，是也。是故士、女對言，實同牡牝、祖妣。而殷人之男名「祖某」女名「妣某」，殆以表示性別而已[190]。

以上敘述，可知土、且、士等都是牡器的象形，音韻上，土、且同在魚部，士雖在之部，但與魚部字為韻，按理可推士字古本有魚部音讀。士女對言猶如牡牝、祖妣。

再者，郭氏從民俗祭祀的觀點來看，祖妣與祖宗祭祀、神道設教等風俗淵源密切，若干事項可作為輔證。

第一，古時凡涉及神事之字，大抵從示。考察卜辭於天神地祇人鬼皆稱示，可見示的初意原本就是生殖神的偶像，如卜辭裡的祀象人跪於神像前，祝象跪而禱告，祭則持肉以獻神的樣子，顯然這類字仍未脫圖畫文字的領域，屬於象形文字。

第二，示乃牡神，祀牡之前也有以牝為神的例子。古人祭祀，在內為妣，在外為方。如同牡的祭祀在內為祖，在外則為土（社）。而古人每以方社連言，如《詩·雲漢》「求年孔庶，方社不莫」、〈甫田〉「以社以方」等，社方猶言祖妣。

第三，神事是人事的反映。人稱孕育自己的人為母，母是生殖崇拜的象徵。母字甲骨文與金文大抵作𣎑，象人乳形之意。又「爽」字其字形與母

同為一字，且可與歐洲各地出土的生殖女神像「奶拏（Nana）」互相參證。此外，「后」字在卜辭及典籍中的用例並不存在，僅見稱王而不稱后，后為母權時代女性酋長的稱謂。在母權時代，用毓以尊稱王母，轉入父權則當以大王之雄以尊其王公。已死之示稱之為祖，存世之示自當稱之。祖與王，魚陽對轉也。他如後起的「皇」字，金文中其器已稍晚。如〈秦公𣪘〉、〈禾𣪘〉、〈陳侯因𦭮𣪘〉、〈齊陳曼簠〉、〈齊子仲姜鎛〉、〈王孫鐘〉、〈沇兒鐘〉、〈邾公華鐘〉等，皆從王作。而器之較古者如〈毛公鼎〉、〈宗周鐘〉、〈頌鼎〉、〈善夫克鼎〉等，則皆从士。是則王與士為同一物之明證。

郭氏認為士、且、王、土同係牡器之象形，其初意本是尊嚴而無絲毫猥褻之義，入後文物漸進則字涉於嫌，遂多方變形以為文飾。故士上變為一橫筆，而王更多加橫筆以掩其形。且字在金文中器之較古者無變，器之較晚者如〈郜公簠〉、〈師父𣪘〉、〈伯家父𣪘〉益以手形。〈陳逆盙〉、〈子仲姜〉始从示。土字上肥筆亦作橫畫，後且从示矣。匕字亦如是。

第四，卜辭帝字多用為至上神之稱號，稱作天帝是生殖崇拜。由於人事吉凶與天時風雨均由帝命主宰，人王有稱帝號者如「帝甲」，又有假借字用為祭名者如「禘」。郭氏認為帝為蒂之本字，帝字用例的興起必定是在漁獵牧畜進展到農業種植以後的事，因為崇祀的生殖神已由人身或動物轉化為植物。此外，他臆測古人本不知有所謂雄雌蕊，故觀花落蒂存、蒂熟而為果，其果多碩大無朋，人畜多賴之以為生，且果實種子可化而為億萬無窮之子孫，所謂「韡韡鄂不」、「綿之瓜瓞」等，而引以為天下至神者所寄，故以帝為尊號。

最後，郭氏從婚制廟寢方面探討祖妣二字與宗教起源及古代文化大有關係。他以古人祖、社每每對言，祀與內者為祖，祀於外者為社，然因古制祭祀並無內外之分，如《墨子・明鬼》「燕之有祖，當齊之社稷」。而古人本以牡器為神，或稱為祖或社，男女群荷牡神而趨即為「馳祖」的意思，揚州以紙為巨大牝牡之器，男女群荷而趨之的迎春習俗可以互相佐證。至如《周禮・地官》所載仲春之月男女相會，乃古人未有寢廟時仲春通淫的野合，其後有寢廟，則在廟前結婚，寢後以備男女燕私，〈小雅・斯干〉、〈楚茨〉等

敍述燕寢生活可見一斑。

　　而從〈商頌・玄鳥〉《傳》云「玄鳥，鳦也。春分玄鳥降，湯之先祖有娀氏女簡狄配高辛氏，帝率與之祈于郊禖而生契。」的訓釋，他看出〈月令〉祠高禖之事，契之生迺吞卵而孕，是知母不知父之歡合於野的文飾，而以〈小雅・甫田〉「琴瑟擊鼓，以御田祖，以祈甘雨，以介我稷黍，以穀我士女」、〈大田〉「田祖有神，秉畀炎火」的田祖，即《毛傳》、〈月令〉所說的郊禖、高禖。所以，「御田祖」就是燕的馳祖、齊的觀社。《春秋》以齊之觀社為非禮，主要在於尸女通淫。郭氏並指出〈鄭風・溱洧〉歌詠溱洧間遊春士女，兩相歡樂，所謂「女曰觀乎，士曰既且」的且字即祖字，言士與他女歡御。又〈出其東門〉「匪我思且」與「匪我思存」對言，且字亦為祖字，言求歡之女與既祖之士終復謔浪相將，誓無相忘。

　　郭氏此訓〈溱洧〉「女曰觀乎，士曰既且」、〈出其東門〉「匪我思且」的「且」字為祖，就《詩》義而言並不恰當。

2　釋奴隸

　　郭沫若將臣、僕、眾、夫、民、宰等均釋為奴隸，曾引起史學界極大的討論。在〈釋臣宰〉一文中，他指出生民之初與禽獸無別，群居聚處，沒有政令，及至以母氏為中心的血族集團出現，才知有母而不知其父。由於族與族之間不可避免產生的糾葛與兼併，同族之間有了階級的分化，統制政治及國家方才形成。國家中被支配的人就是臣、民，而隨著國家的進展，血族成分愈見稀薄，臣、民的構成與意義也因此轉變成所謂的奴隸。

　　郭氏引用的證據，主要有三：第一，彝銘中入周以後多有賞賜臣民的事。他考察〈矢令殷〉、〈盂鼎〉、〈周公殷〉、〈克鼎〉、〈井侯尊〉、〈令鼎〉、〈陽亥殷〉、〈不嬰殷〉、〈齊侯鎛〉、〈子仲姜鎛〉等銘文，發現臣、民與土田、都邑、器物等賞錫物一樣，都為宰治者所佔有，所有權可以任意轉移。第二，賞賜臣以家為單位計數，顯見奴隸是家傳世襲。如《大雅・既醉》：「君子萬年，景命有僕。其僕維何？釐爾士女。釐爾士女，從以孫子」中的「僕」字，即是臣僕。第三，奴隸的來源是俘虜，〈周公殷〉與〈克鼎〉銘

文即征服并國之後，即瓜分其土地人民的證據。又奴隸二字多有縲紲之象，奴字從又，童、妾、僕等字則從辛。辛乃古昔虐待奴隸之剠額、割鼻等真相而留存的象形文字[191]。

> 臣字小篆作臣，許書云：「臣，牽也。事君也。象屈服之形。」臣之訓牽，蓋以同聲為轉注，然其字何以象屈服之形於小篆字形實不能見出。近人亦有依小篆字形以說者，然皆以訛傳訛也。字於卜辭作臣若臣，金文如〈周公敦〉之「錫臣三品」作臣，〈令鼎〉之「臣十家」作臣，均象一豎目之形。人首俯則目豎，所以「象屈服之形」者，殆以此也。古人造字於人形之象徵，目頗重要，如頁字，夒字，首字等，均以一目代表一人或一頭首，此以一目為一臣，不足為異[192]。

郭氏就卜辭、金文等臣字象人豎目的形貌，申論俯首目豎的「象屈服之形」，駁斥《說文》以同聲轉注訓臣為牽的說法。此外，他也指出殷人以臣為兵士的情形，較之古代希臘羅馬或英國人任用印度人、法國人用安南人擔任軍警，如出一轍。

　　而從周康王時代的彝器〈盂鼎〉、〈克鼎〉以及〈齊侯壺〉等銘文中，他指出民字均作左目形有刅物刺穿的樣子。所以，民字的造形構義與古人民、盲二字可通訓為同樣的意思。由於字都是作左目，被總稱為奴隸。因此他推斷民人之制是從周人開始，周人因盲敵人俘虜左目以為奴隸的象徵。而卜辭中多記有殺人之事，所屠殺者當是俘虜，且用俘虜為祭牲之事亦屢見卜辭。

　　至於臣、民二字均有目形，他的看法是臣字目豎而明，民字則目橫而盲，二者差異在於俘虜的待遇有別。對於柔順而敏給的男性俘虜，採取懷柔降服的政策，用來作為服御的臣；而愚戇暴戾的難馴俘虜，則殺戮或作為人牲苦役的奴隸，利用所剩的生產價值只盲其一眼，統稱為民。雖然他在文獻中找不到記載，但他觀看古人在奴隸額頭上刺字塗墨、割鼻剃髮、割耳砍腳

---

191 同註93，頁184。
192 同註93，頁69-70。

或去勢宮刑等刑罰，盲瞎奴隸的左眼，也是意料中事。而民乃象形文字，實為三千年來傳世的古畫。

此外，羅振玉《待問編》未識之 🀄 🀄 等字，郭沫若綜合辭例疑為「宰」的初字，認為指的是罪隸俘虜之類，祭祀時可用為人牲，征伐時可作兵士。他並根據《說文》以宰字摹象一人在屋下執事的樣子，可見必為罪人，而由辭意亦可證明。至於從辛作宰字當屬後起例子，係由圖形文字漸化為會意字，其字變遷大概在殷代。

故此，民是不甘受異族統治的遺頑，而臣、宰則是遺頑中的叛離者，後被利用來宰治同族的人，二者貴賤有別。郭氏得到的結論是「一部階級統治史，於一二字即已透露其端倪，此言文字學者所不可不知者也[193]。」

他如「眾」字，郭沫若在〈奴隸制時代〉文中認為從卜辭中看不出眾的身分，參證〈周頌・臣工〉「命我眾人，庤乃錢鎛，奄觀銍艾」的句子，以為是耕田的人。首先，引用〈曶鼎〉銘文「匡迺稽首于曶，用五田，用眾一夫曰益，用臣曰疐，曰朏，曰奠，曰用茲四夫。」為例，解讀為匡季搶劫曶的十秭禾，甘願用五個田、一個眾、三個臣的人來賠償。他認為既然臣是奴隸的象徵，那麼眾也是同樣可任意轉移物主的奴隸。其次，郭氏從卜辭字形識讀眾字乃「日下三人形」，象徵多數人在太陽底下從事工作。再者，從字音來看，童、種、眾、農、奴、辱等字皆聲轉而義相沿襲的字，可知用來耕田的這類人很多，所以「眾」字被引伸為多數意思後，眾的原義才完全喪失[194]。

3 釋拜

〈召南・甘棠〉「勿翦勿拜」之「拜」字，唐施士匄訓如人低屈拜之貌，朱熹從之，馬瑞辰、胡承珙等斥其望文生義，而依前後文義證成毛、鄭假拜為拔的說法。

193　同註93，頁61-72。
194　同註107，頁22。

　　郭沫若〈釋拜〉一文，以〈國風・召南・甘棠〉第三章「蔽芾甘棠，勿翦勿拜」與首章「勿翦勿伐」、次章「勿翦勿敗」為對文，主張拜為拔的本字，用為拜手頓首是引伸的意思。據他考察金文中多見拜字，如〈周公殷〉、〈𠂤鼎〉、〈師酉殷〉等，都是以手連根拔起草卉的樣子。由於拜手至地像是拔草的樣子，所以引伸為拜。然引伸義通行而本義廢，故造拔字以代之[195]。

　　大抵上，在常語訓釋的部分，郭沫若從文例、字形、韻讀、民俗人類學、禮制等多重角度，考察《詩經》部分的詞語稱謂，其研究重點不在於詞義，而在建構及瞭解古史社會，其中雖不乏穿鑿比附，如臣、民、眾等奴隸說，但對我們掌握《詩經》時代的文化社會及詞義的演變，卻有相較以往注釋更多的啟發及豐富性。

（三）新證名物

1 兵器

（1）叀

　　金文中多見叀字，大抵均用為惠字，而以〈毛公鼎〉及〈彔殷〉二例最為顯著。郭沫若發現《說文》叀字若惠的篆文及古文，與金文相互比較，稍有譌變。首先，他駁斥《說文》以形聲字說叀字，主張此字應為象形文。其次，又以音讀差異論述許慎未識叀、專字之初義，而誤謂專從叀聲。而他詳察金文中未有專字，卜辭則有專字三例，揆其字形乃以手執叀之形，是摶的初文，非必從叀聲。故叀字當讀如惠，讀為專係後人誤會所致。再者，就叀字的形與聲，郭氏斷言叀乃戲的古字。至於叀為古戲字，他發現古文獻中僅有一例，即《尚書・顧命》「二人雀弁執惠，立於畢門之內」，其與下文之「執戈」、「執鉞」、「執劉」、「執戣」、「執瞿」為對文，因此可證惠必定是兵

器[196]。而叀字音兼攝喉脣，在脂部，與馘在祭部，音相近，二者亦相通韻。所以，叀音可轉為馘。他並舉〈大雅・瞻卬〉首章惠、厲、瘵、屆、為韻，惠、屆在脂部，厲、瘵在祭部，作為證明。

此外，郭氏以馘字古有象形文，其形與干、鹵稍異。而就其橢圓形制，上有文飾而下有蹲，可與讀《詩》「蒙伐有苑」互為發明。他並斷言馘制承襲殷人，卜辭有專有傳，亦有叀字。故羅振玉釋叀為岜，顯然有誤。而他發現叀的花紋與鹵相同，推論大盾為鹵，中盾為叀，小盾為干。叀有定制，干、鹵形制也各有方圓的差異。

（2）干鹵

〈秦風・小戎〉「蒙伐有苑」之伐字，《毛傳》訓作「中干」，郭沫若認為古干字乃圓盾的象形。干、鹵均盾的象形文，殷朝作方形，上下兩端均有出，面有文飾。周人作圓形，干上以析羽為飾，以下出為蹲；鹵從字形可知上端似有裝飾，下則無蹲。大抵上，古時干、鹵的制度因古文字而保存梗概。〈釋干鹵〉一文中，他分從古文字字形、文獻典籍和人類學等材料，詳加考訂其形制及演變。

首先，《說文》：「干，犯也。從一，從反入。」的訓釋，郭氏指出與金文的說法有異。他從古文字的字形考察中，發現干字有從圓點和從一兩種情況。干字小篆作 屰，〈虔敢〉作 ，〈毛公鼎〉作 ；而從干之字，雖從反入，但並不從一者，則有〈罤卣〉 、〈庚贏卣〉 、〈季子白盤〉 等銘文字例為證。至於類似從一的字，如〈干氏叔子盤〉 、〈大鼎〉 等例，基本上是從從圓點制作演進而來。而依古文通例，凡字作肥筆或從圓點而制作的字，後來均演化為從一的字，如十、土、古、朱、午、辛等。故凡從圓點制作的干字，必先早於從一而作的干字。從圓點制作的觀點來看，他認為干字是圓盾的象形。盾下有蹲，盾上之 ∀ 形乃羽飾。並從人類學的角度，援舉非洲朱盧族土人所用「盾」的形貌，作為本字的證據。

---

196 同註1，頁238-240。

　　其次，從文獻典籍對〈小戎〉「蒙伐有苑」訓釋來看，郭氏認為鄭眾採用《毛傳》「治羽而覆於中干之上」的說法，相較鄭玄釋為畫羽來得恰當。《釋名・釋兵》記載盾名多達五例，都不說有羽飾，也沒有上下出，大概是漢制。而從武氏祠的刻石壁畫中，漢盾形狀狹長且上有畫文，大致如《釋名》所說盾形。因此，他推想鄭玄由於只看到漢盾，所以才會以畫羽訓釋「蒙伐」。

　　郭氏指出古人以干羽為舞器，原始民族的舞蹈則多用兵盾。根據《周禮・樂師》「凡舞有帗舞，有羽舞，有皇舞，有旄舞，有干舞，有人舞」、鄭司農「帗舞者，全羽；羽舞者析羽」、鄭玄「帗，析五采繒，今靈星舞子持之。」等說，他懷疑《周禮》帗字本作翇，後鄭以帗字易之。而翇乃戚字之異，古人的戚有羽飾，字故從羽，以戚與舞，而稱戚舞。而戚有羽飾，後人為圖簡易，僅取其羽飾而去其盾，所以才有全羽析羽之舞。由於全羽乃沿用翇名而來，漢人改用五彩繒來代替，所以字又變易作帗。帗舞本為戚舞，與干舞並舉。

　　古時候的干，郭以認為可區分有羽飾及沒有羽飾兩種。有羽飾的別稱為戚，像伐，所以戚、干不妨並舉。而干既有羽飾，則用染乃意料中事。他並進一步從人類學角度援引原始民族印度亞桑一帶居民用虎皮或熊皮作成盾，並染以紅色為飾作為有力旁證。而由於古時干、戈每每同時出現，金文中不見盾字，也沒有从盾的字，較古的典籍也很罕見，可知盾字稍後才出現。至於沒有羽飾的干，從〈祖丁尊〉　、〈父乙尊〉　等銘文看來，所執雖為盾形，然實為干的本字。因此，他從圖形文字推知古時候的干有時呈方形，上下兩出，且證諸洲丁加族、南洋島民及朱盧民族等原始民族的盾，也常有上下兩出的情形。郭氏同時援引〈秉干父乙爵〉　、〈秉干丁卣〉　、〈父乙爵〉　、〈父乙鼎〉　、〈日舉父乙爵〉　等銘文為例，說明銘文　　　等形，基本上都是同一個字。

　　綜合之，郭氏以干字在古時候有各種異文，如出現較早的方盾形的毌字，在卜辭有　　　及金文　　　　，上下兩出。其後較晚出現的圓盾形的干字，卜辭未見，但在金文有　　　等例，則於上下左右四出，

隨後又在盾上方飾以析羽，而以下出為鐏，最終演化成干字的形貌。據他解讀，漢代以後又廢羽飾與鐏，致使干為象形文的事實，此乃二千年來無人知曉的事。

此外，郭氏論鹵字是櫓的本字，以櫓、櫓為後起字。鹵被用作鹽鹵是假借義。《說文》誤以假借義為鹵的本義，又以字似从西，而以西方鹹地說解。郭沫若認為鹽鹵多產於海，就中國的地理來看，海在東南，《說文》釋鹵為西方鹹地，顯然是不正確的。而他考察金文鹵字作 ⊛，字象圓楯的形貌，而上面有文飾，有的作長方形而上下各有三出的 ⬚，與菲律賓人所用的盾形狀極為相似[197]。

大抵上，郭氏釋干為盾，其說可從，然訓「蒙伐有苑」為盾上羽飾，並引原始民族為例，則待商榷。季旭昇以「蒙」為冢字假借，本義是蒙虎皮，〈小戎〉「蒙伐有苑」應當是干盾用虎皮包住以為偽裝並驚嚇敵人，且據出土戰爭圖中盾上沒有羽飾佐證其說[198]。此外，郭氏以鹵為干、櫓初文，從字形用法來看，也缺乏明確證據。

2 貨幣

王國維〈說珏朋〉一文謂殷代玉、貝都是指貨幣，用作貨幣與衣服、車馬，基本上都是小貝、小玉。其以五枚為一系，合二系則為珏，為朋[199]。郭沫若〈釋朋〉一文肯定王氏以珏、朋古本一字的說法，但對於珏、朋究竟由多少數量的貝組成，則有意見。

> 貝、玉在為貨幣以前，有一長時期專以用於服御，此迺人文進化上所必有之步驟。許書貝部有賏字，曰「頸飾也，从二貝。」女部嬰字亦曰「頸飾也，从女賏，賏其連也。」「其連」段氏改作「貝連」。案即不改字，固可知其為貝之連。貝而連之，非賏而何耶？古說以五貝為

197　同註1，頁188-202。

198　同註163，頁67-73。

199　同註120，頁77-78。

朋外，亦有兩貝為朋說，《詩‧七月》「朋酒斯饗」，《傳》曰「兩樽曰朋」……是知朋與賏實一物而異名，朋之為賏，猶賏之為連也。（今人謂之練）。賏及从賏之字古器物中未見，覯於新鄭所出「王子晏次之□盧。王國維以為即「楚令尹子重嬰齊。」（觀堂集林十八卷）嬰省从女貝。以其从女而觀之，知必為後起字。蓋古之頸飾，男女無別，此於現存未開化之民族猶可徵見也，逮其專施於女子迺在社會已移變為男權中心以後也[200]。

首先，他站在人文進化歷經的步驟的觀點，認為貝、玉在成為貨幣之前，有一段時間專明用在衣服、車馬上，成為流通的貨幣是後來才演變的。而朋、賏都是指貝相連同樣一件事，只是名稱不同罷了。至於賏及从賏的字在器銘文字中找不到實證，《說文》訓為頸飾。

他進而從字形論述朋亦為頸飾，甲骨文中朋作 珏、玨、玨，像是將三個或二個貝玉串成左右對稱的樣子，以及金文〈效卣〉玨、〈呂鼎〉玨、〈剌鼎〉玨 等例證，說明見朋字為頸飾的象形。其中，最明顯的，莫過於商代彝器〈母鼎〉玨、〈祖癸爵〉玨、〈父丁鼎〉玨、〈父乙盤〉玨 等以玨、朋為頸飾的圖形文字，可看出人脖子上佩戴玉飾的樣子，就是佩的本字。

其次，玨、朋的使用應始於濱海民族，其取材於海產的瑪瑙貝，長不及半寸，可磨穿其脊以橫貫，連結而成玨、朋，如此長短重量本毋須勞人擔荷。然而，由於殷、周疆域距離海邊頗遠，玨、朋數量少而愈顯珍貴，其後，有以骨、玉仿效貝形，甚至是銅鑄等。郭氏並引羅振玉〈殷虛古器物圖錄〉說明，申論貝、朋在當作頸飾時，大多來自實物的交換，實際用作貨幣，成為物與物的介媒，他認為應該是在殷、周之際，此從古器物中錫貝的朋數，便可以略窺端倪。他考察出土的二、三萬片以上的甲骨卜辭，發現論及「錫貝」的事僅有一例，斷定所賜之物是女子頸飾。由於卜辭為帝乙以前之物，故貝、朋成為貨幣當是帝乙以後。

再者，彝銘錫貝事例漸多，且朋數多於十朋以上，從〈匽矦鼎〉、〈呂

---

200 同註93，頁107-108。

鼎〉、〈中鼎〉、〈陽亥𣪘〉、〈邑㝬〉等文例以及「以日為名」的特性來看,他推論殷末周初的錫朋之數多不過十,而且只有王侯才得以賞賜貝朋。因此,與其認為所賞賜者為貨幣,不如視為頸飾較近情理。而貝、朋由頸飾變成貨幣,應當在殷、周之際。如此一來,年代較晚的〈菁菁者莪〉之「錫我百朋」的情況,自然與此大相逕庭[201]。

而後郭氏於一九六〇年作〈安陽圓坑墓中鼎銘考釋〉一文,更正為:

> 殷代已有錫貝之事,而且可以可以多至廿朋,與西周的情況差不多。
> 西周彝銘,錫貝至多者只到五十朋。圓坑墓中有三堆海貝,其中有一堆可以看出確是十貝為朋,聯成一組。三堆之數,當不止廿朋[202]。

以上所述,承認了殷代已有錫貝且與西周錫貝數目差不多的情形,但對於賞賜物是否仍堅持是頸飾而非貨幣,則顯然沒有多作說明。

詳考「朋」在《詩經》共有四種解釋:第一,指朋友,如〈小雅・常棣〉「每有良朋」、〈大雅・假樂〉「燕及朋友」、〈大雅・抑〉「惠于朋友」、〈大雅・桑柔〉「朋友已譖」「嗟爾朋友」、〈小雅・雨無正〉「怨及朋友」、〈大雅・既醉〉「朋友攸攝」等;第二,集結的意思,如〈魯頌・閟宮〉「三壽作朋」;第三,相類比的意思,如〈唐風・椒聊〉「碩大無朋」等;第四,量詞或貨幣單位,如〈豳風・七月〉「朋酒斯饗」、〈小雅・菁菁者莪〉「錫我百朋」等。顯然可見四種解釋的淵源及引申含義,都與貝、朋串連為頸飾、貨幣等有關。〈菁菁者莪〉「錫我百朋」的錫貝數量,季旭昇統計商周彝銘的賜貝數量發現僅有三例,且在周成王、康王、昭王的時候,由此可見詩中主角必定是有大功勳的人[203]。

201　同註93,頁103-110。

202　同註59,頁232。

203　同註163,頁319-321。

1 玉器及服飾

（1）共

「共」在《詩經》有幾種解釋：第一，指殷、周間的共國，如〈大雅·皇矣〉「侵阮阻共」；第二，共、供音義並同，釋作用手奉之的供奉、供給，其後又引申為恭敬的意思，如〈召旻〉「昏椓靡共」、〈小雅·小明〉「念彼共人」、「靖共爾位」、〈巧言〉「匪其止共」、〈六月〉「共武之服」等；第三，訓為法或執的意思，如〈韓奕〉「虔共爾位」、〈抑〉「克共明刑」等。

〈商頌·長發〉「受小共大共」句，歷來解詩多就《毛傳》釋共為法、《鄭箋》闡論此與上章「受小球大球」的執圭瑒與諸侯會同結心，其義相同。王引之《經義述聞》以「小共大共」與上章「小球大球」皆言法制有小大之差。馬瑞辰以求、共二字雙聲，訓共為拱、球為捄的假借。言拱、捄皆有取義，引申為法，言為人所取法，駁斥《傳》、《箋》失義[204]。

郭沫若根據金文字形，提出了不同的見解。他認為金文共字作 𢀛 是拱璧的意思，此詩「受小共大共」與「受小球大球」對文，所言乃大璧、小璧。

> 古人之用璧，蓋繫於頸而垂於胸次，時以兩手拱之，故稱曰拱璧或單稱曰共。樂浪郡第九號墓，有璧在胸次，其明徵也。今〈牧共毀〉文作 𢀛，雙手所奉之圓正象璧形。作 ⊡ 者乃形之變，後更變作 𤰔（此〈叔夷鐘〉文）。故小篆從廿作矣。古文於圓形之物，每以方形作之，如日作 ⊟（〈祖日戈〉），若 ⊡（〈索諆角〉），兄之首本係圓顱，而通作 𠬝（此〈蔡姞毀〉文，凡金文兄字大率如是），更或作 𤰔（〈子中姜鎛〉），此與共之從廿無以異矣。[205]

以上針對容庚所云「兩手奉器，象供奉之狀」未言究竟所奉何器而加以

204　馬瑞辰：《毛詩傳箋通釋》（北京市：中華書局，1989年），頁1175。

205　同註1，頁231-232。

闡發，主張共字象雙手捧璧的樣子。根據他分析其他的彝器銘文，發現雙手所奉的圓器正是玉璧，而〈牧共設〉作 ⿰ 即象雙手捧璧之意，所以，「共」字乃大拱璧的初文。

此外，〈屎敖簋銘考釋〉一文中，郭氏也指出「屎敖用拱用璧，用召告其右，子歡史孟」的拱字，應是大共璧，其用兩手持捧，且拱、璧對文表示有大有小。此並可與春秋宋襄公時代〈商頌・長發〉「受小共大共」互證，謂以大、小二璧為贄見禮乃當時的禮節[206]。

郭氏端賴金文字例與〈商頌・長發〉詩句之上下對文，釋「共」為璧，前所未聞。暫且不論「共」釋作璧是否恰當，相較舊訓「受小球大球」、「受小共大共」為執法以作下國表率及庇護下國的說法，郭氏解作執受圭、璧以為下國表率及庇護，就全詩祭祀的內容而言，未妨詩義。

（2）黃

彝器銘文中賜命服多以市、黃對言。首先，郭沫若歸納言「赤市朱黃」者有〈頌鼎〉、〈頌設〉、〈頌壺〉、〈師酉設〉、〈師艅設蓋〉、〈休盤〉、〈寰盤〉、〈寰鼎〉等共二十五例，言「赤市幽黃」則有〈舀鼎〉、〈伊設器〉共二例；單言「幽黃」有〈康鼎〉一例；言「赤市恩黃」有〈番生設蓋〉與〈毛公鼎〉二例；言「叔市金黃」的有〈師毉設〉；言「載市冋黃」有〈趞曹鼎〉、〈師至父鼎〉、〈趩尊〉、〈免觶〉等四例；言「赤市冋䌊黃」有〈鄴設〉等例，其餘典籍中「市」作芾若韍，黃作珩若衡者，則有〈小雅・采芑〉「朱芾斯皇，有瑲蔥珩」、〈曹風・侯人〉「彼其之子，三百赤芾」及《禮記・玉藻》「一命縕韍幽衡，再命赤韍幽衡，三命赤韍蔥衡」等，進一步推論黃、珩、衡都是指佩玉。

對於吳大澂、容庚等人以黃為假借字，釋黃為玉佩上的橫木，郭氏提出反駁，認為古人賞錫佩玉不可能只說玉佩上的橫木，況且金文中的黃字均作黃，而不作珩。至於衡字，〈番生設〉與〈毛公鼎〉皆作「趙衡」，與「恩

---

206 同註59，頁464。

黃」同時出現，顯見衡、黃二者不同。

其次，他從文獻記載考察佩玉制度，如〈女曰雞鳴〉「雜佩以贈之」句，《毛傳》訓云「雜佩者，珩璜琚瑀衝牙之類」，而鄭玄注《周禮‧天官》亦引《毛傳》「佩玉上有蔥衡，下有雙璜，衝牙蠙珠以納其閒。」等訓，指出蔥珩是珩的一種，不能概括佩玉的通制。但也因為文獻記載古代佩玉的制度不夠周全，所以只能仰賴將來古墓發掘後，就墓塚裡珠玉的位置來試圖恢復原形。

再者，他發現殷、周古文「黃」字甚多，其形與小篆黃近，但又不像《說文》所說的「从田芡聲」。於是，郭氏援引〈蜀毀〉、〈伯家父毀〉、〈黃君毀〉、〈趞曹鼎〉、〈休盤〉等字例，加以確認，並且審理黃字的結構，指出金文凡言錫佩者均用黃字共五十多例，皆毫無例外。而他由字形看黃字，中間環狀物乃玉佩主體，《禮記‧經解》「行步則有環佩之聲」、《列女傳‧貞順》「鳴玉環佩」等，都是佩玉有環之證。所以，主張黃為佩玉，殷以來即有，後假借為黃色，本義遂廢。其後造珩字甚至假借衡字以取代之。由於佩玉形制已廢，故珩、璜僅限佩玉一體，又以為衡為橫的本字，才有所謂的「佩玉之橫」。

最後，郭氏徵驗傳世古玉器，引羅振玉論蔥珩佩璜為聯環的說法，以及美國勞介氏《巴爾氏所集中國古玉考說》圖例，找出卜辭及金文圖形文字 𤇾 𤓰 𤓰 等實證，加以對照分析，建構一幅想像圖，並且與歐洲古代與原始部落 brooch 佩飾下作三垂、上呈環形的樣貌，以及華盛頓費里亞美術館所藏古玉佩照片等，輔助證明其形影相似[207]。

大抵上，西周銅器銘文賞賜物中，「黃」多與「市」一起，依銘文文例看來，「黃」亦可稱「亢」，異體字為「横」。唐蘭〈毛公鼎「朱韍、蔥衡、玉環、王琜」新解──駁漢人「蔥珩佩玉」說〉一文從〈毛公鼎〉銘文出發，提出黃是服飾之類的革帶，而不是玉佩，否認了郭沫若的說法，以「市黃」的黃，金文或作「亢」，都應讀為「橫」，黃、橫皆可以衡代之，而且

---

207 同註1，頁162上-174下

「蔥衡」是指繫佩玉的一種革帶[208]；而陳夢家也以西周金文中的賞賜，命服與玉器是分開敘述，黃於市後而多與「玄衣黹屯」、「玄袞衣」、「中絅」、「赤舄」等聯類並舉，如〈師酉殷〉、〈曶壺〉、〈師嫠殷〉等，可見黃是整套命服的一部分。他並以黃為帶，與亢是不同的東西[209]。對此，孫機〈周代的組玉佩〉則指出命服「赤市幽黃」、「赤市恩市黃」、「赤市冋黃」、「朱市五黃」等「黃」，就是佩飾中的璜。他以〈師兌簋〉「市五黃」、〈元年師兌簋〉「乃且市，五黃」、〈師克盨〉「赤市五黃」等「五黃」，均釋作五璜佩，說明唐、陳二人未見後者出土實例說明之，並以一九九三年北趙村九二號西周晚期墓出土的八璜佩中玉圭組合為證，認為黃為命服中的玉佩，無可置疑[210]。

　　孫慶偉《周代用玉制度研究》歸納周代墓葬出土的四種組玉佩類型，說明多璜組玉佩不同時代的使用制度，如西周時期主要作為頸飾，佩於頸部而垂於胸腹部，與「市」屬性不同，分別代表不同類別的物品；春秋戰國之際，多璜組玉佩則下移到腰帶，取代「市」而單獨使用。此外，組玉佩構件玉璜數量的多寡和佩戴者的身位地位息息相關，所反映的等級特徵大多作為一種裝飾用具，而非顯示身分地位的禮儀用器。所以，他肯定郭沫若以組玉佩為周代命服的意見，影響深遠，並針對郭、唐、陳、孫等人說法，加以審視釐清。

　　第一，他指出郭氏〈釋黃〉文中對顏色「黃」的考證過於牽強，孫氏以朱黃為塗朱的玉璜、蔥、幽為玉的本色、金黃為銅珩等說法，有待商榷。第二，唐、陳二人所引述的西周銘文，「黃」多在「芾」之後並和各種服飾一起敘述，顯然都是服飾而非佩玉。孫氏所援舉〈毛公鼎〉銘文「黃」與車馬器連類，按周王賞賜毛公服飾、玉器及車馬器等文義脈絡，實可反證「蔥黃」絕非玉器。而與〈毛公鼎〉時代及受賜者身分相近的〈番生簋〉相較，組玉佩中的玉璜染玉色料的供應問題，以及墓葬出土的多璜組玉佩顏色大多相異，無由判定哪些是蔥黃、朱黃或金黃等情形，若「黃」解釋成腰帶，視

208 唐蘭：《唐蘭先生金文論集》（北京市：紫禁城出版社，1995年），頁86-93。
209 陳夢家：〈西周銅器斷代〉，《燕京學報》第1期，頁277-279。
210 孫機：《中國古輿服論叢》（北京市：文物出版社，2001年），頁131-132。

其需要染色，自可迎刃而解。第三，從字體寫法來看，銅器銘文中朱黃、蔥黃及金黃，其字多不从玉，然〈五年琱生簋〉則作璜而非黃，顯見兩周時人明確分辨二者。而孫氏引〈縣妃簋〉玉璜以證黃為組玉佩，也是誤讀銘文。第四，周代高等級墓葬組玉佩中，女性器物比例及數量皆高於男性，「黃」釋為組玉佩及周代命服重要組成部分，無法解釋這種性別差異。反之，若「黃」為腰帶，組玉佩是高等級貴族常用的裝飾品，便可充分解釋這個問題及《詩經》中男女互贈佩玉的作法。第五，《詩經》中組玉佩均稱佩、雜佩及佩玉。而根據〈瘋鐘〉、〈子範鐘〉等所載，佩為周代組玉佩的通名，如此一來，蔥黃、蔥衡便只能另作他解而不是指佩玉[211]。

（3）鞞鞛

〈番生殷〉及〈靜殷〉有鞞鞛二字，吳大澂識讀〈靜殷〉以鞛為鞞字，解作刀室；鞛為遂字，解作為射韝。二物為同類的東西；容庚《金文編》沿襲此說用以解釋〈番生殷〉。郭氏認為賞錫刀室的說法違反體統，鞞鞛二字在〈番生殷〉銘文中與恩黃、玉環等佩飾並列，推測鞞鞛必定也是玉飾，且斷言鞞即珌，鞛為瑹。

首先，郭氏指出〈小雅・瞻彼洛矣〉「鞞琫有珌」與首章「鞙鞙有爽」句為同例，爽與珌均形容詞，《毛傳》訓鞞為「容刀鞞」，亦即〈大雅・公劉〉所說的容飾而非容納。對於《毛傳》訓云：「鞞容刀鞞也。琫上飾，珌下飾。天子玉琫而珧珌，諸侯璗琫而璆珌，大夫鐐琫而鏐珌，士珕琫而珕珌。」他認為本作「鞞容刀鞞也」，其中五個珌字均作瑹，古文及金文的珌字都是作鞞。

其次，金文鞛字係瑹字，《說文》訓為「劍鼻玉」，程瑤田解作劍首的玉飾，郭氏援〈王莽傳〉「進劍而解瑹」予以否定，認為瑹既可解下，斷非劍首。判定瑹應是裝飾在劍鞘的「昭文帶」。劍鼻是名，以瑹著於鞘像是在鼻孔中貫串繸帶，像是穿牛鼻。他根據玉器圖錄等書，以及日本學者在朝鮮大

同江岸發掘的漢代樂浪郡時代遺物第九號墓、第三號墓等出土的玉具劍，其
劍柄兩端都以玉為飾，推想古時候佩劍必有繸，佩戴時掛於劍帶下鉤，解下
玉佩時則可提挈，即如《考古圖》「其室之上下雙綴，以管縚者」的說法。

再者，《毛傳》「琫上飾，珌下飾」、「下曰鞞，上曰琫」。郭氏針對《釋
名》：「室口之飾曰琫，琫，捧也。捧束口也。下末之飾曰珌。珌，卑也。下
末之言也。」將琫珌看作是刀鞘上部及下部的裝飾的看法，提出反駁。他認
為刀鞘的上下不得有玉飾，因為不論是刀鞘之上或刀鞘之下都常與劍鐔或它
物相碰觸，容易碎裂。其次，樂浪墓出土的玉具劍的劍鞘上、下部都沒有玉
飾。所以，琫是指劍柄上端的玉飾，而珌則是劍柄下端與劍身相接托的玉
飾。而珌在古經籍及金文中皆作鞞，璏在古經籍及金文中皆作鞃若刻，後
人誤作璲，吳大澂等人以為刻鞃為射韝之遂，是錯誤的[212]。

郭氏認為鞞是劍柄下端和劍身互相接托的飾玉，而鞃為劍鞘上端用來
貫串繸的飾。然而，後來又更正鞞是刀室，鞞鞃為刀室上的飾玉。唐蘭於
〈鞞鞃新釋〉文中，對此提出反駁，指出鞞是刀室，而「鞃」或「刻」從
革、從刀，可見是繫刀用的革帶，改用絲帶就是「繸」。而他根據〈番生殷〉
「錫朱戠蔥衡，鞞鞃，玉環玉璲」文義，判定戠衡與容刀、佩璲、玉環等服
飾是一組的，且〈靜殷〉的「刻」字從刀，也可見「佩璲」本是繫刀用的
革帶，既可用來繫玉佩，也可以用絲織品來代替革帶。如此一來，「鞞鞃」
絕不可能是玉飾[213]。

鄭憲仁先生以〈番生殷〉銘文中記載了周王賞賜成套車服器物給番生，
「鞞鞃」在恩黃之後玉環之前，推論鞞鞃在服飾的座標上應是腰的部位；而
〈番生殷〉及〈靜殷〉二銘文皆不言賜刀，可見所賜重點乃在刀室而不在
刀，因為刀在西周賞賜物中並不重要；而刀與刀室組也可能一同賞賜，就是
「鞞鞃」[214]。

212　同註1，頁150上-161下。

213　同註208，〈鞞鞃新釋〉，頁96-98。

214　鄭憲仁：《西周銅器銘文賞賜物之研究——器物與身分的詮釋》（新北市：花木蘭文
　　化出版社，2011年），頁145-147。

4 樂器

（1）和言

《說文》以唱和為和，調和為龢，和、龢二字不同。郭沫若指出古經傳二者實通用無別，龢、和乃古今字。其查考古金文〈克鼎〉、〈王孫遺諸鐘〉、〈沈兒鐘〉、〈子璋鐘〉、〈公孫班鐘〉、〈虢叔鐘〉等龢字，皆不從品侖，而是从人象編管之形。而金文作ㅂㅂ可見管頭的空，表示這是編管而不是編簡，正與从人冊的侖字不同。龢既然是取象於編管的形貌，則後人均以為是像笛子的樂管，以為是三孔、六孔或七孔，則都是憑空想像的。《詩經‧簡兮》「左手持籥，右手秉翟」即可知六孔、七孔是單手絕不能辦到的。所以，郭沫若懷疑只有三孔還勉強可能彈奏，且是為了調和這首詩而產生的。但是，按照《說文》「笛」字下注云：「羌笛三孔。」則中國古時候並無三孔的笛。因此，可判定龢應該比照竹製的樂器，類似當今的口琴，雙手優能吹奏，左手也能吹奏。甚至狂舞時，舞者也吹著這種單純的樂器。

如此一來，可知龢的本義必當為樂器名，是由樂聲的和諧進而引伸出的調和意義。後世引伸義流行而本義廢，只知有音樂和樂之樂，而不知有琴絃之象。此懷疑籥只有三孔的說法，聞一多引而申論籥即苗人舞時所吹的蘆笙[215]。

（2）中翰戲鍚

〈沈兒鐘〉、〈王孫鐘〉之「中翰戲鍚」，郭沫若曾懷疑是形容鐘聲，而讀戲為虡為且。而後他重新檢視，更正其說，認為應當讀作「樅翰虡揚」，用來形容鐘的外貌。他根據〈大雅‧靈臺〉「虡業維樅」句《毛傳》：「植者曰虡，橫者曰栒。業，大版也，樅，崇牙也。」、〈周頌‧有瞽〉「設業設虡，崇牙樹羽」句《毛傳》：「植者為虡，衡者為栒。崇牙上飾，卷然可以縣也」以及鄭玄注解《禮記‧明堂位》的說法，指出古時縣鐘之具之縱柱為

215　同註188，冊4，頁93。

虡，橫柱為栒。前者飾以虎豹毛皮，後者則用龍蛇毛皮為飾，端頭有龍首，也就是崇牙，又叫作樅。樅、崇一音之轉，中、崇則古音同部又同紐，彝器銘文的「中」就是崇牙的簡稱，和樅是同樣的東西。而鞼讀為翰，高的意思。叡像虡，與虡同部；膓則應該是颺的古字。此外，又援引〈邵鐘〉銘文為例，佐證其說[216]。

5 車馬

（1）淺幭鞹靷

〈毛公鼎〉銘文自「金車桒縟較」以下關於輿馬諸名物，甚為繁瑣。郭沫若以〈彔伯𣪕𣪘〉、〈潘生𣪘〉、〈師兌𣪘〉、〈伯晨鼎〉、〈牧𣪘〉、〈量盨〉等七件彝器與〈毛公鼎〉的輿馬名物，互有詳略，但大致相同，可相互比較研究。

首先，他援引〈大雅・韓奕〉第二章內容與〈毛公鼎〉個別考核，認為〈毛公鼎〉「桒縟較」的「桒」與賁同，訓作飾；「縟」字王國維作「幭」；「較」字則是《詩》、〈考工記〉中的較。而《詩經》的幭與《周禮》的𧛛，今文作幦，絕對不是覆軾，且恰與〈潘生𣪘〉「桒縟較」與〈彔伯𣪕𣪘〉「桒疇較」同例，都是指較上有縟、疇，用賁來裝飾，可簡稱作「桒較」或「疇較」。

鄭憲仁先生指出「桒較」不可能單獨賞賜，凡是賜「桒較」的器銘，都是先說賜金車、駒車、車，接著說明所賜車的特色時，才說到「桒較」，因此可以肯定「桒較」是車子的一部分，西周中期到晚期的賞賜銘文中，提到賜車（金車、駒車），幾乎都會將這車的配備、規格說上一遍，而「桒較」常是數到的第一件配備[217]。

其次，〈毛公鼎〉「朱𤋏囷𧻚」句，〈潘生𣪘〉作「朱鬲」，其他彝器作

216 同註1，頁186上-187下。

217 同註214，頁152。

「朱虢」。郭氏以𤔔聲讀如亂，而與虢字義思相近，假借為鞃；而虢與鞹通，「朱虢囙」即《詩》之「鞹鞃」，說的是車前橫木中間用皮革固定且塗成朱色。至於𧟄字，孫詒讓疑為鞎字異文，與鞃都是車軾，只是不一樣的名稱。而《毛傳》訓「鞹，革也。鞃，軾中也。」顯然是以鞹鞃為革前。郭氏以〈彔伯𢦚毀〉、〈吳彝〉囙、𧟄分開說，而〈師兌毀〉只說𧟄而不說囙，可知二者絕非一物。他認為𧟄是靳的古字，指的是馬的胸衣，按其字形乃「从衣，[illegible]象其形，[illegible]上有環以貫驂馬之外轡，故从束，斤聲」。而鞎與靳都是𧟄的晚出字，以馬而言，靳為馬胸前的帶子，以車而言，靳在最前面。

郭氏訓囙為鞃，以「朱虢囙」即漆上朱色皮革的車軾中把，並與〈大雅・韓奕〉詩義相對應。而據甘肅武威磨咀子西漢墓出土的彩繪銅飾木軺車模型，其車軾上有施了紅彩的瓦狀覆木看來[218]，前橫木中間用皮革固定且塗成朱色，其說可從；然以𧟄為馬胸衣，與金文賞賜物先言車飾，次及馬飾的慣例不合。孫機根據始皇陵二號銅車馬指出「靳」是驂馬套繩的名稱，指的是沿著兩驂內側向後通過前軫左右的吊環而綁繫在車底桄上的套繩[219]，正可解釋古訓「輿革前」的意思。

再者，〈毛公鼎〉「虎冟熏裏」之「虎冟」二字，應作虎冪、虎幎。《毛傳》訓為「淺幭」，是與「鞹鞃」連類而訓，指覆蓋在車軾的虎皮淺毛。郭氏考察器銘囙與冟之間，每每有物隔開，顯見二者並不同類。而彝銘凡言「虎冟」必及裏，裏的顏色或熏或䆳幽，可知裏的關係非同等閑一斑。覆等覆軾之物，不必在裏的顏色上刻意著墨。因此，他推論毛、鄭解釋幭、幎不足採信，並進一步指出通觀各種彝器，凡是關於輿馬的裝置幾乎應有盡有，只缺少馬車的華蓋。而君王的賞賜不至於都是沒有華蓋的馬車，不應該只車上各種名物，而對於車蓋隻字未提。因此，郭氏斷言「虎冟」應當是馬車最重要的觀瞻之物，也就是車蓋的覆物，上面畫有虎紋，而不是虎皮。

---

218 林素清：《西周冊命金文研究》（嘉義縣：國立中正大學中國文學研究所博士論文，2011年），頁141。

219 同註210，頁9。

《詩經》的「淺幭」、《周禮》的「犬幎」都是在說車罩[220]。

　　郭氏以「虎韔」為繪有虎紋的車蓋覆物，而其裏色為黑色。而釋「金甬」為金鈴，發前人所未發，見識卓然。

（2）執駒

　　郭沫若〈盠器銘考釋〉一文曾援引〈小雅・白駒〉及《周禮・校人》等文獻，說明春秋執駒之禮。

> 「執駒」當是一種典禮。古時候王者有考牧簡畜的制度。〈小雅・無羊〉《毛詩序》謂「宣王考牧也。」彼詩雖只言牛羊，但在《周禮》則主馬政者有校人、趣馬、巫馬、牧師、廋人、圉師、圉人等職。校人和廋人均有「執駒」之明文。
> 〈校人〉云「春祭馬祖，執駒。」鄭司農云「執駒無令近母，猶攻駒也。二歲曰駒，三歲曰駣。」鄭玄云「執猶拘也，中春通淫之時，駒弱，血氣未定，為其乘匹傷之。」後鄭訓執為拘，今於〈盠馬尊〉銘文得其佳證[221]。

他氏指出〈盠馬尊〉銘文所載可作《詩經》及《周禮》執駒之禮的最佳論證依據。由於馬的價格十分昂貴，〈曶鼎〉中有奴隸五人方抵「匹馬束絲」的記載，按《周禮》的說法，春祭馬祖所進行的執駒之禮，是仲春通淫期間，將兩歲幼駒馬與母馬分開豢養，以防季春已妊孕的母馬受到踢踏傷害的一種儀式。從君王親自參加的情形看來，古代相當重視馬政。

　　而郭氏雖以〈白駒〉一詩為仲春通淫期間，行執駒之禮的男女戀詩，定調此詩與〈魯頌・駉〉「駉駉牡馬」、〈有駜〉「有駜有駜」等同樣都是「中春通淫」的戀詩，絕非《詩序》：「大夫刺宣王。對白駒而縶之維之」的說法。至於仲春通淫的時令與銘文「王十又二月」不合，他特別以周正曆法十二月

220　同註1，頁272下-276下。

221　同註59，《金文叢考補錄》，頁123-124。

相當夏正的十月作為開釋，指的是秋末冬初。而春、秋皆可行「執駒」之禮，《周禮・校人》記載四季均有馬祭，「執駒」之禮僅限於春天，他認為應是後來秋季交配、其育不旺的經驗才作的調整[222]。

（三）考古研究在《詩經》訓詁的特色與侷限

在郭沫若自勵堅貞的考古論史研究中，《詩經》是重要輔證的角色。郭氏秉持著唯物史觀的中心思想，採用析形以求字源，並結合地下出土與傳世文獻交驗互足的方法，揭露《詩經》與彝器銘文間的關係及義涵。從實踐層面來看，他創造性地把考古學、古文字和古代史的研究結合起來，引進社會學、經濟學、民俗學、人類學等跨學科資源，有機結合傳世文獻文例、出土彝銘用例、圖形文字本義音讀、原始部族器物圖貌、宗教祭祀與禮制風俗等史料及考據物件，嚴密而實證的構成一個完整的史論體系，大為開闢《詩經》研究的格局。

郭氏借重考古研究成果在《詩經》的訓詁實踐中，援引《詩經》作為識讀及判定甲骨金文，最終目的在於考訂及證明古史，為整體的歷史發展進行科學系統化的掌握與建構。因此，對於《詩經》字詞的訓詁與名物的考證在疏通《詩》義的表現上，並不特別重視。其特色可從思想、方法與實踐三個層面，分別論述之。

1 以《詩》證史，宏觀地建構《詩經》古史社會

董作賓曾說郭沫若把《詩》、《書》、《易》裡面的紙上史料，把甲骨卜辭、周金文裡面的地下材料，熔冶於一爐，製造出來一個唯物史觀中國古代文化體系[223]。郭沫若延續了王國維利用甲骨文字考證古代歷史，再用歷史史實來反證古文字的歷史考證方法，因此，在細部考察的推論基礎上，往往

---

222 同註59，頁123-129。
223 董作賓：〈中國古代文化論的認識〉，《中國現代學術經典：董作賓卷》（石家莊市：河北教育出版社，1996年），頁614。

能以宏觀的視野來看待及建構古史社會。如排比殷代世系時，他發現凡是有
姓名者，皆以祖姓配列，進一步推論出殷代「先妣特祭」猶保存母權時代的
孑遺，但僅祭其直系，可見父權系統在當時已然成立的事實[224]。其次，他
從〈七月〉「三之日于耜」、〈大田〉「以我覃耜」、〈臣工〉「庤乃錢鎛，奄觀
銍艾〉、〈載芟〉「有略其耜」、〈良耜〉「畟畟良耜」等，歸納出耜、鎛、銍、
覃等四種田器，推論田器已用金器，並由卜辭知道殷代是金石並用的時代，
由周代彝器知道周代是青銅器時代[225]。且將中國青銅器時代的下限訂在周
秦之際，秦以後才轉入鐵器時代。

　　郭沫若曾說一部工藝史便是人類社會進化的軌跡，而彝器的可貴在於能
夠徵驗古史。彝銘進化的四階段（石器時代、金石時代、青銅時代、鐵器時
代）宛如人類進化的歷史。他認為一個時代有一個時代的文體、字體、器制
和花紋，而這些差不多是十年一小變，三十年一大變[226]。因此，他對於生
產工具所象徵的意義，特別重視。早期他依據〈大雅・公劉〉「取厲取鍛，
止基乃理」一語，並根據鄭玄「石所以為鍛質」而解釋為鐵礦，認為周初鐵
已被用來作為耕器，且周人的生產力超過殷人[227]；其後對於這種輕率的牽
強附會，進行自我批判，校正為〈公劉〉一詩絕非周初時詩，而鍛字的初文
為「段」，有礪石，石灰石以及椎冶的含義，與鐵礦無關[228]。鐵作為耕具及
手工器的使用，除了可以增加生產力，促成農業發達之外，更是社會變革的
一個重要契機，由於殷墟的發掘並沒有發現鐵的痕跡，因此，他斷定鐵的發
現不能上溯至殷末，應該是在春秋、戰國時代。

　　而事實上，郭仕益《郭沫若考古文論》指出公元前約三千年的甘肅東鄉
縣林家遺址出土的馬家窯文化的小刀，是現有的考古資料中最早的青銅製
品。中國真正進入青銅器時代的時間相當於夏代。這比郭沫若所說的時代下

224　同註93，頁10。

225　同註68，頁251，598，178。

226　同註68，頁605。

227　同註68，頁108-110。

228　同註109，頁62-63。

限周秦之際提早一些[229]。

　　此外，郭沫若《兩周金文辭大系》自述整理兩周金文銘辭的方法，是「先讓銘辭史實自述其年代，年代既明，形制與紋繢遂自呈其條貫也。形制與紋繢如是，即銘辭之文章與字體亦莫不如是[230]」。徐明波指出郭沫若用考古學方法對甲骨文與青銅器進行系統的整理，作出了開創性的研究，同時也是傳統金石學走向科學的考古學的一個標誌作出了開創性的研究[231]。

　　儘管郭沫若對甲骨文與青銅器進行系統的整理，並創造性地提出標準器系聯法，在《詩經》研究的篇章詩義上看似沒有直接的幫助，但彝器銘文的年代與文例，對於《詩經》時代背景、名物禮制，事實上有更豐富深化的義涵。例如援引〈大雅・韓奕〉一詩與〈毛公鼎〉、〈彔伯𣪕𣪘〉、〈潘生𣪘〉、〈師兌𣪘〉、〈伯晨鼎〉、〈牧𣪘〉、〈𤲸盨〉等七件彝器相互參校，判讀名物研究。郭沫若曾說《詩經》儘管從來無人懷疑，但問題實在很多。不僅材料的純粹性有問題，每首詩的時代、解釋，乃至於一句一字的解釋都可以有問題。所以，他並不是要全部否定《詩經》，而是不同意對《詩經》的全部肯定與隨意解釋。主張透過考證名物的年代與構件，謹慎地解釋，嚴密地批判，也就是歷史唯物主義者對於《詩經》乃至一般史料所必備的基本科學態度[232]，來進一步掌握古史。

2 析形以求字源，形物雙證，立論新奇

　　符丹《郭沫若古文字整理方法研究》指出郭沫若的古文字整理方法是在吸取前人方法後，進一步開展出來的，例如王國維甲骨文字的考釋方法六大特點：有意識的總結甲骨文字形體演變發展的規律、類比甲骨文和後代文字

---

229 同註143，頁58。

230 郭沫若：《兩周金文辭大系・圖說》收入《郭沫若全集》（北京市：科學出版社，2002年），考古編，卷7，圖說三下。

231 徐明波：〈從傳統金石學走向科學考古學——郭沫若甲骨文、青銅器研究中考古學方法的應用〉，《郭沫若學刊》（2013年1月），頁61。

232 同註231，序107。

構形與構件後再以訛變關係考證甲骨文字、特別重視文字形體對比與源流演化、運用辭例考證、通過構件分析進行考證、通過《說文》及金文來考釋甲骨文等，郭沫若基本上皆依循繼承[233]。大抵上，郭氏是以考古論史的宏觀格局來看待及檢驗《詩經》，其高明之處在於能夠繼承前人古文字整理方法，並善加利用先前因為翻譯而大量接觸的跨學科方法，從不同的角度來審視古文字及《詩經》名物，賦予新義。

　　在古文字的研究上，郭沫若對於古文字初始本義的圖形文字的解析，往往遠甚於引申義的說明。特別是他往往援引彝器銘文作為相互印證，增加論據的說服力。例如〈采芑〉一詩之「約軧錯衡」、「朱芾斯皇」、「有瑲蔥珩」等古玉佩飾，于省吾僅提供〈毛公鼎〉、〈番生毀〉之「錯衡」作「造衡」、「朱芾」作「朱市」、「赤市恖黃」、「錫朱市恖黃」等古文字供作比對分析，但郭沫若〈釋黃〉一文首先針對古代象形文字中出現的佩玉進行考釋，並從卜辭及金文找出圖形文字等實證，然後再與同期彝器銘文印證，自圓其說。

　　又如〈釋祖妣〉中對於从示之字的考察，以及〈釋干鹵〉中對於干字的論證，都是結合傳世文獻與出土材料文例，交驗互足而立說。或〈釋臀〉一文中，郭氏以臀為匈字的異體字，讀為容，除引《說文》、〈毛公鼎〉加以明匈假借為容，其「實則容為容納之容亦假借字也。容當與頌為一字，象人容貌之形，示額下有眉目與口。東方人鼻不著，故容中無鼻。小兒畫人貌例不著鼻，此足證容字之原始。」的說法，立論新奇，令人耳目一新。都是結論新奇。馬伯樂《評郭沫若近著兩種》也說郭沫若想像力豐富，在探求本義上，不僅著眼於字形，而且著眼於它所描摹的實物，形物雙證，從而得到了更滿而正確的結論[234]。陳仕益亦云郭沫若的本色是詩人，其激情奔放、靈氣飛動，以致於析形解義往往出人意表，讓人有新奇之感[235]。

233　同註177，頁87-88。

234　馬伯樂：〈評郭沫若近著兩種〉，《文學年報》第2期（1936年5月），頁209。

235　同註143，頁207。

3 有機結合材料和理論方法，微觀《詩經》名物禮制，賦予新義

民國以來運用古文字以考論《詩經》的學者，有王國維、林義光、聞一多及于省吾等人。其中，聞一多結合文化人類學、心理分析學、神話批評、歷史學、考古學、民俗學、語言學、繪畫美術等多元視域，加以闡發《詩經》新義[236]；于省吾也有以民俗學說釋《詩》義者[237]。在詩歌創作上與郭沫若惺惺相惜的聞一多，研究重心在《詩》義的發掘與闡釋，而郭沫若的終極關懷則在借《詩》以證古史，所以，郭氏《詩經》字詞的研究遠不如對器物銘文的探勘。

例如〈釋祖妣〉一文中，郭氏試圖從中國上古神話傳說中淘洗出一幅原始社會的圖像，除了考釋祖、妣二字在甲骨文中分別象形的牡、牝二器之外，更推論生殖神崇拜的宗教起源事實，並且與傳世文獻《墨子》、《周禮》及《詩經‧斯干》、〈楚茨〉所載民俗燕寢生活作聯結。聞一多〈高唐神女傳說之分析〉一文，接受了郭氏說祖、社稷、桑林和雲漢者國的高禖的說法，並針對郭氏未提出高唐是郊社的音變實例，參照了孫詒讓、《爾雅‧釋木》等訓釋，提出「郊社變為高唐，是由共名變為專名。高唐又變為高陽。由是女人變為男人，這和高禖變為高密，高密又由塗山變為禹，完全一致」的說法，以及媒氏主管男女事務與聽訟皆在社中舉行的論證[238]。侯書勇指出郭氏從母權制到父權制社會的演進及生殖崇拜角度考釋甲骨文，〈釋祖妣〉一文首發其凡，影響了聞一多、孫作雲〈九歌山鬼考〉及陳夢家〈中國古代之靈石崇拜〉等發明[239]。

---

236 〈芣苢〉一詩，聞一多從生物學、心理學、民俗學、文化人類學等角度說明「芣苢」是生命的仁子，具有宜子功能，采芣苢的習俗是性本能的演出（同註188，頁308-309）。

237 〈思齊〉一詩之「烈假不瑕」，于省吾從從民俗學的角度出，以各原始民族所盛行的巫術證明，可知「屬蠱」指陷害敵人的各種惡毒法術，駁正《傳》、《箋》等誤釋（同註187，頁100）。

238 同註188，冊3，頁17-24。

239 侯書勇：〈郭沫若金文古史研究的成就與侷限〉，《郭沫若學刊》第88期（2009年），頁39。

又如〈釋干鹵〉一文，從古文字字形到文獻典籍比對，以及部落民族持
用的盾形貌，再和彝器銘文相對照，證論〈小戎〉「蒙伐有苑」為盾上羽
飾；〈釋朋〉從人文進化談「朋」由頸飾到貨幣的使用演變，然後析分字形
本義，再與彝器及傳世文獻印證，斷定〈菁菁者莪〉「錫我百朋」出現時代
較晚。至若〈釋黃〉則先歸納彝銘文例，再由文獻考察組玉佩制度，以及找
出卜辭及金文圖形文字與原始部落民族器物圖對照，最後從西周銘文賞賜物
的文例推論「黃」為命服的組玉佩。

在宏觀的唯物史觀觀照下，郭氏重視歷史變遷中生產力、生產工具等經
濟因素，對農業用具如田器、金器、鐵器以及商業交易的貨貝演進脈絡，特
別強調及考證；而為掌握貴族、庶民等階級的差異，試圖從古物去觀察古代
的真實的情形，以破除後人的虛偽的粉飾，因而對儀式賞賜器物也有詳盡的
考訂。一般而言，儀式經常是社會群體界定、鞏固和證明其為正當社會關係
的一個途徑。由於儀式是特殊、獨特的事物，所以從形式和語境來看，儀式
中使用的古器物、現象都與日常事象有著較為明顯的區別。由字源本義到與
器物互證，從考古冊命、祭祀等儀式中器物所扮演的角色意義，到多元視域
的闡釋，往往得以進一步微觀《詩經》名物禮制。而對於器物的微觀研究，
不僅能界定《詩》篇的時代背景、人物階級，同時也能彰顯《詩》義旨歸。
此外，在考察古器物在儀式和日常生活中扮演什麼角色時，借重民俗人類學
等大量資料加以理解，更能剔發《詩經》的時代意義特徵。

然而，地下材料的相繼出現，雖有利於古文字的研究，但不完全意味著
析形以求義就比較可靠和可行。郭沫若套用唯物史觀研究《詩經》仍衍生不
少問題。有關郭沫若古文字整理方法的侷限性，符丹指出有引據不足、卜辭
考釋與卜辭語法脫節節、字形音韻不合、字形文意不合、字形誤認、所據音
韻有誤、所據文意及音韻不確等[240]，江淑惠亦指出郭氏釋字之弊，有字形
的分析偶有據錯誤字形為說者、釋字之形義過於主觀、過度倚音釋字、憑藉
的音韻條件太寬鬆、尚未建立語言孳生、文字分化的觀念等[241]。茲就郭沫

---

240 同註177，頁89-102。
241 同註176，頁393。

若運用考古研究成果在《詩經》訓詁考證上的侷限，分別從考古論史與名物新證兩方面加以探討。

1 過度偏執唯物史觀，以論帶史，錯解《詩》義

郭沫若泥足深陷於唯物史觀中大規模的變動與階級意識，在援引金文與傳世文獻比對時，考證論據往往過於簡化，落入自由心證的缺陷[242]，以致於在解讀《詩經》的篇章上，產生過度的聯想與附會。

例如〈釋臣宰〉中，郭氏將臣、民、眾看作奴隸的解釋，引喻失義，過於牽強。其以卜辭、金文「臣」字象人豎目的形貌，申論俯首目豎為屈服之象，並引彝銘中的「民」字像左眼刀刃刺穿的樣，推論臣為奴隸。對此，學界多持反面意見。如于省吾有〈釋臣〉一文，指出：

> 以橫目為目作 𦣻 或 𦣻，以縱目為臣，作 𠃊 或 𠃊，周代金文略同。臣
> 與目只是縱橫之別……臣的造字本義，起源於以被俘虜的縱目人為家
> 內奴隸，後來既引伸為奴隸的泛稱，又引申為臣僚之臣的泛稱。縱目
> 為臣的由來，不僅得到了古文字和古典文獻的佐證，同也得到了少數
> 民族志和少數民族文字作為論據[243]。

于氏以甲骨文中臣有奴隸及臣僚兩種意思，臣與目字只有縱橫的分別。臣的造字以本義，起源於縱目的奴隸，其後引申為臣僚的意思。

事實上，單單從縱目的字形看不出奴隸身分的端倪，而西周至春秋戰國的文獻中，也找不出「民」的用例是奴隸的象徵，如《尚書·泰誓》「天聽自我民聽，天視自我民視」、〈大雅·烝民〉「厥初生民，時維姜嫄」、〈生民〉「天生烝民，有物有則。民之秉彝人，好是懿德」、〈板〉「先民有言，詢於芻蕘」、〈十月之交〉「民莫不逸，我獨不敢休」的，都是作奴隸解。郭氏

---

242 侯書勇指出郭氏以兩周時可靠的金文為依據考證傳世文獻典籍，自然僅就傳世文獻自身考為可靠，然其考證有的不免過於簡單，存在「默證」的缺陷，即以不知為不有（同註239，頁41）。

243 于省吾：《甲骨文釋林》（北京市：中華書局，1979年），頁311-316。

單憑甲骨文來研究殷代的社會背景，並據字形說民是刺瞎眼睛，證據未免薄弱，至於引用的粵語盲公、盲妹，則與奴隸更是不相干。大抵上，《詩經》大約有九十幾個民字，按其詩義，沒有一個民字解釋為奴隸，所謂「率土之濱，莫非王臣」若解釋成奴隸，根本不恰當。金達凱舉西周〈卿鼎〉「臣卿錫金，用作父乙寶彝」為例，說明臣應當是王室內的內服百官之一。說明小臣既有指揮眾人的權力，那麼地位自然在眾人之上，如〈齊侯鎛〉「伊小臣為輔」都可證明臣的地位並不下賤[244]。而周代金文中多「錫臣」之例分明以家為單位，不僅把臣的身分表示得很清楚，就連他家人的身分都表示得很清楚，那是無法解為農奴或自由民的。

　　其次，郭氏以周初耕田的人也叫作「眾人」，並以〈周頌・臣工〉「命我眾人，庤乃錢鎛，奄觀銍艾。」證明「眾」是奴隸身分的觀點，而且引〈曶鼎〉為例。陳夢家則予以反駁，指出甲骨卜辭的「眾一百」決非「人一百」，「眾」是一種身分。在西周金文〈曶鼎〉「眾一夫」和另外「臣」三夫是所有者用來作為賠償物的，他們是奴隸。卜辭的「眾人」常常受王的命令，或從事於「協田」，或徵集出征。卜辭有一次記載「我其眾人」，眾人似是屬於王或王國所有[245]。此外，于省吾也提出甲骨文中占卜出征或種田的時候時常提到眾，而甲骨文在祭祀時，殺戮各種各樣的戰俘以為人牲者習見選出，每次用人牲的數目，由一二以至幾十幾百甚至一千。但從沒有殺過眾以當人牲，把眾當作奴隸的事。至於金文中往往以臣作為賞賜品，有的甚至作為交易品，可是，從沒有以眾用來賞賜或交易的例子。至於金文中往往以臣作為賞賜品，有的甚至成為交易品，可是，從沒有以眾用來賞賜或交易的例子[246]。

　　大抵上，從甲骨卜辭中可看出「眾」與「臣」分別代表兩種社會階級，「臣」於卜辭僅用作官名，「眾」則是「族」分化出的「族眾」，皆是屬於自

---

244 金達凱：〈論郭沫若殷周奴隸社會說的謬誤〉，《東亞季刊》第11卷3期（1980年），頁5-6。

245 陳夢家：《殷墟卜辭綜述》（北京市：中華書局，1988年），頁610-611。

246 于省吾：〈關於釋臣和鬲一文的幾點意見〉，《考古》第6期（1965年），頁309-310。

由民。卜辭中的「眾」是指一群協田的農民，雖然由殷王下令去協田，或由
小臣去督導從事黍的工作；但接受殷王命令和聽小臣指揮，是自由農民，而
不是失去自由的奴隸。裘錫圭也指出《詩‧周頌》裡的〈噫嘻〉、〈臣工〉等
農事詩所反映的，也應該是周王的籍田，即千畝上的勞動。並把〈臣工〉篇
裡的眾人說成大規模的奴隸勞動，是不妥當的[247]。

　　邱敏文依據甲骨文的構形，無法確知日下三人是否在從事工作，因此據
形是不能論證眾是大規模耕田的奴隸。其次，就甲骨卜辭的眾字使用考察，
從征伐卜辭可知眾是屬於一定的族氏的。另外，眾也有受商王之令參加農業
生產。〈周頌‧臣工〉從通篇詩文內容觀察，應是一首農事詩。「所反映的，
也應該是周王的藉田，即千畝上的勞動。」是周王藉田的儀式，此篇中的
「眾」字之意，作眾多的人。而〈智鼎〉一文中「匡眾厥臣廿夫」之句，其
「匡眾」很「可能是指匡的族人」；又于省吾對此句曾作解釋：「如果『眾』
也是奴隸的話，『臣』既稱『廿夫』，則『眾』決不能沒有數目的記載。」于
省吾視「臣」作奴隸，而此「眾」與「臣」區分并然，顯然是不同身分的兩
類人。故郭氏以此二項文獻與金文的資料為佐證，藉以立論甲骨卜辭之
「眾」人身分為奴隸，實為窒礙難行[248]。

2 緣形生訓，孤證立說，鑿空《詩》旨

　　乾嘉考據學由字以通其詞，由詞以通其道，因聲求義，並以經籍互證、
自證，依上下文義、文例等訓詁範式，疏通經義，論證博洽；民國以後出土
材料的發現，應有助於檢證舊訓陳說，核實經義。然而，就如何董作賓所說
的，五四運動以後，中國學術界偏重地下材料而看輕紙上史料，甚至抱持著
極端懷疑的的態度去對付舊史料。因此，便有不少人借用最新考古的材料，
去建構及重新再寫上古信史[249]。今檢核郭沫若析形以求字源本義，援卜辭

247 李圃主編：《古文字詁林》（上海市：上海教育出版社，2002年），冊7，頁516。

248 邱敏文：《郭沫若甲骨學研究》（臺北市：中國文化大學中國文學研究所碩士論文，
　　 2003年），頁255-256。

249 同註223，頁612-613。

彝銘古文為證，在名物訓詁上，多有新義。由於殷周銅器銘文中存在著許多類似圖畫的文字，他認為這些圖形文字乃古代國族的名號。他從析形以求義到彝銘、卜辭互證比較，再援引民俗人類學加以推闡，立論大膽，想像紛馳。其中，不乏孤說單行，罔顧文例與上下文義，以致鑿空《詩經》篇章義旨。

　　例如以臣字象人俯首目豎，代表柔順敏給的男性俘虜，訓民字目橫而盲，意指難馴暴戾的俘虜，瞎盲其眼以作奴隸，援〈盂鼎〉作 甲，〈克鼎〉作 甲，〈齊侯壺〉作 甲為例，說明左目象有刃物刺穿的樣子，證明民為奴隸的說法。基本上，民在周金文中早已引申為庶人民的意思，若依郭氏訓解為奴隸，則於《詩》義不合，未若林義光《文源》訓云「象草芽之形。當為萌之古文。音轉如萌。故復制萌字。草芽蕃生，引申為人民之民。其轉音則別為氓字。」來得恰當[250]。

　　又如論鹵字是櫓的本字，他以楠、櫓為後起字，鹵被用作鹽鹵是假借義。且考察金文鹵字作 ⊗，象圓楯上面有文飾的形貌，指出古時鹵多作長方形，而上下各三出，故彝銘中常見的「戈在櫝形」文，不論是直寫或橫寫如 囲、囲、田 等字，都可看出戈形乃鹵上面的文飾[251]。郭氏此說就鹵的字形與用法來看，欠缺明確的事證可以證明是干櫓的本字。或如以朋字在甲骨文及金文等形貌，郭氏論證朋字乃三個或二個貝玉串成左右對稱的頸飾，並援引商代彝器之圖形文字 、 、 、 等以論證，說明貝由頸飾轉變成貨幣使用，是在殷周之際等。事實上，朋作為貝的單位，十分明確，但是否為頸飾，並不可考。此外，以黃為組玉佩，並找出卜辭及金文圖形文字 等，加以分析佩飾的三條下垂玉，建構組玉佩的想像圖，則與彝銘賞賜上下文例及《詩》義不合。他如訓〈溱洧〉「女曰觀乎，士曰既且」、〈出其東門〉「匪我思且」之「且」字為祖，更是差之毫釐，謬以千里。

250　林義光：《文源》（上海市：中西書局，2012年），卷1，頁69。

251　同註1，頁198-201。

五 結論

　　時代的大文化語境決定了學術視野的形成，而學術格局又往往影響研究
的結局。郭沫若的《詩經》研究，以白話翻譯始，以考古論史而終。其《詩
經》白話翻譯依時代可分前後兩期，前期為風韻譯的創作衍繹，代表作品是
《卷耳集》，譯詩鋪排全詩場景作為引言、運用西方意識流文學技巧、義複
節略或合譯、男女歡會之戲劇性對話、引入西方社會科學注釋名物、以情緒
直寫來譯詩等是為特色；而後期譯詩則以農事詩為主，採逐句直譯農官勸耕
和樂景象、詠嘆振奮的激昂語調、借重歷史歌劇場景以新譯、側重西周社會
制度的反映等特色，讓人得以微觀及親近《詩經》裡的史詩圖像。然而，
《卷耳集》風韻譯的創作演繹，因採自由創作的譯法，減卻托物起興、低迴
反復的情致；而農事詩吸納歷史新歌劇中的技法，進行逐句翻譯，惟因唯物
史觀的定見在先，致使翻譯成為目標功利導向的衍繹，其擺落興觀群怨範
式，化約成庶民遭貴族剝削欺榨，寄沈痛於農事，盡失《詩經》溫柔敦厚精
神及品格。

　　在《詩經》經學觀念被破除和大眾化意識流行的思想前提下，郭氏白話
翻譯《詩經》，創造了一種全新的《詩經》解讀方式，提高了《詩經》在思
想、藝術的價值[252]，聞一多就曾贊歎地說：「每一動筆我們總可以看出一個
粗心大意不修邊幅的天才亂跳亂舞遊戲於紙墨之間，一筆點成了明珠豔卉，

---

252 趙沛霖《現代學術文化思潮與詩經研究》指出，二十世紀《詩經》的白話文譯本接
　　連不斷的出現，不僅構成了二十世紀《詩經》學園地的一道獨特的風景線，也是數
　　千年《詩經》研究史上空前的學術「盛事」。而追究《詩經》白話文翻譯產生和長期
　　繁榮，他認為有二個文化思想前提，即《詩經》經學觀念的破除和大眾化意識的流
　　行。至於郭沫若的《卷耳集》的問世，他認為標志著《詩經》學又增添了新的內
　　容，而作為《詩經》學史上的第一個白話本譯本，此書成就有三：創造了一種全新
　　的《詩經》解讀方式、強烈的批判精神賦予其鮮明的時代特徵、對《詩經》思想、
　　藝術的認識提高了一個新的階段對《詩經》思想、藝術的認識提高了一個新的階段
　　（同註144，頁349-362）。

隨著一筆又灑出些馬勃牛溲[253]。」

　　至於郭氏以《詩經》作為輔證的考古論史部分，則可分成建構唯物史觀下的《詩經》社會圖像及考古研究的詩經訓詁新證二部分。起初，郭氏以國學來考驗辯證唯物論的適應度[254]，其後，有感於立論蜃樓海市，進而轉向彝器銘文的考釋。在建構唯物史觀下的《詩經》社會圖像上，他批判的整理國故，援引《詩經》作為古史斷代的證據，揭露《詩經》時代王者躬親勸耕的盛大場面、井田制的崩解與新富階級的產生、階級統治者欺壓農業奴隸、周正曆法比夏正早二個月、周初商業始有貨幣、從怨天到恨人的存在意識覺醒、殷周親屬稱謂差異有別等社會變貌。展現的特色有五：第一，繼承王國維殷周古史研究成果而推闡之；第二，以唯物史觀系統科學地建構及詮釋《詩經》古史社會；第三，從微觀角度看《詩經》時代社會；第四，結合傳世文獻與出土文獻、器物，進行《詩經》古史論證；第五，留意《詩經》庶民心聲，同情發掘社會底層小人物的無奈。至於其研究限制亦有三：第一，生搬硬套馬克思五種社會形態理論於中國社會，缺乏科學性結論；第二，詩篇年代斷定及訓詁問題，有待商榷；第三，強調詩歌怨怒之聲，捐棄敦厚溫柔情致，開啟浮躁庸俗作風。

　　而在古文字與《詩經》訓詁新證方面，借詩而考古，宏觀地還原重構《詩經》社會、析形以求字源，並利用出土資料與傳世文獻交驗互足、有機結合材料和理論方法，微觀的掌握《詩經》名物禮制等，是其特色；然而過度偏執唯物史觀，以論帶史，錯解《詩》義，以及緣形生訓，孤證立說，鑿空《詩》旨則是研究限制。

　　相較於古史辨學者的疑古辨偽，郭沫若的考古論史有思想、制度的論證，既可微觀古代社會的制度文化又能宏觀地完整闡釋古史，但也因為在古史年代、古籍辨偽上不如古史辨派深入，往往輕率地提出錯誤的結論。而與一般古文字學學者不同的是，他釋讀周代彝銘，確立斷代體系，並能依據器

253 同註188，〈莪默伽亞謨之絕句〉，冊2，頁103。

254 《海濤集·跨著東海》，收入《郭沫若文集》（北京市：人民出版社，1992年），卷13，頁331。

銘深入考察殷周時代的思想文化內涵[255]，因此，在考古論史的廣度及高度上，有了劃時代的成就及影響[256]。

魏建〈郭沫若兩極評價的再思考〉一文曾指出：「我們在看到郭沫若博大的同時，也看到了他某些東西並不精深；在看到他屢屢創新的同時，也看到了他的浮躁和片面……他的許多突出的貢獻本身就包含著歷史的侷限，而在他明顯的缺點裡卻又滲透著積極的時代意義[257]。」侯書勇亦點明郭氏最終目的在於探求中國古代社會的發展規律，認請現實社會的發展方向，所以評價郭氏金文古史研究，必須從學術史的角度作「了解之同情的」客觀分析[258]。

綜言之，辯證唯物論是啟蒙郭沫若做人及做學問的鑰匙。在思想、方法上，唯物史觀提供他釋讀《詩經》古史社會，並有機融攝跨領域學科於《詩經》名物新證上，其研究能突破成見舊說，造成別開生面的創造性成就，但卻往往成為他不論是白話翻譯《詩經》，還是考古與新證《詩經》名物最大的盲點與限制。然而，郭沫若的譯《詩》衍繹與《詩經》考古所建構的古史社會，不僅開闢了《詩經》研究的新天地，極具時代意義，也對後來的《詩經》學研究造成深遠的影響。

---

255 同註170，頁62-70。

256 趙沛霖《現代學術文化思潮與詩經研究》並逐漸形成了《詩經》研究的一種全新的研究模式和解詩體系，這個新的研究模式和解詩體系以其全新的思想觀點、解讀和闡釋的優勢以及吸納多學科研究成果和方法的整合能力，而有別於任何一種研究模式和解詩體系；正是它所提出的全新觀點和認識（同註144，頁93）。

257 魏建：〈郭沫若兩極評價的再思考〉，《山東師範大學學報》（人文社會科學版）第57卷第6期（2012年），頁8。

258 同註239，頁43。

朱東潤《詩三百篇探故》的特色

鄭月梅

國立嘉義大學中國文學系講師

一　前言

　　如果從文字破除語言的限制、強化語言傳達的功能的觀點來看書面的紀錄，那麼古今所有學術論著都可看作是：古今學者對其時代問題的反映和參與古今學術討論的書面對話和意見表達。在這些論著中，由於關注的焦點相同，同時代相同議題的論著常有相似的時代意識；但因為學者的才情抱負、心智識見不同，同時代相同議題的論著又常有不同的觀點和見解。所以朱東潤說：「討論一切事物的時候，有一般的局勢，有各殊的立場。因為局勢相同，所以結論類似，同時也因為立場不一，所以對於萬事萬物看出種種不同的形態。」[1]

　　茲以民國以來的《詩經》學為例，說明如下：

　　民國以仿西方的民主政治取代我國幾千年來世代相守的帝制，瓦解強調長幼尊卑、講究倫理道德的舊社會，構築崇尚自由平等、追求個人權利的新社會，這是三千年來未有的大變動，不僅引發人們鄙棄傳統、嚮慕西風的心理，也使傳統思想信仰的賡續面臨空前的危機。在顛覆傳統、崇洋趨新的時代意識和潮流中，知識份子為了因應新時代、新社會的需要，基於學術使命與責任的自覺，也紛紛致力於學術的轉型與新觀點、新方法的開拓。如倡導

---

[1] 見朱東潤：《中國文學批評史大綱》（上海市：上海古籍出版社，2005年），頁2。引自賀根民〈論朱東潤《中國文學批評史大綱》的體例追求〉，《貴州師範大學學報》2013年第6期（2013年6月），頁8。

新文化運動的胡適之（1891-1962）就曾說：「我看對於《詩經》的研究想要澈底的改革，恐怕還在我們呢！我們應該拿起我們的新的眼光，好的方法，多的材料去大膽地細心地研究」（見〈談談《詩經》〉收入《古史辨》（海口市：海南出版社，2005年，冊三，頁385），並且提出：

　　1.《詩經》不是一部經典。

　　2.孔子並沒有刪《詩》，『詩三百篇』本是一個成語。

　　3.《詩經》不是一個時代輯成的。

　　4.《詩經》的解釋（是一代比一代進步的）。

這些都是顛覆傳統《詩經》學的說法，尤其是——

> 《詩經》不是一部經典。……因為《詩經》並不是一部聖經，確實是一部古代歌謠的總集，可以做社會史的材料，可以做政治史的材料，可以做文化史的材料。萬不可說牠是一部神聖經典。[2]

不只否定《詩經》傳統經典的地位，除去它神聖的光環，也強調它具有多方面史料的功用與價值。他的《中國哲學史大綱》第二篇〈中國哲學發生的時代〉，就是以《詩經》作為研究西元前八世紀到西元前六世紀的社會生活和時代思潮的材料。此外，也指出訓詁和解題是研究《詩經》的兩大重要法門。在訓詁上，主張：「用小心精密的科學方法，來做一種新的訓詁功夫，對於《詩經》的文字和文法上都從新下註解。」他的〈詩三百篇言字解〉就是參照清末馬建忠（1845-1900）的《馬氏文通》用新文法解讀舊書的方法所寫成的《詩經》新註解。至於「大膽地推翻二千年來積下來的附會的見解；完全用社會學的，歷史的，文學的眼光從新給每一首詩下個解釋」（見〈談談《詩經》〉，頁 385）的解題方法，雖然他的示範（如〈嘒彼小星〉等的解釋）尚有瑕疵，但他的主張對於傳統《詩經》學的轉型，仍有重要的意義與貢獻。

2　見胡適：〈談談《詩經》〉，收入《古史辨》（海口市：海南出版社，2005年），冊3，頁383。

　　另外，鄭振鐸（1898-1958）的〈讀《毛詩序》〉與陳槃（1905-1999）的〈周召二南與文王之化〉是當時批判傳統《詩經》、《序》、《傳》與反駁古來曲解「二南」的代表。而顧頡剛（1893-1980）的〈從《詩經》中整理出歌謠的意見〉與〈論《詩經》所錄全為樂歌〉，則從歌謠的角度研究《詩經》與樂的關係，從而探討《詩經》的性質與真相。

　　至於聞一多（1899-1946）的〈詩經的性欲觀〉是運用奧地利精神分析學的創始人西格蒙德‧弗洛伊德（Sigmund Freud, 1856-1939）的泛性論（pan-sexualism）和潛意識理論（the Subconscious theory）來說解《詩經》。〈說魚〉是從民俗、民謠和古詩中考釋魚的隱語，進而指出《詩經》中魚的象徵與意涵。〈詩新臺鴻字說〉、〈姜嫄履大人迹考〉、《匡齋尺牘》、《風詩類鈔甲》、《風詩類鈔乙》、《詩經新義》、《詩經通義》都是運用傳統考據和訓詁學的原理結合民俗學、神話學與文化人類學等理論方法的成果。而郭沫若（1892-1987）的《中國古代社會研究》、《青銅時代》則是最早依據馬克思主義理論，以《詩經》等傳世文獻材料結合甲骨卜辭、兩周金文等地下出土材料，用唯物史觀說解中國古代史的著作。

　　王國維（1877-1927）的〈與友人論詩書中成語書〉、〈周大武樂章考〉、〈說周頌〉、〈說商頌〉等都是運用他所謂的「二重證據法」——利用地下出土的新材料，如甲骨、金文等，匡正或補充《詩經》等紙上材料的錯誤或不足——的研究成果。

　　這些都是民國以來學者們在反傳統經學、追求新觀點、講求新方法的學術風尚下，運用新的眼光、好的方法、多的（各種各樣的）材料，甚至引進西方的學理研究《詩經》所得的新成果。

　　在顛覆傳統、崇洋趨新的時代意識和潮流下，與上述這些《詩經》學的成果相比，朱東潤的《詩三百篇探故》究竟有怎樣的特色呢？

　　學術論著不只是學者對其生活時代的反映，也是學者個人才情抱負和心智識見的表達，因此想瞭解朱東潤《詩三百篇探故》的特色，就必須先瞭解他的生活經歷。

二　生活經歷

　　朱東潤名世溙，東潤是他的字[3]，後以字行。江蘇省泰興縣人。生於清光緒二十二年十月三十日（1896 年 12 月 4 日），一九八八年二月十日病逝於上海，享壽九十三。

　　他是明代成功督師抗擊荷蘭侵略者的福建巡撫朱一馮（1572-1646）的後裔。出生時，家道已中落，父親又失業在家，家庭經濟全靠典當舊物，以及他母親做女紅貼補家用，生活非常艱困[4]。但六歲[5]時，他父親不僅送他入私塾讀書受教，放學時到校門口接他回家，並提醒他上學不是為了考狀元；在假日陰雨的早晨，還指著家中櫃上《三國演義》的人物畫像，為他講述《三國演義》的故事。這些親子生活的畫面，在他十歲喪父以後，都成為他深刻的生命記憶。尤其是那句「上學不是為了考狀元」，更影響他一生對學問的追求，他曾說：

> 「不準備考狀元」對於我實在是一種教育，是要我在一般人拼命向上
> 爬的時候，停下一步，這對於我的一生是有重大意義的。[6]

　　父親過世後，他靠著族人的資助和南洋公學唐文治（1865-1954）校長的贊助[7]，完成南洋公學高等小學的學業，並繼續就讀中學部。可才讀完二

3　按：這是他幼幼小學的汪民甫老師取義於《論語・憲問》：「東里子產潤色之」一句，為他所取的字。

4　朱東潤出生時，父母都已四十一歲，並且有三個哥哥：大哥二十歲，二哥十二歲，三哥十歲。因為生活困苦，二哥十六歲便因營養不足，死於肺病。大哥早在布莊當藝徒，三哥十四歲也到布店當學徒。（一九○七年應徵入伍服役，一九一一年退伍，在南京模範監獄擔任衛士。後來為國民革命犧牲生命。他為革命犧牲的精神深深影響朱東潤對國家社會的關懷與熱愛。）但是家庭生活依舊困難。

5　事實上，朱東潤此時只有四足歲多。

6　見朱東潤著：《朱東潤自傳》，收在《朱東潤傳記作品全集》（上海市：東方出版中心，1999年），卷4，頁11。

7　朱東潤就讀南洋公學附屬小學時，在一九○九年八月全校國文研究大會（作文比賽）

年級，就為了解決生活問題休學就業。曾先後在文明書局當校對，在商務印書館《小說月報》任助理，在《公論報》工作。最後在吳稚暉（1865-1953）的幫助下，加入留英儉學會，到英國進入倫敦西南學院讀書，並一面譯書以維持生活。二十歲那年，因為反對袁世凱稱帝，他棄學歸國。船到新加坡才知道袁世凱已死，但已經無法重返英倫繼續未完成的學業，三年的留學生活就此結束，也從此脫離學生生涯。

　　二十一歲返鄉後，他借住慶雲寺要雪堂譯書，並研讀中外邏輯名著。不久，到上海《中華新報》負責地方新聞的編輯工作。當新聞記者是他年少時的心願，但是當時的報業環境很不理想，因而接受朋友的推薦到廣西梧州中學教英文。其間為了給他的中學老師朱叔子（1867-1935）先生書寫輓聯，竟激起他學習書法的決心。[8]二十四歲那年的暑假，轉到江蘇南通師範任教，同時兼任南通中學英文教師。在南通八年，他不只完成結婚生子的人生

中，以文才出眾，深得唐文治校長的賞識，獲得小學組第一名。按：唐文治，字穎侯，號蔚芝，別號茹經，江蘇太倉人，後來定居無錫。十八歲中舉人，二十八歲中進士。從政十餘年，官至農工商部左侍郎署理尚書，後見國事日危，朝政腐敗，無意仕途，便以母喪告歸。一九○七年受命為郵傳部高等實業學堂（一九一一年改名南洋公學、一九二一年改稱交通大學）校長，從此致力於教育事業。他辦學認真，非常注重品德教育，常說：「人生唯有廉節重，世界須憑氣骨撐」，「人生有骨，乃能立身天地之間。氣節者，氣骨也，無骨何以有節」，「欲成第一等學問、事業、人才，必須具備第一等品行」；既重視言教，也強調身教。主持南洋公學十四年，常利用星期日在禮堂為學生講授古文，他授課完全採用講學方式，闡述微言大義。

8　按：朱叔子即朱文熊，叔子是他的字，江蘇太倉人。生於清穆宗同治六年（1867年），清光緒間副貢生，後畢業於上海學習師範。他和唐文治都是理學名師王祖畬（1842-1918）的學生，王祖畬曾稱讚朱文熊是「吾門長才，且安貧樂道、能砥礪名節者」。唐文治先後執掌太倉中學、南洋公學（今上海交通大學）和無錫國學專校時，都延請朱文熊擔任教職。一九三五年五月十八日，因病逝世，時年六十八。據說他曾求一個字寫得很漂亮的同學 寫一扇面，卻遭拒絕。於是發奮學書，早晚刻苦練習，經數年努力終於學成。從此有人向他求字，「無不應，無不速付與」。朱東潤大概是受此故事的激發，才發奮學書，最後也成為書法名家。詳見劉桂秋〈無錫國專憶舊：朱文熊〉；http://www.wxgdb.com/news/article/article.php?sessid=a4be65536ad24d557e8af0e6fdc6ff3e &articleid=2118。

大事[9]，也在英文教學上研發、並完成直接教學法[10]，同時在商務印書館的
《英文雜誌》上陸續發表十篇有關直接教學法的學習過程與運用結果的文
章。

　　三十二歲那年六月，他在動盪的時局中接受吳稚暉的邀約，到南京擔任
中央政治會議秘書。因為不滿現實政治與官場風氣——

> 我只看到這是一批沒有脊骨的政治販子，在情況有利的時候，他們到
> 南京稱王稱霸；一聽到風聲不利，隨即向上海租界一鑽，無影無蹤，
> 把千萬人民丟在火線上不聞不問。[11]

他毅然決定遠離政治，結束八十天短暫的政治生活，返回南通任教，但南通
師範已改制為張謇中學。三十四歲受聘武漢大學[12]任預科英語教師，隨後因
為聞一多（1899-1946）的賞識，請他在新學年開班教授英文國學論著與中
國文學批評史課程。另外，又開了大一寫作課，從此正式成為中文系教授。
直到一九四二年離開武大，前後總計十三年。這不僅是他由中學英文教師轉
為大學中文系教授的關鍵轉折點；也是他探索學問、研究學術、發展志趣的
重要起點。他曾說：

> 我……在武漢大學前後……十三年對於我是一種教育，一種培養。武
> 漢大學的同事們對我幫助最大的有三位：第一位是聞一多，第二位是
> 老同學陳通伯，第三位是劉賾。由於他們的幫助，我從一個尋常的中
> 學教師成為多方面發展的大學中文系教授，我應該特別感謝劉賾，要
> 是沒有他的壓力，我對於那部《說文解字》可能只是一覽而過，不求
> 甚解，但是因為要理解他的專長，我對這部書，不能不有所體會。關

9　二十五歲時，與鄒蓮舫結婚。

10　這是他在梧州中學教書時，從他的同學何孔襃那兒聽來的。雖然「直接教學法」只是
　　何孔襃自己的想當然爾之法，並沒有實際的操作方法，但是朱東潤認為這是很好而且
　　是可行的教學法，就自己蒐集、參考外國語文教學的相關資料，自己設法施行。

11　同註6，頁151。

12　按：下文提及「武漢大學」皆簡稱「武大」。

於傳記文學提起我注意的是劉賾，促使我努力工作、把傳記文學作為
自己終身事業的還是他。[13]

由於聞一多、陳通伯（1896-1970）、劉賾（1891-1978）的鼓舞、激勵，使
他由一個普通的中學教師成為大學教授中國文學批評史的專家、研究傳記文
學的先驅，並且立下以傳記文學作為終身努力的目標。

四十七歲離開武大後，他先後任教於重慶中央大學、無錫國學專修學
校[14]、無錫第二中學、江南大學、齊魯大學、滬江大學，直到五十七歲才被
調配到復旦大學中文系[15]，並於六十二歲任中文系主任；文革後，八十三歲
再任中文系主任，八十六歲改任中文系名譽主任，還曆任中國國務院學位委
員會委員，中國國家第一批文科博士生導師。九十二歲的冬天，雖然已身染
重病，仍然堅持工作，直到完成主持博士生論文答辯後，才住進上海長海醫
院。隔年，因胃癌轉移引發黃疸，醫治無效，病逝醫院。

他因欽佩西漢末年琅邪人邴曼容的為人，又喜愛杜牧〈長安雜題長句〉
中「九原可作吾誰與？師友琅邪邴曼容」的詩句[16]，就將他泰興家中的書房
取名為「師友琅邪館」，為他在上海客居的處所取名為「師友琅邪行館」。中
年以後，更欣賞《世說新語》中王述（303-368）回應他女壻謝萬（320-
361）「人言君侯癡，君侯性自癡」所說的「非無此論，但晚令耳」[17]，就以

13　同註6，頁261-262。

14　按：無錫國學專修學校是一九二〇年施肇曾捐資創辦的，並聘請因為目疾日重辭去上
　　海南洋公學校長，當時正定居無錫休養的唐文治擔任校長。

15　按：下文提及「復旦大學」皆簡稱「復旦」。

16　按：杜牧《長安雜題長句》是一套七言組詩，共六首。這是其中的第四首，原詩為
　　「束帶謬趨文石陛，有章曾拜皂囊封。期嚴無奈睡留癖，勢窘猶為酒泥傭。偷釣侯家
　　池上雨，醉吟隋寺日沉鐘。九原可作吾誰與？師友琅邪邴曼容。」杜牧自表生性懶散
　　閒蕩，不喜受縛官場的作風與願望。又：據《漢書・王貢兩龔鮑傳》：「初琅邪邴漢亦
　　以清行徵用……漢兄子曼容亦養志自修，為官不肯過六百石，輒自免去……」（見楊
　　家駱主編《漢書》，臺北市：鼎文書局，頁3083）

17　請參見朱東潤著：〈序〉，《八代傳敘文學述論》（上海市：復旦大學出版社，2006年11
　　月），頁1。按：「君侯性自癡」，《世說新語・簡傲》作「君侯信自癡」。（見余嘉錫編

「晚令齋」作為他的書齋名。由此可見他的生活志趣與襟懷。

他一生「用最艱苦的方法追求學識，從最堅決的方向認識人生」[18]。在七十多年的教學生涯中，除前十五年教英文，研究英文教學法外；其餘五十多年中，主要以文史領域為探索、研究的對象。著有《中國文學批評史大綱》、《讀詩四論》、《史記考索》、《漢書考索》、《後漢書考索》、《中國傳記文學之發展》、《八代傳記文學敘論》、《張居正大傳》、《杜甫敘論》、《梅堯臣傳》、《梅堯臣集編年校注》、《梅堯臣詩選》、《陸游傳》、《陸游研究》、《陸游詩選》、《陳子龍及其時代》、《元好問傳》、《李方舟傳》、《我的八十年》（後來改名《朱東潤自傳》）、《楚辭探故》、《中國文學論集》、《公羊傳探故》、《左傳選》、《中國文學批評論集》、《宋話本研究》、《水滸人名考》等。其中成就最高、影響最深遠的是在中國文學批評史和中國史傳文學方面，學界公認他是中國大陸著名的文學批評史專家之一，也是中國現代傳記文學的開創者。

三　從研讀到成書

（一）研讀的背景

他不是書香世家的子弟，求學歷程又不順，不論是在國內、還是國外，都沒有完整的學歷，他的學問和著作全得自個人辛勤努力的自學。而他的自學所以能夠成功，除了依賴自己辛勤不懈的努力之外，也得力於任戇忱、李雁晴[19]（1894-1962）兩位益友的幫助，他說：

> 任戇忱，湖南湘陰人，英國留學生，回國後……他的版本目錄之學卻

撰：《世說新語箋疏》，臺北市：華正書局，1989年3月。頁773。）

18　按：這是他一九四六年送給他兒子的畢業題詞。

19　按：李雁晴名笠，雁情是他的字，浙江里安人。歷任國立中山大學、中州大學、廈門大學、之江大學、武漢大學、中央大學、南開大學、復旦大學等校中文系教授。著有：《史記訂補》、《定本墨子閒詁校補》、《中國目錄學綱要》、《校勘學》等。

成為了專門，後來我開中國文學批評史這一課時，得了他不少的幫
助，確實是一位益友。[20]

……李雁晴，瑞安人，中文系教授。這一位自學出身，長於目錄、校
勘這套學問。對於我的幫助很大。我為了準備中國文學批評史的講
稿，首先要搞資料。因此不斷地向任慧恍、李雁晴這兩位請教。任先
生主要是搞版本的，李先生卻更注重實用，因此對於我的幫助更
大。……是一位益友。[21]

由於他們提供各自專長的版本、目錄、校勘學的寶貴心得與意見，使他在研
究中國文學批評史的時候，得到許多教益。因為中國文學批評史是他學術研
究的起點，所以版本、目錄、校勘學就是他從事學術研究的基本功夫。

　　他研究中國文學批評史是起於教學授課的需要，也是出於充實課程、完
備教材的負責態度。但他為什麼研讀《詩經》？根據他自己的說法：

關於中國文學批評我寫過八九篇論文，這時我想到中國文學主要是從
《詩三百篇》和《楚辭》發源的，因此我想把這兩部書紮紮實實讀一
下。[22]

他是在研究中國文學批評史一段時間之後，有鑑於《詩經》是中國文學的源
頭，是中國詩歌之祖。詩歌是中國文學的主流，歷史悠久。因而意識到熟習
《詩經》，有助於理解中國文學的流變：

詩為文學之大宗，《詩三百五篇》尤為中國詩之祖，故言中國文學
者，不可不知《詩三百五篇》之起源……[23]
吾國文學導源於《詩三百五篇》，不知《詩三百五篇》者，不足與言
吾國文學之流變。[24]

20　同註6，頁169-170。

21　同註6，頁177。

22　同註6，頁194。

23　見朱東潤撰：《中國文學批評史大綱》（臺北市：臺灣開明書局，1984年7月），頁9。

24　見朱東潤撰：〈緒言〉，《詩三百篇探故》（昆明市：雲南人民出版社，2007年1月）頁1。

因為文學是文學批評的對象，熟知中國文學的流變有助於理解中國文學批評史，也有助於增長學識，於是對《詩經》的研讀與探索生發濃厚的興趣與期待。換句話說，他是在當代的文學理念中認識《詩經》，而由宏觀的文學視角見識《詩經》的價值與影響，自覺研讀《詩經》對學術研究和厚實自身學養的必要性與重要性，因而對研讀《詩經》抱持極大的熱情、極強的求知慾，自動自發的投入《詩經》的研讀、探究。

由於他是在研究中國文學批評史之後才轉入研讀《詩經》，因此研究中國文學批評史所積累的經驗和學識，都成為他研讀《詩經》的背景經驗和知識。如他在研究中國文學批評史前，有利用版本、目錄、校勘學的知識先行蒐集中國文學批評史相關資料的經驗，現在轉而運用在蒐集《詩經》相關的資料上。因為《詩經》是我國傳世久遠的古書之一，歷代都有不同的研究成果。而且隨著時代、社會的變遷，名物制度、文字訓詁也有不同。想弄清《詩經》的內容，明白它的旨意，仍有賴古來相關的說解，以釐清它的內容真相。於是他透過版本、目錄、校勘學相關知識的指引，從漢代四家詩說和《鄭箋》入手，並參照清儒的說解，以探索《詩經》的內容與本義──

> 那時這兩部書都有人開課，因此我只能自己苦讀，不便去向人家請教。我讀《詩三百篇》的方法也有些和人不同之處。例如〈關雎〉一篇吧，我要把齊、魯、韓三家詩的看法，《毛傳》的看法、《鄭箋》的看法，以及後代陳啟源、陳奐、馬瑞辰、龔橙這些人的看法一一讀過來，沒有把〈關雎〉這首詩的看法搞清楚以前，決不讀第二篇。[25]

因此，他不但瞭解《詩經》的內容，也明白歷來儒者說解《詩經》的特色。不過，在研習的過程無形中也受到儒者「通經致用」的精神影響，以致《詩三百篇探故》中有經學精神的遺跡。

此外，他研究中國文學批評史的見解，也常影響他研讀《詩經》的觀點。如他在中國文學批評史中都以人作為論述的中心，後來結集成書也以人

---

25 同註6，頁194。

作為章目，表現他以人為文學的主體之觀念；在《詩經》研究中他也以探討〈國風〉的作者問題入手，體現人是詩歌主體的觀點意識。再如《中國文學批評史大綱》第二章〈孔孟諸子的文學批評的時代意義〉中有「文學者，民族精神之所寄也」的說法；《詩三百篇探故》中的〈詩大小雅臆說〉有「《詩》三百篇，皆夏部族之詩也」，〈詩三百篇成書中的時代精神〉有「《詩經》……都是諸夏部族在對外奮鬥中收集成書的集體著作」，因為《詩經》成書於春秋中期——是「內其國而外諸夏，內諸夏而外夷狄」式的民族主義高漲的時代，所以《詩經》中充滿諸夏部族團結一心、一致抵抗其他部族侵略的時代精神。

（二）成書的經過

他紮紮實實、認認真真的花了兩年課餘的時間讀完《詩經》，同時在一九三三年先後連續於武大《文哲季刊》發表〈國風出於民間論質疑〉、〈詩大小雅臆說〉、〈古詩說摭遺〉、〈詩心論發凡〉，於一九四○年十月將這四篇結集，再加上一篇七、八千字的〈緒言〉輯成《讀詩四論》，交由商務印書館出版。

這是他出於個人自覺的研究成果，也是「支出最大精力的著作」，可是出版後並沒有得到他預期的成效。與他稍後出版、被人譽為經典之作的《中國文學批評史大綱》和《張居正大傳》相比，更加凸顯《讀詩四論》的受人冷落。這使他耿耿於懷、深感挫折[26]。幾經分析、探討原因，他以為這是《讀詩四論》的見解不符合讀者過去的認知，書寫的形式不合讀者閱讀的習慣：

26　按：依據《八代傳敘文學述論・序》所記：「《讀詩四論》出版以後，曾題一首：『彈
　　指蔽泰華，冥心淪九有。小夫竊高名，君子慎所守。昔以金石姿，下羨蜉蝣壽！乾坤
　　會重光，相期在不朽。』對於自己，這是一種心理的慰藉。其實僵化的蜉蝣，博物院
　　裏有時珍若拱璧，而流金鑠石，何嘗不是數見不鮮的事！」（見朱東潤撰：《八代傳敘
　　文學述論》（上海市：復旦大學出版社，2006年11月，頁3-4）可知他對《讀詩四論》
　　的出版曾抱持深切的期望，以致出版後學界反應不如期望，便深感失落與感慨。

> 這本書老先生不要看，因為其中所說的都是新看法；青年人也不要
> 看，因為用文言文寫的，他們不習慣。[27]

又出版的時機不對——

> 因為出版的時間，是一九四○年十月，那時二次世界大戰已經爆發，
> 更沒有人理會這本平凡的作品。[28]

以致受人冷遇。但是有見地的論著不會永遠被人忽略。在二十世紀末期，
《讀詩四論》的成果終於被學界發現，並受到關注，也被列為中國二十世紀
三十年代《詩經》研究的代表著作之一。

　　一九八一年他在《讀詩四論》再版時，添入一九四六年在《國文月刊》
發表的〈詩三百篇中的時代精神〉，並改書名為《詩三百篇探故》，交由上海
古籍出版社出版。

　　由《讀詩四論》到《詩三百篇探故》，前後間隔四十年，雖然更改了書
名，內容卻只多一篇，同時他又在《詩三百篇探故·前記》中，說：

> 卅年以來，……時間不斷的消失，自己的認識還停留在原來的水平
> 上。[29]

既然數十年來對《詩經》的觀點與見解沒什麼改變，那麼更改書名、增添篇
章的用意何在呢？

　　想探尋其中的用意，必須瞭解《讀詩四論》與《詩三百篇探故》的差
別。

　　《讀詩四論》，除書前〈緒言〉講明寫作動機及概括說明各篇旨意並作
補充外；〈國風出於民間論質疑〉是探討〈國風〉的作者問題；〈詩大小雅臆

---

27 同註6，頁199。按：這原是朱東潤的同學陳通伯對《讀詩四論》的評論，但朱東潤很
　　認同他的看法。

28 同註6，頁199。

29 見朱東潤撰：《詩三百篇探故》（臺北市：漢京出版社，1984年），頁1。

說〉主要是討論大、小〈雅〉的得名與分別的問題；〈古詩說摭遺〉則探索古人有關《詩經》說解的問題；〈詩心論發凡〉是探討《詩經》的內容、探求詩人的心理與思想。所以書名中的「四論」，就是指他研究《詩經》所得有關〈國風〉的作者、篇章的名義、詮釋的問題和內容思想等四種見解。

至於書名中的「讀」，到底是什麼意思？根據書中〈緒言〉的說法：

> 《詩三百五篇》之結集，在二千五百年以前，吾人於時代悠遠之詩歌，得此時代悠遠之集本，且其結集之日，上去古詩流傳之時不遠，其中且有一部，為當時初成之作；及至此書結集之後，流傳至於今日者，其中篇什，固不免有若干錯簡亡失之遺迹，而其大部猶是當日之完本，斯則吾儕居二千五百年之後，可以窺見二千五百年前作者之用心，《詩三百五篇》之所以為吾國文學之環寶者在此。讀此書者正當於此究心，以求吾國文學遞遷之迹，以求吾國後代詩人與古代詩人心心相紹之理，其他皆可不論也。吾嘗以為治《詩三百五篇》者，當知有詩而不必知有經，至若鳥獸草木、史傳地理、典章制度、文物禮教之學，此皆學有專攻，蔚為絕藝，非治《詩》者所必知也。[30]

因為《詩經》是我國現今所存最早的詩歌總集，雖然在幾千年的流傳過程中，可能失去它部分的原貌，卻是我們今日瞭解古代詩人與詩歌唯一最早的憑藉與完本。所以他認為研讀《詩經》應當就《詩》論詩，探索詩人作詩的本意，以瞭解我國古代詩歌的衍變及其特色，才是當行本色。因此，他不但反對古來以《詩經》中的鳥獸草木、史傳地理、典章制度、文物禮教等專門的學問，做為研讀《詩經》的目的和重點；也反對傳統經傳注疏以經學的觀點和態度說解《詩經》，誤導、妨礙讀者對《詩》意的理解、《詩》旨的領會：

> 然就漢、宋諸儒之說《詩》者觀之，其書累十百萬言，益以後人所

---

30 見朱東潤撰：〈緒言〉，《詩三百篇探故》（昆明市：雲南人民出版社，2007年1月），頁1-2。

> 著，為數又不下於此，所論往往為聖哲之遺訓，儒先之陳言，又稱述
> 舊籍，皆以《詩經》為名。詩既進而稱經，於是說者知有經而不知有
> 詩，於詩人作詩之意，宜其有未盡矣。[31]

更反對當時新派學者不分青紅皂白，盲目的採用西方當代尚未成熟的學理說
解中國古代的《詩》意，因為其中存在文化的差異與時代的差距，即使作出
不同於舊說的新解釋，仍然無法避免誤解《詩》意、歪曲《詩》旨的缺失：

> 今之治《詩三百五篇》者，一洗前人之故習，而矯枉過正，又惑於歐
> 美之舊說，以是非未定之論，來相比附，為說益多，糾紛益滋。甚矣
> 《詩三百五篇》之不易治也。[32]

由此可知，所謂「讀」，就是以文學的態度和觀點來閱讀《詩經》、感受《詩
經》、體會《詩經》，以貼近詩人的情志，瞭解詩歌的旨意。所以〈詩心論發
凡〉是《讀詩四論》的主題文章。

　　而《詩三百篇探故》，除了《讀詩四論》外，又加入一篇抗日戰爭勝利
後完成的〈詩三百篇成書中的時代精神〉。篇中一再申明《詩經》成書的時
間，正是《公羊傳》所謂的「內其國而外諸夏，內諸夏而外夷狄」式的民族
主義高漲的時代，並強調「《詩》三百篇是諸夏部族在對外奮鬥中收集的一
部樂歌集」，篇末又以「瞭解《詩》三百篇以後，我們纔能知道為什麼中國
詩人充滿了苦難然而也具有堅強的精神，纔能知道為什麼中國人雖是不斷地
遭著外來的患難，然而最後還是一個不能克服的民族」收尾。曲終奏雅，說
明這不僅是他心中所領會的《詩經》的寫作旨意，也是他賦予《詩經》的新
價值。

　　經歷八年抗戰的磨難，他對人生社會有更深切的感受與體認，也更理解
與認同公羊經學派的《詩》說[33]。雖然他也曾以古鑑今，提醒執政者，可是

---

31 同註30，頁10。

32 同前註。

33 按：朱東潤曾說：「……我……是相信三家詩的。」同註6，頁385。

毫無效果：

> 我指出《詩》三百篇的作者，生活還沒有到絕境，但是二十世紀三十
> 年代，人民生活已經面臨絕境，應當考慮怎樣善後，這是當時面臨的
> 課題，我提出了這個警告，但是荒漠中的呼號，是不會得到反應的。[34]

所以在此特意加入講求民族大義、強調民族精神的篇章置於書末壓卷，不只用以說明《詩經》一書的寫作旨意，也用以表明他認同今文公羊家的經學態度與觀點，師法今文公羊家闡說「微言大義」的作法，藉《詩三百篇探故》寄寓他個人對國家民族的關懷。是以書名中的「探故」，含有兩層意義：一是探索《詩經》原有的情感思想，一是探索《詩經》古學傳統（經學系統）的精神意涵。所以它的主題文章是〈詩心論發凡〉和〈詩三百篇成書中的時代精神〉。

因此從《讀詩四論》到《詩三百篇探故》的不同，就是在文學觀點的見解表達之外，注入經學的義理與精神。而造成這不同的原因，是八年抗戰的生活經歷，使他對「通經致用」有更深的體會，也更認同公羊學精神。所以再版更名的用意，就在彰顯《詩經》成書中的時代精神。

四　書中內容

（一）〈國風出於民間論質疑〉

這是對「〈國風〉是民歌說」的反駁。自「采詩」說以來，〈國風〉是民歌的說法，由漢經宋至民國，日益風行。但他認為：

> 凡一種階級能為文學上之表現者，其人必有相當素養，與其最低限度
> 之餘裕，而其中必有格格欲吐、務必一傾而快之情感，然後始能見之

---

34 同註6，頁197。

　　於文學。[35]

文學寫作不僅需要深厚的文化教養，也有賴於充裕的生活條件，敏銳、豐富
的情感。而在「禮不下庶人」的《詩經》作品的年代，民間是欠缺滋養文學
成熟的條件。因此提出三項質疑：

1　從文化風尚的矛盾，指出〈國風〉是民歌說的不合理

　　一個時代的文學不僅反映其時代的社會風尚，也反映其時代的文化風
尚。《詩經》以前及其同時的著作，所有出現在鐘鼎簡策的，都是王侯士大
夫的作品，沒有民間的作品，為什麼〈國風〉中只有民間的作品卻不見王侯
士大夫的作品？同理，為什麼鐘鼎簡策中只見王侯士大夫的作品卻不見民間
的作品呢？

2　從語言與生活的脫離，指出〈國風〉是民歌說的不合理

　　人的生活離不開語言，語言與人的生活密切結合，成為人的生活印記之
一。但為什麼大家公認是民間男女情歌的〈關雎〉、〈葛覃〉有不屬於民間生
活的稱謂語言「君子」、「淑女」，有不屬於民間生活的用器「琴瑟鐘鼓」，有
不屬於民間生活的職稱語言「師氏」？

3　從違背文化演進的特性，指出〈國風〉是民歌說的不合理

　　人類文化的發展有由簡而繁、由粗趨精、「後出轉精」的演進特性。可
為什麼近代民歌的表現，反而不如古代民歌的優雅？

　　此外，還舉證西方的研究經驗，如英國學界已證明：

　　民歌者，原來非下等階級之產物及其所有物也。[36]

---

35 同註30，頁45。

36 同註30，頁42。原書資料引自《大英百科全書》「民歌」條（Ballad: Encyclopaedia
　　Britannica, 1929）。

民歌的作者不是一般的民眾；而且丹麥著名的民歌研究者韓德遜在《民歌文學》（T. F. Henderson: Ballad in Literature）中也表明西方學界已放棄「民歌出於民間」說；[37]作為他反駁〈國風〉民歌說的印證。

又根據文獻資料證明〈國風〉是民歌說的虛浮、不可信。

首先依據《國語》「列士獻詩」說的記載，說明當時懂詩的列士都是統治階級的公卿大夫士，證明〈國風〉不是民歌。接著就《毛詩序》和齊、魯、韓三家詩說中所知作者七十九人，考察他們的身分都是統治階級。

其次，為了袪除大家對漢儒說經的疑慮，他去除依傍，採用以詩證詩的方法，直接從詩文中，根據作詩者自說、或以與詩人有關係的人的話、或詩人所歌詠的人，凡涉及地位、境遇、服飾、僕從等，藉由名物章句考察作者身分，確定作者身分是統治階級的有八十篇。再依人情風俗習慣採用類推法，證明〈螽斯〉、〈桃夭〉等共二十篇的作者身分也都是統治階級，總計〈國風〉一百六十篇中有一半以上的作者是統治階級，那麼〈國風〉是民歌說便失去周延性。最後，又自設「七難」以相同的方法論證〈國風〉的作者是庶民，卻無所得。

這是他運用邏輯學的素養，以邏輯推理的方法，從文學、文化學的觀點，多方面取材，從正、反面攻駁，有破有立，證據充足，展現他周密的思慮、嚴謹的邏輯推理。不但直接反駁〈國風〉民歌說，也間接證明一部《詩經》多是統治階級的作品。

（二）〈詩大小雅臆說〉

這主要是探索〈大雅〉、〈小雅〉的得名和分別的問題，並藉以廓清歷來紛爭。

因不滿漢代以來有關〈風〉、〈雅〉以及〈大雅〉、〈小雅〉的分別，眾說紛紜，莫衷一是。他分析問題、參考各種材料，運用邏輯推理的方法，著手

37　同註30，頁42。

解決問題。

　　首先，根據先秦古籍《國語》、《左傳》引《詩》的相關材料，考察它們稱名的情形。發現《國語》、《左傳》凡稱引〈國風〉都稱國名，如〈鄭詩〉、〈曹詩〉、〈衛詩〉等；在《國語》稱引的五篇〈周詩〉中，除一篇逸詩外，有一篇是〈大雅〉，三篇〈小雅〉；而《左傳》稱引的兩篇〈周詩〉，全是〈大雅〉。於是推論：

> 　大、小〈雅〉為周詩，與〈周南〉、〈召南〉等十五國並列，〈風〉、〈雅〉之別，以地論，不以朝廷、風土、體制、腔調論……[38]

十五〈國風〉和二〈雅〉都是地名。因此解決漢代以來有關〈風〉、〈雅〉意涵的爭論。

　　其次，根據方玉潤《詩經原始》卷十討論〈采芑〉中的「入〈大雅〉者，朝廷紀功之作。載〈小雅〉者，草野歌頌之章」的說法，考察詩文，比較〈小雅〉、〈大雅〉的內容，徵考《易經》，並配合參照地下出土金文材料。他發現：

> 　〈小雅〉多言人事，而〈大雅〉多言祖宗，以〈鹿鳴之什〉與〈文王之什〉相比可知。即同一言征伐，〈小雅〉所言者為將士行役之事，而〈大雅〉所言則為命將出征之事……要之〈大雅〉為岐周之詩；〈小雅〉為一般周人之詩，對岐周而言，亦不妨謂為京周之詩。[39]

〈大雅〉是岐周地方的詩；〈小雅〉是豐鎬地方的詩。因周人自稱夏，在岐周興起後，東遷豐鎬。為了分別，稱岐周的周人本族為大夏、東遷豐鎬的周人為小夏。由於雅、夏古代互通，〈大雅〉、〈小雅〉也可稱作〈大夏〉、〈小夏〉。所以〈大雅〉、〈小雅〉都是夏部族的詩。

　　周朝立國之後，大封諸侯，在七十多個諸侯中，同姓諸侯有五十三個。

38　同註30，頁52。
39　同註30，頁57。

他們也是夏人，所以《左傳》有「諸夏」的說法，他們作的詩也稱〈雅〉，這就是《大戴禮》稱〈國風〉中的〈鵲巢〉、〈采蘩〉、〈采蘋〉、〈騶虞〉、〈伐檀〉為〈雅〉的理由。他據此總結說：

> 自周南至豳凡十五國，重以小雅、大雅、周、魯、商，此二十者要皆因地得名，大雅、小雅為大夏、小夏，以夏民族所在之地，舉其部族之名以名其地，更舉其地之名以名其詩也。[40]

並進而推論《詩經》都是周詩，也都是夏部族的詩。

雖然這是從比較的觀點，分析問題，經由旁徵博引、多方取材、詳密的推理所得的結論，但苦於缺乏直接的證明，他自謙的說這只是推測，而以〈詩大小雅臆說〉為名。如今上海博物館所藏戰國楚竹書《孔子詩論》中，〈大雅〉、〈小雅〉正是作〈大夏〉、〈小夏〉，可作為此說有力的佐證。

（三）〈古詩說摭遺〉

這是反駁孔子刪《詩》說，並說明漢儒《詩》說不可信的理由。

自司馬遷《史記・孔子世家》說：「古者《詩》三千餘篇，及至孔子，去其重，取可施於禮義」[41]以來，學界對孔子刪《詩》說的態度就分成贊成和反對兩派。主張孔子刪《詩》說者以《論語》中有孔子引逸詩的記載作論證，而他卻以此作為反對孔子刪《詩》說的證據。此外，他從下列三方面證明：

1 從發生學的觀點，根據目錄、校勘學的知識，分析周秦古書所引「逸詩」中有同篇異名、字句不同的情形，並解釋其成因說：因為《詩經》在春秋十餘國中流傳，靠著眼盲的樂師矇瞍口傳手寫輾轉傳播，傳習既廣，流播又遠，難免因口說筆寫間的失誤，或傳聞異辭，造成詩文異字、異句的現

---

40 同註30，頁7。

41 見瀧川龜太郎：《史記會注考證》（臺北市：文史哲出版社，1993年），頁742。

象。這是《詩經》先天上的特質，與孔子刪不刪《詩》的問題無關。以此破除主張孔子刪《詩》說者的論證依據——逸句、逸詩。

　　2 從時代禮制的觀點，據春秋朝享盟會，列國君臣有賦《詩》言志、引《詩》明志的風氣，如果列席者不能應對，或不能應對得體，就會被人鄙視、嘲笑，視為失禮的表現。而這風氣的形成必在《詩經》已經通行於世、並且所有內容都被各國君臣卿士熟習成為普通常識之後。《左傳》僖公二十三年（635 B.C.）有賦《詩》的記載，這時孔子尚未出生，因此《詩經》早在孔子出生前就已經流行於世。所以《論語》中孔子一再說《詩》三百，但《論語》中也曾引用「逸詩」，這不僅說明孔子沒有刪《詩》，也說明孔子所讀的《詩經》版本，與現今傳世的版本不同。

　　3 從版本比較的觀點，以版本、目錄、校勘學的知識，比較春秋戰國間諸子引《詩》的情形，發現《墨子》也說「《詩》三百」，但《墨子》所引的《詩》，不論是字句、分章，或是篇名，卻與儒家不盡相同，也都與今日傳世的版本不同。進而又發現，不只《墨子》，其他諸子也有類似情形。可見《詩經》不僅是春秋間各國君臣士人必讀的教本，而且版本眾多，儒家所傳習的版本，與其他諸子所用的版本也不盡相同。因此儒家所傳的版本也不是春秋以來通行的標準本。據此證明：《詩經》的成書與孔子無關，孔子刪《詩》說不成立。

　　至於儒家後來為什麼成為《詩》說的權威呢？他的說法是：

　　因為墨家沒落失傳了，加上詩樂不分。而儒家的宗師孔子生在絃歌雅誦盛行、傳習極盛的魯國，自己也好歌善誦，又以詩樂教人，學生受其影響也喜愛歌《詩》、誦《詩》，因而逐漸成為儒家的宗派特色，並以此著名。

　　儒家雖然世代傳習《詩經》，但由於時代的變遷，傳習的重點不同。許多名物制度、文字訓詁、詩作旨意、詩歌作者和詩作由來，在變動的時代中隨著現實功利的選擇而失傳。尤其是戰國以來，許多不瞭解賦、比、興真義的講師，因為不能分辨賦《詩》、引《詩》「斷章取義」的意義與詩作旨意的不同，誤以賦《詩》、引《詩》的意義作為詩作的旨意，牽強附會，致使詩意扞格難通。世代相襲，以訛傳訛。漢儒因嚴守師法、家法的緣故，也沿襲

這些缺失。這是從學術變遷說明漢儒《詩》說不可盡信的理由。

由此可見，他與胡適之等人一樣，都反對孔子刪《詩》說、反對漢儒的《詩》說。但他卻以版本、目錄、校勘學的知識，從發生學、時代禮制、版本比較和學術變遷的觀點分析文獻資料，提出合理的解釋，又與他們相同的說法。

（四）〈詩心論發凡〉

這是從詩歌抒情的觀點，批判漢儒《詩》說的缺失；並從宏觀的文學視角，探索《詩經》中詩人的思想和心理。

他以《毛詩序》「詩者志之所之也，在心為志，發言為詩」——詩是抒發情志的作品——作依據，指出《毛詩序》以美刺、正變說《詩》，不只違背「詩以言志」的本質，所說的也不是《詩》的旨意、詩人作詩的本意。用來說明《毛詩序》的說解不可從。

因為詩是抒情的作品，讀詩就要依據詩文探求詩人的情性，理會詩文的旨意，才能了解詩人寫詩的心意。《詩經》是我國詩歌之祖，只有瞭解其詩人的情性、詩文的旨意、詩人寫詩的心意，才能瞭解後代詩人的情性和心意，進而能瞭解我國民族的心理與思想。因此主張讀《詩》要先拋棄經傳和漢儒四家詩說的解說，直接就《詩》理會。

所以他從文學流變的觀點，比較古今詩歌的不同，解析詩人的情感、思想和心理的差異，進而探討其情感、思想和心理產生的時代、社會等背景，從而凸顯《詩經》詩人的情感、思想和心理的特色；又從世界的角度，比較《詩經》與其他國家民族的詩歌之不同，進而凸顯我民族的特性，彰顯《詩經》詩歌內容的特色。茲依後世常見的三大詩歌主題分別說明如下：

1 以自然為主題的詩

《詩經》以描寫現實人生、抒發日常生活情感為主，沒有專篇以日月、山川、草木、蟲魚等自然風物作為主題描寫的詩作。即使詩篇中偶而有涉及

自然風物的詩句，也都為了表達人物情感的需要，如〈采薇〉的「昔我往矣，楊柳依依；今我來思，雨雪霏霏」，用以代指出征與歸來時的季節；〈出車〉的「春日遲遲，卉木萋萋。倉庚喈喈，采蘩祁祁。執訊獲醜，薄言還歸。赫赫南仲，玁狁于夷」，用以反映凱旋歸來心情的喜悅；〈東山〉的「我來自東，零雨其濛。果臝之實，亦施于宇。伊威在室，蠨蛸在戶。町畽鹿場，熠燿宵行」，用以反映羈旅愁慘的心情；〈氓〉的「桑之未落，其葉沃若」、「桑之落矣，其黃而隕」，都用以比喻容貌顏色。這些不論是融景入情、或是以景寫情、或是人在景中，都達到人景合一的藝術境界。這與魏晉以來放情田園，流連光景的自然詩不同。

　　因為《詩經》作品的年代生活艱難，人們為了滿足生活的需要必須忍飢勞動，盡力耕作，對自然既無非分的想望，也不知感嘆讚美。

　　同時，《詩經》時代的詩人不僅沒有後代詩人阿諛自然的習慣，也不會靜默忍受自然的暴行，如地震、洪水、颶風、旱魃之類。相反的，他們有的敢於指責自然的暴行，如〈瞻卬〉的「瞻卬昊天，則不我惠。孔填不寧，降此大厲。邦靡有定，士民其瘵。蟊賊蟊疾，靡有夷屆。罪罟不收，靡有夷瘳」，指責上天降下災禍，使人民受苦，〈召旻〉的「旻天疾威，天篤降喪。瘨我饑饉，民卒流亡。我居圉卒荒」，指責上天暴虐，致使人民流亡；有的敢於埋怨自然的暴行，如〈正月〉的「瞻彼阪田，有菀其特。天之扤我，如不我克。彼求我則，如不我得。執我仇仇，亦不我力」，埋怨上天的折磨；有的甚至對自然的暴行表達深切的怨恨，如〈雨無正〉的「浩浩昊天，不駿其德。降喪饑饉，斬伐四國。昊天疾威，弗慮弗圖。舍彼有罪，既伏其辜。若此無罪，淪胥以鋪」，怨恨上天降下饑荒，殘害人民。因為上天可以指自然的天，也可以指人間的天。所以他認為這種敢於敵視、罵責、反抗君上、自然的精神，正是我國先民剛毅倔強之氣概的表現。

2 以戀愛為主題的詩

　　戀愛詩是《詩經》中數量最多的詩篇，依彼此關係的不同，他將戀愛的詩分為夫婦間的戀愛詩與男女間的戀愛詩兩類。

　　在夫婦間的戀愛詩中，因夫妻間生活狀態的差異，有描寫夫婦間和諧的
情感生活，如〈雞鳴〉、〈女曰雞鳴〉；有描寫閨中思婦對征夫在外的思念，
如〈伯兮〉、〈君子于役〉、〈草蟲〉、〈出車〉、〈采綠〉、〈卷耳〉；有丈夫已死、
婦人表達生死不二、矢志不渝的情感，如〈鄘風・柏舟〉的「汎彼柏舟，在
彼中河。髧彼兩髦，實維我儀。之死矢靡它」，〈葛生〉的「夏之日，冬之
夜。百歲之後，歸於其居。冬之夜，夏之日。百歲之後，歸於其室」；甚至
有表明生雖相隔、死願同穴的誓言，如〈大車〉的「穀則異室，死則同穴。
謂予不信，有如皦日」。而夫婦間戀愛詩的特色是：思婦懷夫的作品比征夫
懷婦的作品多。這是因為從軍或行役在外，千頭萬緒，百感交集，不必獨言
思婦而思婦之意已在其中，並舉〈東山〉詩「我徂東山，慆慆不歸。我來自
東，零雨其濛。倉庚于飛，熠燿其羽。之子于歸，皇駁其馬。親結其縭，九
十其儀。其新孔嘉，其舊如之何」為例，說明征夫藉由遙想妻子新婚的情
景，表達懷想歸來重逢的喜悅。

　　至於男女間的戀愛詩，依男女情感互動的模式不同，有描寫兩情相悅
的，如〈溱洧〉、〈東門之楊〉、〈防有鵲巢〉、〈月出〉、〈澤陂〉、〈東門之
墠〉；有描寫男悅女的，如〈靜女〉、〈桑中〉、〈采葛〉、〈有女同車〉、〈野有
蔓草〉、〈東門之池〉、〈東門之日〉；還有描寫女悅男的，如〈摽有梅〉、〈芄
蘭〉、〈有狐〉、〈將仲子〉、〈山有扶蘇〉、〈狡童〉、〈褰裳〉、〈丰〉、〈子衿〉、
〈盧令〉。這類詩，以女悅男比男悅女的詩篇多，而〈鄭風〉中女悅男的詩
篇又特別多。這是古代母系社會，女子的地位不下於男子，對歆羨、戀慕的
對象，敢言表達。因此反對儒者以後世的禮教看待《詩經》時代男女純真的
情感表達，也反對以美刺、淫詩評論〈蝃蝀〉和〈氓〉。

3 以戰爭為主題的詩

　　因為古代田獵和行役與戰爭有關。田獵訓練戰技，行役的內容則不限於
從軍出征，官員在外執行業務，也是行役的一種，為方便討論他將田獵詩與
行役詩併入戰爭詩。

　　在田獵詩中，有描寫天子的狩獵，如〈車攻〉、〈吉日〉；有描寫君王的

狩獵，如〈騶虞〉、〈駟驖〉；有描寫貴族的狩獵，如〈叔于田〉、〈大叔于田〉；有描寫獵人的狩獵，如〈還〉等。從中可見當時社會田獵之風的普及與盛行。

　　關於戰爭詩，有寫迫於危亡，出於自衛、求生存不得不整軍抗敵的，如〈六月〉、〈采芑〉等；有寫厭惡戰爭、不樂從軍的，如〈采薇〉、〈出車〉、〈鼓鐘〉、〈漸漸之石〉、〈擊鼓〉、〈破斧〉等；而面對戰爭心無畏懼的，只有寫職業軍人從征的〈無衣〉一篇；至於以戰爭為樂的詩篇卻一篇也找不到。由此可見，我民族愛好和平、不喜戰爭的心理；這與當時日本等軍國主義國家上下瘋狂發動戰爭、殘害民生，以戰爭為樂的心態截然不同。

　　至於行役，雖與戰爭的出生入死、悲生哀死的情形不同。但《詩經》中的行役詩，也常常流露生離死別的憂傷。如〈四牡〉、〈杕杜〉，寫征夫遠別，對父母、家人滿懷的憂慮牽掛；如〈小明〉、〈何草不黃〉、〈北山〉，寫對行役的積慘傷心、怨恨不平；如〈陟岵〉、〈鴇羽〉、〈東山〉寫對行役的徬徨、憂愁、痛苦的情緒。

　　此外，從比較文學的觀點，以《詩經》與世界其他國家民族的詩歌相比，雖也有頌揚祖先的詩篇，如〈文王〉、〈大明〉、〈綿〉等，但與西方民族的長篇史詩相比，便顯得零星片段。大體而言，與西方民族國家相比，我國缺乏描述天堂的神話詩、沒有敘述歷史的長篇史詩，也沒有歌詠英雄美人故事的英雄詩。這是因為我國農業社會，看天生活，水旱蟲害，自然災害多，生產艱辛，收穫難料，因此自古先民都重視人事民生，也因為生活辛苦，所以書寫憂怨的詩篇比抒發歡愉的詩篇多。

　　再就《詩經》中的詩歌內容分類統計，可發現：頌禱長上的詩甚少，而怨詛的詩特多，寫歡愉的詩篇少而寫詛咒的詩篇多。至於描寫女性的詩篇，則以〈邶〉、〈鄘〉、〈衛〉所寫的衛國貴婦人最為幽鬱。

　　由此可知，探求我國民族心理的特質，瞭解我文化的思想，是他研讀《詩經》的目的。

　　此外，他也以古諷今，反映他對時代問題的看法，如：

吾嘗諷誦《詩》三百五篇而覺有不能已於言者，《詩》三百五篇之
中，憂生嘆世之作，不絕於目，然猶未盡至於怨，盡至於怒也。何
則？其人大抵皆統治階級之流亞，生活縱不盡裕，尚未瀕絕境，故
〈權輿〉雖有「不承」之歎，而興嗟猶在「每食」之後。假令全國人
士泰半皆有一飽無時之感，而其人又向無素養，既不能如〈衡門〉之
作者，泌水療饑，怡然自樂，又不甘如〈苕之華〉之作者，鮮可以
飽，自咎其生，則其鬱積之憂思，浸假而為怨毒，浸假而為憤怒，又
浸假而由思想及於行動，如水時至，如火燎原，將何以善其後？形勢
所迫，理無或異，善後之策，此吾之所欲聞也。[42]

運用以古鑑今的手法，表達他憂國憂民的情懷，寄託他愛國愛民的懷抱。而
他這忠誠的愛國心，既不是來自天性，也不是得自後天教育的灌輸，是受他
為國民革命犧牲的三哥朱世濚的精神感召所致。

（五）〈詩三百篇成書中的時代精神〉

　　這是他抗戰勝利後完成的作品，鑑於抗戰時的艱險和危急存亡的經歷，
他藉《詩經》抒發個人的時代感受和愛國情懷。

　　因為他反對孔子刪《詩》說，又要設定《詩經》的成書時代，正是充滿
《公羊傳》成公十六年所說「內其國而外諸夏，內諸夏而外夷狄」式的民族
精神的時代——是以追求諸夏部族的團結，一致抵禦其他外族侵略為使命的
時代，而把《詩經》定為是諸夏部族在對外奮鬥中收集的一部樂歌集。

　　他依據《詩小序》和《列女傳》定刺陳靈公的〈陳風・株林〉和衛定姜
送其娣的〈邶風・燕燕〉作為《詩經》成書的兩個起點上限，也就是以陳靈
公在位的十五年（613-599 B.C.）和衛獻公在位的三十三年（567-544
B.C.），作為《詩經》成書的時間上限的兩個段落。

　　同時，為了定魯昭公十六年《傳》鄭六卿餞韓宣子於郊，宣子說：「二

---

42 同註30，頁126。

三君子請皆賦，起亦以知鄭志」，作為《詩經》還沒有通行定本的依據。就依據「季札出聘，是為了通嗣君」的說法，對魯襄公二十九年《傳》「吳季札聘魯，請觀周樂」的記載表達質疑：

> 如果季札通的是吳王夷末，夷末嗣位在魯襄公二十九年五月，季札六月至魯，先君剛死不久，他竟請觀周樂，怎可在戚責備孫文子「君又在殯而可以樂乎？」如果季札通的是吳王餘祭，餘祭即位於魯襄公二十五年，季札為何二十九年才到魯國呢？[43]

用以否定「吳季札聘魯，請觀周樂」的可信度。又以《論語》孔子有「詩三百」、「誦詩三百」的說法，作為《詩經》已有定本的證據。於是，定《詩經》成書於韓宣子聘鄭之後，其時間恰在孔子壯年或中年，正是盛行《公羊傳》所說的「《春秋》內其國而外諸夏，內諸夏而外夷狄」式的民族精神的時代。而《詩經》一書的旨意，就在彰顯這一民族大義——發揚諸夏部族的團結一心、共同抵禦其他外族侵略的民族精神。

這是他用以反映當時的時代問題與需要，從個人生存現實的經驗感受中，對《詩經》詩旨的投射。也可以說，他是借用今文公羊家以「微言大義」闡說經義的作法和精神，賦予《詩經》適合時代需要的意義與精神。這不僅在舊學精神上賦予新的時代價值和意義，也為文學的《詩經》注入經學的理念，表現他繼往開來的獨特方式。

只是論證稍嫌薄弱，又與前說有所矛盾。

五　結論

《詩三百篇探故》的前身是《讀詩四論》，是朱東潤自學研究的第一本成果，也是他研究《詩經》的心智結晶。茲就上文所論，歸納其特色如下：

---

43 見《六論》，頁127。

（一）明確表示《詩經》的作者身分

關於《詩經》的作者問題，一般都以「非一時一地一人之作」帶過，但是朱氏從首篇〈國風出於民間論質疑〉，在反駁〈國風〉民歌說的同時，也證明〈國風〉的作者多是統治階級；〈詩大小雅臆說〉的最後推論是「《詩》三百篇，皆夏部族之詩也」；〈詩三百篇成書中的時代精神〉說「《詩經》是諸夏部族在對外奮鬥中收集的一部樂歌集」。一再確定《詩經》的詩人是諸夏部族。換句話說，《詩經》的作者是我華夏民族的祖先。因此〈詩心論發凡〉可從探求詩人的情感、思想和心理，進而推求我國民族的特性。所以明確表示《詩經》的作者身分，是朱氏與一般學者不同的地方，也是本書的特色之一。

（二）宏觀的文學視角

《詩經》是文學，是詩歌，這是民國以來《詩經》學界的共識。一般學者多從押韻用韻、修辭方法、表達技巧和詩歌內容、思想等藝術表現上強調其成就。但朱氏卻從文學流變的觀點，比較古今詩歌的不同，解析詩人的情感、思想和心理的差異，進而探討其情感、思想和心理產生的時代、社會等背景，從而凸顯《詩經》詩人的情感、思想和心理的特色；又從世界的角度，比較《詩經》與其他國家民族的詩歌之不同，進而凸顯我民族的特性，彰顯《詩經》內容的特色。因此從宏觀的文學視角評論《詩經》的思想情感和特色，也是本書與其他同類著作不同而獨有的特色。

（三）注重歷史的變遷

朱東潤曾說：「搞文學史研究的人完全有必要知道文學的來龍去脈，要

把任何一段放在歷史中看。」[44]這是說明研究學問要注意歷史的變遷。在探討《詩經》學的問題，如孔子刪《詩》說、漢儒《詩》說等，他都從歷史變遷的觀點說明問題的來龍去脈；在說解以自然為主題的詩歌時，他也從《詩經》作品時代和魏晉以後的社會生活和思想文化的不同，說明《詩經》詩人對自然的描述與魏晉以後自然詩不同的原因；在探討《詩經》戀愛主題中女悅男的詩篇所以多於男悅女的原因時，他也從古代先民生活的社會男女地位和後代講究禮教的社會不同切入。這不僅說明從歷史的觀點審視問題，注重歷史的變遷，是朱氏治學的特色，也是本書的特色之一。

（四）正視女性的情感

在兩性情感議題上，男性的愛情始終被承認、肯定，可是女性卻一直受到不公平的待遇。在《詩經》戀愛主題中，朱氏是民國以來第一個正眼看待女性愛情問題的學者。不僅從古代母系社會女性地位不低於男性，敢於對欣賞、愛慕的對象表達愛意，來說明《詩經》中男女戀愛詩歌的特色；也批評儒者以後世禮教社會的道德識見，以美刺、淫詩評論女悅男的詩篇，或是像〈氓〉和〈蝃蝀〉一類的詩的謬誤。這不僅說明朱氏對時代、社會生活與人情思想有深刻的體會和瞭解，也反映他對人情見識的通達。而公平評論古代婦女的情感生活，正視女性的情感，不僅是朱氏特有的見識，也是本書獨有的特色。

（五）強調當前意識

朱東潤說過：「把文學作品和當前現實聯繫起來，這是我們文學批評裡的優秀傳統。」[45]這是講求研究的當前價值與意義，強調當前的意識。而

---

44 同註6，頁457。
45 見朱東潤：《中國文學論集》（北京市：中華書局，1983年），頁250。

〈詩心論發凡〉中，他以《詩》三百篇的作者，生活還沒有到絕境，但是他當時的現實生活中，人民的生活已經面臨絕境，於是呼籲執政者應當考慮怎樣善後的問題。這就是用以古諷今、以古鑑今的手法，寄寓他憂慮社會民生的情懷，表達他對國家政治的關心，也是強調當前意識的表現。而這講求研究的當前價值與意義，強調當前的意識，不只是朱氏治學的特質，也是本書的特色之一。

以上是《詩三百篇探故》在民國以來同類著作中，表現最鮮明的特色。

另外，大概因為曾經前後兩次增改，也有前後不一的缺失：如在〈古詩說摭遺〉中說「《左傳》僖公二十三年（635 B.C.）有賦《詩》的記載，這時孔子尚未出生，因此《詩經》早在孔子出生前就已經流行於世」，卻又在〈詩三百篇成書中的時代精神〉裡說「（《詩經》）底成立恰在孔子壯年或中年」；既已在〈詩心論發凡〉前段中批判漢儒以美刺說《詩》違反詩歌抒情的本質，卻又在其中後段說解「頌揚長上之詩甚少，而怨詛之詩特多」時，說「漢儒論詩，好言諷刺，《詩》三百五篇之中，刺詩正不少也」；說《左傳》、漢儒四家詩的說解不可信，卻取《左傳》、漢儒四家詩的說解作為論證的依據；說讀《詩》要捨棄經學的觀點，卻用《公羊傳》「《春秋》內諸國而外諸夏，內諸夏而外夷狄」說明《詩經》的時代精神等。

雖然有上述瑕疵，但瑕不掩瑜，《詩三百篇探故》仍是民國以來《詩經》研究中，極有見地和特色的著作之一。

二十世紀二、三〇年代詩經學的
接受與影響
——以蔣善國《三百篇演論》為考察中心

邱惠芬

長庚科技大學通識教育中心副教授

一　前言

在國故整理及疑古思潮的時代背景下，二十世紀二、三〇年代的經學發展，面臨了趨新疑古的重建局面。嘗試將中國學術納入世界學術的一部分，借重西方民主、科學的方法態度，以世界的眼光及學術標準來觀照及重估中國治學的內容題材及方法，既是當時學人亟待與國際接軌的迫切要求，也是學術演進中破舊立新必然的努力。也因此，隨著實證主義科學與多元思潮被引進、學術分科後經史學的分化、公開討論學術的風氣、讀經廢經的對話辯證，甚至於各大學國學院、中央研究院的成立，以及上海新文化中心的形成、出版事業的勃興等事實表現，都可以看出不論是學術環境、知識結構還是知識分子的思想觀念，顯然都與過去傳統學術迥異，並發生了根本上的轉化。

而受到進化論的影響，史學躍居於學術主導地位，經學被邊緣化。經學中蘊涵獨特古史觀念的《詩經》，由於被視為中國最古、最具歷史價值的史料，加上新文化運動中倡導民間文學、平民文學，〈國風〉歌謠性質以及〈雅〉、〈頌〉史詩的元素，備受矚目。此時的研究表現形式，除了採用專

書、論文有系統條理地深入探討某一議題之外，由於各中等以上學校陸續開設概論式的課程，促成學界與出版界兩相結合，編印了深入淺出、指點治學門徑的概論、教科書，其中更不乏以及從演變進化的觀點研究《詩經》的專著，例如謝無量《詩經研究》、蔣善國《三百篇演論》、胡樸安《詩經學》、金公亮《詩經學 ABC》以及徐英《詩經學纂要》等。過去學界對於詩經學專著的研究，僅有夏傳才《二十世紀詩經學》第三章〈現代詩經學的創始期〉的「《詩經》基本問題概說[1]」、陳文采《清末民初詩經學史論》第二章第四節「詩經的通讀與概說[2]」等略為論及民國《詩經》研究史演變，他如胡義成〈《詩經》研究中傳統方法的終結──蔣善國先生《三百篇演論》讀後側記〉[3]、王琳《詩經學注》[4]、朱敬〈從《詩經學》看胡樸安的治學方法〉[5]等專論，則從個別專著進行說明。雖然這些詩經學專著的內容趨於普泛，但其時代意義價值與書寫範式的影響，卻不容忽視。

　　故此，本論文將針對二十世紀二、三〇年代詩經學專書發生的背景、撰著的目的、書寫策略及內容接受與影響，進行探討，並以蔣善國《三百篇演論》為考察中心，梳理專書立論中如何吸納國故運動及古史辨對傳統詩經學開出的批判論點，以及對後世詩經學研究之流播影響，以彰顯號稱「經學終結時代」的詩經學專書之時代意義與價值。

二　詩經學史專書發生的背景

　　有關二、三〇年代詩經學研究的總體概況，夏傳才根據時代背景及《詩

1　夏傳才：《二十世紀詩經學》（北京市：學苑出版社，2005年），頁111-114。

2　陳文采：《清末民初詩經學史論》（新北市：花木蘭文化出版社，2007年），頁246-255。

3　胡義成：〈《詩經》研究中傳統方法的終結──蔣善國先生《三百篇演論》讀後側記〉，《贛南師範學院學報》第3期（1992年）。

4　王琳：《詩經學注》（南寧市：廣西大學碩士論文，2013年）。

5　朱敬：〈從《詩經學》看胡樸安的治學方法〉，《淮北煤炭師範學院學報》（哲學社會科學版）第 28卷第6期（2007年6月）。

經》研究的特點，認為清末民初是傳統《詩經》學衰退和出現革新萌芽的時期，五四新文化運動則是進入現代《詩經》學的歷史時期，三〇到四〇年代乃現代《詩經》學的建設時期。在這時期中，詩經學所開展的文學和史料研究的宏觀視野，以及方法上的創新[6]，除了時代因緣，也和詩經學內在的發展規律有關。

　　一九一九年新文化運動求新求變的意識，催化長期與現實生活疏離的傳統經學，必須積極地回應時代的潮流，甚而開拓嶄新的研究範式。影響所及不僅衝擊學術界的研究環境及教育體制，也深深撼動學人治學的心態。尤其歸國學人紛紛引進多元自由的西方思潮，辦報、譯介理論叢書，對傳統社會進行批判、反省與重建，也同時改革及開展新式教育，學術更面臨分科演進，在國故整理標榜「以科學方法整理國故」的口號下，不盲從、不迷信、實事求是的科學精神，從經史子集到民俗歌謠的研究題材，專門學科的治學方法、目的以及形式，都有別開生面的面貌，對當時學人的研究態度無疑更是一大轉捩點。

　　考察二十世紀二〇、三〇年代的《詩經》研究，表現形式有專著及論文二種，其主題內容涵蓋了《詩經》的基本問題，結合社會文化史、民俗人類學、文學歌謠、出土材料等多元領域的研究，以及詩經學通俗概論、教科書的出版等。其中，詩經學通俗概論、教科書的內容，因缺乏詳細論證，向來被視為學術價值不高，而鮮少受到關注，但這些試圖以宏大的進化史觀來縱覽《詩經》研究的著作，事實上，對後世詩經學的研究開展，具有相當的意義價值。茲就整理國故與經學史學化、學術分科與讀經廢經的對話、古史辨對《詩經》文學歌謠的闡釋、新型文化產業與《詩經》概論的出版等線索，論述二十世紀二〇、三〇年代詩經學專書發生的背景。

6　詳見註1，頁84。另外，白憲娟析分二、三〇年代《詩經》學研究的總體概況有六：第一，反撥《詩經》的經學性質，確立其文學本位原則，並展開對《詩經》的文學和史料價值的探究；第二，新舊雜陳，以新為主的研究局面；第三，大氣開闊的研究視野；第四，動態、急劇的研究態勢；第五，方法論的自覺與創新；第六，學術思維絕對、片面的偏頗。詳見在《二十世紀二、三〇年代的詩經研究——以胡適、顧頡剛、聞一多詩經研究為例》（濟南市：山東師範大學碩士論文，2006年），頁19-24。

（一）整理國故與經學史學化

　　一九一九年成立的「國故社」及其創辦的《國故》月刊中，劉師培、黃
侃、陳漢章等提出昌明中國故舊學術的「整理國故」主張。其後，胡適〈新
思潮的意義〉指出「若要知道什麼是國粹，什麼是國渣，先須要用評判的態
度，科學的精神，去做一番整理國故的工夫。」並具體提出「研究問題，輸
入學理，整理國故，再造文明」四大方向[7]，對國故研究的方法，採用「寧
可疑而錯，不可信而錯」亦即先疑再說的態度。在重新估算清儒三百年的經
學成績後，胡適批判其為「狹陋的門戶之見」，而標榜乾嘉考據方法與西方
科學方法。

　　在〈國學季刊發刊宣言〉中，胡適更揭示「國學的方法是要用歷史的眼
光來整理一切過去文化的歷史。國學的目的是要做成中國文化史。」亟待以
此統整一切材料及破除門戶畛域。吳宓〈研究院發展計畫意見書〉一文也說
明這種以中國文化史為國學「總系統」的看法，基本上和顧頡剛「整理國
故，即是整理本國的文化史，即是做世界史的一部分的研究」的論點是一致
的[8]。因此，他檢討清華國學研究院發展方向時，也提及整理材料是為研究
國學的兩大目標之一，而整理材料的目的就是要「探求各種制度的沿革，溯
其淵源，明其因果，以成歷史的綜合」，所以他把撰成中國文化史和各種專
史當成是整理國學的最終目標，梁啟超《中國文化史》的體例便是他認為最
好的書寫範式[9]。

　　誠如王汎森〈民國的新史學及其批評者〉所說，胡適提倡的整理國故運
動有兩個要點，第一是「歷史的眼光」，第二是「學術的態度」[10]。所謂歷

7　胡適：〈新思潮的意義〉，《新青年》第 7 卷第 1 號（1919 年12月）。

8　顧潮：《顧頡剛年譜》（北京市：中國社會科學出版社，1993年），頁97。

9　吳宓：〈研究院發展計畫意見書〉，《清華週刊》第24卷第4期（1925年3月19日），頁
　　215-217。

10　王汎森：〈民國的新史學及其批評者〉，收入羅志田編：《二十世紀的中國：學術與社

史的眼光，就是無論研究什麼東西，都從歷史方面著手，尋出因果關係、前後關鍵的系統[11]，至於態度，則是民主與為學問而學問的態度[12]。這種期以透過現代科學方法來解喻傳統，建構符合現代學術觀點的系統化知識，儘管因為不同學者對於國故價值的重估與文化的反思，在國故本身的複雜性以及研究者的態度、整理方法的差異上，有所衝突及爭議，但卻也在彼此的對話、駁難中，使得整理國故的思路愈加明朗化[13]。薛其林《民國時期研究方法論》即指出，五四時期是民國時期研究方法新範式的確立時期，而新範式的確立標志，為：走出經學時代、顛覆儒學中心、標舉啟蒙主義、提倡科學方法、學術分科發展、中西會通創新等[14]。

若此，整理國故亦即整理本國的文化史，目的是為了納入世界史的一部分。於是，秉持著歷史進化論的原則，民主且科學地檢視傳統的經學研究，便不免要去聖化及剝除墨守家法的習氣。傳統學術根柢的經學，遂面臨了裂解及轉型。這除了外緣的環境因素，內部學術的問題也是造成經學史學化的重要關鍵。陳寅恪云：

> 獨清代之經學與史學，俱為考據之學，故治其學者，亦並號為樸學之徒。所差異者，史學之材料大都完整而較備具，其解釋亦有所限制，非可人執一說，無從判決其當否。經學則不然，其材料往往殘闕而又寡少，其解釋尤不確定，以謹願之人，而治經學，則但能依據文句，

會‧史學卷》（濟南市：山東人民出版社，2001年），頁41。

11 詳見劉龍心：〈學科體制與近代中國史學的建立〉，收入羅志田編：《二十世紀的中國：學術與社會‧史學卷》（濟南市：山東人民出版社，2001年），頁558。

12 同註10，頁35。

13 周淑媚指出，在通過整理國故向傳統進行批判重估時，復古派的學者老調重談，致使社會上湧現各式各樣的國學機構。而在話語權力的角逐下，新文化派便藉整理國故的潮流當頭，借機為國學正名或強調整理國故的必要性、現實性，予以批判質疑。然而卻也在相互對話、駁難的過程中，整理國故的思路愈來愈清晰。詳見〈學衡派與新文化運動者的多重對話〉，《東海中文學報》第17期（2005年7月），頁142。

14 薛其林：《民國時期研究方法論》（長沙市：湖南師範大學博士論文，2001年），頁39、49。

各別解釋，而不能綜合貫通，成一有系統之論述。以誇誕之人而治經
學，則不甘以片段之論述為滿足。因其材料殘闕寡少及解釋無定之
故，轉可利用一二細微疑似之單證，以附會其廣泛難徵之結論。其論
既出之後，固不能犂然有當於人心，而人亦不易標舉反證，以相詰
難……往昔經學盛時，為其學者可不讀唐以後書，以求速效，聲譽既
易致，而利祿亦隨之，於是一世才智之士能為考據之學者，群舍史學
而趨於經學之一途。其謹願者既止於解釋文句，而不能討論問題；其
誇誕者又流於奇詭悠謬，而不可究詰。雖有研治史學之人，大抵於宦
成以後，休退之時，始以餘力肄及，殆視為文儒老病銷愁送日之具，
當時史學地位之卑下若此，由今思之，誠可哀矣。此清代經學發展過
甚，所以轉致史學之不振也[15]。

由上可知，經學與史學的研究，因治學材料、詮釋立論觀點還是研究者的心
態習氣的不同，往往呈現迥異的成果與態勢。而隨著時代世變流轉，經學研
究淡出消解成不同學術分科。當經學走向終結衰落，史學反而得以從傳統經
學的羈絆中掙脫出來。如同張越〈五四時期史學：走出經學的羈絆〉文中指
出，現代史學建立的前提之一就是走出經學的羈絆，用史的觀點和方法對待
經學，而不是用經的思想和義例束縛史學[16]。至於經學史學化的結果，雖說
經學時代看似走向終結，但實則因經學「史」的研究，而得以延續發展。

（二）學術分科與讀經廢經的對話

一九○二年清廷頒布的〈欽定京師大學堂章程〉中，突破「中體西用」
的窠臼而確立西方學科的知識分類體系。其經學、政法、文學、格致、農、
工、商、醫等八科中，經學與其他學科等齊而觀。其後，一九一二年頒布的

---

15 陳寅恪：〈陳垣元西域人華化考〉，《金明館叢稿二編》（臺北市：里仁書局，1981
　年），頁238。
16 張越：〈五四時期史學：走出經學的羈絆〉，《史學理論研究》2002年第3期，頁57。

〈大學令〉，則分成文、理、法、商、醫、農、工七科，取消了經學科。一九一五年起北大校長蔡元培後展開一系列改革，直至一九一九年設立哲學、中文、史學等十四個系，過往文史哲不分的「通人之學」，從此邁向現代分科性質的「專門之學」，經學儼然在現代學科體系中沒有了位置[17]。

而從學術史的角度來看，傳統經學遭遇西方學術的衝擊，力求新變的學者與時代趨勢，不得不對中國傳統中經學產生懷疑。於是被視作幾部書結集的經學，在近代西方學術分類的眼光分析下，《詩經》屬於文學，《尚書》、《春秋》屬於史學，《易經》屬於哲學，《儀禮》則屬於史學與社會學[18]。

此外，隨著學術分科後，經典價值的辯證引發了討論熱潮。一九一二年蔡元培在〈對於教育方針之意見〉中，具體闡述以五育為核心的新教育理念以及陸續公布一系列學校令。其壬子癸丑學制在課程上最大變化，是廢除中、小學讀經科，將經學內容分散到文科的哲學、史學、文學三個學門。對於廢除讀經這件事，嚴復等人持相反的態度，他站在世界文明的高度，肯定六經的作用。其後，袁世凱為了替復辟尋找合理，而倡導尊孔祀孔，恢復讀經。一九一五年〈特定教育綱要〉規定中小學校均加讀一科經，如初等小學讀《孟子》，高等小學讀《論語》，中學節讀《禮記》、《左氏春秋》，大學設立經學院，專門以闡明經義、發揚國學為主。一九二三年章太炎主辦《華國》月刊，倡導尊孔讀經，一九二七年中華民國大學院通電各教育機關廢止祀孔，一九二八年十一月五日孔教會要求全國學校一律添習經學，但遭國民政府教育部委婉拒絕，其後又變相讀經。一九三四年二月所發起的新生活運動中，全國奉命舉行孔子誕辰紀念典禮，一九三五年《教育雜誌》主編何炳松則廣泛徵詢全國教育界及關注教育的專家學者讀經意見，編成全國專家對於讀經問題的意見專輯呈現特點，結果顯示支持（反對）讀經者居多、對經的價值總體肯定者居多、支持中小學讀經節本者居多、主張切近生活讀經者

---

17 詳見袁曦臨、劉宇、葉繼元：〈近代中國學術譜系的變遷與治學形態的轉型〉，《學術界》總第134期（2009年12月21日）。

18 洪明：〈讀經論爭的百年回眸〉，《教育學報》第8卷第1期（2012年2月），頁2-6。

居多、支援分散讀經者居多[19]。

　　一九二五年十一月二十七日魯迅激進地指出，中國的滅亡是因為過去習慣教養的僵化固陋，以致於無法適應新環境，所以，讀經不足以救國，不如讀史還能得到些進化的思想。胡適〈我們今日還不配讀經〉、〈讀經平議〉二篇文章，也針對傅斯年一九三五年四月七日在學校讀經問題的討論提出看法主張[20]。基本上，在高舉新道德、新文學的新文化運動中，否定經書文言表述的形式，企圖以白話來翻譯經書，破除過去似懂非懂的明盲自欺，讓讀經更貼近大眾生活。

（三）古史辨對《詩經》文學歌謠的闡釋

　　在倡導民主精神及科學方法的環境氛圍下，顧頡剛提出的「層累地造成的中國古史」乃國故整理與古史辨運動力圖還原真史的核心議題。這種懷疑與求證的態度，影響並促進《詩經》研究的現代化進程。誠如謝中元〈論古史辨派《詩經》研究的詩學取向、價值與缺失〉一文中指出：

> 《詩經》在去經典化的宏觀指向下，對《詩經》進行了本文釋讀，這就是對《詩經》文本的最大還原。古史辨完全衝破經學桎梏，開啟了現代《詩經》學的大門，也就是從一般詩歌、歌謠的角度全面闡釋《詩經》，這關係到《詩經》闡釋範式的轉變：解構政教經典，還原《詩經》的文學面目。其詩學價值正是通過古史辨派的闡釋來指認的，解除了經典性的《詩經》就不是脫離現實需要的、僵化的政治說教和道德說教等純粹的形式，而成為文學典範[21]。

19　何炳松：《教育雜誌》第25卷第5期（1935年5月10日）。

20　傅斯年：〈論學校讀經〉，收錄於《大公報》146號（1935年4月7日）、胡適：〈我們今日還不配讀經〉，《獨立評論》第146號（1935年4月14日）、魯迅：〈十四年的讀經〉，《猛進》第39期（1925年11月27日）。

21　謝中元：〈論古史辨派詩經研究的詩學取向價值與缺失〉，《廣東教育學院學報》第27卷第2期（2007年4月），頁74。

當古史辨解構傳統《詩經》的經典性質，重構其歷史價值和文學身份，不僅強調了《詩經》歌謠的平民文學定位，也發掘《詩經》上古社會的材料關鍵。

此外，胡適宣導《詩經》整理最為切近的意圖，是為了普遍提供年輕學子易讀通俗的需要。而這代學人通過對《毛詩序》的批判和對孔子刪詩等問題的探究，來實現對《詩經》經學性質的徹底反叛。其中，又以鄭振鐸《讀毛詩序》最具代表。去聖化的《詩經》，文學價值大為提高，多數學人多從民間歌謠集、文學鑑賞、詩歌的形式、聲韻等結構，進行探究。

（四）新型文化產業與詩經學專書的出版

王汎森在〈民國的新史學及其批評者〉一文中，指出胡適提倡以平民的眼光對治學的題材及治學的材料，產生了解放與擴大的作用。當他們在重估傳統、重新定義「文化」時，已由過去的精英文化變成歷代平民百姓日用習聞的東西[22]。例如過去為莘莘學子科考所發展出來的一些參考用書，以傳統文化精英的角度來看是投機取巧的專書，但從胡適《國學季刊》的〈發刊宣言〉，卻可看出這些教科書正是胡適所提倡的「結賬式研究」。學人在當時的學術環境下，對於科舉時代「投機書商」及應考士子的參考書，大致予以肯定。

同時，在北大國學門與「古史辨派」的共同推動下，「整理國故」運動迅速高漲。於是全國各大學文科紛紛成立國學研究機構，高級中學普遍開設「國學概論」課程。

值得一提的，是新型文化產業與詩經學專書出版的關係。二〇年代中國新文學中心的南移上海，文化規劃與企業生產得以有機結合。出版業者在考慮企業的生產經營時，同時根據整個社會文化發展的趨勢，制定出版計畫，通過出版和發行新的文化讀物。周武在〈論民國初年文化市場與上海出版業的互動〉一文中，提出正視教科書市場和啟蒙讀物市場，深刻地改變了上海

---

22 同註10，頁47-50。

乃至全國的文化市場[23]，尤其是中華書局陸費逵編輯出版《中華初等小學國文教科書》，在其《中華書局宣言書》中聲稱「國立根本，在乎教育；教育根本，實在教科書」，鼎故革新教科書，而將中華教科書推向激烈的市場競爭。

其間，商務印書館一方面以學制變更為契機，大規模地組織出版中小學教科書及各種輔助讀物，另一方面又組織出版大量的中譯西書和普及傳播各種新知新學。一九○二年張元濟加入後，便組織出版政學、歷史、財政、商業、地學、戰史、傳記、哲學等一系列叢書，以及各種中外文辭書、雜誌刊物，為新知新學的普及傳播，推波助瀾。此外，商務還把出版重心轉到國內外最新學術著作的出版和善本古籍的影印，先後組織出版了《世界叢書》、《共學社叢書》、《文學研究會叢書》、《萬有文庫》，以及《涵芬樓秘笈》、《續古逸叢書》、《四部叢刊》等等，為現代中國學術文化的積累、形成和發展做出了突出的貢獻[24]。

三　詩經學命題及書寫目的策略

（一）詩經學命題

「詩經學」此一命題的提出，最早見於胡樸安《詩經學》一書。其云：

> 吾人研究《詩經》之目的，不僅在於文章一方面，而歷代研究《詩經》者，亦皆不由文章一方面發展。所以詩經學這個名詞，實嫌籠統，而無成立之價值。然則茲編仍名《詩經學》何也？不得已而名之也。中國學術分類，為編者所�。當茲學術改革之際，新者尚未成立，則舊者自不能遽廢，故仍以《詩經學》

23　周武：〈論民國初年文化市場與上海出版業的互動〉，《史林》第6期（2004年），頁2。

24　楊揚：〈商務印書館與二○年代新文學中心的南移〉，《上海文化》第1期（1995年版），頁12。

名之：一方面為舊者之結束，一方面可為新者之引導也。

在他看來，命名「詩經學」三字，是因為處於學術改革之際，新學尚未完全成立，舊學又不能斷然切割的情形，不得已的一種權宜性命名。基本上，對於這個名詞，他嫌過於籠統，且沒有成立的價值。

儘管如此，他仍對「詩經學」的範疇進行了界定，其云：

> 詩經學者，學也。學也者，以廣博之徵引，詳慎之思審，明確之辨別，然後下的當之判斷也。所以《詩經》學者，非《詩經》也。《詩經》者，古書之一種。詩經學者，所以研究此古書者也。凡關於《詩經》之種種問題，以徵引、思審、辨別、判斷之法行之……
>
> 詩經學者，關於《詩經》一切之學也。《詩經》本身，僅三百篇而止。《詩經》一切之學，即歷代一切治《詩經》之著作是也。《詩經》之本身，除文章學外，無他學術上之價值。《詩經》一切之學，授受異而派別立，派別立而思想歧，思想之影響於時代，社會道德之變遷，國際政治之因革，皆有關係焉。所以詩經學，一為研究《詩經》時代之思想，一為研究《詩經》者各時代之思想，而並求思想之變遷之際。詩經學者，關於《詩經》一切之學，按學術之分類，而求其有統系之學也。學術之分類，當於學術上有獨立之價值。《詩經》一切之學，包括文字、文章、史地、禮教、博物而渾同之，必使各各獨立；然後一類之學術，自成一類之統系。詩經學者，依《詩經》一切之學，分歸各類，使有統系之可循。所以詩經學，一為整理《詩經》之方法，一為整理一切國學之方法[25]。

由上可知，凡《詩經》一切之學即「詩經學」的範疇，其條件有三：

第一，《詩經》是古書的一種，「詩經學」並非《詩經》。詩經學則是在研究這本古書的學問。舉凡關於《詩經》的種種問題，皆須廣博的徵引，詳慎的思考，明確的辨別，然後下判斷。而判斷妥當的與否，則端賴辨別的功

25　胡樸安：《詩經學》（臺北市：臺灣商務印書館，1988年），頁1-3。

力；辨別是否明確則仰賴詳審思考的才力。

其次，詩經學是關於《詩經》的一切學問。《詩經》的本身，僅有三百篇。《詩經》的一切學問學術，即歷代研治《詩經》的著作都包括在內。《詩經》的本身，除了文章學之外，並無其他學術上的價值。《詩經》一切的學術淵源與傳授，因不同派別的說法而有不同的思想。思想影響時代，社會道德的變遷，國家政治的因革，都和他脫離不了關係。

第三，學術分類應當求其有統系，並具有獨立的價值。所以，詩經學是《詩經》一切之學，其包含了文字、文章、史地、禮教、博物等，都是各自獨立的學術，應當自成一類有系統的學問。

顯然，胡樸安《詩經學》一書的分章分類方式，是將過去傳統研究《詩經》渾然雜糅文字、訓詁、考證、史地等，細分出來，獨立成科。提供研究《詩經》的人更明確的條綱。其鉤稽詩經學研究方法則分四項：搜集材料、分別精粗、辨析門類、依類編纂[26]。

納秀豔〈詩經學與詩經學史芻議〉文中，指出詩經學應是以研究《詩經》的本體研究為核心，以及相關基本問題為重要內容，並對詩經學上的《詩經》研究著作和研究學派予以觀照，以探究詩經學的發展演變規律的一門學科。至於詩經學的核心，則有二方面：即研究《詩經》時代之思想與研究《詩經》者各時代之思想，以及探究各個時代思想的變遷之際，值得後學者借鑒之處。因此，詩經學涵蓋的範圍，應包括《詩經》的產生、結集、流傳等本體問題；研究《詩經》的語言、音韻、義理、性質、特點、表現手法並闡釋其思想性、文學性、意蘊等基本問題；研究歷代《詩經》學術著作和學派思想等[27]。

若此，凡《詩經》一切之學皆可謂詩經學。詩經學史即研究《詩經》一切之學的歷來成果、方法等優劣得失。

---

26 同註5，頁15。
27 納秀豔：〈詩經學與詩經學史芻議〉，《西華師範大學學報》（哲學社會科學版）2013年第5期，頁75。

（二）二十世紀二、三〇年代詩經學史的書寫目的策略

1　謝無量《詩經研究》

　　一九二三年出版的謝無量《詩經研究》，是最早倡導《詩經》當作文學作品向讀者介紹的概說。作者試圖運用文學研究的模式，介紹《詩經》成書、時代背景、史實考察、思想評析、藝術探討，來反映《詩經》學的轉型[28]。全書分成五章，第一章總論《詩經》的來歷、義例及詩序與篇次、流傳及主注的研究；第二章論述《詩經》與當時社會之情勢，其包含了古代固有的思想、國家制度、家族禮制等；第三章則是考證《詩經》中周室、邶鄘衛、鄭、齊、晉、秦、陳、檜曹等地的歷史；第四章、第五章則分別闡述《詩經》的道德觀、文藝觀。

2　胡樸安《詩經學》

　　一九二八年出版的胡樸安《詩經學》一書，分解傳統《詩經》學，介紹了《詩經》一些基本問題及流傳和研究的歷史，並略述《詩經》中的文字訓詁、文章、史地、博物等學科研究。此書總共二十一節，共分四部分：自命名、原始、作詩采詩刪詩、大序小序、六義、四始、詩樂、詩譜、三家詩計九節，係《詩經》之本身，俾學者由此可略知《詩經》之大旨。自讀詩法、春秋時之賦詩及群籍之引詩、兩漢詩經學、三國南北朝隋唐詩經學、宋元明詩經學、清代詩經學，計六節，係《詩經》學，俾學者由此可略知歷代《詩經》學之變遷。自詩經之文字學、詩經之文章學、詩經之禮教學、詩經之史地學、詩經之博物學，計五節，係以編者對於中國學術分類之方法，依類分析《詩經》，俾益學者由此可得自行研究的便利。

　　胡氏撰述此書的目的，主要在為學者提供一個研究詩經學的方法，希望學者在自修時，除了諷詠傳統傳注的《毛詩正義》（十三經注疏本）、《詩經

28　同註1，頁113。

傳說彙纂》（御纂七經本），詳觀註解，了解大義後，能將本書鉤稽的這類學術分類中的文字訓詁、文章、史地、博物等學科領域，視為中國學術的一部分，進行統貫研究，以避免籠統漫無歸宿的弊端[29]。

3 蔣善國《三百篇演論》

　　一九二一年蔣善國在南開大學讀一年級，適逢北京大學成立研究所國學門，招考研究生。蔣先生以他中學三年級時所選編之《詩今選》、《中國詩選》、《中國文藝叢選》取得資格，入國學門，主要研究《詩經》。南大三年級之時，他上交研究論文《三百篇演論》，獲得北大研究所國學門研究生畢業證書。由於蔣氏曾擔任梁啟超在清華國學研究院的助教，自然頗受梁氏啟發[30]。

　　一九三一年出版的蔣善國《三百篇演論》一書，作者將全書分成八篇，旁徵詳引資料，用以整理及論述《詩經》的意見。蔣善國取消《詩經》的名稱，而以《三百篇》為書名，夏傳才認為是較有創見一本概論[31]。

　　此書係將《三百篇》各方面所關屬之問題，分成八篇，給以歷史和客觀的序述。撰著期間為民國十年夏天二個月脫稿；十二年春天略加整理；十五年冬天又費時半個月，大加修改。此書曾蒙王國維、梁啟超二位先生相繼閱正。然王靜安辭世，惜未獲見全書問世。蔣氏撰著此書，以《三百篇》為名，不書《詩經》一名，主要對於一般學者將《三百篇》視為經，而不與後世的詩同一看待。在他看來，《詩》雖未亡而實亡。他認為：

> 《詩》在周時已成為政教化；上以之化下，下以之事上，竟成了一部
> 政治倫理學。後世學者，為之訓詁，為之箋注，為之正義，為之集
> 傳，自有詩以來，也沒有像關於《三百篇》著述這麼多的。《三百

29　同註25，頁3。

30　楊樂：《蔣善國先生漢字學思想研究》（長春市：東北師範大學碩士論文，2013年），頁3。

31　同註1，頁114。

篇》不但是受了德教化，而且還受了政治化了。《三百篇》所以流傳
於今的，由於德政化；三百篇所以把文學的價值埋沒的，也由於德政
化。所以我把詩經這個名字取消，採取《三百篇》這個名字，使研究
他的人一看見這個名字，如同看見《唐詩三百首》一樣，慢慢的就把
《三百篇》本來的面目——詩——收復回來；那蒙蔽《三百篇》的觀
念——經，漸漸的也就可以歸化於無何有之鄉[32]。

因為「德政化」使得《三百篇》流傳至今，但同時卻也埋沒了《三百篇》的
文學價值。所以，他採取《三百篇》為名，就是要「使研究他的人一看見這
個名字，如同看見《唐詩三百首》一樣，慢慢的就把《三百篇》本來的面目
收復回來；那蒙蔽《三百篇》的觀念——經——漸漸的也就可以歸化於無何
有之鄉」[33]。

　　至於本書「演論」二字，主要依據歷來研究《詩經》本身、《詩經》學
等，加以推論、發揮。

4　金公亮《詩經學ABC》

　　一九二九年出版的金公亮《詩經學ABC》一書，全書分成十三章，內
容涵括：《詩經》的來歷、年代、作者、六義、正變、六義、正變、大小
雅、四始詩序、篇目次第、孔子與《詩經》、詩與樂、詩經學的流派、詩經
的價值和讀法、參考書舉要等。

　　此書乃作者從前在天津教書時的《詩經》講稿，從各方搜集的材料，隨
時就按類記在一本小冊子裡，因為功課忙，沒有時間編講義，講時是叫學生
筆記的。後自海外歸國，才發願寫成。對於詩經的主張，他自述頗與朱熹、
鄭樵、崔述相近，在本書中頗多採用他們的見解，但又不完全一致。他並以
為研究《詩經》應該要有崔述的精神，要打破偶像，凡前人陋解，〈序〉文
謬說，一概屏棄，就詩言詩，求其會通，如此所得，即非真理，總還不失為

---

32 蔣善國：《三百篇演論》（臺北市：臺灣商務印書館，1969年），頁2。
33 同註32，頁2。

一家之言；若一為舊說所困，便終身不能自拔了[34]。

　　由於本書是《ABC叢書》其中一部。序言中揭示《ABC叢書》發刊旨趣，云：

> 西文ABC一語的解釋，就是各種學術的階梯和綱領。西洋一種學術都有一種ABC…我們現在發刊這部《ABC叢書》有兩種目的：第一，正如西洋ABC書籍一樣，就是我們要把各種學術通俗起來，普遍起來，使人人都有獲得各種學術的機會，使人人都能找到各種學術的門徑。我們要把各種學術從智識階級的掌握中解放出來。散遍給全體民眾。《ABC叢書》是通俗的大學教育，是新智識的泉源。第二，我們要使中學生大學生得到一部有系統的優良的教科書或參考書。我們知道近年來青年們對於一切學術都想去下一番工夫，可是沒有適宜的書來啟發他們的興趣，以致他們求智的勇氣都消失了。這部《ABC叢書》，每冊都寫得非常淺顯而且有味，青年們要看時，絕不會感到一點疲倦，所以不特可以啟發他們的智識欲，並且可以使他們於極經濟的時間內收到很大的效果。《ABC叢書》是講堂裡實用的教本，是學生必辦的參考書。

由上可知，《ABC叢書》的通俗性的學術著作，其目的在於讓每個人都可以有機會領略學術的內涵，並找到各種學術的門徑，既是大學教育新智識的泉源，也是中學、大學學生有系統的優良的教科書或參考書。

5 徐英《三百篇纂要》

　　一九三六年出版的徐英《三百篇纂要》一書，作者在序言中，指出：

> 三百篇為中國文學之淵海。自七十子之徒傳之，而詩教日廣。漢宋經說，甘辛互忌，流派既繁，口說紛起，於是而有所謂詩經學焉。《詩

---

34 徐蔚南：〈序〉，收入金公亮：《詩經學 ABC》（上海市：世界書局，1929年）。

經》者，經之本文而已。詩經學則內容至廣，舉凡歷代治詩者之學說
胥屬焉[35]。

作者明顯區分《詩經》與詩經學的差異，而本書屬於詩經學專著，書中將歷
代治《詩》的學說都含蓋在詩經學的範疇。全書共分二十二章：正名、原
始、采刪、詩序、六義、四始、正變、詩譜、詩樂、詩教、徵引、三家、毛
鄭、訓詁、聲韻、詞章、史地、博物、製作、漢學、宋學、清學等，旨在提
供學者治《詩》的路徑。

6 張壽林《三百篇研究》

　　一九三五年出版的張壽林《三百篇研究》一書，全書導論外另有十章：
「導論」部分談及詩與歌、研究三百篇的方法，第一章論詩之文學、心理
學、藝術發生學等三方面的起源，第二章論來源，第三章論采詩、刪詩、逸
詩等，第四章釋南風雅頌等四詩、第五章釋賦比興、第六章論四家詩及其
序，第七章論研究三百篇的正變與美刺兩種錯誤觀念，第八章論篇名與篇
次，第九章論三百篇的文學觀，其中論及三百篇的厄運、文學的欣賞、三百
篇的修辭、　三百篇所表現的情緒等，第十章論三百篇所表現之時代背景及
思想。

　　本書一開始即表明研究三百篇最重要的是研究方法。因為方法的錯誤，
材料的整理沒有原由，以致研究工作有很大的影響。對於傳統把《詩經》當
作勸善懲惡、修養身心或通達詞理來看待的方法，基本上與科學方法有很大
的差異。其云：

> 他們或以之為因為他們不知道應用鑑賞與研究之間，是有著絕深的鴻
> 溝隔著的。應用完全趨於功利，鑑賞是主觀的讚嘆與直覺的評論，研
> 究卻是客觀的考察與科學的整理。所以在從前，差不多可以只有三百
> 篇的應用與賞鑑，而沒有三百篇的研究……用冷靜的科學方法，把三

---

35 徐英：《三百篇纂要》（上海市：中華書局，1936年），頁2。

百篇原原本本的加以詳細的考察與觀照[36]。

所以，張氏提出兩種科學的方法，即「材料的積聚與剖解」以及「材料的組織與貫通」。而在《詩經》部分，他認為研究三百篇必需有具有搜集、考證（從文辭方面以證其真偽、從體製方面以證其真偽、從史實方面以證其真偽）、校勘、訓詁、審察、整理等方法[37]。

此外，在〈三百篇的文學觀〉中論及「三百篇的厄運」，他批判了傳統《詩經》研究除了訓詁成績外，事實上沒有什麼成績遺留給我們。這對於被歷代學者嚴重誤解的三百篇來說，已漸漸失掉它的本來面目，成為一部「儒書」，完全沒有文學的意味。所以，在「文學的欣賞」方面，他主張應當一掃前人謬誤的見解，用純文學的眼光，去欣賞品鑑，才能領略中國遠古詩歌文學的優美，了解詩人純真的熱情[38]。

綜言之，從書名的命名可看出作者對於《詩經》一書功能性質的界定。胡樸安《詩經學》、金公亮《詩經學ＡＢＣ》、徐英《詩經學纂要》三書基本上沿襲傳統以《詩經》為經的觀點，謝無量《詩經研究》一書雖極力強調《詩經》的文藝性，但在書名上仍未能擺落「經」字，不如蔣善國《三百篇演論》及張壽林《三百篇研究》直接以「三百篇」命名。蔣善國特意去掉「經」字，打破歷來研究《詩經》的政教德化框架，試圖還原《三百篇》的文章、文學、藝術價值。此書名為「演論」，係著眼於推論與發揮的性質，除臚列各家各派說法外，又細分項各類，最後再陳述個人的評斷與立場，較之其他五本專書，更為詳細，而另標目「特質」，強調《三百篇》樂舞性、政教性、群眾和普遍性等特質，亦比胡、英二書明確。夏傳才先生以為在那個時代，這是較好的一本《詩經》概說。

其次，作為概論性質的書寫策略而言，內容論述不論是對於《詩序》作者的考辨、孔子刪詩、四家詩等意見，尚未能完全脫離傳統經學的範疇，因

---

36 張壽林：《三百篇研究》（天津市：百成書店，1935年），頁6。

37 同註36，頁6-8。

38 同註36，頁92-93。

此創見甚少。誠如陳文采《清末民初詩經學史論》書中所言：

> 大部分的著作不是為了要提出創見，或積極證成某一種論點，而是著
> 力於清理舊說：將前人成說分類歸納，再加以考辨分析，幾乎是民初
> 論述《詩序》作者時的基礎模式。大抵導因於當日「整理國故」的氛
> 圍，想一舉對此訟案完成總結，可惜既沒有新材料出現，也沒有突破
> 性的論點，其功只在整理故說而已[39]。

不過，作為概論性質功能的詩經學專書而言，對於孔子與《詩經》、《詩經》
來源、詩序、四家詩授受、篇名次第、命名、四始、六義、正變等基本問
題，以及《詩經》研究史、文化研究、價值、研究方法等，雖然說明詳略有
別，但如胡樸安將《詩經學》分成文字學、文章學、禮教學、史地學、博物
學等五種系統研究，並於書後附有「研究詩經學之書目」，提供學者治學研
究門徑；金公亮《詩經學ABC》則指出研究《詩經》應先確立情意或學術
的目標，然後再揀擇一種方法來應用，並舉出注釋及討論書、音韻名物的研
究及異文的校勘、詩經輯佚、參證書等四種參考書等，都是研究《詩經》不
可或缺的入門指導書。

四　詩經學史專著的內容接受及影響

（一）詩經學專著的內容

　　茲就二十世紀二、三〇年代的詩經學六本專著：謝無量《詩經研究》、
胡樸安《詩經學》、蔣善國《三百篇演論》、金公亮《詩經ABC》、徐英《詩
經學纂要》、張壽林《三百篇研究》等篇目，依孔子與詩經、詩經基本問題
（來源、詩與樂、詩序、詩譜、四家詩授受、篇名次第、命名、四始、六

---

39 參見陳文采：《清末民初詩經學史論》（臺北市：東吳大學中文研究所博士論文，2002
　年），頁140。

義、正變等）、詩經研究史與文化研究（詩經研究史、詩經文化研究、語言文字研究）、詩經的價值與研究方法（道德觀、文藝觀、當時社會情勢、研究方法、參考書目）等四方面，歸納如表列，並以引論考證較為詳實的蔣氏《三百篇演論》為考察中心，分別述之。

篇目分類 專書	孔子與詩經	詩經基本問題	詩經研究史 與文化研究	詩經的價值 與研究方法
詩經研究	1	1、3	1、2、5	4、5
詩經學	4	1、2、3、4、5、6、7、8、9	11、12、13、14、15、16、17、18、19、20	10、21
三百篇演論	1	1 2 3 4 5 6	7	8
詩經 ABC	3	1、2、4、5、6、7、8、9、10	11	12、13
詩經學纂要	3	1、2、3、4、5、6、7、8、9、10、12、13	14、15、16、17、18、19、20、21、22	
三百篇研究	3	1、2、3、4、5、6、7、8	10	1、9

1 孔子與刪詩

　　蔣善國既然主張並承認《三百篇》是詩不是經，所以，首先要解決的便是孔子刪《詩》的問題。他將孔子是否刪《詩》分為三派意見，而以歐陽修、鄭樵、朱熹、朱彝尊、魏源、程大昌等人所主張孔子未刪《詩》而正樂為近。

　　　　試看現在的歌謠，有很多相同的，如皆存之，未免太過累贅。即以現在的三百零五篇詩看，其中有很多重名的，可見在孔子時所存於國史的詩，重複的必然比現存的更多……細玩「去其重」三字，就可知孔

　　　　子並未曾任意刪去，不過向一塊兒收集罷了[40]。

他更進一步指出，大概周朝的詩在孔子以前已經包括在古詩的裡面；雖然奏樂時單奏周樂卻未出周詩的專書。到了孔子自衛返魯，才把周詩和古詩離開，按著當時奏樂的次序，出了周詩的單行本。

　　蔣氏肯定《三百篇》是周詩，是文學作品，是屬於新見解。他以孔子並未刪《詩》，也未嘗不刪《詩》，只是按當時太師奏周樂的次序，略去重複殘缺，由古詩裡面，編成了一部周詩的專書。因此，《三百篇》是周詩，不是古詩，也不是商詩。雖其所述之人，所言之事，有在商時的，甚至作詩之人，亦有生於商代的，然而都是與周朝有關係的[41]。

　　然而，要證明《三百篇》是周詩，有四個疑問必須說明：

　　首先，何以後世子史所載的，沒有多少古詩？蔣氏以三個假設臆說，說明之。

　　第一，當時詩樂為一，新樂盛行，古樂徒有詩而無音律。凡祭享和一切用樂的時候，多用今樂，幾乎用不著古樂，以致有譜的也不奏，無譜的更無人去譜，大半古樂皆變為徒詩。

　　第二，周朝為上古文化大躍進時期，故孔子稱「郁郁乎文哉！」最足以代表當時文化的就是詩樂。自天子王侯以至於庶民，無一人不喜好詩樂的，無一人不重視詩樂的，無一人不懂得詩樂的。可見詩樂在周朝正是極峰的地位。

　　第三，當時詩皆存於國史，並未通行民間，普遍人所知道的，僅是當時通行的詩。

　　從以上三個理由，可以看出周朝樂詩流行，勢力龐大，古詩式微，徒存國史。孔子自衛反魯，始由國史得其詩而編成單行本，傳之後世。古詩則因乏人編輯而亡佚。

　　其次，周的諸侯，如滕薛許蔡邾莒與陳魏曹檜地醜德齊，何獨無詩？蔣

40　同註24，頁13。

41　同註32，頁14-15。

氏以小國即便有詩，也多同於鄰邦大國。太師采詩時，已歸入大國，故季札觀樂時，就沒有蔡滕各國的詩。

再者，發生於商字的誤解，誤以商為殷。不知「商」不是「殷」，而是「殷朝的後裔」。蔣氏引魏源、皮錫瑞、王靜安等人說法，證明之。最後，第四個疑問是因為有些古詩見於子史所引，但均不見於《三百篇》。蔣氏認為這實在是因為孔子出周詩的單行本，古詩多棄置無聞。

因此，蔣氏斷定《三百篇》乃孔子純取周朝之詩。周以前孔子未敢加入。況且孔子時代已有若干詩是殘篇斷句，不能弦歌，其亡逸並非孔子罪過，是《詩》本身的厄運[42]。

對此，謝無量《詩經研究》認為現行的《詩經》規模是孔子就古詩加以刪定的。他列舉了三條證據考辨《詩序》作者當為衛宏，而既然《詩序》與孔子、子夏無關，自然就沒有任何神聖性和權威性。劉永祥指出一般人在舉民國《詩序》作於衛宏說時，往往沒注意到謝氏的說法及考證，均較黃優仕〈詩序作者考證〉及顧頡剛〈毛詩序之背景與旨趣〉來得早且頗詳[43]。胡樸安《詩經學》以詩義最難明在於一般學者不明作詩、采詩與刪詩之義。他以〈關雎〉一詩為例，說明作詩之人不必確指何人，詩用在房中之樂乃采詩人之義，至於定為〈國風〉之始乃刪詩人之義。金公亮《詩經ABC》臚列各家說法，認為主張「述而不作，信而好古」的孔子只是正樂，其未嘗刪詩有十大理由。徐澄宇《詩經學纂要》亦以孔子刪詩之說不足據，後世莫能明作詩、采詩及刪詩義例，以致於聚訟而起。張壽林《三百篇研究》指出孔子刪詩之說不可信，並且從文藝賞鑑及事實批評崔述解釋《詩經》只有三百篇是因為人們愛好而流傳的說法[44]。

---

42 同註32，頁35。

43 劉永祥：〈謝無量經學思想略論〉，《史林》（2011年6月），頁143。

44 詳見謝無量：《詩經研究》（上海市：商務印書館，1924年）頁2-10、胡樸安：《詩經學》，頁11-15、金公亮：《詩經學 ABC》，頁21-35、徐澄宇：《詩經學纂要》，頁12-15、張壽林：《三百篇研究》，頁48-52。

2　詩經的基本問題

（1）《詩經》的來源

蔣善國以《三百篇》是西元前十三世紀至前五世紀的文學作品，也是中國群眾文學的第一部書，又名為《詩經》。他指出後人都承認他是詩也是經，自周朝而後成了一部政治倫理書，文學的價值都被埋沒了[45]。相較於另外五本專書，蔣氏對於《詩經》成書前詩的來源、詩與樂等問題，並未申論。謝無量《詩經研究》則以詩乃人類性情中自然所發出，故起源必然甚早。金公亮《詩經 ABC》指出《詩經》的編集，全賴政府方面的力量而成，亦即最早的「官書」。其後，因政府漸設採詩之官，如太史、太師等陳詩以觀民風，國史再進一步整理而編錄。所以，詩經的產生是官民合作的結果。胡樸安《詩經學》以《詩經》中最古的詩是〈商頌〉五篇，然商代以前已有詩。他認為以心理學來推論，詩與人類同時並起，而發生的時代則稍後於言語。徐澄宇《詩經學纂要》以詩歌發動於情志，與樂同時發生。情志之動、傳遞感情交換知識之需要與祈禱的起源，是詩歌發生的三大原素。張壽林《三百篇研究》以一切文學的緣起肇始於詩歌，並從心理學及發生學二方面觀察詩的起源，瞭解詩與樂、舞的密切關係。他斷定中國詩歌的開始當在商代中葉，但因當時流傳詩歌的工具不完備，而未有流傳。至於三百篇的來源則是因為當時社會對於樂歌的需要而集聚[46]。

（2）詩序

蔣善國主張周以前的詩，已經有序。《三百篇》的序，有魯齊韓毛四家，但魯齊韓三家的詩序，現已不傳，因為同三家的詩一齊都亡了。現在僅有二二殘篇斷句，雜見於他書所引。現在完全存在的序，惟有《毛詩》的大、小序。由魏以前始盛行。《大序》是序，關於全部詩的；《小序》是分序

45　同註32，頁1-2。

46　詳見謝無量：《詩經研究》，頁1、金公亮：《詩經學 ABC》，頁5、胡樸安：《詩經學》，頁7-9、徐澄宇：《詩經學纂要》，頁6-10、張壽林：《三百篇研究》，頁17-41。

關於每篇詩的。蔣氏析分《大序》及《小序》的首尾各種說法，以及自唐以來說詩的宿儒立場及觀點。

由於大、小序的界說未明，導致歧異疊出，誤會實多。所以，蔣氏取概括主義，而廣為分析，以定大小序的境域。他指出宋以前研究《詩》的人，都是尊序派的。到了宋朝則分尊序、疑序及詆序三派。其中，詆序派最有勢力，中堅份子是朱熹[47]。在朱熹看來，《小序》求於詩意於詩文之外，多迂曲不通，是後人湊合而成，只就詩中采撫言語，不能發明大旨。因此，謬誤不可勝數。朱熹反對《小序》有兩方面：由消極方面看，《小序》的美刺為非，由積極方面看，指出些淫奔之詩。由於重性情，所以朱熹以《三百篇》不盡是美刺[48]。

蔣氏主張《詩序》多美刺的話，大略起於傳詩者方面，不是作詩者方面。他援引魏源《詩古微》的辨說，說明宋朝疑《序》、詆《序》係因學風變異的時代使然。作詩者之意本不同於采詩、編詩者之意；而說詩者之義，亦不同於賦詩引詩者之義，端賴各方注重的點[49]。

此外，蔣氏主張《詩》為社會美育化的工具，而云：

> 我們以詩為社會美育化的工具，未為不可；但詩本身的價值是純粹文學的，我們不當以他的宗教倫理的功用，蓋過他本身的價值。誦詩當重詩人作詩之本意，至於一切采詩說詩賦詩者之意，可以不必理會。三家亦多美刺之說。故知四家詩均多屬說詩者之意，純係主觀，昧於詩人本志，不足深信。再說美刺兩種觀念的本身，更靠不住，因為美刺的觀念，常受環境及心理狀態所支配，本來是渺渺無憑，無一定而常變……生於千百載之後的人，未見本人在當時的態度，偏說能相面，能算命，以附會其本事，小序真「神人也」[50]。

---

47 同註24，頁89。

48 同註24，頁90。

49 同註32，頁127-128。

50 同註24，頁92。

　　孔子說「思無邪」，正是說詩本身或詩人作詩有邪正，故明言其可以勸善懲惡，誦詩的人，當存著無邪的觀念[51]。

　　孔子係講禮教的一位道學先生，安能不主張無邪之說！孔子是未敢刪詩，未能刪詩，故僅編了一部周詩的專籍；如果他刪詩，我恐怕〈國風〉裡面的詩，將要去不少。後世研究詩的人，以經目之，更不敢有所異議。自《詩序》出，又多以《小序》與詩為一人之言，渾而同之，愈遠愈差。但見《詩序》之義通，而詩人之旨不暇問。先以《詩序》存於胸中，安得不自壅蔽！朱熹竟能實地推翻舊說，不使《詩序》害《詩》，雖有些錯誤的地方，他這種思想獨立的精神，以道學先生而具有文學家的思想和眼光，實不能不使人佩服的[52]。

　　大概自來說《詩》的，盡注重詩教詩意或詩本事，只有把人鬧得越發糊塗。我們生在千載之後，當由辭求意，目的在享受原詩的藝術和思想的……再說詩不能全無寄託，也不能全無淫邪；盡信序則不如無序，盡信詩不如無詩。如不玩其原文，參之各家序說，有事足徵，有理可釋，然後信納，則必趨於偏說而有遺漏不通的地方[53]。

在他看來《詩》作為社會美育化的工具，未嘗不可。由於《詩》本身的價值是純粹文學的，不應當用作宗教倫理的功用，所以，「誦詩當重詩人作詩之本意，至於一切采詩說詩賦詩者之意，可以不必理會。」尤其是美刺觀念，常受環境及心理狀態所支配。因此，說《詩》當由辭求意，享受原詩的藝術和思想，不應當牽強附會於某事其人[54]。

　　謝無量《詩經研究》以〈關雎·序〉為《大序》，各詩之序為《小序》，為衛宏所作。胡樸安《詩經學》以大、小序之分，採用宋人四始為《大

51　同註24，頁92。

52　同註24，頁100-101。

53　同註24，頁頁107。

54　同註32，頁92、100-101、107。

序》，各序一詩之由為《小序》，而《詩序》必子夏自作。金公亮《詩經學
ABC》以《序》中多引漢代諸書、與《三家詩》異義、《序》與《詩》不相
應、《毛詩》在東漢盛於三家、漢文無引用《詩序》及《毛詩》名稱始見
《漢書》，而判定衛序作《序》較為可信。徐澄宇《詩經學纂要》以錢大昕
說法為準的，認為《小序》在孟子之前，故《詩序》出於毛公以前之子夏。
張壽林《三百篇研究》指出要免除讀詩的人許多誤會，就必須掃除誤信采
詩、刪詩、六義、美刺附會詩旨。他以全詩總序為《大序》，每篇詩的分序
為《小序》，作者是衛宏[55]。

（3）篇名次第、詩譜

蔣善國指出古人的詩，有詩才有題；今人的詩，有題才有詩。有詩才有
題的詩，多本著情；有題才有詩的詩，多徇於物。所以古人篇名繫篇後；後
人篇名冠篇前[56]。而《三百篇》的名篇，本無一定的義例，可以看出來的只
有三種：一，取通章之義和字而成的；二，取字句的；三，無所取義的。

蔣氏統看所有的篇名，皆不足以發詩內的蘊微。《三百篇》都是先有詩
而後有篇名的。名篇的人，有由樂官命名的；也有由詩人自己命名的；又有
沿用舊調名的。詩人未命名，樂官則命之。詩人已命名，樂官則仍存其名。
由於為樂官所命名，所以，首句相同的詩，有不同樣的篇名。有些沿用舊調
或詩人自己命名，所以，《三百篇》裡有很多重複的篇名[57]。

至於詩的次序先後，除了在子史裡面有限可靠的材料外，多半是附會。
基本上，認為《三百篇》都是周朝的詩，不合論理。以國為次的，在風雅頌
的次序上，則屬牽強[58]。

---

55 詳見謝無量：《詩經研究》，頁22、金公亮：《詩經學ABC》，頁87-110、胡樸安：《詩
經學》，頁16-20、徐澄宇：《詩經學纂要》，頁20-24、張壽林：《三百篇研究》，頁53-
66。

56 同註32，頁148。

57 同註32，頁150-151、178。

58 同註24，頁178。

　　對此，胡樸安《詩經學》、徐澄宇《詩經學纂要》皆以三百篇詩皆一時之風俗，凡見於詩者，必可從《詩譜》徵驗，惟因去聖久遠，難得而知。金公亮《詩經學ABC》以《詩經》的篇目次第排列沒有什麼意義，只是「取得者置於其間」，以類聚、以群分而已。張壽林《三百篇研究》以古人作詩先有詩而後有題，大體都是感物興懷，抒情見志，不期然而流露者。至於名篇義例，他以范家相《詩瀋》為依據，且而命名者決非一人。而篇名相同的詩歌是同一母題；篇次則因大部分時代難以判定，故依時世定其次序，不失為好方法[59]。

（4）四始、六義、正變

　　蔣善國以四始即四詩，始於《大序》，然後世多誤以為司馬遷所說。對此，他分述關於局部和關於全體的兩派說法。兩派說法中又各細分兩派說法，並統看數派學說，以王安石及戴震的說法略近情理。他認為《大序》所說的「四始」是詩的全體體裁，後世學者不知玩索，以訛傳訛。至於為風雅頌是詩體的四始，依音調而分，孔子審視當時周詩音調，分別歸入[60]。

　　金公亮《詩經學ABC》針對前人以〈關雎〉、〈鹿鳴〉、〈文王〉、〈清廟〉為四始是有意義內涵的，其義出於孔子的說法，提出四始的名稱可以不要，因為孰先孰後，無足輕重，決無什麼大義在其間。胡樸安《詩經學》對於四家在四始的說法，認為《毛詩》的說法偏於政治，《齊詩》則囿於律歷，韓、魯二家相近，只是範圍大小不同，應以《魯詩》為根據。徐澄宇《詩經學纂要》以四始之說，《魯詩》以〈關雎〉、〈鹿鳴〉、〈文王〉、〈清廟〉為四始的說法最貼切。張壽林《三百篇研究》以四始為南、風、雅、頌，都與音樂極有關連[61]。

59　詳見金公亮：《詩經學ABC》，頁115-135、胡樸安：《詩經學》，頁58-67、徐澄宇：《詩經學纂要》，頁52-74、張壽林：《三百篇研究》，頁74-92。

60　同註32，頁181。

61　詳見金公亮：《詩經學ABC》，頁80-82、胡樸安：《詩經學》，頁47-48、徐澄宇：《詩經學纂要》，頁43-46、張壽林：《三百篇研究》，頁32-39。

　　至於六義的部分，蔣氏以六義又作六藝、六詩，初見於《周禮》和《大序》。由於今詩只有風雅頌，沒有賦比興，所以後世研究詩的人，遂分成兩派法說法。一派說賦比興與風雅頌一樣，只是亡佚了。另一派說法主張風雅頌是詩的名或體，賦比興是詩的用或義。賦比興不可名詩。蔣氏臚列各家說法，斷定本來就沒有賦比興這種體裁[62]，第二派說法才正確，並舉證四方面的反證，證明第一派說法的錯誤。

　　針對風雅頌類別的標準，舉出六種不同說法：以篇章長短分；以體裁分；以詩的情意及作者分；以用途分；以事的關係不同分；以音調分等，最後斷以音調為類別最合情理[63]。至於雅的大小分別，蔣氏指出有主政及主聲的主張，他認為主聲的說法為近[64]。頌的本字是容，指容貌威儀。頌實是一種舞詩，舞之所重在「頌貌威儀」。王靜安〈樂詩考略〉疑三頌各章不皆是舞容，而獨指頌聲之說，以其聲較風雅為緩[65]。

　　而賦比興定義，他提出「誦三百篇的人都覺著篇篇是餘韻悠揚？試問那一篇沒有餘興？」、「至於說興兼賦比最明瞭深切的，當以日人大田錦城為著……他自以為啟千古的幽秘，並非自誇。按他的學說，可得一個興的公式。比（前項）＋賦（後項）＝興」、大田錦城是偏重廣義興的，故將狹義的興，概皆否認，而反對無義的興。其實《三百篇》裡面而廣義狹義的興皆備，詩固有無義的興，試看近世的兒歌，比興備有，由不相聯貫的事物上而發表情感，何可勝數！然大田錦城的方法，固為自來談三緯的人所未曾道[66]。」

　　此外，蔣氏還進一步將六義分為三經三緯，認為四始實則為三經。三經是詩的體裁，三緯為作詩的方法。三經的分別，是由於音調的不同。至於和三經連帶的問，就是正變說。其云：

62　同註32，頁184。

63　同註32，頁187。

64　同註24，頁210-212。

65　同註24，頁213-214。

66　同註32，頁220-225。

正變本為對於時的對待的解釋或概念，並不是絕對的。即一篇一章一句的裡面，也可以發生正變的問題。至於三緯方面，則重廣義比興的多小其範圍，重狹義比興的多大其範圍。賦僅直陳事物，最易明瞭。比乃以事物比事物，而所指的常在言外。興為借物引事，而物常在先，事常在後。比興雖有廣義狹義的分別，而他們最有價值的地方，卻在於廣義方面。狹義的比興，最易見；廣義的比興則不甚易見。我們給比興所下的定義。是趨向於廣義方面的。賦雖較為普遍，興雖範圍較大，然他們並不分什麼優劣。到了後世，賦盛行，廣義的比興漸衰。然廣義的比興並未嘗亡，不過受了時代風氣的束縛，家道式微罷了[67]。

　　金公亮《詩經學ABC》以風雅頌三者的區分並不是誦、歌、舞的問題，而是曲調的不同。依內容、性質、詞氣、體製而分，便迎刃而解。而賦乃「直言其事」，比為「以彼狀此」，二者鈙錯而成文；興為「託物興詞」，多用以發端。胡樸安《詩經學》指出風雅頌為詩之體，已有定論；而賦比興為詩之用，則幾無定論。大抵詩各有體，各有聲。風雅頌為詩篇之異體，而賦比興則是詩文之異辭。徐澄宇《詩經學纂要》以風雅頌本諷諭之聲，皆與音樂有關；而賦比興三者乃觸物以起情，賦注重直陳，比重在引喻，興則由彼及此，為聯想之詞。基本上，六義解說因體用、發生先後、編輯次第等，說法不一。張壽林《三百篇研究》以風為鄉土樂歌，雅為周代通行的正樂，頌的本義是否作頌美，他表示懷疑，因為刺詩也可以稱頌。阮元的解作舞歌，很有特見。至於風雅頌與賦比興的區分，主要是前者用音樂、後者用修辭的方法做立腳點的不同。其中，「興」本來沒有意思，但顧頡剛提出是為了押韻的關係而隨使用一件事物為起頭語，意見值得參考。而他用象徵來說明，認為和修辭學的「隱比」很接近；對於把每一首詩中的賦比興分清楚，則認為不妥當。因為一切的條例都是為了解釋便利而設，是活的東西[68]。

---

67 同註24，頁232-233。

68 詳見金公亮：《詩經學 ABC》，頁58-68、胡樸安：《詩經學》，頁31-40、徐澄宇：《詩

再者，是正變的部分。金公亮《詩經學 ABC》認為詩並無所謂正變；張壽林《三百篇研究》指出，因為《詩序》的流行，卻在三百篇的研究上，遺留了兩種錯誤的觀念，而使三百篇的真面目不可復見。所謂兩種錯誤的觀念者，就是一般研究三百篇的人最喜歡說的「正變」和「美刺」[69]。〈風〉、〈雅〉的「正變」是出於漢人謬說，正變並無絕對的標準，斷不可信，美刺亦然，完全出自於傳詞者的「以意逆志」，完全不合理。

（5）四家及授受表

蔣善國以魯、齊、韓、毛四家詩中，魯最先出，毛最後出。四家詩其實都大同小異，正如班固所說的「其歸一也。」實見不出彼此相差太遠之跡。即以左氏傳諸書考之，《毛詩》亦有不能相合者；而三家之說亦未必完全不能與此諸書相合。而《毛詩》之所以獨存的原因，主要有三個理由：第一，《三家詩》傳世已久，人情厭故喜新。第二，鄭玄是當時大儒，所作《毛詩箋》，學者群起附和。第三，西漢博士習氣最壞，《三家詩》久立學官，多被牽入緯書雜說。《毛詩》獨較約正，傳箋又復平實簡要，易於傳習[70]。

蔣氏分說四家外，並附以各家授受表。他認為鄭康成說《詩》，雖合今古文，但仍主古文，並進一步歸納鄭玄對於《毛詩》的貢獻，析分十四例[71]。而對於朱熹《詩集傳》一書，蔣氏肯定他對《毛詩》的貢獻，即便有些地方矯枉過正，難免被人指責，但這是思想革新時期人人必犯的，如果沒有過激的動力，是無法打破千百年來深刻的印記舊說[72]。

　　經學纂要》，頁35-42、張壽林：《三百篇研究》，頁37-52。

69 詳見金公亮：《詩經學 ABC》，頁77-80、張壽林：《三百篇研究》，頁67-73。

70 同註32，頁39。

71 破字以易毛例、破字以申毛例、用《三家詩》以申毛例、用《三家詩》以補毛例、古今字異皆從今字為訓例、經文一字《箋》用疊字例、引用他經兼詳其義例、引漢制以證古制例、以俗語釋古語例、經中大義與群經注互相發明例、文具於前而略於後例、文具於後而略於前例、文具於前而仍詳於後例、經文同而箋義異例。同註32，頁60-66。

72 同註32，頁71。

謝無量《詩經研究》據章如愚「三家詩傳授圖」照錄三家詩傳授情形，指出三家列為學官，好比現在學校教科書一般。而毛詩之學是自鄭玄以後才興盛的。胡樸安《詩經學》以三家不合於詩之本義，不應據此以駁毛說，主張搜采《三家詩》必先辨明兩漢家法。張壽林《三百篇研究》指出《毛詩》不一定優於三家，四者之分在於說詩的不同，並有四家詩傳授淵源簡表[73]。

3 詩經研究史與文化研究

對於《詩經》歷代研究的流變，《三百篇演論》多於書中各篇節說明，以達成其推論與發揮的演論目的。謝無量《詩經研究》則對於歷代在《詩經》內容的研究上，他認為可分成：批評、組織、史事、地理、博物、毛詩音韻、專篇及雜研究等八類。胡樸安則歸納歷來研究《詩經》之文字、文章、禮教、史地、博物等，析分成有條理系統的研究，並將歷代《詩經》演變研究分成春秋時代、兩漢、三國南北朝隋唐、宋元明、清代六階段。徐英仿胡氏撰成訓詁、聲韻、詞章、史地、博物、製作、漢學、宋學、清學等篇章；金公亮亦於書中第十一章詩經學的流派中論及唐宋明清詩經學概況[74]。

而在《詩經》語言文字的研究上，蔣善國認為除了《三百篇》的音韻太複雜，太隨便之外，還有地理、時代、字音及詩本身四個原因。他將形式分成字句與篇章二部分。前者共有重疊、語助、蟬連、對偶、斷續、轉折、反覆、倒插等八種，後者則有半平列、平列、依次、平列兼依次、倒插等五種。聲韻方面，分為有聲韻的和無韻的二類。有聲韻的共分為十八種，無韻的分為一句、數句二類。謝無量從詩形、詩韻及修辭談詩經的文藝。在詩韻上分成十種，修辭法分有譬喻法、疊語法及對句法、逐累進境法、奇警動人句法、省筆法等五種。胡樸安在「詩經文章學」章節中，略分為託事、遣辭、造句、用韻等四種。張壽林《三百篇研究》指出《詩經》不論在內容或

---

73 詳見謝無量：《詩經研究》，頁35-38、胡樸安：《詩經學》，頁68-74、張壽林：《三百篇研究》，頁53-60。

74 詳見胡樸安：《詩經學》，頁81-157、徐英：《詩經學纂要》，頁119-203、金公亮：《詩經學 ABC》，頁141-142。

是形式，對於後世文學皆有重要的影響。例如對人說話的修辭，就有顯比、隱比、階升、詰問、感歎、呼告六種特色；對物說話則有反覆、儷辭、疊字、揚厲等技巧[75]。

4 詩經的價值與研究方法

　　蔣善國以歷來談詩的人，大半都帶著道學先生氣味，盡說些詩法詩教，把藝術層面拋開。即有時談到藝術，也是抽象的籠統話[76]。所以，他主張研究《三百篇》的藝術，應當由形式、聲韻、情意三方面實際的分析。情意方面，則由詩人本志，作詩方法，詩的性質三方面研究。蔣氏以《三百篇》裡無病呻吟的作品很少，大都皆是箭在弦上，不得不發的時候的作品。作詩的人作詩的時候並未想到作詩，作成後也未想到流傳。作者多係無名氏，所流傳的大半皆是作者人格的結晶，生命的表現。在當時人心目中都受很大的印象；後人誦之，如見其人，如聞其，有無限的感觸。尤其是《三百篇》的名篇都在詩成之後，足證多是有感而發之作[77]。

　　而從作詩的方法來看，他認為《三百篇》多以象徵而表具體的事物，其中，比興近於象徵主義。由方法看近於象徵，但由詩的性質來看，卻完全為寫實抒情，不盡同於近世歐洲的象徵主義[78]。而由詩的性質來看，《三百篇》實為寫實的文學，而無浪漫的色彩，都是寫人生的實事，而不涉神秘的部分[79]。

　　《三百篇》的特質，蔣氏指出一方面是由他本身產生或流行的時代顯現出來，一方面則是由後世詩的聯想顯見出來的。《三百篇》與後世的詩不同的地方，就在於它的特質。他的特質有三，那就是樂舞性、政教性、群眾和

---

75 詳見蔣善國：《三百篇演論》，頁233-312、謝無量：《詩經研究》，頁133-138、胡樸安：《詩經學》，頁121-139、張壽林：《三百篇研究》，頁93-108。

76 同註32，頁233。

77 同註32，頁317-318。

78 同註32，頁319。

79 同註32，頁319。

普遍性[80]。所以,他認為《三百篇》在當時雖不能盡人懂得,卻人人可以享受;不同階級的樂詩,雖不盡會歌唱,卻能懂得他的意義或感動,周人對於詩有尊崇的態度,但現在人沒有這種態度罷了[81]。

　　謝無量《詩經研究》點明《詩經》具有史料價值與文學觀價值。前者可探究古代家族禮制、國家制度以及思想意識和倫理道德等社會情狀,後者可從詩形、詩韻、修辭等瞭解其文學特色及價值。胡樸安《詩經學》以時移勢異,指出讀《詩》可以作為勸善懲惡、修養身心、通達詞理、多識博聞等四種功用。金公亮《詩經學ABC》指出《詩經》有古代及現代的價值。古代價值在於教育、文學、音樂等方面,現代價值則是讀詩可以陶養性情。張壽林《三百篇研究》指出《詩經》不論在內容或是形式,對於後世文學皆有重要的影響。例如修辭上,對人說話有顯比、隱比、階升、詰問、感嘆、呼告六種特色,而對物說話則有反覆、儷辭、疊字、揚厲等技巧。而《三百篇》表現出來的是作者內心強烈的情感以及偏於溫柔敦厚、含蓄蘊藉的,詩韻則建議參看顧頡剛〈論詩經所錄全為樂歌〉。對於《詩經》所表現出來的時代背景及思想所引發的影響,更是令人驚異於思想淵源的微妙[82]。

　　特別是,胡、金二人專書書後附有「研究詩經學之書目」,提供學者治學研究門徑。此書的編著,主要目的在於讓學者得到研究《詩經》學的方法,並非表示可以盡《詩經》之學。他希望學者在自修時,能用《毛詩正義》(《十三經注疏》本)、《詩經傳說彙纂》(《御纂七經》本),來諷詠本文,詳觀注解。詁訓一旦有所得,大義自然分明。而他對於中國學術的新分類,也就是「詩經學」,期待大家分別研究,以免淪於籠統漫無歸宿的弊端。金公亮《詩經學 ABC》指出研究詩經的方法應先定好想從《詩經》得到情意或是學術的目標,然後再揀擇一種方法來應用。其並舉出注釋及討論書、音韻名物的研究及異文的校勘、詩經輯佚、參證書等四種參考書。張壽

80　同註32,頁322。

81　同註32,頁348-349。

82　謝無量:《詩經研究》,頁114-148、胡樸安:《詩經學》,頁75-78、金公亮:《詩經ABC》,頁142-147、張壽林:《三百篇研究》,頁93-131。

林《三百篇研究》則主張應用文學的眼光去讀詩經[83]。

（二）詩經學專著的內容接受與影響

1 詩經學的體例範式

　　就二十世紀二、三〇年代的詩經學專著其撰寫體例，可看出徐英《詩經學纂要》一書不論是在體例篇章及內容論點，多因襲胡樸安《詩經學》一書，《詩經學 ABC》、蔣善國《三百篇演論》與張壽林《三百篇研究》體例篇目雖相近，然蔣式引論詳實縝密，金氏深入淺出，而張氏則於《三百篇》之文學藝術性多所著墨。胡樸安提出研讀方法、學術類別、歷代研究流派與參考書目，賅博完備，然書寫較為文言，不若金氏口語通俗。

　　有關詩經學的撰著體例，大致上有幾個面向：一是《詩經》的基本問題。二是詩經學的流變、詩經學的多元研究、詩經學研究方法、詩經學研究書目等。從在辨章學術、考鏡源流中，基本上，詩經學專書必須從時代學術文化思潮切入，結合傳統《詩經》研究與當代的方法視野，呈現從傳統詩經學到現代詩經學嬗變的過程。同時，梳理並總結學術發展演化的發展規律、各流派興廢沿革及其評價定位。基本上，此時的撰著體例仍依循一般專經研究史的模式，先處理專經與孔子的關係、內在基本問題以及依時代劃分研究階段，探討論點亦受當時整理國故及古史辨學術潮流風尚影響，如崔述、顧頡剛等說法。在以研究專題或列傳式的書寫體例建構上，尚未成熟周備，但其以時代粗淺劃分研究史，對於後來詩經學史列傳式的建構或潮流分類的撰寫範式，無疑具有啟導之功，如張啟成《詩經研究史論稿》將劃分先秦、兩漢、魏晉至唐、宋至明清以及近代等五個時期的詩經研究，便是例證。

　　其後夏傳才《詩經研究史概要》增列魯迅與詩經、胡適和古史辨派對詩經的研究、郭沫若對詩經研究的貢獻、聞一多現代詩經研究大師等；洪湛侯

---

83 胡樸安：《詩經學》，頁75-80、348-349、金公亮：《詩經ABC》，頁142-152、張壽林：《三百篇研究》，頁92。

雜糅斷代及居主導地位的研究，以先秦漢學、宋學、清學、現代詩學學派作
為學術分期標準，著重在《詩經》學派盛衰消長。而針對二十世紀研究詩經
學專著，能兼具學術研究之歷時性與共時性者，有夏傳才《二十世紀詩經
學》從傳統向過渡、現代詩經學的創始期、建設期、新中國時期、全方位拓
展、四大學案的新進展、出土文獻和古籍整理、臺港的研究、轉型期等，以
及趙沛霖《現代學術文化思潮與詩經研究——二十世紀詩經研究史》（北京
市：學苑出版社，二〇〇六年）以詩經學的傳統和轉型、疑古辨偽思潮與詩
經研究、唯物史觀與詩經研究、極左思潮干擾下的詩經研究、文化意識與詩
經研究、詩經學術史研究的勃興、文化人類學與詩經研究、二十世紀考古發
現與詩經研究、現代學術意與詩經傳注訓詁、大眾化意識與詩經的白話文翻
譯、開放意識與詩經研究的海內外學術交流等。大抵上，其涵蓋內容乃植基
於二十世紀二、三〇年代以降的學術演變成果。

2 詩經學的學科分類研究

　　胡樸安《詩經學》引入西方現代學科分類法，按照西方的人文與社科具
體分類方法中的文字學、文章學、禮教學、史地學、博物學，分別注入《詩
經》的研究工作，形成關於《詩經》的文字學、文章學、禮教學、史地學、
博物學五個部分，可謂當時詩經學研究的開山之作[84]。

　　值得一提的，是《詩經》文學研究的興起，在當時的詩經學專著中，普
遍對於「詩」的起源發生，以及三百篇詩形、音韻、修辭的分析研究，相當
有著力。詳考日人兒島獻吉郎《中國文學通論》下卷第一編「毛詩」部分，
論及毛詩與三家詩、大序小序、詩底六義、詩底刪定、詩底功用、三百篇底
修辭法、三百篇底的構成法、三百篇底押韻法等。其中，「三百篇底修辭
法」對雙聲疊韻、疊字熟語、對偶，以及「三百篇底構成法」中對字法、句
法、章法、篇法、押韻法等詳細析分的內容[85]，不難發現《詩經》文學研究

84　同註4，頁39。
85　兒島獻吉郎：《中國文學通論》（上海市：商務印書館，1935年），頁580-638。

的開展與成果。

　　大抵上，這幾部詩經學專書的寫作目的與格局，主要界定在引介學人如何研治《詩經》，所提供者乃在以宏觀整理的視野，講述詩經學從傳統的基本問題的研究演變到當代衍伸的多種學科探究。至於詳實的論證、資料的考索與未來瞻望，則顯然不在其關注範圍。也因此，這幾部詩經學專書的論述，不能切合當時博雜的學術環境，開展出學科分類研究上更多元的價值取向。所以，其傳播的歷史性功能便遠大於專經研究或學科分類所開展的研究，來得有深層價值。

3 詩經學的話語權力

　　有關這幾部詩經學專書內容的接受情形，除了傳統詩經學中所參考的漢學、宋學、清學等大家外，崔述、方玉潤、姚際恆、胡適、顧頡剛〈論詩經所錄全為樂歌〉、〈詩經的厄運與幸運〉等對《詩經》基本問題提出的懷疑挑戰，都是他們撰著詩經學專書必要處理的議題。特別是，對於去聖化、平民化的《詩經》文學性的認識與肯定，以及把《詩經》視作史料的態度，是這幾部詩經學撰寫的重點。因為正視詩經的文學性，所以對於詩歌發生的起源、《詩經》反映出來的時代的背景等，都有很多的闡述。張壽林《三百篇研究》更引用 Charles Mills Gayley 等著《文學批評的方法與材料》、叔本華、羅素、麥肯西《文學的進化》等觀點，來相互比較。而蔣善國《三百篇演論》因論文性質，在立論引證上特別詳實，其書也多所參考皮錫瑞《詩經通論》、王國維、日人大田錦城等人的說法，亦可見此時詩經學研究與傳統《詩經》研究話語權力的消長。

　　此外，教科書的話語權力代表著國家話語權力的一部分表現形式。其為達成普及教育與開啟民智的目的，簡化學術內在演變與複雜的脈絡，期以快速籠統地傳遞《詩經》的一切之學。而當三百篇不再是經，只是史料或是一本古老的文學詩集時，屬於「經」的德治教化、注疏以及四家詩授受、《詩序》等詮釋系統，便面臨了挑戰及繼往開來的選擇。

　　李娜〈白話文運動與白話文教科書〉一文指出儘管清末民初的白話文運

動持續了三十多年，清末民初的教育改革也取得了一定的成效，但是教科書使話語權力的主戰場仍被文言文所佔據[86]。今依詩經學專書的書寫文字形式來看，被視為較具份量及價值的蔣氏《三百篇演論》、胡氏《詩經學》等專著，乃以文言文形式書寫。由此可見，民國的新式教育、學科分類只是解放傳統讀經的八股風氣，但並未能將代表平民文化的白話融入到專書概論的寫作上，因此，所能達成的教育及普及成效，仍限制於中學以上學人初學的階段入門指導。也因此，這類型的專書概論普遍缺乏學術遷移的內化價值，而僅具觀念態度上鼎新革故的時代意義。

五　結論

綜言之，二十世紀二、三〇年代《詩經》研究在面臨整理國故與經學史學化、學術分科與讀經廢經的對話、古史辨與《詩經》文學歌謠性質、新型文化產業與《詩經》概論的出版等線索的環境下，提出了概論性質的詩經學專著。其詩經學命題的提出以及提供概論性、深入淺出的《詩經》研究概況及研究路徑，在價值取向方面，此一時期的詩經學史專著所開展出的中國學術流源與派別，不立門戶之見，能糾正與補充前人論述之不足。不論在標舉重要著作、析辨其得失、明列源流變遷或是重視材料考證等四個原則上，大抵面面俱到。其次，在內容選擇方面，能重視普遍通俗之教科書、詩經學史等，並與出版界有效合，會通雅俗、深淺，在啟蒙、普及與流播上，準確了解詩經學史的發展變遷。再者，在形式體例方面，除依循傳統論《詩》流變模式，處理孔子與《詩經》以及《詩經》基本問題等，呼應當時整理國故及古史辨學者的論點以外，並能提出簡略的研究學科分類，對於其後詩經學史的寫作具有一定程度的影響。惟因未能引入當時多元思潮在《詩經》研究引發的衝擊，進行論述，以及學術分科不夠縝密，以致於在「經學終結的時代」中發生的時代意義，遠高於學術內涵的深化價值。

---

86 李娜：〈白話文運動與白話文教科書〉，《語言建設》（2014年3月），頁67。

張西堂的《詩經》研究[1]

郭丹
福建師範大學文學院教授

一　張西堂《詩經》研究概況

　　張西堂先生（1901-1960），原名張漢、張鼐，曾用名一止、今是、尚士，西北大學教授，曾在武漢大學任教。張西堂先生的《詩經》研究，集中在他的《詩經六論》這部書中。[2]張先生自己在書的〈自序〉中說：「這裡搜集的六篇論文，有的是我一九三一年到一九三三年在武漢大學講授《詩經》時寫的，有的是我一九五三年到一九五六年在西北大學講授《詩經》時寫的，現在把它收集成冊，命名為《詩經六論》。」此書所收的六篇論文是：第一篇，〈《詩經》是中國古代的樂歌總集〉；第二篇，〈《詩經》的思想內容〉；第三篇，〈《詩經》的藝術表現〉；第四篇，〈《詩經》的編訂〉；第五篇，〈《詩經》的體制〉；第六篇，〈關於毛詩序的一些問題〉。

　　上世紀五〇年代的大陸，《詩經》研究並未蔚為大國，張先生此著，因其積累了三〇年代的成果又有所充實發展，因此在大陸的《詩經》研究學術界流傳較廣，並有相當的影響。許多年來，在大陸的學人，都把此書作為學習《詩

1　本文在寫作時，為瞭解張西堂先生的生平，得到張弘（普慧）教授的諸多幫助，謹此致謝。

2　本文所用張西堂先生《詩經六論》，見商務印書館一九五七年九月版，本文引文均見該書，頁碼隨文注出，不再加附註。張西堂先生在該書第五十頁有附註，「本篇及下篇中關於詩篇訓詁與諸家不同之處，另詳拙著《詩經選注》」。可惜張先生的《詩經選注》迄未得見。

經》的必讀書目。隨著《詩經》研究的深入，這六篇論文所論之問題，現在看來似乎已不成什麼問題，但是，如果站在作者發表的時代來看，張先生的研究成果是有積極的開創意義的，有些結論，現在也仍然有價值。而他所採用的研究方法，更是值得我們借鑒。本文擬將其六篇論文的成果逐一加以介紹，再從方法論的意義上做一些總結。

二　《六論》所論之内容

第一篇，關於〈《詩經》是中國古代的樂歌總集〉，誠如張先生自己所說：「目的是從一般的詩歌的起源，《詩》三百篇的采刪，《風詩》之決非徒歌，古代歌舞的關係，古代『詩』『樂』的關係來證明《詩經》所錄當全為樂歌」。[3] 張先生認為，《詩經》是中國秦漢以前的樂府，正如漢樂府一樣，《詩經》中的詩歌，絕大部分是來自各地方的民歌。張先生從詩經產生的社會基礎和與生產勞動的關係，說明其起源是生產勞動的結果。對於《詩經》所錄全是樂歌，張先生先引舊日學者之說，包括《史記・孔子世家》、鄭樵《通志・樂略》、范家相《詩沈》等，以證詩樂本來是不分的，《詩經》所錄全是樂歌。又舉古代文獻十種，包括《墨子・公孟》、《荀子・勸學》、《儀禮・鄉飲酒禮》、《左傳・襄公二十九年》、《史記・孔子世家》、《鄭風・子衿毛傳》、《漢書・食貨志》、《公羊傳・宣公十五年注》、《鄭志》、《困學記聞》等的論述，說明無論「二南」和〈風〉、〈雅〉、〈頌〉，在古代都是入樂的。這樣，就為《詩經》入樂找到了文獻依據。

宋代程大昌作《詩論》十七篇，謂〈南〉、〈雅〉、〈頌〉入樂，自〈邶〉至〈豳〉是不入樂的，只是徒歌。此說影響到朱熹、焦竑和顧炎武。朱熹認為變風變雅都不入樂，焦竑不承認〈風〉詩為樂歌。顧炎武則由此主張詩有入樂與不入樂之分。對此，張先生引了陳啟源《毛詩稽古篇》、馬瑞辰《毛詩傳箋通釋》和俞正燮《癸巳存稿》等清儒的意見，甚至康有為、皮錫瑞的

3　張西堂：《詩經六論》，頁4。

意見加以駁斥。雖然如此，張先生還是認為以上數人對於《詩》三百篇本文
是否為樂的形式，尚未說清楚。所以又引了顧頡剛的〈論詩經所錄全為樂
歌〉一文為證，確認「現存的《詩》三百篇中，有的是詩人所作而後被之管
弦，有的是由徒歌以後變成樂歌的」。[4] 論述到此，對於《詩》三百篇都是樂
歌的結論應該是沒什麼問題了，但是，張先生仍意猶未盡，還補充了四個理
由。一是從詩的職掌及其搜集來看，它經過樂師之手，所以被之管弦而變為
樂歌；二是風是聲調，〈風〉決非徒歌，所以《詩經》所錄當全為樂歌。三
是從古代歌舞的情形來看，《詩經》所錄當全為樂歌。在這一點上，張先生
引了《詩經》中的許多篇章，證明古代歌舞是同時的，歌詩都是可以被之管
弦的，而且當時樂器已很發達，多用來伴奏，證明詩即是樂歌。四是從
《詩》與樂經的關係看，「樂」本無經，樂歌就是詩。

　　由以上的論證，張先生得出「《詩經》是中國古代的樂歌總集」的結
論。

　　在第二篇〈《詩經》的思想內容〉中，張先生把《詩經》中的內容分為
「關於勞動生產的詩歌」、「關於戀愛婚姻的詩歌」、「關於政治諷刺的詩
歌」、「史詩及其他雜詩」四大類。張先生分析《詩經》的思想內容，其理論
依據是「應當依據這一經典名言，『藝術是屬於人民的，它的最深的根源，
應該出自廣大群眾的最底層』。」[5] 所以他著重分析〈風〉詩和二〈雅〉，附
帶地談一下〈雅〉、〈頌〉。關於勞動生產的詩歌，張先生舉了〈國風〉、〈小
雅〉、〈魯頌〉、〈周頌〉中近二十首詩，分析其田獵畜牧描寫和風俗、農業勞
動的情況，婦女的勞動采拮蠶桑等。其中對於《詩·召南·騶虞》、《詩·豳
風·七月》和《詩·邶風·綠衣》等詩的分析特別細緻。在關於政治諷刺的
詩歌這一類中，張先生特別注意到〈國風〉的許多詩歌。並把它們大體上分
類，咒罵統治階級惡毒強狠的，如〈鶉之奔奔〉、〈北風〉、〈黃鳥〉、〈鴟
鴞〉；刻畫他們剝削貪婪的，如〈葛屨〉、〈伐檀〉、〈碩鼠〉；暴露他們荒淫無

4　張西堂：《詩經六論》，頁13。

5　張西堂：《詩經六論》，頁20。

恥的，如〈牆有茨〉、〈東方未明〉、〈相鼠〉；有怨恨勞役戰亂的，如〈小星〉、〈式微〉等；還有諷刺貴族傲慢無能和貴族階級的沒落以及表現亡國的悲哀的。這樣的分類分析，可謂細緻。在〈國風〉的這些詩中，張先生特別提出〈鶉之奔奔〉和〈鴟鴞〉，認為它們「具有極強烈的人民性的詩」。[6]二〈雅〉中的諷刺詩，張先生舉了比較著名的二十首，對其中的〈節南山〉、〈十月之交〉等進行詳細的分析，認為這些都是士大夫所作的政治諷刺詩。

在史詩及其他雜詩這一類中，張先生首先把〈載馳〉、〈竹竿〉、〈泉水〉都歸於愛國主義的詩篇，並認同魏源的考訂，都歸於許穆夫人所作。魏源的說法並不完全可信，但張先生從詩中的一些句子推定它們之間的聯繫，亦可備一說。史詩當中，張先生對〈大雅〉的〈生民〉、〈公劉〉、〈緜〉、〈皇矣〉、〈大明〉分析特別詳細，這是一致認同的周民族史詩，後來的許多文學史對這五首周民族史詩的分析，基本上與張先生的解讀相同，說明張先生的影響。此外他認為二〈雅〉中的〈出車〉、〈采芑〉、〈江漢〉、〈六月〉、〈常武〉這五首詩以及〈魯頌〉的〈泮水〉、〈閟宮〉、〈商頌〉的〈玄鳥〉、〈長髮〉、〈殷武〉也可以當著史詩來看，這個看法值得我們注意。

在〈詩經的思想內容〉這篇論文中，我們可以發現張先生的一個立論基礎即是人民性和階級性，特別是人民性。比如認為〈七月〉「最具有堅強的人民性」[7]，而像〈良耜〉這樣的詩，「就思想實質來說，是沒有什麼人民性的」[8]，因為像〈良耜〉、〈載芟〉是歌頌「統治階級豐收」的。[9]在分析政治諷刺詩詩，張先生還注意到〈風〉詩是來自勞動人民的最底層的，和二〈雅〉的比較，他特別注意到「作者的階級本身是不同的」。[10]在對四類詩進行分析時，張先生基本上都是確立在這樣的立場的。甚至在最後談到如〈召南〉的〈甘棠〉、〈衛風〉的〈淇奧〉等詩時，說「這些詩所歌頌的人物

6　張西堂：《詩經六論》，頁40。

7　張西堂：《詩經六論》，頁22。

8　張西堂：《詩經六論》，頁23。

9　張西堂：《詩經六論》，頁25。

10　張西堂：《詩經六論》，頁35。

必是能夠『為人民服務』的人物，所以儘管他們是封建領主或是士大夫階級，歌頌他們的詩得以流傳到今日」。[11]可能張先生此篇論文做於五〇年代，時代的影響，張先生盡可能的用了當時的特別是「人民性」的理論武器，我們可以看出他是想努力的迎合時代的要求儘量的用得嫺熟一些，但還是比較生硬。不過，也可以看出，雖然張先生在分析時貼了一些人民性和階級性的標籤，但他對詩的分析是實事求是的，是可信的。

在〈詩經的藝術表現〉這篇論文中，張西堂先生有意識的避開過去的學者「多從賦比興和雙聲疊韻的角度」，「改從新的文藝理論及民歌表現方法的角度來談」，[12]分為八項：一、概括的抒寫；二、層疊的鋪敘；三、比擬的摩繪；四、形象的刻畫；五、想像的虛擬；六、生動的描寫；七、完整的結構；八、藝術的語言。但是，賦比興的確是《詩經》藝術表現方法中太重要的一個部分，所以，張先生還是在這篇文章中花了一些筆墨來談賦比興。他引了從鄭玄、摯虞、孔穎達、朱熹、鄭樵到姚際恆的說法，首先認為「不應當將賦比興也當作詩體」。賦是直接陳述事物，比是用另外的一些事物作比擬譬喻，興不過是一個「起頭」。[13]其次，張先生不同意朱熹所謂的「興而比」、「比而興」、「賦而興」和「興而賦」的說法，認為「興而比」就是比，「興而賦」就是賦，不必另外立一些名詞。五〇年代的文學史對賦比興的解釋和定義，基本上和張先生相同。

對於八項的藝術表現，張先生在每一項中都舉出幾首詩來加以闡釋。在「層疊的鋪敘」這一項中，他特別舉出「漸層」的方法，其實也就是層遞的方法。在「比擬的摩繪」這項中，他從修辭格的角度把《詩經》的比擬分為明喻、隱喻、類喻、博喻、對喻、詳喻等六種，這就比一般的說比喻要細緻得多了。在「形象的刻畫」這項中，他分析了〈碩人〉中的衛莊姜的形象，認為寫出了「典型環境中的典型性格」，這也是他用新的文藝理論的一個嘗試。在「想像的虛擬」這項中，張先生舉出《魏風‧陟岵》的寫作方式，是

11　張西堂：《詩經六論》，頁49。

12　張西堂：《詩經六論》，頁5。

13　張西堂：《詩經六論》，頁52-53。

從對面寫來，對杜甫的〈月夜〉和王維的〈九月九日憶山中兄弟〉都產生了影響。在「藝術的語言」這項中，張先生從修辭學的角度舉出了引用、比喻、擬記、摹繪、詳密、借代等二十個格，並認為如再細分，甚至可以分為三十幾個格，每一種都有例句。在這二、三十個修辭格裡，未免有些與前面有所重複，但正是這樣的條分縷析，才可見出「《詩經》的表現手法已經達到極高度的藝術成就」。[14]對於《詩經》的藝術表現手法，舊說的確多注重賦比興，張先生從修辭學、典型形象、思維和結構特點等進行分析，在二十世紀五〇年代，真正是一種新方法的運用了。的確難能可貴。

　　在〈詩經的編訂〉這篇論文中，張先生主要探討采詩和刪詩的問題。這是幾千年以來聚頌紛紜的話題。張先生的方法是從舊說開始，一一加以辨析。關於采詩之說，張先生引古籍所載認同存在采詩之事的八說，從《禮記・王制》到《文選・三都賦序》。但張先生認為這些記載都不足深信，因為說法不同，前後不一致。而且為何有的國有詩，有的卻無詩留存。周室東遷之初，還有許多小國存在，為何無詩存留？張先生進一步提出，「古代所謂采詩之官，徇于路以采詩，當時不必有其事」。[15]但是一定有個做搜集工作的人，這就是當時的樂師。他從《論語》、《禮記》等文獻材料說明是有專人搜集的，其人就是太師。因此，張先生認定：「采詩之官，古時固然沒有，然而搜集當時詩歌的卻一定另有人在。這應當就是當時的太師，其後以訛傳訛，才發生了巡行采詩等等臆說。」[16]采詩的說法，古代典籍的記載是否可信，當然可以討論，但也未必全無來歷。張先生立論的邏輯起點，是在他第一篇論文裡說的，詩三百篇都是樂歌。《詩經》本來是當時樂師採集民歌等等入樂的。

　　關於孔子刪詩說，張先生列舉了主張刪詩和反對刪詩的幾家說法，主張刪詩的包括《史記・孔子世家》、歐陽修、王應麟《困學紀聞》、盧格等，反對刪詩的有朱熹、葉水心、蘇天爵、黃淳耀等。這是針鋒相對的兩個陣營。

---

14 張西堂：《詩經六論》，頁77。

15 張西堂：《詩經六論》，頁81。

16 張西堂：《詩經六論》，頁83。

對於後者，張先生認為反駁《史記》仍不夠充分和有力。於是再引證朱彝尊《詩論》和趙翼《陔餘叢考》詳加引說。朱彝尊反駁《史記》「孔子去其重，取其可施於禮義」和歐陽修刪章句刪字的說法，認為詩之逸，在於秦火、作者整齊章句、樂師只記其音節而亡其辭等原因造成的。而趙翼又從逸詩的數目來證實朱彝尊的說法。這些引論，對於反駁刪詩說是十分有力的。但是張先生仍不滿足，再舉鄭樵、馬端臨、趙坦、王崧等人之說，謂「正樂」即刪詩，即「去其重」之非，以方玉潤等人的說法加以駁斥。這樣的反駁，本也已相當有力了，但張先生再以己意申述五點理由，以反駁《史記》之謬。一是《史記・宋世家》說〈商頌〉是宋襄公時正考父所作，與〈孔子世家〉相矛盾；二是《史記》「去其重」的話與下文不合，去其重不是去其不可施於禮義，所去的逸詩在數量上也不符合實際，而且《史記》文字本有許多竄亂，從意義、事實、情勢三點來看，孔子去其重之說皆不可信。三是從〈孔子世家〉全文來看，也有為後人所竄亂者，其中說詩的地方，也不免竄亂，因此才會與〈宋世家〉不合，與三家之義也相違背。四是逸詩也非三百篇之逸，有的逸於孔子之前，有的逸於三百篇之後，並不是孔子刪削而後逸的。五是本無采詩之說，則古詩三千之說，自然也不可信。由此，張先生得出結論說，「現在的《詩》三百篇，就是魯太師所傳」，[17]「現在流傳的《詩經》，本是當時樂師採集入樂的樂歌，在孔子時，它在合樂演奏的過程中就已經編訂流傳，不是孔子編訂的」。[18]

　　對於〈詩經的體制〉，張先生主要討論「二南」和風、雅、頌的定義和區別。張先生認為「南」應從〈風〉詩中分出來。四詩應該是：南、風、雅、頌。而且，「嚴格地要認南、風、雅、頌這四詩的區分是從樂器或聲調來區分，我們以《詩》三百篇證《詩》三百篇，可以看出這種意見是絕對正確」。[19]張先生舉了六種對於「南」的解釋，一一甄別之後，認定「南是一

17　張西堂：《詩經六論》，頁96。

18　張西堂：《詩經六論》，頁97。

19　張西堂：《詩經六論》，頁100。

種曲調，是由於歌唱之時，伴奏的是一種形狀像『南』而現在讀如鈴的那樣
的樂器而得名，南是南方之樂，是一種唱的詩，其主要的得名的原因只是由
於南是一種樂器」。[20]在十五國風裡，周南、召南的確不像其他十三國一
樣，是具體的國名。過去說二南是周公、召公之領地，那麼為什麼它和其他
十三國不統一？這也是我們時常考慮的問題。張西堂先生這裡將二南與其他
十三國風分開來，取《詩經》本身的例證和郭沫若的考證，說明雅、南均屬
於樂器。這的確給我們以很大的啟發。

關於「風」，張先生舉了從《毛詩序》到顧頡剛共十二種說法，而贊同
風為聲調說。「風指聲調而言，〈鄭風〉就是鄭國調，〈衛風〉就是衛國調」。
[21]張先生的這個說法，為後來的學者所認同，余冠英先生就采此說。[22]關於
「雅」，張先生舉了舊說七種而贊同章炳麟的說法，雅也是一種樂器。大小
雅的分別，非政之有大小，大小雅同樣當以音別。張先生對詩之正變，也同
樣持不贊同之意見。關於「頌」，張先生引了舊說四種而基本贊同王國維的
意見，即王所說的〈頌〉之聲較〈風〉、〈雅〉為緩。但張先生認為王國維也
忽略了〈頌〉與樂器的關係。張先生認為，「〈頌〉的得名，應當也如〈南〉
〈雅〉一樣，是由於樂器。這個樂器應當是『鏞』，就是所謂的大鐘。」[23]
張先生還舉出四個理由說明「頌」即「鐘」：（一）「頌」「庸（鏞）」古字通
用；（二）從〈周頌·有瞽〉等詩可以知道祭祖所用樂器有鏞；（三）古代歌
舞也用鐘為樂器，從〈商頌·那〉篇可知；（四）頌是祭神的舞曲，宗教儀
式也多用鐘為樂器。所以「頌」即「庸（鏞）」，就是大鐘，是一種樂器。所
以〈南〉、〈雅〉、〈頌〉都是樂器，〈風〉是聲調。這樣，張先生的結論是，
四詩都是因音樂而得名，其體制就是「以音樂為詩的形式」。張先生對《詩
經》體制的研究，緊緊扣住音樂，應該說其基本的立足點是正確的。

〈關於毛詩序的一些問題〉，張先生所用的材料更為豐富。首先，對於

---

20 張西堂：《詩經六論》，頁106。

21 張西堂：《詩經六論》，頁108。

22 見余冠英：《詩經選》（北京市：人民文學出版社，1982年），頁2。

23 張西堂：《詩經六論》，頁113。

大、小序之分，張先生列舉了前人六種說法八個名稱。但是張先生同意《釋文》的說法，取消大、小序之分。至於《毛詩序》的作者，張先生綜合了前人的論述，列了十六種說法，並一一引後人有關文獻加以駁斥。為了使意思更加明白，張先生特將前人所論歸結為十點，以證明《毛詩序》之謬妄。這十點是：（一）雜取傳記；（二）疊見重複；（三）隨文生義；（四）附經為說；（五）曲解詩意；（六）不合情理；（七）妄生美刺；（八）自相矛盾；（九）附會書史；（十）誤解傳記。[24]這十點，可以看出《毛詩序》和《詩》本身、和其他的文獻如《左傳》《禮記》等的違異。最後認為「鄭樵說『《詩序》村野妄人所作』，並不是故意驚世駭俗，事實原如此」。[25]張先生這些材料和觀點，對於《毛詩序》的批駁，是相當有力的。雖然我們現在重新來審視《毛詩序》，有些問題還可以作一些商榷，特別是上海博物館發現並公佈了戰國楚竹書裡的《孔子詩論》後，對於《毛詩序》主要是「小序」，應該有一些新的體認，但張先生對《毛詩序》的梳理論述，無疑的給我們以許多啟發。

三　張西堂《詩經》研究的方法及其意義

今天我們來總結張西堂先生的《詩經》研究，有幾個方面是很值得我們注意的。

首先是張先生《詩經》研究的成果及其影響。張先生此書中關於《詩經》是中國古代的樂歌總集、關於〈南〉、〈風〉、〈雅〉、〈頌〉的體制性質，雖並非都是張先生的創見，但經過張先生的梳理論證，其結論更加可信。我們現在都認為《詩經》的時代，其實是詩樂舞一體的，這就說明《詩》三百的確是一部樂歌的總集。從春秋時期人們的用詩情況也可以證明這一點。南、風、雅、頌都是樂調，大體上也為大家所認同。當然，他認為南、雅、

---

24 張西堂：《詩經六論》，頁133-138。
25 張西堂：《詩經六論》，頁139。

頌都是樂器，似尚可商，然謂「頌」即「庸」即「鐘」，還是很有道理的。
關於孔子刪詩說，自唐代以來，已有反對者，經張先生的梳理論證，孔子不
曾刪詩之說，似無再有異議。[26]關於《毛詩序》的作者，經張先生這樣的梳
理論證，認為《毛詩序》的作者非孔子、子夏、衛宏等作，也已經比較清楚
了。至於是否村野妄人作，雖可待討論，但張先生所列舉的材料，提供了很
清晰的思路，有利於後人的探索。當然，有的問題也還有待商榷，如采詩，
古代文獻記載采詩之事，並非空穴來風，應有所依據，可以再討論。

其次，在上世紀二、三○年代起，顧頡剛、聞一多先生等對《詩經》的
文本進行了深入的分析，但總體來看，對《詩經》作品進行深入的微觀分析
還是不多的。張先生曾做過《詩經選注》，對《詩經》作品當然是非常熟悉
的。所以他的〈詩經的思想內容〉和〈詩經的藝術表現〉兩篇文章，大概作
於一九五三年到一九五六年在西北大學時期，列舉了大量的《詩經》作品，
對作品的微觀分析相當的深入細緻。如對〈騶虞〉、〈芣苢〉、〈綠衣〉、〈谷
風〉、〈氓〉、〈鶉之奔奔〉、〈鴟鴞〉、〈節南山〉、〈生民〉等等，都能夠抉微入
裡，剖析出詩歌的內涵，後來有些文學史沿用了張先生的分析。

如前所述，因了時代的原因，張先生有意識的用新的理論和方法來分析
《詩經》作品。這是難能可貴的。大家知道，在五○年代初開始，大陸的理
論界對於中國古代文學作品，特別強調所謂的人民性和階級性，以此標準去
衡定一篇作品。此外，就是所謂「典型形象」的理論。在〈詩經的思想內
容〉這篇論文裡，我們可以發現張先生是很鮮明的堅持以人民性為其分析標
準的。當然，這樣的分析，現在來看，可以看出時代的影響的痕跡，即左的
理論影響，也可以發現張西堂先生向新時代理論靠攏的努力。但是今天來
看，也不可將作品只侷限在這樣的理論視野中，否則，就有「固哉高叟」的
感覺了。比如〈良耜〉，是〈周頌〉中一首很重要的農事詩。〈良耜〉寫的是

---

26 袁行霈主編：《中國文學史》（北京市：高等教育出版社，1999年8月）第一卷第二章
〈詩經〉第一節〈詩經的編定〉中說：「孔子對『詩』做過『正樂』的工作，甚至也
可能對『詩』的內容和文字有些加工整理。但說《詩經》由他刪選而成，則是不可信
的。」，見頁61。

周王秋報社稷，其中雖寫到「婦子」即后妃和王子，而且也寫出了豐收的盛大景象，但要說它「實在看不出有絲毫農民大眾的思想實質和具體生活內容」，說「如就思想實質來說，是沒有什麼人民性的」，則顯然有些偏頗了。[27]再如〈鴟鴞〉，是一首禽言詩，母鳥訴說自己經營巢窠的辛勞和目前處境的艱苦危殆，但一定要將鴟鴞比成是惡毒的統治階級，似也未必。可以看出，張先生使用新理論是比較生硬的。也就是說一定要用這樣的理論來詮釋詩，有時並不貼切。再比如前已提及，他認為〈衛風・碩人〉的形象，「是有代表性的，是有所謂『典型環境中的典型性格』的」。[28]就〈碩人〉這首詩來說，可以看出張先生對「典型形象」的理論的理解是過於簡單化了。如果和聞一多先生相比較，就可以看出區別。聞一多對《詩經》的研究，除了用傳統的考古學、文字學、音韻學、民俗學進行考辨外，他也用了現在大家已熟悉的原型批評和文化人類學的方法。雖然那時還沒有這樣的理論名稱，但是聞一多先生實際上在運用這樣的新的方法，而不給人生硬勉強的印象。

　　第三，張西堂先生《詩經》研究的最重要的方法，還是傳統的方法。蔣立甫先生在總結戴震的《詩經》研究貢獻時說，戴震的研究方法有兩條最為重要：一是羅列比較法；二是以詩證詩法。[29]綜觀張西堂先生的《詩經》研究，也以這兩個方法最為突出，也可以說張先生繼承了乾嘉學派大師戴震的傳統。這在第一篇、第四篇、第五篇、第六篇中特別顯著。羅列比較，即先羅列歷代有代表性的說法，進行梳理分析，並提出對各家說法的意見，最後斷以己意。如前所述關於孔子刪詩說，即先列舉《史記》、歐陽修、王應麟《困學記聞》、盧格等主刪詩派之說，又舉孔穎達、朱熹、葉水心、蘇天爵、朱彝尊、趙翼、崔述、李惇等的反對刪詩說。此後，再舉鄭樵、馬端臨、趙坦、王崧四人之「正樂」即刪詩說加以分析，最後張先生自己對《史記・孔子世家》的話進行五個方面的剖析駁斥，這樣多方徵引羅列，比較分

27　張西堂：《詩經六論》，頁23。

28　張西堂：《詩經六論》，頁62。

29　蔣立甫：〈戴震詩經研究的貢獻〉《第三屆詩經國際學術研討會文集》（香港：天馬圖書有限公司，1998年），頁247。

析，反覆論證，最後得出自己的結論。在〈詩經的體制〉一文中，張先生「說南」列了六中說法，「說風」列了十二種說法，「說雅」列了七種，「說頌」列了四種，進行比對分析。對於《毛詩序》的作者，張先生也是採用這樣的方法，前已論述，此不重複。

以詩證詩法，按張先生的說法，稱「以詩三百篇證詩三百篇」或「以本經證本經」。在分析「南」與「風」不同時，他舉了許多《詩經》本身的例子，為證明「南」是樂器，他舉了〈小雅・鼓鐘〉篇，並確認：「以『以籥』證明『以雅以南』，雅南當然也屬於樂器無疑。以本經證本經再明白沒有了」。[30] 在「說雅」中，也說「由詩三百篇證詩三百篇，「雅」是決然的指樂器而言」。[31] 證明「頌」就是「鐘」，張先生也引用了〈小雅・鼓鐘〉、〈大雅・靈臺〉、〈周頌・有瞽〉、〈商頌・那〉等詩加以證明。這種方法，從《詩經》文本中去尋求解釋和答案，避免了隨意曲解的毛病，是很值得學習的。所以，張西堂先生的這種方法，體現了樸學的嚴謹扎實的學風，更值得現在的學人學習和繼承。

本文主要據張西堂先生的《詩經六論》論其《詩經》研究的成績。張先生在該書第五十頁曾言：「本篇及下篇中關於詩篇訓詁與諸家不同之處，另詳拙著《詩經選注》」。[32] 據瞭解，張先生的《詩經選注》未曾刊行，迄未得見，無法對其《詩經選注》進行評述。張西堂先生的《詩經六論》從篇幅來說並不算多，但在六篇文章中提出的結論和他所使用的研究方法，都是值得我們重視。

---

30 張西堂：《詩經六論》，頁105。
31 張西堂：《詩經六論》，頁110。
32 張西堂：《詩經六論》，頁50。

從《詩經六論》看張西堂對《詩經》的見解

鄭月梅

國立嘉義大學中國文學系講師

一　前言

　　學術論著對於學者，就像言談舉止對於個人的意義一樣。

　　就個人來說，言談舉止不只是內在心思情志的表達，也是對外在生活人事往來的回應。因此語言舉止是人們傳情達意的媒介，也是人們用以相互理解的憑藉。

　　就學者來講，學術論著，不僅是內在才學識見的表現，也是對外在生活情境感受的回應。所以學術論著是學者表達學識見解與承傳文化的媒介，也是人們用以瞭解文化與交流學問的憑藉。

　　就以張西堂的《詩經六論》為例，夏傳才先生在《二十世紀的詩經學》中，已藉著介紹張西堂《詩經六論》的篇章內容，肯定《詩經六論》的貢獻主要是在「梳理了詩經學一些重要課題的歷代爭論，提出自己的意見，為進一步研究提供端緒」；[1] 而陳文采教授則在《清末民初的《詩經》學史論》中，指出張西堂的《詩經六論》受民初新材料、新視野、新方法的啟發，對歷代以來有關《詩經》夾纏不清的基礎論題，常突破成說，提出創見，如「《詩經》為樂歌總集」的論述；運用甲骨材料分析詩、樂、舞的關係，利用金文材料解決采詩問題等。[2] 他們的觀點雖然不盡相同，卻都憑藉《詩經六論》肯定張西堂在《詩

1　詳見夏傳才：《二十世紀的詩經學》（北京市：學苑出版社，2005年），頁171-172。
2　詳見陳文采：《清末民初的《詩經》學史論》（臺北縣：花木蘭文化出版社，2007年），

經》學史上的貢獻與成就。

　　至於本文，則想透過《詩經六論》來瞭解張西堂對《詩經》的見解。《詩經》是我國流傳久遠的古籍之一，在這久遠的流傳過程中，經由歷代學人的接受與傳揚已積累了相當豐富的文化資料。生當劇變的時代，處於傳統價值信仰崩解的年代，曾認同疑古學派，又接受馬克思主義的張西堂，在研究《詩經》時，面對這些前人遺留的資料，他是如何取捨？在這些取捨中，張西堂表現了怎樣的識見？由於人的才學識見常隨著個人天賦才性的特質、生活閱歷、求學經歷、師承交遊、思想信仰的不同，與時代思潮、社會氛圍的差異，而有不同的表現和回應。因此，本文想從張西堂的生平經歷入手，藉以瞭解他的生活背景、求學經歷、交遊與信仰等，並分析《詩經六論》的內容，用以瞭解張西堂對《詩經》學統系的喜惡傾向和納棄態度，從而瞭解他對《詩經》學的見解。

二　生平經歷

　　張西堂本名政，西堂是他的字，大學畢業後以字行。祖籍湖北省漢川縣。清德宗光緒二十七年（1901）生於湖北武昌。早年曾考入北京清華學堂，後來因病輟學。一九一九年再考入山西大學國文科，於一九二三年畢業，先後執教於太原三晉高中、新民中學、斌業中學。一九二六年到北京後轉任大學教職，從此以後，雖然幾經遷移，並曾參與編纂《中華大辭典》，又曾任職四川江津國立編譯館，但最後仍回歸教職，任職大學從事教學與研究。曾先後任教於孔教大學、廣東勸勤大學、貴州大學、西北聯合大學、西北大學等校。一九六〇年二月十日病逝於西安，時年六十歲。

　　大學時期主修經、子之學，曾於一九二〇年發表〈評胡適《中國哲學史大綱》〉一文，指出《中國哲學史大綱》所引史料及觀點的失誤，而受到矚目；大學畢業後，曾發表〈《尸子》考證〉、〈古書辨偽方法〉、〈諸子名誼考〉等論文。一九二九年的冬天，曾與劉盼遂（1896-1966）、王重民（1903-1975）、孫楷第

（1898-1986）、謝國楨（1901-1982）、王靜如（1903-1990）、羅根澤（1900-
1960）、孫海波（1910-1972）、蕭鳴籟、齊念衡、莊尚嚴、傅振倫（1906-
1999）等人發起組織「學文」學社。由於學術志趣和喜好與顧頡剛（1893-
1980）相近，自一九三一年九月相識於黃仲良的午宴後，兩人就引為同道，時
相往來。在學術上，互相認同、彼此支持；張西堂為顧頡剛所輯校的鄭樵《詩
辨妄》作〈序〉，為《辨偽叢刊》點校廖平《古學考》；而他所寫的〈《左氏春秋
考證》序〉、〈《陸賈新語》辨偽〉、〈《尸子》考證〉、〈《荀子‧勸學篇》冤詞〉，
也被顧頡剛編入《古史辨》中。在生活上，張西堂曾因時局緊急，請求借住顧
頡剛的禹貢學會；一九三六年與黃佩結婚時，也請顧頡剛當他們的介紹人。一
九六〇年二月十日張西堂因肺病逝世，八天後才看到西北大學寄來訃聞的顧頡
剛，在《日記》上寫下：「老友又弱一個」。[3] 由此可見，張西堂與顧頡剛不只是
學術同道，也是人生道上友誼深厚經得起歲月變遷、人事變化、地理空間的隔
閡的朋友。

　　另外，張西堂在從事教學業務與學術活動中，也結識了吳承仕（1884-
1939）、黃松齡（1898-1972）、譚丕謨（1899-1958）、呂振羽（1900-1980）、黎
錦熙（1890-1978）等信仰馬克思主義的學者，還與他們結為至交好友。又在他
們的影響下，接受了馬克思主義，並曾引用以作為學理論據。如一九三四年十
月發表在《師大月刊》上的〈詩三百篇之詩與樂之關係〉和一九三七年四月發
表在《史學集刊》上的〈荀子真偽考〉，就已引用馬克思主義相關理論作為學理
論據。[4]

　　張西堂生於清末，經歷改朝換代的劇變，曾就讀北京清華學堂，讀過胡適
之的著作，對新時代的思想風潮抱持接納的態度，積極參與學術活動，又能接
受新知識，在學術思想上認同疑古派，並接受馬克思主義思想，一生著作有：
《穀梁真偽考》、《王船山學譜》、《唐人辨偽集語》、《荀子真偽考》、《王船山先
生夫之年表》、《黃梨洲年譜》、《顏習齋學譜》、《尚書引論》、《春秋六論》、《詩

3　見顧頡剛：《顧頡剛日記》（臺北市：聯經出版公司，2007年），卷9，頁31。
4　請參考：〈張西堂〉見 http://www.zwbk.org/MyLemaShow.aspx?zh-tw&lid=79610。

經六論》等。其中充分流露他考證真偽的治學精神，而考辨真偽也成為他的著作的基本格調。

三　成書經過與書目特色

《詩經六論》是張西堂累積前後五年講授《詩經》所得的學識結晶。書中收錄〈《詩經》是中國古代的樂歌總集〉、〈《詩經》的思想內容〉、〈《詩經》的藝術表現〉、〈《詩經》的編訂〉、〈《詩經》的體制〉、〈關於《毛詩序》的一些問題〉等六篇論文。其中有的是張西堂於一九三一年到一九三三年在武漢大學教授《詩經》時寫的，有的是一九五三年到一九五六年在西北大學講授《詩經》時寫的，在一九五七年結集成書，交由上海商務印書館於同年九月出版。

這本書從教學講稿到論文發表、最後結集成書，前後跨越二十七個年頭。這二十七年中，不僅國家整體大環境歷經抗戰、勝利、內戰、政權改易的變化，就張西堂自己而言，在學術思想上，也在認同疑古派的學術觀點後，又接受馬克思主義的理論；在現實生活中，他不但離開武漢大學，後來為了逃避戰爭幾經遷移，最後安身於西北大學。隨著歲月流轉，大、小環境的變遷，內、外生活的變化，對學風趨向感受敏銳、追隨新潮思想的張西堂，在《詩經》的見解上也有一些修改：如《詩經六論》第一篇〈《詩經》是中國古代的樂歌總集〉，就是一九五五年張西堂刪改他自己在一九三四年發表的〈詩三百之詩的義意及其與樂之關係〉而成的；第五篇〈《詩經》的體制〉原名〈說南風雅頌〉，是一九五三年寫成的。第六篇〈關於《毛詩序》的一些問題〉是修改一九五七年四月發表於《人文雜誌》的〈《毛詩序》略說〉而來。

書目是書的骨架，也是作者組織心思識見、表達書寫旨意的構架。如果眼睛是靈魂之窗，是觀察、瞭解人的窗口；那麼書目就是書魂之窗，是探索作者心思識見的窗口。透過《詩經六論》的書目我們能夠窺知作者哪些訊息？

張西堂把研討《詩經》的六篇論文編輯成《詩經六論》，藉著書名清楚昭告：這是他對《詩經》的六種見解的論述。換句話說，面對歷來《詩經》的種種紛爭和討論，在他眼中只有六個議題最值得關切。其中五個議題都圍繞著

《詩經》自身，不是談論內容、思想和藝術手法，就是說明成書經過、分析體裁結構；另外一個是探討漢儒解說《詩經》的議題。可見在張西堂看來：《詩經》本身的內容才是研習《詩經》真正的關鍵與重點。也就是說，只要確實認清《詩經》的真相，對於漢儒《詩經》的解說——《毛詩序》的問題——就能徹底釐清和解除。

因此從書中篇名的訂立到目次的安排：前五篇都以《詩經》起頭，只有第一篇的篇名是結構完整的判斷句，是對《詩經》內容的整體論斷，是本書的總論也是引領其後四篇分論的總綱；其餘四篇的篇名都是短語，分別介紹《詩經》的思想內涵、藝術手法、成書經過、體裁結構，是對第一篇內容的補充與說明。最後一篇篇名以連接詞開頭，是對歷來有關《毛詩序》問題討論的總結。

由此可見，張西堂的《詩經六論》對《詩經》見解的論述雖然分六種，卻可歸納為《詩經》的真相與《毛詩序》的問題兩大類。這與疑古派《詩經》學主張「先掃除蔽障以現《詩經》真相」，將《詩經》研究的內容分為《毛詩序》的問題與《詩經》的真相兩大類的說法相同。只是張西堂特別強調：呈現《詩經》的真相以廓除《毛詩序》的問題，與疑古派《詩經》學主張：先掃除蔽障以現《詩經》真相的做法不同而已。換句話說，張西堂的《詩經六論》與疑古派《詩經》學的主張同中有異、異中有同。

四　內容分析

張西堂在大學時代就研讀過胡適之的《中國古代哲學史》[5]，接受新文化運動的思想；與顧頡剛因為彼此志趣相同、思想相近，又經常接觸、研讀相同的書籍論著，時常切磋討論，如在《詩經》學上，張西堂就曾為顧頡剛所輯校的鄭樵《詩辨妄》作〈序〉。所以張西堂《詩經六論》的見解與疑古派《詩經》學的主張有相似之處，也在情理之中。不過張西堂結集《詩經六論》時，國家政

5　按：胡適之民國八年二月出版的《中國哲學史大綱卷上》，民國十八年（1929）商務印書館「萬有文庫」重排本改名為《中國古代哲學史》。

權已改易，馬克思主義已當道，毛澤東一九四二年「在延安文藝座談會上的講話」也成為一切文藝的最高指導原則，身為馬克思主義信徒的張西堂，處身於這樣的氛圍中，對《詩經》的看法自然會與過去有所不同。

（一）《詩經》的真相

自胡適之在〈談談《詩經》〉提出「《詩經》不是一部經典」，而「是一部古代歌謠的總集」[6]以來，打破《詩經》的經學地位、恢復《詩經》文學本來的面目，就成為許多學者研究《詩經》的指導原則與方針。顧頡剛受其影響也從歌謠方面對《詩經》進行研究，在一九二三年發表〈從《詩經》中整理出歌謠的意見〉一文。文中認為：《詩經》分為風、雅、頌是因聲音與態度的關係。聲音係是演奏詩樂，態度關係是表演。大雅與頌中沒有歌謠，小雅與國風均有歌謠，但都已被樂工改造為樂章而非歌謠本來的面目。《詩經》中章節的複沓是因奏樂的關係而形成的。[7]後來為解釋魏建功〈歌謠表現法之最要緊者──重奏複沓〉[8]的質疑，又在一九二五年以〈論《詩經》所錄全為樂歌〉作答覆，顧頡剛根據：一，諸子、史傳所載春秋時的徒歌；二，《詩經》中的篇章，如〈鄘風‧桑中〉、〈王風‧揚之水〉、〈秦風‧權輿〉等；三，漢代以來的樂府，如〈吳楚汝南歌詩〉十五篇、〈齊鄭歌詩〉四篇、〈河南周歌詩〉七篇、〈吳聲歌辭曲〉一卷、〈樂府歌詩〉二十卷、〈晉歌詩〉十八卷等；四，古代流傳下來的無名氏詩篇；證明《詩經》所錄全為樂歌。[9]

張西堂受此說啟發，便結合顧頡剛〈論《詩經》所錄全為樂歌〉與「《詩經》是集合各種樂調的歌詞而成」[10]的說法，提出以「《詩經》是中國古代的一

---

6 見《古史辨》，冊3，頁383。

7 詳見顧頡剛：〈從《詩經》中整理出歌謠的意見〉，收入《古史辨》（海口市：海南出版社，2005年），冊3，頁392。

8 詳見《古史辨》，冊3，頁393-401。

9 詳見顧頡剛：〈《詩經》所錄全為樂歌〉，《古史辨》，冊3，頁403-421。

10 《古史辨‧自序》，頁27。

部樂歌總集」取代「《詩經》是中國古代的一部詩歌總集」，作為《詩經》文學
的真相。

1 《詩經》是古代的樂歌總集

　　為了證明「《詩經》是中國古代的一部樂歌總集」比「《詩經》是中國古代的
一部詩歌總集」更能表現《詩經》文學的本來面目，張西堂分三方面進行論證：

（1）以西方的文藝理論作根據

　　引用俄國馬克思主義的文藝理論學者普列哈諾夫（Plekhanov, 1856-1918）
《藝術論》中的「詩歌起源於勞動說」和英國馬克思主義的文藝理論學者喬
治・湯姆生（George Thomson）《論詩歌源流》（又名《馬克思主義和詩歌》）中
「舞蹈音樂詩歌三種藝術開頭是合一的」的說法作為理論依據。

（2）以古代文獻和當時學者的研究成果作佐證

　　大量引用古代文獻中的資料作佐證，如引用《史記・孔子世家》「《三百五
篇》，孔子皆弦歌之，以求合韶武雅頌之音」和鄭樵《通志・樂略・正聲序論》
「得詩而得聲者《三百篇》」的話，並引范家相《詩瀋・聲樂》「一言詩而樂自
寓焉」，證明古人有「詩樂本來是不分的」說法；引用馬瑞辰《毛詩傳箋通釋》
「詩皆可入樂矣」、俞正燮《癸巳存稿》「詩不可歌，則不采矣」、康有為《新學
偽經考》「詩皆入樂」和皮錫瑞《詩經通論》「古者詩教通行，必無徒詩不入樂
者」的話，證明「《詩》全入樂」；更舉顧頡剛〈論《詩經》所錄全為樂歌〉的
研究成果作證明：

> 　　春秋時的徒歌是不分章段，詞句的複沓也是不整齊的，《詩經》不然，所
> 以《詩經》是樂歌。凡是樂歌，因為樂調的複奏，容易把歌詞鋪張到多
> 方面；《詩經》亦然，所以《詩經》是樂歌。兩漢六朝的樂歌很多從徒歌
> 變來，那時的樂歌集又是分地著錄，承接著〈國風〉，所以《詩經》是樂
> 歌。徒歌是向來不受人注意的，流傳下來的無名氏詩歌亦皆為樂歌；春
> 秋時的徒歌不會特使人注意而結集入《詩經》，所以《詩經》是樂歌。[11]

11　見顧頡剛：〈《詩經》所錄全為樂歌〉，收入《古史辨》，冊3，頁421。

（3）歸納他自己的研究所得作印證

依據他自己爬梳文獻資料所得：從詩的職掌及其採集看來，《詩》三百篇應當是經過最有關係的樂師的搜集或配以管弦或變為樂歌；從舊曲的流傳、〈風〉詩的體制、風是聲調的意思與所謂鄭聲之亂〈雅〉，可見〈風〉詩並非徒歌；從商朝甲骨文有「樂」、「舞」象形字，金文中歌舞連言，以及《詩經》中許多篇章，如〈簡兮〉「公庭萬舞……左手執籥」、〈君子陽陽〉「左執翿，右招我由敖」、〈猗嗟〉「舞則選兮，射則貫兮」等，「舞」與樂器伴隨出現的情形和大、小〈雅〉中歌詩同義無別，可見當時所謂「詩」，都是可以被之管弦的樂歌，也都可見古代詩與歌舞的關係密切；從古代「樂本無經」，樂歌就是《詩》三百篇，又邵懿辰《禮經通論》有「詩為樂心，聲為樂體」的說法，可見《詩》三百篇本為樂歌；歸納為《詩經》所錄全為樂歌的四個理由：（1）由《詩》三百篇的搜集看來，《詩經》所錄當為樂歌；（2）由〈風〉詩之決非徒歌看來，《詩經》所錄當為樂歌；（3）由古代歌舞的關係看來，《詩經》所錄當為樂歌；（4）由古代「詩」「樂」的關係看來，《詩經》所錄當為樂歌；作為「《詩經》是中國古代的一部樂歌總集」的印證。

然而，張西堂所以克盡所能的論證並主張「《詩經》是中國古代的一部樂歌總集」，是發現「樂歌」可等同「樂府」，因而可轉成「《詩經》就是秦漢以前的樂府」，《詩經》與漢代樂府一樣，都是樂府官員收集各地的民歌配樂而成的，也可進而解釋為「《詩經》中的詩歌，絕大部分是來自各地的民歌。這些民歌，是來自廣大勞動群眾的最底層；是勞動人民大眾的作品，或是接近勞動人民而為勞動人民斤喜愛的作品」，這就符合一九四二年五月毛澤東「在延安文藝座談會上的講話」要求——文藝要「站在無產階級的和人民大眾的立場」。

而且藉著這句話也有助於釐清《詩經》學中許多難解的爭論，如可駁斥毛《詩》說——《詩經》的篇數包括〈小雅〉中六篇有目無辭的「笙詩」有三百十一篇——的錯誤。因為這六篇「笙詩」是器樂，不是樂歌，不能歸入《詩經》中，所以《詩經》的篇數是三百〇五篇。

總之，他是有鑑於：

> 明瞭了《詩經》全是樂歌，我們對於《詩經》的起源，《詩經》的編訂，
> 《詩經》的體制等等問題，都可以有個深刻的明了，就是關於《詩經》
> 的篇數上的問題，《詩經》的年代上的問題，這在現在看來本無多大爭
> 論，也可以獲得一比較深刻的了解。[12]

因為「《詩經》是中國古代的一部樂歌總集」[13]，不僅能從舊說新解中延伸出新
觀點、新意識，也有助於釐清歷來糾結難解的問題——除了能解決上述有關
《詩經》的來源、篇數等問題外，也能解決《詩經》的編訂和體制的問題；他
才竭盡所能的論證與大力倡導此說。

2　《詩經》的內容思想

　　胡適之在〈談談《詩經》〉中，已明確肯定《詩經》是古代的歌謠總集——
「因為《詩經》並不是一部聖經，確實是一部古代歌謠的總集，可以作社會史
的材料，可以作政治史的材料，可以作文化史的材料」[14]，卻著意強調它的史
料性功能。顧頡剛受他影響，也只注意《詩經》的史料性，他在解釋《古史
辨》的命名時說：

> 我的研究的目的總在古史一方面。一切的研究都要歸結於古史。

並且在此句下自註：

> 例如辨論《詩經》與歌謠的文字雖與古史無直接關係，但此文既為辨明
> 《詩經》的性質，而《詩經》中有古史材料，《詩經》的考定即可輔助古
> 史的考定……[15]

由此可見《詩經》有兩個意涵：一是作者書寫時想抒發的意涵，一是讀者所領
會或接受的意涵。前者隨著作品的完成就已功成身退，而後者卻隨著讀者的不

12　見《六論》，頁1-2。
13　按：以下簡稱「《詩經》是古代的樂歌總集」。
14　見《古史辨》，冊3，頁383。
15　見〈自序〉，《古史辨》，冊1，頁1-2。

同興趣、思想意識、觀點立場，有不同的解說和意義。顧頡剛因為個人的史學興趣，只從史料學的觀點來解釋《詩經》。

而曾經是顧頡剛學術同道的張西堂，在信仰馬克思主義思想，奉行一九四二年五月毛澤東「在延安文藝座談會上的講話」，遵行文藝要「站在無產階級的和人民大眾的立場」的指示，他對《詩經》的觀點與看法也與顧頡剛不同。

明知：《詩經》三百〇五篇，包含西周初年到春秋中葉約五、六百年間的作品。除了人民歌詠生活感思與企望的二〈南〉和〈風〉外，還有統治階層炫耀祖德和誇耀生產事業繁盛的〈頌〉，有官員對朝廷君臣間的宴飲酬答和士大夫對政治的不滿與批評的〈雅〉。但張西堂卻以二〈南〉和〈風〉中絕大部分是民間詩歌，是人民歌唱他們的生活思想感情與企望的作品，內容比較豐富，又符合「藝術是屬於人民的，它的最深的根源，應該出自廣大群眾的最底層」的理由，只以二〈南〉與〈風〉作為探討《詩經》思想內容的主要依據，而〈雅〉、〈頌〉中，有助於比較和瞭解，又符合人民思想內容的詩篇，也附帶說明。

在西周初年到春秋中葉這五、六百年中，隨著政治環境和社會生活的變遷，人們的思想情感也有不同的變化。為方便探討與說明《詩經》的思想內容，張西堂依詩歌內容分成：關於勞動生產的詩、關於戀愛婚姻的詩、關於政治諷刺的詩和史詩及其他雜詩等四類，茲說明如下：

（1）關於勞動生產的詩

在有關勞動生產的詩中，有歌詠畋獵生活的，如二〈南〉中的〈兔罝〉、〈騶虞〉，〈鄭風〉的〈叔于田〉、〈大叔于田〉，〈齊風〉的〈還〉、〈盧令〉等六首；歌詠畜牧生活的，如〈小雅〉的〈無羊〉，〈魯頌〉的〈駉〉等二首；以及歌詠農業生活的，如〈周頌〉的〈臣工〉、〈噫嘻〉、〈豐年〉、〈載芟〉、〈良耜〉，〈小雅〉的〈楚茨〉、〈信南山〉、〈甫田〉、〈大田〉和〈豳風〉的〈七月〉等十首。其中，張西堂比較著重農業生活的分析，強調統治階層對人民勞動成果的剝削、掠奪。他認為〈豳風·七月〉最具有堅強的人民性，最能全面反映農民的生活、思想和情感，最能暴露統治階級對勞動人民的壓榨。

（2）關於戀愛婚姻的詩

歌詠戀愛婚姻的詩篇占〈風〉詩篇數的三分之一以上，張西堂認為這類詩

最能反映人民的生活思想和情感。在歌詠戀愛婚姻的詩篇中，有寫單相思的，如〈漢廣〉、〈簡兮〉、〈干旄〉等；寫兩情相好的，如〈野有死麕〉、〈桑中〉、〈靜女〉等；寫暫別的想念，如〈采葛〉、〈大車〉、〈子衿〉等；寫失戀後的心情，如〈江有汜〉、〈終風〉、〈遵大路〉等；寫女子對封建社會戀愛不自由的控訴，如〈鄘風〉的〈柏舟〉，〈將仲子〉等；寫婚後感情的篤厚，如〈君子陽陽〉、〈女曰雞鳴〉、〈出其東門〉等；寫婚後久別的想念，如〈卷耳〉、〈汝墳〉、〈草蟲〉等；寫婚後夫妻反目，女子遭受遺棄的，如〈日月〉、〈谷風〉、〈氓〉等；描寫結婚、催粧、送嫁、親迎等儀式的，如〈關雎〉、〈桃夭〉、〈鵲巢〉等；其他關於戀愛婚姻的詩，如〈行露〉、〈摽有梅〉、〈新臺〉等十種七十二首。其中如〈谷風〉、〈氓〉等詩篇，都表達對當時封建社會中婚姻制度的不滿；它們的抒情都具有強烈的人民性與強大的感染力。也有許多詩篇在不滿的情緒中，表達對當時封建社會禮教的束縛和政治上一切勞役的痛恨。

（3）關於政治諷刺的詩

在政治諷刺詩中，有咒罵統治階級的惡毒凶狠，如〈鶉之奔奔〉、〈北風〉、〈黃鳥〉、〈鴟鴞〉等；有刻畫他們的剝削貪婪，如〈葛屨〉、〈伐檀〉、〈碩鼠〉等；有暴露他們的荒淫無恥，如〈牆有茨〉、〈東方未明〉、〈相鼠〉等；有怨恨他們的勞役戰亂，如〈小星〉、〈式微〉等；有諷刺貴族傲慢無能的，如〈羔裘〉、〈候人〉；有表現人民被欺壓得無路可走想逃避而發出怨言的，如〈北門〉、〈兔爰〉、〈園有桃〉等；有寫貴族階級的沒落，如〈權輿〉；有表現亡國的悲哀，如〈葛藟〉。這些都將統治者醜惡的面貌，人民對他們的憎恨心情繪聲繪影的表達出來。其中，張西堂認為咒罵統治階級最為突出的〈鶉之奔奔〉（〈鄘風〉）是《詩經》中一首極具有高度的思想性和堅強的人民性的詩篇，〈豳風〉的〈鴟鴞〉也是具有極強烈的人民性的詩。

另外，〈節南山〉、〈正月〉、〈十月之交〉等〈小雅〉中詩篇，以及〈民勞〉、〈桑柔〉、〈瞻仰〉等〈大雅〉中詩篇則是士大夫所作的政治諷刺詩。在這類詩中，張西堂特別點出作者身分的差異，認為二〈雅〉中這些詩篇，不僅反映出西周末年、東周初年統治階層的失德貪污剝削，欺壓百姓，勞役人民，連統治階層內部的士大夫也互相欺凌、傾軋。

（4）史詩及其他雜詩

這類詩數量較少，而且詩歌的作者都不是人民，但是張西堂認為：這些詩篇中，有符合人民的愛國主義精神，是具有人民性的愛國詩篇，如〈鄘風〉的〈載馳〉、〈竹竿〉、〈泉水〉等許穆夫人的愛國詩；有可增強民族自豪心，可增長愛國主義思想的史詩，如〈大雅〉的〈生民〉、〈公劉〉、〈綿〉、〈皇矣〉、〈大明〉是周初建國的史詩；而二〈雅〉中的〈出車〉、〈采芑〉、〈江漢〉、〈六月〉、〈常武〉等反抗侵略的詩篇及〈周頌〉的〈昊天有成命〉、〈武〉、〈酌〉、〈桓〉、〈賚〉、〈般〉；〈魯頌〉的〈泮水〉、〈閟宮〉；〈商頌〉的〈玄鳥〉、〈長髮〉、〈殷武〉等頌揚先人彪炳功業的詩篇也可當史詩讀。

在上述《詩經》思想內容的探討中，張西堂透過詩歌分類、內容分析，不但特意強調人民性，也一再凸顯階級矛盾，指出統治階層對人民勞動成果的壓榨和掠奪。

3 《詩經》的藝術表現

顧頡剛曾於〈《詩經》在春秋戰國間的地位〉中說：「《詩經》是一部文學書……就應該用文學的眼光去批評牠，用文學書的慣例去注釋牠，才是正辦。」[16] 但是偏愛史學的他始終未能徹底的以文學的觀點去評論、解說《詩經》。而張西堂則不僅突破傳統學者強調字句聲韻、講求押韻的窠臼，又從寫作技巧、表現手法說明《詩經》的文學藝術特色，並且引用人稱蘇聯文學的代表、社會主義現實主義文學的奠基者高爾基（英譯 Maksim Gorky, 1868-1936）談論民歌和一般民間文藝的話：「你在這裡可以看到豐富的形象，比擬的確切，有迷人力量的樸素和形容的動人的美」來評價《詩經》的藝術成就，他說：

> 我們讀到《詩經》正可以看出這裡面一些樸素簡短的歌詞，概括了生活鬥爭的真實，刻繪了豐富多彩的形象，表達出生動活潑的情節，尤其在比興方面，一些比擬，多是唯妙唯肖，成為我們中國文學的優良傳統。[17]

---

16 見《古史辨》，冊3，頁189。

17 見《六論》，頁51。

　　他也打破長久以來傳統學者以「賦比興為詩體」的爭論，認為：賦比興是詩的作法，提出：賦是直接陳述事物的寫作方法，比是用另外的一些事物作比擬譬喻的寫作方法，興是一個起頭等看法。同時歸納《詩經》的藝術表現有：

（1）概括的抒寫

　　張西堂首先引用蘇聯文藝理論學家依・薩・畢達可夫《文藝學引論》的說法：

> 通過語言，用生動的形象，再現現實和反映生活，這是文藝的特點。反映生活的重要特點，首先是在反映中提出人所共知的生活現象的概括，其次把這些現象具體地描寫出來。[18]

作為評論《詩經》概括抒寫的藝術理論根據，並列舉《詩經》中生動的概括抒寫，其中不論是篇幅較長的詩篇，如：寫農民的悲慘生活的〈豳風・七月〉，寫棄婦心中憤怒的〈邶風・谷風〉、〈衛風・氓〉等；還是篇幅短小的精采佳作，像寫婦女勞動的〈周南・芣苢〉，寫田獵高手的〈召南・騶虞〉，寫獵人身手俐落的〈齊風・還〉，寫獵人仁勇智兼備的〈齊風・盧令〉寫思念情人的〈王風・采葛〉、〈鄭風・狡童〉、〈鄭風・褰裳〉、〈鄭風・東門之墠〉等，寫政治諷刺的〈鄘風・鶉之奔奔〉、〈鄘風・牆有茨〉、〈鄘風・相鼠〉、〈魏風・碩鼠〉等，詩人都能運用適當的語言重現生活情況並表達其特有的生活感受與情感。

　　最後以高爾基《文學論文集》〈兒童文學主題論〉的說法：

> 文體的單純及明瞭，並不是由文學的質的降低所能達到，反之，只有由真正技術熟練的結果才能達到。[19]

說明《詩經》中這些看似簡單樸實的表現手法，其實是透過生活的真實，經過用心剪裁、布置，斟酌輕重、有意識的概括才抒寫出來的。

---

18 見《六論》，頁54。
19 見《六論》，頁57。

（2）層疊的鋪敍

張西堂曾據湯姆生的「詩歌起於勞動」說論證「《詩經》是古代的一部樂歌總集」，現在又根據湯姆生《論詩歌源流》的說法：

> 勞動歌是擴大即興部分的變化而發展成功的。
>
> 在謠曲中，一節是一段樂，一聯是一個樂句，一行是一個樂詞。兩個樂詞成為一個樂句，兩個樂句成為一個樂段。每一對中的組成分子式互相補充的，類似的，而又不是相同的，這就是音樂學者所指二段體AB，……我們多數的民歌是二段體的，可是有些便更加精細。……在音樂術語中，第一樂旨之後，跟著第二樂旨再是（按：「是」疑為「次」之誤。）重複第一樂旨，這就是三段體ABA。更技巧的歌手，把第二個A唱得不僅是第一個A的重複，這是受B的影響之後新的第一個A。[20]

說明不論是像〈召南・騶虞〉、〈鄭風・狡童〉、〈鄭風・褰裳〉、〈鄭風・東門之墠〉以後章字句對前章類似意涵的補充的後章重複前章模式，還是像〈齊風・還〉、〈齊風・盧令〉只換幾個類似字眼的三章重疊模式，或是像〈周南・漢廣〉、〈鄘風・桑中〉、〈邶風・北門〉、〈王風・黍離〉三章都疊詠相同字句的模式，都是利用音樂的旋律，重疊的字句，形成「一彈再三嘆，慷慨有餘哀」的情感，以引發讀者的同情。這是民歌的特色，也是使簡短詩歌更具趣味、更有感染力的表現手法之一。

此外，在重章疊詠中，還有與簡單重疊手法不同的漸層法（也就是今日所說層遞法）如〈周南・芣苡〉、〈王風・采葛〉、〈鄭風・將仲子〉、〈魏風・碩鼠〉利用漸層法描摹詩人所要說出的景物，如〈周南・關雎〉、〈召南・摽有梅〉、〈召南・江有汜〉、〈邶風・終風〉都以漸層法配合比興的運用，寫出戀愛或婚姻成功或失敗的發展，都是在重沓疊奏時換上類似而有互補作用的文字，以凸顯客觀事物的發展的表現手法。

---

20 見《六論》，頁57。

（3）比擬的摹繪

張西堂認為《詩經》是最善於利用形象來表達思想情感的詩歌。而比擬就是利用形象表現的一種手法。他不僅引用劉勰《文心雕龍·比興》篇的說法：

> 夫比之為義，取類不常，或喻於聲，或方於貌，或擬於心，或譬於事。[21]

說明比擬沒有一定的模式，只要比擬的確切、生動，不論是聲音相貌，或是一般事物都可用以比擬。所以《詩經》中有各式各樣確切又生動的比擬，如：〈魏風·碩鼠〉以碩鼠比喻剝削階級的貪而畏人，〈豳風·鴟鴞〉以鴟鴞比喻統治階級的凶狠惡毒，〈小雅·正月〉以虺蜴比喻一般官吏行凶作惡，〈周南·汝墳〉以早起的飢餓比喻渴盼，〈邶風·柏舟〉以不可席捲表示意志的堅決，以「心之憂矣，如匪澣衣」形容內心的難受，〈小雅·巧言〉以「巧言如簧，顏之厚矣」形容播弄是非的人，〈召南·鵲巢〉以鵲巢鳩居形容女子出嫁，〈召南·草蟲〉以「草蟲」「阜螽」形容夫唱婦隨，〈周南·桃夭〉以桃花的鮮豔比喻少女的顏色，〈齊風·東方之日〉以日月比喻少女的顏色等。

而且《詩經》所用的比擬方法也很多，就修辭學的觀點分析，在譬喻方面《詩經》所用的比擬方法就有明喻、隱喻、類喻、博喻、對喻、詳喻等六種；在擬托方面有擬人法和擬物法兩種。如〈豳風·鴟鴞〉就是以小鳥比擬人，以小鳥的痛苦比擬人民所受的痛苦；〈周南·螽斯〉、〈周南·麟之趾〉、〈魏風·碩鼠〉都是將人比作物，而〈鄘風·相鼠〉則在比擬中更作一番比較。

同時，《詩經》運用的比擬方式也有不同的變化，有用於每一章的開頭，有用於中間作起興或作承上啟下的轉折句子，如〈衛風·氓〉中的「淇水」二句是個轉折點；也有用於一篇的首章，如〈召南·行露〉；有用於篇中的全章以承上啟下，如〈邶風·谷風〉；有用於篇末的全章作結，如〈小雅·大東〉。

比擬是將所要鋪陳的事物形象化的重要手法之一，早在兩三千年前的《詩經》就已有這樣豐富而成熟的比擬手法，確實是可貴的文學遺產。

---

21 見《六論》，頁60。

（4）形象的刻劃

除了運用概括的抒寫、比擬的手法，刻畫人物形像外，張西堂發現《詩經》中許多生動的人物畫面，是從人物獨特的形象、環境、動態、心理的面向刻畫出來的。像〈衛風・碩人〉和〈鄘風・君子偕老〉，就是從莊姜獨特的身分地位、形態膚色、穿戴服飾，所謂「典型環境中的典型性格」，用「從旁摹寫極意鋪陳」的手法來刻畫莊姜的美麗；像〈陳風・月出〉、〈秦風・蒹葭〉都是以襯托的手法，從自然的景物和環境上的描寫來烘托人物的美麗；像〈召南・野有死麕〉、〈邶風・靜女〉、〈周南・關雎〉、〈陳風・澤陂〉則從人物的言行舉止用襯托的手法，來刻畫人物的情感；像〈衛風・伯兮〉、〈王風・君子于役〉、〈秦風・小戎〉就從自然的景物和人物行為以襯托的手法，來刻畫人物的情思。

另外，像〈小雅・無羊〉、〈小雅・斯干〉、〈小雅・楚茨〉、〈小雅・賓之初筵〉等，則是通過描寫人或物真實生活中特有的行為舉動來表現人或物的特有形象與情態。

（5）想像的虛擬

虛構是文學創作很重要的寫作方法。《詩經》時代的詩人就已懂得情意相繫的人心思相應的道理，他們以他心似我心的信念，從對方下筆，揣想他對自己的懷念表達自己思念他的情懷。如：想像丈夫辛苦的行役生活以表達自己的思念情懷的〈周南・卷耳〉，想像父母家人對自己從軍出征的掛念以表達自己對父母的思念的〈魏風・陟岵〉，揣想家人迎歸的情景表達自己近鄉情怯的情感的〈豳風・東山〉，想像歸鄉情景表達思歸之情的〈衛風・泉水〉、〈衛風・竹竿〉等，都是運用想像和臆測寫出詩人所想念的人事。這雖是本無其事的想像和臆測，卻創造了煞有介事的藝術效果，也成為詩人刻畫人物形象、表達思想的一種重要手法。

（6）生動的描寫

言談話語不僅是傳情達意的媒介，也是承載人們心性情感的符碼。不論是對話，還是獨白，都是顯現人物情態、活現人物形象的重要手法。在《詩經》中，如：描寫男女一同逃跑的〈衛風・北風〉，描寫三月上巳日男女遊春踏青的〈鄭風・溱洧〉，描寫夫婦情感篤好的〈鄭風・女曰雞鳴〉，諷刺統治階級荒淫

無恥的〈齊風・雞鳴〉等，都是運用人物對話的手法，生動表現人物的情感、透露人物的心理。像〈王風・君子陽陽〉、〈鄭風・野有蔓草〉、〈齊風・東方之日〉、〈魏風・十畝之間〉、〈檜風・隰有萇楚〉等，則是以個人獨白的方式表現人物歡愉的心情和感受。

（7）完整的結構

重章複沓是《詩經》篇章結構的特色。而在章與章之間的重複，也有許多不同的變化。就張西堂分析二〈南〉、〈國風〉的發現：二章式的詩篇多以重疊、漸層或順敘的手法來鋪敘內容。但三章式的詩篇在第二章敘述達到頂點，不能再用重疊、漸層的方法作結時，常在最後一章或最後一幕以不同的手法寫出未盡之意，如〈葛覃〉、〈野有死麕〉、〈青衿〉、〈匪風〉等；有的點出原因，如〈新臺〉、〈蝃蝀〉、〈東方未明〉等；有的加強篇中的敘述，如〈北風〉、〈大車〉、〈甫田〉等；或者只是概括的敘述，如〈女曰雞鳴〉等。這些都是以末章的變化加強詩篇的感染力，在絕筆斷章時形成更大的力量。不過，三章式的變化有時提前出現在第一章，如〈漢廣〉、〈草蟲〉、〈行露〉、〈晨風〉、〈宛丘〉、〈東門之枌〉、〈衡門〉等，都是第一章先概括說出全篇旨意，為後面詩意的發展預作準備，其作用類似引言。

四章式的詩篇，如〈鳲鳩〉、〈東山〉、〈日月〉、〈終風〉是以漸層或順序的方法進行寫作，也有只變化前、後二章的句法，但仍依據漸層或順序的手法來進行的，如〈凱風〉、〈雄雉〉；有在末章變調的，如〈綠衣〉、〈簡兮〉、〈終風〉、〈下泉〉等；而〈匏有苦葉〉、〈旄丘〉、〈泉水〉、〈竹竿〉、〈南山〉、〈載馳〉、〈候人〉等，則以「引論從結論出」的模式，透過預留的伏筆、前後的照應、次第的分明展現詩意。

五章式的詩篇，如〈關雎〉、〈邶風・柏舟〉、〈擊鼓〉、〈葛生〉等，都符合詩學「起、中、結」的原則，所以第三章就成為一篇的關鍵所在。六章式的詩篇，如〈谷風〉、〈氓〉等則以「引論由結論出」的模式組成，第三、四章就成為引起結論的關鍵。八章式的詩篇，如〈七月〉，則以「首尾圓合，條貫統序」的模式組成。

由上可見，《詩經》篇章布局的精細與篇章結構的多樣性。

（8）藝術的語言

語言是文學的基本元素。文學是一種藝術，文學的語言是藝術的語言。對於《詩經》的語言藝術表現，張西堂不僅認同劉勰《文心雕龍‧物色》篇的評論：

> 詩人感物，聯類不窮。流連萬象之際，沈吟視聽之區。寫氣圖貌，既隨物以宛轉；屬采附聲，亦與心而徘徊。故「灼灼」狀桃花之鮮，「依依」盡楊柳之貌；「杲杲」為日出之容；「瀌瀌」擬雨雪之狀；「喈喈」逐黃鳥之聲；「喓喓」學草蟲之韻。「皎日」「嘒星」，一言窮理；「參差」「沃若」，兩字窮形。并以少總多，情貌無遺矣。[22]

又從修辭的觀點，分析《詩經》語言的修辭方式，有：引用、比喻、擬記（按：「記」當為「託」之誤）、摹繪、詳密、借代、省略、曲折、雙關、層遞、對偶、對照、列敘、復疊、問對、誇飾、奇警、詠嘆、墊拽、變換等二十種修辭，這可再細分為三十多種。並且引用高爾基「接近民間語言吧，尋求樸素簡潔健康的力量，這力量用兩三個字就造成一個形象」的話，肯定《詩經》語言的藝術表現。

雖然張西堂對《詩經》的藝術表現分別從上述八方面深入剖析，但他認同「在每個真正的藝術形象裡，在每部著名文學裡都有著概括和個性化」，所以主張：《詩經》的藝術表現不能專從手法上來說，必須結合詩篇的思想情感來體會、鑑賞。

4 《詩經》的編訂

雖然已呈現《詩經》文學的本來面目，但是想要破解《詩經》的經典地位，還須解除它與聖人的關係。要解除它與聖人的關係，就要解除孔子刪《詩》說，否定《詩經》是孔子編訂的。可是想要破除孔子刪《詩》說的信仰，除了否定《詩經》是孔子編訂的外，還須確認是編訂《詩經》的人。否

---

22 見《六論》，頁74。

則，就如張西堂所說的：

　　《詩》三百篇……決不是偶而碰上了一個文學之士錄而傳之的。[23]

因此，張西堂在〈《詩經》的編訂〉中，除了否定孔子刪《詩》說，也探討采詩的問題，以解決歷來有關《詩經》來源的爭論。

（1）孔子刪《詩》辨

　　在否定孔子編訂《詩經》的問題上，他採取正本清源的作法：

　　甲・正本之道——以孔子的話證明孔子沒有刪《詩》

　　他接受錢玄同「求真孔學祇可專據《論語》」的說法[24]，以《論語》所載孔子反魯正樂前自己說過：「《詩》三百」的話，而且孔子反魯正樂時已經六十九歲，說明在孔子正樂時《詩經》的篇數已確定，在孔子的時代《詩》三百是事實，也是當時社會共識，證明孔子沒有刪《詩》，以否定孔子刪《詩》說。

　　乙・清源之道——以否定傳說的根源證明孔子沒有刪《詩》

　　孔子刪《詩》說出自漢代司馬遷的《史記・孔子世家》「古者《詩》三千餘篇，及至孔子去其重」，這三千多篇古代的《詩》是采詩官從民間采來的，是孔子刪去其中重複的詩篇，才成了《詩經》三百篇。張西堂根據這條線索，逐一破解。

　　（甲）否定《史記・孔子世家》采詩之說

　　他蒐集古書中所有關於采詩的記載和說法，發現古書所載有關采詩的八種說法，對「采詩之人」、「采詩之時」、「采詩的方式」說法都不同，認為這可能是傳聞不同所致，並據以說明這正是「古代并無定制，且無明據，因此才眾說不一」，來判定采詩之說不足深信。由此間接證明司馬遷《史記・孔子世家》的說法不可信，用以否定孔子刪《詩》說。

　　（乙）否定《史記・孔子世家》孔子刪《詩》說

　　他據前人統計群經諸子所引逸詩的數量不及存詩十分之一，並比較逸詩和

---

23 見《六論》，頁81-82。

24 見錢玄同：〈論今古文經及辨偽叢書書〉，收入《古史辨》，冊1，頁41。

《詩經》的詞彙、用韻也不相似，說明《史記・孔子世家》「古者《詩》三千餘篇，及至孔子去其重」的說法與事實不合，是不可信的；再看《史記・孔子世家》「古者《詩》三千餘篇，及至孔子去其重，取其可施於禮義」的記載，上下文意不合：因為「去其重」的意義不等於「取其可施於禮義」（也就是說，「去其重」的意義不等於「去其不可施於禮義」）；又就古詩三千餘篇而言，要樂師矇瞍全部諷誦，在情勢上是有困難的。如若其中十篇有九篇重複，也不必等孔子，樂師矇瞍自己就會刪去重複的篇章。因此，《史記・孔子世家》「去其重」的說法不可信。

（丙）否定《史記・孔子世家》的記載

他比對《史記・孔子世家》：「古者《詩》三千餘篇，及至孔子去其重，取其可施於禮義，上采契后稷，中述殷、周之盛，至幽、厲之缺」把〈商頌〉當作商代的詩，與《史記・宋世家》正考父作〈商頌〉的說法互相矛盾；又採康有為《新學偽經考》、崔適《史記探源》「《史記》有後人竄亂」的說法，判定世傳的「刪詩說」所根據的《史記・孔子世家》的文字必是後人所竄亂。因而否定《史記・孔子世家》「刪《詩》說」的記載，也否定孔子刪《詩》的說法。

（2）采詩的人

張西堂認為「采詩之官，古時固然沒有，然而搜集當時詩歌的卻一定另有人在」，他根據《論語》中的記載，推斷那人應當就是當時的太師。他的證據是：

甲　《論語》一再說「《詩》三百」、「誦《詩》三百」，這些話都不是刪《詩》以後所說的話，可見在孔子的時代，詩的搜集己有完整的篇數，那當然也就有負責搜集的人。

乙　《論語・微子》篇有：「太師摯適齊，亞飯干適楚，三飯繚適蔡，四飯缺適秦，鼓方叔入于河，播鼗武入於漢，少師陽、擊磬襄入于海」的記載，《禮記・樂記》和諸子書中也有師乙、師曠等人的記載，因而推想「古代的樂師很多，在什麼地方有了新的歌謠，他們就可從而采之，配以管弦，好像漢代的采詩夜誦一樣」。

丙　《史記·孔子世家》說孔子曾「就太師而正〈雅〉、〈頌〉」，配合
《論語》「吾自衛反魯，然後樂正，〈雅〉、〈頌〉各得其所」的說法，推
測《詩》是太師采來的。

因此，他說：

> ……《詩經》，本是當時樂師采集入樂的樂歌，在孔子時，他在合樂演奏
> 的過程中就已經編訂流傳，不是孔子編訂的。[25]

也就是說，《詩經》是樂師將採集來的各地民間歌謠編訂後譜曲的樂歌。這不僅
解除《詩經》與聖人的關係，否定孔子刪《詩》說，破除《詩經》的經典地
位，也有助於確立他所提「《詩經》是中國古代的樂歌總集」的說法。同時表明
《詩經》的作者和採集者都不是某一時、某一地、某一人。

5　《詩經》的體制

想要徹底剷除《詩經》的經典地位，除了要切除《詩經》與聖人的關係
外，還須斷除它與政治的聯結。對於漢儒「〈風〉，〈雅〉，〈頌〉以政治分」的說
法，宋人已有不同的看法，如南宋程大昌的《詩論》就已提出「〈南〉、〈雅〉、
〈頌〉為樂詩，〈邶〉以下諸國為徒詩」，清初顧炎武也有「〈南〉、〈豳〉、
〈雅〉、〈頌〉為四詩」的說法，梁啟超也提出〈南〉、〈風〉、〈雅〉、〈頌〉四詩
說。至於〈風〉、〈雅〉、〈頌〉的區別，顧頡剛認為不是因為政治意義上的關
係，而是由於聲音和態度上的關係，他說：

> 我始終以為《詩》的分為〈風〉、〈雅〉、〈頌〉是聲音上的關係，態度上
> 的關係，而不是意義上的關係。[26]

張西堂接受梁啟超的「四詩說」，認同顧頡剛「〈風〉、〈雅〉、〈頌〉區別」說，
並參考古代文獻，辨析各家的說法，提出：

25　見《六論》，頁97。
26　見顧頡剛：〈從《詩經》中整理出歌謠的意見〉，收入《古史辨》，冊3，頁392。

（1）南是一種樂器

自《毛詩序》以來有關「南」字的六種解釋中，張西堂採納郭沫若的說法。郭沫若《甲骨文字研究》〈釋南〉分解「南」字的意義說：「南字本象鐘鎛之形，更變而為鈴」之後；又引〈小雅·鼓鐘〉篇「以雅以南，以籥不僭」中，「籥」是樂器，根據修辭原則，證明「雅」、「南」也應當都是樂器。張西堂依此總結說：

> 南是一種曲調，是由於歌唱之時，伴奏的是一種形狀像「南」而現在讀
> 如鈴的那樣的樂器而得名。南是南方之樂，是一種唱的詩，其主要的得
> 名的原因只是由於南是一種樂器。[27]

〈南〉是因為歌唱時伴奏的樂器而得名。

（2）風是腔調

從《毛詩序》以來關於「風」字的十二種說法中，張西堂接受顧頡剛〈論《詩經》所錄全為樂歌〉中「風為聲調」的說法，並引伸說明：

> 風指聲調而言，〈鄭風〉就是鄭國調，〈衛風〉就是衛國調，這正如現在
> 所用的秦腔崑腔漢調徽調京調之類，在腔調上加以地名一樣，說明各地
> 方的腔調，古之所謂諸國風。風雖然不指樂器言，但伴奏的也有樂器，
> 不是徒歌。……風，正如腔調一樣，本來是一種通稱，專指〈國風〉而
> 言，是比較後起的。[28]

這就是說，〈風〉是指歌唱時所表現的聲音腔調。

（3）雅是樂器

自《毛詩序》以來有關「雅」字的七種說法裡，張西堂根據〈小雅·鼓鐘〉「以雅以南，以籥不僭」中，「南」、「籥」都是樂器，依照修辭原則，推論「雅」應當也是指樂器。因此，認為章炳麟〈大疋小疋說上〉：雅是「狀如漆筒

---

27 見《六論》，頁106。
28 見《六論》，頁108。

而弇口，大二圍，長五尺六寸，以羊韋鞔之，有兩紐疏畫」的樂器說，最為可信，所以說：

> 由《詩》三百篇證《詩》三百篇，〈雅〉是決然的指樂器而言。[29]

又因為〈南〉、〈風〉、〈雅〉、〈頌〉是以樂器或聲調得名，張西堂認為大、小〈雅〉的區別，應該是根據音樂的不同，而不是政治意義上的分別。

（4）頌是大鐘

在《毛詩序》以後關於「頌」字的四種解釋中，張西堂認為王國維〈說商頌〉中「〈頌〉之聲較〈風〉〈雅〉為緩」的說法比較合理，但不夠明確。所以他根據：〈周頌·有瞽〉祭祖時的樂器用「鏞」、〈商頌·那〉歌舞時的伴奏樂器是「庸」，《毛傳》說：「大鐘曰庸」。張衡〈東京賦〉「鏞鼓設衡」，引用〈魯詩〉作「鏞」。又古字「頌」、「鏞」通用。因此，「庸」就是「鏞」，也就是「頌」，都是指樂器大鐘。

最後，總結上述論證說：四詩〈南〉、〈風〉、〈雅〉、〈頌〉，是依據伴奏的樂器和歌唱的聲音腔調不同而區分的。另外，又根據俄人普列哈諾夫《藝術論》中「歌謠不離韻律」說，並引用英人喬治·湯姆生（George Thmson）《論詩歌源流》「詩是音樂的內容，音樂是詩的形式」說，強調：「《詩經》的四詩應當從音樂的角度來考察，而不當從意義上來分類，或從其他其他方面來考察的。」[30] 這不只否定漢儒以來「詩分風雅頌」的說法，也有利於強化「《詩經》是中國古代的樂歌總集」的說法。

（二）《毛詩序》的問題

《毛詩序》又稱《詩序》，是解釋《詩經》各篇詩旨中，現存最早、最有系統的著作。從漢代起就對《詩經》的解釋發生影響，並成為解說《詩經》的權

---

29 見《六論》，頁110。
30 見《六論》，頁98。

威依據。但它的權威性到宋代已經受到質疑，像歐陽修的《詩本義》就曾批評《詩序》的錯誤，鄭樵的《詩辨妄》更說《詩序》是村野妄人所作，並對《詩序》全面提出檢討，結果影響其後宋人說解《詩經》不再依據《詩序》。可是明代中葉《詩序》的地位又逐漸恢復，直到清末它的可信度才再被人質疑。

　　民國十二年（1932）一月鄭振鐸在《小說月報》發表〈讀《毛詩序》〉，說：「《詩經》是中國古代詩歌的總集」，是研究「中國古代的文學，古代的社會情形乃至古代的思想」一部很好的資料。可惜被歷代重重疊疊的注疏的瓦礫掩蓋著，於是主張研究《詩經》，須先掃除傳統注疏，才能看到《詩經》的文學真相：

> 我們要研究《詩經》，便非先把這一切壓蓋在《詩經》上面的重重疊疊的注疏的瓦礫爬掃開來而另起爐灶不可。這種傳襲的《詩經》註疏如不爬掃乾淨，《詩經》的真相便永不能顯露。[31]

又指出「在這種重重疊疊，壓蓋在《詩經》上面的註疏的瓦礫裡，《毛詩序》算是一堆最沉重，最難掃除，而又必須最先掃除的瓦礫」[32]，因此說：

> 《詩序》之說如不掃除，《詩經》之真面目便永不得見。[33]

後來錢玄同寫給顧頡剛的信——〈論《詩》說及群經辨偽書〉中，也附和鄭振鐸的主張說：

> 救《詩》於漢宋腐儒之手，剝下它喬裝的聖賢面具，歸還它原有的文學真相。[34]

所以，他們都認為要恢復《詩經》的本來面目，須先掃除《毛詩序》的曲解和誤會。

　　對此，張西堂有認同的看法，也有不同的見解，他說：

---

31 見鄭振鐸：〈讀毛詩序〉，收入《古史辨》，冊3，頁242。
32 見鄭振鐸：〈讀毛詩序〉，收入《古史辨》，冊3，頁243。
33 同前註，頁245。
34 見錢玄同：〈論詩說及群經辨偽書〉，收入《古史辨》，冊1，頁69。

到了漢代，傳《詩經》的學者，為了「利祿之路」，不惜對於這部極可珍貴的文學作品也加以種種曲解，來為當時的統治階級服務。傳《魯詩》的學者如王式，可以「以三百篇當諫書」；傳《齊詩》的學者翼奉，更牽涉陰陽五行來說《詩》義，這樣子使《詩經》蒙受了許多烏煙瘴氣，使後人發生了許多曲說誤解。晚出的《毛詩》，傳其學者，「自謂子夏所傳」，其實這是說詩最迷誤人的一家。後人曾經痛恨的說到《毛》「詩序之壞詩而詩亡」。我們現在研究《詩經》，對於《毛詩》的謬妄及其有關問題，是不能不加以剖析的。[35]

因為漢儒把《詩經》當作追求個人利祿的敲門磚，隨意附會當時一些毫不相干的事物妄加在《詩經》中，造成後人對《詩經》的曲解和誤會。尤其是《毛詩序》對《詩經》的傷害，已到了無可復加的地步。所以，張西堂和他們一樣反對《毛詩序》的附會時意和穿鑿不通，也和他們一樣對《毛詩序》抱持否定的態度。

至於張西堂與他們不同的原因是：張西堂出版《詩經六論》時，與鄭振鐸、錢玄同主張「先掃除蔽障以現《詩經》真相」的時間相距已三十多年。社會經過三十多年的劇變和新文化思想的洗禮與陶冶，人們對傳統經典的信仰已經淡薄，因時制宜，張西堂認為研究《詩經》最首要的是明確的呈現《詩經》的真相：

> 《詩經》的流傳，從周初到現在，具有有三千多年的歷史；因為遭受封建社會一些腐儒的講授，不免發生一些曲解。我們現在研究《詩經》，應當將這些曲解與誤傳，一一地加以廓清。要解決這些問題，我們第一個要知道《詩經》所錄全是樂歌，《詩經》是中國古代的一部樂歌總集。這是一個基本問題。[36]

---

35 見《六論》，頁116。

36 見張西堂：《詩經六經》（上海市：商務印書館，1957年），頁1。按：以下引用簡稱《六經》。

只要人們瞭解「《詩經》是中國古代的一部樂歌總集」的真相就能清除《毛詩序》對《詩經》的曲解和附會。這是張西堂與疑古派在反對《毛詩序》的作法上不同的地方。

　　因此，張西堂的《詩經六論》在呈現《詩經》的真相之後，就總集歷來所有批評《毛詩序》的說法，從三方面分條列舉《毛詩序》的謬誤與缺失：

1 從名稱入手，論證「《毛詩序》決非出於一人之手」。

　　他先從《毛詩序》的名稱入手，辨別古來有關《詩序》名稱的六種說法、八種名稱，以及有關大、小序起訖的五種說法、〈關雎〉序大、小起訖的四種說法，指出它們的繁複不合情理，並推得「《毛詩序》決非出於一人之手」的結論。

2 根據傳說，辨明《毛詩序》是漢代劉歆的黨徒所作。

　　從前人有關《毛詩序》作者的十六種說法中，辨明《毛詩序》的作者既非孔子、子夏，也不是毛公、劉歆、衛宏，而是漢代劉歆的黨徒所作。

3 綜合前人的發現，總結《毛詩序》的缺失

　　綜合前人所論有關《毛詩序》的錯誤，總結《毛詩序》有：雜取傳記、疊見重複、隨文生義、附經為說、曲解詩意、不合情理、妄生美刺、自相矛盾、附會書史、誤解傳記等十大謬妄，以證明《毛詩序》是不可信的。

　　他從作者入手，否定舊說，破除《毛詩序》的權威崇拜，再從內容說解的誤謬，消解《毛詩序》的可信度，解除《毛詩序》的權威和影響，從而解決歷來有關《毛詩序》的種種爭論。

五　結論

　　《詩經六論》雖是張西堂累積五年講授《詩經》所得的成果，但主要是為配合當時的政治要求，執行毛澤東「延安文藝座談會上的講話」指示，遵守文

藝要「站在無產階級的和人民大眾的立場」而編輯改寫六篇已發表有關《詩經》研究的論文而成的。所以,《詩經六論》是以馬克思主義思想為最高指導原則,而張西堂對於前人研究《詩經》所遺留的資料取捨的標準是:(一)須有利於馬克思主義思想的立論和解釋,(二)要有助於解決《詩經》學上的爭論問題。

又因為張西堂早年認同疑古派《詩經》學的主張:先掃除《詩經》的蔽障,再呈現《詩經》的真相。但隨著時間的變遷、學術環境的改變,以及他個人思想意識的轉移與研究動機的轉變,張西堂所關注的焦點和作法也與疑古派《詩經》學的主張不同。他主張先呈現《詩經》的真相以廓除《詩經》的蔽障。在呈現《詩經》的真相上,他以為「《詩經》是中國古代的一部樂歌總集」比「《詩經》是中國古代的一部詩歌總集」更能彰顯《詩經》的本來面目。因為前者不僅有利於馬克思主義文藝理論的「詩歌起源於勞動說」和「舞蹈音樂詩歌三種藝術開頭是合一的」的說法,而且有顧頡剛的〈論《詩經》所錄全為樂歌〉作依據。同時這也有助於解決《詩經》的作者問題、篇數的問題,和孔子刪《詩》與「四詩」的爭訟,而確定《詩經》的篇數是三百〇五篇。

因為「《詩經》是中國古代的一部樂歌總集」,所以《詩經》是先秦以前的樂府,是樂師自民間採集而來的民歌,因此《詩經》中思想富有人民性。張西堂分詩歌為:關於勞動生產的詩、關於戀愛婚姻的詩、關於政治諷刺的詩和史詩及其他雜詩四類,在分析其思想內容時不但特意強調人民性,也一再凸顯階級矛盾,指出統治階層對人民勞動成果的壓榨和掠奪。這是為迎合馬克思主義無產階級和人民大眾的立場。

至於《詩經》的藝術表現,主要從寫作技巧、修辭方法和寫作技巧方面,依據馬克思文藝理論,說明其語言藝術表現的成就,並指出《詩經》的藝術表現必須結合詩篇的思想情感來體會和鑑賞。而張西堂也是第一個引用馬克思主義文藝理論解說《詩經》的藝術手法與成就的第一人。

張西堂依據《論語》中的資料,推斷《詩經》是樂師採集來的各地民間歌謠編訂後譜曲的樂歌。而且《詩經》的作者和採集者都不是某一時、某一地、某一人。《詩經》的體制分〈南〉、〈風〉、〈雅〉、〈頌〉四詩,是依據伴奏的樂器

和歌唱的聲音腔調不同而分，並以英人喬治‧湯姆生《論詩歌源流》的「詩是音樂的內容，音樂是詩的形式」作證明。

而他所要廓除的《詩經》蔽障就是《毛詩序》的說法。他綜合前人所論有關《毛詩序》的錯誤，總結《毛詩序》有：雜取傳記等十大謬妄，證明《毛詩序》的不可信。

張西堂這些見解，多不是他個人的創見，而是依據馬克思主義思想的需要，吸取當時學人研究的新成果，運用馬克思主義文藝理論，參酌歷代相關的說法，所提出的見解，不僅解決一些爭訟難解的問題，也提出馬克思主義意識形態的《詩經》說解。

編者簡介

總策畫

林慶彰

　　臺灣臺南人，一九四八年生。東吳大學中國文學研究所碩士、國家文學博士。現任中央研究院中國文哲研究所研究員、東吳大學中國文學系兼任教授。專研經學、日本漢學、圖書文獻學。著有《明代考據學研究》、《明代經學研究論集》、《清初的群經辨偽學》、《學術論文寫作指引》、《中國經學研究的新視野》、《偽書與禁書》等十餘種。主編有《經學研究論著目錄》、《日本研究經學論著目錄》、《清領時期臺灣儒學參考文獻》、《日據時期臺灣儒學參考文獻》、《民國時期經學叢書》、《經學研究論叢》、《國際漢學論叢》等五十餘種。另有學術論文兩百餘篇。

蔣秋華

　　四川省遂寧縣人，一九五六年生。國立臺灣大學中國文學研究所碩士、博士。現任中央研究院中國文哲研究所副研究員，國立臺灣大學中國文學系、淡江大學中國文學系兼任副教授。專研《尚書》學、《詩經》學。著有《二程詩書義理求》、《宋人洪範學》、《沈括——中國科學史上的座標》等書。主編有《晚清經學研究目錄》、《李源澄著作集》、《張壽林著作集》等書。另有〈焦廷琥《尚書申孔篇》初探〉、〈韓愈詩之序議考〉、〈劉克莊商書講義析論〉、〈顧棟高《尚書質疑》撰作小考〉等學術論文數十篇。

分冊主編

楊晉龍

　　臺灣臺南人，一九五一年出生於高雄縣阿蓮鄉阿蓮村信興磚瓦廠。臺北市私立延平高中夜補校畢業、國立臺灣大學夜中國文學系學士、國立高雄師範學院國文所碩士、國立臺灣大學中國文學研究所博士。曾任磚瓦廠工人、水電工、修車工、反循環樁基礎工程作業員、臺北榮總護理佐理員及高中國文教師等，現為中央研究院中國文哲研究所研究員、國立高雄師範大學經學研究所、國立臺北大學中文系合聘教授。研究專業為詩經學、四庫學、治學方法、錢謙益研究、傳統教育思想等。著有《錢謙益史學研究》、《明代詩經學研究》、《治學方法》與學術論文數十篇。

臺灣高等經學研討論集叢刊　　0502005

變動時代的經學與經學家——民國時期（1912-1949）經學研究

總 策 畫	林慶彰、蔣秋華
主　　編	楊晉龍
責任編輯	蔡雅如

發 行 人	陳滿銘
總 經 理	梁錦興
總 編 輯	陳滿銘
副總編輯	張晏瑞
編 輯 所	萬卷樓圖書股份有限公司
排　　版	浩瀚電腦排版股份有限公司
印　　刷	百通科技股份有限公司
封面設計	斐類設計工作室

發　　行　萬卷樓圖書股份有限公司
　　　　　臺北市羅斯福路二段 41 號 6 樓之 3
　　　　　電話 (02)23216565
　　　　　傳真 (02)23218698
　　　　　電郵 SERVICE@WANJUAN.COM.TW
大陸經銷　廈門外圖臺灣書店有限公司
　　　　　電郵 JKB188@188.COM

ISBN 978-957-739-871-0

2014 年 12 月初版

定價：22000 元（全七冊不分售）

如何購買本書：

1. 劃撥購書，請透過以下郵政劃撥帳號：
　　帳號：15624015
　　戶名：萬卷樓圖書股份有限公司
2. 轉帳購書，請透過以下帳戶
　　合作金庫銀行　古亭分行
　　戶名：萬卷樓圖書股份有限公司
　　帳號：0877717092596
3. 網路購書，請透過萬卷樓網站
　　網址 WWW.WANJUAN.COM.TW

大量購書，請直接聯繫我們，將有專人為您
服務。客服：(02)23216565 分機 10

如有缺頁、破損或裝訂錯誤，請寄回更換

國家圖書館出版品預行編目資料

變動時代的經學與經學家 : 民國時期
（1912-1949）經學研究 / 林慶彰, 蔣秋華總
策畫. -- 初版. -- 臺北市 : 萬卷樓,
2014. 12
　　冊 ;　　公分. --（經學研究叢書. 臺灣高等
經學研討論集叢刊）

ISBN 978-957-739-871-0(全套 : 精裝)
1. 經學 2. 文集
090.7　　　　　　　　　　　103008278